1 MONTH OF
FREE
READING

at
www.ForgottenBooks.com

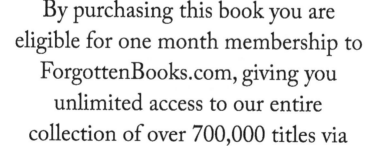

By purchasing this book you are
eligible for one month membership to
ForgottenBooks.com, giving you
unlimited access to our entire
collection of over 700,000 titles via
our web site and mobile apps.

To claim your free month visit:

www.forgottenbooks.com/free763061

ISBN 978-0-260-28428-0
PIBN 10763061

ARCHIV

FÜR DAS

STUDIUM DER NEUEREN SPRACHEN

UND LITERATUREN

———

BEGRÜNDET VON LUDWIG HERRIG

HERAUSGEGEBEN

VON

ALOIS BRANDL UND HEINRICH MORF

———

LX. JAHRGANG, CXVI. BAND
DER NEUEN SERIE XVI. BAND

———— ✠ ————

BRAUNSCHWEIG

DRUCK UND VERLAG VON GEORGE WESTERMANN

1906

Inhalts-Verzeichnis des CXVI. Bandes,

der neuen Serie XVI. Bandes.

Abhandlungen.

Seite

Zur Entstehung des Märchens. Von Friedrich von der Leyen. V. (Forts.) 1
Heimat und Alter der eddischen Gedichte. Das isländische Sondergut. Von
Andreas Heusler. 249
Zur Entstehung des Märchens. Von Friedrich von der Leyen. VI.
(Schlufs) 282

Die Burghsche Cato-Paraphrase. Von Max Förster. II. (Schlufs) . . . 25
Zur Herkunft von ne. *slang*. Von O. Ritter 41
Altenglische Predigtquellen. I. Von Max Förster 301

Studien zur fränkischen Sagengeschichte. III. Von Leo Jordan 50
Note sul Boccaccio in Ispagna nell' Età Media. Di Arturo Farinelli. III.
(Fortsetzung) 67
Zur Geschichte der Französischen Akademie. Von M. J. Minckwitz . . 315
Sur 'les Contemplations' de Victor Hugo. Par Eugène Rigal 327
Cervantes et le troisième Centenaire du 'Don Quichotte'. Par Alfred
Morel-Fatio. 340

Kleinere Mitteilungen.

Die Bedeutung der Wörter Himmel und Himmelreich. (Franz Branky) 362
Zu 'N. Praun und P. Collenuccio', Arch. CXV 22 ff. (Adolf Hauffen) . 367

Kleinigkeiten zur englischen Wortforschung. (Eilert Ekwall) 97
Zu John Heywoods 'Wetterspiel'. (F. Holthausen) 103
Ne. *rape* und *riding* 'Bezirk'. (Erik Björkman) 105
Die Lösung des ae. Prosarätsels. (Max Förster) 367
Die Aussprache des ne. *aw*. (F. Holthausen) 371
Etymologien. (F. Holthausen) 371
Beiträge zur Quellenkuude der me. geistlichen Lyrik. I. (F. Holthausen) 373
Ein englisches Kinderlied. (L. Kellner) 374
Das Liederbuch MS. Rawlinson Poet. 185. (A. E. H. Swaen) 374

IV

Nachträge zu dem Aufsatz 'Quellen und Komposition von Eustache le Moine',
  diesen Roman und hauptsächlich den 'Trubert' betreffend. (Leo Jordan) 375
Der Infinitiv als voranstehendes Subjekt. (H. Engel) 382

Sitzungen der Berliner Gesellschaft für das Studium der neueren Sprachen 108
Verzeichnis der Mitglieder der Berliner Gesellschaft für das Studium der
  neueren Sprachen. Januar 1906 126

Beurteilungen und kurze Anzeigen.

Gertrud Bäumer, Goethes Satyros. (Richard M. Meyer) 137
M. Beheim-Schwarzbach, Deutsche Volksreime. (Robert Petsch) . . 155
Johannes Bethmann, Untersuchungen über die mhd. Dichtung vom Grafen
  Rudolf. (Viktor Dollmayr) 135
Bibliothek deutscher Schriftsteller aus Böhmen, Bd. XI—XIV. (Robert Petsch) 152
J. F. D. Blöte, Das Aufkommen der Sage von Brahon Silvius, dem bar-
  barischen Schwanritter. (Robert Petsch) 149
G. Blumschein, Aus dem Wortschatze der Kölner Mundart. (Robert Petsch) 155
R. Dijkstra, Holländisch. Phonetik, Grammatik, Texte. (Hj. Psilander) 134
Max Drescher, Die Quellen zu Hauffs Lichtenstein. (Richard M. Meyer) 389
Aloys Dreyer, Franz v. Kobell. (Robert Petsch) 151
A. W. Fischer, Über die volkstümlichen Elemente in den Gedichten Heines.
  (Robert Petsch) 154
Jonas Fränkel, Zacharias Werners Weihe der Kraft. (Richard M. Meyer) 139
Briefwechsel des jungen Börne und der Henriette Herz. Hg. von L. Geiger.
  (Richard M. Meyer) 142
Grassl, Geschichte der deutsch-böhmischen Ansiedelungen im Banat. (Robert
  Petsch) 144
A. Rud. Jenewein, Das Höttinger Peterlspiel. — Ders., Alt-Innsbrucker
  Hanswurstspiele. (Robert Petsch) 147
O. Knoop, Volkstümliches aus der Tierwelt. (Robert Petsch) 146
Lebende Worte und Werke. (Robert Petsch) 145
O. E. Lessing, Grillparzer und das Neue Drama. (H. Löschhorn) . . . 140
Spruchwörterbuch, hg. von Franz Freiherrn von Lipperheide. Lieferung
  1 bis 4. (Robert Petsch) 384
Richard Löwe, Germanische Sprachwissenschaft. (Heinrich Spies) . . . 133
W. Meyer-Rinteln, Die Schöpfung der Sprache. (Richard M. Meyer) . 384
Cl. Brentano, Romanzen vom Rosenkranz. Hg. von Max Morris. (R. Woerner) 138
Waldemar Oehlke, Bettina von Arnims Briefromane. (Richard M. Meyer) 388
Colm. Schumann, Lübeckisches Spiel- und Rätselbuch. (Robert Petsch) . 146
Friedrich Blatz, Neuhochdeutsche Schulgrammatik für höhere Lehranstalten.
  7. Auflage, neubearbeitet von Dr. Eugen Stulz. (Viktor Dollmayr) . 391
E. Sutro, Das Doppelwesen des Denkens und der Sprache. (Richard M. Meyer) 391
Alfr. Tobler, Das Volkslied im Appenzeller Lande. (Robert Petsch) . . 146
Otto Weddigen, Die Ruhestätten und Denkmäler unserer deutschen Dichter.
  (Richard M. Meyer) 143

Karl Weinhold, Kleine mittelhochdeutsche Grammatik. 3. Auflage. (Viktor Dollmayr) 387
O. Weise, Unsere Muttersprache, ihr Werden und ihr Wesen. 5. verb. Aufl. (Robert Petsch) 154
Friedrich Hebbel, Briefe. Hg. von R. M. Werner. (Richard M. Meyer) . 390
J. Ernst Wülfing, Was mancher nicht weifs. (Richard M. Meyer) . . . 391

Emil Bode, Die Learsage vor Shakespeare. (Ernst Kröger) 178
Rudolf Dammholz, Englisches Lehr- und Lesebuch. Ausgabe B. 1. Teil. 2. verm. Aufl. (Willi Splettstöfser) 421
Shakspere's vocabulary. Its etymological elements. I. By Eilert Ekwall. (Otto L. Jiriczek) 403
Theodor Erbe, Die Locrinesage und die Quellen des pseudo-shakespearischen Locrine. (Ernst Kröger) 171
Ew. Goerlich, The British empire: its geography, history and literature. (F. Sefton Delmer) 423
J. C. G. Grasé, Idiom and grammar. (Fritz Strohmeyer) 186
A. Harnisch und John G. Robertson, Methodische englische Sprechschule. 1. Teil. (Willi Splettstöfser) 423
Casimir C. Heck, Zur Geschichte der nicht-germanischen Lehnwörter im Englischen. (Erik Björkman) 168
Thomas Hughes, Tom Brown's school days by an old boy. In gekürzter Fassung für den Schulgebrauch hg. von Hans Heim. (G. Krueger) . 178
Johnson, Samuel, Lives of the English poets, ed. by George Birkbeck Hill. (A. Brandl) 409
John Koch, Elementarbuch der englischen Sprache. 30. Auflage. Ausg. B. (Fritz Strohmeyer) 181
John Koch, Schulgrammatik der englischen Sprache. 2. verb. u. verm. Aufl. (Willi Splettstöfser) 422
E. Koeppel, Studien über Shakespeares Wirkung auf zeitgenössische Dramatiker. (Eduard Eckhardt) 406
E. Kruisinga, A grammar of the dialect of West Somerset. (Carl Scriba) 413
F. Langer, Zur Sprache des Abingdon Chartulars. (Erik Björkman) . . 168
Felix Melchior, Heinrich Heines Verhältnis zu Lord Byron. (F. Sefton Delmer) 410
E. Nader, English grammar. (Fritz Strohmeyer) 181
Franz J. Ortmann, Formen und Syntax des Verbs bei Wycliffe und Purvey. (H. Füchsel) 397
Wilfrid Perrett, The story of King Lear from Geoffrey of Monmouth to Shakespeare. (Ernst Kröger) 174
H. Poutsma, A grammar of Late Modern English. Part I. (Fritz Strohmeyer) 189
G. Robertson, s. A. Harnisch.
Der altenglische Regius-Psalter, hg. von Fritz Roeder. (Karl Wildhagen) 157
Fritz Roeder, Der altenglische Regius-Psalter. (Erik Björkman) 167
Margarete Rösler, Die Fassungen der Alexius-Legende. (A. Brandl) . . 398

Seite

Julius Zupitza, Alt- und mittelenglisches Übungsbuch. 7. verb. Aufl., bearb.
von J. Schipper. (Erik Björkman) 155
Rudolf Schoenwerth, Die niederländischen und deutschen Bearbeitungen
von Thomas Kyds Spanish tragedy. (Otto Michael) 401
Max Schünemann, Die Hilfszeitwörter in den englischen Bibelübersetzungen
der Hexapla (1388—1611). (H. Füchsel) 397
The battle of Maldon and short poems from the Saxon chronicle edited by
W. J. Sedgefield. (Eduard Eckhardt) 156
Ernst Sieper, Lydgate's Reson and Sensuallyte. Vol. II. Studies and Notes. (P.) 169
Karl Süfsbier, Sprache der Cely-Papers. (S. Blach) 399
Wilhelm Swoboda, Elementarbuch der engl. Sprache. (Fritz Strohmeyer) 183
H. Plate, Lehrgang der englischen Sprache. I. Teil: Unterstufe. 79. Auflage,
bearbeitet von G. Tanger. (Fritz Strohmeyer) 180
Arthur Ritter von Vincenti, Die altenglischen Dialoge von Salomon und
Saturn. Erster Teil. (Erik Björkman) 392
Karl Wildhagen, Der Psalter des Eadwine von Canterbury. (Erik Björkman) 163
Specimens of the Elizabethan drama from Lyly to Shirley A. D. 1580 — A. D.
1642. With introduction and notes by W. H. Williams. (Ernst Kröger) 400

J. Anglade, Deux Troubadours narbonnais, Guillem Fabre, Bernard Alanhan.
(C. Appel) 453
Paul Bastier, Fénelon Critique D'Art. (Theodor Engwer) 201
Gormond et Isembart. Reproduction photocollographique du manuscrit unique,
II 181, de la Bibliothèque royale de Belgique avec une transcription
littérale par Alphonse Bayot. (Walter Benary) 424
Carlo Bertani, Il maggior poeta sardo Carlo Buragna e il petrarchismo del
seicento. (Richard Wendriner) 464
Walter Bökemann, Französischer Euphemismus. (F. Kalepky) 206
J. Bonnard et Am. Salmon, Grammaire sommaire de l'ancien français.
(Alfred Pillet) 202
Georges Cirot, Mariana Historien. (A. Ludwig) 220
Johannes van den Driesch, Die Stellung des attributiven Adjektivs im
Altfranzösischen. (Elise Richter) 438
Ernest Dupuy, La Jeunesse des Romantiques: Victor Hugo — Alfred de
Vigny. (Eugène Rigal) 433
Alexis François, La Grammaire du Purisme et L'Académie Française au
XVIIIe siècle. (George Carel) 441
H. Heine, s. J. Pünjer.
E. Herzog, Streitfragen der romanischen Philologie. Erstes Bändchen: Die
Lautgesetzfrage. Zur französischen Lautgeschichte. (L. Gauchat) . . 194
Poésies de Guillaume IX, comte de Poitiers. Édition critique publiée avec
une introduction, une traduction et des notes par A. Jeanroy. (Adolf
Kolsen) 458
Cl. Klöpper und Herm. Schmidt, Französ. Stilistik für Deutsche. (E. Mackel) 214
J. Kühne, s. Ph. Plattner.
Otto Langheim, De Visé, sein Leben und seine Dramen. (F. Ed. Schneegans) 428

Abel Lefranc, La langue et la littérature française au Collège de France.
(Carl Voretzsch) 444
Kurt Lewent, Das altprovenzalische Kreuzlied. (Adolf Kolsen) 454
E. Lindner, Die poetische Personifikation in den Jugendschauspielen Cal-
derons. (George Carel) 465
Voltaires Rechtsstreit mit dem Königlichen Schutzjuden Hirschel, 1751. Mit-
geteilt von Wilhelm Mangold. (P. Sakmann) 429
Ph. Plattner und J. Kühne, Unterrichtswerk der französischen Sprache.
I. Teil: Grammatik. (F. Kalepky) 446
J. Pünjer und H. Heine, Lehr- und Lernbuch der französischen Sprache
für Handelsschulen. Grofse Ausgabe. 2. Aufl. (Gustav Weinberg) . 447
W. Ricken, Einige Perlen französischer Poesie von Corneille bis Coppée.
(Theodor Engwer). 448
Th. Roth, Der Einfluß von Ariosts Orlando Furioso auf das französische
Theater. (George Carel) 469
Am. Salmon, s. J. Bonnard.
P. Savj-Lopez, Storie Tebane in Italia. (Berthold Wiese) 462
Herm. Schmidt, s. Cl. Klöpper.
Gustave Simon, L'enfance de Victor Hugo. (Willibald Kammel). . . . 432
L. Herrig et G. F. Burguy, La France littéraire, remaniée par F. Tendering.
47e Edition. (Theodor Engwer) 449
Der HUGE SCHEPPEL der Gräfin Elisabeth von Nassau-Saarbrücken, nach
der Hs. der Hamburger Stadtbibliothek, mit einer Einleitung von Her-
mann Urtel. (Leo Jordan) 426
Max Walter, Der Gebrauch der Fremdsprache bei der Lektüre in den Oberklassen. (J. Block) 210

Verzeichnis der vom 29. November 1905 bis zum 8. März 1906 bei der Re-
daktion eingelaufenen Druckschriften (mit kurzen Anzeigen von: E. Oswald,
The legend of fair Helen as told by Homer, Goethe and others. —
M. Potel, Trois ans de méthode directe. — Hölzels Wandbilder: Wien. —
J. S. Clark, A study of English prose-writers. — J. C. French, The problem
of the two prologues to Chaucer's Legend of good women. — W. E.
Leonard, Byron and Byronism in America. — M. Roger, L'enseignement
des lettres classiques d'Ausone à Alcuin. — E. Muret, *Glaucus*. — Chr.
Luchsinger, Das Molkereigerät in den roman. Alpendialekten der Schweiz.
— Kr. Nyrop, Poésies françaises, 1850—1900. — P. Fink, Volkstüm-
liches aus Südburgund. — G. Paris, La littérature française au moyen
âge. — A. Piaget, La Belle dame sans Merci et ses imitations. —
M. Gerhardt, Der Aberglaube in der französ. Novelle des 16. Jahrh. —
E. Rigal, La mise en scène dans les tragédies du 16e siècle. — H. Heifs,
Studien über die burleske Modedichtung Frankreichs im 17. Jahrh. —
Th. Pletscher, Die Märchen Charles Perraults. — M. v. Waldberg, Der
empfindsame Roman in Frankreich. — E. Fueter, Voltaire als Historiker.
— K. G. Lenz, Über Rousseaus Verbindung mit Weibern. — Annales
de la Société J.-J. Rousseau. — J. Gärtner, Das *Journal Etranger*. —

Seite

Le comte de Gobineau, Deux études sur la Grèce moderne: Capodistrias;
le royaume des Hellènes. — A. Tobler, Mélanges de grammaire française.
Trad. franç. de la 2ème éd. p. M. Kuttner. — E. Burghardt, Über den
Einflufs des Engl. auf das Anglonorm. in syntakt. Beziehung. — L. Bézard,
Toponymie communale de l'arrond. de Mamers. — F. Brunot, La réforme de l'orthographe. — E. Faguet, Simplification simple de l'orthographe. — O. Schultz-Gora, Altprov. Elementarbuch. — Armana Prouvençau pèr lou bèl an de Diéu 1906. — Fr. Flamini, Avviamento allo
studio della Div. Comm. — G. A. Scartazzini, Dantologia. — E. Anzalone, Su la poesia satirica in Francia e in Italia nel secolo XVI. —
Fr. B. Luquiens, The Roman de la Rose and medieval Castilian literature. — F. Hanssen, De los adverbios mucho, muy y much) . . .   225
Verzeichnis der vom 9. März bis zum 31. Mai 1906 bei der Redaktion eingelaufenen Druckschriften (mit kurzen Anzeigen von: Mémoires de la Soc.
néophil. à Helsingfors. IV [O. J. Tallgreen, Las z y ç del antiguo castellano
iniciales de sílaba, estudiadas en la inédita Gaya de Segovia. Torsten
Söderhjelm, Die Sprache in dem altfr. Martinsleben des Péan Gatineau
aus Tours. H. Pipping, Zur Theorie der Analogiebildung]. — Fr. Panzer,
Der romanische Bilderfries am südl. Choreingang des Freiburger Münsters
und seine Deutung. — A. Cappelli, Cronologia e Calendario perpetuo. —
M. M. Arnold Schröer, Grundzüge und Haupttypen der engl. Literaturgeschichte. — Otto Jespersen, Growth and structure of the Engl. language.
— C. Alphonso Smith, Studies in English syntax. — J. Ulrich, Proben
der lateinischen Novellistik des Mittelalters. — M. Niedermann, Précis
de phonétique historique du latin. — F. Novati, Li Dis du koc di Jean
de Condé ed il gallo del campanile nella poesia medievale. — J. Ulrich,
Proben der französischen Novellistik des 16. Jahrhunderts. — Jacques
Amyot, Les Vies des hommes illustres grecs et romains. Périclès et
Fabius Maximus. — Jules Marsan, La Sylvie du Sieur Mairet. — Die
Fruchtschale, Nr. 4 [Amiels Tagebücher, deutsch von Rosa Schapire]
und 9 [Nicolas Chamfort, Aphorismen und Anekdoten, mit Essay von
H. Efswein]. — H. Taine, Sa vie et sa correspondance. Tome III. —
A. Monod, Histoire de France. — F. Le Bourgeois, Manuel des chemins
de fer. — C. Jullian, Verkingetorix. — A. Farinelli, Voltaire et Dante.
— H. Schoop, Eine Studentenkomödie Friedrichs des Grofsen. —
H. Grein, Die 'Idylles Prussiennes' von Th. de Banville. — H. Massis,
Comment Emile Zola composait ses romans. — Ch. de Roche, Les noms
de lieu de la vallée Moutier-Grandval. — S. Alge, Lezioni d'italiano. —
J. Bathe, Die moralischen Ensenhamens im Altprovenzalischen. —
A. d'Ancona, La poesia popolare italiana. — A. del Vecchio, Comme-
morazione di Augusto Franchetti con la bibliografia de' suoi scritti. —
O. Hecker, Il piccolo Italiano. — A. Morel-Fatio, Etudes sur l'Espagne.
Deuxième série. — S. Puşcariu, Etymologisches Wörterbuch der rumä-
nischen Sprache)   472

Zur Entstehung des Märchens.

(Fortsetzung.)

III. Belebungsmärchen. Nach dem Glauben des Märchens können Götter und Zauberer auch gestorbene Tiere und Menschen beleben. Weit verbreitet hat sich dieser Glaube besonders in dieser Form: wenn man die Knochen eines getöteten oder verzehrten Tieres in der gehörigen Ordnung zusammenlegt und sie weiht, so steht es wieder auf und lebt sein früheres Leben.[1] Ein buddhistisches Märchen (Jātaka 150) erzählt uns von einem Schüler, den Buddha die Kunst lehrte, Tote zu beleben, und der sich, von Stolz geschwellt, dieser Kunst vor seinen Mitschülern rühmte, als er einen toten Tiger sah. Sie warnten ihn, und als es nichts half, brachten sie sich vorher in Sicherheit. Der Tiger empfing nun sein Leben, stürzte sich brüllend auf den gelehrten Toren, verschlang ihn und fiel dann selbst wieder tot zu Boden.

Der Inder schildert wieder nicht die Belebung überhaupt, sondern den besonderen Fall, in dem sie dem Belebenden selbst zum Verderben wird. Er schildert ferner die Kunst des Meisters im Kontrast mit der angelernten und sofort ganz verkehrt angewandten des Schülers und auch den Kontrast zwischen toter Gelehrsamkeit und natürlicher Klugheit. Und alles das erscheint vor uns nicht als lehrhafte Unterweisung, sondern als mächtige, eindrucksvolle Geschichte; die Erinnerung an den Tiger, der plötzlich brüllend über den stürzt, der ihm das Leben gab, und dann wieder tot zusammenfällt, vergißt sich so leicht nicht. Die Verwandtschaft dieser Entwickelung des Tigers mit der des Geistes aus der Flasche und der der Thronfiguren, die plötzlich aufleben und nach vollbrachter Aufgabe wieder erstarren, fällt auch sofort in die Augen.

Von den genannten Kontrasten erscheint im abendländischen Märchen nur einer, der zwischen Meister und Schüler, dieser allerdings weiter und anschaulicher ausgeführt als im indischen: einmal in Belebungsmärchen,[2] worin der Schüler glaubt, er habe dem Meister die Kunst abgesehen, sich darin versucht, ohne jeden Erfolg: und als er in äußerster Bestürzung, in sicherer Erwartung des nahen Unterganges dasteht, erscheint der Meister

---

[1] Reinhold Köhler I, 296.
[2] Vgl. etwa Grimm, *KHM* 81, Bruder Lustig.

und erlöst ihn. Dann auch, und so schon in der Literatur der
Alten, in Märchen vom Typus des 'Zauberlehrlings'[1]: daſs der
Meister die Zauberformel kennt, die ihm Gewalt über die Dinge
gibt, daſs der Lehrling sie in dem Moment vergiſst, in dem er
die helfenden Geister in unscheinbare Dinge zurückverwandeln
oder in ihrer Tätigkeit Einhalt gebieten soll, und dicht vor der
Katastrophe erscheint der Meister und gebietet dem Verderben
Einhalt.[2]

Dies indische Belebungsmärchen wurde in Indien nun noch
mannigfaltiger und reicher, der eben besprochene Kontrast zwischen Meister und Schüler fiel dabei ganz aus ihm heraus. Ich
nenne von den späteren Gestaltungen zwei. Einmal die des
Pantschatantra (V, 4). Drei Brahmanen haben alle Wissenschaften
gelernt, der vierte besitzt nur Einsicht. Sie sehen die Gebeine
eines toten Löwen, der eine fügt sie zusammen, der zweite ver-
bindet sie durch Fleisch und Blut, der dritte will sie gerade beleben, da hält ihn der vierte zurück: es wird ja ein Löwe, und
er wird uns alle verschlingen. Der dritte lacht ihn wegen seiner
Unwissenheit aus, doch der Einsichtige erklettert rasch einen
Baum und sieht von dort zu, wie sich seine Prophezeiung erfüllt.

In dieser Darstellung ist aus dem einmaligen Belebungsprozeſs ein allmählicher, aus dem einen Beleber sind drei ge-

---

[1] Vgl. etwa Viehoff, *Goethes Gedichte* 261 f., Grimm, *KHM* 103, auch
Olrik, *Danmarks gamle Heltedigtning* (1903), 296 f.

[2] Dem erzählten Märchen vergleiche ich noch das folgende indische
(Vetālapañc. 6), wir kennen es durch Goethes Legende. Ein Mann hat die
Frau erhalten, nach der er sich sehnte (in einigen Versionen hat er der
Göttin das Leben versprochen, wenn sie ihn mit der Geliebten zusammen-
führe). Als er nun auf einer Reise mit der Geliebten den Tempel der Göttin
Durga betritt, opfert er sich ihr aus Dank: er schlägt sich das Haupt ab.
Sein Freund (oder der Bruder der Frau) geht ihm nach, sieht es und opfert
sich in seiner Verzweiflung auch. Die Frau, verwundert, daſs die Männer
nicht wiederkommen, betritt nun den Tempel; als sie beide tot sieht, will
sie ihnen in den Tod folgen, doch die Göttin will nicht so viel Opfer und
ruft der Armen gnädig zu, sie solle die Köpfe der beiden Männer wieder
auf den Rumpf setzen, dann erhielten sie das frühere Leben. Doch sie
ist so verwirrt und freudig erregt zugleich, daſs sie die Köpfe falsch auf-
setzt, den des Mannes auf den Rumpf des Bruders und umgekehrt. Die
beiden Wiedererstandenen streiten nun heftig um den Besitz der Frau. Sie
wird dem zugesprochen, der den Kopf hat (Oesterley, *Baital Pacchisi* 6. —
Babington, *Vedāla Cadai* [*Miscellaneous Translations from Oriental Languages*,
Vol. I, 1831]: Wer beim ersten Anblick die Frau als Gattin behandelt, ist
ihr Mann. — Iken, *Tuti Nameh* [1822] 102. — Rosen, *Tuti Nameh* [1858]
II, 169. — Zachariae, *Zs. d. V. f. Volkskunde* 11 [1901], 186; vgl. ebd. 262).
Die Grundidee des Märchens ist wieder: was der Gott vermag, dazu ist
der Mensch zu schwach, sogar das Gnadengeschenk des Gottes erzeugt in
seinen Händen Verwirrung und Zank. Diese Idee scheint wieder buddhistisch; die Geschichte, durch die sie zur Geltung kommt, ist für unseren Geschmack freilich zu ausgeklügelt und unwahrscheinlich. Aber
diese Verbindung von Tiefsinn und Spitzfindigkeit ist ja durchaus indisch.

worden. Der Löwe wächst und wird langsam vor unseren Augen, wir erfahren nicht sofort, sondern erst während der Erzählung, daſs das Tier ein Löwe ist, und dadurch erhöht sich unsere Spannung. Der wirkungsvolle Schluſs des buddhistischen wurde leider vergessen; der Kontrast zwischen natürlicher Einsicht und Bücherweisheit erscheint in anderem Zahlenverhältnis: die Bücherweisheit, die gelehrten Toren, sind, wie im Leben immer, in der Überzahl und verhöhnen den einzig Klugen.

In der Vetālapañcaviṃçati (Nr. 23, die schönste Darstellung wieder bei Somadeva) blieb auch dieser Kontrast fort, dafür ist der Belebungsprozeſs noch weiter in seine Einzelheiten aufgelöst und an vier Brüder verteilt, die einen mächtigen Löwen beleben, indem der eine zu einem gefundenen Knochen das Fleisch, der zweite zu diesem Haut und Haar, der dritte die anderen dazugehörigen Glieder und der vierte das Leben schafft. Diese Brüder, die der Löwe natürlich verzehrt, erscheinen nicht mehr als Toren, sondern als arme Narren, denen die einzige Kunst, die sie lernten, zum Verderben wird.[1]

Dies Belebungsmärchen blieb, soviel ich weiſs, in Indien, und wir beobachteten daran die uns nun vertrauten Besonderheiten der indischen Erzählungskunst, die Steigerung eines einfachen Motivs, in dem nämlich nur die Belebung erzählt ist, die dem Belebenden gefährlich wird, und die zugleich natürliche Klugheit, nicht allein erlerntes Wissen erfordert; die Vervielfältigung dieses einen Motivs, in dem die Belebung an verschiedene sich verteilt und allmählich geschieht. Die einzelnen Motive bleiben nicht alle beisammen, bald wird dies, bald jenes auf Kosten des anderen hervorgehoben. Aber die Kunst, aus den Motiven die kritischen Wirkungen herauszuholen, sie eindrucksvoll anzuordnen und gegenüberzustellen, alles im Rahmen einer ganz kurzen Geschichte, verblüfft auch hier, besonders wenn man sie in ihren Einzelheiten betrachtet.

Eine Entwickelung, die der eben vorgeführten in manchem gleicht und die auch von einem sehr ähnlichen Motiv ausgeht, war einem Menschenbelebungsmärchen beschieden: diese Entwickelung ist reicher und hat in abendländischen alten Sagen merkwürdigere Parallelen. Ich meine das Märchen von der hölzernen Jungfrau, das in Indien am kunstreichsten erzählt ist und über die Grenzen von Indien weit hinaus bis nach Böhmen drang.[2]

Zugrunde liegt der Glaube, den wir aus der Anschauung primitiver Völker ableiteten,[3] daſs die Menschen aus Bäumen entstanden oder geschaffen seien.

––– —

[1] Vgl. auch v. der Leyen, *Preuſs. Jahrbücher* 99, 69 f.
[2] Benfey, *Pantschatantra* I, 491.
[3] S. oben *Archiv* CXIV, 14 Anm. 1.

Zur Entstehung des Märchens.

In einem wahrscheinlich sehr alten [1] Bericht der Edda wird diese Schöpfung des Menschen auf verschiedene Götter verteilt: Mann und Frau liegen als leblose Baumstümpfe da, Odin, Loki und Hoenir finden sie, Odin gibt Atem, Hoenir Seele, Loki Gesicht und Farben und Glieder. [2] Den nordischen Erzähler interessiert also nicht, wie allmählich aus dem unbehauenen Baumstumpf ein äufserlich menschengleiches Gebilde wird und dies Leben erhält, dafür erscheint ihm der Vorgang der Belebung selbst so bedeutsam, dafs drei Götter ihre Kräfte hergeben müssen, um ihn zu vollenden.

Der Inder schildert umgekehrt das äufserliche Werden des Menschen und verteilt dies, wie bei der Belebung des Raubtieres, an verschiedene. Ein Mann schnitzt aus einem Baumstumpf ein Mädchen, der zweite schmückt sie, der dritte gibt ihr die charakteristischen Zeichen, der vierte haucht ihr Leben ein. [3] Und nun, als das Mädchen schön und verlockend vor ihnen steht, erhebt sich der Streit: wem gehört sie? Und um dieser schwer lösbaren, Scharfsinn erfordernden Streitfrage willen scheint das ganze Märchen überhaupt wiedergegeben.

Bis zur Vollendung des Mädchens gleicht die Entwickelung der Geschichte insofern durchaus der vorigen, als ein altes Motiv vervierfacht wird, der Belebungsvorgang allmählich ist und sich auf vier verteilt. Nun würde das Märchen bei anderen Völkern schliefsen, bei dem Inder fängt es jetzt eigentlich erst an: denn da verschiedene das Mädchen schufen, so haben auch verschiedene auf sie ein Recht.

Und diese Rechtsansprüche waren so schwer zu entscheiden, dafs der Inder das Märchen ihnen zuliebe immer noch weiter komplizierte. Ich hebe zwei Fortbildungen hervor, die beide auf indischen Vorbildern beruhen, die im Mongolischen und die im Türkischen.

Im Türkischen setzt sich der Streit fort: ein Derwisch, ein Polizeimeister und ein Kadi werden um die Entscheidung gebeten; alle sind von dem Mädchen so betört, dafs sie es für sich wollen und deswegen Lüge auf Lüge häufen, das Mädchen sei ihnen verwandt, ihnen geraubt und ähnliches. Schliefslich wird ein Gottesurteil angerufen, da tut sich ein Baum auf, an dem das Mädchen lehnt, und nimmt es wieder zu sich. Sie kehrt

---

[1] Loki erscheint darin als hilfreicher Gott; die Namen der Baummenschen Askr und Embla entsprechen ungefähr den Namen Assi und Ambri in einer alten longobardischen Sage, Grimm, D. S. 388.

[2] Vgl. v. der Leyen, *Märchen in Edda*, S. 11; Kretschmer, *Deutsche Literaturzeitung* 1899, 1278 f.

[3] Jülg, *Mongolische Märchen*, Innsbruck 1868, S. 235. Rosen, *Tuti Nameh* I, 151. Iken, S. 37. Im Türkischen sind die Beleber ein Zimmermann, ein Goldschmied, ein Schneider und ein Mönch.

dorthin zurück, von wo sie kam: denn es ist nicht gut, wenn
der Mensch sich Werke anmaſst, die nur dem Gotte gebühren.
Streit und Lüge entstehen daraus und können nur aufhören, wenn
das Geschaffene selbst verschwindet.

Das Mongolische fügt unser Märchen in ein anderes: eine
Prinzessin soll zum Reden gebracht werden. Ihr erzählt ein
König unser Märchen, sie schweigt. Da hebt einer von den Be-
gleitern des Königs, die er vorher in Altar, Lampe und Rosenkranz verwandelt, zu sprechen an, gibt selbst zu, daſs er von
Weihrauch betört sei und als lebloser Gegenstand kein Recht
zur Rede habe, und sagt absichtlich eine verkehrte Entscheidung.
Darüber — über die dumme Antwort und über das Reden dessen,
dem es nicht zukommt — ist die Prinzessin so entrüstet, daſs sie
die rechte Antwort gibt: der sie schuf, ist ihr Vater, der sie
schmückte, ihre Mutter, der sie bildete, ihr Lehrer, der sie be-
seelte, ihr Mann.[1] In dieser Fortsetzung erklimmt der indische
Scharfsinn vor unseren Augen schwindelnde Höhen: es ist einfach erstaunlich, mit welchem Geschick die geistreiche Antwort
am Schluſs vorbereitet, hinausgeschoben, durch Kontrastierung
mit der verkehrten zur Geltung gebracht und zugleich der wider-
willigen, klugen und doch betörten, Prinzessin entlockt wird.

Vergleichbar dieser Entscheidung ist eine Sage bei Hygin.

---

[1] Ähnlich im *Trône enchanté*, Lescallier 177 f. Dort ist unsere Geschichte eingeleitet durch den Rahmen der Vetâlapañc (König und Bettler,
vgl. oben *Archiv* CXV, 275 Anm. 2), die den König begleitenden Geister
verwandeln sich in Lampe, Gürtel, Gieſskanne und Bettfuſs der Prinzessin
und verlocken den König zu vier Geschichten: 1) (Lampe) die von den
Bewerbern mit wunderbaren Eigenschaften (= Vetâlapañc 5 und unten
S. 12 f.); 2) (Gürtel) die von den vertauschten Köpfen (Vetâlapañc 6 und
oben S. 2 Anm. 2); 3) (Gieſskanne) die belebte Braut (Vetâlapañc 2, in
der Fassung des Civadâsa, von der Leyen, *Ind. Märchen* 27 und 130);
4) (Bettfuſs) die hölzerne Jungfrau. Die Beleber sind Holzbildhauer,
Juwelier, Weber, Mönch. Die Entscheidung der Prinzessin, das Mädchen
solle dem Mönch gehören, ist nicht fein motiviert. Der oben *Archiv* CXV,
278 Anm. 2 betonte Zusammenhang zwischen Vetâlapañc und verzauber-
tem Thron wird durch diese Geschichten noch deutlicher — nicht weniger
als vier sind der Vetâlapañc entlehnt, und der Kunstgriff, der die Prinzessin zum Reden bringt, der Ärger über die voreiligen und dummen
Antworten der vermeintlich leblosen Gegenstände ist nur eine Steigerung
des Kunstgriffes der Vetâlapañc, in der der Vetâla manchmal dem König
durch seine falschen Entscheidungen die richtigen abnötigt. — Eine Abschwächung der alten indischen Form gibt ein modernes singhalesisches
Märchen bei Steele, *An eastern love Story* etc., London 1871; vgl. Benfey,
Kleinere Schriften III, 233. Zimmermann, Maler, Kaufmann, Juwelier
sind hier die Beleber; d. h. der Kaufmann kleidet das Mädchen, der Juwelier schmückt und belebt sie. Eine Prinzessin soll durch die Frage,
wem gehört sie, zum Sprechen gebracht werden; der Prinz, der es ihr erzählt, hat einen Begleiter in eine Lampe verwandelt, die törichte Antworten gibt, und die Prinzessin gibt die richtige: sie gehört dem Wirt,
aus dessen Holzblock sie gemacht wurde.

Die Sorge überschreitet einen Fluſs und schafft aus kreidigem
Schlamm einen Menschen. Jupiter kommt hinzu und gibt dem
Gebilde auf Bitten der Sorge Leben (*spiritum*).
Dann streiten
beide, wer dem Menschen den Namen geben dürfe, und während
des Streites erhebt sich auch die Erde: da der Mensch von ihr
genommen sei, müsse er auch von ihr den Namen erhalten. Saturn, als Schiedsrichter angerufen, entscheidet: die Sorge habe
den Menschen zuerst geschaffen, ihr solle er sein ganzes Leben
hindurch gehören, dem Jupiter gebühre der Körper, denn er habe
dem Menschen den Geist eingehaucht, und der Name des Menschen solle *homo* lauten, da er aus der Erde (*ex humo*) geschaffen sei.

Diese Sage verteilt wie die indische die Belebung an verschiedene, nur weiſs sie die Vorgänge weder anschaulich zu
schildern, noch zu steigern; der Streit ist nur ein Streit um den
Namen des Menschen, nicht um ihn selbst, die Entscheidung ist
für Jupiter unverständig, für die Erde eine leere etymologische
Spielerei, tief ist sie nur für die Sorge — und dies Motiv war
wohl auch der eigentliche Inhalt der Sage, an das sich das andere ansetzte. Gerade diese römische Sage offenbart aber die
eminente Überlegenheit der Inder in Aufbau, Steigerung und
Darstellungskunst ihrer Märchen.

IV. Märchen von Empfindlichkeit und Scharf-
sinn. Ich habe schon angedeutet, daſs Märchen, Schwänke und
Novellen gern die Gaben Empfindlicher und Scharfsinniger, Dummer und Fauler übertreiben, bewundern oder verspotten.

Timaeus [1] berichtet uns ganz ernsthaft von einem Sybariten,
der auf dem Acker Arbeiter hacken sah. Er bekam vom Zusehen einen Bruch, und als er einem anderen sein Leid klagte,
erwiderte dieser, er habe vom bloſsen Anhören Seitenstechen bekommen.

Das Indische hat einen sehr ähnlichen Schwank [2]: einer
Königin fällt ein Lotos in den Schoſs, sie wird verwundet und
ohnmächtig, einer zweiten brennen die Mondstrahlen Geschwüre
auf den Leib, und die dritte hört einen Mörser und bekommt
davon Beulen. Wer ist nun die Empfindlichste? heiſst es am
Schluſs, und den Preis erhält die letzte, weil ihre Empfindlichkeit durch das Gehör, die beider anderen erst durch die Berührung sich zeigte.

Möglich, daſs dieser Schwank von Griechenland nach Indien
kam — ebenso möglich erscheint mir freilich, daſs beide Völker
ihn unabhängig voneinander ersannen. Das bleibt auf jeden

---

[1] Müller, fr. 59. E. Rohde, *Der griechische Roman* [2] 588.
[2] Vetalapañcaviṃçati 11, Oesterley, *Baital Pacchisi* 92. 199.

Fall (und gerade das betonte Erwin Rohde nicht) dem indischen
Schwank als Vorrecht, daſs er gleich drei Fälle von Empfindlichkeit aufzählt, sie steigert und den Schwank noch zu einem letzten
Höhepunkte, der Schluſsfrage, führt. Durch sie wird der Hörer
veranlaſst, sich die drei lustigen Empfindlichkeiten noch einmal
zu vergegenwärtigen und miteinander zu vergleichen. Sogar dies
kleine Geschichtchen zeigt also die Überlegenheit der indischen
Erzählungskunst über die griechische im Märchen.

Von einem anderen Genüſsling erzählten die Griechen, er
sei voller Schwielen aufgestanden, nachdem er auf einem Lager
voller Rosenblüten geschlafen.[1] Der Inder übertreibt dies Motiv
sofort ins ganz Lächerliche: sein Empfindlicher kann die ganze
Nacht kein Auge zutun, weil unter der siebenten Matratze ein
Haar liegt, und dies drückt sich deutlich auf seinem Körper ab.
Und diesen vergleicht er wieder mit zwei anderen, zwei Brüdern:
der eine schmeckt in einem Reis einen Leichengeschmack: und
wirklich ist dieser Reis in der Nähe eines Kirchhofs gewachsen;
der andere entdeckt an einem wunderschönen Mädchen einen
Bocksgeruch: und wirklich, dieses Mädchen wurde in ihrer Jugend
einmal mit Ziegenmilch genährt. Die Schluſsfrage — sie wird dadurch vorbereitet, daſs sich die Brüder um den Vorrang ihrer
Gaben zuerst zanken — heiſst natürlich: wer war der Empfindlichste?

Von diesem Märchen haben wir nun eine Fülle von auſserindischen Fassungen, und wir können sogar den Wegen folgen,
auf denen es nach Europa eindrang: über Arabien und Byzanz
hier, über das sibirische Asien nach Nord- und Osteuropa dort.
Im 12. Jahrhundert fügte es der dänische Geschichtschreiber
Saxo Grammaticus in seine Darstellung der Hamletsage: also
schon vor dem 12. Jahrhundert sind die indischen Märchen nach
Europa gewandert.

Die verschiedenen Zusammensetzungen und Wandlungen
unseres Märchens sind schon oft geschildert:[2] seltsamerweise
bleiben die einzelnen Scharfsinns- und Empfindlichkeitsproben fast
immer unverändert. Das Märchen kann, gemäſs seiner nur in
Indien denkbaren, dort aber durch viele Parallelen bezeugten
Eigenheiten, nur in Indien entstanden sein: da es so frühzeitig
und so weit wanderte und von so vielen Völkern so begierig
aufgegriffen wurde, erkennen wir, daſs gerade die etwas aus-
geklügelten und übertriebenen Scharfsinnsproben als märchenhaft
empfunden wurden und das Wohlgefallen auſserindischer, oft ganz
barbarischer Völker erregten.

---

[1] E. Rohde, 589, Anm. 3. Aelian, *Variae Historiae* IX, 24.
[2] Vgl. Bolte, *Reise der Söhne Giaffers*, Bibl. des Lit. Vereins, Stuttgart
(1896), 208, 198; v. der Leyen, *Märchen in Edda* 71 f.; Chauvin VII, 158.

Erweitert wurden diese Scharfsinnsproben bei den Arabern und sonst noch durch eine andere, gleichfalls indischer Herkunft. Die Brüder beobachten zuerst die Spuren eines Kamels und sagen aus: es war halb mit Zuckerwerk und halb mit Getreide beladen (denn nur auf der einen Seite des Weges schwärmten die zuckerliebenden Fliegen), es war auf dem einen Auge blind (denn nur auf der einen Seite des Weges waren die Kräuter abgefressen), und es hatte keinen Schwanz (denn der Kamelkot, den das Kamel sonst durch das Wedeln seines Schwanzes zerstreut, lag auf einem Haufen[1]). Wie diese Episode entstand, ist leicht zu erraten; alle primitiven Völker — wir wissen es noch aus den Indianergeschichten unserer Jugend — haben eine merkwürdige, oft bestaunte Fähigkeit, Fußspuren zu entdecken, aus den Eindrücken festzustellen, wann der Vorbeigegangene die Spuren hinterließ, auf seine Fußbekleidung, auf das Tempo seines Ganges etc. zu schließen. Diese Fähigheit steigert das indische Märchen zu systematischer Raffiniertheit der Beobachtung — die Brüder erkennen nicht nur die Spuren, sie erkennen die bezeichnenden Eigenheiten im Aussehen des Kamels und sogar die Art seiner Ladung. Andere Völker, die für solche Erfindung nicht die Gabe hatten, erzählten das einfach wieder.

Auf einige andere Scharfsinnsproben und -märchen will ich ganz kurz hinweisen. Das Urteil Salomonis wird in Indien, wie wir wissen,[2] oft erzählt und erscheint bei den Juden vereinzelt, bei den Indern inmitten einer Fülle gleichartiger Entscheidungen. Wir haben ähnliches schon beobachtet und werden es noch beobachten: ich möchte mich auch hier so entscheiden, daß die Inder diese Geschichte, etwa wie die von dem Thron Salomos, der Königin von Saba und der Sprache der Tiere, von den Juden übernahmen und ihren Reichtum damit vergrößerten. Eine andere Entscheidung, die im Indischen auch gern erzählt wird:[3] eine Kurtisane hat ihren Liebhaber im Traum genossen und empfängt als Lohn den Schatten oder das Spiegelbild des ausbedungenen Lohnes, erzählten auch die Griechen, und die Inder haben sie wohl von ihnen. — Im Indischen unterscheidet ein kluger Minister eine Stute und ein Fohlen, die im Aussehen nicht unterschieden werden können, und ermittelt bei einem mit Edelsteinen besetzten Stabe, welches die Wurzel und welches die Spitze sei.[4] Diese Proben, durch die er seine Klugheit beweist, verhelfen ihm bei seinem König zu neuer Gnade; er war näm-

---

[1] Vgl. Bolte und v. der Leyen a. a. O. und Chauvin VIII, 106.

[2] Vgl. oben *Archiv* CXIV, 22 Anm. 3 und Benfey, *Kleinere Schriften* III, 171. 233.

[3] Vgl. oben *Archiv* CXIV, 22, Anm. 3 und Benfey, *Pantschatantra* I, 127. Ralston, *Tibetan Tales* 163.

[4] Çukasaptati *t. s.* 48. 49; *t. o.* 58.

lich verleumdet und gefangen, das wußten die Nachbarstämme
und setzten den König durch diese Fragen in Verlegenheit: er
wußte keine Auskunft und rief nach dem treuen Minister. Wir
erkennen: die Rahmenerzählung von Verleumdung und Begnadi-
gung des Ministers ist dieselbe wie die von Josef und wie die
vom weisen Heykar, auf die auch das Buch Tobias anspielt und
die später selbständig weiterlebte und -wanderte.[1] Diese Rahmenerzählung erfand sich überall von selbst, aus dem Leben, auch
außerhalb Indiens. Die Inder füllten nach ihrer Art diesen
Rahmen mit zwei Scharfsinnsproben aus, von denen die eine
wieder, wie ich schon sagte (vgl. oben *Archiv* CXV, 15), an eine
Geschichte des Königs Salomo erinnert. An diesen Scharfsinnsproben fanden die Inder selbst[2] und auch andere Völker großes
Wohlgefallen, sie wiederholten sie oft im Rahmen der Heykar-
geschichte.[3]

In einem durch ganz Europa und weiter verbreiteten Märchen
von der klugen Dirne — außer der deutschen zählt Reinhold
Köhler[4] russische, litauische, wendische, italienische, französische,
englische, finnische, nordische und auch tatarische Fassungen her,
die ältesten abendländische hat wieder das Altnordische, die Ragnar Loðbróksaga — erscheint die Forderung, ein Mädchen solle
kommen: nicht gekleidet und nicht nackt, nicht geritten, nicht
gefahren, nicht im Weg und nicht außer dem Weg (Grimm,
KHM 94) (weder bekleidet, noch unbekleidet, weder gespeist,
noch nüchtern, nicht allein, und doch soll kein Mensch sie begleiten, Ragnar Loðbróksaga). In den verschiedenen Versionen
fehlt bald die eine, bald die andere Forderung, es treten auch
an Stelle der fortgefallenen neue, aber die Entstellungen und Zusätze sind unwesentlich. Die Forderung klingt uns so seltsam
ersonnen und ausgeklügelt, daß wir auf Indien als auf ihre Heimat raten, und sie findet sich dort auch in einer Geschichte
buddhistischen Ursprungs.[5] Ein König will Reis, nicht zerstoßen
mit einem Stößel, aber nicht unzerstoßen, gekocht nicht im
Hause und nicht außer dem Hause, nicht mit Feuer und nicht
ohne Feuer, er soll geschickt werden n i c h t i m W e g u n d n i c h t
a u ß e r d e m W e g, n i c h t a m T a g, a b e r a u c h n i c h t i m
D u n k e l n,[6] nicht von einer Frau, aber auch nicht von einem

[1] Vgl. oben *Archiv* CXV, 13. Chauvin VI, 36 f.; 41 f.
[2] Benfey, *Kleinere Schriften* III, 172 f. (Dsanglun, cap. 23). — Ralston, *Tibetan Tales* 110 f.
[3] Benfey, a. a. O. 181, nennt u. a. eine walachische und eine un-
garische Fassung.
[4] *Kleinere Schriften* I, 445 f.; III, 514. Wossidlo, *Mecklenburg. Volks-
überlieferungen* I, 328.
[5] Ralston, *Tibetan Tales* 138.
[6] So auch in verschiedenen deutschen und wendischen Fassungen,
Köhler 448.

Mann, der nicht beritten, aber der auch nicht geht.
Die Kerne des Reises werden nun mit Nägeln sorgsam heraus-
geschält, auf der Schwelle des Hauses und in der Sonne gekocht,
der Mensch, der ihn trägt, geht mit einem Fuſs auf, mit dem
anderen an der Seite des Weges, der Topf, in dem der Reis ist,
wird mit einem dünnen Tuch bedeckt, so daſs ihn die Sonne
nicht bescheint, der Träger hat einen Fuſs beschuht und einen
unbeschuht und ist ein Hermaphrodit.[1]
    Daſs die europäischen Märchen aus diesem oder einem ähn-
lichen indischen Märchen schöpften, dürfen wir um so unbedenk-
licher annehmen, weil auch andere Motive aus der klugen Dirne
im Buddhistischen erscheinen. U. a. wird dort von einem Mann
verlangt, er solle Butter von Ochsen bringen. Als Antwort
schickt er einen Mann, der sich in Schmerzen windet, weil er
die Wehen habe, und als der König bei dessen Anblick ausruft:
'Das ist unmöglich!' wird ihm erwidert: 'Es ist ebenso unmöglich
wie daſs Ochsen Butter geben.' Eine andere Zumutung ist:
Stricke, aus Sand gedreht. Und die Antwort: man wolle eine
Probe dieses Stoffes sehen, dann würde man hundert Ellen lange
Stricke daraus herstellen.[2] Dem entspricht im Abendländischen:
ein König spricht ein Füllen nicht dem Eigentümer, sondern dem
Eigentümer zweier Ochsen zu, zwischen die es sich gelegt. Der
Eigentümer des Füllens fischt nun auf dem trockenen Land und
sagt: Ebenso gut wie ich im Trockenen fischen, ebenso gut kann
ein Ochse Füllen werfen. Und: aus zwei Bündel Leinen sollen
Segel und Taue und alles Nötige für ein Schiff hergestellt werden.
Als Antwort schickt man ein Stückchen Holz, daraus solle man
Rocken, Spindel, Webstuhl schnitzen. Wenn im abendländischen
Märchen die Tochter die Kluge ist, die dem ratlosen Vater die
Lösungen sagt, so hat das auch seine Analogie in manchem in-
dischen Märchen.[3]
    Der Zauberer in seiner Ekstase schickt seine Seele in den
Himmel. Dabei geben ihm die Stammesgenossen Fragen mit,
die ihm der Gott im Himmel beantworten soll. Das war, wie
wir erfuhren (oben *Archiv* CXIV, 2), Brauch bei primitiven Völ-

---

[1] Benfey erinnert (214) an die Sage von Indra und Vrtra: der sollte
getötet werden nicht durch Trockenes und nicht durch Feuchtes, nicht
durch Steine und nicht durch Holz, nicht durch Geschoſs und nicht durch
Messer, und nicht bei Tag und nicht bei Nacht: Indra bringt ihn in der
Dämmerung durch Schlamm um. — Und B. erinnert auch (216) an das
folgende griechische Rätsel (*Anthologia Palatina Appendix* 107): Es gibt
ein Rätsel, daſs ein Mann, der nicht ein Mann (Eunuch), der sah und
nicht sah (er schielte) einen Vogel, der nicht Vogel (Fledermaus), der auf
einem Holz saſs, das kein Holz (Dolde), mit einem Stein, der kein Stein
(Bimstein), warf und doch nicht warf (er traf vorbei).
[2] Chauvin VI, 40 Anm. 2.
[3] Z. B. *Çukasaptati*, t. *s.* 5 f., t. *o.* 5 f.

kern, und dieser Brauch lebte zugleich als Märchen fort. Dem
Inder war dies Märchen auch bekannt, bei seiner Vorliebe für
Scharfsinnsproben verwandelte er aber die Reise in den Himmel
in eine Reise zu einem weisen König oder Richter, und zugleich
häufte er nach seiner Art die dem Reisenden mitgegebenen
Fragen. Aufserdem kontaminierte er das Märchen mit einem
anderen: ein vom Unglück Verfolgter hat auf einer Reise Unheil
angerichtet, ohne dafs er Schuld auf sich lud. Er wird von
denen verklagt, die er schädigte, und der weise König, der
schon auf jede Frage die Antwort wufste, pariert nun noch
jede Anklage durch eine Entscheidung, die durchaus gerecht
scheint, die aber, in die Tat umgesetzt, die Ankläger noch viel
stärker schädigen würde, als sie ohnehin geschädigt sind, so dafs
sie sich lieber bei ihrem ersten Verlust beruhigen. Durch diese
Entscheidung zeigt der König dann auch, dafs der Mensch nicht
das Schicksal und den unseligen Zufall anklagen soll, wenn er sich
nicht in die unseligsten Widerwärtigkeiten verfangen will. Dies
kontaminierte Märchen, in dem nunmehr die Klugheit des Königs
ins Überirdische wächst, erzählten sich schon die Buddhisten,[1]
aufserhalb Indiens lebten die klugen Entscheidungen des
Richters als eigenes Märchen fort. Ich nenne von diesen indischen
Entscheidungen zwei: ein Armer hat von Reichen Ochsen entliehen,
er bringt sie zurück, findet die Besitzer aber beim Nachtmahl
und will sie nicht durch seine Meldung stören. Unternachts
laufen die Ochsen davon. Die Entscheidung lautet: der Ent-
leiher soll Bufse zahlen, dem Besitzer aber die Augen ausgestochen
werden, weil er nicht besser aufpafste. Unterwegs will der Be-
klagte essen, die Frau des Hauses, in das er eintritt, holt ihm
etwas, fällt auf der Treppe hin und erleidet eine Frühgeburt.
Die Entscheidung: der Übeltäter soll der Frau ein neues Kind
machen. Und so geht es fort, teils in guter Steigerung, indem
der Verzweifelte sich einen Abhang herunterstürzt, dabei aber
auf jemand anders fällt, diesen tötet, selbst aber leben bleibt.
Diese Entscheidungen nun haben sich in den vielen aufser-
indischen Varianten[2] sehr wenig geändert. — Das andere Märchen
aber von den Fragen blieb im Abendländischen eine Himmels-
oder Höllenreise und nahm auch deren bezeichnende Motive zu
sich: dafs ein neidischer König den Helden verderben will, den
er in die Hölle schickt, dafs der Held aber wundersam behütet
wird und der König in die Schlingen fällt, die er anderen legte.[3]
In diesen abendländischen Rahmen aber kam nun ein Bild indischer Herkunft. Der Hauptinhalt dieses Reisemärchens näm-

---

[1] *Jātaka* 257.   Benfey, *Pantschatantra* I, 394 f.   Ralston, *Tibetan
Tales* 29.
[2] Aufgezählt bei Benfey a. a. O.   R. Köhler I, 578; II, 580.
[3] Vgl. oben *Archiv* CXV, 5 Anm. 2.

lich, die Fragen, wurde im Abendländischen aus dem Indischen
herübergenommen, denn dort waren sie so märchenhaft und seltsam, daſs durch ihre Einfügung das alte Märchen einen neuen
anziehenden Reiz erhielt.[1]

Die Fragen sind unter anderen etwa im Indischen: ein
Wasser war früher klar und jetzt trübe. Warum? Antwort:
Schlangen streiten sich darin. Bei Grimm: ein Marktbrunnen,
aus dem früher Wein quoll, ist versiegt, und es will nicht einmal
Wasser daraus quellen. Antwort: eine Kröte (Schlange) sitzt
unter einem Stein im Brunnen. Und: die Früchte in einem
Garten waren früher süſs, jetzt sind sie bitter. Antwort: weil
die Geistlichen im Garten sich gegen ihre Pflichten vergehen
(die Antwort ist offenbar nicht ursprünglich, sondern buddhistisch).
Bei Grimm: ein Obstbaum hat sonst goldene Äpfel getragen
und will jetzt nicht einmal Laub treiben. Woher? Antwort:
an der Wurzel nagt eine Maus usw.[2]

Gewiſs war diese Herzählung schwerfällig und langwierig.
Sie hat aber unsere Erkenntnis bereichert. Wir sahen, daſs die
Inder hier und da ein Motiv anderen Völkern entlehnten und
zu ihrem Reichtum legten. Wir sahen auch, daſs der Reichtum
der Inder an Geschichten dieser Art — wir teilten ja nur die
Proben mit, die auſserindisch ihre Parallelen haben, und das sind
sehr wenige — den anderer Völker weit übertrifft, diese nahmen
nur wenige Münzen aus dem groſsen indischen Goldschatz.
Gerade die indischen Entscheidungen, Forderungen, Einfälle waren
die anziehendsten, in ihrem Scharfsinn unüberbietbar: daher ihre
Lebens- und Verbreitungskraft. Dabei läſst sich hier und da
beobachten — ich erinnere nur an das Kontaminationsmärchen
und auch an die Proben aus der klugen Dirne —, daſs die Inder
an diesen Scharfsinnsproben allzu lebhafte Freude hatten. Sie
häuften sie nämlich hier und da nur um des Häufens willen und
vernachlässigten dabei Aufbau und Komposition der Geschichten,
in dem sie doch sonst Meister blieben.

V. Menschen mit wunderbaren Eigenschaften
und Verwandtes. Von einem Ungeheuer, einem Riesen oder
Drachen, der eine Jungfrau raubt oder bewacht, melden uns viele
Sagen und Märchen. Sehr oft schildern sie bei diesen und bei
verwandten Anlässen die Sehnsucht, die halbgöttliche Wesen nach
den Töchtern der Menschen verspüren, die sie dann mit List
oder Gewalt in ihren Besitz bringen wollen.

Dies Motiv wurde in Indien nach zwei Seiten, durch eine

---

[1] Genaueres über Verbreitung und Varianten des Märchens bei Ernst
Kuhn, *Byzantin. Zeitschrift* IV, 241. Dazu Chauvin VIII, 146; Cosquin,
Revue des questions historiques 73, 5 ff.; 74, 207 ff.
[2] Vgl. auch von der Leyen, *Märchen in Edda* 15 ff.

Vor- und durch eine Nachgeschichte, erweitert. Eine Jungfrau soll verheiratet werden: Mutter, Bruder und Vater suchen ihr jeder einen Freier, und jeder begegnet einem, der eine ungewöhnliche Kunstfertigkeit oder einen Gegenstand mit wunderbaren Eigenschaften besitzt. Jeder verspricht ihm das Mädchen, und als die drei Freier erscheinen, an einem Tage, ist die Entscheidung kaum zu treffen. Da befreit der Drache die Menschen aus ihrer Unschlüssigkeit: er raubt die Jungfrau. Nun können die Freier ihre Kunstfertigkeiten wirklich beweisen: der erste, der alles weiſs, ermittelt den Ort, an dem der Drache die Jungfrau verbirgt, der zweite, der einen Wagen hat, der durch die Lüfte fährt, bringt sie alle an diesen Ort, der dritte, der ein treffliches Schwert besitzt, erschlägt den Drachen. Sie drei bringen die Jungfrau zurück, und der Streit um sie beginnt von neuem.[1]

Das Hauptmotiv, die Entführung durch den Drachen, ist bei diesem Märchen äuſserlich in der Mitte geblieben — man möchte aber sagen, es ist eine Art Puffermotiv geworden und wird durch indisches Raffinement von beiden Seiten ganz zerdrückt. Die Jungfrau hat nicht einen, sie hat drei Bewerber; jeder dieser Bewerber hat die gleichen Ansprüche, sie streiten sich um ihren Besitz, und der Streit wird verdoppelt: gerade in dem Moment, in dem er ausbricht, entführt der Drache die Jungfrau. So erhöht sich die Spannung, und die zweite Entscheidung erschwert sich noch dadurch, daſs die Bewerber ihrer Fertigkeiten und Besitztümer sich nicht nur rühmen, daſs sie deren Wert vielmehr bewiesen. Ähnlich wie bei der 'hölzernen Jungfrau' hört das Märchen nicht auf, wie die Jungfrau gerettet ist: im Gegenteil, dann gerade kommt der Konflikt auf seinen Höhepunkt.

Dies Märchen kennt nun wieder die ganze Welt.[2] Sein erster Teil, die erste Werbung um die Jungfrau, wurde in den auſserindischen Fassungen vergessen. Das Folgende: die verschiedenen Gaben der Bewerber, ihre Reise zum Drachen, der Streit um die Jungfrau, prägte sich dem Gedächtnis um so tiefer ein. Die Zahl der Bewerber und die Art der Begabung wechselte vielfach.

Während die auſserindischen Völker sonst die Motive selbst oder ihre Komplikationen behielten, die indischen Pointen vergaſsen, blieb dies Märchen eigentlich nur wegen seiner Schluſsfrage am Leben. Diese interessierte die Völker immer von neuem, sie suchten nach immer neuen Lösungen und konnten sich in der Schilderung des Streites nicht genug tun. Das Märchen erscheint in der Mongolei, in Ruſsland, in Polen, im jüdisch Deutschen, in Böhmen, in Frankreich, Italien, Deutschland, Däne-

---

[1] Vetâlapañc 5. Vgl. v. der Leyen, *Ind. Märchen* 49, 142.
[2] Vgl. Benfey, *Kleinere Schriften* III, 94 f. — R. Köhler I, 298. 488. — Oben *Archiv* CXIV, 17, Anm. 3. — Chauvin VII, 124; VIII, 76. — Die Gaben der Bewerber geraten oft ins Groteske, vgl. Grimm, *KHM* 71.

mark usw. Es ist ein beredtes Zeugnis, dafs ein Gebilde, wie es sich nur die Inder ersinnen konnten, auf der ganzen Welt die Erzähler anzog und zu immer neuer Wiedergabe reizte.

Bei dieser Gelegenheit komme ich noch einmal auf ein Märchen zurück, das auch verwegene Geschicklichkeit rühmt, auf das Märchen vom Meisterdieb, d. h. auf seine indische Fassung. Am ausführlichsten und hübschesten erzählt sie eine Märchensammlung aus Tibet.[1] Die Diebe sind darin nicht Vater und Sohn, sondern Meister und Lehrling. Der Lehrling entschliefst sich zum Stehlen erst, als er sieht, dafs sein Meister, ein Weber, zu seinem Wohlstand nicht durch sein Handwerk, sondern durch die Dieberei kommt. Der Lehrling zeigt durch zwei Proben sofort seine Überlegenheit über den Meister im Stehlen. Dann werden beide, als sie in einem Hause durch das Loch, das sie dareingeschlagen, kräftig Diebereien üben, entdeckt; der Lehrling haut dem Meister den Kopf ab und zieht damit fort, den Rumpf läfst er zurück. Er weifs aber, dafs er dem verstorbenen Meister und Onkel noch die religiösen Pflichten zu erfüllen hat. So gebärdet er sich als Verrückter und umarmt den kopflosen ausgestellten Leichnam, er erscheint dann als Fuhrmann, schirrt die Ochsen seines Wagens ab, steckt dessen Holzladung an und verbrennt die Leiche; verkleidet sich als Brahmane, bittet um milde Gaben und bringt Opferkuchen auf den Begräbnisplatz, verkleidet sich nochmals in einen Siwaverehrer, sammelt Knochen und Asche und trägt sie in den Ganges. Allen Vorschriften der Religion ist so genügt: immer vor den Soldaten, die am Platze Wache halten, die ganzen Vorgänge mit ansehen und sich jedesmal zu spät darauf besinnen, wer der Fromme eigentlich war, und jedesmal dem König ihre verspätete Entdeckung viel zu spät melden.

Nun will der König den verwegenen Schlaukopf fangen und bringt seine Tochter in einen Garten, der an einer Bucht des Ganges liegt. Sowie sie berührt werde, solle sie schreien. Der Dieb verkleidet sich nun als Wasserträger, läfst sich mit grofser Geduld von der Verdacht schöpfenden Wache den Krug dreimal zerschlagen und kommt immer von neuem: als man ihn nun wirklich für einen Wasserträger hält, schwimmt er rasch über den Strom, bedroht die Königstochter mit dem Tode, wenn sie einen Laut von sich gebe, beschläft sie und verläfst sie.

Dem König hilft alles Zürnen nichts. Nach neun Monaten bekommt seine Tochter ein Kind. Der Dieb, als Höfling verkleidet, schleicht sich kurz nachher in des Königs Palast, und bei seiner Rückkehr befiehlt er, das Kaufmannsviertel zu plündern, der König habe das gewollt. Es gibt einen grofsen Auf-

---

[1] Vgl. auch Somadeva X, 64. — Ralston, *Tibetan Tales* 37, dazu Schiefner 37. 44. Ralston, p. XLVII. Chauvin VIII, 186.

ruhr. Nun läfst der König alle Untertanen kommen, sich in einen grofsen Kreis aufstellen, und das Kind, mit einer Girlande, geht auf den Dieb zu und nennt ihn den Vater. Er erhält die Königstochter und die Hälfte des Reiches.

Diese indische Geschichte beruht offenbar auf dem alten ägyptischen Märchen. Das Verhältnis der Diebe ist anders: der zweite wird erst Dieb und übertrifft dann gleich den ersten; auch die Erbauung des Schatzhauses ist vergessen, und die Listen des Diebes sind geändert. Durch die Änderung der Einzelheiten erhielt das Märchen ein echt indisches Kolorit, aufserdem zeigt diese Änderung alle uns wohlbekannten Eigenheiten der indischen Erzählungskunst. Die Listen des Diebes sind gehäuft und steigern sich langsam und systematisch; dadurch, dafs die Soldaten die List jedesmal zu spät merken und melden, und der König, der klüger sein will, noch ärger als sie betrogen wird, kommt eine hübsche Ironie in das Märchen. Die Entscheidung schiebt der Erzähler hinaus. Der König gibt dem Dieb die Tochter nicht freiwillig, sondern weil er ihr die Ehre wiedergeben mufs. Ein Kind findet den Dieb heraus, den alle Klugheit der Erwachsenen nicht entdecken konnte. Und die Listen des Diebes zerfallen in zwei gleichwertige Gruppen: die einen hängen mit dem Leichnam, die anderen mit der Tochter des Königs zusammen. Uns freilich scheint, als sei das alte Märchen einfacher, hübscher und lustiger und das indische gar zu indisch.

Ohne Einflufs auf den Okzident blieb aber diese indische Form nicht: das Motiv von der Lehrlingszeit des Diebes,[1] das Wiedererkennen des Diebes durch das Kind[2] und des Aufruhrs im Kaufmannsviertel,[3] letztere beide unverstanden und entstellt, erscheinen auch im Abendländischen.

Die Inder schwelgten ja in Geschichten, in denen ein Schlaukopf oder eine schuldige Frau allen Gefahren und Verlegenheiten entrannen. Wie ein amüsanter Kontrast zu solchen Abenteuern mutet uns das Märchen vom 'Doktor Allwissend' an. Sehr hübsch erzählt es wieder Somadeva.[4] Harisarman, ein armer und dummer Tropf, wird von einem Brahmanen vernachlässigt, zu einem Fest nicht eingeladen, auf das er eingeladen sein wollte. Damit er doch seinen Trost habe, befiehlt er seiner Frau, ihn als Schlaukopf zu preisen, und stiehlt dann das Pferd jenes Brahmanen. Als der danach sucht, verrät er ihm, wo es ist: er wisse das durch seine höhere Einsicht. Nun werden des Königs Juwelen gestohlen, und da er ja 'alles weifs', soll er den Dieb

[1] R. Köhler I, 210.
[2] Gälisch und französisch a. a. O. 199. 201/2. Vgl. auch Prym Socin, *Syrische Märchen* Nr. LXII, S. 170.
[3] Gälisch a. a. O. 199.
[4] VI, 30, Tawney I, 272.

nennen. In seiner Verzweiflung ruft er 'Zunge' und beschuldigt diese elende Schwätzerin, daſs sie ihn zu solch sinnloser Prahlerei verführt. Aber die Magd, die die Juwelen stahl, heiſst wirklich 'Zunge', sie lauscht, erschrickt, als sie genannt wird, und beichtet. Nun wird die Allwissenheit des Glückpinsels weiter geprüft: er soll noch sagen, was in einem Krug verwahrt ist, weiſs es natürlich wieder nicht und ruft in seiner Verzweiflung 'Frosch', so schalt ihn nämlich sein Vater. Tatsächlich aber war in jenem Kruge ein Frosch verborgen.

Dieser Tölpel bringt sich mutwillig in den Ruf eines Allwissenden, und als der Ruf erprobt wird, sagt er in seiner komischen Ratlosigkeit und Verzweiflung gleich zweimal hintereinander das Richtige. Das ist eine ganz reizende Idee und ist erzählt, wie es nur die Inder erzählen können: daſs wir uns an der tödlichen Verlegenheit dieses Prahlers schadenfroh weiden und zum Schluſs doch die Dupierten sind, weil seine Dummheit recht behält. In Indien, wo betrügerische Wahrsagekunst, Kurpfuscherei, gefälschte Gottesurteile[1] in echt indischer Massenhaftigkeit verfertigt und wiedergegeben wurden, hatte man an diesem Schwank gewiſs seine besondere Freude.[2]

Den Reiz der Geschichte empfanden auſserdem sehr viele Völker, die sie einander immer von neuem erzählten. Der

---

[1] Man denke an das berühmteste, das in Tristan und Isolde erzählte, das auch von Indien kam; Wilhelm Hertz, *Tristan und Isolde*[2] 545 f. — Oldenberg, *Die Literatur des alten Indien* 121.

[2] Verwandt im Wesen mit dem 'Doktor Allwissend' ist das 'tapfere Schneiderlein', Grimm *KHM* 20. Die Motive darin, daſs es vor einem Riesen prahlt und diesem dummen Riesen seine Stärke glauben macht, besiegt und überlistet, sind in germanischen Ländern seit langen Zeiten heimisch; vgl. von der Leyen, *Märchen in Edda* 40 f., 46 f. Die Motive aber, daſs das Menschlein Heldentaten verrichten soll, voll tödlicher Angst auf seine Fahrten auszieht und infolge seltsamer Zufälle wirklich Riesen und Ungeheuer tötet, sehen indisch aus und finden sich auch in indischen Märchensammlungen. Im *Jātaka* 186 klettert ein Mensch auf einen Baum, wirft einem Eher Zweiglein auf den Kopf, so daſs der erwacht, und als er merkt, daſs der Mensch auf dem Baum ihn auſserdem bestohlen und nun noch auslacht, rennt er voll Wut gegen den Baum und stöſst sich tot (ganz ähnlich tötet sich das Einhorn in dem Märchen Grimms). Bei Jülg, *Mongolische Märchen* 28, geht ein Pferd mit solchem Tapferen durch, er hält sich an einem Baum fest, der fällt um und erschlägt viele Feinde, die anderen fliehen. Derselbe soll einen Fuchs töten, er hat seinen Bogen dagelassen, den durchnagte der Fuchs und wurde dabei getötet: der Bogen schnellte nach durchbissener Sehne zurück und erschlug ihn. Drittens soll er Dämonen besiegen; er läſst ihnen sieben weiſse Brote zurück, die man ihm mitgab, während er von sieben schwarzen eins verzehrte: er wird betäubt. Die Dämonen fallen über die weiſsen her und vergiften sich. — Literatur etwa bei Clouston, *Popular Tales and Fictions* I, 133. — R. Köhler zu Gonzenbach 41. *Z. des V. f. Volksk.* 6, 76. R. Köhler I, 565 (zu Schiefners *Awarischen Texten* 11, die Erzählung ist der mongolischen recht ähnlich). Cosquin I, 96 f. (mit modernen indischen Parallelen).

'Doktor Allwissend' ist fast in jeder Märchensammlung enthalten. Dabei überrascht uns, wie treu die Erinnerung an das indische Original blieb: der Zuruf des Unglücklichen zu sich, 'Frosch' oder 'Krebs' etc., blieb in allen Versionen.[1]

VI. Zeichensprache und Tiersprache.

Bei primitiven Völkern ersetzen oft sinnbildliche Mitteilungen und Botschaften höchst anschaulich und wirkungsvoll die Sprache. Ein Neger erhielt von einem anderen als Botschaft einen Stein, ein Stück Kohle, eine Pfefferbüchse, ein gedörrtes Getreidekorn und Lumpen, in Bündeln zusammengebunden. Das bedeutete: ich bin stark und fest wie ein Stein, meine Aussicht in die Zukunft ist schwarz wie eine Kohle, ich bin so voll Angst, dafs meine Haut wie Pfeffer brennt und Korn auf ihr gedörrt werden könnte, meine Kleidung ist ein Lumpen.[2] — Ein Maiskolben, eine Hühnerfeder und ein Pfeil an einem Baumast am Wege, den der Feind kommen mufs, aufgehängt, bedeuten die Kriegserklärung der Niam Niam. Diese Symbole erklären sich folgendermafsen: lafst ihr euch's einfallen, auch nur einen Maiskolben zu knicken und ein Huhn zu greifen, so werdet ihr durch diesen Pfeil sterben.[3] Mit diesen Mitteilungen vergleiche man die von Herodot (IV, 131. 32) erzählte Botschaft der Skythen an Darius. Sie sandten dem Perserkönig einen Herold mit Vogel, Maus, Frosch und fünf Pfeilen. Sie sollten das selber deuten. Darius interpretierte: die Skythen unterwerfen sich selbst (denn die Pfeile, ihre wehrhafte Stärke, das sind sie), sie unterwerfen ihre Pferde (der Vogel bedeute die Pferde), ihr Land (die Maus bedeute das Land), ihr Wasser (der Frosch bedeute das Wasser). Die Skythen aber wollten sagen: Wenn Ihr auch gleich den Vögeln in die Lüfte fliegt, wie die Mäuse in die Erde Euch verkriecht, wie die Frösche in den Sümpfen verschwindet, unseren Pfeilen entgeht Ihr nicht. Die Botschaft ist denen der Naturvölker überraschend ähnlich, mit der einen Steigerung, dafs sie nicht einmal, sondern doppelt, zuerst falsch, dann zutreffend geschildert wird.[4] Verwandt mit dieser Zeichensprache ist die Gebärdensprache

---

[1] Benfey, *Orient und Okzident*-III, 184. R. Köhler, *Kleinere Schriften* I, 39 f. Cosquin II, 187 f.; mit einer kamaonischen Fassung, die in manchem noch ursprünglicher als die bei Somadeva. Zachariae, *Zeitschr. des Vereins f. Volkskunde* 15 (1905), 373, mit sehr wichtigen Bemerkungen zur Geschichte und Verbreitung dieses Märchens und seiner Motive.
[2] Waitz, *Anthropologie der Naturvölker* II, 247: zitiert bei Burdach, *Zs. f. d. A.* 27, 351.
[3] Andrée I, 191.
[4] Ganz ähnliche Botschaften mit doppelter Deutung im Alexanderroman, vgl. R. Köhler II, 492, und im indischen Epos Harivamsa; vgl. ferner Ottmann in seiner Übersetzung *Lamprechts Alexander* (Halle 1898), zu 1438 f.

durch Finger, auf ihr beruht ein besonders im Mittelalter gern
vorgetragener Schwank, der aufserdem die Spitzfindigkeit und
die gewaltsamen Deutungen der gelehrten Theologen verspotten
sollte. Die einzelnen Motive in dem Schwank variieren,[1] zwei
davon kehren eigentlich immer wieder, und aus ihnen entsprang
denn wohl auch das Ganze. Zwei (später ein Laie und ein Theo-
loge) disputieren miteinander, der eine steckt einen Finger vor,
der andere zwei; der erste streckt seine flache Hand hin und
der zweite seine Faust. Die natürliche Deutung ist: der zweite
meinte, der andere wolle ihm ein Auge ausstechen, er drohte,
ihm zwei auszustechen, dann meinte er mit einer Ohrfeige bedroht zu werden und drohte mit einem Faustschlag. Die künstliche Deutung aber war: der eine Finger sollte besagen, es gibt
nur einen Gott, die beiden: Gott ist ein doppelter, Gott Vater
und Gott Sohn. Die flache Hand: die Welt liegt vor Gott offen
wie eine flache Hand; die Faust: er hält diese Welt fest um-
schlossen. Man hat geglaubt, diesen Schwank aus Indien her-
leiten zu sollen,[2] das ist kaum nötig: es gehörte keine ungewöhnliche Kunst dazu, ihn aus den beiden Motiven der Fingersprache zu entwickeln.

In Indien hatten die gleichen Motive überdies eine ganz
andere, viel künstlichere Entwickelung. Eine Prinzessin spricht
dort mit einem Minister durch die Fingersprache: sie streckt
den Finger einer Hand in die Höhe und fährt mit der anderen
im Kreise herum, ballt die Hand und nimmt sie wieder auseinander, sie legt zwei Finger zusammen und deutet nach ihrem
Hause. Der Minister versteht nichts, seine Frau klärt ihn auf:
der eine Finger bedeutet, bei meinem Palast ist ein Baum, der
Kreis um den Finger ist eine Mauer um den Baum; die geballte
und auseinandergenommene Hand heifst: komm in den Blumengarten; die zusammengelegten Finger: bei dir möchte ich liegen.

Im Indischen versteht der eine gar nichts und der andere
alles richtig, und die Zeichensprache verwandelt sich in ein ge-
heimes Liebesabenteuer. Dies wurde dann weiter ausgebildet
und verkünstelt, in der Vetālapañcaviṃçati: da sehen ein Königssohn und sein Freund, der Ministersohn, eine Kaufmannstochter. Sie legt einen Lotos ans Ohr, das soll heifsen: ich
wohne in Karnotpala ('karna' das Ohr, 'utpala' der Lotos) usw.,
ebenso deutet sie ihren Namen, auch den Stand ihres Vaters an.
Der Ministersohn versteht alles, führt den Freund in ihre Nähe,
läfst sie das durch eine Alte wissen, und mit der spricht Padma-
vati wieder durch Zeichensprache (sie ohrfeigt sie mit zehn Fin-

---

[1] Ausführliches bei R. Köhler a. a. O. 479 f.
[2] R. Köhler a. a. O. 489, aber die Parallele aus Somadeva ist wenig
genau.

gern, die sie sich vorher mit Kampfer bestrichen, d. h. komme nicht in den zehn hellen Nächten; sie ohrfeigt sie dann mit drei blutigen Fingern, er solle noch drei Tage warten, sie sei unwohl; dann schickt sie die Alte auf einem bestimmten Weg zurück, den geht dann der Königssohn).

Hier entdeckt uns die Zeichensprache einen ganzen Roman, die Schicksale eines Liebespaares von dem ersten Zusammentreffen bis zur glücklichen Vereinigung, mit allen Listen und allem Gedulden, die dazugehören. Dies höchst kunstvolle Märchen, in dem die ursprünglichen Motive der Zeichensprache fast ganz verschwanden, drang teilweise zu den Persern, Arabern und auch nach Europa.[1]

Im Abendlande entstand also aus der Zeichensprache ein hübscher Schwank, in Indien ein kunstvoll aufgebauter Roman.

In Märchen und Sage verstehen einzelne Begünstigte die Sprache der Tiere.[2] Auch Salomo verstand sie. Einst zog er, nach der spätjüdischen Sage, mit dem ganzen Heer in das Tal der Ameisen, und eine von diesen rief: Zieht Euch zurück, sonst zertreten Euch Salomo und sein Heer. Salomo aber lachte, als er dies gehört.[3]

Beide Züge: ein König versteht die Sprache der Ameisen und lacht darüber, vermitteln uns auch indische Legenden. Hinzugefügt ist die glückliche Erfindung, daſs die Frau des Königs ihn fragt, warum er lachte. Er will es nicht verraten; sie sagt, wenn ich es nicht erfahre, so sterbe ich. Aber auf Anraten dessen, der ihm die Gabe verliehen, bleibt er fest, und als sie das merkt, läſst sie auch das Fragen.[4]

Das Märchen hatte nun, ganz unvermerkt, einen hübschen menschlichen Inhalt gewonnen: es schilderte Art und Neugier der Frauen. Freilich blieb es noch immer etwas unbeholfen, ihm fehlten noch das rechte Märchenhafte und die Pointen und die Kontraste. Alles das erhielt es durch die spätere Kunst, aber noch vor dem Buddhismus.

---

[1] Vgl. v. der Leyen, *Ind. Märchen* 125 f. Jülg, *Mongol. Märchen* 111 f. Clouston, *Book of Sindibad*, 1884, 65. 166. 248. 303. Euling, *Germanistische Abhandlungen* XVIII (Studien über Heinrich Kaufringer, 1900), 71 f. Chauvin VI, 178 f.; VIII, 175, wo noch zitiert sind: *Revue de trad. pop.* 14, 405; Basset, *Contes d'Afrique* 237; *Journal Asiatique*, 1903, I, 348.
[2] Liebrecht, *Zur Volkskunde* 153. Marx, *Märchen v. dankb. Tieren* 110.
[3] Targum Scheni zu Esther, Eisenmenger, *Entdecktes Judentum* II, 441. Qorān, 27, 16—19, zitiert nach Benfey, *Orient und Okzident* II, 133 f. — Vgl. auſserdem ders., *Kl. Schriften* III, 234. R. Köhler II, 610, Anm. 2 (Bolte). — *Jātaka* 386. — Kuhn, *Märk. Märchen* 268.
[4] So ungefähr im Rāmāyana. Legendenhafter und langweiliger noch im Harivamśa; da sagt die Frau, sie habe den Gemahl nur prüfen wollen. Benfey a. a. O. 148. — Dies die ältesten Formen, die seltsamerweise die späten Epen überliefern; das äuſserlich viel ältere buddhistische *Jātaka* 386 gibt eine viel kompliziertere Form mit verschiedenen Motivverdoppelungen.

2*

Es wurde nämlich erzählt, woher der König seine Gabe, das
Verstehen der Tiersprache, erhalten: weil er eine Schlange gerettet[1] oder weil er eine Schlange von der Untreue ihres Weib-
chens überzeugte.[2] Aufserdem empfing der König die Gabe nur
unter der Bedingung, dafs er keinem davon erzählen darf. Als
sein Weib daher erklärt, sie wolle sterben, wenn sie nichts erfahre, steht er vor dem Konflikt: entweder ich schweige und
dann stirbt sie, oder ich rede, dann sterbe ich. Drittens aber
wurde das Anhören der Tiersprache verdoppelt. Als der König
in seiner Verzweiflung dasitzt, hört er, wie ein Bock zu einem
weiblichen Schaf sagt, das Gräser verlangt, die am Rande eines
Brunnens stehen und die der Bock nur mit Lebensgefahr holen
kann: Wenn du um dieses nichtigen Gelüstes willen mein Leben
aufs Spiel setzest, so liebst du mich nicht; ich hole dir die Gräser nicht. Damit ist der König geheilt, er sagt seiner Frau das
Entsprechende.[3] Das letzte Motiv brachten die Araber in Tausend und Einer Nacht noch drastischer. Hahn und Hund unter-
halten sich und der Hahn sagt: dieser König macht mir wenig
Eindruck, ich werde mit hundert Frauen fertig, ich verprügele
sie. Und das Verprügeln besorgt dann auch der König.[4]
    Nun war in dem Märchen, wie wir sahen, der indische Kon-
flikt und auch der indische Kontrast: zuerst verlacht der König
die Tiere, und dann verlachen sie ihn. Auch das Menschliche in
der Geschichte war erweitert zu einem, wie wir noch sehen werden,
echt indischen Rezept, wie man Frauen zu behandeln hat. In
dieser Vollendung fand das Märchen Freunde bei vielen Völkern;
alle Änderungen, die hineinkamen, treffen nichts Wesentliches.[5]
    Hier wird also, wie in manchen anderen Fällen, ein einfaches
Motiv zu einer lebenswahren Geschichte, indem der Inder es mit
dem Verhältnis von Mann und Frau verflicht, zugleich weibliche
Neugier und männliche Langmut schildert und das Ganze dann
kunstvoll verdoppelt, seine beiden Teile aber in hübschen Kontrast gegeneinander stellt.[6]

---

    [1] So im *Jātaka* u. im Serbischen, Wuk Stephanowitsch Karadschitsch,
Volksmärchen der Serben, Berlin 1854, Nr. 3.
    [2] Auch im *Jātaka*; hier also die erste Motivverdoppelung. Ferner in
der Jainaform (*Munipaticaritram*) und im Türkischen (bei Rosen, *Tuti
Nameh* II, 236).
    [3] So im *Jātaka*, im Tamulischen (Babington, *Misc. Translations* I, 55)
und Türkischen, Benfey a. a. O. — Auch in der Jaina-Erzählung; der
Bock sagt dort: Ich bin durch Geburt ein Bock (d. i. Schaf), der König
ist es durch sein Benehmen. Benfey, *Kl. Schriften* a. a. O.
    [4] So *Tausend und Eine Nacht* und die serbische Form.
    [5] In *Tausend und Einer Nacht* unterhalten sich nicht Ameisen, sondern
Ochse und Esel, die einander raten, wie sie mit dem Herrn umgehen
sollen. Chauvin V, 179.
    [6] Eine andere Form des Tiersprachenmotivs ist es, dafs jemand die
Unterhaltung von Tieren oder Geistern belauscht, die Gefahren hört, die

VII. Die dankbaren Tiere.

Tiere bewahren dem, der ihnen wohl will oder wohltut, eine besondere Anhänglichkeit und Treue. Das zeigt die Beobachtung des täglichen Lebens, und Geschichten, die, vielleicht auf wahren Erlebnissen beruhend, ähnliches berichten, reichen gewifs in sehr alte Zeiten. Das Griechische kennt sehr viele.[3] Uns sind diese Geschichten seit unserer Jugend lieb; ich erinnere nur an die berühmteste, an die von Androklos und dem Löwen.

Der Inder kontrastiert sofort die Dankbarkeit der Tiere mit der Undankbarkeit der Menschen. Ein Affe und ein Mensch sind auf einem Baum, ein Tiger belauert sie. Der Mensch schläft ein, der Affe beschützt ihn und wirft ihn dem Tiger trotz dessen Bitten nicht hinunter; als der Affe eingeschlafen ist und der Tiger seine Bitten wiederholt, will der Mensch ihm den Affen zuwerfen.[1]

Neben dieser einfachen Fabel bestanden seit alter Zeit kompliziertere, die auch in buddhistischen Kreisen weitergetragen wurden.[2] Statt eines Tieres erscheinen drei und bezeugen ihre Dankbarkeit verschieden, dadurch wird der Verlauf des Märchens mannigfaltiger und der Kontrast zur Undankbarkeit des Menschen noch stärker. Die Vorgänge folgen etwa so: drei Tiere und ein Mensch werden von einem Menschen aus einer Grube gezogen und gerettet. Die Tiere erweisen sich dankbar. Der Affe speist den Menschen mit einer köstlichen Frucht; der Tiger schenkt ihm eine Kette, die er einem Königssohn abnahm. Als

---

einem Freunde drohen, und sie abwendet, wobei er sich selbst fast ums Leben bringt. So z. B. im Märchen vom Typus des *Armen Johannes,* dessen Hauptmotive, die Abwendung der Gefahren und das Lebensopfer des Königs für den Diener, doch wohl aufs Indische zurückgehen. Denn die Steigerung der Gefahren ist echt indisch (Somadeva: er soll ein Halsband finden, das soll ihn erwürgen, wenn er es anlegt; er soll einen Fruchtbaum sehen, wenn er eine Frucht davon ifst, soll er sterben; wenn er das Haus des Schwiegervaters betritt, soll es über ihn einstürzen; und in der Brautkammer soll er hundertmal niesen, wenn jemand nicht hundertmal Gesundheit ruft, so soll er sterben), und das Opfer (im Indischen in einer besonderen Geschichte, die vom treuen Virävara erzählt) wird gerade im Indischen rücksichtslos verlangt. Vgl. Cosquin I, XXXVIII. — Reinhold Köhler, *Aufsätze und Schriften* 1894, S. 24 f. — Von der Leyen, *Ind. Märchen* 142 f. — Auch das Märchen von dem, der Geister belauschte, ein Wunschding nahm, das sie zurückliefsen (oder von wunderbaren Kuren vernahm, die er verrichten könne), das einem anderen erzählte, der auch zu den Geistern kam und von ihnen empfindlich mifshandelt oder bestraft wurde, erscheint zuerst im Indischen: Jülg, *Mongol. Märchen* S. 3 f. Chauvin V, 159 f. R. Köhler I, 510. 281 (bes. 286 mit Nachträgen Boltes). Cosquin I, bes. 90 f. (zu Nr. 7).

[1] Marx a. a. O.

[2] Vgl. Weber, *Ind. Studien* 15, 303 f.

[3] *Jataka* 173. — Cosquin, *Les contes populaires et leur origine. Dernier état de la question (Compte rendu au troisième congrès des Catholiques, 3—8. Sept. 94)*, Paris 1895, S. 19 f. — Benfey, *Pantschatantra* I, 193 f.

er nun mit dieser Kette in eine Stadt kam, beschuldigt ihn der
gerettete Mensch, er habe sie gestohlen. Man warf den Unglücklichen ins Gefängnis. Da erschien ihm die Schlange, stach
die Tochter des Königs: nur der Gefangene konnte sie heilen.
Er wurde befreit und erzählte seine Geschichte. Nun erhielt der
Schuldige, der so treulos handelte, wo doch sogar Tiger und
Schlange ihr Versprechen hielten, seine verdiente Strafe. — Am
vollendetsten und tiefsinnigsten erzählt die Geschichte die Berliner Handschrift des Pantschatantra (Benfey II, 128), ihren
Wanderungen und Wandlungen ging Benfey nach. Sie war im
abendländischen Mittelalter sehr berühmt; ihre Einzelheiten wurden wohl entstellt, ihr Wesen aber: die Rettung, die märchen-
haften und wunderbaren Gaben, die Dankbarkeit der Tiere und
die Undankbarkeit des Menschen blieben. In Schwaben und
Sizilien lebt die Geschichte als Volksmärchen. Auch die Neger
der Sklavenküste [1] kennen sie, wahrscheinlich durch einen Mis-
sionar. Statt der Schlange wird eine Ratte gerettet, diese stiehlt
einen Stein aus dem Schatzhause des Königs und bereitet dadurch dem Retter Ungelegenheiten. Die Moral ist: 'Man solle
sich das merken und nichts aus dem Hause des Königs stehlen.'
Diese Moral scheint freilich, wie Cosquin meint, eigens dazu erfunden, um zu beweisen, dafs die Neger nicht einmal eine Geschichte auffassen, geschweige denn sie erzählen können, und
sie wird dadurch zu einer indirekten glänzenden Bestätigung für
die Ansicht, dafs diese Geschichte in Indien entstanden sein mufs,
was ja auch ihre märchenhafte Verwickelung sofort direkt zeigt.

Das Motiv von der Dankbarkeit der Tiere entfaltete sich
noch anders: die Tiere zeigten aufser ihrer Dankbarkeit ihre
Klugheit und verhalfen dem Menschen zu wertvollen Besitz-
tümern, z. B. zu einem kostbaren Talisman.

Solche Wunschdinge: Tische, die nie leer werden, Tiere, die
Gold speien, Kappen, die unsichtbar machen, Schwerter, die keinen
Fehlhieb tun, u. ähnl. ersinnen sich, wie wir wissen, alle Völker.
Die Inder erfinden Wunschdinge, die nicht allgemeine, sondern
bestimmte Wünsche gewähren und Fähigkeiten besitzen, wie wir
schon aus dem Märchen von den kunstreichen Brüdern erfahren
(ein Wagen, der durch die Lüfte fährt; ein Schwert, das jeden
erschlägt); sie verengerten ihr Wirkungsgebiet und konnten sie
deshalb häufen und steigern. Der Inder zeigte aber auch, wie
wenig der Mensch die Wunschdinge verdient; gerade um ihret-
willen entsteht der ärgste Betrug, einer listet sie dem anderen
ab, und oft wissen die Menschen nicht, was mit ihnen beginnen,
sie fürchten von ihnen Unheil und suchen sich ihrer zu befreien. [2]

---

[1] Cosquin, 22, *Journal asiatique* I, 208.'
[2] Ich gebe einige Beispiele. Das Märchen erzählt hier und da von
einer Laute, nach der alles tanzen mufs (Köhler I, 55. 61. 89; Cosquin I, 30;

Zu diesen Wunschdingen gehört auch ein Talisman mit der Gabe, einen kostbaren Palast zu erbauen, sowie der Stein schwindet, so schwindet auch der Palast. Diesen Stein verschaffen

Grimm, *KHM* 8. 56. 110). Im Indischen (Ralston, *Tibetan Tales* 229 f.) darf man nur die oberste Seite dieser Laute nicht berühren. Als das Verbot doch übertreten wird, fangen Bäume und Sträucher an, sich zu drehen; beim zweiten Male stellt ein Haus sich auf den Kopf, und das Geschirr geht in tausend Scherben; beim dritten Male kentert das Schiff, auf dem die Laute gespielt wird, und alle ertrinken. Man erkennt als Indisch die Ausmalung ins einzelne und die tragikomische Steigerung. — Wir kennen aus dem Märchen den Goldvogel: wer sein Herz und seine Leber ifst, findet täglich ein Goldstück (z. B. Grimm, *KHM* 60; Ralston, *Schiefner* 129, XLV; Cosquin I, 73; Köhler I, 409). Im Buddhistischen, *Jātaka* 286, erscheinen zwei Vögel, die sich zanken. Der untere sagt, wer mein Fleisch brät und ifst, findet jeden Tag hundert Goldstücke; der obere, wer mein Fleisch ifst, wird König, wer meine Haut, Hauptkönigin, wenn es eine Frau, Feldherr, wenn es ein Mann, wer das Fleisch an den Knochen, königlicher Schatzmeister, wenn er ein Hausvater, des Königs Vertrauter, wenn er ein Heiliger. Diese Fülle der Gaben, deren sie sich so unklug rühmen, wird den unbedachten Vögeln zum Verderben. Ein Reisigsammler hört sie und packt sie, um sie zu verzehren. Aber auch er wird in seiner Hoffnung betrogen; eine Welle trägt ihr Fleisch zu anderen, die es essen, ohne seine Eigenschaften zu kennen (vgl. auch Steel und Temple, p. 138). Die Anhäufung, Verteilung und Differenzierung der Gaben, dafs die Vögel sich durch sie den Tod anschwätzen, dafs das Geschick sie dem Wissenden nicht gönnt und dem Unwissenden gibt, das sind alles echt indische Züge. Die ganze Kompliziertheit dieses Märchens hat sich aufserhalb Indiens nicht erhalten: aber dafs gerade dem Wissenden das Begehrte nicht zuteil wird, dafs die verschiedenen Körperteile des Vogels verschiedene Gaben gewähren, erzählen, offenbar in Erinnerung solcher indischen Geschichten, auch europäische Märchen. — Es mag im Leben oft geschehen sein, dafs einer dem anderen etwas Hübsches schenkte, dieser das Geschenk weitergab, der zweite Empfänger es auch nicht behielt, und dafs schliefslich die Gabe zum ersten Geber zurückkehrte (Oesterley, *Baital Pacchisi*, p. 177/8). Auch in Indien hat sich derlei gewifs oft ereignet. Das indische Märchen (Einleitung zu dem Zyklus vom verzauberten Thron, vgl. oben *Archiv* CXV, 278 nnd Lescallier, *Le trône enchanté* 21 f.) machte nun aus der Gabe eine Frucht der Unsterblichkeit oder ein besonders kostbares Geschenk. Ein König erhielt es und gab es seiner Frau, diese ihrem Günstling, einem Minister, der aus Ehrfurcht und Zuneigung wieder dem König. Äufserlich blieb also die Geschichte unscheinbar und natürlich, aber sie enthüllte jetzt verborgene Zuneigungen; gerade durch gute Eigenschaften, Liebe und Anhänglichkeit, wurden verbotene Verhältnisse offenbar, und die Menschen zeigten ihre Furcht vor kostbaren Gaben. Verschiedene indische Märchensammlungen kannten diese wandernde Frucht. Da dieselbe Geschichte bei byzantinischen Chronisten, die zudem Nachrichten aus Indien benutzten, sich wiederfindet (Chronikon Paschale, ed. Dindorf, Bonn 1832, 584; Theophanes, ed. Clafsen, Bonn 1839, I, 153; Malalas, ed. Dindorf, p. 356; Johannes Antiochenus, ed. C. Müller, *fragm. hist. Graecae* 4, 535; Kedrenas, ed. Bekker, I, 591), dürfen wir mit Sicherheit annehmen, dafs sie von Indien über Byzanz nach dem Abendlande kam. Albrecht Weber, *Ind. Studien* 15, 212, der an den Einflufs von Indien nicht glaubte, übersah die Hauptsache, die unzweifelhaft indischen Charakteristika der Geschichte. — In einem buddhistischen Märchen (*Jātaka* 186) erhält einer eine Axt,

einem Brahmanen ein Affe, den er gerettet, die anderen ihm
dankbaren Tiere sind eine Maus und ein Bär.[1] Kaufleute be-
rauben den Brahmanen des Wundersteins: die Maus weiſs die
schlafenden Kaufleute, indem sie über sie läuft, in eine Stellung
zu bringen, die die Wiedergewinnung des Wundersteins ermöglicht; mit vieler Mühe und List wird er aus dem Zimmer heraus-
gebracht. Auf dem Wege zum Besitzer fällt er ins Wasser, und
die Maus bewegt die Wassertiere, daſs sie ihn suchen und ans
Land bringen. Diese Listen der Tiere, die immer von neuem
verzweifeln, den Stein zu erobern, und es doch immer von neuem
versuchen, bis es endlich glückt, sind im Indischen viel hübscher
und anschaulicher erzählt, als ich es nacherzählen kann. Das
Märchen preist die unverdrossene Dankbarkeit und die immer
neu sich bewährende Erfindungsgabe der Tiere. Die anderen
Völker haben ihr Verständnis für dies Märchen dadurch gezeigt,
daſs sie es besonders hübsch wiedererzählten. Uns ist es durch
Brentanos Gockel, Hinkel und Gackeleia in der anmutigsten Erinnerung.[2]

die Feuer macht, ein zweiter eine Trommel, die die Feinde in die Flucht
jagt und ihn mit einem Heere umgibt, ein dritter eine Kugel, die zum
Strom wird und ihm ein Königreich erobert. Ein vierter hat sich in
Besitz von Juwelen gebracht (vgl. oben S. 16 Anm. 2), die Flugkraft verleihen; er tauscht sie mit der Axt des ersten und läſst durch die Axt
deren früheren Besitzer erschlagen, ebenso bemächtigt er sich der Trommel und der Kugel und erobert sich mit Hilfe der Wunschdinge ein
mächtiges Königreich. Das für dies Märchen Bezeichnende ist das Ab-
listen der wunderbaren Dinge, und das erzählen denn auch dem indischen
sehr ähnlich andere Märchen. Am ähnlichsten ist Grimm, *KHM* 54; da
sind die Wunschdinge ein Ranzen, aus dem Soldaten, ein Hütlein, aus
dem Artillerie und Kanonen hervorkommen, und ein Hörnlein, bei dessen
Gebläse alles umfällt. Alle drei werden mit Hilfe eines Tischlein deck
dich abgelistet; Cosquin I, 123 f.; Chauvin V, 259 (der Eingang von
KHM 54, der eine Bruder findet einen Silberberg, der andere einen Gold-
berg, der dritte geht weiter, hat sein Vorbild auch im Indischen: *Pantsch.*
V, 3). Die Märchen bei Grimm, der Krautesel, Tischlein deck dich, sind
in der Grundidee verwandt (vgl. Somadeva X, 57, *Zukunft* vom 23. Dez.
1899, Reinhold Köhler I, 186 und Ralston, *Tibetan Tales* 221). Zu den
Wunschdingen im allgemeinen: Chauvin V, 229 f.
      [1] Cosquin 20 u. Anm. 2. R. Köhler I, 63. Jülg, *Mongol. Märchen* 60.
Benfey, *Pantschatantra* I, 211. Panzer, *Hilde Gudrun* 163. Prym Socin,
Syr. Märchen 402.
      [2] Daſs die unlösbaren Aufgaben im Märchen (vgl. oben *Archiv* CXIII,
256 Anm. 4) durch Hilfe dankbarer Tiere gelöst werden, die der Held
schonte, mag auf indische Motive zurückgehen (vgl. Benfey, *Pantschatantra*
I, 217). Von diesen Märchen oder ähnlichen aus gelangten die dankbaren Tiere wohl auch in das Märchen von der eingeschachtelten Seele
des Riesen (vgl. oben *Archiv* CXV, S. 8 Anm. 3 und S. 288).

München.   Friedrich von der Leyen.

(Schluſs folgt.)

Die Burghsche Cato-Paraphrase.

(Schluſs.)

CXIX.

What wiht that list to leede in sikirnesse
837   His lif and keepe his soule from accombrau*n*ce
Of vices, which a-yens *good thewes expresse
Beth at stryff, com yiff good attendau*n*ce.
840 Thes *preceptis keepe wel in remembra*n*ce.
Enrollyng hem and pryntyng in your mynde.
How to lyve wel, the mene shal *ye fynde.

CXX.   fol. 103ᵛ

843 The foule talent of richesse, my child, eschewe.
Resemble nat the gredy Tantalus
Whos etike in hungre is alway newe
846   Among the fair applis delicious;
Ne watir swete que*n*chythe his *thu*r*st riht thus.
To the violente swolwe of couetise
849 So al this world nat can ne may suffise.

CXXI.

Natur can be with litil thyng contente,
As in diete a man shuld neuer charge
852 Hymsilf with mete; for many men be shente,
For their receitis ben to grete and large.
Men *seen al day: the litell boot and barge
855 Wol drench a-non, whan it is ou*er*-freiht.
Cherissh nature, but hurt *hir nat *with weiht.

CXXII.

Iff *thin thyng thou happe to *mysgou*erne*
858   Withoute reson or any prou*y*dence,
Than, myn owne child, of me this lessou*n* lerne:
Sey nat, it was thi fortune such expence
861   To make, but wyte it thin owne necligence.
For fortune may neu*er* compellen the
Thi good to spende but at thi liberte.

CXXIII.   fol.104ʳ

864 Loue the peny as for cheuysau*n*ce,
Nat for the coyn to hoord it *rp on heepe.

---

838 *good* f. C *ν*   842 *be* C, *he* Hf *ν*, *the* He, þu Hc D Fc   847 *thrist* C M, *thirst* σ Ad, *thrust* H E Fc *χ*, þorst Hc   854 *seyn* C, *sayne* F, *sey* Hb   856 *nat hir* ꝣ | *with* f. ꝣ   857 *thyng thin* C R, *thing of thyn* Hb ‖ *mysgouere* C   865 *in* C π λ *ν*, *vp in* Hb, *on* R Cp ϰ D Fc

For of the prynte was maad an ordinaunce
₈₆₇   Nat for it shuld *in coffres lye and sleepe,
But for it shuld among the peple leepe
In ther eschaunge. Who kepith it inne
₈₇₀ As for the fourme, is soget vnto synne.

IV. 5   **CXXIV.**

Whan thou hast plente and art pecuniall,
I meene, whan thou hast grete suffisaunce,
₈₇₃ Off mony foisoun and of helthe but smalle,
Than spende thi monay and thi selfe avaunce.
Keepe neuer thy coyn and lyve in grevaunce.
₈₇₆ The seek bathe siluer in ful grete excesse,
But of hymsilfe bathe he no sikirnesse.

IV. 6   **CXXV.**

Thouh somtyme thou suffre the grete sharpnesse
₈₇₉   Off betyng, yit thi maistres chastisment
Take weel in gree withe lowly *humblenesse,
Sith it is doo al in good entente
₈₈₂ To cause the lore and wisdom for to hente.
And thouh his woordis *sownen ful of ire,
Yit suffre thou the talent of that sire.

IV. 7   **CXXVI.**   fol. 104ᵛ

₈₈₅ Also, my child, thou shalt the occupye
To werche thynges, that ben profitable.
But look thy wittis thou neuer applie
₈₈₈ To thyng that may nat ben aduaylable.
To caste a thyng, that is nat profetable,
By wit or strengthe, it is but grete errour:
₈₉₁ Dispeired hope is ende of suche labour.

IV. 8   **CXXVII.**

Whan thou shalt yive, than yive in freendly wise.
Frely content a prayere of requeste;
₈₉₄ For thyng yoven be tyme is yoven twise.
Sith gladsom cheer makith *yiftis richeste,
Who yiveth gladly and soone yeveth beste.
₈₉₇ Lo, no thyng may bettir freende conquere
Than man to *leene, that he may weel forber.

IV. 9   **CXXVIII.**

Whan in a thyng thou haste a coniecture,
₉₀₀   As in thi conceyt holdyng it suspecte,
To discusse that thyng a-non do thi cure.
For at the first whan such thyng is reiecte,
₉₀₃   The reste is aftir esy to correcte;
*And thyng, that at the firste is nat sett by,
Is *oftyn seyn to greven fynally.

867ᵇ und 868ᵃ f. α, dafür neu nach 868 in α: *But oonly ther lyvyng therwith to reepe (but* f. Hb, *for to geete* [st. *reepe*] Hb)   880 *humblesse* ϑ R Hf, *humyly-nesse* He   883 *be sowen* τ δ, *sowen* Ha Fc, *sowne* Cp A ω, *sowne is* ν, *sounden* ϰ, *sound* H, *seme* Hc   895 *yiftis* f. ϑ   898 oder *leeue?* (s. Oxf. Dict. unter *Lend* vᵛ2,2, a-b), *leen* σ Cp Hf Cx, *lende* R Hc, *leve* Hb Ad   904 *A* C Hb σ ω   905 *oftyntyme* C Hb, *ofte tyme* A, *often tymes* ω

IV. 10   **CXXIX.**   fol. 105ʳ

906 And whan thou arte disposid inwardli
     To Venus actis, than represse corage.
     Fostre nat thi fleessh to lustily.
909   For [*] grete diete makethe the flessh˥outrage,
     Where-as mesure myht cause it asswage.
     And glotenye is clepid cheeff *promotrice,
912 Leedyng the fleissh to wantounnesse and vice.

IV. 11   **CXXX.**

     The ranpaund leoun and the tigre felle,
     The irous boor, the hound ful of envye
915 And bestis moo than nedithe heer to telle
     Men dreede ful sore and fer herr tyrannye;
     And wel thei do. But yit oon best I espye,
918 That is to feryn most in especial:
     *Mann ys *the beste, that thou moste dreeden shall.

IV. 12   **CXXXI.**

     The vertu, that is clepid fortitude,
921   Stondith nat alle in strengthis bodyly,
     As to be virous, myhti, strong and rude;
     But in the soule it must ben sikirly.
924   Than, if thou wilt thi-selfe fortifie
     Thi soule withynne acqueynte with sapience;
     And than shalt thow be strong in existence.

IV. 13   **CXXXII.**   fol. 105ᵛ

927 *What thyng in erthe thou shalt take on *honde,
     And thi supporte shal be in freendlynesse.
     No strange wiht on lyue so nyh wol the stonde ˩
930   As thi knowen ffrende, my child, this is expresse;
     Off the straungier haste thou no sikirnesse.
     For whan all othir ben ful ferr to seche,
933 The feitheful knowe freende kan beste be thi leche

IV. 14   **CXXXIII.**

     The deethe of bestis, that beth vnresounable,
     As bi custom *and riht of sacrifice
936 To purgyn the, is no seth greable.
     Trust nat as so to gete thy reprise;
     For thei, that trust so, ben ful vnwise.
939 Bi dethe of bestis God wil nat queemyd be,
     And man a-bide in his iniquite.

IV. 15   **CXXXIV.**

     Whan thou wolt chese a freende for trustynesse,
942   Than of his fortune make noon inquiraunce;
     For fortune is moodir of changeabilnesse.
     Aske of his liffe and of his gouernaunce;
945   For that is preeff of grettir suffisaunce

---

909 *for* a C   911 *promotice* C δ   919 *mannys* C Hb ‖ *the* f. τ π ν λ Fc   922 *virous*] *vrous* v (*eurous* χ)   927 *whan* τ ‖ *hande* C μ Y Ad   935 *and* und *of* umgestellt in α   936 *no sethe*] *nothyng* H, *not* Dh, *no feith* Hf, *no suche* Hc Ad

Than vre or fortune, that is casuell.
For liff of man his fortune dothe excell.

IV. 16   CXXXV.   fol. 106ʳ

948 Vse weel the richesse, that thou hast *of queste.'
     Off avarise the wikkid name eschewe.
     Lat nat thi good *be stoppid in a chest.
951 Keepe nat thy stuff ay closid stille in mewe.
     Suche old tresour wol make thi shame ful newe.
     What profitethe plente of grete *tresur
954 And in pouerte a wrecche alway endure.

IV. 17   CXXXVI.

     Iff thou desir to reioisen thi fame
       In honeste, whil thou lyvest heere,
957 Eschiew *the thinges, that may cause shame.
     Likerous lustis must be leid on beer
     And thinges fele, that ful ioyous‿appeer.
960 This worldis *ioye is ay ful deffectyfe:
     Be war of ioye, that hurteth thi good liffe.

IV. 18   CXXXVII.

     And ay, my child, conceyve and aduertise,
963 That neuer thou skorne feeble stoupyng age.
     Thi *elderis, my child, for nothyng *thou despise,
     *Thouʒ in ther wittis *thei be natt so sage
966   As in ther *youth, sith age is outrage.
     Whan age cometh, this is sothe certeyn,
     A man begynneth to ben a chyld a-geyn

IV. 19   CXXXVIII.   fol. 106ᵛ

969 Enforce thi wittes somwhat for to lere;
     Acqueynte the withe connyng. For that is sure,
     Iff fortune chaunge and than pouert appeer,
972   *Who that bathe konnyng, is likly to recure.
     Konnyng and crafte *remayne and endure;
     And bi them a man may *him-silfe releve,
975 Whan fortune hathe caste hym in to‿myscheeffe.

IV. 20   CXXXIX.

     Be stille in silens with a-visenesse.
     Tary, my child, til othir men han seid;
978 So shalt thou lerne somwhat in sothfastnesse.
     Latt nat thy tonge sodenly be vnteid;
     For that myht the of hastynesse abreid.
981 Bi manys woord his maner *wil be schewed.
     Bi woord is knowen the wise man from þe lewid.

---

948 on C Hb, be Cp Hc D   950 ly C ϱ Y Hf ζ   953 tresour τ A Hf ζ, tre-
soure Hc   957 thes C, thoo δ Cp G Hc, f. ϱ E ζ   960 yoye C, plesure Hb   964
alderis C, eldere F H ν ‖ thou f. C R ϱ ϰ λ D Fc ‿ 965 thou C, thow Hb ‖ the C H,
f. Hf   966 thouht α, thowth Hc, yonghe A, yongith Hf   972 what τ   973 remay-
nethe ϑ Hb Cp Hf He ν D, remaynen M   974 them silfe C   980 abreid] upbreide
ϰ D, vbbreyde He, breyde Hc, umbrayde A   981 wold C, wol R Hf Y Hc D

IV. 21

CXL.

Thouh in konnyng thou have ful grete conceit,
984   Enforce *the ay yit to lerne more.
The soule it is, that must be the receit;
    Replenissh hir with that tresour and stor.
987 Vse makithe maistrie; vse konnyng therfore.
Vse helpethe art, and cure helpithe the witte;
Than vse and *cure to konnyng moste be *knitte.

IV. 22

CXLI.

fol. 107r

990 Body from soule must haue disseueraunce.
    Dethe is ende comoun to euery wiht.
Charge nat to muche therfore of dethis *chaunce;
993   The tribut of dethe must thou pay of riht.
But yit bi dethe shalt thou sette more liht,
Iff bi this liff thou sett no thyng expresse;
996 It is so ful of woo and wrecchidnesse.

IV. 23

CXLII.

*Lere of the wise and teche the vnkunnyng.
    For it is vertu and *ful commendable
999 Tencrese doctryne thoruh such comonnyng.
    It is alway a deede charitable
    To lere and teche; it is ful greable
1002 To God. Doctryne kepithe vertu on lyve.
Whiche ne were, doctryne soone from man shuld slyve.

IV. 24

CXLIII.

Drynk nat to muche, no mor than þou maiste bere.
1005   Rewle thy-silfe bi the bridil of mesure.
To muche drynke wol the annoy and dere.
    Surfette is euermore of helthe vnsure;
1008   And mesur makethe men in helthe endure.
Whatt man is rewlid aftir lustys vile,
In good astate ne may a-bide no while.

IV. 25

CXLIV.

fol. 107v

1011 And iff hit happe the in audience
    An thyng to preyse, be war, that thou ne blame
It eft ageyn riht in the same presence.
1014   Iff thou dispreise, comende nat eek the same;
    Off suche trauers must needis risen shame.
To preisen now and eft to blame douteles
1017 It is a thynge of grete vnstabilnesse.

IV. 26

CXLV.

Whan thou lyuest beer riht at thyn owne ese
    In al thy ioye, rest and prosperite,
1020 Thynk the per-case aduersite may sese;
    For *welthe stondithe nat in sykirte.
And also soone, whan any aduersite

---

984 f. C, thi F, thi self Hc D   989 f. C Hb ‖ knette C   992 chaunge C Ad
997 Vere C, lerne Hb A Cp x G ζ   998 f. ϑ R Fc, also Hb, at al tyme ω   1003
sleyue H, slyffe x Hc, stryue D, schyve Fc, fliue Cp   1021 wethe C E, werth Ad

1023   Assautethe the, yit fall nat in dispeire;
      Thynke in thi-silfe: good fortune may repeire.

IV. 27   CXLVI.

      It is ful fair, my child, [*] to be prudent
1026   And wys; looke thou lere ther-fore.
      To lerne ay, my sone, do thyn entent.
      Bi diligent bysynesse wisdom is more.
1029   Wisdom is she, that may nat be forbore.
      The rare prudence, that folkes nyce refuse,
      Can nat ben had but bi processe and vse.

IV. 28   CXLVII.   fol. 108ʳ

1032   Beware alway, that thou neuer enhaunce
      In thi lawde or preisyng a wiht to hihe;
      For thou mayste haue cause eft to [*] dissavaunce
1035   The same. But ay thy preysyng modifie.
      For att oon day thou shalt *ful wele espye,
    * Whether he be freende, that freendly seemythe;
1038   For all be nat freendis, that men demethe.

IV. 29   CXLVIII.

      Be nat asshamed, my child, also to *lere,
    * That thou canst nat; for it is but a tecche
1041   Off foly nat to desire doctryne heere.
      Ful wel is he, that to konnyng may strecche,
      Sithe konnyngles a man is but a wrecche.
1044   To konne moche is riht comendable
      And nouht to konne is ay reproveable.

IV. 31¹   CXLIX.

      The soleyn stille oft meenethe [*] fraude and gile;
1047   Off such a man eschewe the companye.
      For the stille man compassethe othir while
      Withynne his herte disceit and trecherye.
1050   In floodis stille is watir deep and hibe.
      In stremys softe seemyng to thy plesaunce
      Ofte betidithe ful vnhappy chaunce.

IV. 32   CL.   fol. 108ᵛ

1053   With thi fortune whan thou art discontent
      And kanst nat take in gree thin *aduenture,
      Behold and feele in thin aduisement,
1056   How thei, that whilom wer as thou as sur
      And more likly in welthe for to endure
      Bothe fore bounte and eek for noblesse,
1059   And yit haue *falle doun *into wrecchidnesse.

IV. 33   CLI.

      Attempte the thyng, so as thou maist suffise.
      Passe nat thi myht. Bere nat to hihe thi saile;

1025 *for to* τ   1034 *to do* C   1036 *ful* f. C   1037 *whedir* C H Hf He Ad,
where Fc   1039 *lerne* τ Hb   1040 *iff* ꝪR   1046 *of fraude* Ꝡ   1054 *aduerture* C,
aventure ν   1059 *doun falle* τ ‖ *into*] *doun* C, *in* F H
¹ IV. 30 folgt als Strophe CLIV.

1062 Ther is pereil, if that the storme a-rise.
Serteyn, my child, this is withouten faile:
The vessel smalle is at ful grete a-vaile,
1065 Whan with his ore to londe he may a-reche,
Where-as the sailes hihe ful oft go to wrecche.

IV. 34   CLII.

A-geyns the trewe iuste man brawle nat ne stryve;
1068   For to God a-boue that is displesaunce.
Trust this trewly: beer is no man on lyve,
That to the iuste man dothe dere or greuaunce,
1071   But at the laste God wol take vengeaunce.
And beerof it *is good heed [*] to take:
The riht-wiseman of God is nat forsake.

IV. 35   CLIII.   fol. 109ʳ

1074 Iff extorsioun or mysauenture
Haue plukked at the and maad the threedbare
Off richesse, yit do thou thi force and cure.
1077   To be mery and eschewe thouht and care.
For fretyng thouht is a ful cursid snare;
Cum nat ther-in. Fortune is vnstable.
1080 Aftir pouerte richesse is preignable.

IV. 30   CLIV.

Venus is reedi to all hir actis vile,
Whan he, Bachus, bathe set hir in largesse
1083 The tresour of his hoote and feruent yle.
Therfore, my child, thin appetite represse.
In wynes hoote doo nat to grete excesse.
1086 Drynk, that for thi soule is expedient.
Eschewe stryffe. Withe mesure be content.

IV. 36   CLV.

It is an harme the *goodes to forgoo,
1089   That ben on hande, bi force and violence.
But yit, my child, *thou most considre, who
And what he is, that dothe the such offense.
1092   Bi-twix freend and foo haue ay a difference;
For in som case thou most a freend forbere
And suffre hym, thouh he *annoy and deere.

IV. 37   CLVI.   fol. 109ᵛ

1095 Be nat to sure, that thou shalt lyue beer long.
A wyht shal deye, alle be he lothe or leeffe;
And as the old so deye the yonge a-monge.
1098 Dethe stelithe on, as dothe a pryvy theefe.
Loo, a-yens dethe men fynde no releeffe.
She is a-boute to make a devorse
1101 And folwethe ay the shadwe of the *corse.

IV. 38   CLVII.

Serue ay thi God withe lowly obseruaunce,
Withe herte entier, withe swete smellyng encense;

1072 is f. C Hb ‖ for to C   1088 good C R Hc   1090 tho C, the Ha He   1094
anney C, noy ρ Hc ω   1101 corpse ϑ R, course Hf

1104 Such sacrifice is moost to his plesau*n*ce.
Off calues smale, that neu*er* dede offence,
Thouh thou hem sle, the blood may nat dispence.
1107 With the lat *hem growe and swynke i*n* þ*i* plouhe.
Thin herte to God is suffisant *i-nouh.

IV. 39   CLVIII.
Yiff place to hym, that excedith thy myht:
1110   Thouh thou be hurt, it may pro*f*ette *per*chau*n*ce.
And seeld availethe a man for to fiht
Ageyns such on, as passith his pusau*n*ce.
1113   Thouh he greve *now, yit *efte he may avau*n*ce.
Ful oftyn is seyn aftir the grete duresse
The myhty man wol *kithe his gentilnesse

IV. 40   CLIX.   fol. 110r
1116 Aftir thy surffet and thi grete offence
Chastice thi-silfe, correcte, that is a-mys,
Correcte thi gilte, amende thi necligence.
1119   Sorwe for synne a verray medycyne is.
Repent the *sore; than art thou saufe iwis.
For fisik seithe, my child, I *the ensure:
1122 A bittir drynk the *sharpe sekenesse may cure.

IV. 41   CLX.
Yff thou haue fou*n*de longe frenship in a wyht
Ful yore ago, thouh he begynne to chau*n*ge,
1125 *Dispr*ei*se hym nat; men bide nat in oon pliht.
*Somtyme was an abbey, ther is now a grau*n*ge¹.
This worldis cours is ful quey*n*te and strange.
1128 But thouh the man as now be wax vnkynde,
His olde frenship remembr in thi mynde.

IV. 42   CLXI.
Iff it vre the in office to be sette,
1131   Than be thou gracious to othir men.·
Thei may report: a goodly man is mette
With such office; and so good fame shal renne
1134 A-boute of the. But *I ensure the, whenne
Thofficer is vnkynde, than seithe the pres:
Now wold God this man *were officeles.

IV. 43   CLXII.   fol. 110v
1137 Be nat suspect; that is a wi*k*kid tecche.
The suspect wiht with cowarde ielousnesse
In his lyvyng is but a verray wrecche.
1140   Much is a-mys, and all wold he redresse.
Hee deemythe fals and failethe hertynesse.

1105 *dede* C Hc *w*, *deden* D, *dide* übr.   1107 *hym* C Db Ad, *him* R, *them* M Cp,
thaym E   1108 *I nouht* C   1113 *nat* C H R He *v* ‖ *ofte* ϑ Cp, f. *v*   1115 *kithen* τ,
kythyth H   1120 *sorwe* τ, *sorefully* D, *for v* Fc   1121 *the* f. τ   1122 *sharper* C D
1125 *displese* C Hb, *dispraue* G, *dispreire* Y χ   1126 *sometymes* C, *some* A   1134
I f. C *v*   1136 *is* C
¹ Vgl. Skelton, Colin Cloute: *Of an abbaye ye make a graunge.*

His fals conceyt, set in malencolye,
1143 Slethe hym a-noon; *deth endithe his folye.

IV. 44 ### CLXIII.

Iff thou haue men withouten liberte,
Such as be clepid the men of bondage,
1146 Thouh thei ben vndir thi captyuyte,
Yit ouer such men be neuer outrage,
Iff thei be holden vndir thy seruage.
1149 Thouh thei be bonde, yit verray men thei be.
That *thei be men, than ay remembre the

IV. 45 ### CLXIV.

Thi first fortune receyve withe reedynesse;
1152 Refuse it nat, thouh it be scant and smalle.
It is wele bettir in gree to take the lesse,
Than refuse it and aftir faile of alle.
1155 Yiftis of fortune take them as thei falle.
Forsake hem nowe, and efte thou shalt *haue neede.
Tyme is to take, whan men profere and beede.

IV. 46 ### CLXV. fol. 111ʳ

1158 Reioyse thou neuer, my child, in al thi lyve
The sodeyn dethe of a cursid man and wrecche.
Whan he is deede, the soule may nat revive;
1161 Fro peyne to ioye that spirit may nat strecche;
The feendis holdyn so sore, that thei may kecche.
Who lyuethe wele, ful wele eeke deyethe he;
1164 That soule is sykir of grete felicite.

IV. 47 ### CLXVI.

Iff thou haue a wiffe in assuraunce,
Than trust hir weele and love hir inwardlye
1167 Withe herte and thouht and al thyn affiaunce.
Be nat infecte with suspecte ielousye.
Iff no deffaute in hir thou kanst espye
1170 And if thi freend telle the, suche is the *fame,
He is a freend and she nothyng to blame.

IV. 48 ### CLXVII.

Whan thoruh stody and longe excersyce
1173 Thou knowest mochil and hast grete konnyng,
Yit do thy diligence in besy wyse
More to konne; it is an holsom thyng.
1176 To grete honour konnyng may the bryng.
And ay eschewe nat for to be tawhte.
Withoute techyng science wol nat be kawhte.

IV. 49 ### CLXVIII. fol. 111ᵛ

1179 And if thou ouht meruayle and lest to muse,
In nakid *woordis, why my verse I write,

1143 f. C H R Fb, *this* F, *thus* Hb, *thus deth* A ω   1150 *the* C   1156 *hem*
C Hb, *them* Cp, f. M E   1170 *same* C R   1179 *lest* C Hc, *lust* ν E Ad, *lystene* Hb,
list oder *lyste* übr.   1180 *woord* τ R

In no wise I may me bettir excuse,
1182   Than sey: my witt so dul and vnparfite
Artith me thus rudely for tendite.
Bi too and too my metre for to knytte
1185   Nat causethe me but sympilnesse of witte.

Explicit secundum Magistrum Benedictum credo [?] De. b. [oder v oder s]

Kolophon: Explicit Cato ϰ, Explicit hic Cato dans castigamina nato FAY (in F folgt noch: Iste Cato erat unus .vij. prudencium Rome, Cato et Plato et cetera . Detur pro penna scriptori pulcra pu [i. e. puella]. T. E. J. P.), Explicit liber Catonis H Hb Ha M λ (in Ha dahinter noch transpositus in Anglicum; in Hc: Explicet liber Catonys compositus per Magistrum Benedyctum Boruh, vicarius de Maldoun in Essex; in Hf dahinter noch: compositus per Magistrum Benedictum Burgh, vicarium de Maldoun et cetera; in M noch: quod scripci [sic!] da michi quod merui. G.U.P.), Thus endith Catoun þat noble and worthi clerke, as here it shewith by his commendable werke G, Pars quarta et vltima Cp, fehlt übr.

Lexikalisch verdienen folgende Wörter unseres Textes Beachtung, die zumeist frühere Belege bieten als das Oxford Dictionary (O D). Die wenigen dort, d. h. in den bisher veröffentlichten Teilen, noch nicht verzeichneten Wörter, Formvarianten oder Bedeutungen sind mit einem Kreuz versehen.[1]

Accombraunce 837 (Var.: *encombraunce* δ M v, *incumbraunce* χ, *comberaunce* Aϰ Hc D) 'Beschwerung, Belästigung'; im O D zweimal seit 1489 (Caxton) belegt.

available 153 (Var.: *vailable* H C Fc, *vaileable* F A Fb), *aduaylable* 888, an letzterer Stelle synonym mit *profitable* gebraucht, also 'nützlich' bedeutend; in diesem Sinne seit 1474 (Caxton).

aggregge 408 (Var.: *aggruggith* C H Hb A Cp χ; *engreggith* G Hf He D; *encrochith* M, *engroccheth* σ, *ingrogit* Fc, *engrechith* Y Hc), trans. †'niederdrücken' (whan dreede of dethe a man so aggreggithe). Diese Bedeutung fehlt in O D; doch ist die daraus abgeleitete intransitive Bedeutung 'to be heavy, to be weighed down' aus Gower daselbst belegt. — Die Variante *aggrugge* gehört zu ne. *aggrudge* 'to grumble' (O D seit 1470), muſs aber hier faktitive Bedeutung haben, etwa †'to annoy, dissatisfy', wie sie auch das im Promptorium Parvulorum (O D) belegte Partz. *aggroggyd* 'aggravatus' verlangt. — Die zu ne. *encroach* zu ziehende Variante *engroccheth* ist als frühester Beleg zu notieren, da O D diese Form erst aus dem 16. Jahrh. kennt. Die beiden anderen Kontaminationsformen, *ingroge* und *engreche*, fehlen O D.

aggrugge s. *aggregge*.

arable 350 (Var.: *areable* Cp, *erable* Db χ) 'beackerbar' (O D seit 1577 Tusser).

a-sethe 562 (Var.: *feith* Hf, *seethe* Hc; *aseth* He A, *a sethe* übr.) in *Hope ... shal make the a sethe* 'dir Genüge tun, Vergeltung schaffen'. Wenngleich auch sonst öfter das Präfix *a-* getrennt geschrieben wird, so scheint doch das Übereinstimmen fast aller Handschriften (nur He und A schreiben *aseth* zusammen) darauf hinzudeuten, daſs in diesem Falle *a*

---

[1] Die hier gemachten Zusammenstellungen haben in erster Linie den Zweck, Ergänzungen zu diesem nicht genug zu bewundernden Riesenwerke zu geben und dadurch dem jedenfalls einst notwendig werdenden Supplemente vorzuarbeiten. Da, wo das Oxford Dictionary nicht zum Vergleich vorlag, habe ich solche Wörter notiert, die ich im Mittelenglischen sonst nicht oder nur einmal nachweisen konnte, möchten sie im Neuenglischen auch noch so bekannt sein.

als unbestimmter Artikel und *sethe* als die Form des Substantivs empfunden wurde. Geradezu beweisend für diese Auffassung ist das Vorkommen von *no sethe* 936 (Var.: *no feith* Hf, *nothyng* H, *not* Db) in *is no sethe greable*, im Sinne einer starken Negation etwa 'keineswegs'. (O D belegt unter *assyth* ein schott. *na syth* 'keineswegs' um 1600.) *No sethe* ist zu *a sethe* offenbar nach Analogie von *no del* : *a del* usw. gebildet. Im Lichte dieser Tatsache ist nun wohl auch das in der Handschrift Hc und in den Paston Letters (O D) erscheinende *seethe* anders zu beurteilen, bei dem man sonst einfach Aphärese des *a-* anzunehmen geneigt sein könnte.

attentyfnesse 765 'Aufmerksamkeit' (Var.: *ententyfnes* R A Hc); O D belegt das Substantiv erst seit 1549, das Adverb *attentifly* aber schon aus Wyclif. Die Variante †*ententyfnes* entspricht dem ne. *intentiveness* 'closeness of attention', welches O D seit 1561 nachweist.

†*awite* He Cσ 649 'tadeln, einem zum Vorwurf machen, einem die Schuld wofür zuweisen' (Var.: *a wyჳt* Hb; *atwyte* H R, *attwyte* F; *wyte* A Cp*ν×ζ*; — *a wayt* Hc). Ein Verbum *awite* 'tadeln' fehlt O D, dagegen steht es bei Mätzner. Allerdings ist von Mätzners zwei Belegen der eine abzulehnen; denn die Shoreham-Stelle (ed. Konrath S. 94, V. 248) verlangt die Bedeutung 'rächen, vergelten', so dafs hier sicher mit Kölbing das überlieferte *awyte* in *acwyte* zu ändern ist. Der zweite dort angeführte Beleg stammt aus *Stans puer ad mensam* V. 28, wo das Jesus-Ms. 56 (Rel. Ant. I 157) *awite* hat, andere Handschriften aber *attwite* (Hazlitt E. Pop. Poet. III 25) oder *edwite* (Furnivall, Babees Book, S. 29) lesen. Der letzteren Lesarten wegen hat O D die Form des Jesus-Ms. offenbar als Schreibfehler angesehen und darum *awite* nicht aufgenommen. Nachdem aber an unserer Cato-Stelle sechs zu verschiedenen Gruppen gehörige Handschriften ein *awite* bezeugen, wird an der Existenz einer solchen Nebenform kaum mehr zu zweifeln sein. Natürlich handelt es sich um Präfix-Vertauschung oder -Reduktion zu me. *atwite*, ae. *ætwītan*: zeigt doch das Spätmittelenglische eine starke Neigung, *a-* nicht nur für *on-*, *of-*, *and-*, *ge-* eintreten zu lassen, sondern auch für *up-* (*abraid* 980), *en-* (*accombrance* 837) u. dgl. m. Vergl. übrigens auch ne. *ado* und *adoors* (V. 726 lesen alle Handschriften *atwyte*, nur *×* *edwyte*).

Beer 958 'Bahre': †*to be leid on beer* 'zu Grabe getragen werden', dann hier fig. von bösen Lüsten 'aufgegeben werden'; vgl. O D *to bring on bier* seit 1480.

berde 722 'Bart': †*caste in thy berde* 'dir ins Gesicht schleudern'.

Casuel 274: *it is a casuel* 'es ist ein Zufall'; frühester Beleg für die Substantivierung des Adjektivs (Einenkel, Streifzüge, S. 30), die O D seit 1566 bezeugt.

chynche 787 'geizen': *the nygard chincheth* in Hb Db (in den übrigen Handschriften ist *chynche* 'Geizhals' Substantiv). Das Verbum ist bisher (O D) nur aus dem Prompt. Parv. und einer Handschrift des Piers Flowman bekannt. Die Variante *chinge* G ist bisher ungebucht; vgl. dazu O. Ritter im *Archiv* CXV 174.

conclude 677 'folgern' mit prädikativem Adjektiv: *to conclude the body vnapte*. In dieser Konstruktion bisher erst seit 1628 nachgewiesen, doch mit prädikativem Substantiv schon seit 1512.

consumyng 357 'zehrend' (von Kräutern) im Gegensatz zu *nutritive*. In diesem medizinischen Sinne ist sowohl das Verbaladjektiv wie das Verbum bisher erst aus dem 17. Jahrh. belegt.

cros ne pile 718: *Sum man ... that hathe nouthir cros ne pile* 'weder Vorderseite noch Rückseite einer Münze', d. h. 'gar kein Geld'. Diese Form kennt O D erst seit 1584, jedoch *pill ne crouche* schon aus Gower.

cryminous 745 'eines Verbrechens schuldig', so von Personen seit 1535 (O D).

Deffectyfe 960 'unvollkommen'; frühester Beleg bisher 1472.

† *delaviaunce* 69 (Var.: *delevyance* Hf, *delauans* M; — *daliaunce* A Cp *r* Hc E Fc *q*). Die zuletzt genannte Variante, welche dem ne. *dalliance* 'Tändelei' entspricht, pafst metrisch und inhaltlich nicht recht in den Zusammenhang, da das *delaviaunce of woord eschewe* parallel mit *to be stille and keep thi tonge in mewe* steht und ein lateinisches *compescere linguam* und *tacere* Dist. I 3 wiedergibt. Dagegen ist metrisch nichts einzuwenden gegen das durch 13 Handschriften gesicherte *delaviaunce*. Ein solches Wort fehlt nun zwar bisher in unseren Wörterbüchern, ist aber leicht als Ableitung zu dem me. ne. *delavy* 'überströmend' > 'unmäfsig' zu erklären. Obendrein findet sich ein zu demselben Worte gehöriges Substantiv *delaviness* 'Unmäfsigkeit', das ebenso in Bezug auf das Sprechen gebraucht wird (z. B. bei Wyclif: *dilavynesse of tunge*) wie unser *delaviaunce*. Letzteres wird daher die gleiche Bedeutung haben, nämlich 'Mafslosigkeit'.

delyueraunce 571 (Var.: *deliberaunce* *v* C *x*). Das me. *deliveraunce* 'Befreiung' pafst mit keiner der im O D angeführten Bedeutungen in den Zusammenhang unserer Stelle, die ein lateinisches *Quod sequitur specta quodque imminet ante videto* (Dist. II 27) wiedergibt. Dagegen würde sehr gut passen die Bedeutung, die sonst ne. *deliberation* (lat. deliberatio) hat, nämlich 'Überlegung, Erwägung'. Dafs wir tatsächlich ein me. *deliveraunce* mit der Bedeutung 'Erwägung' erwarten dürfen, wird uns klar, wenn wir sehen, dafs es im Mittelenglischen auch ein Verbum *deliver* mit der Bedeutung 'erwägen' gab (6 Belege in O D). Für dieses galt ursprünglich die Form *deliber*. Es gingen aber offenbar ne. *deliber* 'erwägen' und *deliver* 'befreien' im 15. und 16. Jahrh. durcheinander; und wie man *deliver* in der Bedeutung 'erwägen' gebrauchte, fafste man auch *deliveraunce* als Ableitung davon als 'Erwägung'. Caxton und der Schreiber von *v* fühlten die Zugehörigkeit zu *deliber* und schrieben dafür *deliberaunce* mit *b*.

distanye C 468 (Var.: *destany* D E, *destenye* *δ o* Hf He Ad, *destynye* übr.) ist als neue Formvariante zu *destiny* zu buchen.

do 393: die Phrase *to do for* 'to act in behalf of' ist bisher erst seit 1523 belegt.

Egal 752 'unparteiisch'; diese Bedeutung belegt O D zuerst aus Shakspere; *equal* erscheint dort etwas früher so (1535).

ell oder, wenn man dem oft und ganz willkürlich verwendeten Strich durch *ll* eine Bedeutung beimessen will, *elle* liest die Handschrift C deutlich an zwei Stellen (204 und 532), aufserdem an der zweiten Stelle auch der Caxtonsche Druck. Die übrigen Handschriften haben *elles, ellis, ellys* oder *els*. Die Form ohne *-s* ist auch sonst noch zweimal überliefert, nämlich einmal *el* in einer Handschrift (Harl. 201) von Robert of Gloucester, V. 9258 (Var. *elles*), und bei John Maundeville (O D). Das Oxf. Dict. versieht nun zwar beide Formen mit Fragezeichen und scheint also geneigt, sie als Schreibfehler aufzufassen. Angesichts der drei neuen Belege (oben) müssen wir ihr aber wohl Existenzberechtigung zuerkennen. Auch ist eine solche Nebenform keineswegs auffallend, wenn man bedenkt, wie stark im Mittelenglischen die Neigung herrscht, bei allen Adverbien Doppelformen mit oder ohne *-es* zu gebrauchen; nur dafs, während sonst *-s* analogisch angefügt wird, hier nach Analogie der *s*-losen Formen dasselbe irrig unterdrückt ist.

enable 152 absol. 'bestärken', in diesem Sinne bisher seit 1534 belegt.

engreche siehe *aggregge*.

engroche siehe *aggregge*.

enrolle 841 'einprägen', in dieser fig. Bedeutung bisher zuerst bei Palsgrave (1530) nachgewiesen.

ententyfness siehe *attentyfness*.

entrete 750 'to beseech, implore' mit dem Akk. der Person; so seit 1502 belegt.

excessifly 789 Adv. 'verschwenderisch' (O D seit 1552).

Ferfulnesse 796: *dethe is eend of ferfulnesse* = lat. *finis malorum,* Dist.
III 22, also objektiv 'dreadfulness, der Schrecken'. O D belegt diese
Grundbedeutung seit Coverdale 1535.

freendlynesse 928 (O D seit Caxton 1490).

Gare siehe *gawre.*

gawre 656 (Var.: *gaure* F Hb D Hc Ht, *gare* Cp; — *gaule* R, *gawle*
Fb; — *gnare* M): *we may nat lette the peple to gawre and crye* = lat. *ar-
bitrii non est nostri, quid quisque loquatur,* Dist. III 2. Da von dem übeln
Gerede der Leute die Rede ist, pafst die ursprüngliche Bedeutung 'to stare,
to gape' (O D) hier nicht; es wird vielmehr, parallel zu *crye,* die abgeleitete 'to shout or cry' hier vorliegen, die das O D zuerst aus Palsgrave
(1530) nachweist. — Ein Synonymon dazu ist offenbar das durch zwei
Handschriften vertretene *gaule, gawle* — hier absolut und intransitiv gebraucht, während es in dem einzigen Belege[1] des O D aus Greene (1592)
transitiv erscheint. (Die dort mit Fragezeichen gegebene Bedeutung 'to bawl
out' wird also durch unsere Stelle bestätigt). — Die dritte Variante *gnare*
(M) hat einen etwas abweichenden Sinn: 'knurren; brummen'. Sie ist als
frühester Beleg (O D seit 1496) besonders zu vermerken. — Das *gare* endlich des Coplandschen Druckes (1557) ist eine (wohl phonetische) Schreibung für *gawre,* welche O D auch aus Phaer (1558) und Twyne (1579)
belegt. — Das gleiche gilt für V. 435: *Make nat all men on it to gaur and
crye* (Var.: *gaule* R, *gnare* M, *gare* Cp), nur dafs hier noch zwei weitere
Varianten hinzukommen: *gavne* G und *glauere* Ad. Letzteres ist natürlich
das bekannte me. ne. *glaver* 'schwatzen'. *Gavne* wird wohl für *gaune* stehen
und dem im O D einmal aus Googe (1563) belegten ne. *gawne* entsprechen,
das ich als Nebenform zu ne. *yawn* 'den Mund aufmachen, gaffen' ziehen
möchte. Mit der letzteren Bedeutung würden wir sehr wohl an unserer
zweiten Cato-Stelle auskommen, da es sich hier um den Gegensatz von
'Verschweigen' und 'Bekanntmachen' handelt. Doch sei darauf hingewiesen, dafs ne. dial. *yawn* neben 'gaffen' auch die Bedeutung 'schreien'
(Wright) hat, die wir also auch für unser obiges *gavne* annehmen können.

gawle siehe *gawre.*

gavne siehe *gawre.*

gnare siehe *gawre.*

gouerment C H A × 576 (Var.: *gouernament* F Hc, *gouernaunce* M, *re-
gement* D, *gouernement* übr.) ist eine Nebenform zu *government,* die O D
erst aus dem 16. Jahrh. kennt. Das Wort hat hier seine Grundbedeutung
'control, rule', die O D zuerst aus Alday (c. 1566) nachweist. Übrigens
bildet unsere Cato-Stelle das bisher früheste Beispiel für das Vorkommen
des Wortes überhaupt.

Hastyfly G He 790 (Var.: *hastly* C R, *hastyly* oder *hastely* übr.) kommt
als dritter zu den bisherigen zwei Belegen (14. Jahrh.) hinzu.

herbeire 818 ‚Blumengarten' (Var.: *herbere* C M ν ζ, *erbayre* Ad). Die
hier durch den Reim auf *ayr, fayr, repeir* gesicherte Nebenform auf *-eire*
(*herbeire* und *erbayre*) wäre in O D unter *arbour* hinzuzufügen.

hertynesse 1141 (Var.: *hartynesse* Hb Ha, *hertlynesse* χ) 'Herzlichkeit'.
Die Form *hertyness* ist bisher erst seit Palsgrave (1530) belegt.

Ingroge siehe *aggregge.*

inheritaunce 721 'das Erbe' als Gegenstand (so O D seit 1473).

† *Jayissh* 116 C Cp (Var.: *jayeshe* Hb E D, *iayes* Pm, *iaishe* H, *jaysche*
He, *jasche* Ad, *iaiscy* F; — *jangleyng* σ; — *rasshe* A ω; — *ragisshe* Fc).
Ein Adjektiv *jayish* findet sich in keinem Wörterbuche aufgeführt. An
unserer Stelle nimmt ein *such jayissh folk* ein vorausgehendes *wordy folk*
(= lat. *verbosos,* Dist. I 10) wieder auf, mufs also mit ihm annähernd sy-

---

[1] Häufiger belegt ist das damit identische me. *goulen* (s. O D unter *gowl;*
Björkman, Scandinavian Loanwords I 69).

nonym sein. Daraus ergibt sich die Bedeutung 'geschwätzig, plappernd'.
Zu dieser können wir auch auf etymologischem Wege gelangen, wenn wir
das Adjektiv als Ableitung zu ne. *jay* (1) 'Häher, Elster', (2) 'an imperti-
nent chatterer' (O D) ziehen, natürlich an die zweite Bedeutung anknüp-
fend. Diese letztere Bedeutung ist nun zwar bisher erst seit Skelton (1523)
nachgewiesen; doch dafs die Geschwätzigkeit der Elster schon damals in
England sprichwörtlich war, zeigen sowohl die beiden Erzählungen, die
Wright, Homes of Other Days, London 1871, S. 253 ff., aus dem 'Chevalier de la Tour - Landry' und den 'Seven Sages' anführt, wie zahlreiche
Stellen bei Schriftstellern, wie z. B.: *thou janglest as a jay*, Chaucer C. T.
B. 774; *they mowe wel chiteren, as doon these jages*, Chaucer C. T. G. 1397;
clappe and iangle foorth, as dooth a iay, Hoccleve Bal. to Henry V. 37;
the iay iangled them amonge, Squyr of Lowe Degre V. 51 (O D); *like a
jay jangelyng in his cage*, Lydgate, Minor Poems, S. 165; *thei cheteryn
and chateryn, as they jays were*, Coventry Myst. S. 382; *to jangle as a
jay*, La Belle Dame sans merci (ed. Skeat) V. 744; *he jangleth as a jay*,
Plowmans Tale V. 792; *as jangelynge as a jay*, Russells Boke of Nurture
V. 36 (Babees Book p. 119) usw. Alles dies spricht dafür, dafs wir ein
neues Adjektiv *jayish* 'geschwätzig' für das Wörterbuch notieren dürfen.
In der Variante *iayes* (Pm) haben wir die nördliche Form des Suffixes
-ish vorliegen. Die Nebenformen *iaishe, jaysche* sind zu vergleichen mit
dem *prayng* des Catholicon Anglicum, S. 289: Kontraktion oder Haplo-
graphie. Das gleiche gilt wohl von *jasche* (mit schott. Schreibung?), das
wohl schwerlich mit Douglas' *jasche* 'a noise' (O D) und schottischem *jass*
(Wright) zusammenhängt. Schwieriger ist das *iaiscy* (oder *iaisey?*) der
sonst sehr sorgfältigen Handschrift F zu deuten, wenn es auch wohl
sicher ebenfalls zu *jay* gehört. Sollte hier vielleicht ein falsch abgetrenntes
Suffix *-cy* | *-sy* vorliegen (vgl. ne. *icy, fleacy, spicy, juicy, sluicy, saucy*),
wofür ich freilich sonst kein Beispiel weifs? Oder sollte man, wie bei ne.
dial. *jawsy* 'talkative' (Wright) zu *jaws* 'Kinnbacken', vom Plural *jays* ausgehen müssen? — Die Variante *jangleyng* 'schwatzend' ist ein wohlbe-
kanntes Synonymon. — Einen abweichenden Sinn aber hat *rash* 'vor-
schnell, voreilig, unbesonnen', das in A und *ω* erscheint. Die Variante
ist um so interessanter, als das Wort überhaupt nur zweimal (O D) in
me. Zeit belegt ist und speziell in dem hier erforderlichen modernen Sinne
erst seit 1558. — Das sonst unbezeugte *ragisshe* von Fc erklärt sich wohl
am ehesten entweder als direkte Ableitung zu *rage* 'Wut' oder als Umgestaltung (Sutfixvertauschung) von *ragious* 'wütend, rasend'.

iuparte 824 trans. 'to stake, to bet' (so O D seit 1470). Var.: *iupard,
jubarte, jubard, joberd, gewparde, jeopard, gibarde, iebarde, ieparde*.

Knack 690: *For even so riht as thou deprauyst hym, byhynde˙ thy
bakke | Riht so vol men make the a mokke and a knakke* = lat. *exemplo
simili ne te derideat alter*, Dist. III 7. Mithin ist *make the a mokke and
a knakke* annäbernd synonym gebraucht mit *deprave* 'schlecht machen';
und wer solches tut, heifst gleich darauf ein *skorner* 'ein Spötter, Ver-
ächter'. Daraus ergibt sich, dafs sowohl *mokke* wie *knakke* so etwas wie
'Gegenstand des Spottes' heifsen mufs, entsprechend dem latein. *derideat*.
Das O D führt nun ein Wort *knak* mit der Bedeutung 'a taunt, gibe' auf,
freilich nur mit Belegen aus schottischen Texten des 16. Jahrhunderts;
ich zweifele aber nicht, dafs dasselbe Wort mit derselben Bedeutung hier
an unserer Cato-Stelle vorliegt. — Statt *mokke* lesen C Hb E G D Fc *mowe*
und Cp˙He Hd *moppe*. Beide Wörter bedeuten 'Grimasse, Fratze'. Diese
Kopisten müssen auch *knakke* in einer anderen Bedeutung gefafst haben,
jedenfalls der gewöhnlichen von 'Posse, Streich'.

Leve 739: *to take leve* 'Lebewohl sagen' > 'fortgehen, schwinden' (von
der menschlichen Kraft gesagt); so im fig. Sinne bisher seit Dunbar (1500)
belegt.

lofte 165: *to crye on lofte*, im Gegensatz zu *speke soft*, kann nur heifsen 'laut schreien', eine Bedeutung, die unter *aloft* im O D fehlt, aber ̣unter *loft* mit zwei Belegen aus 'Aunters of Arthur' und 'Golagros' nachgeholt wird. Ob die Stelle aus Purchas' Pilgrimage (1613) *Speake aloft and prowdley*, wo O D die sonst nicht nachweisbare Bedeutung 'in a lofty̱ tone, loftily' annimmt, nicht auch hierher zu ziehen ist?

long 684: †*at the longe* 'schliefslich, d. h. auf die Dauer, auf die Länge; nichts genau Entsprechendes in O D.

Mis 657: *if thei sey mys, thei lye*, parallel zu *maligne; mithin to sey mys* 'übelreden, verleumden', was für me. *misseggen* mehrfach belegt. Weitere Beispiele für diese Abtrennung der Verbalpartikel stellt Mätzner unter *mis* zusammen. Dazu Sidney-Cato V. 468 (Engl. Stud. 36, 40): *If þou ... misse þe gouerne.*

modifie 1035 'mäfsigen'.

myserous 469 'unglücklich'.

mokke, moppe, mowe siehe *knakke*.

Noysaunce 619 'Übel, Schaden'; auch Partenay V. 401 (Str.-Br.).

noysaunt 723, parallel mit *ful of greuance*, gehört offenbar zu demselben Stamme und wird 'schädlich, lästig' heifsen; vergl. me. *noyous* 'troublesome'.

nutrytive 617 subst. 'Nahrung, Nährmittel'.

nyced 601 (Var.: *nysed* M E λ Y, *nyce* F ϱ ζ; — *wanton* Hb) in *any nyced fantasie* mufs 'närrisch geworden' heifsen und wohl als Partz. zu me. *nisen* 'to become foolish' (Gawain 1206 Str.-B.) gezogen werden.

Officeless 1136 'ohne Amt', hier 'aus dem Amt'; in D O nur aus Cath. Angl. 1483 und Frasers Mag. 1834 belegt.

ouerfreiht 855 (*-fraught* Db, *-freht* F) 'überladen' (vom Boot gesagt); bisher frühester Beleg aus Palsgrave (1530).

ouerpeyntid 233 'übermalt', hier fig. (von der Rede = lat. *blando sermone*, Dist. I 27) 'geschmückt, geschminkt, schönfärberisch, schmeichlerisch'; so in fig. Sinne bisher erst seit c. 1750 nachgewiesen, das Wort selbst seit 1611. Vgl. me. *to paint* 'to feign, to fawn' (Beispiele in O D, dazu Burghs Cato 228, *with peyntid woord*).

Part 231: †*no part* 'keineswegs', fehlt O D; doch *some part* 'to some extant, somewhat'.

pecuniall 871: *whan thou hast plente and art pecuniall;* das Wort mufs also hier †'reich' bedeuten, wie sonst me. *pecunious*, obschon O D nur die Bedeutungen 1) 'consisting of money', 2) 'pertaining to money' kennt.

preignable 1080: *Aftir pouerte richesse is preignable* heifst es, wo vom Wechsel des Schicksals die Rede ist; somit würde hier ̇ gut passen die Bedeutung 'wieder erhältlich, erlangbar'. (Für ne. *pregnable* bieten die Wörterbücher nur die Bedeutung 'mit Gewalt einnehmbar'.)

preseruatiffe 821 'konservierend, erhaltend'.

processour 483 'der Prozefsführer, Kläger'?

progenytours 806 (Var: *prymogenitours* Hb Hc) 'die Eltern'.

Rasshe siehe *jayisshe*.

ragish siehe *jayische*.

regest 345 'einschreiben' > 'aufzeichnen' (O D erst seit 1520).

reiecte 902 'zurückweisen'.

releeve 732: *to othir mennys deede releeve*, und 812 *resorte and hidirward releve*, beide Male also intransitiv; daher etwa 'seine Zuflucht nehmen' bedeutend.

retreve 814: *vnto this place retreve*, intransitiv 'sich wieder einfinden, wieder hingehen'.

Sconfet 458 (Var.: *scomfite* H Ha A × He D, *scumfit* M, *scomfited* ν ν, *schoumfite* Ad, *sconfycted* Hc, *discomfet* Cp) 'besiegt'.

sethe siehe *a-seth*.

slyre 1003 (Var.: *slyffe* ⋇ Hc, *sleyue* H; — *stryve* D; — *schyve* Fc; — *fliue* Cp): *Doctryne kepithe vertu on lyve. Whiche ne were, doctryne soone from man shuld slyve.* Nach dem Zusammenhang muſs es sich hier um ein Verbum der Bewegung oder des Sich-Trennens handeln. Der ersteren Bedingung entspricht das ne. dial. *to slive* 'gleiten, schleichen' (Wright), das jedenfalls identisch ist mit Palsgraves '*I slyve downe, I fall downe sodaynly,* Je coule' (1530). Daher dürfen wir wohl für unsere Cato-Stelle ein me. *slyve* 'entschlüpfen' ansetzen. Dasselbe Wort kommt dialektisch auch als Faktitivum vor in der Bedeutung 'to put on any article of dress hastily and untidily' (Wright). (Zur Bedeutungsentwickelung vergleiche ne. *slip* 1) 'schlupfen, gleiten', 2) 'schlupfen machen' > 'hurtig anziehen' und mndd. *slippen* 1) 'gleiten', 2) 'gleiten lassen' > 'den Mantel über den Kopf hängen'.) Ich halte es daher für sehr wahrscheinlich, daſs das Wort identisch ist mit dem ae. *slēfan* 'ein Kleidungsstück überwerfen, über-streifen', das einmal belegt ist in dem Prosaleben des h. Guthlac (ed. Goodwin, London 1848, S. 68): *Gudlac hine sylfne ungyrede, and þæt reaf, þe he genehlice on him hæfde, he hine* [lies *hit*] *slefde on þone foresprecenan man.* Lautlich und begrifflich würde sich dies ae. Verbum, ws. **slēfan, *slȳfan,* angl. *slēfan* zu vläm. ndl. *slōven* in *xijne mouwen slooven* 'die Ärmel aufstreifen' (s. Franck) stellen und mit diesem zusammen auf ein urgm. **slaufjan-* oder **slautjan-* zurückweisen. Ableitungen dazu mit gleichem Vokalismus sind ae. *slȳfe, slēfe* 'Ärmel', ne. *sleeve* [= mndl. *slōve* (ohne i-Umlaut): nfries. saterl. *slēṷə,* Sylt *slîṷn̩,* Siebs im Grdr. S. 1350 u. 1387, beide ein afrs. **slēve* voraussetzend] sowie ae. *slebescoh* 'soccus' und *slȳflēas* 'ärmellos', auch das *slîfer* 'lubricus' der Brüsseler Glossen, falls hier nicht ein Schreibfehler für *slipor* vorliegt, was wegen des ne. dial. *sliverly* 'slinking, crafty' (Wright) nicht eben wahrscheinlich; weiter-hin mit Ablaut (**sluf-, slub-*) me. *sloveyn,* ne. *sloven* : ndl. *slof* 'nachlässig' mit Genossen (s. Franck). — Von den Varianten ist *stryve* 'streben' durch-sichtig. — Die Form *schyve* wird dem bei Langland und Wyclif belegten me. *schiven,* ne. dial. *to shive* (Wright) 'schieben' (aus ae. **scȳfan* oder an. *skȳfa*) entsprechen, jedoch hier die intransitive Bedeutung 'sich abschieben, fortbewegen' haben, welche sowohl bei ne. *to shove* wie bei ne. dial. *to shive off* 'to go away' (s. Wright, der unnötig hierfür ein neues Verbum annimmt) vorkommt. — *Fliue* bei Copland ist wohl nur Druckfehler für *sliue.*

schyve siehe *slyve.*

strecche 1042 mit *to* 'sich strecken nach, trachten nach' (*to konnyng*); vgl. ne. *to stretch for* 'sich anstrengen, um etwas zu erlangen'.

superflue 579 'Überflüssiges' (Adj. oder Subst.?).

surfetour 320, 438 'Schwelger', ne. *surfeiter.*

Toilous 298 'geschäftig, fleiſsig'.

Virous 922 (Var.: *vrous* v, *eurous* χ). Die Variante der schlechtesten Handschriften-Gruppe, *vrous, eurous* 'glücklich', ist leicht verständlich, paſst aber nicht recht in den Zusammenhang. Die ganze Strophe handelt uber die Stärke (*fortitude* = lat. *praevalidae in corpore vires* ... *vir fortis,* Dist. IV 12). Der Satzteil, in dem das Wort erscheint, *as to be virous, myhti, strong and rude,* ist nichts weiter als eine nähere Ausführung des vorherigen *strengthis bodyly;* mithin muſs *virous* so etwas wie 'kräftig, männlich' oder dgl. bedeuten, obgleich ich das Wort sonst nicht nachzu-weisen vermag. Da im Neuenglischen ein gleichbedeutendes Adjektiv *vi-rile* erscheint, werden wir unser *virous* wohl mit diesem zusammenstellen dürfen, sei es nun, daſs wir Suffixvertauschung annehmen oder eine ge-lehrte Neubildung zu lat. *vir* darin sehen.

Würzburg.   **Max Förster.**

Zur Herkunft von ne. *slang*.

Mit einem Anhang über das 'bewegliche *s*' im Englischen.

Von Wedgwood, Skeat und anderen wird das Wort *slang* 'vulgar language' aus dem Nordischen hergeleitet: norw. *sleng* 'a slinging, a device, a burden of a song', *slengja* 'to sling', *slengja kjeften* 'to slang, abuse' (lit. 'to sling the jaw') usw. In seinem grofsen *Etymologischen Wörterbuch* bemerkt Skeat dazu: 'I see no objection to this explanation; which is far preferable to the wholly improbable and unauthorized connection of *slang* with E. *lingo* and F. *langue*, without an attempt to explain the initial *s*, which has been put forward by some, but only as a guess.' Schröer läfst die Frage nach der Herkunft des Wortes offen; an den nordischen Ursprung scheint er nicht zu glauben — er begnügt sich mit einem [?].

Auch mir will die Ableitung von ne. *slang* aus nordischer Quelle nicht einleuchten. Das Wort ist, soweit ich sehe, zuerst in Fieldings *Jonathan Wild* (1743) belegt;[1] der erste Lexikograph, der es bucht, ist Grose (*Classical Dictionary of the Vulgar Tongue*, 1785): '*Slang*. Cant language.' Allem Anschein nach ist es kein altes Wort, das unserem Blick nur durch die Ungunst der Überlieferung entzogen würde; es ist offenbar erst im 17. (oder gar im früh-18.?) Jahrhundert aufgekommen. Eine so späte Entlehnung aus dem Nordischen anzunehmen, hat aber zweifellos etwas Bedenkliches. Zudem bietet die Lautform des Wortes Schwierigkeiten. Ich sehe nicht, wie man von *sleng* aus zu *slang* gelangen sollte; viel eher wäre eine Entwickelung in entgegengesetzter Richtung, zu **sling* hin, zu erwarten (cf. *sling* < *slöngva*, *string*, *wing* usw.).[2] Endlich ist auch das semasiologische Verhältnis von engl. *slang* zu der nordischen Wortgruppe nicht ganz durchsichtig. Das englische Wort hat meines Bedünkens von Haus aus die Bedeutung 'besondere Sprache einer Gesellschaftsklasse, Zunftsprache';[3] wie sich diese aber aus den

---

[1] [Nachtrag. Nach gütiger Auskunft von Dr. Henry Bradley enthält auch das Material des *N. E. D.* keinen älteren Beleg.]

[2] Aus Lautungen wie *slant* (me. *slenten*) und *slat* (? zu an. *sletta*) darf kein Einwand dagegen hergeleitet werden, da für das *a* dieser Wörter keinesfalls das anlautende *sl-* verantwortlich zu machen ist.

[3] Die Bedeutung 'schelten, Schelt-' halte ich für abgeleitet, falls nicht überhaupt dieses *slang* von dem anderen ganz zu trennen ist.

Bedeutungen 'slinging, device, abuse' habe entwickeln können, ist
schwer zu verstehen.

Ich möchte eine neue Deutung der Herkunft von e. *slang* wagen.
Meines Erachtens zerfällt das Wort etymologisch in die beiden
Bestandteile *s* + *lang*. Ich stelle die Besprechung des zweiten vóran.
Wie H. Reed richtig bemerkt hat, ist *slang* 'a word belonging
to the very vocabulary it denotes'. Bekanntlich ist nun im Slang
die Neigung stark ausgeprägt, mehrsilbige Wörter abzukürzen; es
heißt (oder hieß) im Slang *cab* für *cabriolet*, *mob* für *mobile* (*vulgus*),
phiz für *physiognomy*, *rep* für *reputation* usw. So, meine ich, hat
man auch das Wort *language* im Slang des 17. Jahrhunderts zu
lang verkürzt; vielleicht, daß das französische *langue* dabei von Einfluß gewesen war.[1]
Wie aber wäre das anlautende *s-* zu erklären?

Ich führe es auf einen Attraktions[2]vorgang zurück. Man verwendete, so möchte ich vermuten, das eben erschlossene *lang* besonders in Verbindungen wie *beggars' lang, gipsies' lang, hunters' lang,
pedlars' lang, sailors' lang, thieves' lang, tinkers' lang* usw.; und
von hier aus konnte man sehr leicht zu *slang* gelangen, indem man
das *-s* zum Anlaut des folgenden Wortes zog.

Ein genaues Analogon zu dem hier für die Erklärung von ne.
slang angenommenen Verschmelzungsprozeß vermag ich aus dem
Dialekte des westlichen Cornwall anzuführen. "In West Cornwall
the possessive *s* from such words as 'pig's crow', 'calf's crow', etc. has
largely attached itself to the latter word, and 'a scrow' is as common
(probably commoner) as 'a crow'," (*The English Dialect Dictionary*
s. v. *scrow* 'a hut, hovel, shed').[3]

Die Erscheinung der 'Lautattraktion' ist ja im übrigen etwas
der englischen Sprache ganz Geläufiges;[4] ich brauche nur an die
bekannten Typen zu erinnern:

ch-am < *ich am*;
l-one < *al one*;
M-acclesfield < *be, to þam A-, Ecclesfield*;
n-ewt < *an ewt*;
n-once < *for then ones*;

---

[1] Das *N. E. D.* verzeichnet ein (heute veraltetes) *langue, lang(e)* < frz.
langue. Ob der Beleg aus Carpenters *Pragm. Jesuit* c. 1665 'If your *lang*
be scanty, Th'Italian Tongue welcoms you tuttie quanti' nicht vielleicht
für unser *lang* < *language* in Anspruch zu nehmen ist?
[2] Ich bediene mich dieses Ausdrucks lediglich in Ermangelung eines
besseren.
[3] Ist das Verhältnis von dial. *swash* 'pigs' wash' zu *wash* ebenso zu
beurteilen?
[4] Vgl. die eingehende Abhandlung von Charles P. G. Scott in den
Transactions of the American Philological Association 1892, XXIII 179 ff.;
1893, XXIV 89 ff.; 1894, XXV 82 ff.

n-uncle < *mine uncle*;
n-under (dial.) < *an, on* + *under*;
Pugh < *Ap* (wal. *map* 'Sohn'; ir., gael. *Mac*) *Hugh*;
Rea, Ree (Flufsname) < *be there ee*;[1]
t-awdry < *Saint Audry*;
t-other < [*the*]*t other.*

Von prosthetischen *s*-Bildungen dieser Art verzeichne ich:
'*s-arternoon* (West Somerset) < *this afternoon*;
'*scure* (irisch) < *devil's cure*;[2]
s'lay, sley (Somers.) < *so lay* 'as lief';
slike, sloik (Yks., Gloucestersh., Somers.) 'probably; of course, certainly' < *it is like*;
smacle (Roxb.; veralt.) 'as much' < *as mickle*; ähnlich *stite* (Nhb.,
   Dur., Yks.) 'as soon' < *as tite* und *xino* (Som.) < *as I know*;
smiver (Yks.) 'however' < *howsomever*;
'*snaw* (Wilts, Dors.) 'used as a meaningless expletive' < *dost* [*thou*]
   know;
Swithold < *Saint Withold.*[3]

Ob auch das Wort *sneck-up, snick-up* (Interj. ? 'zum Henker!')
hierhergehört, ist zweifelhaft; die Herleitung aus *his neck up* will mir
wenigstens nicht recht zusagen. Eine Gruppe für sich bilden die Aus-
rufe, in denen der Genitiv *God's* (oder auch das Pronomen *his*) euphemistisch zu '*s* verkürzt ist: '*sblood* [sblad, zblad], *scurse* (dial.), '*sdeath*
[sdeþ, zdeþ], '*sfoot*, '*slid*, '*slife*, '*slight*, '*snails*,[4] *struth* (dial.), *xounds*
(< *God's wounds*). Um eine blofse Aphärese handelt es sich in
Fällen wie *scuse*, '*scuse* < *excuse*, *sdain* < *disdain*, *smay* (dial.) <
me. *esmaien*, *splay* < *display*, *sport* < *disport*, *stain* < *distain* usw.;
aus vorliterarischer Zeit wäre (mit Kluge) *spraidjan* < *us-braidjan*
(ae. *sprǣdan*, ahd. *spreiten*) hierherzustellen. —

Es sei mir erlaubt, diese Gelegenheit zu einem Exkurs über das
sog. 'bewegliche *s*' im Englischen zu benutzen.[5] Die fragliche

---

[1] Hempl in der Furnivall-Festschrift S. 154. Ähnliches im Deutschen
und anderwärts: lokal *Mēch* < *im Eichicht* (Schwarzburg.-R.); *Ra* < *in
der Aue* (Sachsen-Mein.); *Troppau* (slaw. *Opawa*) < *an der Oppa*; holstein.
Schreven- < [*de*]*s greven-* (Schröder, *PBB* 29, 482); ital. *Stanko*, türk.
Istankŏi 'Kos' < ἐς τὰν Κῶ; mittelalt. *Sathines* 'Athen' < εἰς Ἀθήνας;
Stiva 'Theben' usw. [*Stambul* ist wohl aus *(Kon)stantinopel* verkürzt.]
[2] Wenn neben *lob's course* ein verkürztes *scouse* auftritt, so darf nicht
vergessen werden, dafs *lob's course* erst aus *lobscouse* entstellt ist.
[3] Der Kuriosität halber erwähnt sei die famose Herleitung von *sleeve*
'a favour, a love-token' aus dtsch. *aus Liebe* (zitiert bei Skeat, *PrEE* II
448), die sich der Deutung von *Stuttgart* aus [*s*]*Totengarten* würdig an
die Seite stellt.
[4] 'By goddes precious herte, and by *his nayles*' (Chaucer, *Pard. Tale*).
[5] Dafs bei dem Worte *slang* an dieses *s* nicht zu denken ist, haben
die obigen Darlegungen gezeigt.

Erscheinung ist namentlich in den Dialekten sehr stark ausgeprägt; meine Beispiele habe ich daher grofsenteils dem *English Dialect Dictionary* entnehmen können. Das Bild, das sich dem Betrachter bietet, ist von verwirrender Buntheit. Zuweilen steht einer schriftsprachlichen Form ohne *s* eine dialektische mit *s* gegenüber, oder umgekehrt; häufig sind die Wörter in beiderlei Gestalt der Schriftsprache fremd; gelegentlich aber finden sich auch Formen mit und ohne *s* im Schriftenglischen nebeneinander. Einige Wörter sind über ein gröfseres, andere über ein kleineres Sprachgebiet verbreitet; diese Form ist im Norden zu Hause, jene etwa im Südwesten heimisch; ja es kommt wohl auch vor, dafs eine Form gleichzeitig in zwei weit voneinander entfernten Gegenden auftritt.[1] Chronologisch wären verschiedene Schichten zu unterscheiden, deren Entstehung zum Teil durch Jahrhunderte getrennt ist.[2] Was die Bedeutung des *s*- anlangt, so mag ihm zuweilen eine verstärkende Kraft innewohnen (ich denke vor allem an onomatopoetische Bildungen wie *screak, scrunch, splash* usw.);[3] in anderen Fällen wird davon freilich kaum die Rede sein können, so dafs dort das *s* blofs ein 'redundant initial' (Elworthy, *EDS* 50, S. 638) ist. Nur ausnahmsweise dürfte falsche Abtrennung eines vorhergehenden -*s* (Flexions-*s*; -*s* von *his, this, these, those* usw.), also 'Attraktion' (s. o.), für das Bestehen von Doppelformen verantwortlich zu machen sein. Bei Wörtern französischen Ursprungs spiegelt die Doppelgestalt häufig einen in der Quellsprache vorliegenden Wechsel von Formen mit und ohne Präfix *(e)s- < ex-* wieder. — Das bekannte lautliche Kriterium, demzufolge anlautendes [*sk*] in Wörtern germanischen Ursprungs auf nordische Herkunft deutet,[4] ist für die Wörter mit beweglichem *s* nur ausnahmsweise anwendbar (so vielleicht bei *scrab* < schwed. dial. *skrabba*); das [*sk*] dieser Wörter ist ähnlich wie das in *ask, dusk, tusk* zu beurteilen.[5] — Ich bemerke noch, dafs ich in der folgenden Zusammenstellung nur die s p e z i f i s c h   e n g l i s c h e n Fälle von beweglichem *s* berücksichtigt habe.

---

[1] So wird das vb. *scaffle* im *Dial. Dict.* für Nord - Lincolnshire und Cornwall bezeugt. Allerdings: wie weit machen die Angaben des *D. D.* in diesem Punkte auf Vollständigkeit Anspruch? Da hierüber ein Zweifel berechtigt erscheint, habe ich von einer genauen Registrierung der einzelnen Verbreitungsgebiete absehen zu dürfen geglaubt.

[2] Sehr alte Dubletten sind z. B. *spink* : *finch*, *spunk* : *funk*, *strum* : *thrum*; ganz jung erscheinen dagegen Bildungen, wie sie namentlich in einigen südlichen Dialekten (Wilts, Hants) anzutreffen sind: *spicter* 'picture', *spith, spyxon* 'poison' usw.

[3] Wie weit hierbei das *s*- < afrz. *es*- von Einflufs gewesen sein mag, bleibe dahingestellt.

[4] Eine Ausnahme bilden holländische Lehnworte wie *landscape, skate, skellum, skipper* usw.

[5] Die vereinzelt aus ae. *scr*- (regelrecht) entwickelten *shr*-Formen habe ich beiseite gelassen.

s a-: s *aunter* 'adventure; idle tale' (frz.).

s ca-: s *caffle* 'to equivocate, to change one's mind'; *scagmagly* 'worthless' neben *cag-mag* sb. 'anything worthless'; *scammish* 'awkward' zu *chammish*; *scant* 'to *cant*'; s *cantle* (frz.); *scatcher* (Lin.) 'oystercatcher'; s *cat(t)er-corner* 'diagonally'; *scause* (Nhb.) 'to *cause*'.

s cl-: s *clash*; s *clasp*; s *ctatch* 'Schmutz'; s *claw*; *sclem* 'to steal slyly' zu *skellum* 'Schelm' (*D. D.*)? oder etwa zu *clem, clam* 'klemmen'?; s *climb*; s *cluchten* 'flat-lying ridge'; s *clyte* 'to fall heavily'.

s co-: s *coanse* 'pavement'; s *cocker* 'rift in a tree'; ? *scog* 'to boast' zu *cog* 'to cheat'? s *coggers* (auch *hogger*) 'leggings'; ? *collop(s)* 'Fleischschnitte' < *scollop(s)* < frz. *escalopes*; ? *scopious* 'ample' (Halliwell) zu *copious*; s *corkle, score* 'core of an apple or pear'; ? *scottle* 'to cut badly' zu *cut*; s *couch* 'to stoop' (afrz. *escouchier*); s *co(u)rse* 'austauschen' (vgl. hierzu das *N. E. D.* und Scott l. c. XXIV 138 ff.); s *cowther* 'to drive'.

s cra-:[1] *scrab* (Clydesd. *scribe*) 'crab-apple'; s *cradge* 'to dress and trim a fen-bank'; *scraffish* 'crawfish, crayfish' (frz.); s *crag*; s *cram*; s *cramble*; s *cranch*; s *craps* (schon me. s *crappe*); s *cratch*; s *cratch-cradle* zu me. *crecche*, afrz. *creche*; s *cratching* 'refuse of lard'; s *craw*; s *crawl*; *scraze* 'to *graze*' (**sgr-* > *scr-*; zugleich Anlehnung an *scratch*?).

s cre-: s *creak*; s *crease*; s *creech*; *screwmatic* (War. Nrf.) 'rheumatics' ist offenbar (ursprünglich scherzhaft?) an *screw* angelehnt.

s cri-: *scriggle* 'to wriggle about' zu 'struggle' oder zu 'wriggle'?; s *crim* 'Krume; quetschen'; s *crimp*; s *cringe*; s *crinkle*; ? *scrinkle* 'to shrivel' zu *wrinkle*; s *crip* 'Beutel'; *Scrips* (Name; 'the son of Crispin') neben *Crips, Crisp* (cf. Bardsley, *Diction. of English and Welsh Surnames*, 1901, S. 673); *scrisum* (Derbysh.) 'fogey' zu *chrisom*; *scritch, scruch* (Cornw.) 'crutch'; ? *scrithe* 'to *writhe*' (**sr-* > *scr-*; vgl. *scriggle*).

s cro-: s *croffle* 'to hobble about'; s *crome* 'zusammenkratzen'; ? *scrooch* 'to stoop down' zu *crouch*; s *croodle* 'to crouch'; s *croot* sb. 'weak child', vb. 'to sprout'.

s cru-: ? *scruce, scruse* (e. Angl.) 'truce' (**str-* > *scr-*); s *crudge*; s *crump* 'to crunch; to shrivel'; s *crumple*; s *crunch*; s *crush*.

s cu-: s *cuff* sb. 'nape or "scruff" of the neck', vb. 'to strike'; s *culch* 'rubbish'; s *cullion* 'rogue' (frz.); *scutch* (cf. *squitch-*) 'couch-grass'.

s e-: s *ellems* 'the bars of a gate'.

sh r-: *shrags* (veralt.) 'rags' (**sr-* > *šr-*; Einfluſs von *shred*?); *shrail* (East Anglia) 'light rail'; *shrub* (Wilts) 'to rub along somehow' ("A sibilated form of *rub*" E. D. S. 69, p. 143).

s ka-: s *kag* 'stump of a branch'; ?? *skate* (Scotl. Yks.) 'paper *kite*'.

---

[1] Für die mit *scr-* beginnenden Wörter wurde der wertvolle Aufsatz von H. Schroeder über das bewegliche *s* (*PBB* 29, 479 ff.) verglichen.

s'ke-: s'*kedlock* 'charlock'; *skeeangie* neben *caingy* 'cross-tempered' (frz.); s'*kelcher* 'heavy fall of rain'; s'*kelter* 'order, arrangement'; s'*ker* (*skar, car*) 'left-handed'.

s͵ki-: *skippet* 'an osier bushel basket' zu *kipe* 'large basket' (ae. *cȳpe*); *skirpin* 'gore, or strip of thin cloth, in the hinder part of breeches' zu *curpin* 'back, backbone' (frz.); *skir(r)* 'the *whirr* made by certain birds in taking flight'; s͵*kist* 'chest'; *skitterways* neben *cater-wise* 'diagonally' (vgl. s'*catter*-corner).

s'kl-: *sklammer* (Scotl.) 'to *clamber* about'; *sklatch* neben *clatch* 'mess, slop' etc.

s'ko-: s'*konk* (Som.) 'collection of people'.

s'ku-: *skud* neben *cud* 'the undigested pellets of hair, bones, etc. thrown up by owls'; *sküül-brüil* (Shetl. I.) neben *goilbrul* 'laut brüllen' (nord. *gaula* + *brola*); *skutchineal* 'a dial. form of *cochineal*' (*D. D.*).

s'la-: s'*lam* 'to beat soundly' (an. *lemja*; doch vgl. auch norw. *slemma* usw.); ?*slanger* 'to *linger*'; s'*langet* 'long strip of ground'; s'*lank*; s'*lash*.

s'le-: *sleach, sleech* 'eintauchen' zu *cleach* 'to lade out in a skimming way'; s'*leer* 'to sneer'; s'*leer-rib* 'the spare-rib of pork'.

s'lo-: *slock* 'to lure, entice' zu ae. *loccian*; *sloonge* 'heavy blow with the open palm' zu *lunge* 'to strike heavily'; s'*loppet* 'to slouch'; s'*louch* (? < afrz. *[es]lochier*); *slounge* 'to *lounge*'.

s͵lu-: s'*lump.*

s͵ma-: s͵*mash; smatter* 'a dial. form of *matter*' (*D. D.*).

s'me-: s'*meagre*; s͵*melt, milt* 'the spleen' (ae. *milte*); s'*mergh* 'marrow' (ae. *merg*); s'*meuse* 'gap or hole through a fence used by hares and other small animals to pass through' (frz. *musse*).

s'mi-: *smite* 'a *mite*'.

s'mo-: *smooxed* 'smoked' zu *mose* 'to smoulder'. (norw. dial. *mosa*; Anlehnung an *smoke, smoulder*?); *smoskert* 'smothered' zu *masker* 'to choke'.

s'mu-: ?*muggled* 'cheap and trashy' < *smuggled*; s'*mulfered* (up) 'overdone with heat'; s'*mush* 'to mash'.

s'na-: *snab* 'steep place' zu *knab*; s'*nag* (auch *gnag*) 'to quarrel peevishly'; *snaggle* neben *gnaggle* 'to snap'; *snaister* 'to snap; to scold', *snaisty* 'peevish' zu *naist* 'to tease; to worry'; s͵*nam* 'to snap greedily at anything'; ?*(k)nap, gnap* 'to *snap* with the teeth' (cf. *knapsack, knip-knap* | *snapsack, snip-snap*); ?*snape* 'to seize by the *nape* of the neck' (Einfluſs von *snap, snatch*?); ?*snape, snaple* 'to *nip*'; *snapsen* 'aspen' (< s + *(a)n* aspen; vgl. *snivett, snope*); veralt. *gnare* 'to *snare*'; *gnarl* '*snarl*' (sb. und vb.); *snarl* '*gnarl* or knot in the wood', *snarly* 'gnarled'; *snash* neben *(g)nash* 'to abuse; to sneer'; *snast* neben *knast, gnaste* (an. *gneisti*) 'burning wick or snuff of a candle'; s'*nawp* sb., vb. 'thump'; ?*Snaxle, Snaxel(l)* (Name) zu *Kneesall, Gnadeshall, Knateshall*; cf. Bardsley l. c.

s͜ne-: *sneg* 'to *neigh*'; *sneeze*, me. *snēsen* neben ne. dial. *neeze*, me. *nēsen* (< *hnēosan*) und me.. *fnēsen* < *fnēosan*.[1]

s͜ni-: *snick* neben *nick* 'to *cut*' (cf. an. *snikka*); s͜*nicker* 'to laugh sneeringly'; s͜*niff* 'smell'; s͜*niffle* (? vgl. frz. *nifler*); *snip* 'to *nip*'; *snivett* < s + (a)n *evet* 'a *newt*'.

s͜no-: *snock* neben *knock*; *snook* 'to lie hidden' zu *nook* 'corner' [ae. *snoc*? 'nook' Earle, *Land-Charters*]; *snooze* 'a *nooze*'; *snoozle* zu veralt. *noozle* 'to *nuzzle*'; s͜*nope* 'bullfinch' neben *alp*; *nor* (Shetl. I.) '*snore*'; *snorus vorus* (Glouc. Wilts) 'vehemently' < *nolens volens* (vgl. dial. *vorus-norus* 'rough, blustering'); s͜*notch* sb.; ae. *Snotingahām* > ne. *Nottingham*; s͜*nowl* 'head' (ae. *hnol*).[2]

s͜pa-: *space* '*pace*; to measure by *paces*'; s͜*paddle* 'small spade'; ?*spang* '*pang*'; ?*spang* 'Sprung; heftiger Stofs' (gewöhnlich zu *spank* gestellt) zu *bang* (*sb- > sp-); ?*spat* 'a *pat*, to *pat* sharply'; *spatch* (Scotl. Yks.) 'a *patch* or plaster; to *patch*'.

s͜pe-: ?*speengie-rose* (Scotl.) 'the *peony*'; *speg* (Lothian) 'wooden *peg* or *pin*'; *spelter* | *pewter* (frz. [< germ.]).

s͜pi-: *Spichfat* (Name) neben *Pichfatt* (cf. Bardsley l. c.); *Pickernell* (Name) neben *Sp~* < *Spigurnell*; ?*spicketty* 'speckled' < frz. *picoté*; *spicter* (Wilts) '*picture*'; *spilchard* (Devonsh.) '*pilchard*'; *Pil(l)sbury* < *Spilsbury* (cf. Bardsley); s͜*pink* '*finch*'; *spise* neben *pease* 'to ooze out'; *spith* (Hants) '*pith*'; s *pit-sparrow*.

s͜pla-: s͜*plaice* (afrz. *plaïs*); s͜*plash*; s͜*plat*, *splot* '*plot* or piece of ground' < ae. s͜*plott*; s͜*platch* sb., vb. 'splash'; s *platter* 'plantschen'; s͜*platter-faced* 'having a flat face'.

s͜plo-: s͜*plodge* 'to wade through dirt'; s *ploiter*, *plout(er)* 'to splash'; ?*splotch* 'blotch' (*spl- < *sbl-); s *ploy* 'a frolic' (< *employ*).

s͜plu-: s͜*plunge*.

s͜po-: s͜*poach*; ?*spotscar* (Yks.) zu *potsherd*.

s͜pra-: ?*sprag* (Shetl. I.) 'to *brag*' (*spr- < *sbr-); ?*sprap* (Shr.) 'to *prop* up'.

s͜pri-: *sprice* (Chesh.) < *paradise* 'parvis'; *sprize* (Chesh.) 'to *prize* or force anything open with a lever'.

s͜pro-: s͜*prong*; *sprose*, *pross* 'to boast';[3] ?*strowess* in Hollands Amm. Marcel. 1609 'possibly a misprint for *prowess*' (Nares).

s͜pru-: *spruce* zu afrz. *Pruce* 'Preufsen'; s *prue* 'inferior cuttings of asparagus'.

s͜pu-: s͜*puddle*; schott. ir. *spung* 'purse' zu ae. *pung*; ?*punger* 'to *sponge* upon'; *spunk* 'Funke' zu me. *funke* (ne. *funk* 'rauchiger

---

[1] '*Sneeze* is probably nothing more than a variant of the older *fneeze*, due to substituting the common combination *sn* for the rare and difficult *fn*; whilst *neeze* resulted from dropping *f*' Skeat, *PrEE* I 381 (?).

[2] Scott a. a. O. XXIV 149 deutet *snowl* (kaum zutreffend) aus *his͜nowl*.

[3] '*Sprouze*. This strange verb is equivalent to stir or rouse up, or *uprouse* the fire. This may, probably, be its origin, with an accidental sibillant prefixed.. *Moor's Suff. MS.*' (Halliwell).

Geruch'); *spurblind* (z. B. bei Lily, *Sapho and Phaon* II 2) < *pur-blind*; *Spurda(u)nce* (Name) neben *Purda(u)nce* (cf. Bardsley); s *purge* (frz. *es|purger*); s '*purre, pirre* 'die Schwalbe'.

s|**py-**: *spyxon* (Wilts) < *poison.*

s '**qua-**: s *quab* 'noch nicht flügge' (vgl. *squobby* 'flabby' und me. *quappen* 'to throb'); *squab* < *scrab* (s. o.); *squacket* 'to *quack* as a duck'; s *quackle* 'to suffocate'; s *quaddy* 'short of stature'; s *quaich* 'loud scream'; s *qualm*; s *quash* (frz.); s'*quat* 'pimple'; s|*quat, quod* 'hocken' (frz. *es'quatir*); s *quatch* 'to betray, tell a secret'; ? *squatting-pills* 'opiate or *quieting* pills' (Wright, *Prov. Dict.*); *squaver* (Irel.) 'to throw the arms about' zu *quaver* 'to brandish, to clench the fists, to make a feint of striking'; s *quaw(-hole)* 'broad, shallow pond'.

s **que-**: s|*queasy*; *squeech* (Suff.) 'small grove' zu *queach* 'small plantation of trees or bushes'; s|*queechy*, s|*queachy* 'boggy'; s|*queeter* 'to work in a weak manner'; *squeexe* zu me. *queisen* (? ae. merc. **cwē-san*); s *quelch*; *squelstring* neben *quel(s)tring* 'sweltering'; s|*quelt, quilt, twilt, welt* sb. resp. vb. 'blow'; s'*quench*; s|*quexxen* 'to suffocate'.

s **qui-**: s *quiet*; *squiggle* < **quiggle* zu *wiggle* (Cent. Dict.); *squilky* (Cornw.) 'frog' zu *quilkin, wilkin* (altkorn. *cwilcen*); s *quilt* 'pimple'; s *quin, queen* 'small scallop'; *squinacy, squinsy,* veralt. *squin(an)cy, swensie* 'quinsy' (afrz. *quinancie,* 16. Jahrh. *squinanc[i]e*); s *quinch, squince* 'quince'; *squink* neben *wink*; ? me. *squippen, swippen* 'to move swiftly' zu *wippen* 'to jig'; *squir(r)* < **quir* zu *whirr*; *squirrly-wirly* 'an ornamental appendage' zu *curly-wurly*; s *quitch, switch, twitch* 'couch-grass'; *squitch, switch, quitchy* 'to *twitch*'; *squitchell, twitchell* 'narrow passage between houses' (*twi-* > **qui-* > *squi-*); s|*quix* 'to examine critically'; s|*quixxle* 'to choke' (cf. *squexxen*).

s **r-**:[1] *srake* (Yks.) 'to rake'.

s '**ta-**: s *tank* 'pool' (< afrz. *estang,* bez. port. *tanque*; lt. *stagnum*).

s **te-**: ?? *stemples* 'cross pieces put into a frame of woodwork to strengthen a shaft' zu lat. *templum* 'small timber'; s|*tern* 'Seeschwalbe' (ae. *stearn,* dän. *terne*).

s|**ti-**: s|*tickle,* ~ *back*; ? *sticky* neben dial. (Wilts) *tucky.*

s|**to-**: s *todge* 'any thick food'; s|*totter.*

s|**tra-**: ? *stram* (Somers. Devonsh. Cornw.) 'a lie' zu *cram* (Zwi-schenstufe **scram*); s|*tramp(le)*; *stransport* (Lanc.) 'transport'.

s|**tre-**, st **re-**: ? *streel* (Irel.) 'nachschleppen' zu *trail*; ? *streid* (Derbysh.) sb. und vb. 'tread'; ? *strent* (Dors. Somers. Cornw.) sb. und pz. 'rent' (**sr-* > *str-*?); s *trespass.*

s **tri-**: *striddling* (Wilts) 'the right to "lease" apples after the gathering in of the crop' zu *griggling* (**sgr-* > **scr-* > *str-*); me. s *trikelen* 'tröpfeln';[2] me. *striken* neben seltenem *triken.*

s **tro-**, st|**ro**: ? *stroam* 'to wander about idly and vacantly' <

---

[1] S. auch unter s *cri-*, sh|*r-* und st *r(e-, o-).*
[2] 'The loss of s arose in the phr. *teres striklen* = tears trickle' (Skeat).

s-roam; *s|troll* (vgl. *strollop* [Yks. Lanc. Flint] 'a *trollop*, a slovenly, untidy woman or girl'); *? stroll* (Dev.) 'Of hay: a long *roll*'; veralt. *s|trossers* '*trousers*'; me. *st|rother* 'rudder'.

s|tru-: *? struggle*, me. *strugelen* zu mnl. *truggelen*; *s|trum* zu *thrum*.

s|tu-: *Sturgis* (Name) neben *Turgis* (cf. Bardsley).

s|wa-: *? swack* zu *whack* 'schlagen' (ebenso *swacker* zu *whacker* usw.); *s|waddle*; *swaise* 'to swing the arms' zu *whaxe*; *?? dial. swale* 'gentle rising in the ground with a corresponding declivity' < *s-wale* oder *s-vale* (*sv- > sw-*); *s|walloping* 'tall'; *?* me. *swalter* (*Morte Arthure* 3924) zu *walter* 'welter'; *s|wang* 'flat, grassy land liable to be flooded'; *swath* 'apparition of a person at the moment of his death', vgl. *waff* (der Wechsel von [þ] und [f], [đ] und [v] ist in den englischen Dialekten nichts seltenes); *s|wauve* 'to lean over'; *swave* (Cumb.) 'to *wave*' (oder < nord. dial. *sveiva?*).

s|wi-: *? swine-pipe* 'Weindrossel' < *w(h)ine-pipe*; *swirl* neben *whirl* (an. *hvirfla*, norw. dial. *svirla*); *swite* 'to cut, hack' zu *white* < *thwite?* vgl. auch *swittle* '*whittle*'; *?? dial. swiver* 'to *quiver*'; *swix* 'to *whix*'.

s|wo-: *? swotchel* (Oxf. I. W.) 'to roll in walking' zu *waddle* (vgl. deutsch *watscheln*).

Halle a. S.   O. Ritter.

Studien zur fränkischen Sagengeschichte.

III. Zu den Verbannungen Childerichs und Floovents.

Verbannungssagen kennen alle Völker und alle Zeiten. Nicht dafs der Wechsel der Jahreszeiten oder des Tages und der Nacht hierzu den ursprünglichen Anlafs gegeben hätte, dafs die Sage aus mythologischen Quellen geflossen wäre. Denn das zu behaupten, hiefse ja der Abstraktion, der Allegorie vor dem einfach Konkreten den Vorzug geben. Es wird aber unschwer aus geschichtlichen Perioden zu beweisen sein, dafs es immer ein realer Vorgang ist, der dem Volke zur Quelle seiner Dichtung wird, und dafs Strömungen, die aus Abstraktionen schöpfen, stets einer Entartung gleichzusetzen sind. — übrigens Strömungen, welche man nur in abgeschlossenen Schichten der Gesellschaft findet, die sich von der Welt abgewandt haben, um eine Treibhauskultur entstehen zu lassen: Priestertum oder höfische Gesellschaft.

Auch die Merowinger- und Kärlingersage kennt solche Verbannungen, besonders zahlreich werden sie von Vasallen erzählt, die irgendein Verbrechen begangen haben: wir fanden das Urbild Herzog Ernsts in der jüngeren Kärlingerzeit; wir behandeln in einer unserer Studien eine Reihe von Banditenleben (= *Bannitus!*) in den Ardennen, unter denen der uralte Tierri d'Ardane, 'der Tausende ums Leben gebracht hat', den Reigen eröffnet. Aber auch die Herrscher werden von der Sage herangezogen. Karl der Grofse in Vertretung von Karl Martell mufs als Knabe die gewohnten sieben Jahre in Spanien verbringen (*Mainet*). Später mufs der Merowing Chilperich mit seinem Majordomus Raginfred vor Karl Martell zum Herzog von Aquitanien flüchten, eine historische Begebenheit, welche die Sage von den *Haimonskindern* mit Ersetzung der historisch Verbannten durch vier geschichtlich nicht nachweisbare Brüder in sehr alter Zeit zum Urbild hat.

Eines lehren uns diese vier genannten Überlieferungen alle: die Verbannungssagen der historischen Zeit gehen stets auf einen realen Vorgang zurück. Bei *Herzog Ernst* und den *Haimonskindern* entspricht die Verbannungssage auch einer wirklichen Verbannung; im *Mainet* und im *Tierri d'Ardane* vertritt sie andere Strafen: Karl Martell wurde von der rechtmäfsigen Gattin seines Vaters, Plektrud, eine Zeitlang festgesetzt, entschwand also den Augen des Volkes. Tierri d'Ardane entspricht vielleicht einem Bruder oder Satelliten der Mutter Karl Martells, Dodo, der nach einer anderen Sage zweimal Widersacher seiner Schwester ermordete und schliefslich selber dabei ums Leben kam. · Auch hier verschwand wahrscheinlich eine dem Volke sympathische Figur aus dessen Gesichtskreis, und es erfand in Verbindung mit dem Doppelmorde eine Verbannung in die Ardennen, 'wo er haust, uralt, und Tausende ermordet hat'. Wie man Kaiser Friedrich in den Kyffhäuser verschwunden dachte.

In dieser Beobachtung, dafs eine das Volk interessierende Persönlichkeit im Falle einer Verbannung oder Festsetzung, ja heimlicher Bestrafung mit dem Tode aus dem Gesichtskreis des Erzählenden verschwindet, liegt bereits der Charakter der Darstellung: mit dem Entschwundensein hört das reale historische Element auf, und die Erzähler sind genötigt zu erfinden oder berühmten Mustern nachzuahmen. Und so finden wir denn in allen vier als Muster genommenen Verbannungssagen nur eine, die sich in etwas an die historische und geographische Grundlage hält: die Sage von den *Haimonskindern*. Wogegen *Mainet* und *Tierri d'Ardane* geographisch wie historisch frei verfahren, *Herzog Ernst* sogar der Verbannung ein Märchen aus *Tausendundeine Nacht* unterschob. Wir haben uns bei Behandlung dieser letzten Verbannung gefragt: kann von vornherein der Sprung aus echtem Epos ins Märchenland gemacht worden sein? Wir fanden eine Frage, die sich *a priori* nicht entscheiden liefs, fanden aber doch besser anzunehmen, dafs ursprünglich eine realer gehaltene Verbannung durch die belustigende Sindbadreise ersetzt worden sei. Ein Beispiel für eine solche Ersetzung werden wir im Laufe dieser Studie antreffen, in welcher die Verbannung derselben Person, die nach der Sage des 6. Jahrhunderts nach Thüringerland führte, im 7. Jahrhundert nach der burgundischen Sage in Konstantinopel lokalisiert ist.

Die Verbannungssage, hat eben wie jede Sage ihre Mode: die kärlingsche führt ihren Verbannten nach dem Westen, dem Lande ihrer Kämpfe, Spanien; die Sage des 11. und 12. Jahrhunderts, der Kreuzzugsperiode, nach dem Orient (*Herzog Ernst, Huon, Bueve de Hanstone*).

Die ältere nordfranzösische Merowingersage begleitet ihre Helden stets zu dem Schauplatz ihrer nationalen Kämpfe, zu den Thüringern oder Sachsen. Dort verweilen ihre des Vaterlandes verwiesenen Fürsten die üblichen sieben Jahre, dort holen sie sich Ruhm und Gattin, um als Retter aus Not und Erniedrigung zu den Ihren zurückzukehren.

Die älteste Figur, von deren Verbannung auf Grund sagenhafter Quellen die Merowingerchroniken berichten, ist Childerich, der Sohn des Meroveus, der Vater Clodwigs (zirka 450). Der ehrwürdige

Gregor von Tours (zirka 580—590), unser ältester Gewährsmann
für Geschichte und Sage dieser Zeit, der noch selber zwischen den
beiden Zwillingsgeschwistern wenig Unterschied macht und nur hier
und da ein Mifstrauen andeutet, wenn er in seinem Berichte ausschliefslich auf mündliche Quellen angewiesen ist, beginnt die Reihe
(Buch II, Kap. XII): In frevelhaftem Übermut vergriff sich Childerich, der König der Franken, an den Töchtern seines Landes. Die
Franken aber setzten ihn in ihrer Empörung hierüber ab,[1] und als
Childerich erfuhr, dafs sie ihm auch nach dem Leben trachteten,
verliefs er das Land und flüchtete zu den Thüringern.

In der Heimat aber liefs er einen Freund zurück, nachdem er
eine Goldmünze mit ihm geteilt hatte. Sollten die Zeiten für Childerich wieder günstig werden, so würde ihm der Freund seine Hälfte
als ein Zeichen dafür senden.

Unterdessen erheben die Franken den Römer Egidius zu ihrem
König, als aber nach acht Jahren die Gemüter sich wieder beruhigt
haben, sendet der Freund dem Verbannten das verabredete Zeichen.
Dieser verläfst den Hof des Thüringerkönigs Bysinus und seiner
Gattin Basina, bei denen er Zuflucht gefunden hatte, kehrt zurück
und erlangt seinen Thron wieder. Basina aber, die den Wert des
fränkischen Helden erkannt und ihn liebgewonnen hatte, verläfst
Heimat und Gatten, um Childerichs Frau und Frankenkönigin zu
werden.

————————

Hundertdreifsig Jahre später finden wir die Erzählung in dem
sogenannten *Liber Historiae*, das vielleicht in Rouen im Jahre 727
entstanden ist, wieder. Manches zeigt im Wortlaut die Bekanntschaft
mit Gregors Darstellung, manches aber, was über Gregors Bericht
hinausgeht oder gar ihm widerspricht, zeigt, dafs der Verfasser eine
Quelle hatte, aus dem er Gregors Lücken ergänzen konnte. Die
Chronik erzählt (Kap. 6, 7):

Wie Childerich wegen verbrecherischen Umganges mit den Töch-
tern seines Landes dieses verlassen soll, berät er sich erst mit seinem
Getreuen Viomadus, wie er den Sinn der ergrimmten Franken sich
wieder zuneigen könne... Viomadus aber erreicht dies, während der
König bei den Thüringern Zuflucht gefunden hat, durch folgende
List: er schmeichelt sich bei dem zum Könige gewählten Römer
Egidius ein, so dafs ihn dieser zum Ratgeber wählt. Der falsche
Ratgeber aber verleitet den dummen Römer, eine Anzahl Franken
heimlich zu töten, bis das römische Regiment den Franken unerträg-
lich wird und sie Childerichs Rückkehr erwünschen. Dieser ist —
entsprechend der Ursache seiner Verbannung — bereits in Thüringen

————————

[1] *Illique ob hoc indignantes, de regnum eum eiciunt.* Ist *regnum* kon-
kret oder abstrakt? Ich verstehe es abstrakt, da sonst das folgende mir
sinnlos zu sein scheint: *Conperto autem, quod eum etiam interficere vellent,
Thoringiam petiit.*

zu der Frau seiner Gastfreundes in Beziehung gebracht: *Nam dum in Toringa fuit cum Basina regina ... adulterium commisit.* So dafs nicht, wie bei Gregor, Basina auf eigene Faust dem Zurückkehrenden folgt, sondern nach vorhergehendem Einverständnis.

Chronologisch mitten zwischen diesen beiden nordfranzösischen Berichten, sachlich über beide hinausgehend, steht die Version des Burgunders Fredegar. Sie zeigt entsprechend der älteren romanischen Kultur der Burgunder eine starke Differenzierung von der nordfranzösischen Sage, deren Schauplatz sie nach Konstantinopel verlegt. Deswegen hat ein Bearbeiter aus der Mitte des 7. Jahrhunderts durch Interpolationen, die er wörtlich Gregor entlehnt, eine Versöhnung mit der nordfranzösischen Überlieferung versucht. Wie die Ausgaben der *Monumenta Germaniae, Script. rer. merov.* II, 95, machen wir diese Interpolationen durch kleineren Druck als solche kenntlich und setzen sie aufserdem in eckige Klammern. Fredegar aber berichtet (III, 11, 12):

Wie Childerich, der Verführer fränkischer Mädchen, das Land verlassen mufs, gibt ihm sein Getreuer Wiomadus, der ihn einst nebst der Mutter aus hunnischer Gefangenschaft befreit, den Rat, nach Thüringen zu fliehen, er wolle unterdes die Franken beruhigen. Hätte er aber dies vollbracht, so wolle er ihm zum Zeichen einen halben Aureus [1] senden. [Childerich flieht nach Thüringen zu Bysinus.] Wiomadus aber wird vom Frankenkönig Eieio (oder Eiegio, Egegio) zum Unterkönig (*subregulus*) ernannt und beginnt seine Rolle zu spielen: erst verführt er den König, die Franken, die freien Franken, mit einer Kopfsteuer von einem Aureus zu belasten — die Franken murren nicht. Er bringt den König dazu, die Kopfsteuer auf drei Aurei zu erhöhen — sie zahlen lieber die drei Goldstücke, als sich von Childerich bedrücken zu lassen. Da bestimmt er Egidius, hundert von ihnen umzubringen, an'geblich, weil sie sich mit rebellischen Gedanken trügen — endlich geht den Bedrückten die Geduld aus, und sie verlangen nach dem Regiment Childerichs zurück. Wiomadus aber versichert mit infernalischer Ironie dem dummen Römer: nun endlich habe er die Franken gebändigt. Lassen wir für die folgende nicht bequeme Stelle Fredegar selber das Wort: 'Und er gab ebenfalls noch den Rat, dem Kaiser Mauritius Gesandte zuzusenden; [die ihm melden sollten:] man könne die Nachbarvölker heranziehen (*adtrahi* Passiv) [und], dafs etwa 50000 Solidi vom Kaiser geschickt würden, damit die Völkerschaften, nachdem sie dies Geschenk empfangen, besser sich der Herrschaft (*imperio*) unterwürfen. Hinzufügend sagte er

---

[1] *Medium aureum,* d. h. einen halbierten, denn es wurde kein halber Aureus geprägt, sondern nur ein Drittel, der sog. Triens. Halbierung zum Zweck der Zahlung war allerdings üblich.

jenem: »*Aliquantulum solidos tuae instantiae locum accipiens militavi;
parum servus tuus argentum habeo. Vellebam cum tuis legatis puerum
dirigere, ut melius Constantinopole mihi argentum mercaret.*«' — Dieser
Vorwand, den Rajna der Übersichtlichkeit halber fortläfst (er nennt
ihn S. 58 einen *futile pretesto*), ist kulturhistorisch vielleicht das interessanteste an der ganzen burgundischen Version der Sage: [1] '»Indem
ich auf dein Drängen die Stelle (eines Beraters?) empfing, habe ich
mir einigermafsen Gold verdient (*militavi?*). Zuwenig aber habe ich,
dein Sklave, Silber. Ich wollte [wohl] mit deinen Boten einen Knaben
schicken, dafs er mir in Konstantinopel mehr Silber einhandle.«'

Tatsächlich war in der mittleren Merowingerzeit das Silber
selten geworden. Man hatte an dem Vorrate römischer Kaisermünzen
aller Zeiten ursprünglich genug gehabt und sich auf die Goldprägung
beschränkt. Erst in der letzten Merowingerzeit zeigt eine starke
Ausprägung von kleinen rohen, aus der Silberplatte wie ausgerissenen
dicken Denaren das entstandene Bedürfnis nach Silbermünzen, das
unsere Stelle hier unmittelbar verrät. Soll aber ein solch kultur-
historisches Moment als Motiv in die Dichtung aufgenommen werden,
so mufs es herrschend sein.

Als Dichtungsmotiv ist es berufen, die Übersendung des halbierten Aureus an Childerich, der, 'wie Wiomad befunden, in
Konstantinopel war', zu verdecken. Wiomad aber gibt dem
Knaben nicht etwa die fünfzig Goldstücke mit, welche ihm Eiegius
geschenkt hatte, sondern einen Sack voll Blei und unter diesem den
halben Aureus, das verabredete Zeichen. Der Knabe eilt dem Gesandten voraus, verständigt Childerich, dafs Eiegius Tribut, den er
aus staatlichen Mitteln (Kurth interpretiert: dem Kaiser) zahlen soll,
dem Kaiser auferlegen wolle; Childerich meldet dies dem Kaiser,
der, erzürnt über solche Frechheit, die Gesandten in den Kerker
werfen läfst und das Angebot seines Schützlings annimmt, ihn an
den Franken zu rächen. Reich beschenkt kehrt Childerich zu Schiff
nach Gallien zurück, Wiomad kommt ihm nach Bar entgegen, *et a
Barrentibus receptus est*. So wird er wieder König und siegt in zahlreichen Gefechten über Eiegius und die Römer. [Basina kommt von
Thüringen zu ihm, um seine Gattin zu werden.] —

Wir haben also ein und dieselbe Sage in drei Versionen, welche
über hundertdreifsig Jahre sich erstrecken und zwei verschiedene
Gestaltungen ergeben: die eine im einfachen, ungeschmückten Gewande, kurz und bündig, mit kraftvoller Steigerung. — Die andere,
unsere letzte, bunt ausgestattet mit verschiedenerlei Federn, in der
Fülle des Schmuckes und Beiwerkes selbst in der Inhaltsangabe
schwelgend.

Bleiben wir bei ihrer einfachen Gestalt, welche uns Gregor und
das *Liber Historiae* überliefern.

---

[1] Vgl. Kurth, *op. cit.* S. 189 [2], der aber auch die Stelle uninterpretiert läfst.

Pio Rajna hat alle drei epischen Auszüge in *Origini dell'Epopea francese* in glänzender Weise erklärt: bezüglich der zwei ersten hält er die Version des *Liber Historiae* für eine etwas ausfürlichere Inhaltsangabe als die Gregors: '*Le Gesta Regum Francorum* ... *v'aggiungon cose taciute colà*'. Wenn man aber bedenkt, daſs diese Chronik über hundertdreiſsig Jahre na ch Gregor geschrieben wurde, so erscheint es wahrscheinlicher, in dem Berichte des *Liber* eine entwickeltere Form der Sage anzunehmen: bei Gregor lastet das ganze Gewicht auf Childerich, dem Helden. Er ist der einzig Handelnde, er läſst den Freund mit einem bestimmten Auftrag zurück, der aber kaum über eine passive Beobachtung der Dinge hinausgeht, sonderlich ihn nicht in Beziehung zu den Römern bringen läſst. Und dies ist nicht so ungewöhnlich wie man denken könnte: denn die ältere Sage wird sich naturgemäſs auf ein Theater (Thüringen) beschränkt haben, sie wäre sonst auch die einzige Verbannungssage, welche nicht bei dem Verbannten bliebe. Erst am Schlusse der Abenteuer wird sie auf ihr Ausgangstheater mit wenigen Worten zurückgekommen sein. Hundertdreiſsig Jahre später finden wir die Sage ausgereift wieder. Wiomad ist nicht mehr Zuschauer, er ist Akteur. Childerich berät sich mit ihm. Er ist es, der die Schuld an dem unvernünftigen Regiment des Egidius trägt, das die Sehnsucht nach Childerich wiedererwecken soll. Rajna meint, daſs dieser Zug der ältesten Sage angehören müsse, da er der einzige ist, der die Wahl eines Römers zum fränkischen König motiviert. Ein Franke hätte sich nicht so plump täuschen lassen. Und er erinnert an die Worte der *Kasseler Glossen*: *Stulti sunt Romani, sapienti sunt — Franci!* Ich muſs bekennen, das Argument ist bestechend. Aber diese Rolle des Wiomad bei Egidius fehlt nun einmal bei Gregor, im Gegenteil ist sie hier als bei den Franken stattfindend festgelegt. Er solle die Franken mit Worten besänftigen; ihn nennt er: *hominem sibi carum, qui virorum furentium animus verbis linibus mollire possit*.

Es läſst sich hier hinein die Intrige des *Liber Historiae* nur einschmuggeln, indem man einen Irrtum oder eine aus irgendwelchen kritischen Gründen von Gregor ausgeführte Änderung annimmt. Aber wozu eine Änderung annehmen, wenn doch feststeht, daſs das 6. Jahrhundert noch unter dem Eindruck der Siege Clodwigs über die Römer stand, wie ja auch Gregor den Siagrius *Romanorum Rex* nennt (II, 27). Rajna wendet hiergegen ein, es handle sich nicht nur um Erklärung der Titel, sondern dessen, daſs die Franken *unanimiter* einen Römer zum König wählen. Gut, es ist eben die historische Sachlage des Jahrhunderts in poetischer Weise auf die Spitze getrieben und mit der Childerichsage verknüpft.

Denn: die Ersetzung des Fürsten durch Neuwahl und seine Verbannung war durch die Childerichsage bedingt; ein Römer als König und Bedrücker der Franken durch Sagen über Aëtius und Syagrius. Solch innige Verschmelzungen zweier Sagen, von

denen jede ihren Teil der Motive bestimmt, ist ja nichts Unge-
wöhnliches.

Rajna wie Kurth haben sich beide an die Königschaft dieses
Egidius gestofsen, ohne im übrigen sich mit seiner Person eingehender zu beschäftigen. An der Königschaft ist aber nicht das geringste
Auffällige: den Germanen wurden die römischen Statthalter selbstverständlich zu Königen, Syagrius war in der Tat so unabhängig
wie ein solcher und wurde von den Barbaren auch König
genannt.[1] Syagrius war Clodwigs Gegner. Ägidius, des Syagrius
Vater, wurde ganz natürlich zum Gegner von Clodwigs Vater, Childerich. Als Vater eines Königs wurde er, wie der ältere Aëtius, ebenfalls zum König. Man vergleiche dazu eine Stammtafel des 10. Jahrhunderts, die G. Kurth in dem genannten Werke aus einer Pariser
Handschrift, der *Lex Salia*, entnahm:

> Egetius genuit Egegium
> Egegius genuit Siagrium per quem Romani
> regnum perdiderunt.

Wer ist Egetius, wer ist Egegium? Seit Heinzel in den
Sitzungsberichten der Wiener Akademie (*phil. hist. Cl.* CXIV, 1887,
417—514) für Aëtius die Namenformen beigebracht hat: *Aiecius,
Agetius, Egecius, Agatius,* sollte es allgemeiner bekannt sein, dafs
der grofse Besieger Attilas durch eine ganz offenbar romanische
Verstümmelung seines Namens (> Ajejo) mit dem Vater des Syagrius,
eben unserem Ägidius (> Ejejo, so Fredegar!) verwechselt und
verschmolzen wurde. Ein Beispiel für die vollkommene Verquickung
der Persönlichkeiten gab schon Grimm in der *Heldensage* aus einer
Chronik des 10. Jahrhunderts: *Attila omnem pene Galliam devastavit,
quo usque Deo annuente per Aegidium* (d. i. also sicher Aëtius)
patritium ... fugatus est (Leibnitz, *Script. rer. brunsv.* II, 273).

Settegast hat in dankenswerter Weise diese von den einschlägigen Arbeiten übersehenen Dinge in Erinnerung gebracht
(*Quellenstudien* S. 38), und es ergibt sich nun für uns unzweideutig,
wie die Rolle des römischen Königs entstanden ist, und wie sie sich
weiterentwickelt hat.

Den Zeitgenossen Gregors war Aëtius und Ägidius bereits
eine Person. Und zwar eine typische und beliebte Figur,
denn der Sieg über Attila hing an ihrem Namen. Deshalb wurde
er dem verbrecherischen Franken Childerich von den eigenen Leuten
vorgezogen. Und deshalb ist die tölpelhafte Rolle, die Ägidius in
den späteren Berichten hat, bei Gregor nicht ausgelassen, sondern
existierte damals in der Sage überhaupt noch nicht.

Erst als die Hochachtung vor Aëtius-Ägidius geschwunden
war, jene Hochachtung, die ihn eben zum Gegenstück *in bonam*

---

[1] Hierüber ist Dahn, *Germ. und Rom. Völker*, 2, 3, S. 45, zu vergleichen.

partem des Frauenschänders Childerich hatte wählen lassen — entwickelte er sich unter dem Einfluſs neuer Ideen über die immer mehr niedergehenden Romanen zu einem Gegenstück *in malam partem*, das seinen Vorgänger an Schlechtigkeit und Dummheit noch übertraf. Das konnte natürlich erst geschehen, als seine Taten in Vergessenheit gerieten, durch die Taten Clodwigs und seiner Söhne verwischt waren und seine Person demzufolge das Typische verlor.

Daſs auch in den Beziehungen des Flüchtlings zu Basina zwischen G r e g o r und dem *Liber Historiae* Unterschiede zu finden sind, habe ich bereits im Laufe der Darstellung angedeutet: die ältere Darstellung scheute sich offenbar, den Flüchtling als Verbrecher am Gastrecht darzustellen, die jüngere Sage war weniger skrupulös und brachte durch den Ehebruch am Hofe des Bysinus ein gut Stück Einheit mehr in Handlung und Charakter des Helden, der ja wegen ähnlicher Verbrechen des Landes verwiesen worden war.

In den hundertdreiſsig Jahren also, die zwischen G r e g o r und dem *Liber Historiae* liegen, ist quantitativ wenig hinzugekommen; aber jede Zufügung war ein Fortschritt in der Komposition der Sage: sowohl die Verknüpfung Wiomads mit Egidius, wie die zwischen Basina und Childerich.

Ganz anders F r e d e g a r s Version. Dort *Multum*, hier *Multa*: die Beziehungen Childerichs zu Wiomad geben den Stoff zu einer Vorgeschichte, in der der Getreue Mutter und Sohn aus hunnischer Gefangenschaft befreite. Eine *Hunnenfluchtsage*, wie wohl zahlreiche bestanden, und die unleugbare Beziehungen zum *Walthari* zeigt, dessen Heimat sie meiner Ansicht nach teilt (K u r t h, S. 161 ff.). Dementsprechend ist die Rolle des Wiomad im Vergleich zur fränkischen Version gewachsen; er ist einer jener uralten, unfehlbaren Ratgeber geworden, wie sie das Epos gern neben die Fürsten stellt. Er rät zur Flucht, schlägt das Symbol des halben Aureus als Zeichen der Rückkehr vor. — Diese Art der Zeichnung Wiomads ist insofern ein technischer Fortschritt, als nun ein Grund vorhanden ist, warum Egidius den bewährten Ratgeber in gleicher Stellung heranzieht. Die Art, wie er diesen, den dummen Römer, blindlings ins Verderben treibt, zeigt eine schöne, mit ihren drei Stufen echt poetische Steigerung: die Franken müssen Abgaben zahlen, erst e i n Goldstück, dann d r e i. Es ist nicht nur der Verlust des Geldes, der moralisch auf diesen lastet, sondern die Schmach, durch die Abgabe d e k l a s s i e r t zu sein, nicht mehr *Franci* zu sein, denn *Francus* ist der Abgabenfreie. Die Ermordung von hundert ihrer Häupter bildet den Gipfel: 'Modo est gens Francorum tuae disciplinae perdomita.' Und wir sehen ein ironisches Lächeln um die Lippen des Sprechers spielen, der sich zu weiteren Listen anschickt.

Es handelt sich nun nicht nur darum, Childerich zurückzurufen, sondern er soll auch zugleich, wie es einem Fürsten geziemt, mit

Heeresmacht und Gefolge zurückkommen, um den Römern entgegentreten zu können: dies wird durch eine Gesandtschaft des Egidius
an den Kaiser von Konstantinopel, Mauritius, erreicht, die Egidius
harmlos scheint, durch Childerich aber dem Kaiser interpretiert, diesen zu höchstem Zorn aufreizt. In Verbindung damit erscheint uns
die Übersendung eines Knaben, der zum Geldwechseln ausgesandt
ist, zu schwerfällig und zu kompliziert, den damaligen Zuhörern aber
als ein Triumph der Findigkeit, durch den ein römischer König und
ein römischer Kaiser zugleich ins Garn gelockt wurden und Egidius
zudem noch mit einem Geschenk von fünfzig Goldstücken die Kosten
des Verfahrens zahlte. Ausdrücklich wird erwähnt, daſs der schlaue
Wiomad in dem Beutel mit dem halben Aureus Blei schickte, also
das Geschenk zurückbehielt.

Die burgundische Entwickelung bedeutet demnach in der Hauptsache ein Voranstellen des πολνμῆτις Wiomadus und ein Abnehmen
des Interesses am Frankenkönig. Seine Beziehungen zu Basina sind
vergessen und nur in Gregor ausschreibenden Interpolationen bei
seiner Rückkehr aus Konstantinopel nachgefügt.

Rajna glaubte, wegen dieser Nachfügungen es mit einer Sagen-
kontamination zu tun zu haben (S. 60): *La sovrapposizione* (die
Interpolation) *si manifesta anche nella complicazione che il doppio
rifugio di Childerio, prima in Turingia, poi in Constantinopoli, pro-
duce nella struttura, e nel rallentamento del vincolo tra la venuta di
Basina e i casi antecedenti.* Ähnlich betrachtete Kurth (*Op. cit.*)
diese Version als die Vereinigung zweier selbständiger Sagen '*impar-
faitement soudées*'.

Die philologischen Untersuchungen haben nun ergeben, daſs
beide Stellen, sowohl der erste Aufenthalt in Thüringen, wie Basinas
Kommen, jüngere Zufügungen sind, welche den Bericht Gregors in
dessen Wortlaut ausbeuten, um die Version Fredegars in etwa mit
derjenigen des Erzbischofs von Tours in Einklang zu bringen. Das
einzige, was nach der Ausgabe der *Monumenta Germaniae Antiquae*
vom ursprünglichen Schauplatz der Verbannung übrigbliebe, wäre
der Rat Wiomads: 'Fliehe nach Thüringen'. Woher weiſs dann
aber Wiomad später, daſs Childerich in Konstantinopel ist? Freilich
fügt die Chronik hinzu, er habe dies unterdessen erfahren. So zeigt
sie, daſs sie sich bewuſst ist, hier etwas Unwahrscheinliches gebracht
zu haben, und so halte ich es für natürlich, daſs ursprünglich diese
Bemerkung über die Kenntnis von Childerichs Aufenthalt fehlte,
und daſs Wiomad von vornherein den Rat gab, Konstantinopel
aufzusuchen. Das heiſst wir haben hier eine Ersetzung der ursprünglichen Verbannung durch eine andere und nicht Kontamination zweier Verbannungen. Auch nach allgemeinen Prinzipien
ist eine Ersetzung das Näherliegende und findet sich auch wohl in
anderen Verbannungssagen wie in *Herzog Ernst* und *Huon von
Bordeaux* mit einem ** Urernst* und ** Urhuon* verglichen.

Es kommt die schöne Erklärung Rajnas für die Ursache dieser Ersetzung hinzu (S. 65): 582—3 war der Prätendent Gundovald, von Konstantinopel, wohin er sich geflüchtet, kommend, in Marseille gelandet, von den Aquitanern auf den Schild erhoben, von Guntchramn, dem König von Burgund, aber besiegt worden. Die Sympathie des Südens für den Prätendenten, die Parteinahme gegen den eigenen Merowingerkönig Guntchramn ist echt burgundisch und spiegelt sich in Übertragung auf eine andere, ältere Figur, auf Childerich, wider, wo sie eine ursprüngliche Verbannung nach Thüringen ersetzte.

Interessant ist auch der Name des byzantinischen Kaisers Mauritius (582—602), der also als typisch galt, da er weder zu dem 150 Jahre älteren Childerich noch wohl zu Gundovald historisch in Beziehungen stand, wenn auch Fredegar ihn ebenfalls hier nennt. Wir wissen aber aus dieser Zeit von einer Vorliebe für Konstantinopel und oströmisches Wesen am fränkisch-burgundischen Hofe (vgl. Rajna, S. 67).

Mit Gundovald und Mauritius ist das Jahr 600 als ungefährer Zeitpunkt der Gestaltung unserer burgundischen Sage gegeben, eine chronologische Bestimmung, mit der Rajna (S. 67, 68) abschlofs, und der wir eine Heimatsbestimmung haben anfügen wollen.

Man könnte uns wegen letzterer Absicht vorwerfen, eins unbesprochen gelassen zu haben: nach der Landung wird doch Childerich in *Bar* von Wiomad empfangen, die **Barenser** treten auf seine Seite und erhalten deswegen von ihm Freiheiten. Auch Rajna hat eine Untersuchung hierüber abgelehnt, da ihm dieser Zug nicht zur Dichtung zu gehören schien. Selbst aber, wenn dies der Fall wäre, könnten wir mit dem Orte nichts anfangen: denn wir wissen nicht, wo er liegt. Der Sachlage nach zwischen Marseille und Dijon oder Mâcon. Rajna entschied sich für **Bar-sur-Aube**, **Kurth** mit Entschiedenheit für **Bar-le-Duc**, weil es die erste Station in Neustrien sei. Auch die Anmerkung der *Monumenta Germaniae* ist zu konsultieren, die ebenfalls am ehesten an **Bar-le-Duc** denkt und der Ansicht widerspricht, dafs zu dieser Zeit die Stadt noch nicht bestanden habe. Ich halte die Frage für unlösbar und mache darauf aufmerksam, dafs es sich um ein *Castro Barro* handelt.

Von den drei Versionen der Childerichsage, die wir besitzen, zeigen also die nordfranzösischen aus den Jahren 580 und 727 gleiche Form und gleichen Inhalt, während die burgundische von 624 ganz andere Wege eingeschlagen hat.

Vom allgemeinen Gesichtspunkt aus betrachtet, geben beide Sagen ein prächtiges Bild von den so verschiedenen Kulturen der **Franken** und **Burgunder** ab. Dort noch alles einfach und ursprünglich; hier reife Fülle, buntfarbige Phantasie, überquellende Erfindung. Dort sicherlich noch germanisch-fränkische Form, hier

ebenso sicher romanische, wie denn der Name Eieio, Egegio,
Eiegio Fredegars die romanische, lautlich gerechte Entwickelung
von Egīdius zeigt und, wenn es für Aëtius steht, auch für diesen
Namen eine mögliche romanische Form bietet, eine Entwickelung,
die keinesfalls aus der Chronik stammt, welche Egidius höchstens
zu Egedius umgestaltet, den bekannten Aëtius aber bewahrt
haben würde. [1]

So zeigt sich an den Gestaltungen des *Childerich-Liedes* unzweideutig, daſs ich in Beurteilung des Gegensatzes zwischen burgun-
discher und fränkischer Kultur und Sage, bei welcher ich die
erstere für die ältere, reifere und romanische aus kulturhistorischen
Gründen erklärte, recht gehabt habe. Zugleich zeigt sich aber, daſs
der Übergang vom fränkischen zum französischen Epos nicht, wie
ich ebenfalls vermutete, durch das burgundische Epos hindurchgegangen ist, wenigstens in unserem Falle nicht: denn eine französische Merowingerverbannungssage, die uns erhalten
ist, die *Flooventsage*, ist nicht nach der Art von Fredegars
Darstellung, sondern nach der Gregors oder des *Liber
Historiae* gestaltet.

Ihr wenden wir uns nun zu, vom halb geschichtlichen, halb
sagenhaften lateinischen Bericht zum altfranzösischen Spielmannstext.

2. Die Verbannung Floovents. [2]

Ich will nur in aller Kürze versuchen, die mit Recht berühmte
Darstellung Rajnas in Erinnerung zu bringen, ehe ich meine Nachträge bringe.

Sachlich zeigt sich die *Flooventsage* als eine Fortentwickelung
der bisher besprochenen *Childerichsage*. Sie führt den Helden nach
Sachsen, läſst ihn eine sächsische Königstochter heimführen und von
einem treuen Freunde Richier in allem unterstützt werden.

Der epische Name Floovent ist ein Patronymicum. Hinter
ihm versteckt sich Clódwigs Bastard Theodorich, dessen Namen-
gleichheit mit dem Goten Theodorich in einem Falle wahrscheinlich zu Verwechselungen, in anderen Fällen zu Unterscheidungs-
namen führte: Hugo-Theodoricus, Hugdietrich (Hugo heiſst:
'Franke'), Wolfdietrich (vgl. Voretzsch, *Ep. Stud.* S. 278 ff.).

Das schwierige Kapitel der *Flooventsage* ist: das Motiv der
Verbannung. An die Stelle der Schändungen von Frauen
durch Childerich ist die Schändung eines Lehrers mittels Bart-

---

[1] Vgl. oben S. 56 die für *Aëtius* beigebrachten Vulgärformen *Aiecius,
Egetius* etc., welche einem romanischen *Ejedxo entsprechen. Wenn also
Egidius und *Aëtius* romanisch Ähnliches ergeben, so sind sie eben da-
durch verwechselt worden. Dann ist aber der Name unter allen
Umständen durch romanische Sage erhalten worden.

[2] Bröckstedt, *Floovantstudien* (Diss. Kiel 1904) blieb mir bis jetzt
unzugänglich.

abschneidens getreten. Ist das die Milderung obszöner Szenen, die wir so oft antreffen, und die der Einspruch eines rein denkenden Volkes ganz natürlich mit sich bringt? — Die *Gesta Dagoberti* (R a j n a S. 146) belehren uns eines anderen: Prinz Dagobert rächte sich an dem Minister seines Vaters S a d r e g i s e l, der ihn schnöde behandelt hatte und nach der Krone trachtete, indem er ihm den Bart schor. Der Wut des Königs entging er an geweihter Stätte, an der er später zur Erinnerung die Abtei St-Denis gebaut haben soll. Die kirchliche Konsequenz der episch anhebenden Erzählung werden wir mit G. Paris und Rajna (147, 148) dahin verweisen, wohin sie gehört, in die K i r c h e. Wir vermuten, dafs die S a g e, ähnlich ihren Verwandten, Dagobert für die Schändung in eine V e r b a n n u n g führte. So hätten wir im 7. Jahrhundert nebeneinander:

1) Eine südfranzösische Verbannung C h i l d e r i c h s nach Konstantinopel (Motiv: Schändung der Frankenfrauen).

2) Eine nordfranzösische Verbannung C h i l d e r i c h s zu den Thüringern (*Rouen?*) (Motiv: Schändung der Frankenfrauen).

3) Eine (*ostfranzösische?*) Verbannung T h e o d o r i c h s (= Floovent) zu den Sachsen (Motiv?).

4) Die kirchlich e n t s t e l l t e, zur Verherrlichung von Saint-Denis gefertigte (also zentralfranzösische!) Exposition einer gleichen Sage über D a g o b e r t (Motiv: Schändung des Ministers).

Die Sagen über C h i l d e r i c h verwehten, die Sagen über F l o o v e n t und D a g o b e r t flossen zusammen und mischten sich auf das innigste: der epische Name F l o o v e n t siegte über D a g o b e r t. Seinerseits erhielt sich das Motiv von des letzteren Verbannung. Den Namen von Dagoberts Widersacher S a d r e g i s e l erkennt man wieder in dem entstellten S a l a r d o der italienischen Version der *Reali*, dem S a l v a e r d der niederländischen Version. Der *Floovent* nennt ihn nur S e n e c h a l: 1444 *Senechaul de Dijon*, also wohl Ersetzung eines mifsverstandenen Namens. Die Schändung eines Mannes (hier des Lehrers) hat über die Schändung der Frauen aus der älteren Merowingersage gesiegt.

Aber sagen wir hier nicht zu viel? Kennen wir denn überhaupt die Ursache, derentwegen Floovent v o r seiner Verschmelzung mit Dagobert wandern mufste? In der Tat, wir kennen sie nicht, und nichts berechtigt uns vorderhand, anzunehmen, dafs diese nach dem Muster von Childerich gemacht worden sei. Im Gegenteil kann ja die Lehrerschändung auch ihm gehören.

Wir besitzen noch eine zu Anfang erwähnte Anspielung auf F l o o v e n t, welche ganz andere Berichte über ihn vermuten läfst, aus der man aber bisher nichts hat machen können. — Nehmen wir sie im Wortlaut vor: *Saisnes* Tir. III, 4:

1 (Que) cil qui tint de France premiers la region
Ot a non Clodoïs, que de fi le set on;
Peres fu Floovant, qui fist la mesprison

De sa fille la bele, qui Aaliz (Heluis, Heloiz) ot non.
5 Tant fu sage et cortoise et de bele façon
Que noveles en vindrent au Saisne Brunamont,
Qui justisoit Sessoigne et la terre an viron.
Sarrazins ert li Saisnes, si [creoit an] Mahon;
De la franche pucele fist requerre le don,
10 Et li roiz li dona par male (A: fole) antancion:
Miax li venist avoir tuée d'un baston ...
Car (R, A) li oir k'en issirent furent fier et felon.

Gaston Paris schreibt über die Stelle (*Hist. Poét.* S. 221):
'*Ce Floovant*, ... *eut le tort de marier sa fille Aaliz, Helois ou
Heluiz au Saxon Brunamont, dont les descendants réclamèrent
plus tard la couronne de France.*'

Und auch Rajna versteht die Stelle in dieser Weise (*Origini*
S. 133): '*Delle nozze di una figliuola di Floovent, per nome Aaliz
o Helois, con un re sassone, non abbiamo adesso nessuna esposizione diffusa.*'

Der altfranzösische Text ist nun doppeldeutig, je nachdem man
das Possessivpronomen in Zeile 4 und *li rois* in Zeile 10 bezieht.
Paris und Rajna beziehen beides auf Floovent, indem sie annehmen, dafs mit Vers 3 von Clodwig abgesprungen wird. Wo aber
ist gesagt worden, dafs Floovent nun König sei?

Nicht anders die Anspielung Alberichs von Trois-Fon-
taines ad. 653: *Quedam hystoria de rege Floovenz, Clodovei filio.
Huius filia Helvidis data Iustamundo regi Saxonum peperit Bruno-
mundum et heredes Withecindi.*

Die Anspielung ist unabhängig von der im *Sachsenlied*, denn
sie macht die Helvidis [1] zur Mutter, nicht zur Gattin Brunamunds.
Wie jene ist sie zweideutig. *Huius* kann grammatisch auf Floovent
wie auf Clodwig bezogen werden.

Man kann also Paris und Rajna entgegenhalten: in der Anspielung der *Saisnes* ist nicht gesagt, dafs Floovent König ist, mit
li rois in Zeile 10 ist darum eher Clodwig gemeint. Damit erhielte
man aber einen ganz anderen Sinn.

Es kommt aber noch etwas hinzu: beide haben Vers 3 *mesprison*
modern französisch verstanden: *méprise* 'Fehlgriff'. Der Begriff 'fehl-
greifen' dient aber auch häufig zur beschönigenden Bezeichnung von
'unrecht tun'. Vgl. 'sich vergreifen an jemandem'. Und diese Bedeutung hat *mesprison* auch altfranzösisch. Ja im *Floovent* ist
es gerade dieses Wort, das (neben *mesfait* 19, 39) für die
Schändung des Seneschals angeführt wird:

1442 'Je suis fiz Cloovis, le roi de Monloüm,
Qui me chaçai de France por une mesprison
Que je fis vers mon maitre, Senechaul de D[ijon],
Cui je copai la barbe enz après lou grenon.'

---

[1] Über Aaliz, Helois, Helvidis siehe O. Schultz, '*Héloïse*' in
Toblerabhandlungen S. 180. Sein Etymon ist: *Heilwidis* (S. 184). Über
die 'obligaten Namenvertauschungen' s. S. 185.

Es wird nun vor allen Dingen klar *'qui fist la mesprison — de sa fille ...'* heifst nicht: 'der den Fehlgriff mit seiner Tochter machte', ein Ausdruck, der dann erst Vers 10 seine Erklärung finden würde, dafs er sie einem Sachsen verheiratet hätte, sondern es heifst: F l o o - v e n t , der sich an seiner oder Clodwigs Tochter (das wäre dann seine Stiefschwester) v e r g r i f f. Sachlich ist diese Deutung zu gut gestützt, als dafs man an ihr zweifeln könnte: d a s V e r g r e i f e n a n M ä d c h e n durch die etwas ältere Sage Childerichs, deren langes Bestehen ihre Beliebtheit bezeugt, und wie sie Vorbild für Verbannungssagen überhaupt wurde, auch das Motiv der Verbannung beeinflussen mufste, bis ein moderneres es verwischte. D a s U n r e c h t u n d d i e V e r b a n n u n g a l s K e r n d e r S a g e F l o o v e n t s durch den erhaltenen *Floovent,* der noch die Bezeichnung *mesprison* braucht, wenn auch das Unrecht in anderer Form auftritt.

Dafs sich F l o o v e n t an Schwester oder Tochter statt an den Töchtern seiner Untertanen, wie in der *Childerichsage,* vergriffen habe, ist eher eine Stütze für, als dafs es gegen uns spräche. Die nordische Sage setzt Karl den Grofsen zu einer Schwester in geschlechtliche Beziehung (ihr sei Roland entsprossen) und zeigt, dafs die Franken die altgermanische Sage *von der Liebe zwischen Bruder und Schwester* kannten, der man einen mythologischen Ursprung beimifst. Aber auch der seiner Tochter nachstellende Vater bildet (wenn unsere Deutung von der Beziehung Floovents zu Aaliz nicht genehm ist) ein beliebtes Thema, das wir in der *Manekine,* in der *Comtesse d'Anjou* als Kern, in Grimms *Allerleirauh* in ursprünglicher Form, in der *Huon-Fortsetzung: Ide et Olive,* als Episode in *Cristal* und *Doon* (S. 99 ein Riese exkommuniziert, weil er ein Kind von seiner Tochter hat) wiederfinden. Kurz: die volkstümliche Dichtung perhorresziert das Thema 'Blutschande' nicht nur n i c h t , sondern sucht es auf. Übrigens braucht die *mesprison* Floovents nicht in Schändung bestanden zu haben; er kann ja auch i h r die Haare abgeschnitten oder sonst einen Schabernack gespielt haben. Über den Inhalt des Wortes aber kann ein Zweifel wohl kaum mehr bestehen.

Nun wollen wir uns ernstlich zu der Frage: Schwester oder Tochter? wenden. Zu ihrer Erledigung eine Vorbemerkung: A a l i z , H e l o i s ist beleidigt, geschändet, dem Sachsenkönig gegeben worden. Dafs die Sage sie hieraufhin als Intrigantin gegen die Franken verwandt hat, ist selbstverständlich, wie sie die Burgunderin Crotechildis als Gattin Clodwigs gegen ihre burgundischen Verwandten stellte. Ja, man könnte annehmen, dafs diese Sage jener von A a l i z zum Vorbild gedient habe. Dafs übrigens die Anspielung der *Saisnes* in Aaliz die Intrigantin sieht, können wir aus dem scharfen Vers ersehen: 11 *Miax li venist avoir tuée d'un baston.*

Ihre Schuld war nicht nur indirekt, Gebärerin der Gegner ihrer Sippe gewesen zu sein, sondern eine direkte, für die sie verdiente, wie ein Hund totgeschlagen zu werden.

Diese Intrigantin am sächsischen Hofe entspricht nun der berühmten Intrigantin am thüringischen Hofe, der Gotin Amalaberga, die ihrem Gatten Irminfrid den Tisch nur halb deckte, da er sich mit einem halben Königreich begnügte. Sie war Nichte des Goten Theodorichs. Floovent ist aber der Franke Theodorich. Hat man beide verwechselt? Man hat dies offenbar, denn nach dem sagenhaften Bericht Wittekinds über sie ist Amalaberga Tochter Clodwigs und Stiefschwester Dietrichs (= Floovent). (Pertz III, 420, vgl. *Origini* S. 97 ff.)

Als nämlich Huga (d. i. Clodwig), der König der Franken, stirbt, wählt das Volk seinen Bastard Theodorich (die Bastardschaft ist historisch) zu seinem Nachfolger. Man überging dabei Hugas rechtmäßige Tochter Amalberga, die Gattin des Thüringers Irminfrid geworden war und bereits ihren Ehrgeiz und ihre Lust an der Intrige gezeigt hatte.

Theodorich sucht nun die Bestätigung seiner Wahl durch die Thüringer zu erhalten. Er sendet eine Botschaft an Irminfrid, durch welche der Frieden zwischen beiden Völkern befestigt werden soll. Amalberga aber sucht dies Bestreben ihres Stiefbruders zu hintertreiben. Sie steckt sich hinter den Berater Iring und macht ihm klar, daß ein Bündnis ihres Mannes mit dem Bastard Theodorich, ihrem Sklaven, unmöglich sei: *indecens fore proprio servo umquam manus dare.* Und Iring bringt es fertig, Irminfrid eine gleiche Antwort in den Mund zu legen, wonach der fränkische Gesandte kündet: Eine solche Beleidigung könne nur mit Blut abgewaschen werden.

Zu diesem Zwecke sehen wir Theodorich gegen die Thüringer ziehen, die ihn bei Runibergun an der Unstrut erwarten. Er schlägt sie in dreitägiger Schlacht und setzt die Unternehmungen gegen sie auch dann noch fort. 'Denn,'. sagt sein Berater, als die Franken nicht übel Lust zeigen, heimzukehren nach dem ersten Siege: 'in ehrenhaften Dingen halte ich die Ausdauer für die größte Tugend: so hielten es unsere Vorfahren, die selten oder nie, wenn sie eine Pflicht übernommen, dieselbe nicht zu ihrem Ende führten.'

Die weiteren Kämpfe interessieren uns wenig, zumal sie von den Sachsen tendenziös entstellt sind. Hier ist die Thüringerkönigin Amalberga Schwester Dietrich-Floovents, Kronprätendentin, es erklärt sich die Anspielung des *Sachsenliedes* in allen ihren Teilen, die Rolle des Brautvaters hat tatsächlich Clodwig, diese Verheiratung und die *mesprison* decken sich tatsächlich nicht, die Intrigantenrolle der Prinzessin, die uns Vers 11 vermuten ließ, ist gesichert.

Daß die ältere (verlorene) Sage von Thüringern spricht, die jüngere von Sachsen, ist nicht auffallend. Die Sage hat die Thüringer vollkommen vergessen, und ich glaube sie nur noch in einer sarazenischen Völkerschaft Tirant, Irant, Torant, die durch Zusammenwerfen von *Torenc (Thoringus) mit Tirant (Tyrannus) entstanden sein könnte, wiederzuerkennen:

1) *Auberi-Bruchstück* ed. Bekker, *Fierabras* S. LXVI, Heidenkönig: Et avec aus Torant le combatant.
2) *Fierabras* 4913 Aufricans (Eigenname) li tirans.
3) *Ogier* 796 Ne Beduins, n'Achopart ne Irant, und öfters.

Rajna hat die Ähnlichkeit der Rolle der Aaliz mit Amalberga wohl erkannt, aber nicht genug gewürdigt, wohl hauptsächlich weil er die Doppeldeutigkeit der Anspielung der *Saisnes* nicht bemerkt hat (S. 163): *O sarebbero mai queste nozze (di Aaliz) da identificare con quelle di Ermenfrido com Amalberga, che conosciamo da un pezzo? Abbiamo in ambedue i casi un'unione, che dà pretesto ai barbari della Germania di mettere avanti pretensioni all' eredità del trono francese. La sostituzione dei Sassoni ai Turingi, ... sarebbe quanto mai regolare. Ciò posto, siccome Amalberga si fa sorella, non figliuola di Teodorico, ne verrebbe che Floovent, padre di Aaliz, fosse ancor egli Clodoveo.*

Wir brauchen die Künstelei nicht und stellen die Gleichung auf: Aaliz ist gleich Amalberga der Sage:

1) Beide sind nach der Sage Töchter Clodwigs.
2) Beide von ihm an den Sachsenkönig verheiratet.
3) Beide Intrigantinnen der Sage, Prätendentinnen des Thrones, Widersacherinnen gegen den Stiefbruder Theodorich-Floovent, der als Bastard geringeren Anspruch auf die Krone hatte.

Der durch die Anspielung der *Saisnes* gesicherte *Urfloovent*, in dem sich der Held an der Schwester vergreift, ist also eine Vorgeschichte (*Enfances*) zu jener Konkurrenz beider. Sie fundiert die Feindschaft der Stiefgeschwister, indem sie den Helden der Schwester nachstellen und ihn wahrscheinlich daraufhin verbannen läfst, mit offenbarer Nachahmung von *Childerichs Verbannung* und Spezialisierung ihrer Ursache.

Nun zu dem epischen Namen der Heldin: Amalberga ergab französisch Amauberge und später wohl Mauberge, wie Maugis aus Amaugis. Hiervon dürften sich im *Floovent* als Varianten erhalten haben die sächsischen Geschwister Maudarant und Maudoire und ihre Schwester Maugalie, die Floovent heimführt.

Später tritt Willkür in der Namengebung ein, indem die Hs. der *Saisnes* sie Aaliz, Helois, Alberich sie Helvidis nennt.

Dafs aber in späteren Jahrhunderten die *mesprison* an Amalaberga noch bekannt war, dafür scheint mir zu sprechen, dafs eine solche in die Legende der heil. Amalberga übergegangen ist, welcher Karl der Grofse, den wir hier an Stelle seines Vorgängers finden, in brutaler Weise nachstellte, obgleich sie sich dem Kloster gewidmet hatte: Einst, als sie sich vor dem Altar geflüchtet, wollte er sie fortziehen, um sie zu sei-

nem Willen zu zwingen, und brach ihr in seinem Ungestüm den Arm[1]
(s. Gaston Paris, *Hist. Poét.* S. 382; Rajna, *Orig.* 237[4]).
Es ist kein Wunder, dafs dieser oder ein ähnlicher Konflikt aus
dem *Floovent* verschwand, und dafs die Motivierung der Verbannung
aus *Dagoberts Sage* dafür eintrat. Nur die Kirche hielt sie länger
noch als das Volk, und so kam die heilige Amalberga zu einem
Roman mit Karl dem Grofsen.

---

[1] Hier, in der jüngeren Form der Sage von Amalberga, hätten wir
also die Beziehung zur *Manekinesage,* die wir als Pendant zur 'Blutschande'
brachten, offenkundig. Das Brechen oder Abschneiden von Arm und Hand
ist dort zum Märchen gehörig.

Nachschrift. Die seither erschienene *Table des Noms Propres
dans les Chansons de Geste* von E. Langlois (Paris 1904) weist eine
Erwähnung des Königs Anseïs auch im *Foucon de Candie* nach.
König Ludwig wird dort genannt (S. 160): '*bon roy du lignage An-
séis*'. Auch die Redensart aus *Doon M.*: *dès le temps Anséi,* könnte
auf ihn zielen (5030, vgl. 5860: *Ansehier*). — Auch zu *Torant* finden
wir andere Belegstellen.

München.   Leo Jordan.

Note sul Boccaccio in Ispagna nell'Età Media.

(Fortsetzung.)

Assai minor fortuna del *De Casibus* e del *De claris Mulieribus* godettero in Ispagna gli altri trattati del Boccaccio. Ma sì del *De genealogiis deorum gentilium*, come del *De montibus, silvis, fontibus, lacubus, fluminibus. stagnis et paludibus et de nominibus maris* si avevano, nel '400' traduzioni ed imitazioni. La *Genealogia de los Dioses gentiles*, 'en castellano', era tra i libri del marchese di Santillana, ed è, verosimilmente, opera del dottor Pero Diaz de Toledo, uomo di vasto sapere, volgarizzatore di Platone. Nelle chiose ai *Proverbios*, dove è memoria di 'Damnes, fija de Peneo' (*Obras*, 79), la *Genealogia* è citata. Nel tempio della scienza del Marchese figurava pure il *Libro de Johan Bocaçio florentino, poeta laureado, el qual se intitula de los montes e rios e selvas*, e sarà, o non sarà, versione anonima, fatta per istanza del gentiluomo spagnuolo Nuño de Guzman, intelligente mediatore fra la letteratura umanistica d'Italia e quella di Spagna, che 'infiniti volumi', al dire di Vespasiano da Bisticci, fè trascrivere, e perdurava assorto ne' pensier gravi persino a tavola, dove 's'astraeva in modo che lasciava il mangiare ed ogni cosa'. L'unico suo biografo ci assicura avere il Guzman raccolta 'una degnissima libraria, la quale, prevenuto lui dalla morte in Siviglia, capitò male'.[1]

Tra i libri di Don Alvar García de Santa Maria, zio di Alonso de Cartagena, trovi *seis cuadernos de genealogia Deorum*, acquistati prima che si desse mano alla versione castigliana, contemporaneamente forse ai libri del *De Genealogia* di proprietà di Enrique de Villena.[2] Alla compilazione boccaccesca, vera

---

[1] Rimando all'accuratissima indagine di Mario Schiff sulla biblioteca del Santillana, che potei consultare nelle bozze. Un'appendice tratta della vita e degli scritti di Nuño de Guzman. Vedi anche A. Morel-Fatio, *Notice sur trois manuscr. de la bibl. d'Osuna* in *Roman.* XIV, 94 sg. — Due manoscritti del *De Geneal.* castigliano sono alla Nazionale di Madrid, un altro (N. 458 del fondo spagnuolo) alla Nazionale di Parigi, colla traduzione del *De montibus, silvis* ecc. La *Genealogia de los Dioses de los gentiles*, 'en castellano', 'falto del principio' è registrata nel noto *Catálogo* del Rocamora p. 12, N. 30.

[2] Vedi gli inventari del Villena e di Alvar García, citati altrove. Nel *Catálogo de la Librería del Cabildo Toledano*, recentemente compilato (*Rev.*

enciclopedia della mitologica scienza, frequentemente consultata
e studiata, in Italia e fuori, compendiata da parecchi, in breve
volger di tempo, toglieva il Villena, già prima del Santillana,
favole, notizie mitologiche, candidamente esposte come vere storie,
e tutte, qual più, qual meno, di forte sapor terreno; toglieva
nomi di Divinità, dichiarazioni polisense e caotiche de' miti antichi, 'reliquie degli dei pagani, sparse in quasi infiniti volumi'.
Tracc'e di un'assidua lettura del *De Genealogiis* trovi nelle
chiose all'*Eneide* tradotta, ingombre di vite e di miracoli, desunti
dalla mitologia antica; pur le scopri ne' trattati: *Los Trabajos de
Hercules*, la *Consolatoria á Fernández de Valera* (che associa
il Boccaccio ad altri dotti: Petrarca, Isidoro, Valerio), dove, a
conforto dell'amico afflitto, si narrano esempi di sciagure, patite
dagli Dei. Nel *Prohemio* al *Condestable de Portugal*, il marchese di Santillana ricorda gli studi della 'graçiosa sçiençia'
poetica, compiuti dal re 'Johan (!) de Chipri', e dal Boccaccio
espressamente vantati nell' 'entrada prohemial de su libro de la
Genealogia ó Linage de los dioses gentiles, fablando con el
señor de Parma (!), mensajero ó embaxador suyo'; ed è certo
anche un po' dietro l'esempio della memoranda difesa e magni-
ficazione boccaccesca della poesia, negli ultimi libri della mito-
gica compilazione,[1] che il marchese, nell'esordio dell'epistola,
combatte l'error di quelli che 'penssar quieren ó decir', non
tendere le poetiche favole che a 'cosas vanas é lascivas', ed identi-
fica la poesia, cosa tutta celeste ('un çelo çeleste, una affection
divina, ... de arriba infusa'),[2] colla scienza più sublime, 'mas
prestante, mas noble, o mas dina del hombre'. La definizione
stessa della poesia, o 'gaya sçiençia', qual 'fingimiento de cosas
útiles, cubiertas ó veladas con muy fermosa cobertura, com-
puestas, distinguidas é scandidas por çierto cuento, pesso é

---

de *Arch., Bibl. y Mus.* 1903; aggiunta al fasc. di Luglio, p. 57), figurano:
Los 13 primeros libros de la genealogia de los dioses traducidos al castellano.
Ms. di 269 f., forse già registrato nel vecchio catalogo del 1455.
 [1] Vedi lo studio, alquanto superficiale, di E. Woodbrige, *Boccaccio's
Defense of Poetry* in *Publicat. of the Mod. Assoc. of America,* Nuova Ser.
Vol. VI, 3, pp. 333—49; O. Hecker, *Boccaccio-Funde,* Braunschweig 1902,
pp. 190 sgg., dove è un opportuno accenno alla difesa della poesia, ten-
tata nel *De Casibus,* nell'epistole a Jacopo Pizzinghe, e nel commento di
Dante, e si ricordano le note epistole di Coluccio Salutati a Giovanni da
Samminiato. Come Albertino Mussato, in alcune sue ripetute difese della
poesia, già si servisse degli argomenti addotti dal Boccaccio, ricorda il
Novati, *Indagini e postille dantesche* (*Bibl. stor. crit. d. letter. dant.* IX. X),
Bologna 1899, p. 102. Vedi inoltre la ristampa del libri XIV e XV del
De Geneal. nell'opera del compianto Oddone Zenatti, *Dante e Firenze —
Prose antiche, con note illustrative,* Firenze 1903.
 [2] 'Nunca esta poesia é gaya sciencia se fallaron si non en los ánimos
gentiles, é elevados espiritus' (*Obras* 2 sg.). Fernán Pérez de Guzmán
(*Canc. de Baena* p. 615): 'La gaya çiençia que asy como rrosa | Nasció
en el vergel de la poetria.'

medida', è tolta, in massima parte, da quella data dal Boccaccio
nel penultimo libro del *De Genealogiis*.[1] Chi apre, continua
poi il marchese, 'las escuridades é çerramientos dellas ... quién
las esclaresçe, quién las demuestra é façe patentes sinon la
eloqüençia dulçe é fermosa fabla, sea metro, sea prosa'?[2] E chi
più degno, nel concetto del Santillana, di svelare ogni poetico
mistero, del Boccaccio medesimo, 'orador insine', eminente
scienziato, autor di prose 'de grand eloqüencia'?

---

[1] Poteva avvertirlo il Croce nella sua bella *Estetica*, Napoli 1902, p. 181.

[2] Non ho modo di consultare ora, nè l'originale latino del trattato del
Boccaccio, nè il manoscritto della versione castigliana, e mi è forza gio-
varmi della versione Betussiana, sbiaditissima. Cito quei brani che più con-
cordano col *Prohemio* del marchese (*Della Genealogia degli Dei. Lib.* XIV,
f. 232): '... dicono la Poesia in tutto esser niente, e una vana facultà,
e ridicola. ... Oltre ciò dicono ... i poemi essere troppo oscuri, bugiardi,
pieni di lascivie, cavati da ciance ...' (f. 233). 'Egli è cosa certa ... questa,
sì come l'altre discipline, havere havuto principio da Iddio ... è una facultà non vana, ma piena di succo a quelli, che vogliono con l'ingegno
premer fuori i sensi dalle fittioni. ... La Poesia è un certo fervore di scrivere, ò dire astrattamente, e stranieramente quello, che haverà trovato, il
quale derivando dal seno d'Iddio, a poche menti ... è conceduto. Gli
effetti di questo fervore sono sublimi, come sarebbe ... le imaginate (invenzioni) con certo ordine distendere, ornar le composte con una certa
inusitata testura di parole, e sentenze, e sotto velame di favole appropriato,
nascondere la verità ...' (f. 234). 'ho detto questa scienza dal seno d'Iddio
essere infusa nelle anime anco tenere ... il poeta ... quasi esser enfiato
da un certo spirito divino ... Assai si può vedere ... la Poesia ... haver
origine dal grembo d'Iddio. ... E gli è pura Poesia tutto quello, che sotto
velame componiamo, e stranieramente si ricerca, e narra ... affine, che
per la troppa brevità non levasse la dilettatione, nè con la soverchia lun-
ghezza porgesse rincrescimento, con certe regole di misura, e tra diffinito
numero di piedi, e sillabe il (verso) costrinsero ...' (f. 236). 'La favola è
una locutione essemplare, overo dimostrativa sotto fittione, da cui levata
la corteccia, è manifesta la intentione del favoleggiante.' Nella traduzione
del *De Casibus* il marchese poteva leggere (p. XLV): 'E bien assi como la
sancta scritura declaro primero por los profetas los secretos que eran por
venir de la divinal voluntad so un encubierto callado y honesto: bien assi
esta sciecia de poetria sus ymaginaciones en si concebidas son una cobertura
de enfingimientos muy publica manifesta'. Il Santillana possedeva, come è
noto, la *Vita di Dante* del Boccaccio, e non avrà mancato certamente di
leggervi quanto, nell'esordio (§ 10), è detto sulla sacra missione de' poeti,
i quali: 'quando con finzioni di varii Iddii, quando con trasmutazioni di
uomini in varie forme, quando con leggiadre persuasioni ne dimostrano
le ragioni delle cose e gli effetti delle virtù e dei vizi'. — Nelle note su
Dante in Ispagna osservava, incidentalmente, come l'accenno a' 'refranes que
dicen las viejas tras el fuego' ci ricordi il cenno alla popolarità delle
poetiche favole, 'narrate ai bambini dalle vecchierelle accanto al fuoco'
(*De Geneal.* Cap. X). Rileva nel *Conde Lucanor* (4) l'espressione: 'una
palabra que dicen las viejas en Castiella', C. Michaëlis de Vasconcellos,
Tausend portugiesische Sprichwörter, in *Festschrift A. Tobler*, Braunschweig
1905, p. 23. — L'immagine del legnetto sbattuto dall'onde, e raccoman-
dato a stento con áncore al fondo (*De Geneal.* Lib. XV) difficilmente si
sarà sovrapposta alla notissima immagine del Purgatorio dantesco nella
mente del poeta che rimava: 'La flaca barquilla de mis pensamientos' ecc.

Gli encomi prodigati dal marchese a' massimi Italiani del '300 erano raccomandazioni valide perchè si leggessero e meditassero le opere loro. Non oserei affermare, tuttavia, che il *Prohemio,* incensatore del Boccaccio, bastasse perchè si desse bando alle compilazioni mitologiche antiche di Cicerone, Ovidio, Apollonio Rodio, Macrobio, Fulgenzio, e si consultasse unicamente il volume del Certaldese. Don Pedro de Portugal, p. es., a cui il *Prohemio* era indirizzato, interroga ancora, nella *Sátira de felice é infelice vida,* il *De natura Deorum* di Cicerone (fonte alle *Genealogie* del Boccaccio), quando gli occorre un'interpretazione della natura di Cupido, e non si dà pensiero della mitologica dottrina accumulata dall'eloquente Boccaccio.[1] Il gran Tostado, fenice de' teologi e dei dottori, si rivela invece lettore attento del *De genealogiis* boccaccesco, nella *Breve obra de los fechos de Medea,* e nel *Tratado de los dioses de los gentiles.*[2]

Tardi mi sorresse fortuna nelle ricerche assidue e costanti ch'io feci del *Llibre de les transformacions del poeta Ovidi,* scritto, in fine del '400, da Francesch Alegre, dedicato, 'ab humil affeccio', a Giovanna la pazza, figlia di Fernando d'Aragona, e stampato a Barcellona, nell'ultimo decennio del '400.[3] Da un ampio estratto pervenutomi, per condiscendenza somma di un mio giovane amico di Catalogna,[4] so di qual natura sieno e donde sieno cavate, le riflessioni allegorico-morali, che il Catalano, forte di studi umanistici, traduttore della 'Prima guerra punica' di Leonardo Bruni d'Arezzo (1472), compilando 'entre la ocupacio de molts negocis', aggiunge di suo alle 'trasformazioni' tradotte,

----

[1] *Opúscol. liter.* cit. p. 68. L'autore della cavalleresca novella *Curial y Guelfa* (ed. Rubió y Lluch, Barcelona 1901) si compiace assai di definizioni mitologiche (vedi particolarmente il cap. 18 del libro III), ma non ricorda il Boccaccio, e si fa forte dell'autorità di Macrobio.

[2] 'Tuvo sin duda en uno y otro presente el celebrado libro de Boccaccio: *Genealogia deorum*', così A. de los Rios, *Hist.* VI, 269, che probabilmente indovinava, senza legger ben addentro le opere del Tostado e del Boccaccio. Lessi alla Palatina di Vienna: *Las diez questiones vulgares puestas al Tostado y la respuesta y determinacion d'ellas sobre los dioses de los gentiles y las edades y virtudes,* nella rara edizione di Salamanca, 1507. Il *De Genealogiis Deorum* del Boccaccio vi è espressamente citato al f. XXX per la 'octava Question': 'Si por Diana se entiende la luna'. Nicolas Antonio, *Bibl. Vet.* Lib. X, cap. VII, p. 260 registra: *Catorxe questiones* del Tostado, invece di dieci, e ricorda, a p. 387, un trattato *De Minerva,* che io, pur troppo, non lessi e non vidi mai.

[3] *Acaben los quinxe libres d' transformations del poeta Ovidi: e los quinxe libres de allegories e morals exposicions sobre ells estampats en Barcelona per Pere Miguel . Bonaventuradament en espanya e en los reynes d Arago regnant los invictisims Don Ferrando e Dona Isabel any MCCCCLXXXXIIII a XXIIII d Abril,* così la portata finale dell'esemplare, rarissimo, conservato nella Bibl. Prov. Univ. di Barcellona. Un' altra copia è alla Nazionale di Madrid (I—1277).

[4] Il sig.r Don J. Pijoan, discepolo attivo e intelligente di A. Rubió y Lluch, a cui rendo qui pubbliche grazie.

'fets', osservava un anonimo nella *Renaixensa,* 'en forma de diá-
lech sostingut per vint doctors antichs, que la Verge Maria
atenent á sa deprecació li tramet, guiats per Micer Joan Bocaci
y ahont (unich judici que la llegida superficial d'alguns trossos
'us permet fer) al costat de hipótesis las mes xocantas que fan
recordar las sutilesas dels antichs escoliastas, y d'un violent y
no interromput exercici de gimnástica intelectual, ... que li
obliga á fer sa mania de desentranyar l'origin de totas las
faulas, s'hi veu una asombrosa erudició.'[1] Attingeva l'Alegre
allegramente dal *De Genealogiis Deorum* del Boccaccio, ch'è
già, per sè stesso, un'illustrazione continua, ragionata, e poco
vagliata, delle favole Ovidiane, fonte, non esausta mai, di mitologiche notizie e fizioni. Vero è che il Boccaccio godeva in
Ispagna 'nominanza', più o meno 'onrata', come volgarizzatore
del breviario Ovidiano degli amanti nell'Età media, 'nel quale
il sommo poeta mostra come i santi fuochi di Venere si deano
ne' freddi cuori con sollecitudine nutricare' (*Filocolo*),[2] ed i due
gran nomi, Ovidio e Boccaccio, solevano associarsi con frequenza,
come quelli de' più autorevoli maestri di amore.[3]

---

[1] *Las Metamórfosis d'Ovidi (traducció de Francesch Alegre) Renaixensa,*
Barcelona 1871, I, 189. Qui non s'offre che un estratto breve e insignificante dell'esposizione allegorico - morale della metamorfosi di Dafne,
tratto dall'esemplare della biblioteca di San Joan di Barcellona. Un'altra
copia deve trovarsi all'episcopale di Vich. Dal *Grundr.* II/II, 121 rilevo
come altri capitoli delle *Transformacions* si riproducano nella *Renaixensa*
III, 316, che io non potei consultare. 'Algo de Alegre, tambien de las
Metamórfosis', scrivevami tempo fa l'amico carissimo A. Rubió y Lluch,
'publicó mi padre (J. Rubió y Ors) en una de las Poesias del Rector
de Vallfogona, creo que de 1840' (cap. IV del Lib. V e cap. II del Lib. IX).
[2] Nelle *Metamorfosi* di Ovidio è rintracciata dallo Zingarelli (*Roman.*
XIV) la fonte della 4ª questione d'amore del *Filocolo*. Vedi ora il Rajna,
Roman. XXXI. L'Hortis, nell'operone suo, sempre meraviglioso, il Crescini, l'Hecker, altri dotti scrissero, con senno, delle imitazioni di Ovidio
nell'opere del Boccaccio.
[3] Col nome del Boccaccio era battezzato in Ispagna, non so bene se
anche in Italia, un commento ad un volgarizzamento in versi dell'*Ars
Amandi* di Ovidio, già registrato tra i libri del Guzmán, colla *Caida de
Principes, Fiameta y Panfilo en castellano:* '*Ovidio. De Arte Amandi
con comentario de J. Bocacio* — en toscano' (Gallardo, *Ens.* IV, 1486),
e pure sepolto tra i manoscritti dell'Escorial. Antonio da Roma avrebbe
aggiunte e frammischiate le proprie chiose a quelle del Boccaccio. La
miscellanea, ignota a' dotti d'Italia, meriterebbe una descrizione ed un'ana-
lisi ben più minuta di quella, necessariamente superficiale e fugacissima,
offerta dal Knust. La registrava l'Ebert (*Jahrb. f. rom. engl. Liter.* IV,
50): *Arte de amar de Ovidio explicado por Juan Bochatio.* 'Escripto de
muy buena letra por Antonio de Roma 1388' (*Man. Escor.* P—II—10).
Knust, *Ein Beitrag zur Gesch. der Escorialbibl.* (*Jahrb. f. rom. engl. Liter.*
IX, 301) ricorda il manoscritto: 'Expliciunt glosule vulgares Nasonis Ovidii
de arte amandi, translate et vulgaricate a glosulis licterali sermones ed.
a dño Johē Bochatio de Florentia, quem ego Antonius de Roma scripsi
et complevi sub annis 1388', per soggiunger poi: 'Welcher Theil der An-

Le 'esposizioni' dell'Alegre si aggiungono, come opera nuova ed apparentemente originale, in fine della versione del testo di Ovidio.[1] Volevasi qui investigare la verità, ascosa sotto il velo della favola, e l'Alegre, fresco della lettura del *De Genealogiis,* che accoglieva, negli ultimi libri, le effusioni dell'animo del grande novellatore, appare lui pure irato contro gli stolti, gli ignoranti, 'qui sol mirant la escorça indican los poetes per homens mentirosos; e reprovant les faules los tanquen les orelles'. La valorosa boccaccesca difesa della poesia gli è fitta in mente, e in parte la riproduce colle parole stesse del Certaldese. Credon molti, soggiunge, esser derivata la poesia da 'poyo grech', altro non significare, poeta che 'fengir', ed hanno quindi in disistima la nobil scienza; ora il vocabolo greco, che pur si rispecchia nel latino, vuol dire 'crear', e chi crea, deve necessariamente avere dottrina e sottile intendimento.[2] Segue la nota definizione del Boccaccio, già dal Santillana, con leggere varianti, ripetuta: 'Poesia es una fervor d exquisitament trobar guian la fantesia en ornadament scriure lo que havra trobat, proceint del si de Deu apochs entenimēts atorgada en la creacio. Daon ve que pochs son ves poetes perque atart se dexen veure los grans efectes de aquesta divina fervor. Aquesta constreny nostre enteniment a desitg de ben dir; a pensar noves e inhoides invencions, compon les ab cert orde inusitats vocables te per familiars: y les grans veritats de antiga historia ab gentil vel de fictio aporta cubertes y molt sovint les doctrines morals.'[3]

merkungen von Boccaccio selbst herrührt, ist nicht zu bestimmen.' — Non credo sia tutt'una cosa col commento contenuto nel codice laurenziano XLI, 36, descritto da E. Bellorini, *Note sulle traduzioni italiane dell'Ars Amatoria e dei Remedia Amoris d'Ovidio anteriori al Rinascimento,* Bergamo 1902, pp. 16 sgg., dove non è questione, nè del Boccaccio, nè di Antonio da Roma. È noto come il Boccaccio porgesse aiuto e consiglio alla traduzione delle *Eroidi* ovidiane, attribuite ad un ipotetico Carlo Figiovanni, su di cui vedi E. Bellorini in *Miscell. di stud. crit. ded. ad A. D'Ancona,* Firenze 1902, pp. 13 sgg. O. Hecker, *Boccaccio-Funde,* Braunschweig 1902, p. 33, registra un codice (489) dell'*Ars Amandi* di Ovidio, con scritture marginali del Boccaccio.

[1] fol. CXXXVI: *Prolech de Francesch Alegre en les alegories: e morals exposions dels libres d' transformacions del poeta Ovidi definint poesia faula e allegoria:* 'Arribat a la fi de tant treball e per orde posades en ma lengua vulgar les faules de Ovidi: no oblidat de la obligacio ... giri lo meu entendre en cerca de la veritat: que sots ellas se cobra'.

[2] *Della Geneal. d. Dei* (trad. Betussi) Lib. XIV, p. 234: 'Della cui Poesia il nome non è indi nato, onde molti poco avertentemente istimano, cioè da Poyo Poys, che suona l'istesso, che fingo fingis, anzi è derivato da Poetes, antichissimo vocabolo de' Greci, che Latinamente suona esquisita locutione.

[3] Boccaccio, *De Gen.* trad. Betussi Lib. XIV f. 233 'La Poesia ... è un certo fervore di scrivere, o dire astrattamente ... il quale derivando dal seno d'Iddio, a poche menti (come penso) nella creatione è conceduto. La onde, perchè è mirabile, sempre i poeti furono rarissimi. Gli effetti

Sempre sulla falsariga del Boccaccio, citasi poi l'orazione di Cicerone 'pro Archita'.[1] Distinte quattro speci di allegorie, vagamente sovvenendosi dei reconditi sensi, immaginati dal Boccaccio, nel corpo delle favole (Lib. I), passa alle dichiarazioni ed esposizioni, non senza ascoltare il consiglio del Certaldese: convenire ai poeti la solitudine, per degnamente considerare le cose sublimi. Fugge la città; si rifugia alle falde di un monte, e quivi innalza le sue preci alla Vergine, perchè aiuto gli somministri a svelar gli arcani delle favole di Ovidio. La Vergine, impietosita, accorda al suo devoto l'invocato soccorso. Muovesi l'aria dolcemente; appaiono venti gravi uomini biancovestiti, scortati da un duce, che, dall'abito, dalla leggiadria del volto, rivela essere il Boccaccio, onore di Toscana. E il Boccaccio favella; addita i grandi che gli fan corteggio; nè è meraviglia di trovare con lui quei medesimi che furono al compilatore delle *Genealogie* più larghi di dottrina e di consiglio:[2] 'entre ells vais yo perque ensemps havem çercat la natura dells antichs deus'. Vedi con Lattanzio, Eusebio, Cicerone, Macrobio, Plinio, Pomponio Mela, Sant'Agostino, Sant' Isidoro, anche 'Teodosi', il Teodonzio del Boccaccio, vedi Rabano Mauro e Pronapide ('Pronopides') l'autore del *Protocosmo,* e, col 'nostre catala tan estimat Orosi', anche Barlaam il calabrese, e Paolo Perugino. Fra cotanto senno, nell'assemblea degli illustri, che, 'ab continuades vigilies', accumularono 'profondos tresors de sciencies', l'Alegre si fa cuore, e i 'reverents insignes laureats' prendon seggio attorno a lui. 'Micer Joan Bocacio', 'tenint loch de promovedor', arringa: 'Desliberat es per aquests senyors ans de res dir veure que tu duptes, perque dexades largues rations digues que vols entendre de Ovidi e serat satisfet.' La disputa ha così solenne principio. L'Alegre espone i suoi dubbi, e li sciolgono, ne' discorsi loro, i gravi dottori, diretti dal Boccaccio, perchè 'la agudesa de son alevat e especulativ entendre dignament tal carrech li procura'. La materia delle dispute è tutta tolta dalle boccaccesche *Genealogie.* Cominciasi a discutere sul caos, sull'origine del mondo e dei venti, e prendon successiva-

---

di questo fervore sono sublimi, come sarebbe condurre la mente nel desiderio del dire, imaginarsi rare et non più udite inventioni, le imaginate con certo ordine distendere, ornar le composte con una certa inusitata testura di parole, e sentenze, e sotto velame di favole appropriato, nascondere la verità.'

[1] Citata ancora dal Boccaccio in fine del lib. XIV, p. 252 della trad. Betussi.

[2] Sugli autori consultati dal Boccaccio nel suo mitologico trattato, vedi, oltre il magistrale capitolo dell'Hortis, *Studi* pp. 363 sgg. e gli sparsi accenni in O. Hecker, *Boccaccio-Funde*, un breve studio, rimasto incompleto, se io non erro, di D. Schöningh, *Die Göttergenealogien des Boccaccio. Ein Beitrag zur Geschichte der wissensch. Forsch. im XIV. Jahrh.*, Posen 1900/1901.

mente la parola quegli illustri e venerandi che il Boccaccio, nelle spiegazioni sue, allegava come autorità principali. Il Boccaccio chiude volta a volta il discorso, dichiarando 'per lo seny allegorich lo que ells senyalen'. Sotto il velo tenue della favola, sempre si cela, s'intende, una storia. Torna p. es. Lattanzio a narrar la fiaba della generazione dei venti (*Alegoria dels fills de Auster en los quatre vents principals,* f. CCLXIIII sgg.), e Pronapide dimostra altra ragione, quella che ognun può vedere, sfogliando le carte del Boccaccio. E il Boccaccio, senza più torturarsi il cervello, stillando nuove, cavillose dottrine, sentenzia, traducendo per l'Alegre, dal suo latino, nella volgar lingua catalana: 'Si daquestas faules fictes vols trobar lo que es veritat nota primer: auster pare dels vents esser lo cel estelat perque segons lo creure meu lo moviment del cel e dels planetes son causa dels vents no propinqua mes remota; son dits mes avant esser fills de aurora qui es aquella estela que en la matina da guia al cami del sol perque acostant se tal hora los vents comunament se acostumen moure; lo que ha dit Lectanci que fóren per Juno incitats contra Jupiter se enten que los vents son empesos (!) segons lo creure de alguns per la terra la qual es dita Juno ecc.' [1] Aggiunge poi Isidoro il ragionamento suo e le sue etimologie, come le aggiungeva il Boccaccio nel trattato. Di simil natura, derivate dalle medesime scaturigini, sono le altre questioni poste e le rispettive soluzioni. [2] Ai maldicenti che osavano affermare

---

[1] Converrebbe sapere se all'Alegre era nota la versione castigliana del *De Genealogiis.* Or qui cito dalla solita versione Betussiana (Lib. IV, f. 75) 'Di queste fittioni adunque, se vogliamo trarne il costrutto, prima d'ogni altra cosa è bisogno, che crediamo questo Astreo loro padre essere il Cielo stellato, in questo modo nondimeno, che tutto un Cielo sia ciò che si contiene tra il concavo della Luna, e il congiunto all'ottava sfera. Perciochè istimo esser causato dal movimento del Cielo, e dai Pianeti, si come alquanto solamente da più rimota cagione. ... Sono poi detti figliuoli dell'Aurora: perchè per lo più nello spuntar dell'alba i Venti sono soliti nascere: il che approva l'autorità, e l'usanza de' nocchieri: i quali dicono che in quell'hora si levano; e perciò le più volte a quel tempo incominciano i loro viaggi, onde sono chiamati figliuoli dell'Aurora. È poi stato finto, che quelli fossero armati da Giunone contra Giove: perchè sono tenuti uscire dalla terra, la quale è Giunone, ecc.'.

[2]   *Cap. IV* p. CLXXI *tractant dues allegorias so es de Juno y de Tiresias.*

   Bocacy. Juno es dita et soror et coniunx del deu Jupiter ... fos filla de Saturno e germana de Jupiter y ab aquell casada, segons molts altres noms no impropriament es dita e muller e germana de aquell e perço esta atent a les rations de Varro, macrobi, servi, rabano, e leonsi, perque ab aquelles

   Bocc. *De Geneal.* Lib. IX, trad. Betussi f. 143 sgg. *Giunone ottava figliuola di Saturno.*

   Giunone ... fu figliuola di Saturno ... è sorella e moglie di Giove ... ... di lei molte altre cose si riferiscono. Cerca le cose predette, che sono molte, molti diversamente hanno esposto varie dichiarationi ...

non aver lui inteso i libri di Ovidio, l'Alegre turava la bocca
con coteste morali ed allegoriche esposizioni, furate tutte clan-

sentiras moltes coses de Juno e yo
apres dire alguna cosa del fengit 'de
aquella.

Varro. Segons a scrit ennio en la
sua historia de la filla de Saturno y de
opis, nasque Juno ensemps dun part ab
Jupiter e fon nodrida en las ysla de
samo aon crescuda fon casada ab Jupiter
e perço en samo era lo mes amich e
noble temple de quants eran a Juno con-
segrats, en lo qual temple era la ymatge
de Juno en habit de donzella novia e
los seus annals celebraven com a festa
de nosses.

Macroby. Juno la qui es dita deessa
de les dones parint per on es per aquelles
cridada nomenāt la Juno e lucina no
es la filla de Saturno ans por ella es
entesa la luna, de qui es propi destendre
e lexar los poros, e obrir los meats per
acuytar lo part e segons aquest acte
ultra los dits noms es dita artemia:
quot latine sonat aerem secās e axi
quant prenē a Juno per la luna es dita
no solamēt deessa en los parts mes en
los matrimonis per que solen les mullers
en les nits esser portades a casa dels
marits en la qual part del dia pre-
domina la luna, altres voltes es presa
Juno per lo ayre e Jupiter per lo cel
e axi considerat com vehi esta laun
del altre no impropriament lo es dita
germana y muller.

Servy. ... Jupiter algunas vegades
es pres per foch e per lo cel y algunas
vegades per lo foch solament e iuno
sovint es pressa per la terra e per lay-
gua: o com es dit, per layre e perço
degudament es lo un casat ab laltre:
com lacte sia propi del foch y, del ayre
e la passio de la terra e de l aygua e
axi totes coses per obra lur naxen entre
nosaltres.

Rabano. Juno a ianua es dita quasi
obrint les portes en lo naxer, y en lo
entrar de les noves esposes en casa dels
marits: e tal interpretar li es propi com
per ella es entesa la luna.

Leonsy. E yo seguint aquells qui
a la terra volen nomenar Yuno he dit

Nella sacra historia si legge, Giunone
essere stata generata da Giove Re...
e di Opi moglie di Saturno in un parto
istesso con Giove, ma pria di lui esser
nata, et secondo *Varrone* moglie, fu
nodrita nell'Isola di Samo ... dove
essendo cresciuta, fu maritata in Giove,
e per ciò a Samo vi fu edificato un
nobilissimo e antichissimo Tempio, dove
era l'imagine di Giunone figurata in
habito d'una donzella, che si mariti,
alla quale ogni anno si celebravano i
sacrifici nuttiali.

Dice *Fulgenzio* (l'Alegre lo confonde
qui con Macrobio), che è chiamata
Dea di quelle, che partoriscono, perchè le ricchezze, ne' quali ella è Regina, sempre ne partoriscono dell'altre;
il che semplicemente non è vero di
tutte, ... perchè la Luna, tenuta una
cosa insieme con Giunone, fu solita da
quelle che partorivano, essere sotto il
nome di Lucina invocata, e secondo
Macrobio, dicevano che in potere di
Giunone era il far tosto allargare i
meati, e le vene de i corpi delle donne
nel tempo del parto ... et allora
in Greco viene detta Artemia, latinamente come sarebbe seccante l'aere.
... Vogliono, che fosse Dea di matri-
moni. ... credettero Giunone essere la
Luna ... hanno tenuto Giunone per la
strada guidare le spose, che partono
dalle case dei padri, e vanno a quelle
di mariti ... e affermano Giove essere
il cielo e Giunone l'aere.

Servio dice poi, che alle volte Giove,
si toglie per lo fuoco e l'aere, e talora
per lo fuoco solo; così Giunone si pi-
glia per la terra, e l'acqua, e tal volta
per l'aere solo: e però ... meritamente
sono detti marito e moglie, havendo il
fuoco e l'aere possa di oprare, e la terra
e l'acqua di patire; e così oprando i
superiori con gli inferiori ... appresso
noi si genera il tutto.

Ma *Rabano* chiama Giunone quasi
Gianone, cioè Janua, rispetto alle proprietà delle donne, perciocchè ella venga
ad aprire le porte delle madri ai figliuoli ... e delle spose ai mariti.

Tuttavia *Leontio* dice, che Giunone
in Greco si chiama nen (ηϱη). Il quale

destinamente al Boccaccio. S'accommiata poi dalla brigata il-
lustre; scioglie una prece a Dio, all' 'infinit deu pare', e chiude
l'opera strana e strafalaria, che nessuno più legge.

Già era spuntata l'alba del nuovo secolo, e scemato d'assai
in Ispagna il favore accordato alle opere latine del Boccaccio e
del Petrarca, quando Lodovico Vives, fustigatore del Centonovelle
del Boccaccio, degli Amadigi e dei Lancillotti, nel *De institutione
feminae christianae* (saccheggiato da Lodovico Dolce nel dialogo *Della instituzion delle donne*),[1] aveva ancora, nel 3° libro
del *De disciplinis tradendis*, memore di quanto Erasmo aveva
scritto sul Boccaccio, nell'analogo trattato,[2] una parola d'elogio
per il compendio boccaccesco delle favole mitologiche: 'Ad poeta-
rum fabularumque cognitionem et si plurima ex Ovidio, atque iis
autoribus, quos recensui, desumpserit, habet tamen Joannem Bo-
catium, qui deorum genealogias in corpus unum redegit, felicius
quam illo erat seculo sperandum: tametsi in interpretandis fabulis
saepe est nimius et frigidus.'[3]   Il favoleggiare sulle divinità ed
i miti antichissimi fu, in Ispagna, mania difficile da sradicare e
combattere.   I trattati mitologici affluivano, ed il Boccaccio,

---

que Yuno es dita en grechs nen qui
ve de era quod est terra e feta mutacio
de la *e* en *n* es feta nea, e mudada la
a in *n* es la *nen* per on propriament
es yuno intesa per la terra.

Bocacy. A aquesta son aplicats molts
altres noms segōs diversos actes de la
luna, del ayre y de la terra segons
de cascuns en son loch declarant lo
scrit per Ovidi te fare mēcio: a ella
son assignades quatorze ninfes segons
que diu Virgili: Sunt mihi bis septem
prestāti corpore nimphe. Les armes
y lo carro de que parla Virgili ... li
assignaven per denotar lo carro la cir-
cuicio continua del ayre, entorn de la
terra, e les armes tant per mostrar que
lo ayre ab pluges y grops que sō les
sues armes exercita ses forces, quāt per
esser germana e muller de Jupiter per
on era dita deessa dels reynes y de les
riqueses per qui sovint son mogudes les
guerres ...

viene da *ena* che è la terra, e si fa la
mutatione di *e* in *n*, alla quale can-
giando l'*a* in *n* si fa nea (ηρα) che è
la terra. Onde Giunone propriamente è
la terra.

— — — — — — —

Et acciocchè la Reina degli Dei non
vadi sola, le aggiungono per serventi
quattordici ninfe, si come in persona di
lei Virgilio mostra, dicendo: Due volte
sette ninfe a miei servigi | bellissime
di corpo stanno pronte. ... Le fu attribuita la Carretta, per dinotare il continuo giro dell'aere d'intorno la terra.
Le furono aggiunte l'armi, perciochè a
guerreggianti ... pare che ella gli le
conceda. ... Giunone la quale è sorella
e moglie di Giove. ... Dea di Regni
e delle ricchezze ...

---

[1] Vedi Bongi, *Annali di Gabriel Giolito de' Ferrari* I, 100 sgg.

[2] *De ratione instruendi pueros*, Parigi 1511: 'Ediscenda et deorum genealogia, quibus undique refertae sunt fabulae, eam post Hesiodum felicius
quam pro suo seculo tradidit Bocatius.'

[3] J. Ludovici Vivis Valentini, *De Disciplinis*, Libri XX, Colonia 1532,
p. 301. Il passo citato non era sfuggito ad A. de los Rios, *Hist.* VI, 41
nota 1, che però non ricordava Erasmo. Ora sul trattato del Vives è da
vedersi la dotta monografia del Bonilla, *Luis Vives y la Filosofia del
Renacimiento*, Madrid 1903, pp. 223 sgg.

dalle silenziose regioni in cui posava, poteva gioire della discendenza de' suoi libri magni. Il poligrafo e canonico di Granada, Juan Perez de Moya manda alle stampe, nel 1585, lo zibaldone: *Filosofia secreta, donde de baxo de historias fabulosas se contiene mucha doctrina provechosa a todos estudios. Con el origen de los Idolos ó Dioses de la Gentilidad.*[1] Un decennio dopo (1594), Juan de Azpilcueta Navarro, professore all'università di Zaragoza, mette insieme dieci *Dialogos de las imagines de los dioses antiguos*, togliendo assai dalla scienza del Boccaccio e da altri autori, che coscienziosamente cita,[2] 'sin negar a cada uno lo que es suyo', e 'sin cansar con prolixas alegorias de que son tan amigos los Italianos y ni hazer largos discursos con moralizar sus figuras'.[3] Un *Teatro de los Dioses de la gentilidad* (ben noto al Calderon), in due volumi, gravidi di scienza, racimolata, per chi non sapeva di latino, dagli antichi e dal Boccaccio, si fabbrica, in pieno '600' il frate minorita Baltasar de Vitoria, luminare di sapere, a' suoi dì.[4]

---

[1] Ristampavasi ancora a Madrid nel 1673. '*Es materia muy necessaria para entender Poetas, y Historiadores*'. Al trattato del Boccaccio si allude a p. 67 (*De Juno*), a p. 229 (*De Luna*), e altrove.

[2] Vidi ed esaminai alla Nazionale di Parigi un manoscritto di questi 'Dialoghi': Esp. 73 (ignoro se mai sieno stati stampati, nè mi soccorre lo studio di M. Arijita y Lasa, *El doctor navarro D. Martin de Axpilcueta y sus obras*, Pamplona 1895). Oltre il Boccaccio e gli antichi, è di grande autorità all'Azpilcueta, Lilio Gregorio Giraldi. La farraginosa operetta s'introduce con un inchino a D. Antonio Augustin. *Iseo*: 'Si Don A. A. hubiera querido alargar la pluma á mas de lo q̄ sus medallas se estendian, con mas satisfacçion pudiera Cesarea entender las Imagenes de los Dioses que quiere que yo le declare, pues fue quien con mas verdad supo las cosas tocantes á sus religiosas figuras'. ... *Fabio*: 'Ni he de espantar como Juan Boccacio es muy animoso con la horrible magestad del suzissimo y feo Dios Demogorgo, metido en tan escuras tinieblas, que con tener Giraldo en estas cosas ojos de Lynze no alcançó á conocerlo'. Al 1º, al 2º, al 6º, 8º e 9º dialogo, il Boccaccio ha somministrato dottrina. Citasi, col Petrarca (*De rerum*), l'Ariosto, il Pontano, l'Alciato, anche Dante (f. 6 b): 'Y assi Virgilio disculpando la incredulidad de Dante, cuando finge alla en su Comedia que le guiava por los circulos infernales, dixo á un arbol de donde havia cortado Dante una rama que se quexava de la offensa q̄ le perdonasse, que por no haver querido creer lo que él savia, ecc.'

[3] Con quant'amore e passione si discutesse delle favole mitologiche e delle origini degli Dei nella cerchia degli umanisti di Spagna, in fine del '500' e come si porgesse orecchio a tutto quanto fantasticavasi in proposito in Italia, può vedere ognuno nelle lettere riprodotte dal Dormes, *Progresos de la historia en el reyno de Aragon*, Zaragoza 1680, pp. 392; 398 sgg. (Nella ristampa della *Bibl. de Escrit. Aragon*. Zaragoza 1870, pp. 452 sgg.) Curiose e dotte le lettere dell'Illerden, che accennano ad un suo libro *De natura Deorum* (foggiato sul *De Diis gentilium* del Giraldi?) a me ignoto ancora, per sventura.

[4] Ho avuto sott'occhi l'edizione di Medina del Campo, 1657, e non so in che differisca dalle edizioni antecedenti di Salamanca, 1620 e 1623. Copiosissimi sono qui i rinvii al Petrarca, a Dante e al Boccaccio. V'è pur sfoggio di dottrina attinta al Pontano, al Sannazaro, al Landino, all'Alciato, all'Ariosto.

Dalla compilazione geografica del Boccaccio gli Spagnuoli non trassero grande profitto; pur fu da alcuni consultata, nell'originale e nella traduzione, come si consultavano, in tanta febbre e novità di erudizione, tutte l'opere enciclopediche, i dizionari storici, i trattati scentifici dell'epoca. 'Mitto ad te libellum De fluminibus et montibus Hispaniarum quem ipse edidi', scriveva da Roma, nel 1475, all'amico 'Teseo', l'erudito ellenista catalano Jeronimo Pau, vissuto a lungo in Italia, e discepolo del Panormita.[1] Sullo stampo del trattato boccaccesco, adottando pur lui l'ordine alfabetico, comodissimo, aveva foggiato il Pau, giovane d'anni ancora e d'esperienza, con gran lusso di richiami agli autori antichi (il Boccaccio non è qui però citato con Omero, Pomponio Mela, Lucano, Marziale, Silvio Italico e l'opere degli umanisti) un suo trattato, non voluminoso, e di poca pretesa, nudo elenco, che solo ai mari ed ai fiumi di Spagna si restringe.

*   *   *

Meno diffuse e meno consultate erano nella Spagna del '400 le opere volgari del Boccaccio dell'opere latine maggiori, gravide di scienza, non originali, non vive e non durature. Quanto piacesse il *Corbaccio,* e come libero corresse ad illuminare le genti acciecate da lussuria e da sfrenato amore alle femmine, come giovasse a riporre sulla dritta via i traviati, s'è

---

[1] *Opúsculos inéditos del cronista catalan Pedro Miguel Carbonel* in *Colecc. de docum. inéd. del arch. gener. de la Cor. de Aragon,* XXVIII, 381. Il trattatello *De fluminibus et montibus Hispaniae* (ad reverendiss. *D. Rodericum* episc. *portuensem card. valentinum vicecancellarium*) è a stampa in A. Scott, *Hisp. illust.,* Francof. 1603, II, 834 sgg. Una trascrizione d'esso 'original de letra de Jerónimo Blancas' è alla Nazionale di Madrid (G. 178), come rileva J. Massó Torrents, *Manuscrits catalans de la Bibl. Nacion. de Madrid,* Barcelona 1896, p. 192. ('Spero dabuntur tuo nomini aliquando maiora: Nunc autem aliquid Cosmographiam et suscitationem Antiquitatis pertinens, per vacationem a studio iuris collectum', così il Pau nella dedica.) Prima alquanto del Pau, e probabilmente senza attingere alla scienza geografica del Boccaccio, Alfonso Fernandez de Palencia scriveva un suo trattato *De los nombres ya olvidados é mudados de las provincias y rios de España.* (Vedi il suo *Tratado de la perfeccion del Triunfo militar* in *Libros de Antaño,* Madrid 1876, V, 102.) Un'operetta di Francisco Tarafa, canonico di Barcellona: *Dels Pobles, Rius y Montanyes de Espanya,* a me ignota, è ricordata da N. Antonio (*Bibl. Nov.*) che n'ebbe notizia dalla *Coronica universal del principat de Cathalunya* di Hieronym Pujades (1609). Vedi G. Cirot, *Les histoires générales d'Espagne entre Alphonse X et Philippe II,* Paris 1905, p. 170. — La traduzione castigliana del trattato geografico del Boccaccio è più volte citata, con altri trattati boccacceschi (*De las mugeres illustres, De hombres illustres, Del origen de los Dioses*), e col *De Viris* ed il *De Rerum* del Petrarca, nello zibaldone erudito, di un discendente del marchese di Santillana: *Memorial de cosas notables, compuesto por Don Yñigo Lopez de Mendoxa, Duque quarto del Infantado.* Guadalajara 1564, pp. 47; 166; 215; 343.

detto in uno studio mio particolare.[1] Alquanto minor fortuna s'ebbe la *Fiammetta,* sprovvista della sacra unzione mistica, gridata poi corruttrice dai santi inquisitori. Pure, dopo il *Corbaccio,* la *Fiammetta* del 'famoso Juan Vocacio', che 'por sotil y elegante estilo', 'da á entender muy particularizadamente los efectos que haze el amor en los animos ocupados de pasiones enamoradas' (così il frontespizio dell'edizione castigliana di Lisbona 1541) fu in Ispagna di gran lunga il libro del Boccaccio in volgare più letto e più schiettamente gustato. Spesse fiate accennano ad esso scrittori e poeti. Le pene ed angustie d'amore della donna abbandonata, la passione che pugnava nel suo povero e travagliatissimo cuore, passione furente e possente, che nessun limite conosce, a nessuna legge umana e divina soggiace, e la natura stessa vince; le ansie, i sospiri, i gemiti, gli alti lai, lo sperare ed il disperare, l'interna storia, analizzata a fondo e sapientemente, con finezza psicologica che invidierebbero i moderni, dal grande conoscitore ed esperimentatore del cuor di donna, non lasciava insensibili gli ingegni di Spagna, avviati appena, e con scarsa esperienza, alla composizione di novelle psicologiche. Il quadro esteriore, quel mettere in bocca all'amante la storia delle proprie sventure, facile a prolungarsi, ad abbreviarsi, e variabile a piacere, era di agevolissima applicazione. In mezzo allo strazio dell'anima erano gittati ancora i ricordi eruditi. Tornavasi a far pompa della sapienza antica. Non disdiceva quindi la *Fiammetta* dall'altre opere boccaccesche latine. La tradussero i Catalani ed i Castigliani, non sappiam bene quando, forse già ne' primi decenni del '400' e così voltata,[2] presto passò alle biblioteche de' gran signori; trovò dif-

---

[1] *Note sulla fortuna del 'Corbaccio' nella Spagna Medievale* (*Miscellanea Mussafia*) Halle 1905.

[2] I due manoscritti della versione castigliana, che l'Escorial conserva (P-I-22; e-III-9, vedi Ebert, *Jahrb. f. roman. u. engl. Liter.* IV, 65 e il volume di M. Schiff sulla biblioteca del Santillana), non discordano gran fatto dalle prime stampe: *El libro llamado Fiometa,* Salamanca, 1497; Sevilla, 1523 (*Libro llamado Fiameta | porque trata de los amores d'una notable dueña napolitana llamada Fiameta. El qual libro conpuso el famoso Juan Vocacio poeta florentino,* edizione posseduta da F. Colon); nè si dovrà confondere, come fecero il Salvá, il Gayangos ed il Gallardo, e come fa tuttodì l'Haebler (*Bibl. Ibér.* p. 25, N° 55) il primo traduttore anonimo col cinquecentista Pedro Rocha, valenziano, buon conoscitore dell'Aretino, a cui accenno nelle note sul *Corbaccio.* — La *Fiammetta* catalana, battezzata anche *Fiameta romana,* manoscritta tuttora, e da San Cugat del Vallés passata all'Archivio della corona di Aragon, fu da molti ricordata: dal Tastu, da Torres Amat, Milá y Fontanals, A. Pagès, Morel-Fatio, Rubió y Lluch, Massó y Torrents ecc. Ultimamente B. Sanvisenti allungava ed allargava i suoi idropici *Primi influssi,* riproducendo (pp. 395 sgg.) l'intestazione di tutti i capitoli del codice. Sarebbe opportuno lavoro un utile confronto del testo catalano coll'originale italiano e colla versione di Castiglia.

fusione nelle classi colte, e fè sospirare de' suoi sospiri, piangere del suo pianto, gli afflitti e torturati d'amore. Fiammetta e Pamfilo furono, con Piramo e Tisbe, Tristano e Isotta, Lancillotto e Ginevra, Paride e Vienna, [1] tra le coppie famose d'amanti che a memorando esempio ed ammaestramento solevansi citare.

Di Fiammetta sovviensi Donna Leonor nella *Comedieta de Ponça* del Santillana, [2] una delle tristi, gemebonde regine, confortate dal Boccaccio risorto. Il dolor che le preme il cuore la muove a rimembrare il dolor dell'amante infelice, i cui casi, la 'mano' del Boccaccio 'registra é aprueva'. La fatal lettera 'del lucto sellada', che le rivela la sua maggior sciagura, e le inonda di lacrime il viso, le rammenta 'la triste nueva' che a Fiammetta 'del pelegrino le fué reportada' (*Obras* 120). Il gran dolore della 'noble Flameta' muove al pianto, stringe il petto ('sobres dolor la pensa ma constreta') di Fra Rocaberti, che, nel suo immaginato giardino d'amore, scorge, sospirante, gemente, con altre coppie d'amanti, la sventurata eroina del Boccaccio. I martiri di Francesca, che tristo e pio fecer Dante, e a lacrimar lo mossero, hanno suggerito, come altrove avvertii, questa povera e scialba visione. Pamfilo, che abbandona Fiammetta in vita, non l'abbandona in morte, e se ne sta; 'ab cara desdenyosa, | desconaxent', lagrimando, muto come Paolo: 'trist abatut, ab la cara plorosa', e Fiammetta piange, e, rivolta a chi ha pietà del suo mal perverso, favella del suo amore'. Degenere sorella di Francesca, lungi dall'inneggiare all'indomabil passione, che della morte e dell'inferno trionfa, e che Dio rispetta, moralizza banalmente e goffamente, con compunzione. Alle genti, dice, 'qui mos dictats ligien', gioverà il lamento 'de ma fortuna', 'blasmen tots cells quin amen mes de una'. Assicura ancora dolersi, offendersi, dic'ella, con parola tolta a Francesca, [3] della fama ch'è rimasta nel mondo del dolor suo. E il poeta, che sì ingiuria l'arte sovrana di Dante, provasi a consolare questa misera Fiammetta. — Il ricordo di Fiammetta è in altri Catalani e Valenziani di quel tempo, in Mossen Ruiz de Corella p. es. (*Tragedia de Caldesa*). Alla *Fiammetta* ed al *Corvatgi* accenna fuggevolmente Ferrant Valentí, di Mallorca, nel prologo premesso alla traduzione de' *Paradoxa* di Cicerone. Trascrive il *Jardinet d'orats,* alquanto catalanizzata, una

---

[1] *Der altfranzösische Roman Paris et Vienne. Mit einer Einleitung, dem katalanischen, dem spanischen Text und dem Inhalt der italienischen Umarbeitung,* neu herausg. v. R. Kaltenbacher, Erlangen 1904.

[2] Il marchese possedeva anche l'originale italiano dell'*Elegia di madonna Fiammetta* (ora alla Nazionale di Madrid 6ª—11).

[3] Ripetuta la memoranda sentenza che strazia il cuore di Francesca, l'autore del *Tirant lo Blanch* soggiunge, pur con palese reminiscenza dantesca (*Rahonament que fa Tirant a la Viuda.* Cap. CXCVII. Vol. III, 11): 'la mia *pensa* sens comparacio esta *ofesa* per ma senyora'.

meschina stanza: *Phiameta á Grimalte,* delle molte che adornan una novella di Juan de Flores, foggiata sulla sentimental novella del Boccaccio:

Si los gozos desseados	Pues damas enamoradas,
Durassen siempre en un esser,	Mirando byen lo que digo,
Aquellos cuando cobrados,	Cuando mas mas adoradas,
Como passion y cuydados	Con temores de olvidadas,
Nos matarian de plazer.	Contrastad al enemigo.
Mas enfriase el amor	Porque sus actos graciosos
Del corazon amador,	De la beldad,
Ençendido,	Son tiros todos danyosos
Y queda solo el dolor	Con que pierde sus reposos
Con [los] suspiros del honor	La bondad. [1]
Ya perdído.	

Fiammetta doveva pur ardere in uno de' tanti inferni d'amore, che i versificatori di quell'età, sí poco incline alla vera poesia, si creavano per trastullo. Spasimante tra gli spiriti 'mal fadados', 'llagados' da Cupido, la scorge, con altre illustri amanti lo Stuñiga: 'Ví á Fiometa inflamada | con un florentin ingrato.' [2]

Nella fantasia de' letterati e poeti s'eran venuti man mano mescolando i casi di Fiammetta e gli struggimenti suoi per Pamfilo, coi casi, le avventure e gli struggimenti d'amore degli eroi e delle eroine de' romanzi brettoni, de' romanzi cavallereschi, delle favole di Amadigi, da più tempo partorite, in voga, come oguun sa, in tutto il '400· Attorno al cuor di donna girava il mondo de' galanti e degli erranti cavalieri. Vivevasi de' suoi palpiti, pascevasi de' suoi sospiri. Il sentimento presto si stempera in sentimentalità. Si gonfiano di lagrime gli occhi, e di parole e di esclamazioni le carte, destinate a raccoglier le storie de' teneri, appassionati e fedeli amanti. L'innamoramento e l'abbandono di Fiammetta ricordava per giunta, agli Spagnuoli, la disperata, leggendaria passione di Macias. Rodríguez del Padrón andò a cercare nelle novelle di Francia parte delle favole, degli amori e delle galanterie, che riempion la storia pietosa, sentimentale: *El siervo libre de amor,* tutta involta in un fitto velo allegorico, mosso a descrivere, con intendimento figurato, e con allusioni insistenti ai tre stati immaginari del-

---

[1] Debbo alla cortesia dell'amico Pijoan una copia fedele della 'cobla', accolta nel *Jardinet d'orats* (f. 126 r. del codice Barcellonese, indicata già d'altronde dal Milá VI, 420), trascritta in linguaggio sovente irriconoscibile, e da me qui corretta.

[2] *Cancionero de Lope de Stúñiga,* ed. Madrid 1872, p. 76. — Sâ de Miranda ricorderà poi, a sua volta, in versi castigliani, la *Fiammetta* boccaccesca: 'Otra vida a Beatriz ha dado el Dante, | A Laura hizo el Petrarca tan famosa | Que suena d'este mar al de levante, | Bocacio alzó Fiameta en verso i prosa' (*Poesias de Francisco de Sâ de Miranda,* ed. C. Michaëlis de Vasconcellos, Halle 1885, p. 460).

l'anima, le sofferenze e torture d'amore, i dubbi e l'ansie, il logorarsi e il rodersi del cuore, lacrimevol martirio che solo cessa colla vittoria dell'intelletto e del 'libero arbitrio'. La *Fiammetta* del Boccaccio doveva prestare il pianto e l'elegiaco lamento all'eroe che soffre le torture di un Werther anticipato. Esala costui in lettere, i pianti e i lai del cuore, ed esce poi di servaggio, passando 'de la trabajosa vida á la perpetua gloria que poseen los leales amadores'.

Quello che più colpisce in questa tragica storia, alla quale male assai si sovrappone l'allegoria fredda e stentata, l'inutile apparato mitologico, astronomico, erudito[1] è lo stile, involuto, affettato, ridondante, boccaccesco, pieno di violente e inusitate trasposizioni, e inversioni. Decisamente l'elegiaca favella di Fiammetta, che si contorce e gonfia, secondando le ambasce del cuore,

---

[1] Può anch'esso esser derivato, in parte, come nel *Triunfo* e in altri scritti di Rodríguez de Padrón, dalla *Fiammetta* del Boccaccio, in parte anche dal *Filocolo.* — (*Fiammetta. Opere* VI, 22): 'Quantunque Febo sorgente co' chiari raggi di Gange insino all'ora che nell'onde di Esperia si tuffa colli lassi carri, alle sue fatiche dare requie, vede nel chiaro giorno ...' (*Triunfo de las Donas. Obras* p. 8): 'Feria Apollo al occidental orizonte con el carro de la luz, llegado al punto que ya sus cavallos, cansados del celestial afan, bañaban en las marinas ondas.' L'appressarsi della sera è così espresso nel *Filocolo*: 'I disiosi cavalli del Sole caldi per lo diurno affanno si bagnavano nelle marine acque d'occidente.' (Nelle note mie sul *Petrarca in Ispagna*, p. 51 dell'estr., supponevo forse a torto, un'imitazione del sonetto: 'Quando 'l sol bagna l'aurato carro'). (*Fiamm.* VI, 51): 'quali le marine onde da' venti e dalla pioggia sospinte'. (*Carta* d. Rod. d. Padr. p. 175): 'trayendo consigo las marinas ondas ecc.'. (*Fiamm.* p. 23): 'Questi con dorate piume leggerissimo in un momento volando per li suoi regni tutti gli visita, e il forte arco reggendo, sovra il tirato nervo addatta le sue saette' ... (p. 129): 'Egli era già un'altra volta il sole tornato nella parte del cielo che si cosse allora che male i suoi carri guidò il presuntuoso figliuolo ecc.' (Santillana, *Vision* 405): 'Al tiempo que va trençando Apollo sus crines d'oro | E recoje su thesoro, | Fácia el horiçonte andando, ecc.' (*Comedieta*, 119, due strofe prima dell'accenno al dolor di Fiammetta): 'Ya los corredores d'Apolo rohavan | Del nuestro horiçonte las escuridades, | E las sus fermosas batallas llegaban | Por los altos montes á las sumidades'. (Condest. *Satira* 59): 'mis ojos á la oriental parte levanté ... no porque el fermoso mancebo Febo á Clicie ya no ficiese revolver los oios contra Oriente ... ya sus menudos é lumbrosos rayos ferían los altos montes ...' (*Fiamm. Opere*, VI, 166): 'E già quel Toro che trasportò Europa teneva Febo colla sua luce, e i giorni alle notti togliendo luogo, di brevissimi grandissimi divenieno; e il fiorifero zeffiro sopravvenuto, col suo leno e pacifico soffiamento avea l'impetuose guerre di borea poste in pace, e cacciati dal frigido aere i caliginosi tempi, e dell'altezza de' monti le candide nevi, e i guazzosi prati rasciutti delle candide piove.' (*Filocolo. Opere* VII, 315): 'Zeffiro non era stato da Eolo richiuso nella cavata pietra, anzi soffiando correa sopra le salate onde colle sue forze.' (VIII, 31): 'Era già Apollo col carro della Luce salito al meridiano cerchio, e quasi con diritto occhio riguardava la rivestita terra' ecc. È stile da *Amadigi*, e gli Spagnuoli lo imitavano bravamente già nel primo '400.

piaceva e s'imponeva a Rodríguez del Padrón, che pur ammirava, e pur imitava la prosa fiorita de' novellatori di Francia.[1] La Fiammetta offriva a' compagni di sventura i suoi languori e lamenti, le disperazioni ed imprecazioni, gli ohimè ripetuti, infiniti. Malediva l'infelice l'acerbo destino; maledi̥a l'amore, la passione fatale e struggente che sveller non poteva dal cuore. 'Maladetto sia il giorno che io prima ti vidi, e l'ora e il punto nel quale tu mi piacesti. … Ahi maladetta sia la mia pietà' (cap. VII). Invocava la morte come termine a' suoi mali, e premeva dall'angoscioso petto il: Non fossi nata mai. 'O maladetto quel giorno, a me più abominevol che alcun altro, nel quale io nacqui. Oh quanto più felice sarebbe stato, se nata non fossi, o se dal tristo parto alla sepoltura fossi stata portata'. Non geme altrimenti l'eroe di Rodríguez del Padrón: 'O regurosa y mal comedida muerte, deseosa de mi! E ya que en plazer te viene el trabajado fyn de mis dias. …… O bien aventurada muerte que tornas en propia vida! Alegre y suave pena que tornas y vienes a mi en folgança! Otorgas que muera' (p. 52; 61). Piaceva similmente l'elegiaco lamento di Fiammetta al 'Condestabel' Don Pedro de Portugal che, ispirato al *Siervo libre de amor*, offriva, tutta pasciuta di gemiti e di sospiri, involuta e boccaccesca nella forma, la *Sátira de felice é infelice vida* ('gemir, sospirar é plañir le dé por respuesta' p. 57) 'O infortunado!' esclama, 'Conosce ser á ti la fortuna adversa! O desesperado! Conosce tu desesperacion! O ciego hombre! … Que te puedo decir, salvo el más mal aventurado de los nascidos, pues tu pena quieres, é tu pena seguiendo deseas? (55) … O fados crueles, nunca contentos de la aumentacion de mis infinitos males .. Maldito sea el dia en que primero amé, la noche que velando sin recelar la temedera muerte puse el firme sello á mi infinito querer é iuré mi servidumbre ser fasta el fin de mis dias!' (89). Questa affinità di sciagure e lamenti non isfuggiva a' contemporanei, ed una chiosa alla *Sátira*, che nel *Cancioneiro geral* di Resende corre col nome di Duarte de Brito, autore ben noto di un sentimentale inferno d'amore, che dall'inferno del cuor di Fiammetta alquanto ritrae, contrappone, non a caso, alla coppia d'amanti: Ardanlier e Liesse, i 'namorados Pamphilo con Fyometa'.[2]

---

[1] Vedi particolarmente le *Nouvelles françaises en prose du XIIIe siècle* ed. L. Moland et C. d'Héricault. Paris 1856.

[2] *Canc. ger.* III, 415. — C. Michaëlis de Vasconcellos (*Grundr.* II/II, 261) riaccosta saggiamente la *Sátira* alla novella di Rodríguez del Padrón, ma non ha presente la *Fiammetta* e il *Filocolo* quando scrive, toccando dello stile del 'condestavel': 'Die konstante Voranstellung der durch adverbielle Bestimmungen noch erweiterten Adjektive giebt dieser Schreibart ein *germanisch* anmutendes Gepräge'. — Anche nella *Comedia* del Rocaberti è subito memoria di Fiammetta e Pamfilo, dopo il ricordo degli amanti sventurati

Al *Planto que fiço Pantasilea*, 'la mas triste apassionada | de quantas saben amar', che il Santillana raccoglie in alcune sue rime, si mescola il pianto di Fiammetta. Dolor disperato è nel cuore di Pentesilea, e le labbra mormorano l'imprecazione al destino (*Obras* 414):

¡O maldita sea la fada
Cuytada, que me fadó!

¡O madre desventurada,
La que tal fija parió!
Amaçona, reyna triste,
Del dios d'Amor maltractada,
En fuerte punto nasçiste,
O en algun ora menguada,

¡O triste ... mejor me fuera
Que nunca fuera nasçida.

Maldito sea aquel dia,
Archilles, en que nasçiste!

Alla *Fiammetta* similmente ci riconducono le smanie e gli struggimenti nella *Tragedia* di Don Pedro de Portugal, che avviano il misero alla soglia della pazzia (*Homenaje* p. 698):

é luego mis ropas romper fuy membrado;
feriendo mi rostro inhumanamente,
comienço mi planto tan desesperado,
que yo me quisiera matar prestamente,
mas fuy de tal caso por Dios reservado.

So mudo silençio mis ojos manavan
asy como una manante fontana,
por los mis cabellos mis manos tiravan. [1]

della novella di Rodríguez del Padrón (p. 35 dell'edizione scellerata di C. Del Balzo): 'Ardolies veut Liessa finida | Volch ser umil, ans que pendre veniança.'
  [1] Anche il *Filostrato* era presente alla memoria di Rodríguez del Padrón, del marchese di Santillana e del 'condestavel'. Gemeva Griseida al separarsi da Troilo (*Filost. Opere* XIII, Parte III, 141):

Tal pianger fè, che mai non si fè tale.

Erasi la dolente in sul suo letto
Gittata stesa, piangendo sì forte,
Che dir non si poria; e il bianco petto
Spesso batteasi, chiamando la morte
Che l'uccidesse, poichè 'l suo diletto
Lasciar le convenia per dura sorte;
E i biondi crin tirandosi rompea,
E mille volte ognor morte chiedea.

Ella diceva: lassa sventurata,
Misera me dolente, ove vo io?
O trista me, che 'n mal punto fu' nata,
Dove ti lascio dolce l'amor mio?
Deh or fuss'io nel nascere affogata,
O non t'avessi, dolce mio disio,
Veduto mai ...

Dal sentimentalismo della *Fiammetta* derivano le sentimentalità delle novelle galanti, che molcevano il cuore degli Spagnuoli, prima che il '400 si chiudesse. Il *Breve Tractado de Grimalte y Gradissa* di Juan de Flores, composto, cred'io, nella seconda metà del '400' offre luminosissima prova della diffusione della *Fiammetta*. 'Entre las gentes', dice qui Grimalte a Pamfilo, 'no hay otro razonar sino de vos ... pues tanto por el mundo buela vuestro desconocimiento'. Rarissimo oggidì, noto in un solo esemplare,[1] l'amoroso e sentimental 'Trattato' era pure avidamente letto in Ispagna e nella Francia stessa.[2] Lo conosceva indubbiamente l'autore del *Tirant lo Blanch;* lo conosceva il Cervantes.[3]

[1] Ora alla Nazionale di Madrid, proveniente dalla biblioteca di Serafín Estébanez Calderon, riprodotto in fototipia a Madrid, nel 1883 (è l'esemplare di cui io mi valgo), coll'aggiunta di un prologo insignificante, e pressochè inutile, di Pascual de Gayangos. Discorrerà ampiamente di questa novella (edita pure a Sevilla, nel 1524 e 1529, ed a Toledo, nel 1526), Menéndez y Pelayo nello studio promesso sui novellatori anteriori al Cervantes.

[2] *La deplovrable fin de flamete, elegante invention de Jehan de Flores espaignol, traduicte en langue francoyse* (da Maurice Scève), Lyon, 1535, e Paris, 1536. È a Chantilly. (*Le Cabinet des livres imprimés au milieu du XVIe siècle*, Paris 1905, p. 155). Non dovrà confondersi colla versione francese della *Fiammetta* boccaccesca, fatta su quella castigliana (citata anche dall'Hortis, *Studi s. op. lat. d. Bocc.* p. 698):. *Complainte des tristes amours de Flamette à son amy Pamphile*, Lyon, 1532. — *Grimalte con Gradiesa* figuran pure, con Pamfilo e Fiammetta, tra le coppie amorose, nella chiosa alla *Sátira* del 'condestavel' Don Pedro, di Duarte de Brito (*Canc. ger. de Resende* III, 415). Già si ricordarono i versi di Fiammetta a Grimalte nel *Jardinet de orats*.

[3] Ricorda ognuno l'espiazione bizzarra del cavaliere della Mancha nella Sierra Morena, e il vagar suo, per selvaggi luoghi, in traccia del disperato e folle Cardenio. 'He acordado', dice Grimalte, 'que las silvas y los cãpos y lugares y envegecidos desiertos son cõformes a los muy desesperados coraçones'. Occulta tra selve, Grimalte ritrova Fiammetta. 'Propuse de apartarme de lo poblado, y por los mõtes y desabitadas silvas hazer las diligencias a la busca convenibles siguiendo aqella via de los salvatges . Y en una spessa montanya donde diversos caminos se ayuntavan ... passe muchos dias'. S'imbatte finalmente in 'una dama en aparado pomposa y honestos antoios'. Similmente, è tra boschi selvaggi, e cupe solitudini, che Grimalte trova Pamfilo 'de vestidos desnudo', dandosi 'tales consuelos quales los desesperados coraçones suelen recebir de soledad'. 'Allegado en la muy desesperada silva: andando algunos dias sin poder hallar alguna persona, en la mayor spessura de aquella mõtãya o quasi en las haldas de aquella vi star unos pastores en una roqua o quasi asi como una casiqua ... a los quales pregunte si por ventura a Pamphilo conocian, y ellos me respondieron que muchas vezes un hõbre haviã visto haziẽdo salvaje vida en aquella silva ... asi yo anduve muchos dias perdido en la texidura de los arboles: recibiendo grandes affruentos de muy spantables animales que me persiguian . y qndo algunos hallava: con piadosas vozes llamava el nombre de pamphilo'. Lo ritrova, soccorso da' cani inseguitori. 'Y despues que Pãphilo fue de la cueva sallido, quando le vi : de tã desfigurada faciõ stava ... mudado en salvaje pareçer, porq no solamẽte los cabellos y barvas tenia mucho mas q su sta-

I ragionamenti sull'efficacia ed il poter d'amore, 'que todo vence', le querele, i disperati gemiti, le torture e le ambasce insanabili del cuore, si ripeton quivi, dietro l'esempio della boccaccesca novella. Si esalano i lamenti in lettere, che regolarmente si chiudono, con inverosimiglianza, semplicità e candor mirabili, in candidi versi, di meschina fattura,[1] 'porque lo metrificado mas dulcemente atrahe a los sentidos a recebir la memoria'. Rinnovasi il martirio di Fiammetta, ma le parti sono ora invertite. È l'uomo che patisce l'abbandono e la rigidezza della donna amata. Gradissa veste i panni di Pamfilo, mossa in parte dalla lettura della 'famosa' e 'muy graciosa scriptura' del Boccaccio; e perdura insensibile alle richieste ed agli struggimenti dell'infelice Grimalte; 'de passion de fiometa queria tomar la vengança de su pamphilo en mi, assi que por las faltas agenas azia yo la penitencia'. La storia di Fiammetta è messa a base di questa novella storia d'amore e di dolore; anzi, l'invenzione stessa del Boccaccio, compendiata nell'esordio, a pro' di coloro che ne ignorassero la trama,[2] è qui proseguita. Torna a gemer

tura crecidas: mas assi mismo era muy vieio por la continuació de andar desnudo, y los cabellos de la cabeça y barva le davan cauteloso vestir ... la habla de si despedido havia, que por infinitas pregūtas que yo le hize : a ninguna me respondio.'

[1] A giudicare dall'aggiunta finale al *Tractado*: 'La sepultura de Fiometa con las coplas y canciones quantas son en este tractado hizo Alonso de Cordova', queste 'coplas' non sembrano opera di Juan de Flores, ma di un amico e contemporaneo suo, oscurissimo. Son versi stentati, usciti da' lambicchi della mente ragionatrice, freddi bisticci, come ne divulgavano, con abbondanza soverchia, i 'Cancioneros' di quell'età prosaica. Fiammetta geme e sospira: 'Assi que biviendo muero | Tal morir | Que sin vida desespero | Mi bevir'; e Pamfilo esorta all'oblio: Olvida olvida olvidada Olvida no te des nada | Tras un virote perdido | Que· quieres do no te quieren | ... Olvida pues yo te olvido.' Trovi qui pure un ricordo alla memoranda sentenza di Francesca da Rimini (vedi le note mie su *Dante in Ispagna*. Estr. d. *Giorn. stor. d. letter. ital.*, 1905, *Supp.* N° 8, p. 53).
— In versi, similmente, si aggiungeranno in Castiglia i sommari alle *Trece Questiones* del *Filocolo*, tradotte.

[2] 'Comiença vn breve tractado cōpuesto por Johan de flores : el ql por la siguiēte obra mudo su nombre en grimalte . La invécion del qual es sobre la fiometa . porque algunos de los que esto leyeren: por ventura no habrà visto su famosa scriptura : me parecera biē declarar la en suma . Pues assi es que esta senyora fue una d'las que en beldat y valer a las otras eçedya . y seyēdo al matrimonio lygada con companya a ella muy byen convenyble : una de las mas bienaventuradas en su tyempo se presumía . Mas como seā comuna cosa los mudamyētos de la fortūna : desdenyada la verguença y pospuesta la honra muy mudado el querer del valeroso marido con hū strāyo hombre lamado paphilo fue d amor presa . y en esto algū tyempo vivyendo con plazenteros deportes passaron syn contrario impedimyento de sus amores . Y ell cō necessidat huvo de partir adonde era natural . el ql dada su fe auctorizada con infinidas iuras dentro de quatro meses le prometio la tornada . la qual pàphilo no mantuvo . De que le seguio que ella mirado la gran affeccion q le havia y la gradeza de honores q por ell perdido havia : y a la fin tal paga le

Fiammetta ed a sospirare l'assenza dell'amante infedele; raddoppia i pianti; gronda sangue il cuor piagato, finchè dalla delusion cruda l'infelice donna è condotta al dolore estremo ed alla morte.

Gradissa sa dei casi di Fiammetta, e ingiunge a Grimalte di porgere all'afflitta amante assistenza e conforto. 'Es razon que algun vuestro senyalado servicio ... me combide. El qual es bueno que seha de disponer vuestra persona en favor de fiometa, y que muestren vuestras obras con ella los desseos que para mi registrar mostrastes . Y si con aquella voluntad haveys seguydo a mi que deziys con ella trebays en su servicio : soy cierta que pamphilo de ser suyo no se defienda ... Assi que ... vos pido ... do quiere que ella sea se busque . y quando con fiometa seays, sepa ser vuestra venyda en favor suyo y ruego mio : y por mis males alevianar algun tanto por la compassion suya con que ella quexa sus danyos a las enamoradas duenyas : pareçqua que alguna huvo que con piadad toco sus oreias.' Parta adunque, raggiunga Fiammetta nella solitudine sua, e le esperienze avute esponga poi in lettere a lei, Gradissa, 'assi que ella (Fiammetta) me sera un speio de doctrina : con que vea lo que con vos me cumple hazer'. E Grimalte, docile all'invito della donna sua, si muove, peregrina per monti e selve disabitate, triste ricovero di amanti delusi; trova Fiammetta 'eu una spessa montanya', disposta a giovarsi dell'assistenza del suo compagno di sventura. 'Yo vos offrezco', dice ella, generosa, a Grimalte: 'todo de aqui lo que por vos pudiere disponer mas a vuestro querer que al mio, reservando aquello que a vos gradissa rehusa.' Rinasce la speme, sopita nel cuore. Pamfilo è cercato e trovato nella sua natia Firenze. Corron lettere: di Fiammetta a Pamfilo, di Pamfilo a Fiammetta, di Grimalte a Pamfilo, di Pamfilo a Grimalte. Si succedon le suppliche, le repulse. Torni l'amante, dimentico della fede data, alla misera Fiammetta, ed usi ancor pietà uccidendola: 'si la fin de mi vida te satisfaze : o quan dulce me sera por tu mano recebirla en respecto de aquella que yo muchas veces contra mi he buscado.' Ricordi Fiammetta, risponde Pamfilo, l'ingiuria fatta al marito, l'onor perduto, l'onta comune gridata nel mondo; e Grimalte, 'con infinitas razones', s'affanna a ricondurre Pamfilo alla donna derelitta: 'No se con quales palabras comiençe a recontar vuestras culpas ... Porque una senyora mia no toviendo iusta causa para se defender de mis ruegos y

dava : tomo por remedio manifestar sus males a las damas enamoradas . porque en ello tomando enxemplo : cōtra la maldad de los hōbres se apercebyessē . y asi mysmo porque en quexar sus fatiguas mas senzillas las sentiesse . Por la qual causa venida su muy graciosa scriptura a la noticia d una sēyora mia llamada gradissa : las agenas tristesas tanto la apassionarō : que ella no menos llagada que aquella otra se sentia.'

recebidos servicios : ya con vos y vuestros yerros ha fallado scusas mil'. Un convegno degli amanti è ottenuto con gran stenti; ma quando Fiammetta sta per libare dal calice del piacere, e scoccano i primi baci,[1] l'inferno le è nuovamente gettato nel cuore. Pamfilo si stacca, determinato a non più concedere favore alcuno all'amante, e Fiammetta si strugge, ed ha la vita in orrore. Raddoppia gli antichi lai: 'O malaventurada de ti Fiometa, de castas mujeres infamia, derribamiento de nobles famas, ensuziamiento de limpios corazones, embargo de los castos lechos', finchè, disperata, 'dando mil bueltas a unas partes y otras con spantables senyales en la desfigurada cara dio fin a su vida'. Nè mai morte fu più della sua lacrimata, 'ni las hijas de priamo | lloraron tanto por hector | ni desolacion de troya ... ni mucho menos eccuba se mostro tan dolorida quando el cruel fuego de grecia abrazava sus palacios . Pues si en tal tiempo legara la reyna pantalizea : tornada muy piadosa : otra muerte no llorara sino aquella'. Grimalte stesso n'è sì scosso, da esplodere in fieri lamenti, e, come termine a' suoi mali, invoca la morte: 'Ven por mi no tardes nada'. Frattanto, con pietoso sentimento che i romantici gli avrebbero invidiato, preludendo, alla distanza di secoli, alle tumulazioni immaginate dal Prévost e dallo Chateaubriand, s'appresta a dar degna sepoltura a tanta donna, vittima sciagurata d'amore. La tomba 'de piedra de gran firmeza y negro color', eretta in luogo eccelso, porta alla sommità l'effigie della defunta, 'porque su gran gentileza despertasse la memoria desta senyora ... pusse alli sus senyales : que fuessen entero conocimento con entera relacion del despendido y mal gastado bevir', e a' quattro lati è adorna di simboliche figurazioni, illustrate da leggende in versi.[2] Udita la fatal no-

---

[1] Grimalte assiste alla scena del ritrovo: 'no creo dos enamorados ia mas mayores hoviesse . ni con tan lindos modos meior entenderse ... me parecia que el mismo dios de amores le ensenyava . para los quales cient mil secretos tenia reservados ... Y despues q̃ ya gran pieça los apartados labios de Fiometa hovjerõ vengança del passado tiempo : creyendo en aq̃ll momēto cobrar enteros plazeres . y peleando la vieia cõgoxa con la nueva alegria ... de tal forma combatierõ quel sobrado gozo derribo a ella en el suelo quasi muerta ... Y quando yo conoci q̃ antes el fin del mũdo q̃ el fin de tan honrosa baballa feneciéra me parecio ser bien poner les treguas.' I versi che seguono, ammoniscono: 'mas enfriase el amor | Del corazon matador | Ençendido | Y queda solo el dolor'.

[2] Questa immaginata tumulazione di Fiammetta è povera cosa, ma l'autor suo attribuiva ad essa, evidentemente, valore grandissimo. Alcuni versi si possono ricordare: 'Estos arboles y flores | Que vedes aqui guarridas | Son los deleytes de amores | Cogidos para dolores | De las muertes doloridas'. — 'Buscada cõ la mayor diligencia q̃ pude la tũba muy mas alta d aq̃llos arredededor do sẽyalasse su descãso', prosegue Grimalte, 'y alli con grãdes y altas hõras trahida : los infinitos lloros de muchas gẽtes diversas q̃ para mi cõpàyia en el caso se legarõ pareçia cõ sus vozes q̃ los muertos recordava de su siglo . y tanto q̃nto cõ los oios la llorava tanto con sus bocas a pãphilo maldeziã.

vella, Pamfilo è stretto da improvvisi rimorsi; smarrisce la ragione, e, rifiutata la sfida di Grimalte, perchè vana, determinato
a scegliere lui medesimo più duro e convenevol castigo, fugge
lungi dagli uomini, in Asia nientemeno, 'al fin de las tierras
todas', dove, dopo ventisette anni di viaggio e di faticosissime
indagini, in cupa, orrida selva, lo raggiunge Grimalte, che in-
vidia a lui la selvaggia vita d'espiazione: 'Dexa por dios a mi
el premio de tal bevir', e s'accinge lui pure alla penitenza più
rigida. 'Fuyme a lo mas spesso de aquell boscaie adonde mis
vestidos me despoie . y començe a tomar possessiō de aquell
tā triste bevir y morada, y las manos puestas ·por el suelo en
la manera que aquell andava siguiendo sus pizadas tomandolo
por maestro de mi nuevo officio.' Sopraggiunge la notte, nemica
di chi ha nell'animo il pianto, ed ai due infelici il martirio è
cresciuto da un'orribil visione, quella leggendaria, serbata agli
sdegnosi amanti, di cui il *Lai d'Ignaurès* offre una forma primi-
tiva, narrata dall'Helinand, da Vincent de Beauvais (*Speculum
historiale*), divulgata dal Passavanti nel suo *Specchio,* scritto
tra il 1354 e il 1355, assai noto e letto in Ispagna, dal Boccaccio in una novella famosa, da altri parecchi.[1] Fiammetta appare, sfigurata, scarna, immagine direbbesi della Morte, stra-
ziata, con atrocissimi, inauditi tormenti, dalle genti d'inferno
che l'inseguono. Fiamme le escon dal volto, che di fosca luce
coloran la notte. Posta nuda su di un carro, che due cavalli
trascinano, Pamfilo può contemplarla a piacere, misurare il gran
distacco dalla bellezza vagheggiata; e la visione fatale tre volte
in settimana si ripete.

'Va adunque . Il tuo corso non puote esser molto ordi-
nato'; così congediava il Boccaccio l'operetta sua. 'Et se alcuni
troverai che leggendo te, i suoi occhi asciugati non tenga; ma
dolente e pietosa de' nostri mali con le sue lagrime moltiplichi
le tue macchie; quelle in te, siccome santissime, con le mie
raccogli ... chiunque ella sia, priego ... che ella mai a tali
miserie non pervenga, e che sempre le siano gli Dii placabili
e benigni.' La pietosa elegia, 'la gracia con que fiometa quexa
sus males', più che non distogliesse da ogni passione cieca e
furente, dava nuova esca all'amore e al pianto, pascolo ai
sospiri dell'anima; porgeva a' troppo rigidi amanti occasione di
riparare i falli commessi, alle afflitte e deluse il conforto della
miseria altrui. Serviva anche un po', come già un tempo l'*Ars
amandi* di Ovidio, e la storia de' peccaminosi amori di Lancillotto
e Ginevra, come libro Galeotto. Moralizzava tuttavia la Fiammetta nella novella del Flores: 'Y algun tanto me plaze de
haver publicado mis males . pues por el gran numero dellos

---

[1] Vedi lo studio, non molto completo e approfondito, di W. A. Neilson,
The Purgatory of cruel beauties, nella *Romania* XXIX, 85 sgg.

sera causa que muchos tomando en mi exemplo : sean savias contra los enganyos de los hombres'.

Si rinnovano i gemiti di Fiammetta in altra pietosa, divulgatissima storia di Juan de Flores: *Tractado donde se contiene el triste fin de los amores de Grisel y Mirabella* ('Porque la tierra no se me abre'; 'Ay fortuna que mayor tormento me podias tu dar jamas' ecc.). I languori si stemperano tra prolissi ragionamenti, e tediose ed aride disquisizioni teoretiche. A sazietà ripetevasi come 'todo hombre que bien ama es desdichado y todas venturas contrarias le empecen'. Gli afflitti d'amore non dovrebbero sdegnare il sacrificio della vita, perocchè 'los que verdaderamente mueren amando, el padescer dello por vida llevan y por galardon ... y por trabajos disfavores y males se conosce quanto basta la fuerça de su virtud'. Piacque siffattamente il sentimental pasticcio, da guadagnarsi i cuori di moltissimi lettori e lettrici di Spagna. Dal 1497 in poi le stampe si moltiplicarono.[1] I Francesi tradussero prestissimo la novella: *Le jugement d'amour auquel est racomptée l'histoire de Isabel fille du roy d'Escoce;* gli Italiani, all'esordire del '500, più non riconoscendo la lontana paternità del Boccaccio in siffatto genere di storie e lamentevoli effusioni, s'ebbero una versione anch'essi, battezzata dall'autor suo, Lelio Manfredi, gran rimestatore di roba spagnuola, col titolo più soave di *Aurelio e Isabella,* gustata e ricercata quanto la *Carcel de amor,* a cui il Ferrarese, per diletto e svago delle gentildonne del tempo, aveva pur dato veste italiana; si ritradusse infine nella lingua originale castigliana, e si acconciò sollecitamente a tutte le lingue.[2]

Crebbe, declinando il secolo, la smania per i deliqui amorosi delle coppie sventurate. Si moltiplicarono i pietosi avvenimenti, le peripezie dolorose e funeste, le separazioni struggenti. Piangevasi, querelavasi, invocavasi già allora il chiaror dell'amica luna, col pateticume elegiaco de' romantici di più tardi secoli. Colla *Fiammetta,* correva pur tradotta la *Historia muy verdadera de los dos amantes Eurialo franco y Lucrecia senesa* di Enea Silvio;[3] nè fu penuria di sfoghi d'amore in lettere, e declamazioni, e dichiarazioni, e confessioni, alla Richardson e alla Rousseau, di cui un lontanissimo esempio è già nelle

---

[1] È comunemente ricordata (da Nicol. Ant. *Bibl. Nov.* I, 690, dal Gayangos, *Libros de Caball.* nella *Bibl. de Aut. Esp.* Vol. XL, p. LXXIV dal Gallardo, *Ens.* ecc.) col titolo apposto all'edizione di Sevilla 1524: *La Historia de Grisel y Mirabella con la disputa de Torrellas y Braxaida, la qual compuso Juan de Flores á su amiga.*

[2] Un'edizione castigliana, col testo francese a fronte, data da Anversa 1556. Si ristampò ancora la novella in veste italiana, con eleganza insolita, a Firenze, nel 1864. Vedi P. Rajna, *Le fonti dell'Orl. Fur.,* Firenze 1900, p. 156.

[3] Per qualche leggera affinità della novella col *Filostrato* vedi P. Savj-Lopez in *Roman.* XXVII, 469. I Tedeschi la conobbero nella traduzione

Eroidi Ovidiane, provvida fonte alle lettere boccaccesche. Piovvero le 'cartas de amores escritas de dos en dos', le 'cartas y razonamientos', le 'cartas y coplas para requerir de amores', i 'processos de cartas de amores'. La fantasia, sbalestrata lungi dal reale, amoreggiava col tetro e col lugubre. Le nozze obbligate, i finali congiungimenti ed accoppiamenti delle *comedias* famose, sarebbero sembrate allora un espediente volgare e prosaico, fuori dei domini dell'arte. Quando un matrimonio era minacciato, come a certo punto della *Carcel de amor,* subito si creavan guai e sciagure funeste, per scongiurarlo e tenerlo ben lungi. Fiumi di lacrime si versavano. Si finiva colla tragedia, non col tripudio. L'amore doveva consumare fino allo strazio, fino ad invocar la morte ed a procacciarsela, colla disperazione in cuore di un Werther.

Così, dalla prima diffusione dell'intimo romanzo di *Fiammetta,* dal *Siervo libre de amor* di Rodríguez del Padrón, s'eran venute generando via via, sul suol di Spagna, le storie d'amore e di morte, di cui si compiacquero le fantasie accese, nell'ultimo scorcio del '400 e nel secolo appresso. Pamfilo e Fiammetta traggon seco altre turbe d'amanti, che incedon per calli di rovi e di spine, e portano, col pianto dell'anima e l'inferno in cuore, la croce d'amore: Ardanlier e Liesse, Grimalte e Gradissa, Leriano e Laureola, Arnalte e Lucenda,[1] Peregrino e Ginebra, Curial e Guelfa, Tirant e Carmesina,[2] Lucindoro e

di Niclas von Wyle, rimaneggiata poi, a modo suo, da Hans Sachs. Fu versificata in francese (*Histoire de Eurialus et Lucrece vrays amoureux,* Paris 1493) da Octavien de Saint Gelais 'pour la charge expresse | d'une Dame qui ce me commenda' (Goujet, *Bibl. franc.* X, 231), e messa in prosa da un cappellano de'duchi di Borgogna (Picot, Nyrøp, *Nouv. recueil de farces* p. LII). La prima edizione castigliana dell'*Eurialo y Lucrecia. Historia de dos amantes* uscì nel 1496 a Salamanca, e fu acquistata da Fernan Colón, a Medina del Campo, per 17 'maravedies' (Gallardo, *Ens.* II, 535); altre ristampe si fecero a Sevilla 1512; 1524; 1530. — La biblioteca di Fernan Colón possedeva, pur tradotti dal Piccolomini: i *Remedios contra el amor deshonesto,* il *Tratado de la vida y costumbres,* i *Proverbios, La Historia de Bohemia* (tradotta da Hernan Nuñez de Toledo. Gallardo, *Ens.* II, 533). Altre opere del papa umanista ebber veste spagnuola: *El compendio de los dichos y hechos del Rey D. Alonso de Napoles* (trad. da Anton Rodriguez Dávalos), *El tratado de la miseria de los cortesanos* (Diego Lopez de Cortegana), *La Vision delectable de la casa de Fortuna* (Juan Gómez, Valencia 1513). Vedi una nota del Clemencin nelle *Mem. d. la R. Acad. de la Hist.* VI, 481.

[1] L'*Historia de Arnalte y Lucenda,* attribuita a Diego de San Pedro (ediz. di Burgos, 1522) era tra i libri di Fernan Colón (Gallardo II, 547, N. 4055). Era già uscita un'edizione anteriore, nel 1491; fu tradotta in francese, da Nic. Herberay des Essars; in italiano, da Bartolomeo Marratti Fiorentino, *Picciol Trattato di Arnalte e di Lucenda intitolato L'amante maltrattato dalla sua amorosa,* Lyon 1555; su quest'ultima è basata la versione inglese: *The pretie and wittie historie of Arnalte and Lucenda,* London 1575.

[2] Della novella *Curial y Guelfa* avrò modo di discorrere ampiamente altrove. Nel *Tirant* del Martorell (compiuto da Mossen Johan de Galba)

Medusina, Clareo e Florisea.[1] Un rimasuglio di cotesto sentimentale sdilinquire è ancora nel Cervantes; e leggi nel romanzo immortale, i pietosi casi e gli amori di Lucinda e Cardenio, di Grisostomo e Marcela. Colla lunga storia de' triboli e delle ambasce d'amore di Persiles e Sigismunda, il genial uomo chiudeva il novellar suo e la vita.

*
   *

Nella *Carcel de amor* che generò a sua volta nuovi amorosi deliqui[2] ('Qué dulce para sabor | Qué salsa para pecar'

i pianti e i gemiti, suggeriti in parte da' pianti e gemiti di Fiammetta, non han fine. Danno la stura alle lagrime ed ai disperati lamenti una contessa e un re (ediz. della *Bibl. catal.* I, 15; 25; 64): 'O trista de mi que tota la mia sperança veig perduda: vinga la mort, puix res nom pot valer ... vingua la mort sobre mi que es lo darrer remey de tots los mals ... O doloroses lagrimes, qui la destruccio e miseria mia representen ... O sino consistis ab gemechs, tristors e sospirs e sanglots esser hoydes ... E no fora millor yo fos morta ans que veure tanta dolor davant los meus ulls'. Geme Tirant (II, 70): 'O dia excellent qui daras repos a la mia fatigada pensa, amagua la tua lum perço que breument sia complit lo que tinch deliberat . Be sabia yo que axi havien a finir los meus trists e adolorits darrers dies'. Stephania (II, 338): 'Daume remey, daume la mort, e soterrau los meus membres bayats ab les lagrimes mies en mig del cami ... lo sanch fuig de mi, e la natural calor desempara lo meu cor e lo cors ... De res nom penit encara que los cruels fats me perseguixen ... altre be en mi no resta sino que ame los somnis e les ymaginacions que de nit me aparexen'. La regina di Tunisi (III, 348): 'atribulada de mi! que desige ni puch desijar sino la mort, qui dona fi a tots los mals, e repos a les penes e treballs de aquest miserable de mon e ple de miseries ... Com yols perdi de vista fon aquell asenyalat dia de dolor: com ja no pogues cridar ni planyer, lamentant la mia fort desaventura ... O piadosos hoynts, contemplau en vostres penses los meus cabells calats en lo coll y en les spatles scampats ... e axi tremolava lo meu cors com fa la aresta del blat com la toca lo vent'. Plaerdemavida (IV, 118): 'O incomparable desaventura que los meus trists e miserables fats han subjugat la mia persona ab plors, gemechs e dolorosos pensaments! E ja aquell cruel e impiados Pluto, deu de les perpetuals e horribles tenebres, e Megera e Proserpina, ab les altres furies infernals no hagueren suposat la mia anima a tan cruels e incomportables penes e turments com fa a mi la desconexent fortuna ... O mort, jatsia la memoria tua aterra les penses humanes, prech te nom sies ara piadosa: tu quest fi de tots los mals de la trista e miserable vida, dona terme a la mia incomportable dolor e intollerable agonia'. Sul cadavere di Tirant l'infelice Carmesina (IV, 361): 'rompe los seus cabells, les vestidures ensemps ab lo cuyro dels pits y de la cara, la triste sobre totes les altres adolorida'. — Altre esclamazioni sul poter infinito ed universale d'amore sono tolte di peso dalla *Fiammetta*.

    [1] Vedi l'*Historia de los amores de Clareo y Florisea* di Alonso Nuñez de Reinoso, Venezia 1552, fonte ai *Trabajos de Persiles y Sigismunda* del Cervantes, come doveva avvertire K. Larsen nell'articolo: *Cervantes' Vorstellung vom Norden*, in *Studien z. vergl. Literaturgesch.* V, 273 sgg.
    [2] Sulla traduzione catalana della *Carcel de amor*, dovuta a En Bernadi Vallmanya. vedi T. Sanpere i Miquel in *Rev. de bibl. catal.* II, 1902, N. 4, pp. 46 sgg. Ancor non vidi la ristampa dell'edizione castigliana di Sevilla 1492, nella *Bibliotheca Hispanica*, Vol. XIV, Barcelona 1904.

diceva della *Carcel* l'autor suo Diego de San Pedro, nel *Desprecio de la fortuna*),[1] trovi pure utilizzata la descrizione boccaccesca delle questioni d'amore del *Filocolo,* già note, come io fermamente ritengo, a Rodríguez del Padrón, e messe a profitto nel *Triunfo de las donas,* alle cui sottili distinzioni risalgono in gran parte le dispute sulla donna, e le ragioni della sua maggiore o minore eccellenza, nella contesa fra Leriano e Teseo. Sicchè, anche l'amorosa casistica che occupò i cervelli oziosi de' gentiluomini e delle gentildonne di Spagna, all'uscir dal carcere del Medio Evo, frutto delle medievali 'corti d'amore', di consuetudini antichissime, non ancor bene investigate, deve in parte la sua voga al rinnovamento delle questioni d'amore, offerto nel *Filocolo* boccaccesco, che già, in forma embrionale, contiene il quadro, la cornice piuttosto, del 'Decameron'.[2] Trovi un *Filocolo* tra i libri del Santillana, indizio sicuro che, già nella prima metà del '400, l'opera, benchè non onorata di una traduzione, come presto lo fu in Germania, in Francia e in Inghilterra, era letta e discussa ne' crocchi de' più valenti e dotti uomini di Spagna. T'imbatti in un *Filocolo,* congiunto al nome di *Blancaflor,* nel registo degli amanti della *Gloria de amor* del Rocaberti, e pare che la mente poco chiara del Catalano confondesse insieme la storia leggendaria poetica, intimissima, dei due amanti e la romanzesca narrazione del Boccaccio. I casi avventurosi di Fiorio e Biancofiore, famigliari assai per tempo, in Ispagna, come altrove, narrati in un libretto popolare, che ha stretti vincoli di parentela col cantare italiano,[3] più e più volte ricordati nel verso e nella prosa, a significare la costanza nell'avversa e nella prospera fortuna, e il poter magico d'amore,[4] venivan così, col volger del tempo,

---

[1] *Cancion. gener. d. Castillo* I, 461: Come Jean de Meun, nel *Testament* (2e str.: 'J'ai fait en ma jonesce maint diz par vanité, | Ou maintes gens se sont pluseurs fois délité; | Or me doint Diex ung faire par vraie charité | Pour amender les autres qui peu m'ont profité'), come l'autore del *Decameron,* Diego de San Pedro, pentiva l'opera sua, e tendeva all'alto le braccia, implorando perdono e pietà: 'Mas tu Señor eternal | me sey consejo y abrigo, | con tu perdon general, | que sin gracia divinal | no sabré lo que me digo'.
[2] Vedi Rajna in *Roman.* XXXI, 34.
[3] Vedi V. Crescini in *Giorn. d. filol. rom.* IV, 159 sgg. e il I Vol. dell'ottimo e compiutissimo studio: *Il cantare di Fiorio e Biancifiore edito ed illustrato* in *Scelta di curios. letter.,* Bologna 1889 (*Le fonti del romanzo spagnuolo* pp. 473—486).
[4] 'Os grandes nossos amores | Que mi e vos sempr' ouvemos | Nunca lhi cima fazemos | Coma-Brancafrol e Flores' (*Il Canzon. portogh. della Bib. Vaticana,* ed. Monaci, Halle a. S. 1875, p. 358). 'Ca nunca fue tan leal blanca flor a frores, | nin es agora tristan con todos sus amadores (*Arch. de Hita, Libro de buen amor,* ed. Ducamin. v. 1703). L'Imperial nel *Decir al nascimiento de el Rey Don Juan* (*Canc. de Baena* p. 204):

'Todos los amores que ovieron Archiles,
Paris é Troyolos de las sus señores,

ad assumere un colorito estraneo alquanto alla tradizione del volgo, e particolare al racconto giovanile del Boccaccio.[1] Le innocenti dispute d'amore, proposte e risolte nel *Filo- colo*, derivate, come ognun sa, dai *partimens* di Provenza e di Francia, riprese e coltivate nelle società colte e galanti d'Italia, già nel XIII secolo,[2] descritte poi nel *Cortegiano*, e più a lungo ne' *Trattenimenti* famosi di Scipione Bargagli, entrano pure nelle consuetudini dell'eletta società di Spagna nella seconda metà del '400· I *Cancioneros* accolgono le *preguntas* e *respuestas*, i *procesos* e le *reqüestas*,[3] le dialettiche lambiccature e diva- gazioni de' cervelli de' poeti. Dovevan risolversi p. es. gli inna- morati nell'alternativa di parlare, senza speranza di vederla giammai, a 'dama muy virtuosa, | en extremidad fermosa', per la quale il cuor si strugge, oppure 'verla sin la poder | en ... vida fablar'; di scegliere, stretti dal dovere, fra donna 'fea, gra- ciosa, indiscreta | en muy gran estremidad', e donna 'mal gra- ciosa, indiscreta, | en fermosura perfeta, | complida de necedad'.[4] A sciogliere la prima di coteste 'questioni', Ludovico Scrivá, che visse a lungo in Italia, e già trovavasi nel 1497 a Roma, am- basciatore alla Santa Sede, immagina una sua corte d'amore, e,

---

Tristan, Lançarote, de las muy gentiles
Sus enamoradas é muy de valores;
El é su muger ayan mayores
Que los de Paris é los de Vyana,
E de Amadis é los de Oryana,
E que los de Blancaflor é flores';

Rammento, infine, la *Codolada* del Torrella (Milá y Fontanals, *Obras* III, :365) che allude agli amori costanti:

'De Floris e de Blancheflors,
D'Isolda la blonda e (de) Tristany
Que per amor s'emeron tan;
De Titus e de Piramus' ecc.

Già A. de Maruelh ha un ricordo a Biancofiore (Mahn, *Werke d. Troub.* I, 154): 'e Rodocesta ni Biblis Blancaflors ni Semiramis Tibes ni Leyda ni Elena' ecc.

[1] Vedi *La historia de los dos enamorados Flores y Blancaflor rey y reyna de España y emperadores de Roma*, Alcalá 1512, parecchie volte ristampata (Gayangos, *Libros de Caball.* in *Bib. de Autor. Esp.* Vol. XL, p. LXXIX).

[2] Vedi R. Renier nel *Giorn. stor. d. letter. ital.* XIII, 382. — Ai *jeux- partis* noti, altri quattro ne mette in luce lo Schultz-Gora nella *Miscellanea* in onore di A. Mussafia (sciaguratamente denominata *Bausteine*), Halle 1905, pp. 90 sgg. Vedi ora lo studio di F. Fiset, *Das altfranxösische Jeu- Parti*, in *Roman. Forsch.* XIX, 2, 1905.

[3] Sulle *preguntas* spagnuole e portoghesi promette uno studio H. R. Lang, *Cancion. gallego-castellano* I, New York, London 1902, p. 213.

[4] Scelgo speditamente gli esempi offerti dall'amico Menéndez y Pelayo nella sua *Antologia* (Vol. VI, pp. LXXVIII sgg.), il quale pur ricorda l'alternarsi delle questioni fra 'Gomez Manrique, Francisco Bocanegra, Juan de Mazuela, Diego de Benavides, Francisco de Miranda, Diego de Saldaña, Pero Guillen de Segovia, Pedro de Mendoza, Guevara, Alvarez Gato, el Clavero, D. Garci López de Padilla'. Vedi anche F. Wolf, *Studien*, p. 202.

ispirato in parte al *Filocolo* del Boccaccio, riempie di sotti-
gliezze e lambicchi un suo *Veneris Tribunal,* devotamente
offerto al duca d'Urbino. [1]

Che i versificatori del tempo, Castigliani, Catalani e Valen-
ziani, amoreggiassero co' distilli in rima de' fratelli d'oltre Pire-
nei, ed a' dibattiti d'amore potessero essere stimolati dalle tro-
badoriche tenzoni e dai *jeux partis,* è innegabile, ma non è
follia ritenere che, pur conservando l'ordine di rime del tipo
provenzale, alquanto amassero ripetere anche i distilli e i ca-
villi, i 'dubii de amore', [2] de' fratelli d'Italia, e qualche eccita-
mento traessero dalle questioni esemplari, poste dal Boccaccio
nel *Filocolo,* [3] messe già in terza rima, verso la metà del '400,
nel *Libro di definizioni* del Senese Jacomo di Giovanni di Ser
Minonio.

Alle questioni famose, svolgenti 'materias sotiles de amor',
limitasi, fatto significantissimo invero, la traduzione parziale e
frammentaria del *Filocolo,* tentata, nei primi decenni del '500,
da un canonico, [4] Diego López de Ayala, 'persona muy cobdiciosa

----

[1] L'ispanista americano Huntington diede, or non è molto, una nitida
ristampa dell'edizione napoletana del 1537 del *Veneris Tribunal.* Già s'è
discorso delle *questioni* che allargano ed infastidiscono la *Historia de Grisel
y Mirabella* di Juan de Flores.

[2] Stampano A. Luzio e R. Renier negli studi *La coltura e le relazioni
letterarie di Isabella d'Este Gonzaga,* raccolti dal *Giorn. stor.,* Torino 1903,
p. 114 una curiosa lettera di Giangiacomo Calandra, in cui è detto di una
avventura d'amore risolver 'quasi un dubio de amore che si suole pro-
ponere, quale ami più fervidamente, o quello de dui gioveni, che non ha
mai ancora accolto li frutti del suo amore, o quello che ha goduto de la
persona amata'.

[3] Il prof. Giuseppe Zonta, per consiglio del maestro suo Crescini,
attende ad uno studio sulle *Questioni d'amore.* Or, siccome a me pure
fu mossa domanda sulla voga che tali dibattiti ebbero in Ispagna, dirò
qui, per incidenza, sembrarmi inopportuno affatto ricercare l'origine de'
partimens provenzali e francesi, e delle così denominate *corti d'amore*
nelle consuetudini arabe, passate a traverso la Spagna, consuetudini che a
noi, per investigar che si faccia, rimarranno occulte, in ogni tempo. Di
nessun impulso furono, a parer mio, le questioni d'amore dibattutesi in
Ispagna, in questo o in quest'altro secolo, sulle questioni rigogliosamente
fiorenti in Italia nel primo '500, quando appunto le genti ispane maggior-
mente ammiravano in terra italiana i diporti, i trattenimenti, i giuochi di
società, la coltura, il lusso e lo splendore delle corti, le galanterie e vir-
tuosità, i sottili, melliflui e lambiccati discorsi de' cortigiani. La Francia
stessa fa buon viso, in pieno '500, alle *questioni d'amore,* poste e risolte
nel *Filocolo.* Quell'originale di Brantôme, che libava da ogni calice l'erudizione sua, e rivelavasi, in ogni tempo, amantissimo delle invenzioni spagnuole, offre ancora nelle *Vies des Dames galantes* (ed. di Amsterdam 1690,
pp. 4 sgg.) un lungo dibattito sull'efficacia d'amore nelle donzelle inesperte
e nelle donne vedove, e traduce e commenta la nona questione del *'Philo-
coppe'* del 'venerable et docte Bocace'.

[4] Singolare quest'insistenza delle pietose genti di chiesa nell'occuparsi
del Boccaccio, e nel tradurre comechessia le opere sue. Ad un curato
(Heinrich Leubing?) attribuisce il Drescher la versione tedesca del *Decameron,* che va sotto il nome di *Arigo* (C. Drescher, *Arigo, der Ueber-*

de servir .. á un su amigo', che dalla lingua originale toscana, volge in lingua di Castiglia le *Treze questiones muy graciosas del Philoculo,* e lascia poi occulta e sepolta l'opera sua. La toglie una prima volta dall'oblio un ignoto, e la divulga 'á hurtadas' in una stampa ormai irreperibile, credo del 1541, col titolo *Laberinto de amor que hizo en toscano el famoso Juan Boccacio.*[1] Torna a ripescarla, poco dopo, un ex-capitano, che finì eremita, Diego de Salazar, amico e ammiratore entusiasta del traduttore, allettato dal meraviglioso stile boccaccesco ('encomenzaronseme a encender las orejas de calor con la dulzura de su estilo'). V'aggiunge costui di suo, in strofe di undici ottonari, i sommari delle singole questioni, ed altrettanti sommari delle soluzioni, o 'respuestas' (di dieci ottonari quest'ultimi).[2] L'Ulloa poneva poi l'opera 'del famoso poeta y orador Juan Boccaccio', tradotta e già divulgata per le stampe, in calce, qual corollario, alla divulgatissima *Cuestion de amor.*

---

setzer des Decamerone und des Fiore di Virtù, in *Quellen und Forsch. z. Sprache und Kulturgesch.,* Strassburg 1900); fiuta invece un frate nel traduttore, il dotto recensente G. Baesecke, nell'*Anzeiger f. deutsch. Alterth.* XXXIV, 255.

[1] Vidi e lessi, anni or sono, questa traduzione *Laberinto de amor ... agora nuevamente traduxido en nuestra lengua castellana* (*Laberinto* era titolo in voga, dopo le *Trecientas* di Juan de Mena, anche fuori di Spagna. *Labyrinthe de Fortune* intitola un'operetta sua Jean Bouchet). I miei appunti mi rimandano ad un'edizione del *Laberinto* di Sevilla 1541 (?), ma non so ora più bene donde li abbia cavati. Il Gallardo, *Ensayo I,* 890, non registra che l'edizione di Sevilla 1546, contemporanea alle *Treze Questiones,* e in cui è riassunto brevemente il contenuto novellesco del *Filocolo.*

[2] *Trece questiones muy graciosas sacadas del Philoculo del famoso Juan Bocacio, traducidas de lengua toscana en nuestro romance castellano con mucha elegancia y primor,* Sevilla 1546. Quando veramente uscisse la prima edizione di quest'opuscolo, che, per qualche tempo, giacevà dimenticato, come si rileva dall'avvertimento del Garay, non so dire. Il Gallardo, *Ens.* II, N. 2724, registra l'edizione di Toledo 1546; il Pérez Pastor, *La Imprenta en Toledo,* Madrid 1887, p. 93, quella successiva del 1549 (un'altra ne apparve nel 1553). Vedi sulla versione, P. Rajna, *L'episodio delle Questioni d'amore nel Filocolo del Boccaccio* in *Roman.* XXXI, 28 sgg., dove pure è un cenno alle *Treixe elegantes demandes damours,* e alle *Thirteen most pleasant and delectable Questions entituled A disport,* non indipendenti, forse, dalla versione castigliana. 'Sembra ben verosimile', scrive il Rajna, p. 31, 'che l'impresa minore delle 'Treze Questiones' precedesse e servisse come di eccitamento alla maggiore dell'Arcadia'. Non ha nulla a che fare colle *Questiones de amor* boccaccesche, il *coloquio pastoril: Discordia y question de amor* di Lope de Rueda, riprodotto dall'Uhagon in *Rev. d. Arch., Bibl. y Mus.,* 1902, pp. 340 sgg. (trae una comedia de amores llamada *question de amor* | entre amor y unos pastores)'.

Gmunden.   Arturo Farinelli.

(Schluß folgt.)

Kleinere Mitteilungen.

Kleinigkeiten zur englischen Wortforschung.

1. Mittelengl. *bīke* 'Bienennest'.

Me. *bīke* 'Nest für wilde Bienen etc.; Bienenschwarm' führt Björkman, *Scandinavian Loanwords,* S. 202 ff., unter den Wörtern auf, '*the Scandinavian origin of which is tolerably certain.*' Die Quelle des Wortes ist nach ihm ein nur in neuschwed. *byke* 'Haufe gemeinen Volks, Gesindel' bewahrtes skand. Wort, das ursprünglich 'Bienenschwarm' bedeutet haben und eine Ableitung von aschw. *bȳ* 'Biene' sein soll. Diese Erklärung ist zwar auf den ersten Blick recht ansprechend, um so mehr als auch dem engl. *bike* die Bedeutung 'Gesindel' zukommt. Sie hat auch von verschiedenen Seiten Zustimmung gefunden, vgl. Binz, *Z. f. d. Ph.* 36, S. 503, Flom, *Journal of Engl. and Germ. Phil.* V, S. 423. Gewichtige Gründe sprechen jedoch gegen Björkmans Erklärung, und meines Erachtens kann sie nicht richtig sein.

Erstens ist das schwed. *byke* sehr spät belegt, meines Wissens erst nach der Mitte des 18. Jahrhunderts (Ihre, *Dialect-Lexicon,* 1766). Es scheint in den schwed. Mundarten nicht gerade viel verbreitet zu sein, wenigstens nach Rietz' Wörterbuch zu urteilen, und dem älteren Nordisch wie den übrigen skand. Mundarten ist es gänzlich fremd. Das beweist gewifs nicht, dafs das Wort jungen Ursprungs ist, aber es erregt doch schon Bedenken.

Zweitens ist es mir sehr zweifelhaft, ob wir überhaupt berechtigt sind, ein mittels eines -*k*- (oder besser -*kia*-)Suffixes von aschw. *bȳ* abgeleitetes aschw. (adän.) **bȳke* 'Bienenschwarm' anzusetzen. Björkman teilt keine Fälle ähnlicher Bildung mit; er spricht nur ganz allgemein von einem *k*-Suffix, das kollektive Bedeutung gebe oder etwas dem Stammworte Zugehöriges bezeichne. Soviel ich weifs, gibt es keine analogen Fälle. Die von Kluge, *Nom. Stammbildungslehre,* § 68, und Wilmanns *Deutsche Grammatik* II, § 284, aufgeführten westgerm. Wörter (ahd. *fedarah* u. dgl.) und die vereinzelten nordischen Bildungen (wie altn. *smalke, smelke* m., neuschwed. *smolk* u. dgl.), die man bei Hellquist, *Den nord. Nominalbildungen,* § 4, findet, enthalten vielleicht teilweise ein kollektives *k*-Suffix, aber keine von diesen Bildungen zeigt dazu noch ein *ia*-Suffix. Unter solchen Umständen ist Björkmans Hypothese doch mindestens sehr kühn. Meines Erachtens kann neuschw. *byke* unmöglich mit aschw. *bȳ* in Verbindung gesetzt werden.

Mir ist es demnach nicht zweifelhaft, daſs engl. *bike* und neuschwed. *byke* ganz auseinander zu halten und voneinander unabhängig zu erklären sind. Von dem schwed. Worte hat Tamm eine durchaus befriedigende Erklärung gegeben, die das späte Auftreten des Wortes berücksichtigt. Das einzige, was gegen sie einzuwenden wäre, ist der Umstand, daſs sie Zusammenhang mit engl. *bike* ausschlieſst.

Auf den rechten Weg zur Erklärung des engl. *bīke* hat meines Erachtens schon Jamieson gewiesen, wenn er auf mndl. *biebock, biebuyck* 'apiarium' verweist. Im Mndl. findet sich auch das Simplex *buuc* in der Bedeutung 'Bienenkorb'. Ich glaube, *bīke* ist eine Ableitung von altengl. *būc* 'Bauch, Eimer'. Es entspricht einer altengl. Form mit *i*-Umlaut, z. B. **bẏce*, n. oder **bẏc*, f. In den nördlichen Mundarten, wo das Wort allein vorkommt, konnte eine derartige Form me. *bīke* ergeben.

Näher die Geschichte des Wortes festzustellen, dürfte wegen des Mangels an altengl. Belegen kaum möglich sein. Man kommt nicht über Möglichkeiten hinaus, und der Möglichkeiten gibt es ja viele. Die folgende Entwickelungsgeschichte scheint mir eine gewisse Wahrscheinlichkeit zu haben.

Als altengl. Grundform kann man ein neutrales **bẏce* [1] etwa mit der Grundbedeutung 'bauchiger (runder) Gegenstand' ansetzen. Aus dieser entwickelt sich die Bedeutung 'Bienennest'; vgl. schwed. (mundartl. und veraltet) *billa* 'Nest für kleine Tiere', *gietingebilla* 'Hornisnest', die sich zu aschwed. *ēterbilla* 'Eitergeschwür', mndl. mndd. *bille* 'Arschbelle' stellen (s. Tamm, *Nordiska Studier*, S. 32 f.). Die weitere Bedeutungsgeschichte wäre ja ganz durchsichtig. Betreffs der Wortbildung kann auf Fälle wie neuschw. (mundartl.) *hyve* 'Lug' zu *huf* 'gewölbter Raum', altengl. *bẏre* 'Kuhstall' zu *būr* 'Kammer' u. dgl. verwiesen werden.

Noch eine andere Möglichkeit will ich hier erwähnen. Im vorangehenden bin ich stillschweigend davon ausgegangen, daſs die Bedeutung des mengl. *bīke* 'Nest für wilde Bienen' war. Nun kommt im neuengl. *bike* auch in der Bedeutung *'a building for the storing of grain'*, nach dem Beispiele zu urteilen 'ein bienenkorbförmiger Stack', vor; vgl. *N. E. D., E. D. D.* Das scheint auf ein *bike* 'Bienenkorb' zu deuten, und diese Bedeutung ist in den beiden mittelengl. Belegen sehr gut möglich. Ist 'Bienenkorb' die ältere Bedeutung von engl. *bike*, so könnte sich das Wort zu mndl. *buuc* verhalten ungefähr wie altengl. *hẏf* 'Bienenkorb' zu ndl. *huif*, was wohl auf alt-

---

[1] Zwischen diesem **bẏce* und norweg. *bẏkje* n., das neben *buk* in der Bedeutung 'Krebsschale' vorkommt, braucht kein unmittelbarer Zusammenhang vorzuliegen.

engl. *býc f. (< *búkiǒ-) führen würde. Denn hýf ist wohl eher wie
iô- als wie i-Stamm aufzufassen. Zwar scheint der Plural hyfî in
Corp. gl. auf i-Stamm zu deuten, aber in diesem Text wird kaum
streng zwischen -i und -e in Endsilben geschieden.
Bleibt somit in der Geschichte unseres Wortes vieles dunkel, so
glaube ich jedoch gezeigt zu haben, daſs es mit neuschwed. byke
nicht zusammengestellt werden kann, sondern vielmehr zu altengl.
búc zu führen ist.
Ist meine Erklärung richtig, so könnte doch schlieſslich engl.
bike mit schwed. byke verwandt sein. Denn das Verbum byka 'bau-
chen', von dem byke eine Ableitung ist, stellt sich vielleicht zu demselben germ. *búka-, von dem engl. bike abgeleitet ist.

2. Engl. litmus 'Lackmus'.

Dies Wort wird wohl allgemein für ein ndl. Lehnwort gehalten
und zwar für eine Entstellung von ndl. lakmoes. Vgl. z. B. die etymologischen Wörterbücher von Müller und Skeat, das Century Dictionary, das New English Dictionary (wo jedoch als nächste Quelle
mndl. leecmos, lycmoes angegeben wird). Nur Fr. Koch, Jahrbuch
für Roman. und Engl. Literatur VIII, S. 323, hat meines Wissens
diese Erklärung abgewiesen und lit- von altn. lita oder litr hergeleitet.
Über das letzte Glied des Wortes spricht sich Koch nicht aus.
Die landläufige Etymologie ist sicher unrichtig; litmus ist skandi-
navisches Lehnwort, und die Quelle ist altn. litmose 'Flechten, aus
denen ein gewisser Farbenstoff bereitet wurde, z. B. lecanora tartarea'.
Als erster Beleg wird in dem N. E. D. einer von 1502 gegeben.
Tatsächlich findet sich jedoch das Wort im Englischen viel früher.
Alexander Bugge, Studier over de norske byers selvstyre og handel før
Hanseaternes tid, Kristiania 1899, teilt S. 200 ff. einen Auszug aus
den Custom Rolls der Stadt Lynn für die Jahre 1303—1307 mit.
Hier wird unter den aus Norwegen importierten Waren mehrmals
litmose genannt. Daſs dies das altn. litmose ist, kann ja nicht be-
zweifelt werden und wird auch von Bugge angenommen. Aber es
ist ja ebenso augenscheinlich, daſs wir hier die Quelle des engl. litmus
haben. Noch im 18. Jahrhundert kommen von diesem die Formen
litmose, litmos vor. Engl. litmus ist eins von den skandinavischen
Wörtern, die durch den Handelsverkehr ins Englische gedrungen sind.
Der Wechsel von u und o in der letzten Silbe erklärt sich einfach daraus, daſs infolge der schwachen Betonung o zu ǝ übergegangen war, und diesen Vokal konnte man ja ebensogut mit u als
mit o bezeichnen; vgl. stirrup aus me. stirop. Auch die Form litmas
kommt vor. Wenn die Form litmus durchgedrungen ist, so kann
das teilweise Einfluſs von deutsch. lackmus oder ndl. lakmoes (gespr.
-mūs) zugeschrieben werden. Solcher Einfluſs erklärt sich gut daraus, daſs es namentlich Holland ist, wo der Farbenstoff hergestellt
wird.

3. Mittelengl. *meth* 'met'.

Neben gewöhnlichem *mede* (< ae. *medu*) kommt im Mittelenglischen nicht selten eine Form *me[e]th* (*meþe*) vor, die z. B. bei Chaucer *C. T. A.* 3261 durch den Reim als wirklich gesprochene Form gesichert wird. Aus ae. *medu* kann sich dies *meeth* kaum, wie Dibelius, *Anglia* XXIII, S. 450, zu glauben scheint, entwickelt haben. Vielmehr ist es eine dem skand. (aisl. *mioþr*) entlehnte Form und Björkman, *Loanwords*, S. 164, nachzutragen.

4. Engl. *squint* 'scheelen'.

Die Etymologie dieses Wortes ist noch nicht gefunden worden. Murray (*N. E. D.* s. v. *asquint*) vergleicht zögernd (siehe auch *Trans. Phil. Soc.* 1882—1884, S. 510 f.) *squint* in *asquint* mit ndl. *schuinte* 'Schiefheit, Schräge'; aber dieser Gleichung stehen lautliche Schwierigkeiten im Wege. Das *ui* in ndl. *schuin, schuinte* dürfte auf älteres *û* zurückgehen; entlehntes *schuin* dürfte im me. *askoyne* vorliegen. Skeat, *Concise Et. Diction.*, bezeichnet die Herkunft von *squint* als dunkel.

Das anlautende *squ-* deutet auf Entlehnung. Ich glaube, *squint* ist skandinavischer Herkunft.

Zum Ausgangspunkt für meinen Erklärungsversuch wähle ich neuengl. *squint* 'to squirt' (auch subst. mit der Bedeutung 'a squirt'), das im *E. D. D.* als Dialektwort aus Nottinghamshire mitgeteilt wird. Diesem entspricht an Form und Bedeutung durchaus ein vielverbreitetes skand. Wort, z. B. norweg. (mundartl.) *skvetta* st. v. 'spritzen' (intr.), das wahrscheinlich auf älteres **skwinta* zurückgeht, vgl. Noreen, *Aisl. Gramm.*[3], § 106, 1. In den älteren skand. Sprachen ist das Wort nicht belegt. Aisl. *skuetta* 'verschüttet werden', das von Noreen a. a. O. aufgeführt wird, findet sich bei Fritzner nicht und dürfte Vigfussons Wörterbuch entstammen, wo *skvetta* als neuisl. Wort gegeben wird. Dennoch kann es kaum zweifelhaft sein, daſs das Wort alt und echt nordisch ist, da es in mehreren lebenden Sprachen vorkommt.

Ich glaube nicht, daſs die auffällige Übereinstimmung des engl. *squint* mit skand. *skvetta* auf Zufall beruht. Vielmehr ist neuengl. *squint* 'to squirt' ein skand. Lehnwort, das in älteren Denkmälern zufällig nicht belegt ist.

Es fragt sich nun, ob auch engl. *squint* 'scheelen' mit *squint* 'spritzen' und skand. **skwinta* in Verbindung gesetzt werden kann. Ich glaube, das ist möglich, zwar nicht unmittelbar, da das Verbum *squint* eine späte Rückbildung von *asquint* zu sein scheint (vgl. *N. E. D.* s. v. *asquint*), aber wohl mittelbar durch dies letztere Wort, das schon um 1230 belegt ist.

Ein starkes Verb **skwinta* oder Ableitungen davon kommen in mehreren skand. Sprachen und Mundarten vor, und zwar in mehreren Bedeutungen. Norweg. *skvetta* st. v. ist intrans. und bedeutet

u. a. 'spritzen, sprudeln; auffliegen, auffahren, plötzlich die Flucht ergreifen (von Tieren gesagt); vor Schrecken zittern; auffahren, zusammenfahren' (Aasen, *Norsk Ordbog*). Das entsprechende schwache *skvetta* ist transitiv; es bedeutet 'ausschütten, spritzen' u. dgl. Neuisl. *skvetta* wird nur intransitiv in der Bedeutung 'spritzen' gebraucht. In schwed. Mundarten finden sich das nur intransitive *skvitta* und *skwätta*, das sowohl intransitiv wie transitiv, stark wie schwach gebraucht wird. Augenscheinlich sind hier das starke intransitive und das schwache transitive *skwätta* zusammengeworfen worden. Die Bedeutungen von *skwätta* sind u. a. 'spritzen, tropfen; regnen; vor Schrecken zusammenfahren oder auffahren, schnell zur Seite weichen' (vergl. Rietz' *Dialekt-Wörterbuch*). Dän. *skvætt* (*skvatte*) bedeutet 'spritzen; verschütten (z. B. Geld); ohnmächtig werden'. Die ältesten Belege der Wortgruppe finde ich im Dänischen, wo *skvatte* um 1622, *skvatmølle* 'kleine Mühle' um 1643 bezeugt sind; vgl. Kalkar, *Ordbog til det ældre danske Sprog.*

Die Bedeutung 'spritzen' kommt dem Worte in allen Sprachen, wo es überhaupt belegt ist, zu und ist ja die einzige des neuisländ. *skvetta*. Demnach kann es nicht zweifelhaft sein, daſs diese Bedeutung ein hohes Alter beanspruchen kann. Bedeutungen wie 'auffliegen, vor Schrecken auffahren, zusammenfahren, zur Seite weichen', die in schwed. und norweg. Mundarten vorkommen, dürften auf eine gemeinsame Bedeutung, wie etwa 'eine plötzliche Bewegung machen', zurückgehen, und der dän. Bedeutung 'ohnmächtig werden', die sich mit der von 'zusammenfahren' nahe berührt, liegt wohl dieselbe Bedeutung zugrunde. Die Bedeutung 'eine plötzliche Bewegung machen' läſst sich also, wie es scheint, in drei verschiedenen Sprachen nachweisen und dürfte demnach alt sein, wenigstens alt genug, um für die Erklärung des engl. *asquint* in Anspruch genommen zu werden. Ich glaube aber, wir können noch einen Schritt weiter machen und diese Bedeutung für ursprünglicher als die von 'spritzen' halten.

An sich scheint es mir wahrscheinlicher zu sein, daſs die allgemeinere Bedeutung die ältere ist. Weiter legt ein anderes skand. Wort von ähnlicher Bedeutung, dessen Geschichte wir verfolgen können, diese Auffassung nahe. Aisl. *støkkva* st. v. ist intransitiv und bedeutet u. a. 'durch eine plötzliche Bewegung aus der Lage kommen (Fritzner gibt es auch mit *skvætte* wieder); prallen; fliehen; spritzen' (auch hier übersetzt Fritzner mit *skvætte*). Das trans. *støkkva* schw. v. bedeutet 'vertreiben; spritzen'. Dieselben Bedeutungen wie das starke *støkkva* hat das entsprechende aschw. *stiunka* (*stionka*) st. v.; das schwache *stænkia* bedeutet 'ausschütten; spritzen' u. dgl. In der neuschwed. Schriftsprache ist nur das letztere bewahrt; *stänka* bedeutet nur 'spritzen', transitiv und intransitiv. In dieser Wortgruppe hat sich die Bedeutung 'spritzen' sicher aus der Bedeutung 'durch eine plötzliche Bewegung aus der Lage kommen' oder dgl. entwickelt. — Noreen stellt *skvetta* zu griech. σπενδειν. Ob diese Zusammenstellung sich mit der von mir angenommenen älteren Bedeutung des Wortes vereinigen läfst, kann ich nicht entscheiden. Wenn nicht,. möchte ich lieber Zusammenhang mit dem griech. Worte als die von mir aufgestellte ursprünglichere Bedeutung aufgeben. — Die Bedeutungen der beiden Verba aisl. *støkkva*, aschw. *stiunka* und norweg. *skvetta* etc. zeigen so viele Berührungspunkte, dafs man fast versucht sein könnte, zwischen ihnen einen näheren Zusammenhang anzunehmen und zwar derart, dafs *skwinta* (> *skvetta*) aus *stinkwa* (> *støkkva*) durch eine Art Metathese entstanden wäre; vgl. Kluge, *Grundr.*[2] I, S. 384.[1] Doch darauf lege ich keinerlei Gewicht. Übrigens ist die Etymologie des skand. *skwinta* für unseren Zweck von sekundärer Bedeutung. Kehren wir zum engl. *asquint* zurück.

Wie Murray bemerkt, in *Trans. Phil. Soc.* 1882—1884, S. 512 f., dürfte die Grundbedeutung dieses Wortes etwa '*off at an angle*' sein. Es ist eine Bildung ganz derselben Art wie engl. *aslant* 'schief' oder *astray* 'irre', d. h. wie sich *aslant* (me. auch *aslent*) zu dem Verbum *slanten, slenten* 'gleiten' u. dgl., *astray* zu me. *straien* 'irre gehen' stellt, setzt me. *asquint* ein unbelegtes me. Verbum *squinten* voraus. Und wie *aslant* durch '*slantingly, in a slanting manner (direction)*', *astray* durch '*in a straying manner*' wiedergegeben werden kann, so wäre *asquint* mit '*in a "squinting" manner*' wiederzugeben. Die Bildungsweise der Wörter ist freilich nicht klar. Man erwartet in *aslant, astray* Zusammensetzungen von Präp. *on* (*a*) und Subst. oder möglicherweise Adv. *slant*, *stray*; solche sind im Mittelenglischen nicht belegt.

In dem vorauszusetzenden me. Verbum *squinten* erblicke ich eine Entlehnung von skand. *skwinta*, und diesem Verbum kam also die Grundbedeutung 'eine plötzliche Bewegung machen' zu. Daraus entwickelten sich leicht Bedeutungen wie 'eine Bewegung seitwärts machen' (vgl. schwed. *skwätta* 'zur Seite weichen'), 'eine abweichende Richtung nehmen', 'prallen' (vgl. die Bedeutungen von skand. *støkkva*, *stiunka*), 'to go off at an angle' u. dgl. Zu me. *squinten* in einer derartigen Bedeutung stellt sich, wie ich glaube, das Adv. *asquint*.

Die Einzelheiten der Geschichte des Wortes können natürlich nicht mit Sicherheit festgestellt werden. An meiner Erklärung mag vieles zu ändern sein; im wesentlichen glaube ich aber das Richtige getroffen zu haben.

Etwas auffällig mag vielleicht erscheinen, dafs me. *asquint* zuerst in einem südlichen Denkmal (Ancren Riwle) belegt ist. Das spricht jedoch nicht gegen nordische Herkunft, da dies Denkmal mehrere skand. Wörter enthält.

---

[1] [Korrekturnote: Dieser Gedanke ist wohl aufzugeben. Falk-Torp, *Etymologisk Ordbog*, s. v. *skvette*, stellen dies Wort zu ai. *skándati* 'schnelle, springe, spritze', air. *scendim* dass.; nach dieser Etymologie wären beide Hauptbedeutungen von *skwinta* matt.]

ˉSomit wäre für die alten skand. Sprachen ein starkes Verbum ˟*skwinta* mit den Bedeutungen 'eine plötzliche Bewegung machen' u. dgl. und 'spritzen' aufzustellen. Das Englische nahm das Wort mit beiden Bedeutungen auf und hat sie bis auf den heutigenˉTag· bewahrt, die eine zwar nur im Adv. *asquint* mit der daraus erit-· wickelten Wortgruppe, die andere in einer einzigen Mundart.

Lund.   E i l e r t E k w a l l.

Zu John Heywoods 'Wetterspiel'.

Da eine direkte Vorlage zu diesem Zwischenspiel[1] bisher meines Wissens nicht bekannt geworden ist, dürfte es nicht überflüssig sein,² darauf hinzuweisen, dafs sich in Lukians Dialog *Ikaromenippos*[2] Züge finden, die direkt oder indirekt dem englischen Dichter einige! Motive geliefert haben könnten.

Bekanntlich tragen im Wetterspiel Vertreter verschiedener Stände dem Jupiter ihre einander widersprechenden Wünsche in bezug auf die Witterung vor. Ebenso hört Zeus in Kap. 25 des Lukianschen· Dialogs, wie einige Schiffer um Nordwind, andere um Südwind bitten, wie ein Bauer um Regen fleht, ein Walker oder Tuchscherer (*χναφεύς*) um Sonnenschein. Heywood läfst V.·363 ff. den Kaufmann um günstigen, jeweils nach Bedarf wechselnden Fahrwind beten, vgl. besonders V. 371:

Eest, west, North, and South, as beste may be set.

Um Regen dagegen bittet bei ihm der *Watermyller* V. 443 ff., um Sonnenschein die Wäscherin (*launder*) V. 894 ff. Lukians Zeus hört alle Bitten an und untersucht jede sorgfältig, um dann einzelne zu gewähren, andere abzuschlagen. Einmal, als zwei Männer gleichzeitig um ganz entgegengesetzte Dinge gebeten hatten, ist er unschlüssig, erwägt die Sache lange hin und her und bleibt schliefslich die Entscheidung schuldig. Am Ende der Audienz — die allerdings nur durch Öffnungen im Himmelsboden vor sich geht, durch die er die Gebete hören kann — erhalten Wetter und Winde seine Befehle (Kap. 26): 'Heute soll es bei den Skythen regnen, bei den Libyern blitzen, bei den Hellenen schneien; du, Boreas, blase in Lydien, du, Notos, halte Ruhe; der Zephyros soll die Adria aufwühlen, und an Hagel sollen gegen tausend Scheffel über Kappadokien ausgeschüttet werden!' Entsprechend bestimmt Jupiter bei Heywood V. 1156 ff., dafs das Wetter wie bisher veränderlich bleiben soll, damit die Wünsche der verschiedenen Interessenten nacheinander erfüllt werden können.

Das andere Motiv, worin der englische Dichter mit dem Spötter

---

[1] Herausg. von Brandl, Q. F. LXXX, S. 211 ff. Vgl. dazu Einl. S. XLVII ff. und Young, *Mod. Phil.* II, 97 ff.
[2] *Editio princeps:* Florenz 1496. Neue Ausgabe von Sommerbrodt, Berlin 1896, Vol. II, P. 2, pag. 142 ff.

von Samosata übereinstimmt, ist die Figur des *Mery Report* (als *Vice*).
Wie er keck bei dem Himmelsgotte eindringt, so kommt *Menippos*,
der Held des Lukianschen Dialoges, gleich Ikaros mit Flügeln in
den Olymp (Kap. 22) und wird sogleich von Zeus mit der homeri-
schen Frage empfangen (Kap. 23):

> τίς πόθεν εἶς ἀνδρῶν; πόθι τοι πόλις ἠδὲ τοκῆες;

Vgl. dazu Wetterspiel V. 101:

> *Why, what arte thou that approchyst so ny?*

Als *Mery Report* seinen Auftrag ausgerichtet hat und wieder im
Himmel erscheint, erzählt er ruhmredig, welche Orte er alle besucht
habe (V. 195 ff.). In derselben Weise berichtet im griechischen Dialoge Menippos seinem Genossen, wie er von der Erde zum Monde,
von da zur Sonne, und schliefslich zur Burg des Zeus geflogen sei.
Man vergleiche den Anfang (Kap. 1): 'Also 3000 Stadien waren es
von der Erde bis zum Monde ... von da hinauf zur Sonne gegen
500 Parasangen' usw. mit Heywood V. 195 f.:

> *How be yt, yf ye axyd, I coulde not well tell,*
> *But suer I thynke a thousande myle from hell.*

Mit der Aufzählung der zahlreichen von ihm besuchten Städte
und Länder (V. 199 ff.) läfst sich bei Lukian, Kap. 11, die Nennung verschiedener Gebirge und Gegenden vergleichen, die Menippos
bei seinen Flugübungen berührt und vom Monde aus gesehen hat.
— Die Art ferner, wie der *Gentylman* von *Mery Report* empfangen
und vor den Thron Jupiters geführt wird (V. 217 ff.), ist der Szene
bei Lukian, Kap. 22, nicht unähnlich, in der Hermes dem Ankömm-
ling die Himmelstür öffnet und ihn bei Zeus meldet.

Die Götterversammlung endlich, worin am Ende des Dialoges
Zeus eine donnernde Strafrede gegen die unnützen Philosophen hält,
könnte vielleicht die Veranlassung zu der Eröffnungsrede Jupiters
im Wetterspiele gegeben haben: da erzählt nämlich der Gott selbst
als Prolokutor von dem Streite der Wettergottheiten, die vor seinen
Thron geladen sich gegenseitig anklagten.

Wenn die beiden Dichtungen im übrigen, was Plan und Durchführung der Idee[1] betrifft, auch stark voneinander abweichen, so
dürften doch die genannten Übereinstimmungen kaum als Zufall betrachtet werden können. Sei es nun, dafs Heywood unmittelbar aus
Lukian geschöpft hat, sei es, dafs ihm dessen Dialog schon in französischer oder lateinischer Bearbeitung vorlag: ein Zusammenhang
des Wetterspieles mit dem *Ikaromenippos* wird sich schwerlich in
Abrede stellen lassen. Auch hier zeigt sich wieder deutlich, wieviel
die spätere Zeit trotz aller Neuerungen dem Altertum verdankt!

Kiel.　　　　　　　　　　　　　　　F. Holthausen.

---

[1] Vgl. die Inhaltsangaben des Heywoodschen Stückes bei Swoboda,
Wiener Beitr. III, 38 ff. und bei Brandl a. a. O. L f.

Ne. *rape* und *riding* 'Bezirk'.

Diese Wörter werden allgemein für nordische Entlehnungen gehalten. Am ausführlichsten wird eine solche Auffassung von Steenstrup, *Normannerne* IV, S. 75 und 93, begründet. Er leitet *rape* aus dem altn. *hreppr* 'Bezirk' (oder aber aus der von ihm angegebenen Nebenform *hrappr*), *riding* aus altn. *þriðjungr* 'Drittel', auch 'Bezirk', altdän. *thrithing*, her. Diese Etymologien haben allgemeinen Beifall gefunden. Sie werden z. B. vom *Century Dictionary*, Skeat, *Et. Dictionary*, Jespersen, *Growth and Structure of the English Language* 1905, S. 73, und anderen als richtig anerkannt. Meines Wissens hat aber noch niemand sich die grofsen lautlichen Schwierigkeiten, die mit dieser Auffassung verbunden sind, klargemacht. Man hat die Etymologien in allen anderen Beziehungen so einleuchtend gefunden, dafs man über die lautliche Seite der Frage ganz hinweggesehen hat. Nur über einen Punkt ist man ins klare gekommen: *þ* in **thriding* ist in den Verbindungen *North-thriding*, *East-thriding* und *West-thriding* lautgesetzlich geschwunden. Aber andere Schwierigkeiten sind noch zu überwinden. Aus altn. *hreppr* kann nur engl. **rep*, aus *hrappr* nur **rap* und aus *þriðjungr*, *thrithing* nur *(th)rithing* mit *ĭ* in der Stammsilbe werden. Diese Schwierigkeiten lösen sich aber ohne weiteres, wenn wir normannische Vermittelung annehmen. Die altenglischen Bezeichnungen **hrep* (**hrap*) und **þriþing*, die durch die Nordleute seinerzeit eingeführt waren, wurden also von den Normannen in die offizielle Terminologie aufgenommen [1] und sind von da aus wieder in die englische Volkssprache eingedrungen.

1) *rape* 'a division of the county of Sussex, intermediate between a hundred and the shire' (*Cent. Dict.*), nach Wright, *Engl. Dial. Dict.*, 'a division of the county comprising several hundreds'. Hier gilt es zuerst die Konsonantenquantität zu erklären. Wie bekannt, deckten sich die altfrz. Quantitäten, namentlich die der Vokale, nicht völlig mit den englischen in entsprechender Stellung; das Altfrz. kennt aufserdem in der Regel wahrscheinlich nur einfachen Konsonanten. [2] Bei der Aufnahme des Wortes ins Anglonormannische ist also die Quantität des *p* wahrscheinlich beträchtlich gekürzt worden. Es ist aber nicht notwendig, die anglonorm. Form als *rape* anzusetzen. Auch eine anglonorm. Form mit *pp* — das Anglonormannische kennt nämlich im Gegensatz zu den anderen französischen Dialekten vielfach doppelten Konsonanten, ja einfacher intervokalischer Konsonant wird nach kurzem Tonvokal im Anglonormannischen sogar vielfach gedehnt — würde aber bei Rückentlehnung ins Englische *rape* er-

---

[1] Steenstrup führt *treding* aus dem *Domesday Book* an.
[2] Vergl. Morsbach, *Die angebliche Originalität des frühmittelenglischen King Horn*, Halle 1902, S. 32 (= Beiträge zur rom. u. engl. Philologie, Festschrift für Wendelin Förster, S. 328).

geben können. Es genüge, auf die analogen Fälle bei Morsbach
a. a. O. hinzuweisen; so entspricht z. B. dem altfrz. *passer* me. *pācen*
und *passen* (ne. *pace* und *pass*). Ein anglofrz. **rappe* würde also selbstverständlich me. **rape* ergeben können. Vgl. altfrz. *grape, grappe*
> ne. *grape*. — Aber auch der Vokallaut macht Schwierigkeiten,
denn ein altn. **hrappr* 'a district', das vielfach als die Quelle des
englischen Wortes angeführt wird, scheint nicht zu existieren. Der
von Cleasby-Vigfússon angeführte Eigenname *Hrappr*, der eine Nebenform zu *hreppr* sein soll, kann doch kaum ernsthaft mit in Betracht
genommen werden. Es wäre entschieden vorzuziehen, wenn wir von
der einzigen sicheren altn. Form *hreppr* ausgehen könnten. Dies ist
meines Erachtens auch tatsächlich der Fall. Und zwar sind hier
zwei verschiedene Möglichkeiten in Erwägung zu ziehen. Es ist
wohl möglich, dafs hier altn. bezw. altengl. *ě* durch anglonorm. *a*
wiedergegeben worden ist. Solche Fälle sind auch sonst vorhanden.
So findet sich im *Domesday Book* für Essex neben seltenem *-dena*
sehr häufig *-dana*.[1] Auch möge auf solche Doppelformen innerhalb
des Französischen selbst als *aretter* und *aratter*, woraus me. *araten*,
ne. *rate* 'to chide, reprimand' — wo freilich die Verhältnisse etwas
anders liegen — hingewiesen werden. Eine zweite Möglichkeit ergibt sich in der Lautentwickelung innerhalb des Dialekts von Suffolk.
Bei dem Fehlen von frühen Belegen und bei der unsicheren Lage
dieser Frage kann ich aber auf diese letzte Möglichkeit nicht näher
eingehen.

Es erübrigt nun, über das nordische Substrat ein paar Bemerkungen zu machen. Das Wort *hreppr* ist nur im Westnordischen
belegt,[2] *rape* würde also auf eine norwegische Ansiedelung in Suffolk
hinweisen. Nach Falk u. Torp, *Etymol. Ordbog* s. v. *rimpe*, soll das
Wort aus einem älteren **hrimp-* entstanden und mit ne. *rimple*,
mhd. *rimphen* 'in Falten, Runzeln zusammenziehen, krümmen, rümp-
fen' verwandt sein. So besonders einleuchtend finde ich diese Zusammenstellung nicht. Vor allen Dingen macht hier die semasiologische Frage Schwierigkeiten. Aufserdem würden wir in dem
Worte das einzige Beispiel unter den nord. Lehnwörtern von der
nord. Assimilation *mp* > *pp* zu erblicken haben; das wäre an und
für sich nichts unmögliches, aber da wir sonst kein einziges ganz
sicheres Beispiel von den Assimilationen *mp* > *pp*, *nt* > *tt*, *nk* > *kk*
in den nordischen Lehnwörtern besitzen (vgl. Björkman, *Scand.
Loanwords*, S. 169), so hätten wir doch eher hier eine Form ohne
Assimilation zu erwarten, wenn *pp* in altn. *hreppr* aus *mp* entstanden wäre.

---

[1] Vgl. Stolze, *Zur Lautlehre der altengl. Ortsnamen im Domesday Book*.
Berlin 1902, S. 16. Auch *mare* und *stade* ebenda sind in Betracht zu
ziehen.
[2] Schwed. dial. *repp* 'mindre trakt af en socken' in dem Norwegen benachbarten Dalsland darf nicht für ostnordisch gelten.

2) *riding* 'one of the three divisions of the county of York'. In den nordischen Lehnwörtern im Englischen wird nord. *đ* in der Regel als Reibelaut beibehalten. Die Normannen konnten aber den Laut zur Zeit der Entlehnung nicht aussprechen, sondern liefsen ihn entweder ausfallen oder ersetzten ihn durch den stimmhaften Reibelaut *j*[1] oder durch den stimmhaften Verschlufslaut *d*.[2] *d* in *riding* deutet also unverkennbar auf anglonormannische Vermittelung hin. In derselben Weise erklärt sich meines Erachtens das me. *ī*, das von der ne. Form vorausgesetzt wird. Das *i* in der anglonormannischen Aussprache fiel hinsichtlich seiner Quantität weder mit engl. *ĭ* noch mit engl. *ī* zusammen, mufste aber mit einem von den beiden wiedergegeben werden. Dazu mögen nun freilich andere Momente, z. B. Assoziation mit dem Verbum *rīden*, hinzugekommen sein. *riding* könnte ja von dem Volke etwa als ein Bezirk, der von den inspizierenden Beamten in einer gewissen Zeit beritten werden kann, aufgefafst worden sein.

Göteborg.   Erik Björkman.

---

[1] Vgl. Morsbach a. a. O. S. 9 (305). Die Schreibung *trihing* (Steenstrup, S. 75) gibt vielleicht eine Aussprache mit weggefallenem *d* wieder.
[2] Vgl. Luhmann, *Die Überlieferung von Laȝamons Brut.* Halle 1905, S. 38. Stolze a. a. O. S. 41.

Sitzungen der Berliner Gesellschaft

für das Studium der neueren Sprachen.

Sitzung vom 13. Dezember 1904.

Herr Risop erörtert die Formen, unter denen sich nach Auffassung der mittelalterlichen Christenheit die Beförderung der Seelen der soeben aus dem Leben Geschiedenen in die Hölle vollzog, und zwar im Anschluſs an die Verhaltungsmaſsregeln, deren Innehaltung das sogenannte anglonormannische Adamsspiel (12. Jahrhundert) bei solcher Gelegenheit den Darstellern zur Pflicht macht. Er hebt aus ihnen insbesondere den Akt der Fesselung heraus und verfolgt die sehr seltenen Spuren dieser Vorstellung, soweit man ihrer innerhalb der Kunst und Literatur des Abendlandes ansichtig wird, und zeigt, daſs erst bei der Massenbeförderung der Seelen, wie sie uns die Darstellungen des jüngsten Gerichts auf den Bogenfeldern der Westportale französischer und deutscher Kathedralen romanischen oder gotischen Baustils, dann aber auch der Rahmen des Dürerschen Allerheiligenbildes zeigen, dieses Motiv häufiger verwendet wurde. Ungeachtet der starken Analogien, die sich aus den in der Savitriepisode des Mahabharata erzählten Ereignissen entnehmen lassen, glaubt der Vortragende nicht, daſs ein Zusammenhang zwischen dem altindischen und dem christlichen Ideengebiet anzunehmen sei; sonst anzutreffende christliche Darstellungen von den letzten Dingen legen vielmehr die Vermutung nahe, daſs die Vorstellung rein christlichen Ursprungs sei, zumal die bei der Fesselung und Abführung üblichen Einzelheiten, soweit sich aus der mittelalterlichen Literatur und Ikonographie ergibt, mit den Formen, die den der weltlichen Gerichtsbarkeit Verfallenen gegenüber beobachtet wurden, auffallend übereinstimmen. Der Vortragende schlieſst mit einem Blick auf die Attribute des *Amor carnalis*, wie ihn Giotto auf seiner Allegorie der Keuschheit in der Unterkirche zu Assisi und nach Boccaccio gleichzeitig mit ihm auch Francesco da Barbarino, doch ohne den Rosenkranz, in uns unbekannten Gedichten geschildert hat. Der Vortragende zeigt, daſs die Vogelklauen des, wie bei den alten Christen so auch hier, als Dämon gedachten Amors schon in vorgiottoscher Zeit an den Teufeln gewöhnlichen Schlages zu bemerken seien, und Amor bereits in früheren byzantinischen Malereien wie auch auf späteren französischen Holzschnitten mit der Augenbinde erscheine; neu sei nur der um den Oberkörper geschlungene Strick mit den daran befestigten Herzen, ein Motiv, dessen Beziehungen zu der oben geschilderten Fesselung der Seelen offen zutage liegen, ohne daſs sich feststellen lasse, von welchem der beiden Künstler diese eigenartige Neugestaltung der Idee ausgegangen sei.

Herr Kuttner erinnert an die Ketten, die Marleys Geist in Dickens *Christmas Carol* mit sich schleppe, und Herr Münch an ähnliche Vorstellungen im Volksglauben.

Herr Münch macht auf eine neue Übertragung von Carducci und die *Revue germanique* aufmerksam und berichtet sodann über Eindrücke pädagogischer Art von einer Reise nach England. In London bestehen vier deutsche Schulen; eine seit 110 Jahren in St. Mary; eine zweite seit 100 Jahren ist die St. Georgsschule; eine dritte ist in Islington, und eine vierte ist die katholische Bonifaciusschule in Whitechapel. Die deutschen Väter der Schüler sind meist Handwerker und Arbeiter, die ihre Kinder aus praktischen Gründen auf die deutsche Schule schicken; da die Mütter meist Engländerinnen sind, haben es die Lehrer nicht leicht, ihren Schülern das Deutschtum zu erhalten, und es gelingt ihnen das auch nur teilweise. Die Schulen sind recht rückständig in bezug auf ihre Lage und ihre Ausstattung. Überdem hat namentlich die katholische Schule Schwierigkeiten mit den polnischen und litauischen Elementen unter ihren Schülern. Jedenfalls verdienen die an diesen Schulen wirkenden Lehrkräfte unsere volle Sympathie. — In den höheren Schulen, wo der fremde Besucher jetzt freundlicher aufgenommen wird als früher, fällt die weitgehende Spezialisierung auf, die man den Schülern bei ihren Studien gestattet. So hatten an einer Schule 8 Schüler ihre Abschlußprüfung für Mathematik bestanden und widmeten sich nur noch dem Studium des Lateinischen und Griechischen. Der neusprachliche Unterricht ist fast durchweg in guten Händen; aber wenn auch die Lehrer die fremden Sprachen beherrschen, die Schüler treten nach englischer Art wenig aus sich heraus, und ihre Lebendigkeit und Teilnahme am Unterricht ist geringer als bei uns. Das Verhältnis zwischen Lehrern und Schülern erscheint sehr angenehm, ebenso das zwischen Direktoren und Lehrern. Aber selbst in den besseren Schulen sind die Subsellien ganz elend, sogar vielfach ohne Rückenlehne. Auch zertiert wurde noch. Das Züchtigungsrecht existiert, aber es wird — außer von den Monitoren — kaum mehr ausgeübt. An einer Schule allerdings bedeutete die Aufsteckung einer Rute den Beginn des Unterrichts. Das Andenken an berühmt gewordene frühere Schüler wird sehr gepflegt; so z. B. zeigt man in Harrow, wo man noch viele Byron-Andenken besitzt, den Brief, worin Byrons Mutter sein Nichtkommen damit entschuldigt, daß er so verliebt sei. — Was das Universitätsleben betrifft, so ist es in einigen Colleges feierlicher und steifer als in anderen. Die Studenten erhalten zwei Gänge zum dinner, die Bachelors drei, die Professoren vier; die beiden ersten Gruppen haben auch noch Bänke ohne Rückenlehne. Die wissenschaftliche Höhe der Vorträge ist leidlich, wenn auch nicht immer das, was wir gewöhnt sind. Die Hälfte der Zuhörer sind Studentinnen, die von ihren männlichen Kommilitonen getrennt sitzen. In moralischer Beziehung ist manches gesunder als bei uns; vormittags wird studiert, der Nachmittag gehört allgemein dem Spiel und Sport; gekneipt wird nur im Freundeskreise.

Herr Dr. Thurau wird in die Gesellschaft aufgenommen.

Sitzung vom 10. Januar 1905.

Herr A. Tobler besprach drei Erscheinungen des neufranzösischen Sprachgebrauchs, die nach seiner Meinung in den ihm bekannten Grammatiken und Wörterbüchern des In- und des Auslandes unzulänglich behandelt oder auch ganz mit Stillschweigen übergangen sind. 1. Die Möglichkeit und die Art und Weise der Verwendung des Gerundiums solcher Verba, welche, als Verba finita gebraucht, ein *il* als 'grammatisches Subjekt' vor sich haben würden. Hier sollten die Grammatiken die Fälle reiner Subjektslosigkeit von denen scheiden, wo ein Subjekt in Form eines Infinitivs oder eines Subjektsatzes folgt. Warum in dem einen wie in dem anderen Fällen ein pronominales Subjekt beim Gerundium nicht stehen kann, ist leicht zu erkennen. Es ist deswegen nicht möglich, weil es nur ein betontes sein dürfte, das neutral gebrauchte *il* aber eine betonte Form nicht neben sich hat; es ist aber auch gar nicht nötig. Daß das Gerundium wirklich subjektloser Verba nicht gebraucht werde, muß bestritten

werden. *y ayant, en étant de même* begegnen bis auf den heutigen
Tag sehr häufig, während freilich ein **pleuvant encore, *fallant
croire* u. dergl., deren italienische oder spanische wörtliche Wiedergaben
tadellos sein würden, schwerlich jemals vorkommen.
        2. *aussi bien* im Sinne desjenigen bloſsen *aussi* zu gebrauchen,
welches als 'Satzadverbium' den Ausdruck eines Sachverhaltes an den vorangegangenen eines anderen Sachverhaltes reiht und andeutet, daſs der
zweite dem ersten entspreche, sei es als natürliche Folge, sei es als erklärende Ursache, soll nach Deschanel eine *déformation de la langue* sein. Daſs
dem so nicht sei, wurde an zahlreichen Stellen aus Autoren ohne Tadel
dargetan und zugleich gezeigt, daſs Herkunft und Bedeutung jedes der
zwei Wörter sie durchaus geeignet machen, zusammentretend die gekenn-
zeichnete Funktion zu übernehmen. 3. Weit eher lieſse sich die Bezeichnung 'Verunstaltung der Sprache' darauf anwenden, daſs die Franzosen
zwar *du beau, du vrai* sagen, dagegen *rien que de beau, de vrai*, wo doch
jeder grammatischen oder logischen Analyse der sogenannte Teilungs-
artikel durchaus und einzig angemessen scheinen muſs. Dem allgemeinen
Gebrauche gegenüber — denn ein *rien que de l'inédit* erscheint als auffällige Ausnahme — schweigt natürlich jeder Tadel und hat man sich auf
die Frage nach der Ursache der seltsamen Abweichung vom Naturgemäſsen
zu beschränken. Sie liegt aller Wahrscheinlichkeit nach in der Einwirkung
der nicht minder häufigen und ihrerseits unanfechtbaren Verbindung *rien
de vrai, de beau.* Das heute übliche *rien que de vrai* scheint sich früher als
aus dem 16. Jahrhundert nicht nachweisen zu lassen. Und das wird nicht
überraschen, da bis zu dieser Zeit *rien* noch seinen ursprünglichen Charakter
bestimmter bewahrt hat, ein zuerst weibliches, dann männliches Substantiv
geblieben ist, das ein Adjektivum (ohne *de*) einfach als Attribut zu sich
nahm, wie das in einigen wenigen, aus alter Zeit stammenden Verbindungen
rien tel, rien autre, noch immer statthat (vgl. *Archiv* CXIV, 482).
        Herr Penner spricht über Jonas, *25 Gedichte in französischer Sprache*,
und über Dickmann-Heuschen, *Lesebuch*.

Sitzung vom 24. Januar 1905.

        Herr Penner sprach über einige neuere Lehrmittel für den Unter-
richt im Französischen. Zunächst wurden die Bücher von Kurth (Lissa),
von Lagarde und Dr. Müller, von Harnisch und von Kron erörtert, welche
zu Sprechübungen anleiten sollen und welche jedes in seiner Weise und
für bestimmte Gattungen von Schulen zu empfehlen sind. Besonders die
Bücher von Harnisch und Kron verdienen warme Anerkennung. — Sodann
ging der Vortragende im Anschluſs an die Besprechung der Kühn-Diehl-
schen Lehrbücher, die im Archiv erschienen ist, zur Erörterung der Frage
über, wie die Lehre vom französischen Infinitiv am zweckmäſsigsten in
der Schule zu behandeln sei. Es empfiehlt sich, nach einleitenden Bemerkungen über Substantivierung des Infinitivs (*le devoir* usw.) und über die
Präpositionen, die ihn regieren, zunächst den Infinitiv mit *à* zu behandeln,
weil in ihm ein klarer Grundsatz durchweg zur Geltung kommt; dieser
Infinitiv antwortet nur auf die Fragen: wem? wozu? woran? wohin?
wobei? Doch muſs der Schüler auf die abweichende Bedeutung von
chercher à (sich Mühe geben bei), *réussir à* (Glück haben in), *aimer à* (Gefallen finden an), *apprendre à* (sich heranmachen an) usw. aufmerksam gemacht werden. Der Infinitiv mit *de* folgt zunächst demselben Gedanken,
indem er auf die Fragen wessen? wovon? antwortet. Dann aber —
und das allein ist die Schwierigkeit für den Schüler — steht der Infinitiv
mit *de* meist als Antwort auf die Fragen wer? oder was? und wen? oder
was? wo die Logik den reinen Infinitiv zu verlangen scheint und *de* sich
nur als ein Wort darstellt, das gewisse nebeneinander stehende und von-

einander abhängige Satzteile verknüpft. Die Konstruktion des reinen Infinitivs findet sich wohl, aber nur als Ausnahme. Besonders zu üben sind die verschiedenen lehrreichen Konstruktionen von Verben wie *offrir de* und *s'offrir à, refuser de* und *se refuser à, résoudre de* und *se résoudre à, jurer = promettre* und = *assurer, dire = assurer* und — *ordonner.* — Auch die zweckmäfsigste Darstellung des Kapitels von den relativen und fragenden Fürwörtern wurde erörtert.

Herr Dr. Wespy hat sich zum Eintritt in die Gesellschaft gemeldet.

Sitzung vom 14. Februar 1905.

Herr Spies sprach über das Thema 'Englische Wörterbucharbeit und Vorführung des Gowerschen Wortschatzes'. Der Vortragende ging von den bisherigen Leistungen auf dem Gebiet der englischen Lexikographie aus, deren augenblicklicher Stand kurz charakterisiert wurde, erörterte dann im ersten Teil die für die mittelenglische Wörterbucharbeit, insbesondere für die Fortführung des Mätzner-Bielingschen Werkes aufzustellenden Forderungen im Anschlufs an die in verwandten Disziplinen (besonders der lateinischen und germanistischen) gemachten Vorschläge und Erfahrungen und legte zugleich die Grundsätze dar, die für die weiteren Sammlungen zu den Buchstaben N—Z den Mitarbeitern vorgezeichnet werden sollen. — Im zweiten Teil führte der Vortragende den von ihm seit 1899 angelegten Zettelapparat vor, der den Wortschatz von John Gowers *Confessio Amantis* mit Angabe sämtlicher Belegstellen enthält. Entstehung, Anlage und Zweck wurden eingehend geschildert und zum Schlufs darauf hingewiesen, dafs eine derartige Katalogisierung des Wortschatzes zurzeit für Chaucer und für die gesamte altenglische Literatur möglich und höchst wünschenswert sei. Der erste Teil des Vortrags wird durch den Druck der Grundsätze jedem Interessenten zugänglich gemacht, der zweite gelegentlich in ausführlicher Form veröffentlicht werden.

Herr Adolf Tobler wies auf eine Reihe von Schwierigkeiten hin, welche sich der Abfassung eines wissenschaftlichen Wörterbuches entgegenstellen, wenn es nicht ins Riesenhafte wachsen soll; soll man z. B. alle Wörter aufnehmen, die mit Vorsilben zusammengesetzt sind, welche sich in der betreffenden Sprache vor jedes Zeitwort setzen lassen, wie im Altfrz. *re-* und *s'entre-?* Er habe in seinen Sammlungen mundartliche Formen im Stichwort in die Mundart der Isle de France umgesetzt; dazu müsse man aber die Ableitung des umzusetzenden Wortes kennen. Godefroy habe eine empfindliche Lücke gelassen, insofern er in sein Wörterbuch alle die Wörter, welche noch im Neufranzösischen fortleben, nicht aufgenommen habe.

Herr Adolf Müller berichtet im Namen der Revisionskommission; es wird hierauf den Herren Kassenführern vom Herrn Vorsitzenden Entlastung erteilt.

Herr Dr. Wespy wird als Mitglied aufgenommen. — Zur Aufnahme gemeldet hat sich Herr Dr. Wilhelm Greif, Oberlehrer am Andreas-Realgymnasium.

Sitzung vom 28. Februar 1905.

Herr Herzfeld sprach in Anknüpfung an eine Schrift von H. Ley (Erlangen 1904) über das Leben und die Werke der Lady Craven, der letzten Markgräfin von Ansbach-Bayreuth (1750—1828). Sie stammt aus der Familie Berkeley; noch sehr jung heiratete sie Lord Craven, von dem sie nach dreizehnjähriger Ehe geschieden wurde. Nach längeren Reisen auf dem Kontinent folgte sie der Einladung des Markgrafen Karl Alexander nach Ansbach, wo sie erst seine Maitresse, im Jahre 1791 aber seine Gattin wurde. Ihr Leben und Treiben bietet manche Parallele zu Schillers

'Kabale und Liebe'. Ihrem Einflufs nachgebend trat der Markgraf seine Länder an Preufsen ab und siedelte mit ihr nach England über, wo er 1806 starb. Sie überlebte ihn noch 22 Jahre. — Von ihren Werken wurden zunächst die dramatischen kurz vorgeführt. Sie hat Lustspiele und Opern in engl. und franzöe. Sprache verfafst, die durchweg von geringem Werte sind. Nicht höher stehen ihre Erzählungen und Gedichte. Am interessantesten ist für uns ihre Bearbeitung von Schillers 'Räubern', die freilich in den letzten beiden Akten eine arge Verballhornung des Originals darstellt. Am wichtigsten sind (neben ihren Reisebriefen) die Memoiren, die sie hinterlassen hat. In vielen Dingen oberflächlich und nicht immer der Wahrheit getreu, enthalten sie doch manches Charakteristische und Wissenswerte. Im ganzen stellt sich uns die Markgräfin als Typus der aristokratischen Dilettantin dar.

Herr Carel berichtet über den am 23. September 1904 zu Berlin verstorbenen Privatgelehrten Herrn Julius Speier, der sich etwa seit 1875 bis zu seinem Tode mit nspr. Literatur beschäftigte, viel gelesen und übersetzt hat und eine vortrefflich zusammengestellte Bibliothek der Meisterwerke deutscher, französischer, spanischer und portugiesischer Literatur in den besten Ausgaben hinterliefs. Von den etwa 10 000 Bänden kommen auf das Spanische ungefähr 700 Bände, deren Benutzung Speier neben anderen Freunden auch dem Referenten mit freundlichster Bereitwilligkeit anheimgab. Von Speiers Druckschriften bespricht Herr C.: 1. *'Fern im Süd,'* eine Novellensammlung aus Pedro A. de Alarcón, O. Munilla, Francesco Fl. Garcia und Gustavo A. Bécquer. Berlin 1885. 2. Die *'Fabulas Literarias'* des Don Tomás de Iriarte. Berlin 1885. 3. und 4. *'Unverfängliche Geschichten'* mit ausgewählten Beiträgen aus der komischen Literatur von Gómez de Ampuero, Manuel Cubas, Narciso Campillo; erschienen in Ecksteins Reisebibliothek. Die sämtlichen Bände enthalten gute,, zum Teil treffliche Verdeutschungen. Auch im Prosadrama hat sich der Übersetzer versucht; mit gleichem Glück, wie z. B. *'Conjuración de Venecia'* (1310) des Martínez de la Rosa erweist, die jedoch ungedruckt blieb. — Sehr umfangreiche Manuskripte liegen vor von spanischen Lyrikern, besonders 17.—19. Jahrhunderts, in denen Speier eine aufserordentliche Belesenheit besafs und an deren formvollendeter Wiedergabe er lange arbeitete. Leider hat er das begonnene Werk nicht zu Ende führen können, das vielleicht zu einer kritischen Geschichte der span. Lyrik schätzenswertes Material geboten hätte. In der gegenwärtigen Form sind die Übersetzungen zum grofsen Teil noch nicht druckreif. Zweimal, nämlich am 8. Februar 1898 und am 8. Mai 1900, hat Herr Speier in der Gesellschaft Gedichte von Manuel. M. Flores, Acuña, Manuel de Villegas und Jorge Manrique in seiner Übersetzung vorgetragen. Referent gibt dann als Probe aus den hinterlassenen Manuskripten den sehr geschätzten *'Himno al Sol'* des Espronceda in Speiers Verdeutschung.

Herr Oberlehrer Dr. Greif wird in die Gesellschaft aufgenommen.

Sitzung vom 14. März 1905.

Der Vorsitzende macht Mitteilung von dem Ableben zweier Mitglieder, der Oberlehrer Dr. Joh. Böhm-Berlin und Dr. Reich-Gr. Lichterfelde. Die Versammlung ehrt ihr Andenken durch Erheben von den Sitzen.

Herr Münch spricht über die *'Angeleïda'* des Erasmo di Valvasono, den er als einen Vorgänger Miltons bezeichnet, womit aber nicht angedeutet sein solle, dafs M. diesem (ebensowenig wie einem der sonstigen, ziemlich zahlreichen Vorgänger in der Behandlung des Stoffes von *Paradise Lost* bezw. bestimmter Seiten dieses Stoffes) etwas für den Wert seiner eigenen Dichtung Wesentliches entlehnt habe. Diese im 18. Jahrhundert aufgetauchte Ansicht hat längst bestimmt zurückgewiesen werden müssen. Als interessant darf hier aber immerhin die Vergleichung zwischen den beiden Vertretern zweier verschiedenen Jahrhunderte, Nationen, Religionen wohl gelten. Erasmo di Valvasone hat 1523—1593 in Friaul, meist in Zurückgezogenheit auf seinem Schlosse, gelebt; 1825 ist in einer Sammlung von Werken einheimischer (Friauler) Dichter, die in Udine erschien, seine Angeleïda an erster Stelle neu veröffentlicht worden, mit einer etwas überschwänglichen Verherrlichung seines poetischen Schaffens (das übrigens u. a. auch ein schwungvolles Lehrgedicht 'La Caccia' umfaſst). In diesem Elogio wird eine Bekanntschaft Miltons mit der 1590 erschienenen Angeleïda als wahrscheinlich hingestellt, werden auch einige Mängel und Widersprüche hervorgehoben, die sich Erasmo im Unterschied von Milton nicht habe zuschulden kommen lassen. Der Vortragende gibt nun eine eingehende Analyse des (in ottave rime abgefaſsten) italienischen Epos, dessen Schwächen dabei von selbst hervortreten, während anderseits der Wohlklang der Verse, auch die gelungene Ausführung mancher einzelnen Partien Anerkennung verdient. Die Verquickung der streng kirchlich - dogmatischen Anschauungen mit antikisierenden Elementen ist für die Zeit überhaupt charakteristisch; dabei erinnert die gestaltende Phantasie Erasmos allerdings mehr an eine ältere Periode der italienischen Malerei. An Geschmacklosigkeit bietet er für unser Gefühl nicht wenig. Die seelischen Vorgänge entbehren aller Originalität und Vertiefung. Weiterhin wird dann ausgeführt, wie sehr Milton — bei gewissen, sehr erklärbaren Koinzidenzen — durch Gestaltungskraft, persönlichen Aufschwung, Weite des Gesichtskreises, auch sprachliche Originalität über seinem italienischen Vorgänger stehe, wie er es auch erreicht habe, für das kaum Abzubildende doch mitunter treffliche Bilder zu finden, und vor allem wie weit er mit der Seelenschilderung des Fürsten der gefallenen Engel die früheren Bearbeiter unter sich lasse. So führt die Betrachtung der (übrigens in Italien selbst wenig mehr gekannten) Dichtung des E. di Valvasone zu einer um so begründeteren Würdigung des groſsen englischen Sängers.

Herr Gade spricht über einige Erscheinungen aus der französischen Marineliteratur. Unter den Historikern der französischen Marine verdienen Beachtung C. Chabaud-Arnault, der eine Gesamtdarstellung der Geschichte der Kriegsmarinen (Histoire des flottes militaires) geschrieben hat, ferner E. Jurien de la Gravière, dessen Werk Les Guerres maritimes sous la République et l'Empire zu dem Besten gehört, was auf diesem Gebiet geschrieben ist; endlich Maurice Loir, dessen jüngstes Buch Études d'histoire maritime über manches, wie z. B. die Seeschlacht bei Aboukir, Napoleon I. und die Marine, Neues und Interessantes bringt.

Von Gravières obengenanntem Werk ist eine Bearbeitung für die Schule bei Weidmann erschienen.

Sitzung vom 28. März 1905.

Herr Förster sprach über Carducci und seine deutschen Übersetzer. Er gab zunächst einen Abriſs des bedeutendsten italienischen Liederdichters unserer Zeit, einen Abriſs, der zugleich dessen dichterische Eigenart begründete und seine Werke nach Form und Inhalt beleuchtete. Zugleich wies er auf C. als Gelehrten hin; der Dichter hat als solcher einen Lehrstuhl für italienisches Schrifttum in Bologna inne. Die Hymne auf Satanas ist voller Schwung der Sprache und packenden Gedankengehaltes; nur der Name ist ein Miſsgriff, und einige dunkle Stellen belasten dieses Gedicht, wie viele andere; es hatte eigentlich ein Psalm auf Phöbos Apollon werden sollen. Die letzterschienenen 'Rime et ritmi' zeigen noch keine Abnahme seiner dichterischen Kraft, wenn sie auch von Sonnenuntergangswehmut erfüllt sind; wir mögen aber noch auf manches schöne Werk des

Dichters hoffen. Carducci wird von seinem Volk nicht verstanden werden, kaum von allen Gebildeten; er geht selbstherrlich, abseits vom Volkstone, seinen einsamen Weg, wie ein Dante. Immerhin geht aber doch
manches schöne Stimmungsbild alle an und leicht bei allen ein. Leider
hat er auch Schule gemacht; doch ist er selbst frei von jenem naturalistischen 'Verismus', gesundnatürlich und dichterischnatürlich, soweit
als seine Gedichte nicht mit geschichtlichem und gelehrtem Stoffe belastet
sind. Carduccis 'Heidentum' ist nichts nur Verneinendes; es ist die Verehrung der schönen, festen, alten klassischen Form, die 'Liebe zur edlen
Natur, von der die einsame semitische Abstraktion so lange und mit so
wilder Feindschaft den Geist des Menschen abgewandt hatte'. Und es ist
die Auflehnung des plastischen, antiken 'Klassizismus' gegen die unklare
'Romantik', die Gegenwirkung gegen die verbummelte, nachlässige Dichtweise seiner Zeit. Aus dieser flüchtet er sich ins Trecento und noch weiter
zurück in die Welt der Römer und Griechen bis hinauf zum ewig jungen
Homer. Dabei ist er immer ein echtes Maremmenkind und ein Sohn
seiner Zeit geblieben. In Ergänzung des Lebensbildes wies der Vortragende die Eigenart des Dichters an einer Reihe von Stellen nach. Er kam
zum Schlusse auf die Übersetzer zu sprechen, die Frage vorausschickend,
ob — vom Schauspiel abgesehen — Übersetzungen überhaupt rätlich seien.
Dies zugegeben, mögen sie sinn-, nicht wortgetreu sein; auch das Versgetreu sei nicht notwendig. Es solle nicht an einer Einführung, an einer
Wertung des Dichters, an erläuternden Anmerkungen fehlen. Am besten
auch werde der Urtext neben die deutsche Fassung gedruckt. Von C.
liegen vor die Übersetzungen von B. Jacobson mit einer vortrefflichen
Einleitung von Hillebrand, von P. Heyse, von Mommsen und
WilamowitzMöllendorff (deutsch und italienisch), im Buchhandel
nicht erschienen; von Händler. Diese letzte ist die reichhaltigste, und
sie ist in der Hauptsache wohlgelungen. Vereinzelte Versuche haben
Jul. Schanz und Herm. Grimm gemacht.

Herr A. Tobler fügte einiges hinzu über die gelehrte Tätigkeit Carduccis, sowie über die Art, wie dieser in seinen Odi barbare antike Versbildung zu neuem Leben zu erwecken versucht hat.

Herr Direktor Dr. Werth in Potsdam hat sich zur Aufnahme gemeldet.

Sitzung vom 11. April 1905.

Herr Brandl sprach über eine neue Art, Shakespeare zu spielen.
Die heutige Bühnenkunst verwendet mit dem gröfsten Erfolg ihre Mittel,
um die Illusion bei der Darstellung der Shakespeareschen Dramen zu erhöhen. Die Volksszenen im Julius Cäsar nach Art der Meininger, die Waldszenen im Sommernachtstraum, wie sie im Neuen Theater Berlins vorgeführt werden, sind ein Beweis dafür.

Doch hatte auch die alte Bühne Shakespeares Vorzüge, die freilich seit
dem 17. Jahrhundert in Vergessenheit geraten sind, obschon der Dichter
gerade jenen Einrichtungen seine Dramen angepafst hatte.

Der Fufsboden der Bühne sprang nämlich bis in die Mitte des Parterres vor, so beim Globus-Theater und bei dem 1599 erbauten Fortuna
Theater. Das war günstig z. B. für den Sprecher eines Monologs. Auf
der hinteren Hälfte der Bühne stand nicht nur ein Balkon, sondern auf
Säulen ein hohes Fenstern versehenes oberes Stockwerk, das bald Mauerzinnen, bald Privatgemächer, bald eine Galerie für Geister darstellen konnte.
So nahm am Abend oben Julia Gift, während man unten das Hochzeitsmahl bereitete. Am Morgen oben Entsetzen, als die Dienerin Julias Tod
verkündete, während unten der Bräutigam mit Musikanten aufzog. Heute
hilft man sich hier mit Streichungen und läfst sogar den Bräutigam mit
Musikanten in das Schlafzimmer der Braut eintreten.

Leicht zu vermeiden sind auch heute die Pausen, die Sh. gar nicht kannte. In der Folio (1623) sind noch viele Stücke ohne Akt- und Szenenpausen gedruckt. Heinrich VIII. dauerte ohne Pause nur zwei Stunden. War Dekorationswechsel nötig, so wurden ein oder zwei Szenen vor dem Vorhang gespielt, der die Bühne in der Mitte teilte, also vor dem Doppelstockwerk hing. Vor dem Vorhang war eine offene Strafse, Schlachtfeld, Wald u. ä., aber nie Dekoration. Hinter dem Vorhang war immer eine bestimmte Stätte zwischen vier Wänden mit vielerlei Dekorationen. Diese hintere Illusionsbühne brauchte keine Verwandlungspausen wie bei uns, man spielte inzwischen auf der illusionslosen Vorderbühne weiter.

Das griechische Trauerspiel freilich hatte Pausen, in die es den Chor verlegte, und die Oper des 17. Jahrhunderts füllte die Pausen mit Musik aus und verschob nach der Rückkehr der Stuarts den Vorhang von der Mitte an den Vorderrand der Bühne. Hiernach wurden dann unsere Dramen, z. B. Tell, eingerichtet. Die abgeschaffte Zwischenaktsmusik war durchaus an ihrem Platze. Wollte Sh. sehr grofse Zeitabstände markieren, so liefs er wie im Heinrich V. und im Wintermärchen einen Prologredner auftreten. Bei Stücken loserer Fügung (Hamlet, Lear, Königsdrama) zerlegen die modernen Pausen die Stücke leider in eine Reihe Tableaus. Hamlet, in zwei Stunden gespielt, würde nachhaltiger wirken als in der jetzt üblichen Vorführung.

Am 29. April 1905 wird nun in Weimar eine pausenlose Aufführung Richards II. gewagt werden. Die Darsteller sind durchaus dafür, weil häufige Pausen sie oft aus der Stimmung bringen. Da eine Drehbühne in Weimar nicht vorhanden ist, wird man die Pausen durch einen Mittelvorhang beseitigen.

Im ersten Akt sitzt der König bereits auf dem Thron und ladet Bolingbroke und Mowbray nach Coventry. Vorhang fällt. Vor demselben spricht Gaunt mit einer Herzogin über eine Untat des Königs und geht dann vor unseren Augen ab. Inzwischen ist hinter dem Vorhang die Coventryszene vorbereitet. Der Vorhang geht hoch. Der König zieht ein, Turnier und Verbannung folgen. Vorhang fällt. Vorn bleibt der verbannte Bolingbroke mit seinem Vater zurück.

So wirkt der erste Akt konzentrischer, die Hauptszenen treten mehr ins Licht, die Sympathieszenen in den Schatten.

Im zweiten Akt vorn Gespräch des Königs mit seinen Günstlingen. Sie treten ab. Vorhang geht hoch. Richard II., der auf den Besitz des sterbenden Gaunt Hand legt.

Vorhang fällt: Gaunts Freunde planen den Aufstand. Vorhang hebt sich: Die Königin redet mit den Günstlingen. Vorhang fällt: Lagerszene, die Königlichen auf der einen Seite, Bolingbrokes Leute auf der anderen. Vorhang weg: Der König in Schlofs Flint, steigt hinab zu den Aufrührern, wird abgeführt.

Vorhang fällt: Königin und Gärtner. Hinten wird die Westminsterhalle vorbereitet, in der die Abdankung (vierter Akt) erfolgt.

Der Schlufsakt braucht drei Szenen mit Dekoration, daher vor jeder Hauptszene (Bolingbroke als König — Richard im Kerker — Bolingbroke auf dem Thron) einige Aktionen vor dem Vorhang.

In England hat man seit einigen Jahren zwar Versuche gemacht, die Pausen auszuschalten, aber die Vorhangsgesetze nicht beobachtet; daher kam kein Vorteil heraus.

Auch Drehbühnen haben nicht leisten können, was Sh. verlangte. In neuester Zeit beschäftigen sich die amerikanischen Universitäten gleichfalls mit dem Problem der Shakespeareaufführungen. —

Herr Cornicelius sprach über George Sands soziale Romane. Die Scheidung der Romane George Sands in vier Gruppen, neuerdings in der literarhistorischen Betrachtung fast allgemein angenommen, wird mit

Unrecht hier und da (so von Karénine, von Leblond, Revue de Paris,
1. Juli 1904) angegriffen; sie ist im wesentlichen wohlbegründet. Die
sozial-humanitäre Gruppe, hauptsächlich vertreten durch Le Compagnon
du tour de France, Le Meunier d'Angibault, Le Péché de Monsieur Antoine,
steht bei den Franzosen nicht in besonders gutem ästhetischem Ruf. Sieht
man diese Romane vor allem auf den charakteristischen Teil ihres Inhalts
an, so ist am wichtigsten der zuletzt (1847) erschienene: Le Péché de Monsieur Antoine. Der von dem gut gezeichneten industriellen Unternehmer
Cardonnet vertretenen praktisch materiellen, rationell egoistischen Lebens-
auffassung stellen sich in dessen Sohn Émile, dem Marquis von Boisguil-
baut und dem Grafen Antoine von Châteaubrun und seiner Umgebung
Idealisten verschiedener Schattierung gegenüber. Émile Cardonnet, der
seinem Vater vergeblich den, wie er überzeugt ist, sicheren praktischen
und ideellen Erfolg eines kommunistisch betriebenen Fabrikunternehmens
ausmalt, findet ganz unverhofft in dem letzten Abkömmling eines alt-
adligen Geschlechts einen ausschweifenden theoretischen Kommunisten, der
ihn als sozialpolitischen Sohn und Erben adoptiert und ihm Grundbesitz
und reiche Geldmittel zu dem praktischen Versuch einer landwirtschaft-
lichen Kommunegründung hinterläfst. — Dieselben kommunistischen Ideen,
die hier breiter vorgetragen sind, künden sich in dem zwei Jahre älteren
Roman: Le Meunier d'Angibault (1845), schon an, und auch dem Helden
in Le Compagnon du tour de France (1840) schwebt einmal eine gemein-
nützige Verwendung ihm zugedachten Reichtums im Sinne Émile Car-
donnets vor. Sonst aber handeln beide Romane hauptsächlich von der
sozialen Verwerflichkeit des Reichtums. In Le Compagnon du tour de
France ist die Schilderung der französischen Gesellenbünde jener Zeit
kulturgeschichtlich von Wert. Der Titel bezeichnet ein Mitglied eines
Gesellenbundes, das Frankreich durchwandert hat. *Le tour de France*
scheint aber auch die Gesamtheit der in der Wanderbewegung begriffenen
verschieden inkorporierten Handwerksgesellen zu bedeuten (vgl. Bd. I 79.
92). — George Sand hat auch in der Journalistik für ihre sozialen Ideen
eifrig gearbeitet, bis zu den Junitagen 1848. Dann schied sie aus der
kämpfenden Opposition, ohne wesentlich ihre Gesinnung zu ändern. Ihre
guten Beziehungen zu Napoleon benutzte sie, um das Schicksal politisch
Verfolgter, soviel sie vermochte, zu mildern.

Sitzung vom 25. April 1905.

Herr Splettstöfser spricht über Ada Negri. Der Vortragende
schildert die norditalienischen Industrie- und Arbeiterverhältnisse, das
Milieu, in dem Ada Negri geboren und aufgewachsen ist. Ihr Lebenslauf
offenbart ihre Abhängigkeit von dieser Umgebung, ihr Ringen und Streben darüber hinaus. Aus diesen Faktoren erwächst ihre Dichtung, deren
Grundthema der Gegensatz zwischen Individuum und Gesellschaft ist. Wie
der Russe Gorki, weiht sie den unteren Volksklassen ihr Mitleid und ihre
Hoffnung. Die Propaganda für ihre Erhebung gründet sie auf die Mutter-
schaft, die allen Menschen heilig ist. In ihrem Zeichen sind alle Menschen
gleich; vor ihr verschwinden die trennenden Gegensätze, und es wird möglich die Rückkehr zur Natur, die Rückkehr zur Einfachheit und Menschen-
liebe, wie sie einst das Evangelium gepredigt hat. — Der Vortrag einiger
Gedichte in Hedwig Jahns Übersetzung erläuterte das Gesagte.

Herr A. Tobler setzte die früher (in den Sitzungen vom 21. April
und 19. Mai 1903) gegebenen Mitteilungen aus den in seinem Besitze befindlichen Briefen Gaston Paris' an Friedrich Diez fort und begleitete sie
mit den zu völligem Verständnis nötig scheinenden Erläuterungen. Das
Ganze soll demnächst im Archiv veröffentlicht werden.

Herr Oberlehrer Düvel wird in die Gesellschaft aufgenommen.

Sitzung vom 16. Mai 1905.

Der Vorsitzende macht Mitteilung von dem Tode des Mitgliedes der Gesellschaft, Oberlehrers Karl Falck. Die Anwesenden ehren sein Andenken durch Erheben von den Sitzen.

Herr Lamprecht spricht über Hanotaux, *Histoire de la France contemporaine*, Band 2. Er enthält in Kap. 1—9 die Politik vom 24. Mai 1873, die moralische Ordnung, die monarchischen Bestrebungen, die Zusammenkunft der Grafen v. Chambord und des Abgesandten Chesnelong in Salzburg am 14. Oktober, den Brief des Grafen vom 27. Oktober, die Festlegung des Septennats für den Präsidenten, das zweite Ministerium Broglie, in dem der Herzog Decazes das Äußere, jener das Innere hatte, den bewaffneten Frieden und den Kulturkampf und den Sturz von Broglie am 16. Mai 1874.

Über Quellensammlung, Auffassung und Darstellung ist dasselbe zu sagen wie über den ersten Band (siehe *Archiv* CXIV, 173). Von bisher ungedruckten Quellen sind zu nennen die Memoiren von Mac Mahon, Aubry und dem Grafen von Paris, die Erinnerungen von dem Vicomte d'Harcourt, dem Grafen de Vaussey, die Briefe des Herzogs Decazes und des Generals le Flô, der Briefwechsel von Taine u. a. Eingehende, zum guten Teil auf persönlicher Bekanntschaft beruhende und deshalb treffende Charakteristiken finden sich von Mac Mahon, Herzog de Broglie, Gambetta, Herzog von Audiffret-Pasquier, Laboulaye und dem Herzog Decazes.

Die Kapitel 10—13 behandeln die Wiederaufrichtung Frankreichs und das Emporkommen des republikanischen Staatsform, den Stand der Literatur, der Künste und Wissenschaften, die sittliche Krisis in jener Zeit. Wenn die ersten neun Kapitel den Geschichtsforscher interessieren, so fesselt das zehnte besonders von der volkswirtschaftlichen und der gesellschaftlichen Seite. Das elfte ist für die Lehrer des Französischen das wichtigste, denn darin wird behandelt der nachwirkende Einfluß von V. Hugo, Michelet, Balzac und G. Sand, der Einfluß des Krieges auf Philosophie und Geschichtsforschung, auf das Theater, den Roman, die Literatur über die Neuordnung des Staates, die gelehrte und Gelegenheitsliteratur in Büchern und Zeitschriften, sowie endlich die Presse. Im zwölften findet sich Baukunst, Bildhauerkunst und Malerei, sowie Musik; unter den Wissenschaften besonders die recht eigentlich modernen, nämlich Physik, Chemie, Elektrizität und Anthropologie. Das letzte, am schwersten zu verstehende wird besonders den Geschichtsphilosophen anziehen. Wie der erste Band, so verdient auch dieser für die Bibliotheken der Realgymnasien und Oberrealschulen die allerwärmste Empfehlung.

Sitzung vom 26. September 1905.

Der Vorsitzende, Herr Adolf Tobler, dankt in dieser ersten Sitzung nach den Ferien der Gesellschaft für die Ehrungen zu seinem 70. Geburtstage, besonders für die literarische Festgabe, die recht verdienstliche und wertvolle Arbeiten enthalte.

Sodann macht er Mitteilung von dem Ableben des Ehrenmitgliedes der Gesellschaft, Hofrats Mussafia in Wien, der erst im Februar dieses Jahres seinen 70. Geburtstag gefeiert und nach Aufgabe seiner Lehrtätigkeit sich nach Florenz zurückgezogen habe. In Spalato als Sohn eines Rabbiners geboren, studierte er zuerst Medizin und trat dann zum Katholizismus über, um eine öffentliche Stellung einnehmen zu können. Wie Frl. Elise Richter in den zu seinem letzten Geburtstage herausgegebenen 'Bausteinen zur romanischen Philologie' nachgewiesen habe, seien von ihm nicht weniger als 336 Arbeiten erschienen, die nicht nur von großer Gewissenhaftigkeit und Feinheit in der Form, sondern auch von erstaunlicher

Vielseitigkeit zeugten; mit Ausnahme vielleicht des Rhätoromanischen habe er alle romanischen Dialekte in gleich eingehender Weise behandelt. Seine Hauptarbeiten sind die über die Legenden vom Kreuzesholz und von den Wundern der Jungfrau Maria. Eine Sammlung altfranzösischer Legenden in Prosa, die er begonnen hat herauszugeben, wird wahrscheinlich nicht vollendet werden. Am meisten Verbreitung fand seine Italienische Grammatik; aber sie hat am wenigsten Wert.

Auch ein ordentliches Mitglied der Gesellschaft ist gestorben: der Buchhändler Albert Cohn, der das 77. Lebensjahr erreicht hat. 22 Jahre war er Besitzer der Firma Asher, beschäftigte sich aber seit 1874 mit dem Antiquariat und lebte in den letzten Jahren ausschliefslich wissenschaftlicher Tätigkeit. Namentlich seine bibliographischen Studien über Shakespeare und sein Buch 'Shakespeare in Germany' sind sehr geschätzt. — Die Gesellschaft ehrt das Andenken beider Herren durch Erheben von den Sitzen.

Herr Münch spricht über *Die Gestalt des Aufidius in Shakespeares Coriolanus*. Im 'Coriolanus' spiegelt sich der Charakter des Helden auf mannigfache Weise in den umgebenden oder gegenüberstehenden Gestalten. Dabei ist aber die Auffassung dieser Gestalten und dessen, was sie dem Helden gegenüber bedeuten sollen, bei den Beurteilern vielfach ungleich. Dies kann schon für Menenius gelten oder für Volumnia, gilt aber am meisten für Tullus Aufidius. Vorwiegend handelt es sich um die Frage: Ist A. wesentlich als haltlose oder als tückische Natur aufzufassen? Das letztere ist namentlich die Überzeugung von Oechelhäuser. Zugleich hat Bulthaupt an der Zeichnung der Gestalt durch den Dichter viel auszusetzen. Unter anderem wird die nötige Vollständigkeit des Bildes vermifst und in der zum Schlufs geäufserten 'rapiden und wohlfeilen' Reue ein technisch-psychologischer Mangel gefunden. Oechelhäuser anderseits sucht zu beweisen, dafs der bei der Aufnahme des verbannten Coriolan an den Tag gelegte Edelmut des Aufidius als durchaus erheuchelt aufgefafst werden müsse. Der Vortragende findet, dafs Shakespeare in allem Wesentlichen einfach der Charakterschilderung seiner Quelle, des Northschen Plutarch, gefolgt sei und diese Schilderung nur ausgeführt und vertieft habe, dafs das Charakterbild des A. durchaus vollständig und deutlich genug sei, und er charakterisiert diese Gestalt schliefslich durch eine Zusammenstellung mit derjenigen von König Richard II. Entgegengesetzte Stimmungen streben auch bei jenem rasch zu mafslosem Ausdruck, eine überleicht erregte Phantasie übt eine starke Herrschaft über das Fühlen und Wollen, starker Stimmungsumschlag liegt niemals fern, und das empfindlichste Selbstgefühl wird zugleich zur Qual und zur Versuchung. Des Aufidius Wesen und dasjenige Coriolans treten auseinander wie starre Stetigkeit und lockere Unstetigkeit, wie anspruchsvoller Stolz und empfindlicher Ehrgeiz, wie Übermenschentum und Grofsmannssucht.

Herr Rudolf Tobler erstattete einen Bericht über den Ferienkursus, der im August 1905 in Edinburg stattgefunden hat. Der Leiter des Kursus war der im englischen Unterricht wohlerfahrene Professor Kirkpatrick, die Universität hatte die Räume, auch ihre Bibliothek nebst Lesesaal dazu hergegeben. Unter den englischen Vorlesungen war besonders zu rühmen die des Herrn Jack (*Tennyson and Browning*) und die von Herrn Professor Kirkpatrick (*English Language and Grammar*), letztere für Ausländer besonders wichtig durch die Anführung und Erklärung zahlreicher idiomatischer Ausdrücke. In englischer Sprache waren ferner Vorlesungen über Phonetik (Prof. Sweet), über Unterrichtsmethode (Mifs Robson, Direktor Walter), zwei Vorlesungen geschichtlichen Inhalts, zwei astronomische Vorträge, ein Vortrag über Alt-Edinburg und einer über die letzte englische Südpolfahrt. Neben den englischen Vorlesungen, die im ganzen 47 Stunden füllten, waren praktische Kurse zu je 15 Stunden eingerichtet in

Gruppen von 10—12 Mitgliedern, wo Aussprache sowie mündlicher und schriftlicher Ausdruck geübt wurde; hier machte sich die Ungleichheit der Vorbildung sehr unangenehm fühlbar. Neben den Vorlesungen gingen einher Rezitationsabende, gesellige Abende mit Deklamationen und Ausflüge. Da die Kurse hauptsächlich für Engländer und Schotten bestimmt waren, fand sich auch bei den letzteren viel Gelegenheit, Englisch zu hören. Auf den französischen und den deutschen Kursus, der neben dem englischen stattfand, geht der Vortragende nur kurz ein. Er rühmt zum Schluſs die reiche Anregung, die die verschiedenen Vorlesungen gegeben haben und bedauert nur die Häufung der phonetischen Vorlesungen und die unzweckmäſsige Anordnung der praktischen Übungen.

Herr Borbein meint, es wäre ihm interessant gewesen, allgemeine Bemerkungen über die Beziehungen zwischen den einzelnen Studenten zu hören. Er selber habe vor einigen Jahren längere Zeit in Edinburg verbracht, in einer Art studentischer Gemeinschaft, habe sich zwar körperlich und wirtschaftlich durchaus wohl gefühlt, es sei ihm aber nicht gelungen, in Beziehungen zu den englischen Studenten zu treten. Man habe ihn zwar nicht belästigt, aber auch nicht gefördert. — Herr R. Tobler sowie Herr Hahn und Herr Mangold stellen nach ihren Erfahrungen in Edinburg und Cambridge fest, daſs sie stets das liebenswürdigste Entgegenkommen und den denkbar besten Anschluſs gefunden hätten.

Sitzung vom 10. Oktober 1905.

Der Vorsitzende, Herr Adolf Tobler, macht Mitteilung von dem Tode des Mitgliedes Herrn Sohier. Die Gesellschaft ehrt das Andenken des Dahingeschiedenen durch Erheben von den Sitzen.

Herr Cornicelius sprach über Cormenin. C. ist, wie P. L. Courier für die Zeit der Restauration, für die Julimonarchie der charakteristische Pamphletist; charakteristisch Courier gegenüber auch darin, daſs er, wie überhaupt groſsenteils die französische Literatur jener zwei Jahrzehnte nach der Julirevolution, viel nachlässiger, unkünstlerischer in der Form ist, mit viel gröberen Mitteln nur auf den nächsten Effekt hin arbeitet. So hat ihn Sainte-Beuve schon 1843 (*Portraits contemporains* III 406 ff.) literarisch neben und unter P. L. Courier gestellt. — 1788 in Paris geboren, diente C. Napoleon und dann den beiden Bourbonenkönigen der Restauration im Staatsrat und gelangte als Jurist zu verdientem Ansehen durch sein Werk über das französische Verwaltungsrecht (1822). Ludwig XVIII. machte ihn zum Baron, Karl X. zum Vicomte und Majoratsherrn. In die Deputiertenkammer trat er 1828, aber erst seit 1830 mischte er sich anhaltend und gleich mit lautem Lärm in die politischen Tageskämpfe. Zu allgemeiner Überraschung vertritt er jetzt, auf dem Grunde der Volkssouveränität und der anderen Hauptlehren des Contrat social, die extremsten Forderungen der radikalen Demokratie: vor allem ein unbeschränktes allgemeines gleiches Wahlrecht und unbeschränkte Preſsfreiheit. Aufs heftigste, ohne irgendwelche Rücksicht greift er dann die für König Louis Philipp geforderten Staatsaufwendungen an, später (1837 und 1840) die Apanage- und Dotationsforderungen für den Herzog von Nemours; mit offenbarem Erfolg in den beiden letzten Fällen, nicht nur bei der mit Schmeichelei von ihm überhäuften Masse des Volkes. Wie er damals auch literarische Schule gemacht hat, läſst sich in den Pamphleten Claude Tilliers nachweisen. — Unter Cormenins übrigen Schriften am wichtigsten und von französischen Historikern noch benutzt sind die zumeist witzig boshaften Charakteristiken franz. Parlamentsredner besonders der Julimonarchie, denen er in den späteren Ausgaben den anspruchsvollen Titel *Livre des orateurs* gab; hier hat er an dem Deutschen Rudolf Haym ('Reden und Redner des ersten preuſsischen Vereinigten Landtages') einen Nachahmer. Viel geringer an Wert sind die *Entretiens de village*, welche die mannigfaltigsten Reformen der Zustände auf dem französischen Lande vorschlagen. — Als gläubiger Katholik und scharfer Verteidiger der Ansprüche des ultramontanen franz. Klerus verlor C. gegen Ende der Julimonarchie eine Zeitlang die Volksgunst, spielte aber in den ersten Monaten nach der Februarrevolution wieder unter den radikalen Republikanern eine wichtige Rolle. Mit dem zweiten Kaiserreich, unter dem er wieder in den 1830 von ihm verlassenen Staatsrat trat, söhnte er sich trotz der mangelnden Freiheiten aus, da er es durch das Plebiszit auf das Prinzip der Volkssouveränität gestellt fand. 1868 ist er gestorben. Historisch bleibt er von Bedeutung als der wirksamste unter den Publizisten, die nach 1830 das monarchische Gefühl in den breiten Schichten des franz. Volkes von Grund aus zu vernichten begannen.

Herr Adolf **Tobler** hebt hervor, wie Hervorragendes die Franzosen in der politischen Beredsamkeit, der Journalistik und Pamphletistik geleistet haben; P. L. Courier ist der glänzendste Vertreter dieser Gattung; es würde sich wohl lohnen, auch manches davon im Unterricht zu verwerten.

Herr **Ludwig** spricht im Anschluß an Rennert, *The Life of Lope de Vega*, über die Jugend des spanischen Dichters. Der Vortragende zeigt, wie die bisherigen biographischen Quellen durch die kürzlich veröffentlichten Akten des Beleidigungsprozesses eines Theaterdirektors gegen Lope berichtigt werden, und gibt dann eine Darstellung des Verhältnisses Lopes zu Elena Osorio (der Dorotea und Filis seiner Werke) und zu Isabel de Alderete (Belisa), seiner späteren Gattin. Es wird dargelegt, wie diese Liebeswirren in der Romanzendichtung Lopes ihre poetische Widerspiegelung finden, und der Versuch wird gemacht, Lopes Verhalten aus seinem Charakter heraus zu verstehen. — Der Vortrag wird in der Sonntagsbeilage der Vossischen Zeitung erscheinen.

Herr **Werner** sprach über: Besson, *Schiller et la littérature française*. Nach einigen einleitenden Bemerkungen über die Rolle, die Schiller in Frankreich gespielt hat und spielt, wandte sich der Vortragende den Untersuchungen Bessons zu. Der französische Literarhistoriker will zeigen, wie die franz. Literatur auf Schiller gewirkt, was er von ihr gehalten, was er ihr verdankt hat. An zahlreichen Beispielen wurde dies im einzelnen dargetan. Der Verfasser kennt Schiller sehr gut; er tritt ihm im allgemeinen durchaus unparteiisch entgegen, und so können wir Deutschen ihm für seine kleine Jubiläumsgabe (die Schrift ist die Erweiterung einer Conférence, die Besson am 9. Mai d. J. an der Universität Grenoble gehalten hat) nur dankbar sein.

Herr Dr. Kurt **Mehnert** hat sich zur Aufnahme in die Gesellschaft gemeldet.

Sitzung vom 24. Oktober 1905.

Herr **Mangold** spricht über einige Shakesperestellen und ihre Vorlagen im Anschluß an den Aufsatz von E. A. **Sonnenschein** (University Review, May 1905): *Shakespere and Stoicism*, in welchem der Verfasser nachweist, daß die berühmte Stelle über die Gnade im Merchant of Venice: *The quality of mercy is not strained* durch **Senecas** *De clementia* beeinflußt ist, insbesondere: *It is twice blessed* etc. durch I, 9 contendamus utrum etc.; *'Tis mightiest* etc. durch I, 19. 1; *It becomes* etc. durch I, 3. 3 und I, 19. 1; *But mercy is above* etc. durch I, 7. 2; *And earthly power* etc. durch Non proximum eis etc. I, 19. 9; *Consider this* etc. durch Cogitato etc. I, 6. 1. Auch in anderen Dramen zeigen sich Spuren desselben Traktates von Seneca. Da die erste englische Übersetzung von De Clementia 1614 erschien, kann Sh. nur aus dem lateinischen Original geschöpft haben. — Ferner weist Sonnenschein nach, daß die Stelle des J. Caesar V, 1:

> Even by the rule of that philosophy
> By which I did blame Cato for the death
> Which he did give himself ...

auf einem Fehler in Norths Plutarchübersetzung beruht. Die Stelle ἐν φιλοσοφίᾳ λόγον ἀφῆκα μέγαν heifst bei Amyot: *je feis un discours de philosophie,* und dies gibt North fälschlich wieder mit: *I trust a certain rule of philosophy, by the which I did greatly blame Cato.* Während also bei Plutarch Brutus als Jüngling gegen den Selbstmord spricht und später sich für ihn erklärt, hat der Fehler von North Shakespere veranlafst, Brutus in dem Drama selbst hin- und herschwanken zu lassen.

In der sich daranschliefsenden Erörterung sprechen die Herren Penner und Tanger Zweifel an dem direkten Zusammenhang mehrerer Stellen mit der Vorlage aus. Herr Mackel zweifelt überhaupt an der Übereinstimmung des Dichters mit Seneca und Horaz; die klassischen Philologen hätten die Tendenz, den neueren Dichtern keine selbständigen Gedanken zu lassen. Herr Brandl führt aus, dafs Collins' Versuch, Shakesperes Abhängigkeit von griechischen Autoren nachzuweisen, zwar zurückzuweisen, dafs aber seine Übereinstimmung mit den zu seiner Zeit so viel gelesenen lateinischen Schulautoren wie Seneca und Horaz nicht zu leugnen sei. Bei allen Schriftstellern der Elisabethischen Zeit sind aufserordentlich viele Stellen vorhanden, die alle auf lateinische Vorlagen zurückgehen; nicht immer direkt, aber sie waren eben durch die Schullektüre verbreitet. Die Abhängigkeit Shakesperes von Horaz ist übrigens sicher gröfser als man glaubt; eine nähere Untersuchung würde das erweisen (vgl.-*Archiv* CXV, 483).

Herr Adolf Tobler bespricht einige Erscheinungen in der neufranzösischen Grammatik: Die Verneinung in rhetorischer Frage, wo *pas* oder *point* nicht steht, und die Wendung: *n'était ... (n'étaient),* wenn nicht gewesen wäre ... für *n'eût été,* synonym mit *sans.* Im Altfranzösischen steht das imparfait du subjonctif: *ne fust ...* Der Vortrag wird im Druck erscheinen (in den Sitzungsberichten der Königl. Akademie der Wissenschaften).

Herr Direktor Dr. Prollius-Jüterbog hat sich zur Aufnahme gemeldet.

Sitzung vom 14. November 1905.

Herr Roediger sprach über den Plan einer Hamburger Universität. Er schilderte das Anwachsen der reichentwickelten Vorlesungen in Hamburg, die 1. öffentliche und jedermann zugängliche sind, 2. Fortbildungskurse, 3. Übungen und Praktika. Sie in einer Universität zusammenzufassen, ist ein alter Wunsch, für den eine jüngst erschienene Broschüre von Dr. F. Sieveking (Die Hamburger Universität. Ein Wort der Anregung) von neuem eintritt. Sie besteht im wesentlichen aus einem Gutachten des Herrn Dr. Hugo Münsterberg, Professors der Philosophie an der Harvarduniversität. Er geht von der gänzlich irrigen Ansicht aus, dafs der Studierte auf den Kaufmann geringschätzig hinabschaue, dafs dieser, der Kaufmann, um in der allgemeinen Schätzung gehalten zu werden, auch studiert haben müsse, und zwar an einer Universität. Sie soll aber auch denen offen stehen, die nur das Einjährigenzeugnis erworben haben, und in einen Unter- und Oberkurs zerfallen. Nach Absolvierung des ersten wird man auf eine Prüfung hin Meister — der Kaufmann Kaufmeister, der Landmann Landmeister; zu dem sich anschliefsenden Oberkurs werden nur Studierende mit dem Abiturientenzeugnis zugelassen, die den Doktortitel erwerben können. Über jede Vorlesung wird am Schlufs des Semesters ein schriftliches Examen abgelegt. Aufserdem empfiehlt Herr Münsterberg Einteilung des Studienjahres in vier Vierteljahre, wovon eins nach freier Wahl Ferienzeit, Konvikte usw., möchte auch seine Universität um die technischen Wissenschaften vermehren, während er auf die theologische Fakultät verzichten will. Dafs die alten Universitäten sich nach diesem Muster umbilden werden, hofft er. Der Vortragende nicht. Er kann in der Schöpfung einer neuen Klasse studierter Kaufleute neben den unstudierten keine Ausgleichung der Standesunterschiede erblicken, verwirft die ungeheure Steigerung des Examenwesens mit ihrer Bevormundung der Studenten, und weist auf den Zeitverlust hin, den die Zulassung des Sekundaners zu den Vorlesungen für den Abiturienten bringen mufs, da sie doch für das Verständnis des ersteren einzurichten sind. Man vermische nicht die verschiedenen Bildungsanstalten, sondern trenne sie nach Vorbildung und Zielen der Besucher, was für die älteren eine Fort- und Umbildung nach den Ansprüchen der Gegenwart und der Praxis nicht ausschliefst. Für Hamburg würde selbst die moderne Münsterbergsche Anstalt kaum alles das bieten können, was man dort nach Ausweis der Vorlesungsverzeichnisse wünscht und braucht.

Herr Carel berichtet über Gaspar Nuñez de Arce. Da der Vortragende an anderer Stelle ausführlicher über den Dichter gesprochen hat, beschränkt er sich auf eine kurze Darstellung der beiden Hauptepochen seines Lebens. Nämlich der am 4. Juni 1903 zu Madrid verstorbene Verfasser der 'Gritos del combate' ist nicht blofs dichterisch tätig gewesen, er hat sich auch seit seinem 31. Lebensjahre (1865) lebhaft an der politischen Entwickelung Spaniens beteiligt, ist auch bis zu Ende der von ihm gegründeten Fortschrittspartei treu geblieben. Seitdem er ein Mandat für Valladolid angenommen (1865), beginnt die unruhige Zeit politischer Kämpfe, in denen er die Prinzipien des partido progresista mit Ehren verfocht und zu hohen Staatsämtern gelangte. Präsidentschaftssekretär der radikalen Regierung nach dem Staatsstreich von 1874, nahm er 1883 unter Sagasta das Ministerportefeuille der überseeischen Kolonien an. Doch kam er nicht zur Ruhe, bis er auf die ideale Verwirklichung seines Parteiprogramms verzichtete, etwa 1885. Was der Politiker aufgab, gewann der Dichter. Dieser zweiten Epoche gebören seine besten und reifsten dichterischen Leistungen an, die ihn bis zu seinem Tode beschäftigen. Seine Dichtungen sind aufserordentlich verbreitet.

Der Vortragende gibt eine kurze Übersicht der Werke, die den Dichter vornehmlich als Lyriker kennzeichnen. Denn abgesehen von den Komödien vor 1865, in denen er sich Ayala und Tamayo anzuschliefsen scheint, ist nur das Drama 'El Hax de leña' zu nennen, das Menéndez y Pelayo günstig beurteilt. Berühmt und allgemein geschätzt wurde der Dichter mit einem Schlage durch die zuerst Madrid 1875 erschienenen und seitdem oft wiederholten 'Gritos del combate'. Von späteren lyrischen und epischen Gedichten sind zu nennen: die sehr geschätzte und oft wiederholte La ultima lamentacion de Lord Byron; La Visión de Fray Martin; Maruja; ¡Sursum corda! La Pesca; Un Idilio y una Elegia; endlich La Selva oscura. Besonders schätzenswert sind die Poemas cortos, aus denen der Vortragende den Sonettenkranz 'El primero beso de amor' in eigener Übertragung vorlegt. Der Zyklus, interessant als ein Stück Lebensgeschichte aus der Feder des Dichters selbst, erinnert durch die Innigkeit des Gefühls und die feine psychologische Zeichnung an die edelsten Töne von Geibel und Rückert.

Herr Mackel bespricht in eingehender Weise die in diesem Jahre erschienene Franxösische Stilistik für Deutsche von Clemens Klöpper und Hermann Schmidt und weist nach, dafs sie weder nach Einteilung, Anordnung und Stoffauswahl, noch nach der Ausführung im einzelnen den Anforderungen entspricht, die an eine Französische Stilistik zu stellen sind.

Herr Adolf Tobler betont, dafs immer wieder die Frage erörtert werden müsse: Was ist Stil? aber nicht in dem Sinne, den Buffon dem

Worte gibt. Die Verfasser der modernen Bücher über Stilistik, wie Franke und Klöpper, besprechen zu viel Dinge, die ins Wörterbuch gehören, während in Wirklichkeit bei dem Stil nur zu erörtern sind: 1. das Tempo, 2. die Linie, 3. die Sphäre der Gedankenbewegung.

Herr Gade bemerkt, dafs auch er das Klöppersche Buch mit Enttäuschung gelesen habe. Uns fehle vor allem ein Buch, das eine Methodik des französischen Aufsatzes liefere und dem Lehrer für die Besprechung und Vorbereitung der Aufsätze und freien Arbeiten zur Verfügung stehe. Das wertvollste in dieser Beziehung sei noch immer Ulbrichs Stilistik, so kurz sie auch sei. Es empfehle sich derartiges als Thema für eine wissenschaftliche Beilage zu einem Jahresbericht, wie es z. B. von Reum in seinen Stilübungen, einer Beilage zum Bericht des Vitztumschen Gymnasiums in Dresden, geschehen sei.

Der Vorstand der Gesellschaft für 1906 wird neugewählt. Da Herr Adolf Tobler endgültig auf eine Wiederwahl verzichtet, wird Herr Mangold zum ersten, Herr Risop zum zweiten Vorsitzenden gewählt; erster Schriftführer bleibt Herr Penner, zweiter wird Herr Hahn; erster Schatzmeister bleibt Herr Pariselle, zweiter wird Herr Werner.

Herr Direktor Prollius-Jüterbog wird in die Gesellschaft aufgenommen.

Herr Lektor Sefton Delmer und Herr Oberlehrer Dr. Platow-Zehlendorf haben sich zur Aufnahme gemeldet.

Sitzung vom 28. November 1905.

Herr Risop spricht über Folkloristisches. Er vergleicht den aus den altfranzösischen Epen bekannten sarrazenischen Brauch, behufs Bekräftigung eines Versprechens oder eines Eides an den Zahn zu pochen, mit einer in den unteren Schichten des französischen Volkes heutzutage bei ähnlicher Gelegenheit anzutreffenden Sitte, den Nagel des Daumens mit den Zähnen derartig in Berührung zu bringen, dafs sich eine Art schnalzenden Geräusches ergibt (faire claquer l'ongle de son pouce sur ses dents). Der Vortragende hält die Annahme für erlaubt, dafs in beiden Fällen der Beteuernde andeuten wolle, dafs seine Zuverlässigkeit ebensowenig zu bezweifeln sei wie die Festigkeit und die Widerstandskraft der bei der Gebärde doch wohl zunächst in Betracht kommenden vorderen Schneidezähne. Sprichwörtliche Wendungen gleichen Sinnes seien äufserst selten, um so häufiger finde man aber solche, die in bildlicher Weise die Unzuverlässigkeit und Aussichtslosigkeit eines Verhaltens oder Tuns zu veranschaulichen versuchen.

Herr Risop bespricht alsdann unter Vorlegung der vom Kunstwart in der Reihe seiner Meisterbilder veröffentlichten Wiedergabe Hans Burgkmairs Helldunkelblatt *Der Tod als Würger*, und kommt zu dem Schlusse, dafs hier ein ganz anderer Vorgang künstlerische Gestalt angenommen habe, als man, wohl mit Hinblick auf die freilich nicht auf die Dauer irreführende Benennung des Bildes, bisher allgemein zu glauben scheine. Das alle technischen Merkmale des Einflusses der italienischen Renaissance an sich tragende Blatt bewege sich auch inhaltlich durchaus auf dem Boden der romanischen Gedankenwelt. Das zeige nicht nur die sich auf den scheinbar vorhandenen etymologischen Zusammenhang von *mors* und *mordere* gründende Tatsache, dafs der Tod sich bei der Ausübung seiner mörderischen Tätigkeit der Zähne bedient, sondern werde auch nahegelegt durch die Manipulation, die er mit dem bereits niedergestreckten Krieger vorzunehmen im Begriff ist. Eine eingehende Prüfung der Körperhaltung und der Bewegungen der Todesgestalt läfst erkennen, dafs hier von einem Würgen nicht die Rede sein kann; alles deute vielmehr darauf hin, dafs der Tod seinem Opfer die Seele aus dem Leibe ziehe, weil sie nicht frei-

willig aus ihrer körperlichen Hülle zu scheiden gesonnen sei, und gerade
dieser Vorgang, der mit dem von dem Tode in manchen romanischen
Totentänzen angedrohten gewaltsamen Verfahren in Einklang stehe, lasse
sich, wenn auch recht selten, in eng verwandter Form innerhalb der französischen und italienischen Visionsliteratur nachweisen.

Eine Äußerung des der zweiten Hälfte des 12. Jahrhunderts ange-
hörigen altfranzösischen Dichters Aimon de Varennes über die Nachtigall,
dahingehend, daß sie mit ihrem Singen nicht nur erfreuen wolle, sondern
den Nebenzweck verfolge, ihr Nest zu schützen, gibt dem Vortragenden
Anlaß, den volkstümlichen Überlieferungen nachzugehen, die ein Verständnis für diese seltsame Vorstellung zu vermitteln geeignet sind. Er
berührt zunächst die Versuche mancher Vögel, ihre Feinde durch List
aus der Nähe ihres Nestes zu entfernen, oder dasselbe so anzulegen, daß
es den Blicken der Verfolger verborgen bleibt, und bespricht die Ursachen,
die nach volkstümlichen Vorstellungen den Vogel zu solchem Verfahren
bewegen. Näher verwandt mit der bei Aimon wiederklingenden Anschauung
erweise sich die schon in allen französischen Sammlungen auftauchende
Fabel von der Nachtigall und dem Habicht (bei Lafontaine 'Le Rossignol
et le Milan' überschrieben), und noch näher stehe die dem Vortragenden
schon aus dem 13. Jahrhundert bekannt gewordene Sage von den Ranken,
die die schlafende Nachtigall zu umschlingen trachten, oder die von der
Blindschleiche, die aus Rache für erlittene Unbill die schlafende Nachtigall
bedroht und nach einer deutschen Fassung dauernd die Absicht hegt, sich
an ihrer Brut zu vergreifen. In diesen letzteren Fällen sucht sich die
Nachtigall den Nachstellungen ihrer Feinde dadurch zu entziehen, daß
sie, um nicht einzuschlafen, die ganze Nacht hindurch singt; und dieser
Sorge gibt denn auch der verschiedenartige Wortlaut Ausdruck, den das
Volk in verschiedenen Gegenden Frankreichs ihrem Gesange als Text
unterzulegen pflegt. Der Vortragende schließt mit einem kurzen Blick
auf verschiedene Eigenheiten, die das Volk im Widerspruch zu der der
Nachtigall sonst allgemein entgegengebrachten Wertschätzung bei verschiedenen Gelegenheiten an ihrem sittlichen Verhalten auszusetzen findet.

Herr Kuttner meint, im modernen Französisch bedeute die Geste
des Hervorschnellens des Fingernagels den Vorderzähnen her, wobei
die Worte *pas ça* gebraucht werden, nur 'nicht das Geringste', 'nicht so
viel'. Das wird von Herrn Mangold bestätigt, der aus seinen Erinnerungen aus dem Kriegsjahre anführt, daß 'nous n'avons rien du tout, du
tout, du tout' bei den Landleuten immer von einer solchen Geste begleitet
sei. Herr Brandl stellt fest, daß das Motiv von den Stützen der Nachtigall gegen einen Dorn in der Lyrik der Shakespearezeit sich häufig finde.
Die Nachtigall wird hier als traurig und musikalisch geschildert, aber
nicht als boshaft. Der Edelstein im Kopfe der Kröte, wovon bei Euphues
die Rede ist, wird schon bei Plinius erwähnt. Herr Kuttner erinnert
sich, von dem Vogel, der durch verstellte Flucht den Feind vom Neste
ablenken will, schon bei Buffon bei der fauvette gelesen zu haben. Herr
Adolf Tobler fügt hinzu, daß auch der Kranich gern dafür sorge, daß
er nicht einschlafe, und zwar dadurch, daß er sich auf ein Bein stelle,
noch sicherer auf kleinere Steine, damit er recht wackle. In bezug auf
die Erklärung des Burgkmairschen Bildes gebe er dem Vortragenden recht.
Herr Tanger fragt, seit wann wohl das Wort *folklore* gebraucht werde,
und ob nicht 'Volkskunde' besser sei. Herr Penner sagt, es sei 1846
im Athenäum zuerst gebraucht worden. Herr Brandl erwidert, 'Volkskunde' sei passiv, das Wissen vom Volk, 'folklore' sei aktiv, das Wissen
des Volkes. Dazu käme nach der Bedeutung des altenglischen Wortes
'lâr' (Segensspruch der heidnischen Priester) das Geheimnisvolle. Auch
Herr Adolf Tobler ist der Meinung, daß 'Volkskunde' einen ungeheuer
weiten Sinn habe; auch die Kunde von den Volkstrachten gehöre dazu;

'folklore' sei eine Art *zoologie populaire*, wie sie der Franzose Rollan genannt habe. Er erzählt eine Deutung, die ihm einst ein bäuerlicher Imker gegeben habe, weshalb die Bienen nicht in den roten Klee gehen: Es stehe in der 'Schrift', d. h. in der Literatur, dafs die Bienen am siebenten Schöpfungstage gearbeitet hätten und dafür durch Entziehung des roten Klees gestraft seien. In Wirklichkeit sei ihr Rüssel nicht lang genug für die Blüten des roten Klees; für die Blüten des weifsen Klees genüge er.

Herr Söhring spricht über die Verwendung des Monologs in Shakespeares Tragödien. Nach einer kurzen Würdigung des Buches von Düsel (*Der dramatische Monolog in der Poetik des 17. und 18. Jahrhunderts und in den Dramen Lessings*, Hamburg und Leipzig 1897) und des Deliusschen Vortrages über den *Monolog bei Shakespeare* vom Jahre 1881 (Shakespeare-Jahrbuch Bd. XVI) vergleicht er das Verfahren des Dichters mit Bezug auf Zahl und Masse der Monologe (Selbstgespräche) in den grofsen Tragödien von Titus Andronikus bis zu Antonius und Kleopatra. Er kommt zu dem Ergebnis, dafs R. Fischers Angabe,[1] das Selbstgespräch nehme mit dem zunehmenden Alter des Dichters an Zahl wie besonders an Masse ab, nicht zutreffend sei. Die darangeknüpften Folgerungen, der Dichter habe bewufst mehr und mehr auf diesen 'konventionellen Notbehelf' verzichtet, seien somit hinfällig. Von Entwickelung oder gar bewufster Entwickelung könne in dieser Hinsicht bei Sh. keine Rede sein.

Der Vortragende betrachtet dann die Verwendung des monologischen Elements innerhalb der dramatischen Komposition. Dabei zeigt sich, dafs Sh. zu allen Zeiten die Hauptmasse der Monologe in die Mitte der Akte gestellt, und dafs auch in der Szene die zentrale Stellung bei weitem überwiegt; anders verfahren nur die Jugenddramen, so dafs hier ein Fortschritt des Dichters in dramaturgischer Hinsicht vorzuliegen scheint. Im Stücke stehen die meisten Monologe in der Regel in den ersten drei Akten, doch machen Romeo und Julia und Othello eine bemerkenswerte Ausnahme.

Bei der Betrachtung der inneren Verknüpfung des Selbstgesprächs mit Handlung und Personen sondern sich zunächst von den übrigen diejenigen, die einer solchen inneren Verbindung entbehren und dem rein technisch-szenischen Zwecke der Verknüpfung zweier Auftritte dienen.

Diese Klammermonologe sind in den Tragödien selten; sie finden sich nur im Titus und im Romeo; im Othello scheinen auch Beispiele dafür vorzuliegen, die aber bei genauerem Zusehen auch innerlich berechtigt sind. — Die innerlich motivierten Selbstgespräche werden zerlegt in Stimmungs- und Tatmonologe; erstere gliedern sich wieder in Reflexions- und Affektmonologe, letztere in Offenbarungs- und Entschlufsmonologe.

[Von diesen vier Klassen finden sich blofse Reflexionsmonologe selten; nur Lear und Macbeth weisen sie häufiger auf.]

Der Vortragende bricht wegen der vorgerückten Zeit ab und bittet, den Rest seiner Studie in der nächsten Sitzung vorlegen zu dürfen.

Herr Lektor Sefton Delmer und Herr Oberlehrer Dr. Platow-Zehlendorf werden in die Gesellschaft aufgenommen.

Herr Oberlehrer Dr. Rudolf Berger von der 5. Realschule in Berlin hat sich zur Aufnahme gemeldet.

---

[1] In seinem Buche: *Zur Kunstentwickelung der englischen Tragödie*, Strafsburg 1893.

Verzeichnis der Mitglieder

der

Berliner Gesellschaft für das Studium der neueren Sprachen.

Januar 1906.

Vorstand.

Ehrenvorsitzender: Adolf Tobler.

Vorsitzender:	Herr W. M a n g o l d.
Stellvertretender Vorsitzender:	„ A. R i s o p.
Schriftführer:	„ E. P e n n e r.
Stellvertretender Schriftführer:	„ O. H a h n.
Erster Kassenführer:	„ E. P a r i s e l l e.
Zweiter Kassenführer:	„ R. W e r n e r.

A. *Ehrenmitglieder.*

Herr Dr. F u r n i v a l l, Frederick J., 3 St. George's Square, Primrose Hill, London NW.

„ Dr. G r ö b e r, Gustav, o. ö. Professor an der Universität. Strafsburg, Universitätsplatz 8.

Frau V a s c o n c e l l o s, Carolina Michaelis de, Dr. phil. Porto, Cedofeita.

B. *Ordentliche Mitglieder.*

Herr Dr. B e r g e r, Rudolf, Oberlehrer an der V. städtischen Realschule zu Berlin. Schöneberg, Klixstrafse 4 I.

„ Dr. B l o c k, John, Oberlehrer am Reform - Realgymnasium. Deutsch-Wilmersdorf, Preufsische Strafse 7.

„ B o e k, Paul, Professor, Oberlehrer am Königstädtischen Realgymnasium. Grofs-Lichterfelde, Marthastrafse 2.

„ Dr. B o r b e i n, Johannes, Professor, schultechnischer Mitarbeiter im Kgl. Provinzial - Schulkollegium zu Berlin. Friedenau, Beckerstrafse 3 I I.

„ Dr. B o r n, Max. Berlin NW. 52, Thomasiusstrafse 26.

Herr Dr. B r a n d l, Alois, ord. Professor an der Universität, Mitglied der Akademie der Wissenschaften. Berlin W. 10, Kaiserin-Augusta-Strafse 73 III.

„ Dr. C a r e l, George, Professor, Oberlehrer an der Sophienschule, Charlottenburg, Schlofsstrafse 25.

„ Dr. C h u r c h i l l, George B., Professor am Amherst College. Amherst, Massachusetts, U. S. A.

„ Dr. C o h n, Georg. Berlin W., Linkstrafse 29 III.

„ Dr. C o n r a d, Herm., Professor an der Haupt-Kadettenanstalt. Gr.-Lichterfelde, Berliner Strafse 19.

„ Dr. C o r n i c e l i u s, Max. Berlin W., Luitpoldstrafse 4.

„ D e l m e r, Frederic Sefton, Lektor der englischen Sprache an der Universität. Halensee bei Berlin, Bornimerstrafse 19.

„ Dr. D i b e l i u s, W., Professor an der Kgl. Akademie. Posen, Nollendorfstrafse 23.

„ Dr. D i e t e r, Ferd., Oberlehrer an der IV. städtischen Realschule. Berlin O., Frankfurter Allee 80.

„ Dr. D r i e s e n, Otto. Werder a. H., Zernsee 15, Villa Reisner.

„ Dr. D ü v e l, Wilhelm, Oberlehrer am Mommsen-Gymnasium. Charlottenburg, Kantstrafse 25.

„ Dr. E b e l i n g, Georg, Privatdozent an der Universität. Charlottenburg, Leonhardstrafse 19.

„ E n g e l, Hermann, Oberlehrer. Charlottenburg, Kantstrafse 40.

„ Dr. E n g e l m a n n, Hermann, Professor, Oberlehrer an der Friedrichs-Werderschen Oberrealschule. Berlin C., Niederwallstrafse 12.

„ Dr. E n g w e r, Theodor, Oberlehrer an dem Kgl. Lehrerinnenseminar und der Augustaschule. Berlin SW. 47, Hagelsberger Strafse 44.

„ Dr. F ö r s t e r, Paul, Professor, Oberlehrer am Kaiser-Wilhelm-Realgymnasium. Berlin SW. 12, Kochstrafse 66.

„ Dr. F u c h s, Max, Oberlehrer an der VI. städtischen Realschule. Friedenau, Stubenrauchstrafse 5.

„ Dr. G a d e, Heinrich, Oberlehrer am Andreas-Realgymnasium. Berlin NO. 43, Am Friedrichshain 7 III b.

„ Dr. G o l d s t a u b, Max. Berlin W. 30, Pallasstrafse 1.

„ Dr. G r e i f, Wilhelm, Oberlehrer am Andreas-Realgymnasium. Berlin SO. 16, Köpenickerstrafse 142 II.

„ Dr. G r o p p, Ernst, Professor, Direktor der städtischen Oberrealschule. Charlottenburg, Schlofsstrafse 27.

„ G r o s s e t, Ernest, Lehrer an der Kgl. Kriegsakademie. Berlin SW. 48, Wilhelmstrafse 146 IV.

„ H a a s, J., Oberleutnant a. D. Berlin C., An der Schleuse 5 a.

„ Dr. H a h n, O., Professor, Oberlehrer an der Viktoriaschule. Berlin S. 59, Urbanstrafse 31 II.

Herr **H a r s l e y**, Fred, M. A., Lektor der englischen Sprache an der Universität. Berlin W. 30, Gleditschstrafse 48.

„ Dr. **H a u s k n e c h t**, Emil, Professor, Direktor der Oberrealschule. Kiel, Knooper Weg 74.

„ Dr. **H e c k e r**, Oscar, Professor, Lektor der italienischen Sprache an der Universität. Berlin W. 30, Traunsteiner Strafse 10.

„ Dr. **H e i n z e**, Alfred, Oberlehrer am Kaiser-Wilhelm-Realgymnasium. Charlottenburg, Weimarerstrafse 27.

„ Dr. **H e l l g r e w e**, Wilh., Oberlehrer an der städtischen Oberrealschule. Charlottenburg, Berlinerstrafse 40.

„ Dr. **H e n d r e i c h**, Otto, Professor, Oberlehrer an der Luisenstädtischen Oberrealschule. Berlin W 50, Nürnbergerstrafse 70 I.

„ Dr. **H e r r m a n n**, Albert, Oberlehrer an der XII. städtischen Realschule. Berlin NO. 18, Elbingerstrafse 98 I.

„ Dr. **H e r z f e l d**, Georg. Berlin W. 10, Kaiserin-Augustastrafse 77 part.

„ Dr. **H o s c h**, Siegfried, Professor, Oberlehrer an der Luisenstädtischen Oberrealschule. Berlin S., Oranienstrafse 144 II.

„ **J a e g e l**, Emil, Oberlehrer am Kgl. Prinz-Heinrich-Gymnasium. Berlin W 30, Gleditschstrafse 49.

„ Dr. **J o h a n n e s s o n**, Fritz, Leiter der XIV. städtischen Realschule. Berlin N. 65, Seestrafse 61 II.

„ **K a b i s c h**, Otto, Professor, Oberlehrer am Luisenstädtischen Gymnasium. Johannistal, Waldstrafse 6.

„ Dr. **K a s t a n**, Albert. Berlin W. 64, Behrenstrafse 9.

„ Dr. **K e e s e b i t e r**, Oscar, Oberlehrer an der IV. städtischen Realschule. Grunewald, Gillstrafse 5.

„ **K e i l**, Georg, Oberlehrer an der Elisabethschule. Berlin SW. 48, Friedrichstrafse 32 III.

„ Dr. **K e l l e r**, Wolfgang, aufserord. Professor an der Universität. Jena, Inselplatz 7.

„ Dr. **K o l s e n**, Adolf, Dozent an der Kgl. Technischen Hochschule. Aachen, Theresienstrafse 14.

„ Dr. **K r u e g e r**, Gustav, Oberlehrer am Kaiser-Wilhelm-Realgymnasium, Lehrer an der Kgl. Kriegsakademie. Berlin, W. 10, Bendlerstrafse 17.

„ Dr. **K u t t n e r**, Max, Oberlehrer an der Dorotheenschule. Berlin W. 50, Neue Ansbacherstrafse 11 IV.

„ **L a c h**, Handelsschuldirektor. Berlin SO. 16, Dresdener Strafse 90 I.

„ Dr. **L a m p r e c h t**, F., Professor, Oberlehrer am Gymnasium zum Grauen Kloster. Berlin C. 2, Klosterstrafse 73 II.

„ **L a n g e n s c h e i d t**, C., Verlagsbuchhändler. Schöneberg-Berlin, Bahnstrafse 29—30.

Herr Dr. Lindner, Karl, Oberlehrer am Luisenstädtischen Realgymnasium. Berlin SO., Schäferstraße 9.

„ Dr. Löschhorn, Hans, Professor, Oberlehrer am Kgl. Lehrerinnenseminar und der Augustaschule. Berlin W. 35,
Genthiner Straße 41 III.

„ Dr. Lücking, Gustav, Professor, Direktor der III. städtischen
Realschule. Berlin W., Steglitzer Straße 8 a.

„ Dr. Ludwig, Albert, Oberlehrer an der Hohenzollernschule.
Schöneberg, Grunewaldstraße 98 a.

„ Luft, F., Oberlehrer an der IX. städtischen Realschule. Berlin N. 58, Gneiststraße 19 II.

„ Dr. Lummert, August, ordentlicher Lehrer an der Viktoriaschule. Berlin S. 59, Camphausenstraße 3.

„ Dr. Mackel, Emil, Oberlehrer am Prinz-Heinrich-Gymnasium.
Friedenau, Dürerplatz 3.

„ Dr. Mangold, Wilhelm, Professor, Oberlehrer am Askanischen Gymnasium. Berlin SW. 47, Großbeerenstraße 71.

„ Dr. Mann, Paul, Oberlehrer am Luisenstädtischen Realgymnasium. Berlin SW., Neuenburgerstraße 28.

„ v. Mauntz, A., Oberstleutnant a. D. Charlottenburg, Knese-
beckstraße 2.

„ Dr. Mehnert, Kurt, Probekandidat am Joachimsthalschen
Gymnasium. Berlin W. 50, Nürnbergerstraße 27 III.

„ Dr. Mertens, Paul, Oberlehrer am Berlinischen Gymnasium
zum Grauen Kloster. Berlin W., Lutherstraße 44.

„ Michael, Wilhelm, Oberlehrer an der Oberrealschule. Charlottenburg, Kaiser-Friedrich-Straße 92.

„ Dr. Michaëlis, C. Th., Stadt-Schulrat. Berlin W., Kurfürstenstraße 149.

„ Mugica, Pedro de, Lizentiat, Lehrer der spanischen Sprache
am Orientalischen Seminar. Berlin NW. 21, Wilsnacker
Straße 3.

„ Dr. Müller, Adolf, Professor, Oberlehrer an der Elisabethschule. Berlin W., Geisbergstraße 15.

„ Dr. Müller, August, Oberlehrer an der Kgl. Elisabethschule.
Berlin SW., Großbeerenstraße 55 part.

„ Dr. Münch, Wilhelm, Geh. Regierungsrat, ord. Honorar-Pro-
fessor an der Universität. Berlin W. 30, Luitpold-
straße 22 II.

„ Dr. Münster, Karl, Oberlehrer an der VII. städtischen Realschule in Berlin. Köpenick, Kurfürstenallee 1.

„ Dr. Naetebus, Gotthold, Bibliothekar an der Universitäts-
Bibliothek. Groß-Lichterfelde, Moltkestraße 22 a.

„ Dr. Noack, Fritz, Oberlehrer am Gymnasium. Groß-Lichterfelde, Lorenzstraße 62.

Herr Dr. **Nobiling**, Franz, Oberlehrer an der Realschule zu Pankow. Berlin N. 54, Lothringerstrafse 82.

„ Dr. **Nuck**, Richard, Oberlehrer an der Luisenstädtischen Oberrealschule. Berlin SW., Gneisenaustrafse 88.

„ **Opitz**, G., Professor, Oberlehrer am Dorotheenstädtischen Realgymnasium. Charlottenburg, Goethestrafse 81 III.

„ Dr. **Palm**, Rudolf, Professor, Oberlehrer an der I. städtischen Realschule. Berlin SW., Yorkstrafse 76 II.

„ Dr. **Pariselle**, Eugène, Professor, Lektor der französischen Sprache an der Universität, Lehrer an der Kgl. Kriegsakademie. Berlin W. 30, Landshuterstrafse 36 II.

„ Dr. **Penner**, Emil, Professor, Direktor der XIII. städtischen Realschule. Berlin NW. 23, Schleswiger Ufer 14.

„ Dr. **Philipp**, Carl, Oberlehrer am Askanischen Gymnasium. Berlin SW. 46, Kleinbeerenstrafse 20.

„ Dr. **Platow**, Hans, Oberlehrer an der mit dem Gymnasium verbundenen Realschule. Zehlendorf bei Berlin, Alsenstrafse 45.

„ Dr. **Prollius**, Max, Direktor des Realprogymnasiums mit Realschule. Jüterbog.

„ Dr. **Risop**, Alfred, Professor, Oberlehrer an der VI. städtischen Realschule. Berlin SW. 47, Grofsbeerenstrafse 61 III.

„ Dr. **Ritter**, O., Professor, Direktor der Luisenschule. Berlin N. 24, Ziegelstrafse 12.

„ Dr. **Roediger**, Max, aufserord. Professor an der Universität. Berlin SW. 47, Grofsbeerenstrafse 70 I.

„ **Roettgers**, Benno, Professor, Oberlehrer an der Dorotheenschule. Halensee, Ringbahnstrafse 121.

„ Dr. **Rosenberg**, Oberlehrer am Köllnischen Gymnasium. Charlottenburg, Knesebeckstrafse 75.

„ **Rossi**, Giuseppe, Kgl. italienischer Vizekonsul, Lehrer an der Militär-Technischen Akademie. Berlin NW. 40, In den Zelten 5 a.

„ Dr. **Rust**, Ernst, Oberlehrer an der VIII. städtischen Realschule. Berlin N., Dunckerstrafse 5 I.

„ Dr. **Sabersky**, Heinrich. Berlin W. 35, Genthiner Strafse 28 I.

„ Dr. **Sachrow**, Karl, Kandidat des höheren Lehramtes. Berlin SW. 61, Teltowerstrafse 16, 8. Aufg. II r.

„ Dr. **Schayer**, Siegbert, Oberlehrer an der IV. städtischen Realschule. Berlin NO. 43, Georgenkirchplatz 11 II l.

„ Dr. **Schleich**, Gustav, Professor, Direktor des Friedrich-Realgymnasiums. Berlin NW., Albrechtstrafse 26 I.

„ Dr. **Schlenner**, R., Oberlehrer an der Luisenstädtischen Oberrealschule. Berlin S., Urbanstrafse 29.

„ Dr. **Schmidt**, August, Oberlehrer an der Oberrealschule. Steglitz, Düppelstrafse 22.

Herr Dr. Schmidt, Karl, Oberlehrer am Kaiser-Wilhelm-Realgymnasium. Berlin SW., Yorkstraße 68.

„ Dr. Schmidt, Max, Professor, Oberlehrer am Prinz-Heinrich-Gymnasium. Berlin W., Rankestraße 29 III.

„ Schreiber, Wilhelm, Oberlehrer, Leiter der höheren Knabenschule zu Tegel. Tegel, Hauptstraße 33 a.

„ Dr. Schulze, Georg, Direktor des Königlichen Französischen Gymnasiums. Charlottenburg, Marchstraße 11.

„ Dr. Schulze-Veltrup, Wilhelm, Oberlehrer am Falk-Realgymnasium. Berlin NW. 23, Lessingstraße 30.

„ Seibt, Robert, Oberlehrer an der VII. städtischen Realschule zu Berlin. Schöneberg, Siegfriedstraße 7.

„ Dr. Seifert, Adolf, Oberlehrer an der städtischen Oberrealschule. Charlottenburg, Eosanderstraße 30.

„ Dr. Söhring, Otto, Oberlehrer an der Hohenzollernschule in Schöneberg. Friedenau, Albestraße 26.

„ Dr. Spatz, Willy, Oberlehrer an der Hohenzollernschule. Schöneberg, Hauptstraße 146.

„ Dr. Speranza, Giovanni. Berlin W., 62, Bayreutherstr. 17 II.

„ Dr. Spiefs, Heinrich, Privatdozent an der Universität. Berlin, W. 57, Kurfürstenstraße 164 II I.

„ Dr. Splettstöfser, Willy, Oberlehrer an der XIII. städtischen Realschule. Berlin NW., Oldenburgerstr. 5 B III.

„ Dr. Strohmeyer, Fritz, Oberlehrer am Dorotheenstädtischen Realgymnasium zu Berlin. Halensee, Karlsruherstraße 15.

„ Stumpff, Emil, Oberlehrer an der Hohenzollernschule zu Schöneberg. Friedenau, Sponholzstraße 26.

„ Dr. Tanger, Gustav, Professor, Direktor der IV. städtischen Realschule. Berlin NO. 18, Distelmeyerstraße.

„ Dr. Thum, Otto, Lehrer an der Berliner Handelsschule. Charlottenburg, Rönnestraße 25 II.

„ Dr. Thurau, Gustav, Privatdozent an der Universität. Königsberg i. P., Königstraße 5.

„ Dr. Tobler, Adolf, ord. Professor an der Universität, Mitglied der Akademie der Wissenschaften. Berlin W. 15, Kurfürstendamm 25.

„ Dr. Tobler, Rudolf, Oberlehrer am Joachimsthalschen Gymnasium. Berlin W. 15, Kaiserallee 1.

„ Truelsen, Heinrich, Professor, Oberlehrer am Real-Progymnasium in Luckenwalde.

„ Dr. Ulbrich, O., Professor, Direktor des Dorotheenstädtischen Realgymnasiums. Berlin NW. 7, Georgenstraße 30/31.

„ Dr. Vollmer, Erich, Oberlehrer am Bismarck-Gymnasium. Deutsch-Wilmersdorf, Pfalzburgerstraße 67.

„ Weisstein, Gotthilf, Schriftsteller. Berlin W., Lennéstraße 4.

9*

Herr Dr. **Werner**, R., Professor, Oberlehrer am Luisenstädtischen Realgymnasium. Tempelhof, Albrechtstrafse 12.

„ Dr. **Werth**, Direktor der städtischen höheren Mädchenschule und des städtischen Lehrerinnen-Seminars. Potsdam, Waisenstrafse 29.

„ Dr. **Wespy**, Oberlehrer an der Hohenzollernschule in Schöneberg. Berlin W. 30, Eisenacherstrafse 65.

„ **Wilke**, Felix, Oberlehrer am Reformgymnasium. Charlottenburg, Carmerstrafse 7.

„ Dr. **Willert**, H., Oberlehrer an der VII. städtischen Realschule. Berlin W. 35, Steglitzerstrafse 38.

„ Dr. **Wolter**, Eugen, Professor, Direktor der XII. städtischen Realschule. Berlin O. 34, Rigaerstrafse 8.

„ Dr. **Wychgram**, Jakob, Professor, Direktor des Kgl. Lehrerinnenseminars und der Augustaschule. Berlin SW. 46, Kleinbeerenstrafse 16 I.

„ **Zack**, Julius, Oberlehrer an der XIII. Realschule. Berlin SW. 46, Luckenwalderstrafse 10.

C. Korrespondierende Mitglieder.*

Herr Dr. **Begemann**, W., Direktor einer höheren Privat-Töchterschule. Charlottenburg, Wilmersdorferstrafse 14.

„ Dr. **Claufs**, Professor. Stettin.

„ Dr. **Jarník**, Joh. Urban, Professor an der tschechischen Universität. Prag.

„ Dr. **Kelle**, Professor an der deutschen Universität. Prag.

„ Dr. **Krefsner**, Adolf, Professor. Kassel.

„ Dr. **Meifsner**, Professor. Belfast (Irland). .

„ Dr. **Neubauer**, Professor. Halle a. S.

„ Dr. **Sachs**, C., Professor. Brandenburg.

„ Dr. **Scheffler**, W., Professor am Polytechnikum. Dresden.

„ Dr. **Wilmanns**, Professor an der Universität. Bonn.

---

* Berichtigungen und Ergänzungen dieser Liste erbittet der Vorsitzende.

Beurteilungen und kurze Anzeigen.

Richard Löwe, Germanische Sprachwissenschaft (Sammlung Göschen Nr. 238). 148 S. Leipzig, G. J. Göschensche Verlagshandlung, 1905. Lwbd. 80 Pf.

Diese dem gegenwärtigen Stande unserer Forschungen enstprechende knapp gefaßte Darstellung wird sich dem Anfänger in der Germanistik und Anglistik sehr nützlich erweisen, aber auch dem der germanischen Sprachwissenschaft Fernerstehenden einen guten Begriff von den Grundtatsachen und Hauptproblemen vermitteln. Daß der Verfasser in manchen Dingen seine persönliche Auffassung zur Geltung gebracht hat, ist selbstverständlich und sein gutes Recht. Das Büchlein enthält in der Einleitung I. Begriff und Aufgabe der germ. Sprachwissenschaft. II. Die idg. Sprachen und die germ. Dialekte. III. Die Sprachveränderungen und ihre Ursachen. IV. Das Germanische im Kreise der idg. Sprachen. V. Gliederung des Germanischen. Hierauf folgen die Lautlehre (Betonung, Vokalismus, Konsonantismus, Auslautgesetze) und die Formenlehre (Nomen, Verbum).

Da Bücher wie das vorliegende erfahrungsgemäß viel gekauft werden, erlaube ich mir im folgenden einige Verbesserungen und Verbesserungsvorschläge, hauptsächlich mit Rücksicht auf das Englische, für eine zweite Auflage hier anzufügen.

S. 11, Z. 4 heißt es: 'Das Englische, seit etwa 600 n. Chr. bekannt. Es heißt bis etwa 1150 Angelsächsisch oder Altenglisch ...'; 'bekannt' soll doch wohl heißen 'überliefert'; danach ist 600 in 700 zu ändern. Auch würde für 1150 besser 1100 gesetzt. — S. 18, Z. 16 könnte bei der Erwähnung des as. Überganges von *tst* in *st* auch auf den gleichen Fall im me. (*latost* > *lat[e]st* > last) hingewiesen werden. — S. 27 oben sollte der Begriff 'südhumbrisch' = kentisch, sächsich, mercisch, sowie ein Hinweis auf die westsächsische κοινή aufgenommen werden. — Beim Vokalismus würde wie beim Konsonantismus eine übersichtliche Tabelle, die ja nicht viel Platz beansprucht, dem Anfänger die Einzelheiten sehr schön zu einem Gesamtbilde vereinen. — Das Altenglische wird nicht immer berücksichtigt, so S. 41 unter 3, S. 51 unter 2, wo folgerichtig auch die ae. Stimmhaftwerdung der Spiranten unter gewissen Bedingungen im Inlaut anzuführen wäre. — S. 42 müßten meines Erachtens die beiden i-Umlaute noch stärker geschieden werden, da sie meinen Erfahrungen nach von den Studierenden sehr leicht durcheinander geworfen werden. — S. 44 beim Ablaut wäre vielleicht eine genauere Erklärung ganz nützlich. — S. 58, Z. 2 steht an einer der wichtigsten Stellen im Buche, bei der Erklärung des grammatischen Wechsels, ein böser Druckfehler: lies 'stimmhaften' statt 'stimmlosen'. — S. 61, Z. 6 fehlt ae. *lippa*. — Bei der Formenlehre vermisse ich mancherlei, so beim Pronomen die dritte Person des Persönlichen u. a. Auch würde ich es für sehr nützlich halten, wenn eine Tabelle der idg. und germ. Endungen bei den einzelnen Gruppen vorangestellt würde, wodurch die Entwickelung stärker hervorträte.

Bei einer mit Rücksicht auf den Zweck und den Preis kurz gefaſsten Darstellung, wird man immer leicht Nachträge bringen können. Dadurch wird das groſse Verdienst des Verfassers nicht geschmälert.
Berlin.   H e i n r i c h   S p i e s.

Holländisch. Phonetik, Grammatik, Texte. Von R. Dijkstra, Lehrer
    der niederländischen und deutschen Sprache in Amsterdam. Skizzen
    lebender Sprachen, herausgegeben von Wilhelm Viëtor. 3. Leipzig,
    B. G. Teubner, 1903.

Es hat lange an einem den Anforderungen des heutigen Sprachunter-richts entsprechenden Hilfsmittel zur Einführung in das moderne Nieder-ländisch gefehlt. Praktisch angelegte, zum Teil weitläufige Lehrbücher mit Übungen gab es schon längst nicht wenige, wie z. B. das französische von Valette oder die deutschen von Gambs-Schram, Traut-Van der Jagt und was noch mehrere vorhanden waren, bis auf die vor einigen Jah-ren erschienene *Niederländische Sprachlehre für Deutsche* von J. Leopold (Breda 1898). Wer nach dem Studium solcher Hilfsbücher noch eine systematische Einsicht über Grammatik und Sprachrichtigkeit verlangte, konnte sich an der Hand niederländisch abgefaſster Sprachlehren orien-tieren und hatte vor allem in Cosijns *Nederlandsche Spraakkunst*, einer vorzüglichen Grammatik im Sinne einer Grammaire raisonnée des lite-rarischen Niederländisch, eine sichere Führerin. Aber abgesehen von solchen Lehrmitteln praktischen oder gelehrten Zweckes gab es nichts; es fehlte ein erstes Büchlein über Holländisch, das dem Lernenden von vornherein ein genaues Bild des gesprochenen sowohl als des geschriebenen Nieder-ländisch vermittelte. Denn alle Darstellungen stimmten darin überein, daſs sie die wirklich gesprochene Sprache in den Niederlanden, die nicht nur nach der lautlichen Seite von der Schriftsprache und der Sprache der ge-hobenen Rede so sehr verschieden ist, entweder zu wenig oder überhaupt gar nicht berücksichtigten. Es entsprach dieser Mangel der Nichtbeachtung, in der sich die Umgangssprache als Gegenstand wissenschaftlicher Beob-achtung in Holland selbst befand — bis in die allerletzte Zeit hinein, wo ihr in Fachzeitschriften, wie namentlich *Taal en Letteren*, eine nicht geringe Aufmerksamkeit zuteil geworden ist. Am fühlbarsten aber war das Fehlen eines Anfängerbuches, das dem Lernenden eine exakte Belehrung über die niederländische Aussprache in der durch die neueren phonetisch-pädagogi-schen Prinzipien ermöglichten Anschaulichkeit darbot. Eine musterhafte, aber in seiner Gedrängtheit nicht leicht anzueignende Darstellung der holländischen Laute fand sich in Sweets *Handbook of Phonetics*, ausge-zeichnete Einzelbeobachtungen vor allem in Storms *Englische Philologie,* sonst mit Ausnahme einiger Notizen oder Ausspracheproben in Passys *Maître Phonétique* nichts, was dem Fremden leicht und allgemein zugäng-lich wäre.

Bei einem solchen Mangel an geeigneten Lehrmitteln zur ersten Ein-führung in eine Sprache von groſser Wichtigkeit für die Germanistik und als Schlüssel zu einer Bildung von eigenartiger Bedeutung in der Geschichte von hohem, allgemeinem Interesse muſs ein Büchlein wie das vorliegende, sei es auch, seinem nächsten Zweck entsprechend, ein Anfängerbüchlein von geringem Umfange, mit besonderer Freude bewillkommnet werden. Dijkstras *Holländisch,* die dritte Nummer in Viëtors bekannten *Skizzen lebender Sprachen,* bietet, wie schon aus dem Titel zu ersehen ist, eine pho-netische und grammatische Beschreibung des heutigen Niederländisch, be-gleitet von einer Anzahl Textproben. Die Lautschrift ist, wie in den sonstigen Nummern der Sammlung, diejenige der Association phonétique internationale; die Grammatik trägt den Formen der geschriebenen und der gesprochenen Sprache in gleicher Weise Rechnung. Die Textproben, in herkömmlicher Orthographie und phonetischer Umschrift aufgestellt, schreiten von Stücken der feierlichen Rede, wie Bibeltexte und Predigten, zu der leichteren und flüssigeren Sprache eines modernen Konversationsstückes fort. Sie bilden in dieser ihrer zweckgemäfsen Anordnung ein vorzügliches Mittel zu dem Studium des schwierigen Kapitels über holländische Satzphonetik.

Kritik und Meinungsverschiedenheiten, die einer zweiten Auflage zugute kommen können, sind schon in den bereits erschienenen Anzeigen geäufsert worden. Eine gewisse Unklarheit haftet an der Beschreibung der *v*- und *w*-Laute, §. 20 ff. ›Bei einem so eigenartigen und schwierigen Sprachlaut wie das niederländische *v* geht es nicht an, von diesem Laut als dem bekannten auszugehen und dann auseinanderzusetzen, worin das *w*, das wenigstens so wie *w* im Deutschen gesprochen werden kann, davon verschieden ist. Der natürliche Weg wäre eher der umgekehrte. Eine wissenschaftliche Beschreibung der *v*- und *w*-Laute findet man nunmehr in Van Hamels Artikel 'V et W Hollandais' in *La Parole*, Jahrg. 1903, S. 217 ff. (auch in Album-Kern, Leiden 1903, S. 363 ff.).

Upsala.   Hj. Psilander.

Johannes Bethmann, Untersuchungen über die mhd. Dichtung vom Grafen Rudolf. (Palaestra XXX.) Berlin, Mayer & Müller, 1904.

W. Grimm hat in der gründlichen Einleitung seiner trefflichen Ausgabe des Gedichtes vom 'Grafen Rudolf' 1844 die Sprache der Handschrift und des Dichters, soweit sie sich ihm aus den Reimen ergab, die Metrik und die mutmafslichen Quellen eingehend untersucht und ist hier vielfach zu abschliefsenden Ergebnissen gelangt. Eine Neuaufnahme dieser Untersuchungen in ihrem ganzen Umfange war trotzdem seit langem erwünscht und erschien seit den Arbeiten Singers (Zs. 30, 382) und Holz' (P. B. Beitr. 18, 565), die eine spezielle Frage für dieses Denkmal wirksam förderten, um so dringender.

Dieser Aufgabe hat sich Bethmann unterzogen. Er bespricht der Reihe nach die Heimat des Dichters, die Sprache der Hs., Metrik, Quellen und historische Grundlage der Dichtung, endlich den Stil des Gedichtes und die Persönlichkeit des Dichters in einzelnen Kapiteln. Am nötigsten und fruchtbarsten war diese Revision der Grimmschen Darlegungen für das erste Kapitel, seit Roethe in den 'Reimvorreden des Sachsenspiegels' ganz neue Gesichtspunkte für die Sprachmischung in mittel- und niederdeutschen Gedichten gebracht und Zwierzina durch seine 'Mhd. Studien' unsere Kenntnis des hoch- und mitteldeutschen Dialektes dieser Zeit wesentlich vermehrt und bestimmte Laut- und Stilerscheinungen genauer abgegrenzt hatte. Von diesen neugewonnenen Gesichtspunkten aus legt Bethmann das Reimmaterial noch einmal vor.

Dafs die Reime des Gr. R. auf einen md., wahrscheinlich thüringischen Dialekt weisen, ist von Bartsch (Bert. v. Holle XXXVI) zuerst ausgesprochen und seitdem oft wiederholt worden. In neuerer Zeit hat nur Edw. Schröder sich für niederdeutschen Ursprung entschieden. Bethmann sucht zu einer genaueren Umschliefsung des möglichen Enstehungsgebietes zu gelangen, indem er die moderne Entsprechung der im Gr. R. auftretenden Dialektmerkmale in einzelnen md. Mundarten aufsucht, so in der Salzunger, Herzfelder, Blankenheimer und Naunheimer, und mit jeder Spracherscheinung des Gedichtes auch ihr heutiges Geltungsgebiet nach dem Sprachatlas vergleicht. So sorgsam und umsichtig Bethmann hier auch vorgeht, zu ganz sicheren Resultaten gelangt er nicht.

Am stärksten tritt der md. Charakter der Reimbindungen in den *e*-Reimen zutage. Denn hier stehen im Reime gebunden *gewërte : generte* H 9, *vrävele : ëbene* I 52, *herte : suërte* F^b 52, *mëre : wellǣre* H^b 1, *mǣre :*

sêre H^b 27, *ëren* : *burgære* F^b 16 usw. Es reimt also *ë* : *ẹ* vor *rt*, *ä* : *ë*, *œ* : *ê*
wie in der *'Erlösung'* oder der *'Elisabeth'* und anderen md. Gedichten.
Eine nähere Begrenzung des md. Gebietes auf das östliche Hessen ergab
sich aus dem Mangel von Reimen *ô* : *uo* und *ê* : *ie*. Im Gebiete des Konsonantismus ist der Abfall des *n* in Flexionssilben, insbesondere im Inf.,
eine charakteristische Erscheinung. Die Untersuchungen Bethmanns über
die Natur der Medien *b* und *g* im In- und Auslaut führen zu keinem
Ziele. Oder sollen wirklich die sieben Reime *b* : *v* und die sechs *ch* : *g* den
spirantischen Charakter erweisen für einen Dichter, der nicht nur *dienen* :
liebe α 16, *habe* : *clage* α 20, *lag* : *trat* α^b 14, *grab* : *lag* β 24 reimt, sondern auch
Rudolf : *holt* β^b 5, *gelute* : *crûce* B 25, *rede* : *hebe* B^b 9, *gnadin* : *greue* B^b 13 usw.
unbedenklich bindet? Eine zeitliche Scheidung gegenüber den Mittel-
deutschen der Blütezeit bietet die reinliche Trennung von *u* : *uo* und *i* : *ie*.
Bestimmte nd. Charakteristika fehlen. Zwar dafs keine Reime *t* : *z*, *ch* : *k*,
t : *d*, *ei* : *ê*, kein *steit*, *deit*, *geit*, kein *wêren* (erant) und dergleichen zu finden
sind, wäre auch bei der Annahme eines hochdeutsch dichtenden Nieder-
deutschen selbstverständlich. Aber auch ein vereinzeltes Übergleiten in
den gewohnten heimischen Dialekt, das sich sonst bei jedem Niederdeutschen nachweisen läfst, ist nirgends zu erkennen. Für nd. könnte man
nur *behalt* : *golt* A^b 10, *mohte* : *virsuchte* H^b 43, *grêven* : *gâben* G^b 7 und die öfter
belegte Bindung *s* : *z* ansprechen. Doch läfst sich — hierin stimme ich
Bethmann vollkommen bei — wenigstens für die ersten drei Reime ziemlich sicher md. Ursprung glaubhaft machen. Auffallend ist das Fehlen
der Bindung *ei* : *ege*, *age*, das sonst mfr. Eigenart ist. An nd. Einflufs darf
man aber auch hierbei nicht denken, da solche Reime z. B. bei Berth.
v. Holle wiederholt zu finden sind. Im Gesamtbilde sprechen die Reime
sicher für einen md. Dichter. Einem nd. Verfasser des Gr. R. müfsten
wir jedenfalls eine erstaunlich sichere Kenntnis hessischer ma. zuschreiben.

In der Anordnung der einzelnen Blätter folgt Bethmann den von
Singer und Holz vorgeschlagenen Änderungen. In dem *ëdelen man* aus
Flandern, dem A 7 das *gegensidele* angewiesen wird, sieht Bethmann nicht
einen Gefolgsmann Rudolfs, sondern den Grafen selbst. Diese Auffassung
hat manches für sich: erstlich ist von einem Vasallen weiterhin in den
uns erhaltenen Bruchstücken keine Rede mehr, sodann hat auch in der
franz. Quelle bei dem vom Helden veranstalteten grofsen Feste dieser
selbst den Ehrenplatz. Die einzige Schwierigkeit bleibt nur, dafs wir
damit die unwahrscheinliche Konjektur Grimms [*der kuning*] *wîsete daz*
gegensidele anerkennen, die zur Annahme eines vierhebigen klingenden
Verses zwingt oder doch einen schweren dreisilbigen Auftakt verlangt.
Beides kommt zwar im Gedichte vor, die wenigen Fälle jedoch durch eine
Konjektur zu vermehren, ist immerhin mifslich. Oder könnte auch das
einfach aufnehmende *ër*, das Singer einsetzt und auf den Grafen bezieht,
den König meinen? Die anaphorische Verwendung des geschlechtigen
Pronomens hat — insbesondere in mhd. Frühzeit — einen ausgedehnteren
Gebrauch als heute. Vergl. in Gr. R. selbst *ð*^b 47 oder D^b 14 usw. Von
den vielen Versionen der *Beure de Haustonne*-Sage, die Heinzel zuerst als
Quelle des deutschen Gedichtes erwiesen hat, vergleicht Bethmann nicht
die Fassung des Wiener cod., den Singer zum Vergleiche heranzog, sondern die anglonormannische Fassung. Ein besonderer Vorteil ergibt sich
daraus nicht, da zwar einige Einzelheiten hier dem deutschen Gedichte
verwandter erscheinen, andere Übereinstimmungen aber wieder, auf die
Singer hatte hinweisen können, fehlen. Überhaupt bringt die ziemlich
umständlich durchgeführte Untersuchung über die Quelle und die geschichtliche Grundlage des Gr. R. wenig neue Kenntnis von einiger Sicherheit. Interessanter und fruchtbarer ist der letzte Abschnitt von Bethmanns Arbeit, die Stiluntersuchung. Sie gibt ein gutes Bild der Technik
dieser Zeit und zugleich auch der Persönlichkeit des Dichters selbst, trotz-

dem keine systematische Darstellung gegeben wird, sondern mehr einzelne stilistische Besonderheiten herausgegriffen und untersucht sind, so die Umschreibung der Begriffsverba durch kommen, bleiben, beginnen, pflegen usw., die Stellung des adj. Attributs zu seinem Beziehungsworte, die Wiederaufnahme oder Vorwegnahme eines Satzes mit *dax*, Kongruenz im Numerus zwischen Subjekt und Prädikat, Parataxe und Hypotaxe, ἀπὸ γοινοῦ, Schachtelung von Sätzen, Übergang der direkten Rede in die indirekte usw. Der Nachweis von Parallelstellen aus anderen Dichtungen beschließt diese Untersuchung. Ob der Dichter des Gr. R. den Tristan des Eilhart kannte und benützte, bleibt mir zweifelhaft. Dafs z. B. bei der Übergabe eines Kindes an seinen Erzieher in beiden Gedichten zum Teil gleiche Ausdrücke sich gegenüberstehen, ist bei der konventionellen Auffassung von Tugend und dem engumgrenzten Lebensideal der vornehmen Gesellschaft jener Zeit keineswegs auffallend. Auch die Liebesszenen werden immer wieder mit den gleichen Worten ausgemalt oder angedeutet. Dies gilt für die Frühzeit so gut wie für die eigentliche Blütezeit. Und was sollen vollends Stellen beweisen wie *dax laut ûf die truwe befëlhen* Eilhart 2255 und Gr. R. *γ* 20 oder *und fragete in ware er were* Eilhart 1177 und Gr. R. D 6?

Im ganzen bleibt Bethmanns äufserst sorgsame und genaue Arbeit eine schöne Leistung, die nicht nur an und für sich unsere Kenntnis der mhd. Frühzeit mehrt, sondern auch weiterhin anregend und fördernd wirken wird, da alle ähnlichen Untersuchungen zu ihr Stellung nehmen müssen.

Znaim. V i k t o r D o l l m a y r.

Gertrud Bäumer, Goethes Satyros. Eine Studie zur Entstehungsgeschichte. Teubner, Leipzig 1905. 126 S.

Nach dem 'Ewigen Juden' ist der 'Satyros' vielleicht Goethes erstaunlichste Genialitätsprobe; und er teilt mit ihm jene grofsartige Verbindung an ausgelassenstem Humor und tiefster Poesie, die Morris (Goethestudien, 2. Aufl., I, 248) bei der Annäherung von 'Prometheus und Hanswurst' entzückt zusammenschaudern liefs. Ich vergesse die tiefe Wirkung nicht, die eine Aufführung im 'Berliner Theater' hinterliefs. Was den Romantikern bei ihrer Vergötterung der 'Ironie' vorschwebte, lehrt dies wundersame Werklein besser als all ihre eigenen 'Teufelein' verstehen.

Es ist daher mit besonderer Freude zu begrüfsen, dafs eine literarhistorische Bearbeitung dieses ebenso dankbaren als schwierigen Themas mit ungewönlich reifem Verständnis und sicherer Hand unternommen worden ist. Wenn die Verfasserin, etwas weit ausholend, die Vorgeschichte der Satyrfigur in unserer Dichtung gibt und dabei die Verwandtschaft mit dem Kyklopen (S. 57) und mit Herkules (S. 74, 1) feinsinnig ins Licht stellt, oder wenn sie, noch summarischer, über die Sprachbehandlung (S. 94 f.) und Metrik (S. 106, 113 f.) spricht, so würde man so weit nur erst die fleifsige Schülerin von Erich Schmidt und Max Herrmann zu erkennen haben. Aber schon die klugen Hinweise auf den Einflufs Hans Sachsens auf die Technik (S. 110) beweisen ein seltenes Talent eigener Beobachtung. Das beste aber ist die höchst erfreuliche Sicherheit, mit der sie die eigentliche Kernfrage anfalst: das Problem der dichterischen Entfaltung des Stoffes, das hier besonders ein Problem der Modellbenutzung (vgl. bes. S. 70) ist. Dafs Herder ein Hauptmodell, ja das Hauptmodell des Satyros war (S. 47 f., 69, 70, 123, bes. 81), steht ihr fest, wie jetzt wohl für jeden sachverständigen Beurteiler (vgl. z. B. Morris a. a. O. II, 269); aber sie leitet die Herstellung seines Bildes 'nicht von einem philologischen Studium seiner Werke, sondern von einem grofsen lebendigen Gesamteindruck seiner Persönlichkeit ab.' Deshalb widerstrebt sie dem Aufsuchen von Einzelbeziehungen, wie es z. B. Matthias vorgenommen hat, und geht hierin vielleicht sogar zu weit, denn G o e t h e hat stets die Porträtähnlichkeit gern durch solche kleinen Züge (z. B. das Wort 'Geträtsch' in Carlos-Mercks Munde) aufgehöht. Die Verf. weiſs die autonome Entwickelung einer poetischen Gestalt viel unbefangener zu würdigen, als es gemeiniglich unsere 'ableitenden' Untersuchungen tun, und widerspricht deshalb auch (S. 57 Anm., 87) mit guten Gründen T i l l e s Überschätzung von Anklängen an W i e l a n d, ohne sie etwa ganz zu leugnen (vgl. S. 26, 40, 75). Aus diesem eindringenden Erfassen der dichterischen Evolution heraus erkennt sie auch einen Bruch in der Entwickelung des Dramas (S. 85, 89), der sich den bisherigen Beobachtern entzog, nun aber kaum noch bestritten werden wird.

Durchaus sympathisieren wir auch damit, daſs die Verfasserin die 'pasquinische Seite (S. 53) zurücktreten läſst neben der positiven, der Verkündigung eines neuen Lebensgefühls (S. 42, 117 f.), die vor allem in der unvergleichlichen 'Rousseaupredigt' und dem Satyrlied (S. 71, 78, bes. 83) Ausdruck findet. Sie wird deshalb auch dem satirischen Zuge nicht immer gerecht; so, wenn sie es auffallend findet, daſs Satyros nicht bei der Tötung des Einsiedlers zugegen sein will (S. 84). Tartuffe (der am Schluſs ja ohne Zweifel mitspielt) braucht man dazu kaum heranzuziehen; es ist die typische Scheinheiligkeit des 'Bonzen', der angesichts des für seine Opfer errichteten Scheiterhaufens sein 'ecclesia abhorret sanguinem' hersagt.

In der Geschichte der Satyrosforschung liegt ein charakteristisches Stück Geschichte der Goethephilologie, und kein schlechtes. Die Verfasserin stellt sich würdig in eine gute Gesellschaft. Hoffentlich bleibt sie ihr treu; es liegen noch Probleme genug um die Hütte des Waldteufels. So das der Nachwirkung; reicht sie nicht vielleicht bis zu H e b b e l s gewaltigem 'M o l o c h'- Fragment?

Berlin.   R i c h a r d M. M e y e r.

Clemens Brentano, Romanzen vom Rosenkranz. Herausgegeben von Max Morris. Berlin, C. Skopnik, 1903. LXXIX u. 402 S. 5 Mk.

Da die Urschrift Brentanos sowie Böhmers Abschrift (oder Abschriften) sich bis heute nicht gefunden haben, wurde diesem Neudruck zunächst der erste Druck in den *Gesammelten Schriften* III zugrunde gelegt und das offenbar Fehlerhafte nach einer Handschrift verbessert, die aus dem Nachlaſs von Görres in den Handel gekommen war. Als nun aber derart zwei Drittel des Werkes gedruckt vorlagen, drängte sich dem Herausgeber die Überzeugung auf, daſs gerade diese Handschrift den ursprünglichen echten Wortlaut enthalte, während der Wortlaut in der Gesamtausgabe von Böhmer — zum Teil recht geschickt — überarbeitet sei. So war für den Rest des Druckes die Handschrift allein maſsgebend.

Praktisch ist der Miſsstand insofern nicht erheblich, als es sich nur um eine beschränkte Zahl von Abweichungen handelt und für wissenschaftliche Zwecke die Überlieferung aus den Lesarten zu ersehen ist. Dennoch gereicht es begreiflicherweise dem Herausgeber zur Genugtuung, daſs ihm eine in M. Hesses Verlag erscheinende Auswahl aus Brentanos Werken instand setzen wird, statt des 'halbschürigen' Textes einen seiner Überzeugung genau entsprechenden zu bieten.

In der umfangreichen Einleitung und in den Anmerkungen (S. 386—402) sind die Ergebnisse ebenso mühsamer wie sorgfältiger Forschungen niedergelegt. Der erste Abschnitt der Einleitung gibt die äuſsere Geschichte von Brentanos unvollendetem 'Hauptwerk' in einer Reihe brieflicher Zeugnisse, denen zufolge die Arbeit an den Romanzen mindestens bis ins Jahr 1804 zurückreicht. Der zweite erläutert das einführende Gedicht in Terzinen, soweit es vorliegt, und nach seinem geplanten weiteren Verlaufe.

Im dritten wird auf Grund der Entwürfe eine zusammenhängende Darstellung
der Fabel und im vierten der Nachweis versucht, wie 'dieser seltsame und
in den unausgeführten Teilen auch wohl öfter unerfreuliche Plan in der
Seele des Dichters erwachsen' sei. Ein fünfter — allerdings nicht besonders
bezeichneter — Abschnitt erörtert noch bis ins einzelne die verzwickten
Vers- und Reimkünste, die Assonanzenschemata, metrischen Bravour-
stücke usw., mit deren Hilfe 'alle musikalischen Mittel der Sprache zu
einer äufsersten Leistung angestrengt' werden sollten.

Die Anmerkungen zum ausgeführten Gedichte und zu den Paralipo-
mena bringen lehrreiche Wort- und Sacherklärungen und besonders auch
reichliche, wenn schon vielleicht noch nicht erschöpfende Quellennachweise
zu dem Wust geschichtlichen und sagenhaften Stoffes, den 'der unersätt-
liche Dichter' da zu verwerten unternahm.

Mag einzelnes der Verbesserung fähig sein — wie z. B. seither von
Walzel der Name 'Moles' (im Gegensatz zu S. LVII) zweifellos richtig
auf Schellings 'Materie' zurückgeführt worden ist —, die ganze Arbeit
bildet einen sehr wertvollen Beitrag zu den täglich sich mehrenden For-
schungsergebnissen auf dem Gebiete der Romantik. Sie dürfte auch in
weiteren Kreisen Anklang finden, denn es fehlt heute gewifs nicht an
Liebhabern, die — wenn man mit dem Herausgeber Goethische Worte
über Calderon auf Brentano übertragen will — solchen 'abgezogenen,
höchst rektifizierten Weingeist, mit manchen Spezereien geschärft, mit
Süfsigkeit gemildert', gern und gierig 'als schmackhaftes, köstliches Reiz-
mittel einnehmen'.

Freiburg i. B.   R. Woerner.

Jonas Fränkel, Zacharias Werners Weihe der Kraft. Eine Studie
    zur Technik des Dramas. Hamburg u. Leipzig, L. Voss, 1904. (Beitr.
    zur Ästhetik, herausg. von Th. Lipps u. R. M. Werner, IX.) X u. 141 S.

Grillparzers Wort, nur Zacharias Werner sei bestimmt gewesen, als
der dritte neben unsern gröfsten Dichtern zu stehen, hat mich viel beschäftigt, ohne dafs ich es je begriffen hätte. Der Enthusiasmus, mit dem
des Amerikaners Coar selbständig gedachte *Studies in German Literature*
sich für Werner einlegen, wird durch die begleitenden Ausführungen nicht
genügend unterstützt. Selbst Poppenbergs vortreffliche Arbeit, gewifs
eine wesentliche Förderung unserer Kenntnis dieser seltsamen Persönlichkeit, zeigt in ihm mehr die typisch-romantischen Seiten auf als die individuellen. Fränkels eindringende Arbeit aber zeigt sachlich und sicher,
worin Werners Bedeutung für das Drama bestand, in welchem Sinne er
sich (S. 101) von Schiller emanzipierte und eigene Bahnen einschlug —
freilich auch, wie wenig er damit trotz mannigfacher Bewunderung gerade
auch von den ihm Wichtigsten gewürdigt wurde: von seinem 'Helios'
Goethe (S. 126) und den älteren Romantikern (S. 128).

Schritt für Schritt analysiert Fränkel Werners merkwürdigen Versuch,
'die romantischen Ideen auf die Bühne zu bringen' (S. 5), gibt die mysti-
sche Nebenhandlung (S. 18) mit ihrer geradezu komischen Wirkung (S. 79)
preis, legt aber die Kunst in der Entwickelung der Haupthandlung klar
dar. Kunstvoll überlegte Mittel, wie das symmetrische Gleichgewicht der
Auftritte (S. 31), die schwierigen, aber gut geführten 'übereinander grei-
fenden Szenen', die auch Grillparzer liebt (S. 33), Parallel- und Wieder-
holungsszenen (S. 33—34), Kontraste (S. 35), finden sich unauffällig verwandt. In den Szenenanfängen (S. 36) zeigt sich ein — fast moderner —
Sinn für die Stimmung. Die Vorgänge aufserhalb der Bühne (S. 38) werden
dem Fortschritt der Handlung, die Massen und Schauszenen freilich (S. 43)
nicht mit Schillerscher Gröfse ihrer Anschaulichkeit dienstbar gemacht.
Sehr stark stehen die Monologe (S. 50) unter dem Einflufs unseres mäch-

tigsten Dramatikers; doch fehlen charakteristische Formen des Schiller-
schen Selbstgesprächs.

Bei dem Vergleich des Dramas (S. 52) mit dem geschichtlichen Ver-
lauf (S. 53 f.) hätte ein Hinweis auf die damals noch herrschende gröfsere
Freiheit in der Geschichtsdarstellung nicht fehlen sollen. Joh. v. Müller
(S. 130) war von Werners Luther entzückt — Leopold Ranke vertrug
nicht einmal Walther Scotts Ludwig XI.! Warum übrigens kann die
Dalberg-Szene (S. 44 Anm.) nicht trotz ihrer historischen Grundlage als
Kompliment für den Fürst-Primas gemeint sein?

Fränkels Talent, auf das Wichtigste loszugehen, zeigt sich wieder bei
den Beobachtungen über den Stil (S. 89 f.). Er geht von dem 'Klima'
der Dichtung aus und macht die hübsche Bemerkung, der 'prédilection
d'artiste' sei die Darstellung des Glaubens besser gelungen, als es der
eifernden Gläubigkeit hätte gelingen können. Als romantisch hebt er besonders die Bergmannsszenen (S. 90) und die Gleichnisse aus der bildenden
Kunst (S. 92) hervor. All das trug gewifs dazu bei, die literarischen
Kämpfe in Berlin lebhaft zu machen; freilich war der voranlaufende Zei-
tungsstreit (S. 105) heftiger als später die Kritik. Sollte aber wirklich damals schon 'am gleichen Abend' (S. 116) ein Theaterbericht erschienen sein?

Und endlich überbietet der Dichter die heifseste Kritik durch seinen
Widerruf (S. 134), die grausamste 'Autocharakteristik' — um ein Wort
Fränkels, das sich hoffentlich nicht einbürgert, einmal zu verwenden —,
von der wir wissen! Die 'Weihe der Kraft' ward dem nach seiner Bekehrung erloschenen Dichter zur Weihe der eigenen Unkraft. Nun hat endlich,
nach einem Jahrhundert, diese sorgsame Arbeit aus Walzels guter Schule
das Werk, das sein Meister nicht mehr loben wollte, seinen Meister loben
lassen!

Berlin.   Richard M. Meyer.

O. E. Lessing, Grillparzer und das Neue Drama. Eine Studie. Mün-
chen u. Leipzig, R. Piper u. Co. VIII, 174 S.

Als Alte und Neue Tragödie stellt im Anschlufs an Hebbel O. E. Lessing zwei völlig verschiedene Arten dramatischer Kunstwerke einander
entgegen: die Alte Tragödie zeigt den Einzelmenschen in seiner Entwicklung und läfst ihn im Kampfe mit der Weltordnung, mit dem Sittengesetz
unterliegen; sie macht ihn zu einem Brennpunkt, in dem sich die Strahlen
der Idee treffen; sie ist individualistisch und — da die Entwicklung des
Helden zum Untergang führt — pessimistisch. In der Neuen Tragödie
weicht das Individuum der Gattung; 'auf den Trümmern einer unter-
gehenden Welt baut sich eine neue, höhere auf'; die Idee entwickelt sich
zum Pol, dem das Individuum zustrebt; die Neue Tragödie spiegelt die
Entwicklung der ganzen Menschheit und ist daher kollektivistisch, ihrer
Endstimmung nach optimistisch. In dem kollektivistischen Ideendrama
offenbart sich ein Stück Menschheitsgeschichte, es kann daher als das
kosmische Drama, als das Neue Drama schlechthin bezeichnet werden.

Hebbel selbst hat das Ideal dieses Neuen Dramas nur in Agnes Ber-
nauer, Gyges, Moloch ganz verwirklicht, andere Dramen sind nur Voraussetzungen zu jenem Ideal, d. h. sie haben den Bruch mit der alten Auffassung von einer tragischen Schuld bereits glücklich vollzogen: Mariamne,
Rhodope, Genoveva, sie gehen zugrunde, weil sie ganz sie selbst sind, weil
die Tragik schon mit ihrem Dasein gegeben ist.

Grillparzer — das ist des Verfassers These — hat dieselbe Entwicklung
durchgemacht wie Hebbel; auch sein Weg führt von der tragischen Schuld
über die dem Individuum immanente Tragik zum Neuen Drama, und diese
Entwicklung verfolgt, liebevoll forschend und deutend, Lessing in seinem
anregenden Buche.

Trotz unleugbar poetischer Reize enthalten Ahnfrau und Ein Traum, ein Leben noch nichts, was eine hehre Zukunft verkündet; darum setzt die Untersuchung erst mit Sappho ein, des Dichters erstem Versuche, einem tragischen Problem wirklich auf den Grund zu gehen. In ausführlicher, lehrreicher Analyse führt Lessing den Nachweis, daſs Sappho nichts als eine Talentprobe und ohne selbständigen Wert für die Weltliteratur ist, epochemachend allein für den Dichter. Höher steht das Goldene Vlieſs, besonders wegen der sicheren Durchführung der Grundidee, doch erst König Ottokars Glück und Ende kann als ein Meisterwerk bezeichnet werden. Hier steht Grillparzer völlig auf eigenen Füſsen, äuſsere und innere Form deken sich ganz und gar; eine gereifte Weltanschauung tritt zutage, eine neue, bessere Welt erhebt sich aus den Trümmern einer zerfallenden. Ottokars Untergang ist die Grundbedingung für das Gedeihen des Kaisertums, die Tragik des Individuums für das Wachstum der Menschheit. Für diesen Aufschwung macht der Verfasser die Lösung Grillparzers von seiner Mutter und die italienische Reise verantwortlich: eine neue Lebensperiode beginne mit dieser Reise und mit der von ihr ausgehenden Anregung.

Und doch verharrt der Dichter nicht auf der einmal erklommenen Höhe: in Ein treuer Diener seines Herrn ist der 'kollektivistische Optimismus des Ottokar zum individualistischen Pessimismus' zurückgesunken — nichtsdestoweniger gehört dieses Drama mit Hero künstlerisch zu dem vollendetsten, was Grillparzer geschaffen hat. Gründlich gebrochen ist hier mit der traditionellen Auffassung von der tragischen Schuld; daher sind beide Dramen Durchgangsstadien, und erst hinter ihnen tagt das 'Ziel'.

Bevor Grillparzer zur Tragödie der Zukunft reifte, muſste eine neue Welt sich ihm auftun: das Studium Lopes, historische und philosophische Anregungen. Durch sie überwand er die individualistische Weltanschauung, sah er sich der kollektivistischen zugeführt, durch die sich ihm die Bahn 'zum Drama groſsen Stils' erst öffnete. Verfasser geht nun ausführlich auf Grillparzers Verhältnis zur Hegelschen Philosophie ein und konstatiert, daſs Hegel drei Jahrzehnte lang einen erheblichen Teil von des Dichters geistiger Kraft in Anspruch genommen, und daſs der Kollektivismus Hegels und das Prinzip seiner Dialektik dem dramatischen Schaffen Grillparzers seit der Mitte der dreiſsiger Jahre eine neue Richtung gegeben hat. Libussa und Jüdin von Toledo bleiben unverständlich, wenn man nicht die Hegelsche Dialektik als treibende Kraft darin anerkennt; sie sind poetische Verkörperungen der Entwicklungsidee im kollektivistischen Sinne. In Esther vertritt Mardochai dem ursprünglich individualistischen Standpunkt Esthers gegenüber das abstrakt kollektivistische Prinzip; der Bruderzwist ist ein Weltdrama, in dessen Charakteren sich das Aufsteigen einer neuen Epoche, das Werden und Flieſsen der Zeit spiegeln. Aber erst mit Libussa setzt das Neue Drama ein: es ist ein Kulturdrama, das die Erfahrungen und die Weisheit eines ganzen Lebens umfaſst. Hier, wo die Heldin die Skala Gefühl — Verstand — Rückkehr zum Gefühl durchläuft, hat Hegels Dialektik poetische Gestalt angenommen, die Dialektik ist in die Idee selbst hineingetragen. Libussa ist das höchste Muster der Tragödie der Zukunft, des Neuen Dramas, das einst Hebbel im Sinne hatte; neben Libussa steht die Jüdin.

Lessings Buch schlieſst mit einem 'Ausblick' (S. 145—174). In Goethes Faust und in den Wahlverwandtschaften erblickte Hebbel die Grundlage eines Neuen Dramas; der Verfasser spürt Anfänge desselben in Lessings Philotas und im Egmont auf ('aus dem Kampfe der willkürlichen [?] Freiheit mit der willkürlichen Tyrannei muſste notwendig die wahre Freiheit hervorgehen'); Schiller nähme im Fiesko, im Karlos, in der Jungfrau gewaltige Ansätze zu einer synthetischen Entwicklung; auch Grabbe nähere sich in seinen letzten Arbeiten der Höhe, aber das Werk Grillparzers und Hebbels habe bis jetzt kein deutscher Dichter würdig fortgesetzt. Unter

den Schwierigkeiten, auf diesem Wege vorwärts zu kommen, stehe obenan
die Schöpfung neuer Ausdrucksformen für die feinen Nuancierungen des
modernen Kulturlebens, und die Werkzeuge dazu habe Arno Holz geschaffen: er verlangte 'absolute Stileinheit, Übereinstimmung innerer und
äufserer Form, wie sie in gleicher Vollendung mit den unzulänglichen
Hilfsmitteln der älteren Technik nie erzielt werden konnte'. In Hanns
von Gumppenberg ahnt Lessing einen Dichter, der zum kollektivistischen
Drama vorzudringen vermag; von den Neuromantikern und anderen modernen Schulen erwartet er nichts. Aber 'kommen wird das moderne Neue
Drama. Das ist keine müfsige Prophezeiung. Die ganze Entwicklung der
Dramatik, nicht nur Deutschlands, strebt auf jene Gattung hin.'
   Wir haben absichtlich möglichst mit des Verfassers eigenen Worten den
Inhalt der Schrift kurz skizziert, die von Anfang an des Lesers Interesse
fesselt und spannt. Ihren Kern bildet der Nachweis des Einflusses, den
die Philosophie, insonderheit Hegel, auf den Dichter ausübte, und von
dem die Grillparzerliteratur bisher wenig anzuführen wufste. Grillparzer
wird dadurch mitten in den vollen Strom des geistigen Lebens seiner Zeit
gerückt und zu einem Bahnbrecher philosophischer wie künstlerischer
Ideen, zum wirksam kräftigen Förderer einer neuen dramatischen Kunst
erhoben, von dem Gegenwart und Zukunft zu lernen haben. Ein weiterer
Wert des Buches liegt in den Analysen einiger Dramen, durch die der
Verfasser seine Urteile begründet, der Leser in seinem Verständnis Grill-
parzerscher Kunst gefördert wird.
   Berlin.   H. Löschhorn.

Briefwechsel des jungen Börne und der Henriette Herz. Herausg. von L. Geiger. Oldenburg u. Leipzig, o. J. 201 S. Geh. 3 Mk., geb. 4 Mk.

   Die Veröffentlichung dieses Briefwechsels wird damit motiviert, dafs
die Briefe an Henriette Herz noch ungedruckt, die Börnes an sie vergriffen sind. Freilich ist es die Frage, ob nach ihnen grofse Nachfrage
herrscht. Der reife Börne ist eine interessante Persönlichkeit, der als
Kritiker, Journalist, Stilist noch keineswegs wissenschaftlich gewürdigt ist;
der unreife Schreiber dieser Briefe erhebt sich trotz mancher geistreicher
Wendung wenig über das Niveau des begabten 'krassen Fuchses'. Die
Liebe zu Henriette Herz trägt den typischen Charakter spät erwachter
Pubertätsgefühle, die bei solchen Naturen durch das geistige Interesse
lange zurückgehalten wurden, und es fehlt auch nicht die literarische An-
färbung, auf die der Verfasser mit Recht hinweist; nur dafs dieser Briefwechsel allerdings hinter dem Werthers so weit an Poesie zurückbleibt
wie die an den Apotheker gerichtete Bitte um Rattengift hinter dem Ent-
leihen der Pistole (S. 58, 60 vgl. 18). Eigene Züge sind nur etwa die
Beobachtung, dafs die schöne Frau in bestimmten Stellungen und gewisser
Kleidung auf sein verliebtes Herz stärker wirkt als in andern (S. 65, 69);
denn die Sprachfehler, aus denen er sich herauszubilden hat ('von die La
Roche', S. 64, 'die Rede kam auf Ihnen', S. 93), sind weder bei Heinrich
v. Kleist, noch bei Dorothea Schlegel selten, ja nicht einmal bei dem jungen
Tieck. Henriette schreibt auch (S. 110), dafs sie 'ins Englisch unterrichtet.'
   Börnes Urteile über die bedeutenden Persönlichkeiten, in deren Nähe
ihn ein günstiges Schicksal führt, Reil (S. 121), Schleiermacher (S. 127
vgl. 159), Steffens (S. 164), sind höchstens für den Briefschreiber bezeichnend, lustig dagegen die auf seine Humoresken vorbereitenden Schilderungen des Klatschnestes Halle (S. 112, 120, 171) und der Familie Reil,
besonders der Frau (S. 87). Schriftstellerische Gewandtheit fehlt auch
sonst nicht, auch nicht Blitze des 'Originalgenies' (S. 100): die Kritik der
Sprache würde Fritz Mauthner erfreuen: 'Gott ist nur da, wo keine Sprache
ist' (S. 127; über das 'Blumauerische' Alte Testament S. 144).

Henriette weist Börne (S. 59 f.) energisch zurück; seine Liebe empfand sie nur als Zudringlichkeit, und ihr Schlußurteil ist die harte Kritik einer in sittlichen Fragen unbeugsamen Frau über einen zwischen Moral (Abscheu vor der Unsittlichkeit in Halle, S. 135) und — Geniemoral noch hin und her schwankenden Jüngling (S. 190). Es bildet den Schluß des Buches und kann den unerfreulichen Eindruck des psychologisch und kulturhistorisch nicht allzu ergiebigen Briefwechsels nur steigern.

Berlin.   Richard M. Meyer.

Otto Weddigen, Die Ruhestätten und Denkmäler unserer deutschen Dichter. Mit 4 Photogravüren und 69 Abbildungen im Text. Halle 1904. Gesenius. XII u. 209 S.

Der Madonnenkultus der katholischen Kirche brachte einen 'Marianischen Atlas' hervor; es war kein schlechter Gedanke, in ähnlicher Weise den Spuren des modernen Heroenkultus nachzugehen, und eine geographische Übersicht etwa der Schiller- und Goethedenkmäler in ihrer Verteilung könnte zu allerlei Schlüssen anregen, die freilich unsicher genug bleiben würden. Schon eine Statistik dieser metallenen oder steinernen Niederschläge unserer Dichterliebe wäre zu verwerten; freilich kann die oberflächliche Zählung in Weddigens Einleitung nur als unbrauchbar bezeichnet werden. Und eine ernste Berechnung müßte vor allem mit dem Unterschied der Zeiten rechnen, die einst langsam und widerstrebend zu einem Goethedenkmal in Frankfurt schritten und heut auf das kaum zugeschüttete Grab des unbedeutenden Gottfried Schwab in Darmstadt ein Monument pflanzen.

Weddigen begnügt sich mit einer Aufzählung und Beschreibung der Grab- und Erinnerungsdenkmäler, die gewiß nicht vollständig sein wird — so macht mich Prof. Brandl auf das Fehlen des Steubdenkmals in Brixlegg (Tirol) aufmerksam —, doch aber wenigstens für Stand und Entwicklung unseres Monumentalitätsbegriffes und für die Geschichte des äußeren Dichterideals fruchtbar gemacht werden kann. Leider nimmt er den Begriff des Denkmals zu wörtlich: für Schneckenburger etwa ist doch die Aufschrift der 'Wacht am Rhein' auf dem Postament des Niederwalddenkmals wichtiger als das Monument in Tuttlingen!

Die Denkmäler, die der Verfasser selbst in kurzen Charakteristiken den Poeten stiftet, geben leider an Trivialität den modernsten Denkmalsschöpfungen nichts nach: 'Anzengruber ist ein tüchtiger Dramatiker und ein großer Volksdichter Österreichs' (S. 2), oder 'Fischart ist der geistvollste und beste Schriftsteller zu Ausgang des 16. Jahrhunderts' (S. 20). In der Regel heißt es nur: 'X schrieb Gedichte', und so auch bei Schiller: 'Schillers Werke enthalten ...' (S. 151). Dies dürfte bekannt sein.

So wandert man auch durch diese Siegesallee nur mit gemischten Gefühlen, freut sich aber doch schließlich in dem Gedanken, daß wohl kein Volk so vieler Dichter liebend gedenkt wie das unsrige; freilich leider oft erst beim Grabdenkmal!

Berlin.   Richard M. Meyer.

Neue Literatur zur Volkskunde.

1) **Grassl**, Geschichte der deutsch-böhmischen Ansiedelungen im Banat (Beiträge zur deutsch-böhmischen Volkskunde, geleitet von Hauffen. Band V, Heft 2). Mit 8 Lichtdrucktafeln. Prag, Calve (Koch), 1904. VI, 128 S. 8.

2) **Lebende Worte und Werke.** Eine Sammlung von Auswahlbänden. Je M. 1,80 geh., M. 3 geb. Düsseldorf u. Leipzig, K. R. Langewiesche

Bis jetzt liegen die Bände vor: Carlyle, Luther, E. M. Arndt, Ruskin, Deutsche Volkslieder.

3) Alfr. Tobler, Das Volkslied im Appenzeller Lande. Nach mündlicher Überlieferung gesammelt (Schriften der Schweizer Gesellschaft für Volkskunde, III). Zürich, Juchli & Beck, 1903. III, 147 S. M. 2,80.

4) Colm. Schumann, Lübeckisches Spiel- und Rätselbuch. Lübeck, Gebr. Borchers, 1905. XXII, 208 S. 8.

5) O. Knoop, Volkstümliches aus der Tierwelt (Beiträge zur Volkskunde der Provinz Posen, 1. Bändchen). Rogasen, Selbstverlag des Herausgebers, 1905. IV, 68 S. 8.

6) A. Rud. Jenewein, Das Höttinger Peterlspiel. Ein Beitrag zur Charakteristik des Volkstums in Tirol. Innsbruck, Wagner, 1903. Ders., Alt-Innsbrucker Hanswurstspiele. Nachträge zum 'Höttinger Peterlspiel'. Ebenda. 201 S. 8.

7) J. F. D. Blöte, Das Aufkommen der Sage von Brabon Silvius, dem barbarischen Schwanritter (Verhandlingen der Koninglijke Akademie van Wetenschappen te Amsterdam, Afdeeling Letterkunde; Nieuwe Reeks, V. 4). Amsterdam, J. Müller, 1904. VI, 127 S. gr. 8.

8) Aloys Dreyer, Franz v. Kobell (Oberbayrisches Archiv für vaterländische Geschichte. Band LII, Heft 1). München, Verlag des historischen Vereins für Oberbayern, 1904. X, 132 S. 8.

9) Bibliothek deutscher Schriftsteller aus Böhmen. Herausgegeben im Auftrage der Gesellschaft zur Förderung deutscher Wissenschaft, Kunst und Literatur in Böhmen. Band XI—XIV. (XI: A. Stifters sämtliche Werke, 1. Band: Studien, herausgeg. von August Sauer. Mit dem Bildnis des Dichters und 2 Lichtdrucktafeln. — XII: Dasselbe, 14. Band: Vermischte Schriften, 1. Abteilung, herausgeg. von A. Horcicka. Mit 18 Lichtdrucktafeln. LXXXV, 402 S. — XIII: Ausgewählte Werke des Grafen Kaspar von Sternberg, 1. Band: Briefwechsel zwischen Goethe und Sternberg (1820—1832), herausgeg. von August Sauer. Mit 3 Bildnissen Sternbergs. LI, 434 S. — XIV: J. Mathesius, Ausgewählte Werke, 4. Band: Handsteine. Herausgeg. von Lösche. Mit 2 Lichtdrucktafeln. 704 S. Prag, Calve (J. Koch), 1904. 8.

10) A. W. Fischer, Über die volkstümlichen Elemente in den Gedichten Heines (Berliner Beiträge zur germanischen und romanischen Philologie, germanische Abteilung 15). Berlin, A. Ebering, 1905. 147 S. 8.

11) O. Weise, Unsere Muttersprache, ihr Werden und ihr Wesen. 5. verb. Aufl. Leipzig u. Berlin, B. G. Teubner, 1904. VIII, 204 S. 8.

12) M. Beheim-Schwarzbach, Deutsche Volksreime. Posen, Jolowicz. 42 S. 8.

13) G. Blumschein, Aus dem Wortschatze der Kölner Mundart. (Aus der Festschrift zum XI. deutschen Neuphilologentage.) Köln, Neubner. 32 S. 8.

Seit unserem letzten Bericht (Band CXIII, 159 ff.) sind uns größere Arbeiten enzyklopädischer oder methodischer Art zur Volkskunde nicht zugegangen, und das in den Zeitschriften aufgespeicherte Material muß bis zum nächsten Referat zurückgestellt werden; auch von Monographien

über einzelne Gebiete haben wir nicht viel zu melden; immerhin bringt
die Arbeit von Grassl über die deutsch-böhmische Ansiedelung im Banat,
trotz ihres vorzugsweise kulturgeschichtlichen Inhalts, manches volkskundlich
Interessante. 'Sie erzählt von deutschen Landsleuten des Böhmerwaldes, die
aus Not und Armut 1827 und 1828 in grofser Zahl ihre Heimat verlassen
haben und dem Rufe in die damalige Militärgrenze gefolgt sind, wo sie in
den unwirtlichsten Bergwäldern, damals an der Grenze der Türkei, fern jeder
Kultur, neue Ansiedelungen begründeten und unter jahrzehntelangen, harten Mühen und Bedrängnissen aller Art sich endlich zu menschenwürdi-
gen, ja behaglichen Verhältnissen emporringen sollten.' Der Verfasser,
dessen Eltern selbst an der Auswanderung teilgenommen haben, richtet
natürlich vor allem seinen Blick auf die Entwickelung der wirtschaftlichen
und politischen Verhältnisse. Immerhin werden im 5. Abschnitt: 'Die
Jahreszeiten mit ihren Arbeiten und Festen', Sitten und Bräuche reichlich
und anschaulich beschrieben, während Volksdichtung und Mundart erheblich schlechter wegkommen. Dabei stellt der Verfasser fest, dafs von
den vier wichtigsten, bei der ursprünglichen Ansiedelung hervortreten-
den mundartlichen Schattierungen das Niederbayrische, die Sprache des
vorzugsweise Ackerbau treibenden Teiles der jungen Bevölkerung, den
Sieg an sich gerissen hat. Wir würden nun gern hören, ob sich hinsichtlich der Gebräuche dasselbe beobachten läfst, doch verfährt der Verfasser
hier meist deskriptiv und begnügt sich mit einem farblosen ,hier und da',
wo wir reinliche Scheidung erwarteten.[1] Die noch wichtigere Frage, wie
weit sich etwa in den Texten der Volkslieder und ähnlicher, besonders
durch den Reim gebundener Erzeugnisse der Volkspoesie das Überwiegen
eines oder des anderen Teiles der Bevölkerung nachweisen lasse, liegt G.
fern. Vielleicht regt aber seine schöne Arbeit andere Forscher an, zunächst einmal das Material zu sammeln, das ja dann im Vergleich mit
den reichen Sammlungen der deutsch-böhmischen Gesellschaft bei der
nötigen Vorsicht manchen interessanten Schlufs ziehen lassen dürfte.

Gröfsere Sammlungen von Märchen, Sagen und Liedern nach dem
Volksmunde sind in der Berichtszeit nicht erschienen, doch können wir
mit Befriedigung auf eine zu literarischen Zwecken veranstaltete Sammlung volkskundlichen Materials verweisen, die weiter Verbreitung würdig ist.
Die verständig geleitete und vornehm ausgestattete Sammlung *Lebende
Worte und Werke*, die sich, einem Zuge der Zeit folgend, um die Bergung
des 'eisernen Bestandes' in den Werken älterer Autoren bemüht, bringt
auch in einem dieser Bände *Von rosen ein krenxelein*, d. h. eine Auswahl
von etwa hundertfünfzig Volksliedern, die Stierling aus älteren und neueren Sammlungen treu und geschickt zusammengestellt hat. Das mundartliche Element spielt dabei eine grofse Rolle, auch Aufserdeutsches bleibt
nicht ganz fern. Mit welchem Recht freilich der Herausgeber behauptet:
'Das nur im Dänischen erhaltene Lied von Herrn Olof kann mit gleichem
Recht für Deutschland in Anspruch genommen werden' (S. 227), sehe ich
nicht ein. Auch scheint uns seine Anordnung bisweilen etwas willkürlich
und reifst uns aus einer Stimmung in die andere. Im ganzen aber sei
das Buch, das solche Perlen, wie den 'Herrn von Falkenstein', den 'Linden-

---

[1] Wenig ist uns natürlich auch mit so vagen Bemerkungen gedient, wie S. 121
unten: 'Noch mufs bemerkt werden, dafs die Hochzeitsgebräuche in den vier
deutsch-böhmischen Ansiedelungen hier und da von den beschriebenen unwesentlich abweichen, ja, in ein und demselben Orte nicht mehr die gleichen sind und
auch die gleichen nicht bleiben, was aber zu bedauern ist, weil der nationale
Charakter dabei mehr und mehr verwischt wird.' Hier mufsten die Differenzen
mindestens an Stichproben aufgezeigt und dabei auch zwischen den Generationen
geschieden bezw. die Überlieferungen der nächsten Umgebung vergleichend herangezogen werden.

schmidt' usw., der Gegenwart wieder näherbringt, bestens empfohlen, wo
es nicht eine Unterlage für wissenschaftliche Untersuchungen, sondern
ein Hilfsmittel zur ersten Orientierung über das Wesen des deutschen
Volksliedes gilt.

Mehr den Sammlungen von Volksreimen und dergleichen nähert sich
die schöne, wertvolle Arbeit A. Toblers über *Das Volkslied im Appenzeller Lande*, die Texte und Weisen in die Darstellung selbst verwebt.
Im ganzen ergibt sich doch auch hier wieder ein ähnliches Resultat wie
bei so manchen anderen Sammlungen in den Bergländern: unsere alten
Balladen und der gröfste Teil unserer Liebeslieder sind dort so gut wie
unbekannt; lustige Tanz- und Necklieder bilden den Grundstock und berühren sich noch am ehesten mit dem binnendeutschen Gut; dazu kommt
dann eine grofse Anzahl spezifisch schweizerischer und appenzellischer
Texte, auch manches in den Volksmund übergegangene Kunstlied und
die Erzeugnisse religiöser Lyrik. Es müfste eine reizvolle, freilich auch
schwierige Aufgabe für einen geborenen Älpler sein, den Tendenzen nachzugehen, die für die Auswahl, Übernahme und Beibehaltung der einzelnen
Nummern im Schweizer Volksmunde bedeutsam geworden sind. Lobend
anzuerkennen ist noch, dafs Tobler auch ältere Quellen nach Kräften
ausgeschöpft, vor allem sein Buch auch nicht den Vierzeilern und Schna-
derhüpfeln, Jodlern und Kuhreihen, Nachtwächter- und Sennsprüchen verschlossen hat. — Reime und Rätsel vom anderen Ende der deutschen
Welt bringt uns Schumann, als erfolgreicher Sammler volkskundlichen
Materials wohlbekannt. Den Hauptbestandteil seines Buches bilden die
lübischen Spiele und Spielreime, die er treu nach dem Volksmunde auf-
zeichnet, teils in der Mundart, teils in der neuerdings eingetauschten oder,
'wie besonders bei den Reimen und Gesellschaftsspielen, aus Mitteldeutsch-
land mitgebrachten' hochdeutschen Form. Dafs Schumann in seinem
Herzen noch immer der mythologischen Erklärungsmethode anhängt und
aus diesem Glauben auch öffentlich kein Hehl macht, ist betrüblich, kann
uns aber in der Freude nicht beirren, mit der wir seine von gelehrten
Schrullen allem Anschein nach unberührten Materialsammlungen als solche
begrüfsen. Die Parallelen sind so spärlich, dafs sie eigentlich besser ganz
weggeblieben wären. Von Wert sind sie eigentlich nur da, wo man sich
auf eine mit dem vollen, heute erreichbaren Variantenmaterial ausgestattete
Sammlung beziehen kann, wie für die Rätsel auf die ausgezeichnete Arbeit
Wossidlos. Ganz neues Material wird wenig zutage gefördert, dagegen
ist von den schönen, alten, vierzeiligen, gereimten Rätseln manches Stück
im lübischen Volksmunde erhalten und wird hier in interessanter Version
mitgeteilt. Natürlich stellen auch hier die Scherzfragen einen sehr beträchtlichen Bestandteil des Rätselschatzes dar, und ihre Zahl hätte sich
wohl noch bedeutend vermehren lassen. Indessen wäre hier überhaupt
kaum eigentlich neues Material beizubringen; auch ist der Wert dieser
Dinge für die stammheitliche Volkskunde gering, und das Material für
die psychologische Durchforschung der betreffenden Denkformen ist reichlich gesammelt und harrt nur der wissenschaftlichen Bearbeitung. — An
Wossidlos treffliche Arbeiten erinnert auch die kleine, wertvolle Sammlung O. Knoops, der seine Darlegungen mit dem betrübenden Bekenntnis
beginnen mufs: 'Seit dem Erscheinen meines Posener Sagenbuches (Posen
1893), das trotz seines Umfanges und reichen Inhaltes doch nur ein
Bruchstück ist, ist von deutscher Seite für die Volkskunde des Posener
Landes fast nichts geschehen, und die reichen Schätze an Volkssagen und
Aberglauben, an Sitten und Gebräuchen, die noch vorhanden sind und
auf die ich schon vor Jahren hingewiesen habe, blieben bisher ungehoben.'
Ja, eine gröfsere kujavische Sagensammlung, die der Lehrer Szulczewski
zusammengebracht hat, harrt noch eines mutigen Verlegers. Diese Verhältnisse sind innig zu beklagen. Kolonisationsgebiete sind das ergiebigste

Arbeitsfeld für alle Untersuchungen über die eigentümlichen Wandlungen volkstümlicher Überlieferungen, die sich aus dem Zusammenstofs heterogener Stämme ergeben. Hier waren nicht blofs rein inhaltliche oder stilistische Änderungen einzelner Lieder, Märchen usw. zu verfolgen, sondern vor allem festzustellen, was der eine Stamm aus dem Erinnerungsschatze des anderen sich aneignet, was er abstöfst, was er nach seinem Geschmack ummodelt, wie weit er sich in der Ausdrucksweise von den anderen beeinflussen läfst usw. Hier könnte sich die Posener Akademie auch um unsere Wissenschaft ein wahres Verdienst erwerben und einer verständigen, auf wissenschaftliche Erkenntnisse begründeten Propaganda des Deutschtums wertvolle Fingerzeige vermitteln. Zunächst müssen wir so tüchtigen und geschulten Sammlern wie Knoop für ihre Mühe dankbar sein. Er führt hier in alphabetischer Reihenfolge die Tiere auf, an die sich irgendwie volkstümliche Anschauungen anschliefsen. Deutsches und Polnisches wird durcheinandergebracht, die örtliche Herkunft des Beleges jeweils angegeben. Die Mehrzahl der beigebrachten Überlieferungen gehört ins Gebiet des Aberglaubens, doch fehlen auch Volksrätsel, Tierstimmendeutungen, Sprichwörter und dergleichen nicht. Augenscheinlich sind die gereimten Produkte hier weit weniger zahlreich, als z. B. in Mecklenburg.

Wertvoll und von ganz besonderem Interesse für die Leser unserer Zeitschrift ist die neue Veröffentlichung von Jenewein, der sich bereits früher durch den Abdruck des *Höttinger Peterlspiels* um die Erforschung der tirolischen Volksbühne verdient gemacht hat. Die hier vereinigten, gröfseren Stücke, in denen allen Hanswurst eine sehr wichtige, bisweilen fast das Interesse ganz auf sich konzentrierende Rolle spielt, sind uns zum Teil nicht mehr unbekannt. Schon 1897 konnte Erich Schmidt auf Vermittelung von Brandl an dieser Stelle, Band XCVIII, 1 ff., zwei Volksschauspiele: *Don Juan* und *Faust*, veröffentlichen. Sie erscheinen auch hier wieder, doch zum Teil in abweichender Form. Leider hat der Herausgeber, der weniger mit dem Interesse des wissenschaftlichen Forschers als des Dilettanten an seine Aufgabe herantrat, nicht blofs die oft sehr mangelhaften Bezeichnungen der Sprache in den handschriftlichen Texten vereinheitlicht und die für den Leser unentbehrlichen szenischen Bemerkungen eingefügt, sondern er 'hielt sich für berechtigt, hier und da etwas zu restaurieren, zu verbinden, ja sogar noch etwas unterzuschieben'. Das ist um so schlimmer, als es ihn 'gelockt hat, einige von Schmidt im Anhange zum *Faust* separat gebrachte Hanswurstszenen dem Ganzen noch anzugliedern, welche Einbeziehungs- und Verbindungsarbeit natürlich nicht ohne einige Willkürlichkeiten geschah.' Das ist im höchsten Grade bedauerlich, und wir möchten den geschätzten Herausgeber, dem wir ja für seine Mitteilungen im übrigen zu aufrichtigem Dank verpflichtet sind, dringend darum bitten, sämtliche von ihm vorgenommenen Abweichungen an mindesten in einer volks- oder landeskundlichen Zeitschrift, etwa in den Veröffentlichungen des *Ferdinandeums*, nachträglich zur Kenntnis der an seiner Ausgabe philologisch interessierten Kreise bringen. Glücklicherweise hat er auf der anderen Seite von jeder 'Reinigung' der Texte unter engherzigen pädagogischen Gesichtspunkten gänzlich abgesehen, während seine Individualität bisweilen in rein persönlichen Anmerkungen etwas zu deutlich in den Vordergrund tritt. Was geht es uns an, wenn Herr Jenewein die alten Jungfern schon bei Lebzeiten ins Moos wünscht (169), oder wenn er S. 189 bedauert, dafs der Teufel noch einmal erscheint, um Kasperle zu vexieren? Aufser dem Don Juan- und Faustspiel, welches letztere gegenüber der von Erich Schmidt mitgeteilten, ziemlich korrumpierten Form immerhin einige Verbesserungen erfährt, ist der wichtigste der mitgeteilten Texte derjenige der Innsbrucker Genoveva, der, soweit ich die bisherigen Aufzeichnungen überblicken kann, eine wertvolle

Bereicherung unseres Materials darstellt. Da Prof. Ammann in Krummau, der verdienstvolle Herausgeber (leider bisher eben nur Herausgeber) der *Volksschauspiele des Böhmerwaldes*, seine Hand auf die Geschichte der von ihm mitgeteilten Spiele gelegt, sein Wort freilich bis heute nicht eingelöst hat, so will ich von einer eingehenderen Behandlung des neuen Textes zuvörderst absehen, obwohl die Vergleichung mit den übrigen Versionen verlockend genug wäre. Zu bemerken ist, daſs das ganze Stück in vierhebigen, hinsichtlich der Senkungen sehr unregelmäſsigen Versen abgefaſst ist; der *Don Juan* zeigt vorwiegend dreihebige Reihen, der *Faust* meist Alexandriner, die folgenden Scherzspiele mengen drei- und vierhebige Zeilen mit trochäischen durcheinander. Unser Text ist so verderbt, daſs der treue Diener, den Golo sträflichen Umgangs mit der Pfalzgräfin bezichtigt, gar nicht mehr auftritt, noch auch erwähnt wird. Ob hier pädagogische Bedenken vorlagen? Jedenfalls zeigt das Ganze geistlichen Einfluſs. Der Engel, der im Volksbuch und in der Mehrzahl der übrigen Texte (soweit ich sie im Augenblick zur Hand habe) erst der verzweifelnden Genoveva in ihrer Waldeseinsamkeit erscheint, muſs hier schon früher eingreifen, um die Ermordung der Genoveva durch die Henkersknechte zu vereiteln, wozu übrigens Hanswurst nicht gehört, wie etwa in Engels Text. Vielmehr ist dieser augenscheinlich der gute Geist im Spiel, der dem Golo von vornherein feindlich gesinnt ist. Wohl möglich, daſs, wie die eigentlichen Verleumdungen und die Hexenszenen ausgefallen sind, so auch eine früher vorhandene Aufklärung des Pfalzgrafen durch Hanswurst geschwunden ist. Ohne diesen kommt natürlich auch der Schluſs nicht aus, und sein rechter Widerpart im Puppenspiel, der Teufel, ist dabei, um den Golo zu holen. Kaspar und Teufel sind die beliebtesten Figuren in unseren Spielen, und den Ansprüchen des Bösen auf 'einen Teil seines Leibes' weiſs der lustige Diener in dem letzten Spiel *Die Brautwerbung* auf sehr derbe Art zu erfüllen, wie er sich anderseits den Geistern der alten Jungfern im *Sterxinger Moos* schlau entwindet, indem er sie in Eifersucht aufeinanderhetzt, so daſs sie schlieſslich der Zwietrachtsteufel holt. Von dieser letzten Nummer vor allem mögen die Worte gelten, die der über seine Sammlung nicht allzu optimistisch denkende Herausgeber in der Einleitung ausspricht: 'Zu welcher Zeit die vorliegenden Stücke entstanden sind, läſst sich leider nicht mit Bestimmtheit angeben. Jedoch steht zu vermuten, daſs sie insgesamt nicht über die Befreiungskriege zurückreichen. Nach meiner Schätzung dürften sie alle so um die Mitte des vorigen Jahrhunderts entstanden sein und alle somit noch mehr der Individualpoesie als der eigentlichen Volkspoesie angehören. Irgend ein witziger Kopf hatte sie für einen bestimmten Kreis damals ersonnen und zum besten gegeben, dabei sie aber wohl auch selbst niedergeschrieben, so daſs jene Verschmelzung mit dem Volksgeiste, welche eine längere mündliche Überlieferung bei solchen Dingen bewirkt, und welche aus der Individualpoesie ja auch erst die Volkspoesie macht, hier noch nicht Platz greifen konnte.' Wenn wir bedenken, daſs J. K. v. Pauersbach, Sekretär am N.-Ö. Landrecht in Wien, für das Marionettentheater des Fürsten Esterhazy ein Genovevaspiel schrieb (Golz, *Pfalzgräfin Genoveva in der deutschen Dichtung*, Leipzig 1897, S. 159), so werden wir gerade bei dem sentenziösen, fast pikanten, mit bewuſster Nachahmung der Hexenszene des 'Macbeth' arbeitenden Altjungfernspiel am ehesten an solche literarische Entstehung glauben. Den volkstümlichen Kreisen näher stand wohl der Verfasser der derben Szene vom 'kranken Wirt', dem der geprellte Handelsjude den Bauch aufschwellen macht, bis ein 'zufällig im Theater anwesender' wohlbekannter Kurpfuscher (er starb um 1870) auf eine sehr drastische Weise die Heilung bringt, um dann wieder auf seinen Platz zurückzukehren, weil ihm das Spiel so gut gefällt. Diese Durchbrechung der Illusion und dies unmittelbare 'Anulken' lebender Mitglieder

der Gemeinde dürfte ganz modern sein und könnte allerdings das Puppenspiel zu einer gefährlichen Waffe in der Hand irgendeiner dörflichen Partei machen und ihm damit zu einer Neubelebung verhelfen, von der sich die alten Puppenspieler mit ihrer künstlerischen Objektivität nichts träumen liefsen. Übrigens sind doch auch diese nicht ausgestorben, wenngleich ihre Texte mehr und mehr korrumpiert werden. Ich selbst konnte kürzlich in der *Zeitschrift des Vereins für Volkskunde* (1905, Heft 3) ein fränkisches Faustspiel veröffentlichen, und der Puppenspieler Schmidt, von dessen Bühne jene Version stammt, spielt unter anderem noch 'Genoveva', das 'verwunschene Schlofs' usw. Es gilt auch hier aufzupassen und das noch Erreichbare treu und behutsam zu bergen.

Die Probleme der Sagenbildung berührt die Arbeit von Blöte. Der Verfasser trachtete noch vor einem Jahrzehnt (*Zeitschrift für deutsches Altertum* XXXVIII, S. 272), die mythischen Elemente der Schwanrittersage festzulegen, wies dabei auf die in den Überschwemmungsgebieten des Niederrheins und der Schelde früher noch als Lenzboten regelmäfsig auftretenden wilden Singschwäne hin, die von der keltischen Bevölkerung mit ihrem Lichtgotte Lugus, später aber von den germanischen Batavern mit ihrem Gotte Tius in Verbindung gebracht wurden, und deutete somit das Ganze auf einen Frühlingsmythus (mit dem Sommer verschwinden die Schwäne, zieht der lichte Gott von dannen). War hier die mythologisierende Phantasie des Verfassers vielleicht ein bifschen üppig ins Kraut geschossen, so verhält er sich jetzt um so skeptischer, sieht in dem Schwannachenmotiv sowie im Frageverbot mehr untergeordnete Bestandteile der Sage und sucht das Zustandekommen des ganzen Komplexes mehr mit den Hilfsmitteln historischer Kritik zu begründen, wobei er der Selbständigkeit fürstlich-genealogischer Legendenpraxis augenscheinlich zu viel, der Zähigkeit rein volkstümlicher Überlieferungen zu wenig Bedeutung einräumt. Natürlich ist die stimmungsvolle Sage vielfach für dynastische Zwecke verwandt worden, vor allem in den Häusern Boulogne-Bouillon, Brabant und Cleve. Für das letztere Fürstengeschlecht hat nun Bl. (*Zeitschrift für deutsches Altertum* XLII, S. 1 ff.) zur Evidenz nachgewiesen, wie um 1200 schon bekannte, aber noch nicht historisch verwertete Sage geflissentlich mit der Genealogie des schlesischen Hauses verknüpft wird, um dann im 15. Jahrhundert, wo Cleve zum Herzogtum erhoben wurde, ihre eigentliche Blüte zu erleben. Schwieriger ist die Frage nach der Verbindung des Fürstenhauses von Brabant mit der Schwanrittersage zu lösen, eine Frage, die für uns um so interessanter ist, als ja Wolfram von Eschenbach und nach ihm Konrad von Würzburg, der jüngere Titurel und der 'Lohengrin' die Herzöge von Brabant sich zur Abstammung von dem Schwanritter bekennen lassen. In französischen Dichtungen wird den Brabantern diese Herkunft nirgends zugesprochen, und bei den Deutschen scheint Gottfried von Bouillon erst dann mit den Brabantern verbunden zu sein, als an Stelle des 'Herzogs von Niederlothringen' sich immer mehr die Bezeichnung 'Herzog von Brabant' einbürgerte. Man kann verstehen, dafs bei solcher Namensübertragung auch das Sagenmotiv selbst auf das andere Geschlecht mit vererbt wurde, doch hat Bl. wohl recht mit der Ansicht, dafs zu der schnellen und gründlichen Verknüpfung der Sage mit den Brabantern der Wille der letzteren mitgewirkt habe. Er sucht demnach die Zeit zu bestimmen, zu welcher die Herren von Brabant die Schwanenstammsage gleichsam rezipiert haben. Wenn freilich die Tatsache, dafs die mit den Grafen von Loewenstamm verwandten Hennegauer sich keiner Herkunft vom Schwanritter rühmen, zur Bestimmung des *terminus post quem* verwendet werden soll (die Sage könnte unter diesen Umständen erst im 12. Jahrhundert, nach Abtrennung des hennegauischen Zweiges, von den Brabantern angenommen sein), so liegt hier unseres Er-

achtens ein methodisches Bedenken vor: ganz aus freier Luft greift ein
Fürstenhaus derartige Sagen doch nicht, zum mindesten werden sie dann
nicht so volkstümlich wie gerade die Schwanenherkunft der Brabanter;
hier mufs das Volk schon selber mitgewirkt haben, und es ist zum mindesten sehr wahrscheinlich, dafs eine volkstümliche Tradition, die von oben
her sicherlich begünstigt wurde, den Glauben an die geheimnisvolle Herkunft des Fürstenhauses trug und nährte, lange ehe er offiziell kanonisiert
wurde. Den *terminus ad quem* bietet Maerlants tadelnde Bemerkung über
den Stammeshochmut der Brabanter, von denen er nunmehr Gottfrieds
Stamm zu sondern trachtet. Mir macht seine Haltung fast den Eindruck,
als habe er die offizielle Anerkennung der Sage durch die Herzöge als
eine vor gar nicht so langer Frist erst erfolgte Tatsache in noch frischer,
anmutiger Erinnerung. Jedenfalls geht aus seinen Worten auch hervor,
dafs die Schwansage in enger Verbindung stand mit der genealogischen
Verknüpfung des Brabanterhauses mit Gottfried von Bouillon, und da die
Häuser von Boulogne und Brabant noch im 12. Jahrhundert streng geschieden sind, so mufs die nach der Ansicht Blötes eine fürstliche Heirat die
enge Verbindung beider Linien und damit auch ihrer Stammsagen im
Volksbewufstsein vermittelt haben. Wie weit diesem Argument Tragweite
beigemessen werden kann, weifs ich nicht zu sagen. Systematische Beobachtungen über Einwirkungen, welche äufserliche Verhältnisse, wie fürstliche Hochzeiten, die freilich zu jener Zeit tiefer ins Volksbewufstsein ein-
schneiden mochten als heute, auf die Überlieferungen der Völker ausübten, sind meines Wissens noch nicht angestellt worden. Jedenfalls
kommt Bl. zu folgendem Ergebnis: Heinrich I., der Krieger, der vierte
Herzog von Brabant (1190—1235), heiratet 1179 Mathilde von Boulo ne
(† 1211). Durch diese Verhältnisse ist Heinrich auch eine Zeitlang (bis
1191) Graf von Boulogne. Die Kinder seiner Ehe heifsen mit Fug Nachkommen des Schwanritters, und zwar infolge der Herkunft der Mutter.
Und hier glaubt Bl. allerdings dem Volksmunde die erste Verbindung
der immer mehr in ein ideales Licht rückenden Gestalt Gottfrieds von
Bouillon mit der alten Schwansage zutrauen zu dürfen. Durch welche
psychologische 'Hilfe' freilich diese Verbindung zustande kam, versucht
er nicht zu bestimmen, obwohl ihm bei seiner eindringenden Kenntnis
aller einschlägigen Faktoren diese Bestimmung noch am ehesten möglich
sein dürfte. Der Hinweis auf die negativen Faktoren, die einer streng
historischen Auffassung entgegenwirkten (S. 18), genügt natürlich nicht.
Für die Fortpflanzung der Sage speziell im Brabanter Hause aber wurde
dann die obenerwähnte Identifizierung von Brabant und Niederlothringen
wichtig, denn der letzteren Linie gehörte das Stammschlofs Bouillon. Das
alles konnte natürlich wieder nur für die regierenden Kreise gelten und
sagt uns noch nichts über die Ummodelung der Sage im Volksmunde.
Übrigens können die Anschauungen Wolframs ganz wohl durch höfische
Vorstellungen beeinflufst sein, anderseits ist freilich ein stetes Hin und
Her zwischen rein populären und dynastischen Anschauungen gerade für
jene Zeit nicht ohne weiteres auszuschliefsen. Bl. macht es wahrscheinlich, dafs die Form der im Brabanter Hause gepflegten Schwanrittersage
diejenige der *Chansons du Chevalier au cygne* war, wonach der Stammherr
selbst als Schwan gedacht wurde. Dann scheinen im 14. Jahrhundert die
mythischen Züge zugunsten einer rationalistischen Umdeutung abgestreift
zu sein. In der Chronik des Hennen von Merchtenen (Anfang des 15. Jahrhunderts) wird die Herkunft der Brabanter auf Nachkommen des Priamus
zurückgeführt; ein junger Fürst aus dieser Linie, die zu Nimwegen regiert, verliebt sich als Gast des griechischen Kaisers in dessen Tochter
Swane, die mit ihm flieht, Mutter Julius Cäsars wird und nach seinem
Tode das Land zwischen Schelde und Rhein regiert. Inzwischen hat sich
ihr Bruder Oktavian aufgemacht, um die Verschwundene zu suchen. Wäh-

rend er zu Cambrai lagert, reitet einer seiner Ritter, Breboen, einem wunderschönen Schwan nach, der ihn schliefslich zu Swane führt, wo er freundlich aufgenommen und ihm ein Erkennungszeichen für Oktavian eingehändigt wird. So vermittelt er die Zusammenkunft der getrennten Geschwister und wird zum Lohn für manche bestandene Heldentat mit Swanes gleichnamiger Tochter vermählt und das Land nach ihm Brabant getauft. Gerade die historischen Widersprüche, die hier vorliegen und von Bl. scharf betont werden, lassen doch wohl darauf schliefsen, dafs es sich um keine künstliche Mache handelt, nicht um eine von dem höfischen Historiographen mühselig zusammengeklaubte Fixierung, sondern um die zunächst wohl mündlich vollzogene Verschmelzung verschiedener Sagenkreise mit der alten Schwanensage und um nachträgliche Versuche, diesem Sagenkomplex eine geschichtliche Sanktionierung zu geben. Aber auf diese eigentliche Kernfrage im Sinne der Sagenkunde geht Bl. nicht ein, und demjenigen, der nicht wie er die gesamte Literatur zu überschauen vermag, wäre ein Nacharbeiten auf diesem Gebiete wohl ein Ding der Unmöglichkeit. Immerhin beginnt mit der Bearbeitung durch Hennen eine mehr literarische Periode im Fortleben der Sage, das von nun ab mehr historisches als volkskundliches Interesse hat. Handelt es sich doch im allgemeinen um die Ausfüllung der genealogischen Lücken, einmal zwischen Brabon und Karleman, anderseits von Noah über Troja bis auf Brabon Sylvius. In diesen späteren Versionen, ja schon bei Hennen sind diejenigen Züge der alten Sage, die für uns besonders charakteristisch sind, die geheimnisvolle Fahrt aus dem Wunderlande im Nachen, der vom Schwan gezogen wird, und das Verbot der Frage nach der Herkunft spurlos verschwunden, der Kern zugunsten der Schale geopfert. Wenn also auch Bl.'s Buch uns wenig über die eigentliche volkstümliche Entwickelung des Motivs oder gar über seine Entstehung sagt, so bietet er doch dem Volksforscher ein mit tiefer Sachkenntnis und, was das eigentlich Geschichtliche anlangt, mit kritischem Geiste durchgeführtes Beispiel jener Schicksale, denen Volkstraditionen auf ihrem mehr literarischen Entwickelungsgange ausgesetzt sind.

Im Anschlufs an die Volkspoesie gedenken wir der Kunstdichtung im Volkston. Dem bekannten oberbayrischen und pfälzischen Dialektdichter Franz von Kobell widmet Dreyer eine fleifsige, aber weder mit echter biographischer Kunst in die Tiefe der Persönlichkeit eindringende und die einzelnen Lebensäufserungen zu einheitlichem Bilde rundende, noch auch eigentlich literarhistorische Darstellung. Er schildert das an grofsen Erschütterungen arme Leben des Gelehrten und Dichters, sucht durch einzelne Stichproben seine über den Durchschnitt des gebildeten Mannes nicht eben erhabene 'Weltanschauung' zu skizzieren, schildert seine literarischen Beziehungen und gibt dann unter dem etwas irreführenden Titel: 'Überblick über Kobells literarische Bedeutung' (S. 69 ff.) eine deskriptive Charakteristik seiner Dialektdichtung, wobei er die mehr städtischen und reflektierenden Pfälzergedichte geschickt gegen die mehr ländlichen, naiven, aber doch in Anschauungs- und Ausdrucksweise nicht immer echt volkstümlichen, altbayrischen sich abheben läfst. Aber ich weifs nicht, wie weit der Nutzen solcher atomistischen Darstellungsweise reicht; Kobell ist doch schliefslich als Dialektdichter keine Persönlickeit von geradezu typischer Bedeutung; er kommt doch nur als ein Glied in einer grofsen Entwickelungskette in Betracht und mufste als solches charakterisiert werden; was nützen die ganzen Notizen über den unmittelbaren Zusammenhang mit seinen Vorbildern, z. B. auch mit dem Volksliede, über die 'Einwirkungen', die er empfangen, und die 'Anregungen', die er ausgestreut hat. Es mufste seine ganze Technik mit denen seiner Vordermänner und Nebenleute verglichen werden, damit klar hervortrat, worin die Eigentümlichkeiten des Dichters bestehen, und damit aus der Arbeit der Geschichte der Dialekt-

dichtung überhaupt ein Vorteil erwuchs. Bisweilen hätte doch ein Vergleich etwa mit Anzengruber so nahegelegen, z. B. hinsichtlich jener Novellen, die auf die Heilung von törichter Gespensterfurcht hinauslaufen;
auch Kobells seltsames Ungeschick, sich in hochdeutscher Sprache poetisch
auszudrücken, fordert doch zur Parallele mit Anzengruber und mit Raimund, sowie zur Kontrastierung mit Stieler heraus.   Übrigens erhält
Dreyers Büchlein einen besonderen Wert durch eine umfängliche Bibliographie, deren Vollständigkeit ich freilich nicht nachprüfen kann, durch
ein chronologisches Verzeichnis der in den Sammelbänden erschienenen
Gedichte Kobells (leider ist aber auf dieser Grundlage keine eigentliche
Entwickelungsgeschichte seiner Anschauungen und seiner Technik versucht worden), ferner durch die Mitteilung einiger ungedruckten Gedichte
und Briefe des Dichters.

Eine stärkere dichterische Persönlichkeit als Kobell, doch ihm nahe
verwandt in der durch eifrige, wissenschaftliche Forschung genährten innigen
Vertrautheit mit der Natur, ist Adalb. Stifter. 'Sein Ruhm ist im Aufsteigen begriffen, immer reiner und klarer erstrahlt sein Bild. Nicht nur
als Naturschilderer und Kleinmaler wird er anerkannt, der kräftige Realismus, auf dem seine ganze Dichtung ruht, verleiht seinen bodenständigen
Schöpfungen eine eiserne Gesundheit. In einer Zeit, die die Heimatskunst
über alles hochschätzt, wird der Wert dieses echten Heimatskünstlers
immer stärker empfunden. — Festwurzelnd in seiner geschlossenen Lebens-
und Weltanschauung, errang er sich auch die Achtung derjenigen, die
diese Überzeugung nicht teilen können. ... Ein um sein angestammtes
Volkstum mutig ringendes Geschlecht sieht in ihm ein weithin ragendes
Wahrzeichen seines teuren heimatlichen Landes.' Um so dankbarer begrüfsen wir die grofse, mit wissenschaftlicher Kritik gearbeitete Ausgabe
seiner Werke, die uns die Gesellschaft zur Förderung deutscher Wissenschaft usw. in Böhmen jetzt beschert und deren Vorwort wir die eben
angeführten Worte entnehmen. Der sie schrieb, August Sauer, wandelt
nicht in ausgefahrenen Geleisen. Er sucht mit kräftiger Hand den 'förm-
lichen Rattenkönig von weitverbreiteten Legenden' zu zerstören, der sich
an Stifters Person angeschlossen hat, als sei dieser tapfere Selbstbezwinger
und Lebenskämpfer nur ein leidenschaftsloser Fanatiker der Ruhe gewesen;
auch die literarische Stellung des Dichters wird schärfer bestimmt als
bisher. 'Aus innerer Verwandtschaft und äufserer Anregung zum selbständigen und bewufsten Schüler Tiecks, Jean Pauls und E. T. A. Hoff-
manns geworden und als Fortsetzer und Erneuerer aller gesunden Elemente
der Romantik in die Literatur eingetreten,' rückt er in unmittelbare Nähe
zu Mörike; beide sind feinfühlige, zum Träumen geneigte Naturen, beide
sind 'tiefe Seelenforscher und doch schlechte Menschenkenner', aber 'Mörike
ist der weitaus gröfsere Künstler, Stifter gelang es, mit seinen verwandten
Schöpfungen viel stärker auf die Zeitgenossen zu wirken.' Der bei aller
warmen Liebe ruhige und von jedem Panegyrismus freie Ton der Einleitung Sauers berührt uns besonders wohltuend und wird für die Einbürge-
rung Stifters auch in aufserböhmischen Kreisen mehr tun, als verhimmelnde
Festreden und dergleichen. Stifter bezeichnet den Höhepunkt einer Nachblüte der Romantik, wie sie eben in den Tagen des 'jungen Deutschlands'
in Österreich und wohl nur in Österreich in dieser Weise sich entfalten
konnte. Diesen romantischen Elementen ist Sauer mit feinem Sinne nachgegangen, Stifters Praxis gegen die Manifeste etwa eines Th. Mundt kon-
trastierend. Wir können auf die vielversprechende Ausgabe, die nicht blofs
die Werke im engeren Sinne, sondern auch alle bibliographisch wichtige-
ren Dokumente in sich vereinigen soll, hier nicht ausführlicher eingehen,
wünschen aber, dafs die unter Sauers Leitung augenscheinlich recht eifrig
und mit gutem Erfolge betriebenen Studien über den deutsch-böhmischen
Dichter auch den eigentlich volkstümlichen Elementen in seiner Darstellung

und in seinem Stile nachgehen möchten. Freilich wird mit dem Abschlufs solcher Studien bis zur Vollendung der Ausgabe zu warten sein. Der von Horcicka bearbeitete 14. Band läfst uns für die Folgezeit die reichsten Aufschlüsse über die ästhetischen Anschauungen des Maler-Dichters erhoffen, ausgiebige Register sollen endlich den ganzen Reichtum in bequemer Weise erschliefsen. — Noch reichere Ausbeute an volkstümlichen Anschauungen, vor allem was Volksaberglauben und sprichwörtliche Weisheit anlangt, versprechen des Mathesius' Predigten, insbesondere über das Bergmannsleben, mit deren Auswahl Lösche seine wertvolle Ausgabe der Schriften des ersten Lutherbiographen würdig abschliefst. Vor allem die Sarepta, die Sammlung von Predigten und Traktaten, die ausdrücklich auf bergmännisches Publikum berechnet sind, liefert nach mancher Hinsicht wertvolle Ausbeute. Unaufhörlich sprudeln sprichwörtliche Redensarten hervor, teils mit Zitaten aus den klassischen Sprachen verbunden, teils für sich und oft mit einer gewissen Lust gehäuft. Aus der zweiten Predigt allein, 'Von ankunfft der bergwerck', die ich für diese Besprechung eingehender durchgearbeitet habe, und in der Vorrede zum ganzen Werke, insgesamt auf etwa hundert Druckseiten, läfst sich reiche Ernte halten: 'Die armen Heiden hatten wohl läuten hören, aber nicht nachschlagen' S. 88 34, 'der Apfel fällt nicht weit vom Baum, und das Kalb gerät gewöhnlich nach der Kuh' S. 89 11, 'Eulen hecken nicht Sperber aus' S. 95 29, 'Am Vater kennt man gemeiniglich die Kinder und am Herrn das Gesind, und wie die Alten sungen, so zwitschern die Jungen, a bove maiori discit arare minor' S. 97 30, 'Neu Geld, neu Flag, grofs Geld, grofse Sorg und Gefahr' S. 112 8, 'Arm macht reich wers Glück hat' S. 117 3, 'Untreu trifft seinen eigenen Herrn und Unrecht Gut faselt (wudelt S. 136 30) nicht' S. 137 8, 'Es ist nichts so klein gesponnen, es wird alles wieder an die Sonne kommen' S. 137 27, 'Wer ehe kommt, der malt ehe' S. 138 17, 'Ein Jeder für sich selber, Gott unser Aller Richter' S. 141 5 usw. usw. Mit Vorliebe flicht der Verfasser auch Fabeln und Sagen, auch volkstümliche Anekdoten, besonders religiösen Beigeschmacks, mit ein. Er erzählt, mit Beziehung auf Petrus, das Märchen von den drei verhängnisvollen Wünschen S. 110, oder die Fabel von der fleifsigen Ameise und der faulenzenden und im Winter hungernden Heuschrecke S. 153 f. Vor allem aber zeigt er seine eigene, ganz im Sinne des Volkes unerschöpflich wirkende Phantasie bei der näheren Ausführung dieses Gleichnisses, und dabei tritt seine Liebe zur Natur, eine innige Versenkung in das Leben und Treiben der Ameise wohltuend zutage, die diese Abschnitte zu einem wahren Musterstück unserer älteren Prosa macht, das gar wohl der Aufnahme in unsere Lesebücher wert wäre. Nebenbei werden natürlich allerlei Bergwerkssagen erwähnt, wie von der Auffindung des Goslarer Werkes durch ein Pferd (S. 121), das Verschwinden von Kindern im Berge auf das Locken eines Gespenstes, also eine Erzählung aus dem Sagenkreise des Rattenfängers von Hameln (ebenda); geistlichen Ursprungs ist wohl die kleine Geschichte von der Abfertigung des Teufels durch einen Bergmann (S. 122), wozu andere erbauliche Berichte (S. 125 f.) zu vergleichen wären. Brauch und Glauben werden nicht verschmäht: Mathesius geht den Fastnachtsbräuchen nach (S. 111) und erwähnt dabei manches Trinkwort und Trinksitten: 'Wenn man flugs süffe', meinen die Bergleute, 'so wüchse das Erz' (S. 109);[1] er freilich ist anderer Meinung und liest den Trinkern ebenso wie den Modenarren eine derbe Epistel, die dem deutschen Lexikographen reiche Ausbeute verspricht (S. 89 f.), wie anderseits die Auseinandersetzungen über das Bergrecht (S. 138 ff.) für die Rechtsgeschichte in Betracht kommen. Vor allem aber dürfen natürlich die

---

[1] Vgl. die Erwähnung der Scherzfragen S. 81 12, Volksmedizin S. 71 30 und die wertvollen Mitteilungen über die Volkskunde seiner Heimat Ruchlitz S. 71—72.

Speziallexika der technologischen Ausdrücke reichen Zuwachs erwarten, und wir bedauern in diesem Sinne nur, dafs sich die Gesellschaft nicht zur Drucklegung der ganzen Sarepta entschlossen hat; da der Anhang zeigt, wie trefflich sich der Herausgeber in die oft recht dunkle und schwierige Bergmannssprache, in die Anschauungen und Bräuche des Berufs einzuleben wufste, hätte man doch von ihm gern eine kommentierte Ausgabe des Ganzen erwartet. Immerhin ist das dargebotene Material höchst dankenswert und eröffnet reiche Fundgruben für die Sprache der Bergleute und Glasbläser. Freilich hat Lösche diese Gruben nicht ausgeschöpft, denn sein 'Verzeichnis der häufiger vorkommenden Worte', das im allgemeinen auch ohne Belege bleibt, kann für die bezeichneten Zwecke nicht genügen. Aber den ganzen Schatz von bergmännischen Fachausdrücken, den Mathesius' Sarepta birgt, hat inzwischen E. Göpfert im Beiheft zum 3. Bande der *Zeitschrift für deutsche Wortforschung* gehoben.

Minder wertvoll für das Sondergebiet der Volkskunde möchte auf den ersten Blick die von der böhmischen Gesellschaft in Angriff genommene Auswahl der Schriften des Grafen Kaspar von Sternberg erscheinen, als deren erster Band der Briefwechsel erscheint, den dieser 'Schöpfer der neueren geistigen Kultur Böhmens' mit Goethe geführt hat; die rein naturwissenschaftlichen Schriften bleiben ausgeschlossen, dagegen sollen noch seine Selbstbiographie, seine Tagebücher und Reisebeschreibungen und seine kleineren, allgemeinverständlichen Aufsätze und Reden zum Abdruck kommen. Ist auch der Hauptinhalt des vorliegenden Buches durch die wissenschaftlichen Interessen bedingt, die der grofse Dichter mit seinem Freunde teilte, so fällt doch für den Volksforscher manches ab, was der scharfe Beobachter seiner Umgebung abgelauscht hatte, und worüber das ausgezeichnete Sachregister unter 'Sagen, Volkslieder, Volkspoesie, Volksgesang' erwünschte Auskunft gibt.

Auch die kleine Schrift von Fischer gilt den Beziehungen zwischen Kunst- und Volkspoesie. Der Verfasser hat das in Heines Gedichten (warum nur in diesen?) verwertete volkskundliche Material fleifsig gesammelt und umsichtig nach formalen und stofflichen Bestandteilen gruppiert und uns insofern über das hinausgeführt, was Greinz (*Heinrich Heine und das deutsche Volkslied* 1894) und Götze (*Heines Buch der Lieder und sein Verhältnis zum deutschen Volkslied*, Hallische Dissertation 1895) bisher geleistet hatten. Aber abschliefsend ist seine Arbeit leider bei weitem noch nicht; über die Wandlungen des Verhältnisses Heines zur Volkspoesie erfahren wir wenig, über diejenigen Elemente seines eigenen Innenlebens, die den Anschauungen und Ausdrucksformen des Volkes entgegenkamen, so gut wie nichts, die Verschmelzung von volkstümlichen und kunstmäfsigen Elementen wird nicht gebührend ins Licht gestellt. Wie verlockend hätte es für einen so tüchtigen Kenner des Volksliedes sein müssen, Heines Balladen, vor allem auch seine Tannhäuserdichtung in dieser Hinsicht eingehender zu analysieren! Der neue Bearbeiter, der das leisten will, wird sich aber weder auf Heines Lyrik, noch anderseits vorzugsweise auf die lyrische Volksdichtung beschränken dürfen, sondern auch Märchen, Sagen und Rätsel zum Vergleich heranziehen und Heines gesamte Schriftstellerei durchforschen müssen. Vor allem aber wären doch Heines eigene Äufserungen über das Volkslied, etwa in der Schrift über die 'romantische Schule', zur Grundlage der ganzen Arbeit zu machen gewesen, auf die sich das folgende immer wieder hätte zurückbeziehen können.

Noch ein paar Worte über einiges zur volkstümlichen Sprache. Weises Büchlein freilich, das inzwischen in 5. verbesserter Auflage erschien, bietet uns nicht, was wir suchen; dankbar werden wir die Bemerkungen über das Stammheitliche im Wortschatz begrüfsen (S. 44 ff.), wie auch die Ausführungen über die Mundart (S. 68 ff.), obwohl sie wenig Neues und das Alte bisweilen im Gewande der Phrase bieten. Wichtiger und dankens-

werter, freilich auch schwieriger als ' die gegenseitige Abgrenzung von
Schriftsprache und Mundart wären Beobachtungen über das Verhältnis
von Buch-, Amts- und Umgangssprache, bei letzterer wieder mit sorgfältiger Scheidung zwischen verschiedenen Schichten der Bevölkerung,
gewesen; denn die wenigen Sätzchen S. 126—128 können natürlich für
diese Zwecke nicht genügen. Die Hauptfrage wäre doch diese: lassen
sich bei zwanglosem Gespräch unter 'Gebildeten' und unter 'Ungebildeten',
um der Bequemlichkeit halber die abgetakelten Begriffe zu gebrauchen,
verschiedene 'Denkbahnen', verschiedene Arten der Assoziation der Vorstellungen bezw. der Auswahl unter den aufsteigenden feststellen? Sind
die ganz offenbar auftretenden Unterschiede rein individuell, oder sind sie
sexuell, kulturell, sozial, national bedingt usw. usw.? Hier bleibt auch
nach den trefflichen Arbeiten von Wunderlich noch genug zu tun. — Nicht
mehr als eine hübsche Spielerei, die manchen unserer 'Gebildeten' die
Augen für den Reichtum unserer Sprache an Stab-, Assonanz- und End-
reimen eröffnen mag, ist das Büchlein von Beheim. Mit Recht zieht er
auch jene 'Wortverbindungen hinein, die sich zwar nicht durch die an-
mutende Weihe des Reimes legitimieren können, die aber trotzdem durch
Gebrauch und Anerkennung von dem deutschen Volke zu unlöslichem
Bunde zusammengesprochen sind, eine Gruppe, die wir Genossen der Volksreime oder uneigentliche Volksreime nennen wollen'; er meint Verbindungen wie 'Hab und Gut, Berg und Tal, Hieb und Stofs'. Ich möchte hier
lieber von 'Begriffsreimen' reden und zu bedenken geben, wie weit bei ihrer
Prägung wieder verschiedene Kulturepochen, ja starke Individualitäten
in Betracht kommen; soviel ich weifs, hat auch jeder Stand, jeder Beruf,
vielleicht jede Landschaft bei uns derartige Begriffspaare, die nicht über
die jeweiligen Grenzen hinaus dringen, bis sie etwa durch dichterische
Verwendung zum Allgemeingut gemacht werden; Begriffsreime wie 'Soll
und Haben', 'Hammer und Ambos', 'Psalter und Harfe' haben ihre Geschichte; auch Namen treten zu solchen festen Verbindungen zusammen,
wie 'Schiller und Goethe', 'Lachmann und Haupt'; äufsere 'Hilfen' treten
sofort zutage bei Verbindungen wie 'Paul und Braune' usw. Man sieht,
dafs da entweder in bestimmten Kreisen oft gebrauchte oder dem natürlichen Menschen mit elementarer Wucht sich aufdrängende Assoziationen
'fest' geworden sind; wie weit hier Ähnlichkeits- und Berührungsgesetze
in Betracht kommen, wie weit auch das Prinzip der Polarität zur Anwendung kommt ('Alt und Jung', 'von Kopf bis zu Fufs' u. dgl.) wäre
noch weiterhin zu untersuchen. — Der Vortrag von Blumschein geht
über eine blofse Wortsammlung hinaus, ja er gibt mehr als die sorgfältig
durchgeführte, hier übrigens nicht näher zu prüfende Etymologie kölni-
scher Dialektworte; er bringt auch eine knappe Übersicht über die all-
mähliche geschichtliche Entwicklung der syntaktischen Gefüge, die in
unserer Mundartenforschung doch immer noch als Stiefkinder behandelt
werden; freilich ist da bei den alten Dokumenten sorgfältig auf die Unterschiede zwischen gesprochenem und Aktendeutsch Rücksicht zu nehmen;
aber die mundartlichen Verhältnisse müssen doch schliefslich das Beste
für die genetische Erklärung der neuhochdeutschen Syntax abgeben.

Heidelberg. Robert Petsch.

Alt- und mittelenglisches Übungsbuch zum Gebrauche bei Uni-
versitätsvorlesungen und Seminarübungen mit einem Wörterbuche von Julius Zupitza. Siebente verbesserte Auflage, bearb. von
J. Schipper. Wien und Leipzig, Wilhelm Braumüller, 1904. XII,
338 S. 8. Kr. 8 = M. 6,80.

Kaum mehr als zwei Jahre nach dem Erscheinen der 6. Auflage des
Zupitza-Schipperschen Übungsbuches ist wieder eine neue Auflage nötig

geworden. Gewifs ein unverkennbarer Beweis für die grofse ˙Brauchbar-
keit und Beliebtheit des Buches!
   In der uns vorliegenden Auflage sind alle Stücke der vorhergehenden
wiederholt worden. Neu hinzugekommen ist nur ein kurzes poetisches
Stück, das von Holthausen im *Archiv* CVI S. 346 in metrischer Form
gedruckte Schlufsgedicht zur ae. *Cura pastoralis.* Durch diese Zurückhaltung wurde erzielt, die sechste Auflage noch neben der siebenten
brauchbar zu erhalten, mit welcher sie hinsichtlich der Zahl und des Inhalts der Seiten wesentlich übereinstimmt. Nichtsdestoweniger unterscheidet sich die neue Auflage nicht unerheblich von der vorangegangenen,
indem viele Textbesserungen Aufnahme gefunden haben und das Wörterbuch eine gründliche Revision erfahren hat. Die von verschiedenen Rezensenten vorgeschlagenen Emendationen sind mit sorgfältigem Urteile
ausgenutzt worden.
   Zu meiner Anzeige der sechsten Auflage im *Archiv* CX S. 164—167
habe ich wenig hinzuzufügen. S. 3: Im ersten Verse vom Kreuze von
Ruthwell ist nach Vietor, *Die northumbrischen Runensteine* S. 7, einmal
sicher, einmal möglicherweise ⋈ (*g'*) statt × (*g*) zu lesen (*almechttig*
'Spuren der Henkel, rechts als deutlicher Punkt', *modig* 'Henkel undeut-
lich, vielleicht *g'*), was Schipper unerwähnt läfst. Im zweiten Verse desselben Denkmals, Rune 39, ist nach Vietor nicht *a* (ᚨ), sondern *o* (ᚩ) zu
lesen. Rune 50 in Vers 2: kein Aufstrich mehr (?) sichtbar (Vietor).
S. 5, V. 4, Rune 11 glaubt Vietor ⋈ (*g'*) zu lesen. S. 6, V. 2, Zeile 3:
dorstæ ist zwar (nach Vietor) richtig, stimmt aber nicht zu Schippers
Wiedergabe der Runen (S. 3); ebenso das richtige *bismærædu* (V. 2, Z. 4),
wozu in Schippers Runenwiedergabe *bismæradu* steht. S. 231: Hat ae.
dros wirklich kurzes *o*? Vgl. Walde, *Kuhns Zeitschrift* XXXIV S. 153,
N. E. D. s. v. *dross.*
   Göteborg.   Erik Björkman.

The battle of Maldon and short poems from the Saxon chronicle
edited with introduction, notes and glossary by W. J. Sedgefield
[= The Belles-Lettres Series. Section I. English literature from its
beginning to the year 1100]. Boston and London, D. C. Heath & Co.
XXIV, 96 S. 8.

Sedgefield, der 1899 König Alfreds Boethius herausgegeben hat, bietet
uns im vorliegenden Büchlein eine treffliche kommentierte Ausgabe der
historischen epischen Lieder der Angelsachsen.
The battle of Maldon, das bedeutendste Denkmal dieser Gattung in
der angelsächsischen Literatur, das Hohelied von germanischem todes-
mutigem Heldentum und Mannentreue, nimmt bei S. naturgemäfs den
ersten und wichtigsten Platz ein. Besondere textkritische Schwierigkeiten
ergeben sich für den Herausgeber hier nicht. Die einzige Handschrift,
die uns dies Denkmal überlieferte, ist 1731 verbrannt; die Herausgeber
sind daher allein auf die 1726 erschienene Ausgabe des Gedichts von Thomas Hearne angewiesen, die in dessen *History of Glastonbury* enthalten ist.
Das Gedicht ist nach der an vielen Stellen verbesserungsbedürftigen Ausgabe
von Hearne noch oft herausgegeben worden. Es stand S. also eine reiche
Auswahl von Textverbesserungen zu Gebote; er hat ˙von dieser Auswahl
einen umsichtigen Gebrauch gemacht und hier und da, wenn auch mit
lobenswerter Vorsicht, eigene kleine Verbesserungen am Text vorgenommen.
   Sein Kommentar erklärt in knapper Form alles, was einer Erklärung
bedurfte. Nur zwei Stellen dieses Kommentars erscheinen mir bedenklich.
V. 186 ff. heifst es:

> þǣr wurdon Oddan bearn   ǣrest on flēame,
> Godrīc fram gūþe — — — —

S. hält es für wahrscheinlich, dafs *wurdon* hier ein Fehler für *wurde* sei;
er fafst *bearn* als Sing. auf und bezieht es auf *Godrīc* allein. V. 191 ff.
heifst es aber:

> and his brōðru mid him — — — —
> Godwine and Godwig, gūþe ne gȳmdon,
> ac wendon fram þām wīge.

Somit flohen nicht nur Godrīc, sondern auch seine Brüder Godwine und
Godwig aus dem Kampf. Es besteht also nicht der geringste Anlafs,
wurdon als Entstellung von *wurde* und *bearn* als Sing. anzusehen. — Nach
S. ist in V. 300: *Wīgelīnes bearn Wīgelīnes* wahrscheinlich ein Fehler für
Wīg(h)elmes. Auch diese Annahme ist grundlos. *Wīgelīn* ist Koseform zu
den mit *Wīg* beginnenden Personennamen (*Wīgbeald, Wīghelm*, usw.); es
gibt im Ags. eine Reihe von Kosenamen auf *-līn*: aufser *Wīgelīn* noch
Hugelīn, Tīdlīn, Bēslīn, Cēawlīn (vgl. meinen Aufsatz über 'Angelsächsische
Deminutivbildungen in *Engl. Stud.* 32, 348).

Unter den nach 'The battle of Maldon' abgedruckten Liedern aus der
Sachsenchronik steht 'The battle of Brunnanburh' obenan. In der Aus-
gabe dieses Gedichts stimmt S., abgesehen von zwei Fällen, mit Wülkers
Text (*Bibl. der ags. Poesie* I) wörtlich überein.[1] Diese Übereinstimmung
erklärt sich dadurch, dafs beide Herausgeber ihrem Text die gleiche Hs.
Cotton Tib. A. VI (die 'Canterbury-Chronik') zugrunde legen.

Einige dunkle Stellen des Gedichts deutet S. in neuer Weise. In
V. 12: *feld dennade* schlägt er statt des bisher unerklärten, nur hier belegten *dennade* die Lesart *dānode* 'wurde nafs' vor, ein Vorschlag, der beachtenswert ist. Zu V. 54: *Dynges mere* stellt S. es als möglich hin, dafs
Dynges mere mit dem heutigen *Dungeness* zusammenhänge. Diese Etymologie würde nach ihm eine Stütze für die Annahme sein, dafs die Schlacht
bei Brunnanburh an der Humbermündung stattgefunden habe (?). In der
Einleitung, S. XVI, gibt aber S. selbst zu, dafs die Teilnehmer an der
Schlacht, Dänen von Dublin und Schotten, mit den Angelsachsen am
ehesten an der englischen Westküste zusammenstofsen mufsten, was wieder
gegen seine eben vorgeführte Deutung von *Dynges mere* sprechen würde.
V. 20 liest S.: *wērig wigges sǣd* (*sǣd* = Saat). Einleuchtender ist
hier Kluges Lesart *sæd* = (des Kampfes) satt (*Ags. Lesebuch*[3] S. 131).

Die übrigen fünf Denkmäler aus der Sachsenchronik stimmen in der
Ausgabe von S. auch fast durchweg mit dem Text bei Wülker überein.

Meine kleinen Ausstellungen hindern mich nicht, Sedgefields sorgfältige saubere Ausgabe für Seminarübungen und sonstige akademische Lehr-
zwecke warm zu empfehlen.

Freiburg i. Br.   **Eduard Eckhardt.**

Der Altenglische Regius-Psalter, eine Interlinearversion in Hs. Royal
2 B 5 des Brit. Mus. Zum erstenmal vollständig herausgegeben von
Dr. Fritz Roeder. (Studien zur englischen Philologie, herausgeg. von
Lorenz Morsbach, XVIII.) Halle, Niemeyer, 1904. 305 S.

Die Regius-Glosse verdient, abgesehen von ihrer lautlichen Form, unter
den uns erhaltenen 11 ae. Psalterglossen eine besondere Beachtung insofern, als sie, selbst zwar dem lat. Texte des 'Psalterium Romanum' (Ps R)[2]

---

[1] In V. 37: *se frōde* (Wülker: *frōda*) ist *frōde* offenbar nur Druckfehler.
V. 56 liest Wülker: *ǣwisc mōde*, S.: *ǣwiscmōde*. V. 59 ändert S. das *hremige*
der Handschrift (ebenso Wülker) aus metrischen Gründen in *hrēmge*.

[2] Diesem folgen im ganzen fünf Glossen (ich behalte die Bezeichnungen Cooks
in *Bibl. Quot. in OE. Pr. Writers*, London 1898, p. XXVII, bei): *A* = Ms. Cot-

folgend, nach Lindelöf (*Studien zu ae. Psaltergl. = Bonner Beitr. z. Angl.*
13, Bonn 1904, p. 102 ff. 122 f.) als Kern einer Reihe von Glossen (H K F,
z. T. auch G J)[1] zu betrachten ist, die sich auf dem Text des 'Psalterium
Gallicanum' (Ps G) aufbauen. Gegenwärtige Ausgabe bietet somit der Forschung eine Reihe von neuen Gesichtspunkten, die besonders auf das gegenseitige Verhältnis der einzelnen Glossen neues Licht werfen, erschliefst ihr
aber zugleich in sprachlicher Hinsicht eine Fülle von interessantem Material
und mufs daher von der Fachwelt, besonders aber von dem engeren Kreise,
welcher sich seit Jahren dem Studium dieser Glossen voll Eifer hingegeben
hat, mit Freuden begrüfst werden, um so mehr, als der Name des Herausgebers volle Gewähr für ihre Güte zu bieten vermag. Roeder hat sich
bereits durch seine kulturgeschichtliche Studie über 'Die Familie der Angelsachsen' vorteilhaft in die englische Philologie eingeführt. Auch in diesem
neuen Werke bekundet er tüchtige methodische Schulung und gründliche
Vertrautheit mit der ags. Sprache, sowie allen mit dieser verwandten Sprach-
zweigen und arbeitet mit beachtenswertem Fleifs und geradezu muster-
hafter Sorgfalt und Akkuratesse.

Die Glosse (D) und der lat. Text (DL) sind, wie wir in der ausführ-
lich über Handschrift und deren Schreiber, sowie über die textkritische
Tätigkeit des Herausgebers orientierenden Einleitung erfahren, von einem
Mann aus der ersten Hälfte des 10. Jahrhunderts geschrieben. Der ae.
Text ist fast unangetastet, nur hier und da am Rande mit Glossen von
Händen 10. und 11. Jahrhunderts versehen, während der lat. Text mannig-
fache Korrekturen und Rasuren von mindestens drei verschiedenen Hän-
den des ausgehenden 12. und beginnenden 13. Jahrhunderts erfahren hat.

Von dem ae. Text gibt R. einen genauen Abdruck und sucht uns
zugleich durch erklärende Anmerkungen unter dem Text in das Verständnis desselben einzuführen. In diesen trifft man eingehende Auseinandersetzungen über Fehler (im Text durch * gekennzeichnet), Unebenheiten
und Ungenauigkeiten in der Glossierung, sinnvolle, oft scharfsinnige Deutungen schwieriger und zweifelhafter Stellen, sowie wohl befriedigende —
wenn auch oft erst unter Leitung kundigster Führer wie Morsbach, Bülbring, Pogatscher gefundene — Etymologien dunkler, bei Sweet und Toller
nicht belegter Wörter. Letztere sind am Schlusse des Buches nochmals
in einer Liste zusammengestellt, aus der ich nur einige besonders interessante wie *æwicnes* (alte Bildung neben *ecnes*), *ascyhhan* 'verscheuchen',
tocwæscednes quassatio, *widerwengel* adversarius hervorhebe. — Für seine
kritische Tätigkeit zieht R. dem Stande der Forschung gemäfs sämtliche
ae. Psalterglossen zum Vergleich heran, besonders die Gruppe H K F G J,
sowie auch E und gibt in den Anmerkungen zur Aufklärung der bestehenden Schwierigkeiten und zur Beleuchtung des Abhängigkeitsverhältnisses
der Glossen voneinander stets ein genaues Verzeichnis der Varianten aller
in Frage kommenden Hss. Für letztere, soweit noch nicht ediert, hatte
ihm Lindelöf seinen Variantenapparat zur Verfügung gestellt, wie wir in
der Einleitung erfahren, für G, H und J hatte R. selbst Auszüge gemacht.
Im einzelnen gibt die korrekte und gewissenhafte Arbeitsweise des Herausgebers kaum zu Bemerkungen Anlafs. Nur wenige Punkte, wo ich

---

ton Vesp. A 1 Brit. Mus. ~ *B* = Junius 27 Bibl. Bodl. *C* = Ff I 23 Univ. Libr.
Cambr. *D* = Royal 2 B 5 Brit. Mus. *E* = Trinity Coll. Cambr.; dem Psalt. Gall.
die über. 6: *F* = Stowe 2 Brit. Mus. *G* = Cotton Vitel. E 18 ebd. *H* = Cot.
Tiber. C 6 ebd. *I* = Lambeth 427. *J* = Arundel 60 Brit. Mus. *K* = Salis-
bury 150 Cath. Libr. Über B vgl. U. Lindelöf in *Mémoires de la Société néophil.
à Helsingfors* III, 1 ff. 1901; über E mein *Der Psalter des Eadwine (Stud. z. engl.
Phil. XIII)*, Halle 1905 (Ead Ps).
[1] Auf D's Verhältnis zu E komme ich unten ausführlich zurück.

anderer Meinung bin oder etwas hinzuzufügen habe, seien hervorgehoben: Die S. XXII von R. abgedruckten Resultate von Lindelöfs Arbeit dürften wohl in bezug auf E nach meiner Arbeit über diese Glosse zu berichtigen sein. E stammt, was seine *Urform betrifft, ganz sicher von einem Glossator und steht in keinerlei Abhängigkeitsverhältnis zu D, noch zu irgendeiner anderen der uns erhaltenen Glossen, da sie diese alle bei weitem an Alter überragt. Dagegen haben nun der Korrektor der Eadwine-Hs. und die Schreiber einiger kleiner Partien (Pss. 40, 5—10; 84, 13—14; Hy. 4, 4—4, 9. 9—12), hier und da auch die Hauptschreiber A und B, aber nicht die des II. Teiles (C D E F) die Glosse D oder einen mit dieser verwandten Typus benutzt und zum Teil abgeschrieben. Teil II zeigt außerdem in dem Teile 90, 15—95, 2 eine Kopie des bekannten Pariser Psalters, nicht wie Lindelöf und mit ihm R. (p. 175 ff. Anm.) meint: eine eigene 'poetische Fassung'. Wo E II. Teil trotzdem Übereinstimmungen mit einer der übrigen Glossen, z. B. D, aufweist, bleiben aus meines Erachtens nur zwei Wege der Erklärung: entweder hat der D-Glossator *E[1] benutzt (vgl. S. 162) oder die betreffenden Lesarten beider Glossen gehen unabhängig auf eine gemeinsame lat. Quelle zurück. — Ps. 17, 29 *swarcunga* tenebras gehört, da bei Sweet und Toller nicht belegt, in die Liste am Schluß. — 18, 7 *gencyris* zusammengezogen aus *gencyr* [*h*]*is*. — 32, 8; 14 *ymbhwyrt* [Druckfehler?] orbem für *ymbhwyrft*. — 42, 5 über *andwlitan min*(gn!); *ure*(gn!) 47, 9; *gast min*(ac!) 141, 4; *megene þine*(dt!) 67, 29 vgl. u. S. 162. — 46, 9 -*am* in *halgam* wird unter Einfluß der Endung des zugehörigen lat. Wortes sanctam stehen, ebenso *mannum* hominum 106, 21. — 54, 13 *ofer ma miclu* super me magna scheint mir verschr. f. *ofer me m.* (der Vorlage?). — 59, 6 7 wird auf urspr. et der lat. Vorlage zurückzuführen sein, desgleichen in 77, 18; die frühen Psalterien schwanken oft zwischen ut und et, beachte 106, 22. 118, 88 (ut custodiam, wo Ps R et c.). — 60, 5 *eardunge* velamento ist lediglich nachlässige Wiederholung des kurz vorhergehenden *eardunge* tabernaculo, vgl. *feldas* locum 103, 8; *genihðsumnesse* abundantes 143, 13; *andswara* respondebit Hy 2, 15. — 75, 4 Anm. Z. 5 lies Ps G, ebenso 97, 2 Anm. Z. 2 und 113, 13 Z. 1. — 106, 20 *wyrde* interitu wohl verschr. f. *forwyrde*, denn vgl. 108, 13. — Für Hy 4, 7. 9, 53; 55 hätte erwähnt werden müssen, daß E lediglich eine Abschrift von D oder von einem D nahe verwandten Typus ist.

Von dem lat. Text (DL) der Handschrift, der, wie ich bereits oben hervorhob, durch Korrekturen und Rasuren stark entstellt ist, bietet R. keine genaue Wiedergabe, sondern versucht, auf Grund eingehender Prüfung und Vergleichung mit dem Ps R und Ps G den ursprünglichen, d. h. von dem Schreiber der Hs. beabsichtigten Text wieder herzustellen, im ganzen kann man sagen mit Glück. Dagegen sind nun viele Absonderlichkeiten und Abweichungen des ursprünglichen Textes oder der Glosse von dem Normaltext des Ps R bei Migne, *Patrologia* XXIX, mit denen sich R. hier und da in den Anmerkungen oder in der Einleitung abzufinden sucht, meines Erachtens nicht richtig gedeutet worden. Und zwar liegt dies besonders daran, daß die Eigenart dieses Textes (DL) von R. nicht erkannt worden ist. Zwar lesen wir S. XVI, daß DL 'manche Abweichungen von der bei Migne abgedruckten Fassung' des Ps R aufweise, aber woher diese stammen, erfahren wir nicht. In Kürze sei hier auf das Wichtigste aufmerksam gemacht.[2] Wie AL und EL (vielleicht auch BL und CL[3]) stellt auch DL keinen reinen Typus des Ps R, sondern

---

[1] So bezeichne ich die Vorlage von E.

[2] Nicht berücksichtigt habe ich im folgenden die Hymnen der drei Texte, denen ich in einiger Zeit eine besondere Betrachtung widmen werde.

[3] Die vhm. Bestandteile in CL hebt bereits Wescott (in Smith, *Dictionary of the Bible* IV, p. 3451 ff.) hervor.

einen sog. Mischtext vor. Alle drei Texte — und, wie ich vermute, auch
die beiden anderen — gehen höchstwahrscheinlich auf einen Grundtext
Lx zurück, der mit zahlreichen vhm. Rudimenten[1] und sonst nirgends
nachweisbaren Sonderlesarten[2] untermischt und in Bibellatein (oder Vul-
gärlatein) niedergeschrieben war. Mit der Zeit hat man diese fremden
Bestandteile durch Angleichung an das Ps R auszumerzen versucht, so dafs
also die überlieferten Texte AL, DL und EL in wesentlich umgearbeiteter,
modernisierter Form vorliegen. Immerhin aber ist in ihnen die Beschaffen-
heit des Grundtextes noch deutlich zu ersehen, denn alle drei haben, und
zwar wohl unabhängig (doch vgl. S. 162) voneinander, noch unverkenn-
bare Reste der obenerwähnten Eigentümlichkeiten bewahrt.[3] Und was in
ihnen durch Korrekturen späterer Zeit verloren gegangen ist, das haben
uns zum Teil die Glossen gerettet: auch sie lassen — jede in ihrer Art
und die älteste E, vielleicht noch nach Lx selbst abgefafst, natürlich am
meisten — in häufigen Fehlern und Ungenauigkeiten den Charakter von
Lx noch hinreichend erkennen.[4] — Überall da also, wo DL zu berichtigen,
wiederherzustellen oder, da von Ps R abweichend zu erklären war, hätte
R. vor allen anderen die vhm. Version um Rat fragen müssen — Ps G,
mit dem DL und auch AL, EL, soviel ich gefunden habe, gar keine oder

---

[1] Für die vhm. Version lege ich auch hier dieselben Texte zugrunde wie in
meinem *Ead Ps* (p. 213). Ps S = Psalterium Sangermanense; Ps Moz = Psalterium Mozarabicum; Ps V = Psalterium Veronense.

[2] Vgl. u. Anm. 3.

[3] Von diesen ist in gröfserem Umfang nur die Fehlerhaftigkeit in D L von R.
bemerkt, doch ihre Ursache nicht erkannt worden. Einige der wichtigsten — auch
von R. nicht erwähnten — Fälle seien hier zusammengestellt (vgl. auch mein
Ead Ps p. 228): irrig stehen *a* für *o*: velamenta 62, 8; *ae* f. e: aequos 75, 7;
b f. u: salvabit 97, 2; *d* f. t: obdurantis 57, 5; *e* f. ae: gravate 37, 5; *e* f. i: con-
summatione (auch AL) 118, 96; elege (geceos!) 83, 11: fimbreis 44, 14; fodeatur
93, 13; generatione 94, 10; intercedentis 28, 7; mare 71, 8; vane (*on idel!*) 61, 10;
i f. e: adoliscentior 118, 141; discendunt 103, 8; famim 58, 15; morti 78, 11;
patris (fæderes!) 67, 6; *u* f. a: exultavit 109, 7; *u* f. b: exacervaverunt 77, 40; 41;
56. 104, 28 (auch AL); iudicavit (*demde!*), implevit (*gefylde!*) etc. 109, 7; revelavit
28, 9 u. a.; *u* f. f: prouanaverint 88, 32. 35; *u* f. o: laqueus (*grin*) 10, 7; prump-
tuaria (auch AL) 143, 13. *h*-Schwund: [*h*]abitationibus 108, 10; *h*-Hinzufügung:
*h*ostium 140, 3; per*h*ibunt 145, 4. *i*-Schwund: custodiaf[*i*]um 78, 1; demon[*i*]is
105, 37; desolator[*i*]is 119, 4. *m*-Schwund: dilectu[*m*] 28, 5; ante conspectu[*m*]
28, 5. *m*-Hinzufügung: sub linguam meam (*under tungan mine*). *s*-Schwund: effo[*s*]sa
79, 17; va[*s*]sis 70, 22; eo[*s*] 77, 45. *u*-Schwund: fruct[*u*]um (auch ALEL) 127, 2;
man[*u*]um 91, 5. 140, 2. — Über die vhm. Lesarten s. S. 161, Anm. 4; die Sonderlesarten stimmen fast genau mit denen in EL (AL) überein, vgl. daher mein *Ead Ps*,
p. 219 ff.

[4] Die Spuren dieser Eigentümlichkeiten sind in den uns erhaltenen Texten,
lat. sowohl wie ae., natürlich sehr verschiedenartig verteilt: bald begegnen sie in
zwei Glossen und dem lat. Text der dritten (79, 17 *agoten* AE = effossa [über
effusa = Ps S u. BL]), bald in zwei Glossen und dem lat. Text einer von diesen
(108, 31 *þearfœnœ* E, *þearfana* D = pauperum DL; 109, 7 *dronc . . . upahof* A,
dranc . . . upahof D = bibit . . . exaltavit DL), bald in nur zwei Glossen (95, 8
dura [über ostia] ED, aber *onsegdnisse* A; 98, 5 *wynsumiœþ* E, *upahebbad l ge-
fœgniad* D [über exultate]; 113, 6 *weordiad* A, *gebiddœþ* E [über adorabunt] aber
geswœccad D), bald in nur einer Glosse und dem lat. Text einer anderen (119, 4
mid colum tolesendes A = cum carbonibus desolatoris [f. ⌣riis] DL; 146, 4 *eallum
his noman* E = omnibus eius nomina DL), bald in nur einer Glosse und deren lat.
Text (83, 11 *geceos* D = elege DL), bald in nur einer Glosse (144, 1 *ic gefœgnie*
[über exultabo], aber exaltabo: Ps R u. G) usw. Die Beispiele lassen sich leicht
vermehren.

nur wenig Berührungspunkte gemein haben, konnte nur für die späteren Korrekturen, soweit sie aus ihm stammen,[1] in Betracht kommen —, zumal da ihm in vielen Fällen sämtliche übrigen Texte keine befriedigende Lesart bieten konnten. Einer der vielen von Sabatier (*Bibliorum sacr. Lat. versiones* ... Remis 1743—49, Bd. 2) herangezogenen älteren Texte würde ihm in jedem einzelnen Fall Klarheit verschafft haben. Ich erwähne nur einige Beispiele: 2, 13 in eum $=$ Ps S; in 3, 7 wird DL mit Ps S urspr. circumdantin gelesen haben, wie auch aus *ymbsellendræ* in E hervorgeht, ebenso in 31, 4 dum confringitur mihi spina; 34, 8 in laqueo $=$ Ps Moz, ebenso 49, 23 salutare meum; u. a., vgl. 4, 3. 9, 30. 17, 13. 28, 6; 9. 42, 3. 45, 10. 49, 6. 73, 19. 143, 11. — In Fällen, wo die von Ps R abweichende Lesart in DL oder in D mit Vhm und mit Ps G übereinstimmt (vgl. z. B. 38, 4 exardescet DL $=$ Ps V u. Ambrosius, auch $=$ Ps G; 110, 6 virtutum DL, aber *mægen* D $=$ Ps S, auch $=$ Ps G; 121, 4 illic DL, aber *þider* D $=$ Ps S, auch $=$ Ps G) werden wir also nach meinen obigen Ausführungen für DL nicht mit R. das Ps. G.,[2] sondern unbedingt Vhm als Quelle ansehen müssen (vgl. meine *Ead Ps*, p. 213). Für meine Annahme spricht einmal die strenge Scheidung, die besonders bis zum 9. 10. Jahrhundert zwischen den Texten des Ps R und Ps G stattgefunden hat, sodann aber vor allem die Tatsache, dafs, wie ich schon oben bemerkte, weder DL — natürlich abgesehen von den späteren Korrekturen — noch D irgendwelche speziellen[3] Übereinstimmungen mit Ps G aufweist, dafs dagegen solche mit der vhm. Version[4] in ihnen — in DL in einigen Fällen auch da, wo sie in AL EL nicht mehr begegnen, z. B. 31, 4. 49, 23. 67, 6[5] — überaus häufig sind. Von den nur in D auftretenden sind mir folgende aufgefallen: 9, 30 attrahit ($=$ Ps R u. G) *he fram atyhð* ($=$ abstrahit $=$ Ps S, auch AL BL CL); 28, 9 dicent ($=$ Ps R u. G) *cweð* ($=$ dicit Ps V u. Augustin); 42, 3 in tabernaculo tuo ($=$ AL EL) *on eardunge þine* ($=$ in tabernaculum tuum Ps Moz); 45, 10 scuta ($=$ Ps R u. G) *scyld* ($=$ scutum Ps Moz); 57, 5 aspidis ... obdurantis ($=$ Ps R u. G) *nædran ... forclyccende* ($=$ aspides ... obturantes $=$ Ps S, auch AL); 70, 15 pronuntiabit ($=$ Ps R u. G) *cyþde* ($=$ pronuntiavit Vhm); 71, 14 liberabit ($=$ Ps R) *he alysde* ($=$ liberavit $=$ Ps S); 84, 14 ambulabit ($=$ Ps R u. G) *eode* ($=$ ambulavit Ps S);[6] hierher gehören auch die oben bereits behandelten Fälle in 110, 6 u. 121, 4. — Für einen Teil der letzteren Fälle findet R. natürlich leicht eine andere Erklärung. Wo die Lesarten in D nämlich zufällig mit irgendeinem lat. Text der übrigen Hss. übereinstimmen — die übrigen Fälle erklärt er nicht —, wie z. B. in 9, 30, sieht er einfach diese als Quelle für D an. Dies braucht nach obiger Darlegung der Verhält-

---

[1] Die Korrekturen späterer Zeit sind nicht immer nach Ps G gemacht worden — z. B. in 73, 19 ist urspr. animas confitentes $=$ Ps R u. G korrigiert zu animā confitentē $=$ Vhm ALEL, u. a. vgl. 49, 6. 58, 10. 128, 7) —, hätten daher von R. stets mit möglichster Ausführlichkeit in den Anmerkungen angegeben werden müssen, da sie immerhin hier und da für das Verständnis der Glosse von Wert sein können.

[2] So mufs man wenigstens aus seinen Anmerkungen verstehen.

[3] Als solche können natürlich nur Lesarten gelten, die sich von denen der übrigen Texte deutlich unterscheiden.

[4] Vgl. hierüber meine Zusammenstellung vhm. Lesarten für EL (mein *Ead Ps*, p. 213 ff.), mit der DL mit wenigen Ausnahmen übereinstimmt. Von den nur in E erhaltenen zahlreichen vhm. Spuren lassen sich jedoch in D, die ja unserer obigen Ausführung gemäfs nach einem bereits modernisierten lat. Text angefertigt sein mufs, fast keine mehr (in A auch nur wenige) erkennen.

[5] Dazu kommen noch einige auf blofser Fehlerhaftigkeit beruhende: 31, 6 (oravit). 34, 9 (exultavit). 48, 16 (liberavit).

[6] Letztere drei sind wohl nur Fehler.

nisse (vgl. o. S. 160 und Anm. 6) nicht der Fall zu sein. Viel wahrscheinlicher dünkt mir, dafs diese Abweichungen der Glosse D von DL auf eine ältere Fassung des letzteren,[1] die höchstwahrscheinlich dessen direkte Vorlage *DL noch gehabt hat, zurückgehen. Der geschulte und meist gewissenhafte Schreiber des Regius-Psalters aber wird diese altertümliche, zum Teil fehlerhafte Form seiner Vorlage beim Abschreiben — vielleicht durch Vergleichung mit anderen Texten des Ps R, die aber, wie es scheint, ebenso unrein waren wie *DL — nach Möglichkeit zu beseitigen versucht haben. Zweifelhaft ist mir nur, ob diese Vorlage *DL selbständig neben den übrigen Texten AL, BL, CL, *EL auf den — wohl allen gemeinsamen — Grundtext Lx zurückgeht. Aus der grofsen Ähnlichkeit, die speziell zwischen DL und EL existiert, ist man eher auf eine engere Zusammengehörigkeit dieser beiden Texte zu schliefsen geneigt. Vermutlich stellt ersterer lediglich eine Kopie der Vorstufe *EL, welche einst der etwa um 930, also kurz vor[2] der Niederschrift von D(L), ins Wests. übertragenen Urform von E als leitender Grundtext diente. Von diesem Gesichtspunkte aus würden sich dann auch einige Übereinstimmungen beider Glossen auf das beste erklären. In D und in E, auch im zweiten Teile, finden sich nämlich mehreremal an gleicher Stelle dieselben fehlerhaften Glossierungen, die in ihrer Art in D sonst nirgends belegt sind, in E aber häufig wiederkehren, ja man kann sagen zu den speziellen Eigentümlichkeiten des Glossators von E gehören (vgl. mein *Ead Ps*, p. 238 ff.): 42, 5 *vultus mei* == D *andwlitan min*(!), E *ondwlitæn min*; 47, 9 (dei) nostri == D E *ure*(!), — *godes ure*;[3] 65, 17 clamavi et exaltavi == D *ic cleopode* 7 *ic upahebbe*(!), E *ic clepode* (aus urspr. *clipie* v. Korr.) 7 *ic upæhebbe* (a. a. O. p. 243), 67, 29 virtuti tuae == D *megene þine*(!), E *megne þine*; 98, 1 moveatur == D *bið*(!) *astyred*, E *bið onstyred* (a. a. O. ebd.); 101, 15 terrae eius == D *eorðe*(!) *his*, E *eorþe his* (a. a. O. p. 238); 123, 8 adiutorium == D *to*(!) *fultume*, E *to fultome*, desgl. noch in E 88, 24. 113, 114 (a. a. O. p. 232); 131, 16 exultatione exultabunt == D *gefægenunga gefægenunga*(!), E *hihte hihte* (a. a. O. p. 245); 141, 4 spiritum meum == D *gast min*(!), E *gæst min*.[4] In diesen Fällen[5] wird also der Schreiber von D(L) die Glosse *E, welche er im allgemeinen wegen ihrer vielen Fehler behutsam umgangen haben wird, einfach abgeschrieben,[6] bezw. (in 131, 16) nachgeahmt haben; wenigstens scheint mir dies die einzig annehmbare Deutung.

Obgleich uns R. in dem Vorwort seiner Ausgabe eine Arbeit über das Abhängigkeitsverhältnis D's von den übrigen Glossen in Aussicht stellt,

---

[1] Man könnte geneigt sein, die Glosse inhaltlich gänzlich von dem lat. Text zu trennen. Dies ist aber sicher unmöglich, da erstere oft sonst nirgends nachweisbare, zum Teil auf Verderbtheit beruhende Lesarten (10, 7 laqueus *grin*; 47, 14 in virtutes *on mægenu*; 106, 22 laudis eius *lofes his*; vgl. ferner S. 160 Anm. 3) des letzteren deutlich widerspiegelt.

[2] Dies ist zweifellos, und leicht nachzuweisen.

[3] *ure* nostri 91, 14, das ebenso zu erklären sein wird, entzieht sich leider unserer Beurteilung, da *E von 90, 15—95, 2 nicht erhalten ist.

[4] Auch das fehlerhafte *micgum* (usuris) 71, 14, das dem Glossator von D kaum zuzutrauen ist, findet durch eine Übernahme aus *E, wo derartige Glossierungen, wie aus E II. Teil noch deutlich hervorgeht (vgl. mein *Ead Ps*, p. 232), überaus häufig gewesen sein werden, eine befriedigende Erklärung.

[5] Auch die Fälle von S. 160 Anm. 4, wo D mit E übereinstimmt, könnten hiernach in noch einfacherer Weise gedeutet werden.

[6] Dafs der Schreiber im allgemeinen ae. Vorlagen benutzt hat, erhellt einmal aus kleinen Versehen, die zum Teil auch von R. hervorgehoben werden, wie *gencyris* für *gencyr his* 18, 7; *he wæs widmeten is* comparatus est 48, 21; *on ongeworce* in factura 91, 4; *din ic eom ic tuus sum* ego 118, 94 etc., sodann aber vor allem aus dem äufserst variierenden, heterogenen Wortschatz.

habe ich es doch für nötig gehalten, auf das Verhältnis von D zu E hier
mit einigen Worten einzugehen, da mir dieses, wie auch das ihrer beiden
lat. Texte, von R. nicht klar durchschaut zu sein scheint. Inwieweit
diese meine Ausführungen bezw. Vermutungen den Verhältnissen genau
entsprechen, kann natürlich nur durch eine gründliche Untersuchung
über diese Fragen, die uns von R. hoffentlich bald vorgelegt wird, entschieden werden. Das eine aber steht, glaube ich, schon jetzt fest und
mufs auch von R., dessen Arbeit als Ganzes genommen übrigens durch
obige, leider oft viel Raum erfordernde Anmerkungen und Nachträge in
ihrem Wert keineswegs herabgesetzt werden soll, ohne Bedingung zugegeben werden: dafs für die richtige Interpretation dieser Glossen, die zum
Teil auf recht alten lat. Texten basieren, und für die Bestimmung ihres
gegenseitigen Verhältnisses eine durchaus gründliche, bis in alle Einzelheiten gehende Kenntnis der zugehörigen lat. Texte vonnöten ist. Wird R.
dieser Tatsache in den versprochenen Arbeiten in vollem Mafse Rechnung
tragen, dann wird er uns zweifelsohne noch Bedeutsames über diesen
Gegenstand zu sagen haben.

Charlottenburg. Karl Wildhagen.

Karl Wildhagen, Der Psalter des Eadwine von Canterbury. Die
Sprache der altenglischen Glosse; ein frühchristliches Psalterium die
Grundlage. Mit 2 Abbildungen. 1905. XV, 264 S. 8. M. 9. (Studien
zur engl. Philologie, herausgeg. von Lorenz Morsbach, XIII.)

Dr. Fritz Roeder, Oberlehrer an der Kaiser Wilhelm II.-Oberrealschule
(J. E.) in Göttingen. Der altenglische Regius-Psalter. Eine Interlinearversion in Hs. Royal 2 B. 5 des Brit. Mus. Zum erstenmal vollständig herausgegeben. 1904. XXII, 305 S. 8. M. 10. (Studien zur
engl. Philologie, herausgeg. von Lorenz Morsbach, XVIII.)

Mit diesen beiden Arbeiten, die mit kurzer Zwischenzeit in den Mors-
bachschen Studien erschienen sind, hat die Anglistik wieder sehr wichtige
und wertvolle Beiträge zur Kenntnis der altenglischen Interlinearglossen
zum Psalter gewonnen. Auf diesem Gebiete waren ganz kurz vorher zwei
Aufsätze von Lindelöf erschienen: eine Einzeluntersuchung der Glosse in
der Hs. Junius 27 (*Mémoires de la Société Néo-philologique à Helsingfors*
III S. 1 ff., 1901) und seine Studien zu altenglischen Psalterglossen (*Bonner
Beitr. zur Anglistik* XIII, 1904). Noch früher wurden die Psalterglossen
von Cook in der Einleitung zu seinen *Biblical Quotations* 1898 behandelt.
Gewifs in wenigen Jahren ein vielversprechender Anfang, dem es hoffentlich nicht an Nachfolge fehlen wird!
Von den elf ae. Interlinearglossen zum Psalter, die wir kennen, bilden
fünf insofern eine besondere Gruppe, als ihr Latein dem Typus des *Psalterium Romanum* folgt; die anderen sechs vertreten den Typus des *Psalterium Gallicanum*. Die uns vorliegenden Arbeiten befassen sich beide
mit Interlinearversionen, deren lateinischer Text zur ersten Gruppe gehört. An Gesamtausgaben einzelner Hss. der Gruppe I lagen vorher vor:
Hs. Cotton Vespasianus A. 1, herausgeg. von Sweet (*Oldest English Texts*
S. 183 ff.), Hs. Trinity College, Cambridge, von Harsley *E. E. T. S.* 1899
(= Eadwine's Canterbury Psalter); aus der Hs. Junius 27 hat Lindelöf
in der obenerwähnten Arbeit zahlreiche Auszüge mitgeteilt. Es liegen
also fast alle fünf Glossen, die zur ersten Gruppe gehören, in Sonder-
untersuchungen vor. Mit der Gruppe II — deren Latein dem Typus des
Psalterium Romanum folgt — steht es aber schlechter, indem nur eine
Handschrift und zwar in sehr unzuverlässiger Weise herausgegeben worden
ist: der sogen. Spelman Psalter (1640). Dazu kommen die Auszüge bei
Lindelöf in den *Bonner Beiträgen* XIII und die Lesarten, die Roeder in
seiner uns hier vorliegenden Ausgabe des Regius-Psalters aufnimmt.

11*

Wildhagen gibt uns zuerst in der Einleitung (S. 1—10) einige Notizen über die Handschrift, ihren künstlerischen Schmuck, ihre Entstehungszeit und über den Schreiber Eadwine. Wildhagen möchte die Vollendung der Handschrift in die Jahre 1115—1120 setzen. Die Interlinearglossen sind erst nach der Fertigstellung des lateinischen Textes und des künstlerischen Schmuckes nachgetragen worden.

Die eigentliche Abhandlung zerfällt in drei Abschnitte: I. Die Einheit des Psalters; II. Untersuchung über Dialekt und Zeit; III. Zeit- und Dialektbestimmung. Aus der interessanten Untersuchung über die verwickelten Schreiberverhältnisse der Glosse (wir haben es mit sechs verschiedenen Schreibern zu tun) geht, wie mir scheint, mit Evidenz hervor, dafs die ganze Glosse zwar aus einem und demselben verlorenen Ganzen stammt, dafs aber der erste Teil der Glosse durch die zwei Schreiber, die daran gearbeitet haben, und durch Korrektoren starke Umarbeitungen, Verbesserungen und Zusätze erfahren haben.[1] Der zweite Teil (die Arbeit der vier anderen Schreiber) scheint aber der Vorlage viel näher zu stehen. Es empfahl sich deshalb, wie es Wildhagen getan hat, der Untersuchung über Dialekt und Zeit den zweiten Teil zugrunde zu legen und den ersten Teil nur zum Vergleich heranzuziehen.

Diese Untersuchung über Dialekt und Zeit bildet den weitaus gröfsten Teil der Arbeit (S. 35—190). Es genüge, zu konstatieren, dafs sie mit grofser Umsicht und Gewissenhaftigkeit vorgenommen ist und von dem gesunden Urteil des Verfassers auch in rein sprachlichen Dingen Zeugnis ablegt. Die Hauptresultate lassen sich folgenderweise kurz zusammenfassen: aus der Lautlehre ergibt sich für die Vorlage ein durchaus westsächsischer Lautstand. Die fremddialektischen Elemente, die sich erkennen lassen, sind nicht einem bestimmten Dialekt mit Sicherheit zuzuweisen. Die Flexionslehre führt uns in diesem Punkt etwas weiter, indem alles nicht Westsächsische in der Flexion sich als anglisch (nicht kentisch) erweist. Da nun aufserdem im Wortschatz grofse Übereinstimmungen mit dem Anglischen sich erkennen lassen, indem das Denkmal eine nicht geringe Anzahl von Wörtern, die fast nur in anglischen, einige sogar, die nur in poetischen (d. h. anglischen) Denkmälern belegt sind, aufweist, so beruhen sämtliche Übereinstimmungen mit dem Anglischen aller Wahrscheinlichkeit nach nicht auf späteren Einflüssen anglischer Schreiber, sondern sie sind Reste eines ursprünglichen Zustandes. Der Eadwine-Psalter ist also ein anglisches Originalwerk, das nur in westsächsischer Übertragung erhalten ist, die in unserer Handschrift kopiert ist.

Diese anglische Urform sucht nun der Verfasser in dem dritten Abschnitt (S. 191—208) auf Zeit und Dialekt hin näher zu bestimmen. Was nun die Zeit der Abfassung der westsächsischen Überarbeitung betrifft, so erhalten wir einen Hinweis in der Behandlung von ws. *ie*, *īe*: der lange *īe*-Laut ist zum grofsen Teil gewahrt, der kurze Laut dagegen schon zum gröfsten Teil·in *ĭ*, *y̆* monophthongiert. Solche Verhältnisse sprechen entschieden für das 10. Jahrhundert. Wildhagen setzt als Zeit der westsächsischen Überarbeitung das zweite Viertel des 10. Jahrhunderts an.[2] Damit hat sich für die Urform selbst eine Grenze nach oben er-

---

[1] Der erste Abschnitt, worin diese Untersuchung, auf die wir sonst nicht weiter eingehen können, unternommen wird (S. 11—34), zerfällt in die folgenden Unterabteilungen: Die Schreiber der Glosse, Wortschatz, Übersetzungsfehler, Korrekturen im ersten Teil nach anderen Psalterglossen, Modernisierungen der Schreiber, Graphische Merkmale der Glosse.

[2] Nebenbei sei bemerkt, dafs *laʒe* in *on Deone laʒe* etc., das Wildhagen in diesem Zusammenhange bespricht, kaum identisch mit dem Worte *laʒu* 'Gesetz' sein kann. Ich verweise auf den Aufsatz 'Danelaw' von H. Logeman in *Scandia, Tijdschrift voor scandinavische Taal en Letteren*, 1904, S. 90 ff.

geben. An Hand allerlei sprachlicher Tatsachen will der Verfasser aber die Urform der Eadwine-Glosse viel früher, 'spätestens etwa gegen das Ende des 8. Jahrhunderts' ansetzen. Seine Gründe für eine so frühe Datierung will ich hier kurz berühren. Auf die beiden Formen ɉedes, widtihx (2. Fräs. Sg. Ind. von ɉedōn, wiþtēon), wo die Endung -s für sehr hohes Alter sprechen sollte, scheint mir wirklich nicht viel zu geben zu sein. 'Die Erhaltung von -s in diesen beiden Beispielen berechtigt daher zu dem Schlusse, dafs im Präsens auch aller Verben diese alte Endung noch vorgeherrscht haben wird.' Könnte man aber nicht in diesen beiden Fällen ebensogut von 'Weglassung von -t' wie von 'Erhaltung von -s' sprechen? Solche Fehler könnten ja einem sonst ganz gewissenhaften Schreiber mit unterlaufen![1] Übrigens ist zu bemerken, dafs die Handschrift [ɉe]dest hat, wozu Harsley 't add. by Corr.?' bemerkt,[2] und dafs eine Weglassung von t nach der Buchstabengruppe hx sich ganz leicht psychologisch erklären liefse. Aufserdem ist in Erwägung zu ziehen, ob nicht sogar recht späte Schreiber, die aus dem anglischen oder gar kentischen Gebiete gebürtig waren, sich von anderen Verbalformen ihres Heimatsdialektes mit -(e)s hätten beeinflussen lassen können. Den zweiten Beweis (die Präteritalbildung der schwachen Verba) mufs ich hier beiseite lassen, da ich bekennen mufs, dafs ich dem Gedankengang des Verfassers nicht folgen kann. Der Verfasser hat sich hier augenscheinlich in seine eigenen Gedanken so vertieft, dafs er vergessen hat, dafs der Leser sie noch nicht alle erfahren hat. Ebensowenig vermag ich dem c der Formen nealęcte, ɉedyrstlecte usw. irgendeine Beweiskraft für ein besonders hohes Alter beizumessen. Solche Formen können ja auch jung sein und lehnen sich ja ungesucht an den Infinitiv an. Die Formen des Verbums þrēagan mit -aw- (æw) sind gewifs sehr interessant, aber dürften kaum an und für sich für ausschlaggebend gelten. Die Flexion von swigian ohne Mittelvokal im Präteritum ist zwar sonst nur im Nordhumbrischen (noch in den Lind. Gosp.) belegt, würde aber bei der Spärlichkeit der Belege sich auch in anderen Dialekten (z. B. im Nordmercischen) in ziemlich später Zeit denken lassen. Dagegen mufs ich zugeben, dafs die zahlreichen b für die Spirans recht auffallend sind und für ein ziemlich hohes Alter zu sprechen scheinen. So sind wohl auch die zahlreichen d für đ zu erklären, obwohl man hier an anglonormannischen Einflufs denken könnte (vgl. die häufigen ie für ē, sc für č). Sehr wichtig ist aber der Nachweis, dafs die Glosse nach einem lateinischen Psaltertexte ohne Worttrennung gemacht worden ist. Handschriften mit Worttrennung beginnen um das 9. Jahrhundert häufiger zu werden. Die Glossierung ist wahrscheinlich vor 850 entstanden. Das scheint mir auch einleuchtend. Aber die Annahme, dafs sie schon aus dem 8. Jahrhundert stammt, scheint mir unbegründet. Was wir von den anglischen Schreiberschulen dieser Jahrhunderte wissen, ist ja sehr spärlich. Hier und dort könnte ja das b für die stimmhafte Spirans noch im 9. Jahrhundert fortleben. Ausschlaggebend sind wohl auch nicht die Schlüsse, die der Verfasser aus dem u/a-Umlaut der Vokale e und i zu ziehen versucht; ich brauche aber nicht darauf einzugehen, da der Verfasser die Unsicherheit seiner Theorie selbst einräumt: 'Folgende Beobachtung gestattet uns vielleicht, die Zeitgrenzen noch enger zu ziehen.' Alles in allem: eine gewisse Wahrscheinlichkeit für eine so frühe Datierung als das 8. Jahrhundert hat der Verfasser zwar beigebracht, und ich kann seine Annahme nicht direkt in Abrede stellen. Beweisen läfst sich aber nur, dafs die Urform kaum später als 850 entstanden sein kann.

---

[1] Vgl. die Schreibfehler þouhtes, souhtes, muhtes in dem Mortonschen Text der Ancren Riwle (Vogel, *Zur Flexion des englischen Verbums*, 1903, S. 24).

[2] Hat sich der Verfasser durch Autopsie davon überzeugt, dafs t wirklich vom Korrektor stammt?

Danach untersucht der Verfasser den Dialekt der so herausgeschälten Reste der Urform und kommt zu dem Resultat, daſs wir diese Urform wahrscheinlich im nördlichen Mercien nahe der Grenze nach Nordhumbrien entstanden zu denken haben. Auffallend sind gewiſs die unverkennbaren Anklänge an das Nordhumbrische; aber lassen sie sich wirklich nicht andererweise als durch die Annahme, daſs die Urform aus einem Grenzgebiete stammt, erklären? Bei der Beurteilung mittelenglischer Denkmäler hat man gar zu oft Dialektmischungen in der Weise erklärt, daſs man für jeden neugefundenen fremden Dialektzug das Denkmal so und so viele Kilometer näher dem fremden Dialektgebiete lokalisiert. Eine solche Verfahrungsweise hat sich aber in der letzten Zeit als ziemlich unmethodisch erwiesen. Würde dasselbe nicht auch für altenglische Sprachverhältnisse gelten? Könnte man nicht an eine rein mercische (oder rein nordhumbrische) Urform denken?

Im Anhang (S. 212—249) bespricht der Verfasser teils den zur Glosse gehörigen lateinischen Text und seinen Grundtext, teils die Glosse in inhaltlicher Beziehung. Die Ergebnisse seiner überaus interessanten und fördernden Untersuchungen über den lateinischen Text faſst er S. 229 kurz zusammen: Dieser Text geht auf einen stark mit vorhieronymianischen Lesarten und zahlreichen Sonderlesarten durchsetzten Text des *Psalterium Romanum* zurück, dessen Spuren noch ins 6. Jahrhundert hinaufreichen. Dieser Lateintext muſs unserem Glossator in einer sehr ursprünglichen Form vorgelegen haben, die noch keine Worttrennung aufwies und zahlreiche Fehler in sich barg. Die uns überlieferten Lateintexte des Eadwine-Psalters und des mercischen Psalters haben durch häufige Glättungen und Anpassungen an das *Psalterium Romanum* an Ursprünglichkeit stark eingebüſst, doch lassen sich an beiden, besonders an dem unseres Psalters, die alten Verhältnisse noch ziemlich deutlich erkennen. — Zuletzt bespricht der Verfasser die zahlreichen fehlerhaften Übersetzungen im zweiten Teil der Glosse, die wirklich sehr interessant sind. Sie zerfallen in zwei Hauptgruppen: solche Fälle, wo der lateinische Text die eigentliche Ursache des Irrtums war, und solche, die lediglich der Unkenntnis, Laune und Unachtsamkeit des Glossators zur Last fallen. Zu beiden Gruppen gibt der Verfasser zahlreiche und belehrende Beispiele. Zu der ersten Gruppe gehören Fehler, die durch die Nichtabtrennung der Wörter, und solche, die durch Buchstabenverschreibungen verursacht sind.

Ich will ungern mit Tadel von diesem Buche scheiden, dessen groſse Verdienste ich nur loben kann, und dessen Lektüre mir eine Quelle reicher Belehrung gewesen ist. Ich kann aber nicht umhin, einen besonderen Punkt hervorzuheben, der mir als vollkommen verfehlt erscheint. Ich meine die weitläufigen Auseinandersetzungen über das Wort *slīðe* S. 246 bis 248. Nach der Ansicht des Verfassers sollten dieses Wort und seine Ableitungen noch 'an altheidnische Vorstellungen anknüpfen und einen schönen Beleg dafür liefern, wie das Christentum bezw. die Kirche den altheidnischen Wortschatz sich zu eigen zu machen verstand'. Wildhagen beruft sich auf einen völlig veralteten Aufsatz von Dietrich aus den fünfziger Jahren des 19. Jahrhunderts, wonach die Bedeutung des 'Grausigen, Grauenhaften, Furchtbaren', welche das Wort in sämtlichen germanischen Sprachen hat, sich aus der heidnischen Welt in die christliche hinübergerettet habe. Die Hauptstütze für alle diese Ausführungen soll nun der mythologische Name *Slíðr* in der älteren Edda liefern. Daſs das Wort *slíðr* 'schlimm, gefährlich' substantiviert worden ist, um einen Höllenfluſs zu bezeichnen, darf meines Erachtens nicht befremden. Nach Wildhagen und seinen Autoritäten sollte der Name aber das Primäre sein! *Dâ hoeret ouch geloube xuo!* Mit Wildhagen glaube ich zwar, daſs Toller im Unrecht ist, wenn er ein neues *slīþe* mit der Bedeutung '*formed, moulded, fictus, graven (image)*' annimmt, aber ich vermag nicht aus den von Wildhagen angeführten Fällen dieselben Schlüsse zu ziehen, wonach das Wort, 'das ursprünglich den Namen für den unterweltlichen Höllenflufs abgab, in die christliche Vorstellungswelt herübergenommen allgemein zur Bezeichnung von "Teufel, Götzenbild" verwandt wurde'. Wollen wir uns zuerst die Fälle ein wenig näher ansehen! *Sin ʒescinde ealle þa ðe ʒebiddað þa sliðan* 'confundantur omnes qui adorant sculptilia' (96, 7), *and worhton sceælf on choreb and ʒebedon ðæ sliðelecæn* 'at fecerunt vitulum in choreb et adoraverunt sculptile' (105, 19), *and þiowdon sliðnesse hiræ* 'et servierunt sculptilibus eorum' (105, 36), *beærnæ ðæ onsedon ðæ sliððæn* 'filiarum quas sacrificaverunt sculptilibus' (105, 38); ähnliche Beispiele führt Toller aus dem Spelman-Psalter an. Was bedeutet nun *þa sliðan, sliðness* usw.? Gewifs nicht 'graven images, a graven image'. Einige Beispiele aus der deutschen Bibelausgabe, die ich augenblicklich zur Hand habe, werden, glaube ich, die Frage zur Genüge beantworten. Es. 64, 19 steht: *(ich) sollte das Übrige zum Greuel machen*; die entsprechende Stelle der Vulgata lautet: *et de reliquo ejus idolum faciam.* Hier wie sonst öfter bezeichnet *Greuel*, schwed. 'styggelse', die Götzenbilder der Heiden. Man vgl. z. B. Hes. VII, 20: *Bilder ihrer Greuel* 'imagines abominationum suarum'· und Jer. VII, 30: *Denn die Kinder Juda thun Übel vor meinen Augen, spricht der Herr, sie setzen ihre Greuel in das Haus, das nach meinem Namen genannt ist.* Der Vulgata-Text hat hier 'offendicula'. *Greuel* und *Götzenbild* waren auch in Altengland synonyme Wörter: *þa sliðan* bedeutet also 'die Greulichen, die Greuel', und *sliðness* bedeutet 'Greuel'. Die Nennung dieser Schreckgestalten bei ihrem richtigen Namen mufs bei den Engländern dieser Zeiten als eine Art Tabu gegolten haben. Die Wörter *sliðe* 'formed, moulded' und *sliðness* 'a graven image' sind also endgültig aus der altenglischen Lexikographie auszumerzen, und die obigen Belege können für mythologische Schlüsse keine Stütze gewähren. Auch Eadw.-Ps. 106, 34 (*ʒesette eorðæn westmerende on ðæm sliþendum* 'posuit terram fructiferam in salsilaginem') wird ähnlichen Zwecken nicht mehr dienen können.

Über die Roedersche Ausgabe vom Regius-Psalter kann ich mich kurz fassen. Es ist in manchen Beziehungen eine sehr interessante Glosse, die hier zum erstenmal veröffentlicht ist. Sie ist mit grofser Sorgfalt ausgearbeitet; sowohl Text als Glosse sind aufserdem sehr sauber geschrieben. Dazu kommt, dafs der Text auch in sprachlicher Hinsicht vieles Interessante bietet, und dafs sie unter den altenglischen Psalter-Glossen eine selbständige Stellung einnimmt, indem sie von keiner anderen Glossenhandschrift abhängig zu sein scheint, sondern vielmehr den Kern einer grofsen Glossengruppe zu bilden scheint. In der Einleitung teilt der Herausgeber eine Beschreibung der Handschrift mit und unterrichtet uns über die Prinzipien der Textgestaltung. Roeder bestrebt sich darum, den lateinischen Text in der Form zu geben, wie der Schreiber ihn selbst beabsichtigt und niedergeschrieben hat. Die zahlreichen Änderungen der Korrektoren, die teils darin bestehen, dafs der Versuch gemacht wird, die lateinische Fassung des *Psalterium Romanum* der des *Psalterium Gallicanum* anzugleichen, teils offenbare Versehen korrigieren, teils nur orthographischer Natur sind, werden gröfstenteils unberücksichtigt gelassen, namentlich wo der ursprüngliche Text ganz deutlich zu erkennen ist. Von dem altenglischen Texte wird ein genauer Abdruck gegeben. Fehlerhafte Glossen werden in den Fällen mit einem Stern versehen und in den Anmerkungen besprochen und womöglich emendiert, wenn die Versehen dem Schreiber wider seinen Willen unterlaufen sind. Die Ausgabe ist ein höchst willkommener Beitrag zur Kenntnis der altenglischen Psalterglossen; sie ist mit grofsem Fleifs und Sorgfalt ausgearbeitet. Zu noch gröfserem Dank werden wir dem Herausgeber verpflichtet sein, wenn er

einmal sein Versprechen, eine Abhandlung über die Sprache der Regius-
Glosse und ihr Verhältnis zu den übrigen Handschriften in nicht allzu-
langer Zeit vorzulegen, erfüllt hat.
     Als Anhang folgt eine kurze Liste der von Bosworth-Toller und
Sweet nicht belegten Wörter.
     Göteborg.   Erik Björkman.

Dr. F. Langer, Zur Sprache des Abingdon Chartulars. Berlin, Mayer & Müller, 1904. 75 S. 8.

     Von den in den beiden Handschriften des Britischen Museums Cotton
Claudius C IX (C) und Cotton Claudius B VI (B) enthaltenen Urkunden
sind diejenigen zum Gegenstand einer sprachlichen Untersuchung gemacht
worden, welche aus der altenglischen Zeit (vor 1066) stammen. Das
Chartular ist nämlich in beiden Handschriften in zwei Bücher geteilt, von
denen das erste bis zum Jahre 1066 reicht und also ungesucht zu einer
Sonderuntersuchung Anlaſs gibt. Nach der eigentlichen Untersuchung
(S. 24—71), die sich nur auf die Lautlehre bezieht, folgt eine Zusammen-
fassung der Resultate. Der Lautstand stimmt im allgemeinen mit dem
der spätaltenglischen Schriftsprache überein. Einige Züge, die von dieser
spätaltenglischen Schriftsprache abweichen und zugleich beiden Handschriften gemeinsam sind, werden vom Verfasser für Abingdon angehörig
gehalten. Einige von diesen sind sonst für das Anglische charakteristisch
und sprechen dafür, daſs eine — übrigens ganz begreifliche — anglische
Beimischung vorliegt. Was die dialektischen Eigentümlichkeiten der
Schreiber betrifft, ist kaum mehr anzuführen, als daſs einer unverkennbaren kentischen Einschlag zeigt. Zum Schluſs werden die vereinzelten
Reste alter Lautformen besprochen.
     Dieser sprachlichen Untersuchung, die an und für sich nicht beson-
ders interessante Ergebnisse oder Einzelheiten bietet, geht eine Einleitung
(S. 2—23) voran, die in folgende Abschnitte zerfällt: Die Überlieferung
des Abingdon Chartulars, Inhaltstabelle über die Urkunden im ersten
Buche des Abingdon Chartulars, Das gegenseitige Verhältnis der Fassungen, Das zu erwartende Sprachmaterial, Die Schreiber und ihre Verläſslichkeit, Die Verläſslichkeit der Herausgeber. Ich kann nicht umhin, in
dieser Einleitung den weitaus wichtigsten Teil der Arbeit zu erblicken.
Besonders beachtenswert sind die Ausführungen über das gegenseitige
Verhältnis der Fassungen. Langer erweist zuerst die Unrichtigkeit der
Ansicht Stevensons, welcher C für eine unvollkommene erste Ausgabe,
B für eine später mit Hilfe der Originalurkunden bewirkte Revision eines
gemeinsamen Originals hält. Statt dessen greift B auf eine bedeutend
ältere Fassung als die von C zurück, und C selbst repräsentiert in mehreren Hinsichten eine stärkere Entfernung von der gemeinsamen Urquelle.
B benützt aber gleichzeitig eine jüngere Fassung, der er im ganzen zweiten
Buche folgt. Die Frage nach dem gegenseitigen Verhältnis der Fassungen
wird nun noch weiter beleuchtet und zuletzt durch ein Schema veranschaulicht. Auch die Ausführungen über die Schreiber und ihre Verläſslichkeit sind beachtenswert.
     Göteborg.   Erik Björkman.

Casimir C. Heck, Zur Geschichte der nicht-germanischen Lehn-wörter im Englischen. A. Die Quantitäten der Accentvokale in ne. offenen Silben. (Im Auszug.) Berliner Inauguraldissertation. Offen-bach a. M., Druckerei Wilh. Wagner, 1904. 72 S. 8. M. 2.

     Vorliegende Dissertation enthält nur einen Auszug aus einem Teil
einer geplanten gröſseren Arbeit über die nicht-germanischen Lehnwörter

im Englischen; sie befaſst sich hauptsächlich mit den Fragen nach den Quantitätsentwickelungen in den betreffenden Lehnwörtern. Es gilt vor allen Dingen, die schwankenden Quantitäten der heutigen Akzentvokale in verschiedenen Wortformen bei gleichem Stamm zu erklären, z. B. *severe* : *severity, crime* : *criminal, nation* : *national, female* : *feminine.* Der Verfasser bewegt sich also auf einem Gebiete, das früher von Luick in seinem bekannten Aufsatz 'Die Quantitätsveränderungen im Laufe der englischen Sprachentwickelung' (*Anglia* XX 335 ff.) eingehend behandelt worden ist. Er verwirft die Luickschen Theorien, wonach drei Quantitätsstufen für die Akzentsilben (je nach der Silbenzahl des Wortes) anzusetzen seien; statt dessen stellt er folgendes Hauptgesetz auf: in Entlehnungen aus fremden Sprachen werden die ursprünglichen Quantitäten der Akzentvokale in offenen Silben mehrsilbiger Lehnwörter mit übernommen und beibehalten. Französische Lehnwörter alter und neuerer Zeit haben demnach nur Kürzen, mit Ausnahme des⁻ *u* < frz. *ü,* das aus bekannten Gründen zu *ju* wird. Für die Vokale in einsilbigen Wörtern ergab dasselbe Gesetz Länge, weil diese Vokale im Afrz. lang ausgesprochen wurden: hieraus erklären sich nun Unterschiede wie *crime* : *criminal.* Für die lat. Lehnwörter wird je nach ihrer ursprünglichen Quantitierung Länge und Kürze unterschieden. Dieses Beobachten der lat. Quantitäten ist definitiv erst durch die Humanisten, teilweise vielleicht durch die Renaissance eingeführt worden. In lat. Lehnwörtern vor dieser Zeit sind wahrscheinlich nur Kürzen anzusetzen (Ausnahme *u* = frz. *ü*). Alle Ausnahmen von diesem Gesetz sind Analogien. Ne. *nature, navy, nation* sind deshalb keine regelmäſsigen Entwickelungen von me. *na·türe, na·vie, na·tion,* sondern verdanken ihren langen Vokal dem Einfluſs lateinischer Vorbilder, in denen die Humanisten den Vokal lang aussprachen. Es ist nicht möglich, über dieses Resultat ein definitives Urteil zu fällen, da der Verfasser aus seiner Beweisführung das allerwichtigste Moment, die Materialsammlung, ausgeschlossen hat. Auch in anderen Beziehungen ist die Darstellung sehr lückenhaft. Geradezu enttäuscht wird man, wenn der Verfasser dies oder jenes interessante Thema berührt und dann plötzlich seine Darstellung mit der Bemerkung abbricht, daſs das weitere in seinem Manuskript sich befindet oder in der geplanten Arbeit folgt. Ab und zu haben wir es demgemäſs mehr mit unbegründeten Behauptungen, die an akademische Thesen erinnern, zu tun als mit einer wirklich wissenschaftlichen Darstellung. Trotzdem enthält das Büchlein nicht wenige richtige oder beachtenswerte Beobachtungen; und es ist wohl möglich, daſs man dem Verfasser, wenn die Arbeit einmal in dem geplanten Umfange vorliegt, in vielen Punkten wird recht geben müssen. Einstweilen muſs ich mich aus den schon angedeuteten Gründen mit einem 'non liquet' begnügen.[1]

Göteborg.   Erik Björkman.

Ernst Sieper, Lydgate's Reson and Sensuallyte. Vol. II. Studies and Notes. London 1903. IX u. 132 S. 8. (EETS. ES, LXXXIX.).

Das Buch bringt natürlich die Summe der Ergebnisse, zu denen Sieper bei der Bearbeitung des kritischen Textes von *Reson and Sensuallyte* gekommen ist. Die Veröffentlichung des schönsten Lydgateschen Gedichtes, wenn man will des einzigen, das heute noch auſserhalb der philologischen Welt auf Leser rechnen darf, hatte der Literaturfreund freudig begrüſst. Die Lydgate-Philologen mochten im vorigen Jahre das neue Bändchen, die Studies und Notes, gleich erwartungsvoll entgegennehmen.

---

[1] Bei der Korrektur bemerke ich, daſs Heck eine ausführlichere Darstellung der Frage neuerdings in der *Anglia* XXIX S. 55—119 veröffentlicht hat.

Die Studies, sechs gröfsere Kapitel, füllen etwas mehr als die Hälfte
des Bandes. Zur Untersuchung der Frage nach Autor und Datum schafft
sich Sieper mit glücklichem Gedanken eine Basis dadurch, dafs er die
charackteristischen Eigentümlichkeiten des Gedichtes auf Grund derer im
Troy-Book und im *Pilgrimage* nachprüft und sie als identisch mit ihnen
erkennt. Die von Schick gegebene Zahl der Entstehung 'zwischen 1406
und 1408' modifiziert er in 'vor 1412' (p. 8). Als Resultat der Untersuchungen im zweiten Kapitel ergibt sich, dafs das Prinzip der Schickschen Typen im gleichen für Lydgates Viertakter zutrifft, nach der Häufigkeit geordnet Typus A, dann Typus D (nahezu 30 %!), dann Typus C.
Für Typus B findet S. in den 7000 VV. nur drei, für Typus E nur sieben
Beispiele. Ob diese Typus E-Verse nicht verirrte Fünftakter sind? Am
liebsten möchte ich ihnen den von S. unter Typus B aufgeführten V. 1471
(p. 13 ob.) beizählen oder abändern in (En) Clynyng by fleshly ap-
petyte. Bemerkenswert ist zum Schlufs noch, dafs sich mehrere Fälle
von amalgamierten Typen, drei für (D + C) und sieben für (D + B) finden
(p. 13); einige Beispiele für das Fehlen der Auftakte im ersten und zugleich
im zweiten Hemistich fanden sich ja schon in den Fünftaktern des Secr.
Secr. S. hat es für gut erachtet, vom 'Standpunkt des Agnostikers' aus
bei diesen Untersuchungen mit äufserster Vorsicht vorzugehen. Nach
meinem Empfinden hätte die ganze Beweisführung lapidarer geschehen
können. Dafs die VV. Viertakter sind in Nachahmung der französischen
Achtsilber der Quelle (p. 14), war die Voraussetzung so sicher wie ein
mathematisches Datum; dafs unter den von den Schickschen Typen her
bekannten Eigentümlichkeiten die VV. — mit drei Ausnahmen (p. 14) —
tadellos laufen, kein Beispiel einer harten Verschleifung etc. (pp. 10, 11)
und kein Verstofs gegen Wort- und Satzakzent (pp. 15, 16) aufzuweisen
ist, war die Thesis. Der Beweis konnte nicht anders als glücken. Die
beiden nächsten Kapitel (Flexion und Reim) führen in den Zentralpunkt
der Lydgate-Forschung, zur Frage des End-e. Am stärksten erscheint der
Abfall des End-e wieder beim Verb, besonders häufig bei den kurzstäm-
migen Infinitiven der starken Konjugation (p. 34), so zwar, dafs alltägliche
Verba wie *give* und *come* 'beinah ausschliefslich monosyllab' sind. Beachtenswert ist, dafs nach den p. 43 aufgeführten Beispielen die End-e-
Formen reimender französischer Adjektive, gleichviel ob masc. oder fem.,
die Regel zu sein scheinen. Hierher heranzuziehen sind noch zwei von
S. an früherer Stelle (pp. 14 und 11) gemachte Konstatierungen: einmal,
das End-e adjektivischer ja-Stämme ist immer silbisch und Formen wie
withoúte, fortúne (mit stummem End-e) etc. sind ihm nie sicher begegnet; zum andern fällt ein End-e, das zwischen zwei Dentale zu stehen
kommt, ab. Die weitere Entwicklung der Lydgate-Studien wird zeigen,
inwieweit S.s Behauptungen richtig sind. Hat S. somit mannigfach positive Anregungen gebracht, die zum mindesten dankbar entgegenzuneh-
men sind, so bietet er im fünften Kapitel über den Stil Untersuchungen, wie sie vorher nie gemacht waren. 'Reduplication' des Ausdruckes
möchte man die Hauptnote in Lydgates Technik heifsen; man könnte
geneigt sein, ein Kunstprinzip in dem Parallelismus zu finden, mit dem
Lydgate seine Perioden 'baut' (vgl. die pp. 48 und 49 gegebenen Beispiele); aber man weifs, bis zu welcher Monomanie der alte Lydgate z. B.
in den VV. 500—1000 des Secr. Secr. in 'Wiederholungen' geradezu ver-
bohrt und verloren ist. Klerikerblut und Priesterbrauch und das schul-
meisterliche Bedürfnis, sich gemeinverständlich und klar zu machen,
haben dem armen Benediktiner wohl hauptsächlich zu der 'lydgateschen
Manier' verholfen. Es widerfährt dem 'guten Mönche' (p. 48) sicherlich
übergenug Ehre, wenn S. sich bemüht, die verschiedenen Kunststückchen
zu ordnen in 'reduplication, straining after epithets etc., intensifying adverbs, downright tautology' usw., und wenn er gar die fossilen Wendungen

der stop-gaps auseinander klauben will. Das sechste und letzte Kapitel erledigt die Quellenfrage und bringt wesentliche Ergänzungen zu S.s früheren Studien über die *Echecs amoureux*. Guido de Colonnas *De regimine principum* hat sich nunmehr als Hauptquelle für den zweiten längeren Teil der *Ech. am.* erwiesen. Lydgate hat also mehr als ein Menschenalter den Plan mit sich herumgetragen, einen der Secr. Secr.-Texte versifizieren zu wollen. Zum Schlufs führt S. die Pariser Handschriften vollständig an, in denen das allegorische Gedicht der *Ech. am.* kommentiert ist, und zeigt an einem Beispiel (MS. des 16°) den Gedanken und Zweck dieser Kommentare.

Viel Material ist dann in den Notes zusammengetragen, und Lexikograph wie Literaturforscher finden dort Stoff genug zur Ausbeute.

Das Bändchen atmet Elastizität und Lebensluft; es sind nicht blofs reine philologische 'facts'; es ist, als ob ein Stück vom Verfasser mitginge, und als ob sich etwas durch die ganzen Untersuchungen hindurchzieht, das in all die Darlegungen Leben bringen und sie pulsieren machen möchte. Der deutsche Leser aber hat eines anzumerken. Das Buch ist von dem deutschen Gelehrten selbstredend englisch geschrieben. Die Korrekturbogen wurden mit scharfem, wachsamem Auge gelesen. Es berührt aber eigentümlich, zu sehen, dafs in der p. 15 zitierten Stelle aus dem Buche eines deutschen Forschers innerhalb weniger Zeilen mehrere Druckfehler stehen bleiben durften.   P.

Theodor Erbe, Die Locrinesage und die Quellen des pseudo-shakespearischen Locrine. Studien zur englischen Philologie, herausgegeben von Lorenz Morsbach. XVI. Halle a. S., Max Niemeyer, 1904. 72 S. M. 2.

Wilfrid Perrett, The story of King Lear from Geoffrey of Monmouth to Shakespeare. Palaestra, Untersuchungen und Texte aus der deutschen und englischen Philologie, herausgegeben von A. Brandl, G. Roethe und E. Schmidt. XXXV. Berlin, Mayer u. Müller, 1904. 308 S. M. 9.

Emil Bode, Die Learsage vor Shakespeare, mit Ausschlufs des älteren Dramas und der Ballade. Studien zur englischen Philologie, herausgegeben von Lorenz Morsbach. XVII. Halle a. S., Max Niemeyer, 1904. 105 S. M. 4.

Arbeiten wie die vorliegenden sind gegenwärtig en vogue in der Shakspereforschung, seit Churchill mit seinem Buche *Richard the Third up to Shakespeare* anfing, die Evolution einer Shakspereschen Gestalt von ihrer historischen Basis aufwärts zu zeigen. Untersuchungen über ältere Bearbeitungen Shakspperescher Stoffe fehlen auch vorher nicht: Max Moltke, *Shakespeare's Hamletquellen* (1881), Israel Gollancz, *Hamlet in Iceland* (1898) u. a.; neu war aber das von Churchill in den Vordergrund gestellte Moment, den Werdegang des Stoffes als solchen herauszuarbeiten. Ähnlich versuchte Evans (*Bonner Diss.* 1902), die präshakspereschen Hamletbearbeitungen chronologisch und genealogisch zu ordnen; ähnlich versuchte auch ich in meiner kürzlich erschienenen Schrift über 'Macbeth' (vgl. Anzeige von Münch im *Archiv* CXIII, 428 ff.) dem Geiste nachzugehen, der hier still und geschäftig Jahrhunderte hindurch Shakspere vorgearbeitet hat. Nunmehr haben der pseudoshaksperesche Locrine und der Lear Bearbeiter gefunden. Für den Falstaff und für Margarete von Anjou sind entsprechende Arbeiten meines Wissens in Vorbereitung, und die Inangriffnahme dieser Charaktere ist höchst verdienstlich.[1] Zwei von den krausesten und

---

[1] Baeske, *Falstaff* (*Palaestra* L), ist erschienen.

kompliziertesten Gemischen Shaksperescher Charakterkunst — denn in
welche Schubfächer ihres noch so reichen Kataloges wollen unsere Bühnenleiter und Dramaturgen diese beiden Gestalten einordnen? — dürften eine
interessante Aufklärung erfahren. Abschliefsende Arbeiten über den Romeo
and Juliet-Stoff, das Shylock-Motiv u. a. sind Desiderata.

Worin liegt der Nutzen derartiger Arbeiten? höre ich fragen, ein Einwand, dem auch Münch in der Anzeige meines Buches kurz entgegen-
getreten ist. Von wie geringem Interesse ist es, die älteren, oft so un-
künstlerischen Fassungen kennen zu lernen, die dem Dichter, um dessen
Werk es sich handelt, ganz unbekannt waren, und die darum keinen
Einflufs auf sein Schaffen geübt haben! Die Kenntnis der Quellen ist
gewifs ein grofses Hilfsmittel zum Verständnis der Dichtung, aber das
hat doch mit all jenen, oft um Jahrhunderte zurückliegenden Vorstufen
nichts zu tun.

Der Einwand trifft nicht den Kern der Sache. Die so sprechen, übersehen zunächst, dafs doch erst die Vergleichung der Dichtung mit den
älteren Fassungen uns Aufschlufs gibt über die Quellen, dafs wir überhaupt nicht sagen können, welche Versionen Shakspere gekannt und benutzt
hat, bevor wir nicht alle gelesen haben. Quellenkunde und Kenntnis der
gesamten Vorgeschichte ist mithin eins. Sodann aber vergessen jene Ein-
wendenden ganz, dafs die Quellen eines dichterischen Stoffes oder Charakters auch hinter und jenseits der dem Dichter bekannten Vorlagen liegen.
Quelle ist nichts anderes als literarische Evolution. Die Stoffe der grofsen
ShaksChereschen Dramen haben sämtlich sich wie Lebewesen entwickelt,
sie haben eine Kindheit gehabt und sind stufenweise zu voller, schöner
Männlichkeit herangereift. Wie wir aber die Wesensheit eines Menschen
nie vollkommener begreifen als auf Grund vollständiger Bekanntschaft mit
seinem Werdegang und seiner Entwicklung, so auch bei der literarischen
Produktion. Das Verständnis für Hamlet wird uns nie voller aufgehen,
als wenn wir diese Gestalt im entwickelnden und ausgestaltenden Schofse
der Jahrhunderte haben heranreifen sehen. Aber man sehe ganz ab von
Shaksperes Titanengestalten, sehe auch ab von so gewaltigen Konzeptionen
wie Faust und Don Juan, man nehme bescheidenere Gestalten wie den
unausbleiblichen Pfarrer der englischen Romane des 17. und 18. Jhs.,
oder den Byronschen Helden, jenes so krause Gemisch heterogener Eigenschaften, und man wird die Richtigkeit meiner Behauptung nicht minder
klar erkennen. Es ist gewifs sehr billig, zu sagen, dafs Goldsmith in seinem Vicar dem Vater ein Denkmal gesetzt, dafs Byron in seinen Gestalten
sich fortwährend selbst photographiert habe, und es soll hier auch nicht
bestritten werden, dafs der wahre Dichter jeder seiner Schöpfungen ein
Teil seines Charakters mit auf den Weg gibt, aber das Verständnis der
dichterischen Gestalten wird damit nicht erschöpft. Das erschliefst uns
erst voll die Kenntnis der Evolution. Sie zeigt uns beispielsweise die
verschiedenen Ingredienzen des Byronschen Heldentypus und ihr Zusam-
menfliefsen; sie zeigt uns, wie schon Shakspere hier die Grundlinien der
Figur schuf mit seinem Edmund Gloster (der Verbrecher und Liebling
der Frauen ist), Grundlinien, die Schiller mit seinem Karl Moor vertiefte,
während Goethe mit seinem Werther, Chateaubriand mit seinem René,
Benjamin Constant mit Adolphe, Étienne Sénancour mit Obermann usw.
die auf die Tränendrüsen der Leser spekulierende Melancholie hinzufügten;
und über all das gofs nun Byron den Zauber der blendenden äufseren
Erscheinung, und sein Held, die Krankheit des beginnenden 19. Jhs.,
war fertig. So allein entstehen solche Charaktergebilde; das gleiche Schauspiel, nur um vieles grofsartiger und gewaltiger, zeigt sich bei Shakspere.
Bald ist es der einzelne Charakter (welch weiter Weg vom Miles Gloriosus
der Römer bis zu Falstaff!), bald die Fabel (von Geoffrey of Monmouth geht
der Weg des Königs Lear bis zu Shakspere, und weiter hinaus zu Balzacs

'Père Goriot' und zu Turgenjews 'Lear der Steppe'); hier ist ein ewiger Flufs, und die Tradition bricht nicht ab. Wir sehen also schon, der Gewinn derartiger, die literarische Tradition eines Stoffes untersuchenden Arbeiten kann sehr hoch sein: nicht nur vertiefen sie das Verständnis des Kunstwerkes, nein, sie geben uns auch einen Einblick in das Schaffen der Künstlerseele, und das ist das Höchste und Letzte jeder Literaturforschung.

Ich begrüfse daher das Erscheinen der eingangs erwähnten Arbeiten mit grofser Freude und möchte gern ihre Verdienste anerkannt sehen.

Erbe hat sich mit dem Locrinedrama beschäftigt; dies gehört bekanntlich zu den sogenannten pseudoshakspereschen Stücken, und zwar meines Erachtens zu denen, die am wenigsten Anspruch darauf machen können, in Zusammenhang mit Shakspere gebracht zu werden. Unter den Stücken, die Unkenntnis oder buchhändlerische Berechnung später unter Shaksperes Namen hat erscheinen lassen, befinden sich immerhin einige, die des grofsen Dichters nicht unwürdig sind und ihrem Werte nach von ihm herrühren können: dies gilt aufser von 'Perikles' (wo Shaksperes Mitarbeiterschaft ziemlich sicher ist) von 'Edward III.' und 'The two noble kinsmen'. Die Frage der Autorschaft der pseudoshakspereschen Stücke gehört ja unzweifelhaft zu den schwierigsten der ganzen Shaksperekritik, auch zu den bisher am wenigsten in Angriff genommenen. Ohne neues Material wird sich kaum hier Sicheres sagen lassen; wohl aber steht zu hoffen, dafs, wenn die reichen Schätze in den Archiven der englischen Adelshäuser zugänglicher gemacht werden, uns eine Fülle neuer Kenntnis für Shakspere und seine Zeit zuteil wird. Bis dahin wird die Frage nach der Autorschaft der pseudoshakspereschen Dramen eine offene bleiben müssen.

Gleichwohl bin ich geneigt, einiges negative schon jetzt zu entscheiden; ich möchte behaupten, dafs der 'Locrine' ganz aus der Reihe der fraglichen Stücke ausscheidet. Weder der Abdruck in der 3. Folio von 1663, noch der Druck von 1595 mit den Initialen W. S. als Autor, fallen meines Erachtens irgendwie ins Gewicht gegenüber dem äufserst geringen poetischen Wert des Stückes (Erbe gibt leider nur eine Analyse des Stückes, keine ästhetische Würdigung, vor allem keine psychologische Sezierung der Charaktere). Tieck plädiert zwar für die Echtheit (er hat es in seinem *Altenglischen Theater* übersetzt); aber man weifs, dafs Tieck ein wenig voreilig war in der Annahme der Autorschaft Shaksperes für zweifelhafte Stücke. Der 'Locrine' ist ein geistloses Machwerk, ein Beispiel, wie ein wundervoller Stoff von einem unfähigen Dichter verdorben werden kann; die Sprache ist bombastisch, erinnert an Marlowe; die komischen Szenen sind höchst unglücklich, ganz episodenhaft, sie wachsen gar nicht in die Haupthandlung hinein, und wie wundervoll ist gerade dies letztere bei Shakspere!

Der Stoff des 'Locrine' ist freilich prächtig; mit Recht betont Erbe die poetische Kraft der Locrinesage, und mit Recht bedauert er, dafs der Stoff noch nicht den genialen Dramatiker gefunden, der aus ihm ein bleibendes Bühnenwerk geschaffen hätte; das Zeug zu einem solchen trägt der Stoff in sich. Es sind alte, ewige Akkorde, die hier erklingen: von der sinnlichen Gier des Mannes, der, durch die Politik an ein ungeliebtes Weib gekettet, in wilder Leidenschaft zu einem anderen Weibe entbrennt, von der in brunhildehafter Rachgier auflodernden verschmähten Gattin, von dem Tode des treulosen Gatten oder der glücklicheren Nebenbuhlerin. Es sind dieselben Akkorde, die Racine in der Andromaque, Körner in der Rosamunde Clifford, Grillparzer in der 'Jüdin von Toledo' angeschlagen hat; auch Ponsard hat in seiner 'Agnes de Méranie' einen ähnlichen Stoff mit Glück behandelt. Vielleicht findet auch der 'Locrine' noch seinen Retter; unsere heutigen Dramatiker scheinen ihre Aufmerksamkeit dem altenglischen Drama zuwenden zu wollen; nun, der 'Locrine' verdient eine

Neubelebung nicht minder als Massingers 'Fatal Dowry' und Otways
'Venice Preserved'.

Erbe untersucht in seiner Schrift den Werdegang der Locrinesage vor
und nach dem Drama, wodurch sich die beiden Hauptteile seiner Arbeit
ergeben. Für den ersten Teil kommen so ziemlich dieselben Werke in
Betracht wie für Lear (s. u.); Geoffrey ist der Ausgangspunkt, meines
Erachtens auch der Erfinder (an die echte, volkstümliche Sage glaube ich
bei Locrine so wenig wie bei Macbeth und Lear) Von Geoffrey geht der
Stoff durch zahlreiche Zwischenstufen (darunter die Brutbearbeitungen:
Münchener Brut, Wace, Layamon, wohl die künstlerischsten Versionen)
bis zu den Chronisten des 16. Jhs.: Hardyng, Fabian, Grafton, Mirror
for Magistrates, Stow, Holinshed; auch Spenser, Lodge, Harvey kennen
die Sage.

Interessanter ist die Weitergeschichte des Stoffes nach dem Drama.
Schon das ist ein Zeichen für den geringen Wert des Dramas, dafs die
literarische Tradition nicht nach ihm verstummt wie bei den grofsen Tragödien Shaksperes. So gewaltig die Vorgeschichte zu Hamlet, Lear,
Macbeth, Othello, Romeo and Juliet ist, so wenig gibt es einen Weiter-
gang dieser Stoffe nach Shakspere, er sprach eben hier das letzte Wort;
gewaltig ist nur das Nachleben seiner Dramen, so gewaltig, so dominie-
rend, dafs es keinem gelang, das gleiche Motiv in noch so abweichender
Umgebung zu behandeln, ohne fortwährend an Shakspere anzuklingen
(Gottfried Keller, Balzac, Turgenjew). Der Locrinestoff dagegen wird weiter
behandelt, eben weil das Drama so wenig als letzte Darstellung gelten
konnte: wir haben eine Ballade 'Duke of Cornwall's Daughter' von sehr
unsicherer Datierung (gedr. 1784), sodann die Hineinziehung der Sage in
Miltons 'Comus' (Sabrina, die Nymphe des Severn), vor allem aber das
fünfgesängige Epos von Morgan Kavanagh; es stammt aus 1839 und ist
Southey gewidmet. Die Behandlung des Gegenstandes ist sehr frei; Erbe
nennt es die würdigste und poesievollste Bearbeitung der Sage. Die letzte
Version ist das Drama Swinburnes (1887), ein 'Buchdrama, für die Bühne
ungeeignet'.

Erbe vergleicht sodann, nach der Übersicht und kurzen Skizzierung
sämtlicher Versionen, die alten Sagenbearbeitungen auf ihren Inhalt hin,
indem er Geoffrey zugrunde legt und wichtigere Abweichungen in den
späteren Autoren parallel druckt; auf Grund der durch diese Vergleichung
erlangten Resultate sucht er sodann die Frage nach den Quellen des
Dramas zu beantworten. In eingehender, überzeugender Weise legt der
Verfasser dar, dafs Geoffrey die Hauptquelle des Dramas ist, und dafs
neben ihm noch Caxton und Holinshed benutzt worden sind. Ganz aus-
geschaltet hat Erbe leider die ästhetische Betrachtung, darin liegt meines
Erachtens ein Mangel. Fragen nach dem tragischen Gehalt des Dramas,
der psychologischen Ausgestaltung der Charaktere, der künstlerischen
Motivierung der Vorgänge hätten wohl mehr Raum finden können. Davon
abgesehen, ist Erbes Buch eine sehr annehmbare Leistung von wissenschaftlichem Werte.

Perretts Buch über 'King Lear from Geoffrey to Shakespeare' ist ganz
trefflich. Alles, was man von einem Werke, das auf Wissenschaftlichkeit
Anspruch erhebt, zu fordern berechtigt ist, mufs hier nachgerühmt werden:
vollständige Beherrschung der einschlägigen Literatur, ruhige Sicherheit
des Urteils, neue positive Resultate und eine vornehme, elegante Sprache.
Das Buch liest sich gut; Perrett versteht die seltene Kunst, zugleich
wissenschaftlich und interessant zu schreiben, mit welcher Bemerkung ich
sein Werk hoffentlich nicht bei denen diskreditiere, die beides immer noch
für unvereinbare Gegensätze halten.

Im ersten Kapitel 'Geoffrey of Monmouth' (S. 1—28) untersucht der
Verfasser die Herkunft des Stoffes. Er räumt zunächst mit den prägal-

fredischen Theorien auf; es ist nichts, weder mit der *faute de mieux* aufgestellten Hypothese von einem keltischen Ursprung des Learstoffes, noch
mit der Entdeckung De Gubernatis' von einem indischen 'Ur-Lear'. Es
hat ja viel Verführerisches an sich, in Indien, der Heimat so vieler wan-
dernden Sagen, auch nach dem Quell des Lear zu suchen; aber die Parallele aus dem Mahâbhârata, welche De Gubernatis als 'King Lear in
embryo' bezeichnet, genügt denn doch nicht den bescheidensten Anforderungen an Parallelismus. Die Liebesprobe, welcher der Vater seine Töchter
unterwirft, der Kern des Learstoffes, fehlt im Indischen, und ohne diesen
Kern kann von einer Verwandtschaft nicht gesprochen werden. Sehr scharfsinnig sind des Verfassers Ausführungen über einen keltischen Ursprung
des Stoffes: weder in einer keltischen Volkssage noch in einem einfachen
Naturmythus (so nahm Alfred Nutt an) haben wir nach Perrett die Basis
der Leargeschichte zu suchen.

Vielmehr ist der Lear, als Ganzes, nicht auf seine Teile hin betrachtet,
durchaus Geoffreys Erfindung; das ist das gesicherte Ergebnis der Untersuchung Perretts. Ich glaube noch weniger als Perrett an das 'librum
vetustissimum britannici sermonis', das Geoffrey benutzt haben will; das
ist ein literarischer Kunstgriff, der in mittelalterlichen Chroniken zu häufig
begegnet, um nicht mit äußerstem Mißtrauen aufgenommen zu werden.
Geoffrey, in seinem Bestreben, seinem Volke eine sagenhafte Vorgeschichte
zu bieten, füllte die Lücken in Nennius (796) mit einer Schar satter,
lebensvoller Gestalten aus; daß er in dem, was er von diesen erzählt,
nicht immer original war, tut der Originalität der Gestalten keinen Ab-
bruch. Nicht die Aneignung fremder Stoffe macht den Plagiator (dann
wären Shakspere und Molière die größsten Plagiatoren), sondern das Wie,
die Aufnahme und Wiedergabe, unterscheidet den originalen Dichter und
den bloßsen Nachtreter; und Geoffrey war ein Original.

Geoffrey machte Lear zum Gründer von Leicester; der Chronist hat
eine fast verdächtige Vorliebe für solche Erklärungen von Ortsnamen
(Perrett S. 5 f.). Leicester ist vielmehr Legrecastra, nach dem Flusse Legra
(oder Loar). Für die Geschichte von König Lear und seinen Töchtern
verwendete Geoffrey nun zwei uralte Märchenmotive, die Liebesprobe und
die kindliche Undankbarkeit. Die Liebesprobe, der Lear seine drei Töchter
unterwirft, geht zurück auf das 'Salzmotiv': die eine Tochter antwortet
dem Vater auf die Frage nach der Höhe ihrer Liebe, 'sie liebe ihn wie
das Salz'.

Perrett bringt hierfür 26 bezw. 25 Varianten; gut ist seine Bemerkung, daß diese internationale Fabel eine tendenziöse Erfindung sei, den
anscheinend geringen, tatsächlich so hohen Wert des Salzes einander gegenüberzustellen. Das zweite Motiv von der kindlichen Undankbarkeit (der
älteren Töchter) gegen den allzu gütigen Vater ist zwar oft, wie in den
Learbearbeitungen und in den meisten 'Salzgeschichten', mit dem ersteren
Motiv verbunden; nötig ist dieses keineswegs. Ursprünglich ist das zweite
Motiv durchaus unabhängig, ja, es ist sogar das umfassendere von beiden.

Nach A. Toblers Einteilung zerfallen die Erzählungen von dem allzu
vertrauensseligen Vater (der allen Geschichten gemeinsam ist) in drei
Gruppen: 1) die bevorzugten Kinder sind undankbar, und die zurück-
gesetzten und verkannten sind dankbar; dahin würden der Learstoff und
die meisten 'Salzgeschichten' gehören; 2) der undankbare Sohn wird durch
das Beispiel seines eigenen Sohnes zur Erkenntnis seiner Schlechtigkeit
und zur Umkehr gebracht; dahin gehören unter anderem das altfranzösische Fablel 'La Houce partie', die mittelhochdeutsche Erzählung 'Der
Kotze', in weiterem Sinne auch das von Stanislas Julien mitgeteilte chine-
sische Volksmärchen aus den Avadânas (Paris 1859); 3) der Vater bringt
die undankbaren Kinder durch die Täuschung, er habe noch Schätze zurück-
behalten, dahin, ihn wieder mit Liebe zu behandeln. Grundform dieser

Gruppe ist die auch von Perrett angeführte Geschichte vom 'Schlegel' in
Paulis 'Schimpf und Ernst', deren zahllose Varianten sich so ziemlich bei
allen indoeuropäischen Völkern finden. Durchaus treffend ist die schon
von Simrock gemachte und von Perrett wiederholte Bemerkung, dafs in
jener Erzählung ein Rest alten Heidentums stecke, eine Erinnerung an
den barbarischen Gebrauch vieler Völker, die untauglichen Greise durch
ihre eigenen Söhne (oder nächste Verwandte) mit einer Keule oder einem
Hammer erschlagen zu lassen (vgl. dazu Erwin Rohde, *Der griechische
Roman* [2] 1900, S. 247, oder Massingers Stück 'The Old Law'). Es ist eine
Lieblingsansicht von mir, derartige internationale Fabelmotive als Reste
alter Rechtssitten und Volksbräuche aufzufassen, und nur ungern habe
ich seinerzeit Simrocks Erklärung des wandelnden Waldes abgewiesen.
Hier stimmt die Sache nicht; wohl aber wird kein Zweifel daran sein,
dafs in dem oft begegnenden Motiv des Kampfes zwischen Vater und
Sohn (Hildebrand-Hadubrand, Rosthem-Suhrab) eine Erinnerung vorliegt an den uralten Rechtsbrauch mancher Naturvölker, wonach der
Vater, der Herr des Hauses, sowie Zweifel an seiner Tüchtigkeit und
Fähigkeit berechtigt werden, sein Anrecht, das Haupt des Hauses zu sein,
durch einen Kampf mit dem Sohne von neuem erweisen mufste. Ebenso
sicher ist es, dafs die 'Shylock-Fabel' ihre Entstehung verdankt dem Streben milderer Zeiten, alte barbarische, aber noch in Kraft bestehende
Gesetze, deren Wortlaut man nicht gern anfechten wollte, durch besonders
scharfsinnige, fein ausgetüftelte Deutung zu umgehen.

Geoffrey verband also für seinen Lear die beiden obigen Motive von
der Liebesprobe und der kindlichen Undankbarkeit; vielleicht auch hat
er sie schon irgendwo verbunden gefunden; das wird sich schwer entscheiden lassen. Das Salz freilich schaltete er aus, wohl aus äufseren Gründen;
bei ihm gibt Cordelia die nur 'mit attischem Salz gewürzte' Antwort:
'Quantum habes, tantum vales, tantumque te diligo'. Aus Eigenem hinzugefügt hat Geoffrey den tragischen Ausgang (der freilich später als bei
Shakspere eintritt), denn in den verwandten volkstümlichen Geschichten
endet die Sache fröhlich. Diese Wandlung ist nach Perrett ein keltischer
Einschlag (S. 25 ff.); nach ihm haben die keltischen Stoffe alle eine Neigung zu tragischem Ausgang: die Bösen siegen zumeist, und die Guten
gehen unter.

Ich habe bei der Betrachtung des ersten Kapitels länger verweilt,
einmal weil es wegen des vielen Neuen am meisten Interesse hat, sodann
weil es mich besonders anzog wegen der Parallele zu 'Macbeth'. Die Ähnlichkeit ist frappant; in beiden Fällen haben wir das gleiche kunstmäfsige,
wohlüberlegte Schaffen (das freilich auch mit volkstümlichen Stoffen
arbeitet); nur, dafs es sich in dem einen Fall um eine frei erfundene (Lear),
in dem anderen um eine geschichtliche Persönlichkeit (Macbeth) handelt.
Durch Hineinziehung des Volkselementes nun wandeln Geoffrey das Märchen, Wyntoun die Geschichte zur Sage, aber wohlgemerkt: zur Kunstsage,
nicht Volkssage!

Im zweiten Teil seines Buches (S. 29—142) schildert Perrett die Evolution des Stoffes von Geoffrey zu Shakspere durch 57 Zwischenstufen,
deren genealogischen Zusammenhang eine am Eingange des Buches abgedruckte übersichtliche Tabelle veranschaulicht. Aus der Fülle der Zwischenstufen, deren Stellung und Wert der Verfasser eingehend würdigt,
hebe ich als besonders wichtig hervor: die wallisischen Übersetzungen (S. 7), bei deren Betrachtung Perrett nachweist, dafs der Brut Tisylio
nicht, wie früher (z. B. von Simrock, Ward) angenommen, Geoffreys Vorlage war, vielmehr umgekehrt auf diesem beruht, den *Layamon* (S. 8),
die Leargeschichten in den *Gesta Romanorum* (S. 23—25), wo der Verfasser wieder zu dem entgegengesetzten Ergebnis wie Simrock gelangt, der
die Geschichte vom Kaiser Theodosius und seinen drei Töchtern für die

Quelle zu Geoffreys Lear hielt, den *Mirror for Magistrates* (S. 48), *Spenser's Fairie Queene* (S. 51): Prinz Artur liest im Hause der Temperance eine alte Chronik seiner Vorfahren, darin auch die Geschichte Lears (Buch II, Ges. 10), *The Old Play* (S. 53): das alte Stück beruht auf dem Mirror for Magistrates, der Fairie Queene und Warner's Albion; über den Verfasser des Prä-Lear wagt Perrett nichts zu entscheiden, die alten Hypothesen (man dachte aufser an Shakspere an Kyd, Marlowe, Lodge, Peele, Greene, auch an eine Kollaboration mehrerer Autoren) sind sehr unsicher fundiert; schliefslich *The Ballad* (S. 57): hier steht die Frage im Vordergrunde, ob die Ballade älter oder jünger sei als Shakspere's Lear; Perrett spricht sich für die letztere Annahme aus, nach ihm hat der Balladendichter Shakspere gekannt und benutzt, daneben Holinshed.

Der dritte sehr umfangreiche Teil (S. 143—289) ist Shakspere gewidmet; hier ist der Verfasser mir bisweilen zu scharfsinnig: er sieht Schwierigkeiten, Probleme, wo keine sind. Gleich seine lange Kontroverse, ob eingangs *equalities* (so Q₁) oder *qualities* (F₁) zu lesen ist, erscheint mir, wenn auch nicht überflüssig, so doch in gar keinem Verhältnis zu der Bedeutung dieser Variante. Ich sehe weder ein, wo die Schwierigkeiten bei der Lesart *equalities* liegen, noch begreife ich, wie die vermeintlichen Schwierigkeiten (die viele Kritiker, auch Perrett, hier finden) durch das von Perrett bevorzugte *qualities* beseitigt werden. Selbstverständlich sprechen Gloster und Kent in der ersten Szene nur von den Anteilen Gonerils und Regans, und die können so mathematisch gleich (*equalities*) sein, wie sie wollen, darum kann Cordelias Anteil doch gröfser sein. Wenn Lear bei der Ausstattung Regans nachher von *this ample third, no less in space, validity and pleasure, than that conferred on Goneril* spricht, so ist natürlich nicht an ein mathematisches Drittel zu denken (dann müfsten alle Töchter exakt gleiche Teile bekommen), wie das unmathematische *a third more opulent than your sisters* zu Cordelia beweist. Auch die Lesart *qualities* verträgt sich doch nur (wie Perrett S. 151 zugeben mufs) mit einer weiteren Deutung des *third;* wo liegt hier also die Schwierigkeit, die Perrett sieht (*One difficulty is removed*)?

Abgesehen von diesen Subtilitäten, denen oft bei ihrer allzu feinen Zuspitzung die Spitze abbricht, enthält der dritte Teil nicht minder feine, vortrefflich beobachtete Einzelheiten wie die beiden vorhergehenden; so die Bemerkungen über die Rolle des Narren (Appendix II, S. 300). Perrett sieht in dem Narren weniger eine Person von Fleisch und Blut als eine symbolische Deutung auf Cordelia; er ist der Vertreter ihrer Wahrhaftigkeit nach ihrem Weggang von der Bühne (sowie er anderseits verschwindet, als sie wieder auftritt); *in this respect the two characters are one*. Das ist richtig, der Narr hat keine Individualität, wie er auch keine Geschichte hat; gleichwohl möchte ich nicht soweit gehen wie Perrett, der verlangt, Cordelia und der Narr sollen von einer Künstlerin dargestellt werden (wie wahrscheinlich zu Shaksperes Zeiten)! Der Narr ist doch nicht die in Wams und Hosen verkappt zurückgebliebene Cordelia; es besteht zwischen ihnen eine Übereinstimmung nach der Innenseite ihres Wesens, wie sie beispielsweise bei Viola und Sebastian für die äufsere Erscheinung besteht; ebensowenig wie ich hier das Tun mancher Bühnenleiter billigen kann, beide Rollen derselben Künstlerin anzuvertrauen, kann ich es für Cordelia und den Narren wünschen; auch der Gewinn für die Darstellung scheint mir zweifelhaft.

Der Lösung der Quellenfrage für Shaksperes Lear (nach Perrett benutzte Shakspere für sein Drama Geoffrey, Spenser, Holinshed, Camden, den Mirror, das alte Drama) wird man unbedenkllich zustimmen können.

Ich kann jedem Shaksperefreunde die Lektüre des Perrettschen Buches nur auf das wärmste anraten.

B o d e , der zweite Bearbeiter des Learstoffes, hat in seinem Buche die
Grenzen der Untersuchung erheblich enger gezogen als Perrett, was an
sich kein Vorwurf sein soll. Er geht zunächst in seinen Forschungen
nicht über Geoffrey hinaus, sondern glaubt noch an die alte, von Perrett
nunmehr als unhaltbar nachgewiesene Ansicht von einer keltischen Sage.
Sodann berücksichtigt Bode nur die 'nichtdramatischen Behandlungen des
Stoffes vor Shakspere', schaltet also aus das präshakspersche Drama und
ferner die Ballade; doch verheifst uns der Verfasser eine Fortsetzung seiner Arbeit, die sich gerade mit diesen beiden Versionen, und zwar unter
steter Bezugnahme auf Shakspere, beschäftigen soll. Für die Behandlung
des somit übrigbleibenden Teils hat der Autor eine Form gewählt, die
gerade durch ihre völlige Abweichung von Perretts Darstellung interessant
ist. Während letzterer jede Version besonders untersucht, gibt Bode zunächst eine Aufzählung aller Bearbeitungen mit den nötigen Mitteilungen
über Alter, Zahl der Handschriften bezw. Drucke, wobei möglichste Vollständigkeit erstrebt ist, sodann (S. 37 ff.) den Inhalt der Quellen in der
Weise, dafs Geoffrey und Caxton parallel, die anderen Texte kurz skizziert
unter dem Strich gedruckt werden. Auf Grund dieser Vergleichung untersucht der Verfasser im dritten Kapitel das Abhängigkeitsverhältnis der
einzelnen Versionen (S. 97—108), wobei er in der Placierung unbedeuten-
derer Denkmäler bisweilen zu abweichenden Resultaten von Perrett gelangt.
Im vierten Kapitel wird die Sache selbst betrachtet (S. 109—135), und
zwar in der Weise, dafs Bode die Geschichte vom König Lear erzählt,
ihrem bekannten Verlaufe nach, und jedesmal die einzelnen Darsteller in
ihren gröfseren oder geringeren Abweichungen erwähnt, eine Form, für
und gegen die sich manches sagen läfst. Nicht zu ihrem Recht kommt
bei dieser Methode die Persönlichkeit des jedesmaligen Autors, der ganz
und gar verschwindet, wogegen die Fabel mit all ihren feinen Einzelheiten
und Abweichungen in der Erzählung der verschiedenen Momente um so
mehr zur Geltung kommt.
     Wenn Bode in seiner Schlufsbetrachtung dem Lear die 'grofszügige
Entwicklung' abspricht und den Grund hierfür in dem anfänglich fertigen
Charakter der Sage sieht, so ist dies richtig bis auf die Bemerkung, dafs
Geoffrey die Sage fertig vorfand, die dahin zu verbessern ist, dafs er sie
aus verschiedenen volkstümlichen Elementen, die er um die frei erfundene
Gestalt Lears rankte, schuf. Die Evolution betrifft eben bisweilen grofse,
einschneidende Veränderungen (das Beispiel hierfür ist der 'Macbeth'), bisweilen feine Polierungen des Details.
     Der Bodeschen Arbeit ist Vollständigkeit des Materials und gutes
Urteil über die einzelnen Learbearbeitungen nachzurühmen; es ist eine
sorgfältige, anerkennenswerte Leistung. Ein endgültiges Urteil möchte ich
mir noch vorbehalten, bis der zweite Teil, der naturgemäfse Abschlufs
des bisher erschienenen, vorliegt, der hoffentlich nicht (wie leider so oft)
ad calendas græcas vertagt wird.
     Berlin.   E r n s t   K r ö g e r .

Thomas Hughes, Tom Brown's school days by an old boy. In
     gekürzter Fassung für den Schulgebrauch herausgegeben von Pro-
     fessor Dr. Hans Heim, Darmstadt. Mit 13 Abbildungen und Plänen.
     (Freytags Sammlung französischer und englischer Schriftsteller.) Leipzig
     und Wien, 1904. 162 S. 8. Geb. M. 1,80. Wörterbuch M. 0,60.

     Von früheren Schulausgaben sind mir die von C. Thiem, Berlin,
Simion, 1884, J. Schmidt, Tauchnitz, Students' Series, 2 Bände, C. Reichel,
Gotha, Perthes, 1903, bekannt. Am schwächsten ist die erste, am besten
die zweite; doch auch die letztgenannte ist fleifsig gearbeitet. Die hier
gebotene ist sehr selbständig; sie zeichnet sich aus durch äufserst zuver-

lässige Erklärung der Dinge und Angaben der Aussprache. Ein jedes Schriftwerk, das sich mit dem täglichen Leben eines Volkes in irgendeinem Ausschnitt befafst, verlangt zu seinem Verständnis eine genaue Kenntnis dieses Volkes wie seiner Sprache. · Diese scheinbar selbstverständliche Tatsache kommt doch nicht jedem zum Bewufstsein, sonst würden sich nicht so viele Unberufene an die Erklärung fremder Schriftwerke machen; sie glauben das mit ein paar gedruckten Hilfsmitteln schaffen zu können. Nein, wer hier etwas leisten will, mufs Volk und Sprache aus eigener Anschauung kennen. Eine gute Ausgabe mit Anmerkungen ist, abgesehen von ihren anderen Leistungen, immer ein Realienbuch, und dies gilt von Heims vorliegender in allen Stücken. Es gibt jetzt bei uns eine 'Kanon'-bewegung. Wenn diese je dahin gehen wollte, den neusprachlichen Lehrern Bücher als verbindlichen Lesestoff aufzudrängen, so müfste jeder, der gern seine eigene Vernunft gebraucht, sich mit Händen und Füfsen gegen solches Papsttum sträuben. Will sich aber die sogenannte Kanonkommission damit begnügen, Listen von Büchern aufzustellen, welche ihres Inhalts wegen und weil nach dem Urteil der zustehenden Kritiker gute Ausgaben davon vorhanden sind, Empfehlung verdienen, so soll sie willkommen sein. Beide Erfordernisse treffen bei Tom Browns *School Days* und Heims Bearbeitung davon zu. Es ist darin kein Übermafs von Erklärungen, wie das leider vielfach Mode geworden ist, aber das der Erklärung Bedürftige ist ausreichend und vor allem treffend erklärt; und eine Anzahl Bilder kommt der Anschauung zu Hilfe. Über Rugby School wird erschöpfende Auskunft geboten; sie geht wie das übrige auf selbständige Forschung an den Quellen zurück. Auf den 31 Seiten Bemerkungen sind kaum zwei oder drei, an denen ich etwas zu ändern hätte. *square-headed* möchte ich mit *tête carrée*, womit die Franzosen die Deutschen schimpfen, vergleichen; *snake-headed* ist richtig übersetzt mit 'mit biegsamem, elastischem Hals'. H. wird einem englischem Boxen einmal beigewohnt haben; da wird ihm das eigentümliche Vorschiefsen und Zurückziehen des Kopfes beim Stofs und der Parade aufgefallen sein. Ein guter Boxer mufs in der Tat einen Schlangenhals haben. *mullioned windows*: 'Pfeilerfenster, breite, senkrecht geteilte Fenster'. 'breite' würde ich streichen. *catch me!* 'das lafs ich bleiben'. Es könnte noch hinzugefügt werden: die vollere Form lautet *catch me doing that* oder mit ähnlichem Gerundium oder Partizip.

craft wurde meines Wissens von jedem Handwerk und jeder Kunst gebraucht. Eine Erklärung von *as mad as a hatter*, die mir völlig einleuchtete, findet sich in *Notes and Queries*, 8ᵗʰ series, XII, 213. Bei *like a young bear* braucht man, glaube ich, nur an die bekannte Physiologusmär, dafs die Bärenmutter ihre Jungen *licks into shape*, zu denken. In sorgfältiger Aussprache hört man einen Unterschied zwischen *Francis*, das kurzes *i* hat, und *Frances*, dessen letzter Vokal zwischen *e* und *i* liegt.

Le Juge, *Das Englische Heer 1896*, gibt das indische Heer auf 281500 Mann, wovon 77500 Mann Engländer, an. — Die Ausgabe ist eine Musterleistung. Möge der Verfasser uns *Tom Brown at Oxford* ebenso bearbeiten.

Berlin.   G. Krueger.

1) H. Plate, Lehrgang der englischen Sprache. Erster Teil: Unterstufe. 79. Aufl., bearb. von Dr. Gustav Tanger. Leipzig-Dresden-Berlin, L. Ehlermann, 1903. 271 S. M. 1,80, geb. M. 2,40.

2) John Koch, Elementarbuch der englischen Sprache, neu bearbeitet. 30. Aufl. Ausgabe B. Hamburg, Henri Grand, 1904. 218 S. Geb. M. 2,10.

3) **E. Nader, English grammar** with exercises (II. Teil des Lehrbuches der englischen Sprache für Mädchen-Lyzeen und verwandte Anstalten). Wien, Alfred Hölder, 1903. 224 S. Geb. M. 2,80.

4) **Wilhelm Swoboda, Elementarbuch der englischen Sprache** für Realschulen. Wien und Leipzig, Franz Deuticke, 1904. 167 S. Geb. M. 2.

5) **J. C. G. Grasé, Idiom and grammar** for higher forms on an inductive plan. Groningen, J. B. Wolters, 1904. 112 u. 80 S. (Concise Grammar) u. 15 S. (Exercises). fl. 1,90.

6) **H. Poutsma, A grammar of Late Modern English,** for the use of continental, especially Dutch, students. Part I. The sentence. Section I. The elements of the sentence. Groningen, P. Noordhoff, 1904. 348 S. M. 4,50.

Wollte man die verschiedenen Lehrbücher der neueren Sprachen nach ihren Methoden einteilen, so müfste man, um einigermafsen einen Überblick zu erhalten, zunächst zwei grofse Hauptklassen unterscheiden: die der alten oder grammatischen Methode, die den Schwerpunkt auf die Grammatik und das Übersetzen legt, und die der Reformmethode, deren Ziel der freie Gebrauch der Sprache ist. Dazwischen aber gibt es die unzähligsten Nuancen von der ältesten rein grammatischen Methode der geschriebenen Sprache an, hinweg über die 'Anpassungen' dieser älteren Methode an 'zeitgemäfse' Forderungen in bezug auf Realien und Sprechübungen, hinweg über die ersten in fremder Sprache geschriebenen Lehrbücher, über die ersten Versuche, den freien Gebrauch der Sprache in den Vordergrund zu drängen, bis zu den allerschärfsten Reformern, denen die Grammatik und selbst häufig die Lektüre nur ein Mittel ist, zum freien Denken in der fremden Sprache zu erziehen.

Die hier zu besprechenden Schulbücher des Englischen sollen in der Reihenfolge erörtert werden, in der sie sich etwa jener Entwickelungsreihe einordnen liefsen.

Das Buch von **Plate** und das von **Koch**, die beide in neuer, etwas veränderter Auflage erschienen sind und, wie die 79. des einen und die 30. des anderen beweisen, sich als Lehrbücher längst bewährt haben, gehören noch der älteren grammatischen Methode an, die sich mehr und mehr den neueren Forderungen anzupassen sucht. Das Lehrbuch von **Plate** ist bekanntlich schon im Jahre 1899 von **Tanger** einer sehr gründlichen Durchsicht und zeitgemäfsen Neubearbeitung unterzogen worden, wobei namentlich das 'Buchenglisch' durch 'idiomatisches' Englisch ersetzt wurde. Da die Einführung der neuen Orthographie nunmehr einen Neusatz des Buches notwendig machte, so bot sich Gelegenheit zu einer nochmaligen eingehenden und die heutigen Forderungen noch mehr berücksichtigenden Revision. Man mufs anerkennen, dafs sämtliche Anderungen einen Fortschritt bedeuten. Aufser Umstellungen einiger Kapitel aus praktischen Gründen sind die wichtigsten Änderungen die, dafs die Regeln, soweit es nötig war, vervollständigt und in ihrer Fassung verbessert sind, freilich mit strenger Berücksichtigung, das Zuviel zu vermeiden, und dafs die Lautlehre bedeutend vereinfacht und gekürzt ist. Namentlich das letztere mufs man mit Freude begrüfsen. Denn, so notwendig und den Sprachunterricht erleichternd auch ein einleitender Lautierkursus ist, so leicht kann er durch allzu grofse Ausführlichkeit ermüdend und daher hemmend wirken. Die letzten Feinheiten der Lautlehre gehören genau so wenig in die Schule wie die der Formenlehre und Syntax. Auch die Aussprachebezeichnungen sind vereinfacht worden. Im übrigen sind die einzelnen Lektionen und das Lesebuch so unverändert geblieben, dafs ein Benutzen der früheren Auflagen neben der neuen möglich bleibt.

Denen, die das Elementarbuch von K o c h mit seinen im allgemeinen leichten und dem Interesse und Verständnis der Schüler angepaßsten kleinen Lesestückchen im Unterricht gern gebraucht haben, wird diese neue Auflage eine willkommene Gabe sein. Die neue Auflage ist wohl hauptsächlich für das Realgymnasium bestimmt. Ihr Hauptvorzug besteht darin, daß sie um ein Obertertiapensum vermehrt worden ist, das in etwa zwölf Kapiteln neue kleine englische Lesestücke und Übungssätze in der Art des Untertertiapensums und die Syntax des Verbums nebst einem Verzeichnis der gebräuchlichsten Präpositionen und Konjunktionen bringt. Das neue grammatische Pensum ist auf ein Minimum beschränkt. Da es aber alles absolut Unentbehrliche enthält, kann man nur zufrieden sein, für die Obertertia ein Buch zu erhalten, nach dem man das vorgeschriebene grammatische Pensum bei den armseligen drei wöchentlichen Stunden erledigen und doch dabei noch Zeit finden kann, zum freieren Gebrauch der Sprache vorzubereiten. Die in der alten Auflage neben der 'I. Reihe' einherlaufenden Lese- und Übungsstücke der II. Reihe sind berechtigterweise fortgelassen worden. da bei der beschränkten Zahl der Unterrichtsstunden doch kein Lehrer mehr als die Erledigung der einen Reihe leisten kann. Einige Stücke der II. Reihe sind für den neuen Teil des Buches mitbenutzt worden. Der alte Teil ist im großen und ganzen geblieben wie er war, so daß die früheren Auflagen noch daneben benutzt werden können. Hier und da sind zu einigen Regeln Zusätze gemacht. Das lange Kapitel über die unregelmäßigen Verben ist, auf allgemeinen Wunsch, in zwei Kapitel geteilt worden; noch vorteilhafter wäre es ja gewesen, die Verben hätten in viel kleineren Abschnitten eine Verteilung auf das ganze Buch gefunden. Die Anordnung in zwei Kapitel ist aber weiter kein großer Fehler, da es ja jedem Lehrer freisteht, die in den vorhergehenden Kapiteln schon reichlich vorkommenden Verben von vornherein in dem Verzeichnis anstreichen und lernen zu lassen, so daß bei der Erledigung dieser Kapitel schon fast alle bekannt sein werden. Von einer geplanten Verteilung der als Anhang gegebenen 'Stoffe zu Sprechübungen' ist leider Abstand genommen worden. Sie hätten innerhalb der einzelnen Kapitel viel mehr die erforderliche und fördernde Benutzung gefunden. Als schwacher Ersatz dafür wird wenigstens am Ende der Kapitel auf die danach am passendsten zu verwendenden Stücke dieser Übungen verwiesen. In der Lautschrift sind einige praktische Änderungen vorgenommen; die wichtigste davon ist die Wahl der Zeichen $ē^i$ und $ō^u$ statt der alten $ēi$ und $ōu$, die oft die Schüler zu falscher Aussprache verleiteten. Neu hinzugekommen sind elf Seiten zusammenhängende deutsche Übungsstücke zum Übersetzen ins Englische. Es sind teils Umformungen, teils Erweiterungen der englischen Lesestücke, teils Stücke verwandten Inhalts.

Die in Österreich erschienene *English Grammar* von N a d e r gehört zu den Büchern der gemäßigten Reformer. Bei den Übungen wiegen bei weitem die freien Übungen vor, die Regeln sind in deutscher und in englischer Sprache abgefaßt. Diese Doppelsprachigkeit bildet, abgesehen von den Übungen, das Originellste des Buches. Der Verfasser gibt auf dem oberen Teil der Seiten die Regeln in deutscher Sprache mit den dazugehörigen Beispielen, unten anmerkungsweise eine knappe Übertragung der Regeln ins Englische. Diese ist richtigerweise keine sklavische Übersetzung, sondern eine freiere Wiedergabe des Wesentlichen, so daß auch dieser Teil des Buches, wie der Verfasser selbst sagt, mithelfen soll, den Schüler zu einer freieren Ausdrucksweise zu bringen, deren schlimmster Feind das wortgetreue Übersetzen ist. Diese Einrichtung ist entschieden vorteilhaft. Für die obersten Klassen österreichischer Mädchenschulen ist durch die Lehrpläne die englische Sprache als Unterrichtssprache vorgeschrieben.

Dieser Forderung wird das Buch gerecht, und es beseitigt zugleich die beiden Schwierigkeiten, die zu entstehen pflegen, wenn einerseits Schüler, die nur eine deutsch geschriebene Grammatik in Händen haben, sich im Unterricht englisch über grammatische Dinge ausdrücken sollen, oder wenn anderseits weniger begabte Schüler Regeln, deren Verständnis ihnen ohnehin Mühe macht, nur in der fremden Sprache vorfinden. Aber auch für den Lehrer, der im Gebrauch der englischen Sprache für grammatische Dinge noch nicht sehr geübt ist, dürfte diese Anordnung des Buches mit der Möglichkeit der schnellen Auffindung des passenden Ausdruckes höchst willkommen sein. Schade, dafs hin und wieder die englische Wiedergabe allzu knapp ist, so dafs gerade wichtige Ausdrücke zuweilen nicht, oder wenigstens nicht an der betreffenden Stelle, zu finden sind. So fehlt § 127 eine englische Bezeichnung für 'Ortsadverbien', § 133 eine solche für 'Stoffnamen', 'Sammelnamen' und 'Gattungsnamen' und die ganze Übertragung des § 137, wo von 'Verwandtschaft', 'Stand', 'Rang' die Rede ist, Ausdrücke, die sich durchaus nicht von selbst verstehen.

Eine Laut- und Betonungslehre bringt das Buch absichtlich nicht, da das Nötigste davon in einem zu diesem Unterrichtswerke gehörigen Elementarbuch enthalten ist. Trotzdem wäre es wohl angebracht gewesen, nach dem Muster anderer Schulgrammatiken bei schwierigen Wörtern wie *preterit, preterito-presents* usw. die Betonung anzugeben, damit die Schüler nicht erst etwas Falsches sich einprägen. Das Buch eröffnet eine in englischer Sprache geschriebene historische und sprachgeschichtliche Einleitung. Formenlehre und Syntax, die folgen, ziehen oft in lehrreicher und anziehender Weise Etymologie und Sprachvergleichung mit heran (z. B. § 48 bei den Präteritopräsentien *may* und *can*, § 280 zur Erklärung des *l* in *could*, § 286 Vergleich der Ausdrucksweise *I could have added* mit der entsprechenden mittelhochdeutschen usw.). Ferner sei noch erwähnt, dafs Anglizismen überall reichlich berücksichtigt werden. Im übrigen halten sich Formenlehre und Syntax an die althergebrachte Darstellungsart. Beide sind, ebenfalls nach althergebrachter Art, für Schulbücher reichlich ausführlich und bringen manches, was ins Lexikon gehört. Man vergleiche z. B., dafs unter den Wörtern, die nur im Plural vorkommen, sogar *measles* 'Masern', und unter denen, die nur im Singular vorkommen, *small-pox* 'Pocken' zu finden ist. Der Lautlehre schliefst sich eine das Deutsche, Lateinische, besonders aber das Französische vergleichende Wortbildungslehre an (neun Seiten), bei der man nur nicht recht einsieht, warum der erste Teil, die Ableitungslehre, ganz englisch, der zweite, die Lehre von der Zusammensetzung, ganz deutsch abgefafst ist. Die Syntax bringt im allgemeinen eine reiche Anzahl englischer Beispiele zur Ableitung der darauf folgenden Regel, und der Verfasser betont im Beiwort ganz besonders, dafs diese Beispiele erst Eigentum der Schüler sein müssen, ehe die Regel selbst durchzunehmen ist. Hier und da hätten sie freilich noch reichlicher sein können; so fehlen § 206 vollständig Beispiele für *to be* mit *so* gleich deutschem 'es'. Knapp und klar gehalten sind die Regeln über die Tempora, die Stellung der Adverbien; sehr ausführlich dagegen, ihrer Wichtigkeit entsprechend, auf allein 20 Seiten, sind die Präpositionen behandelt. Es wird nicht zur Vertiefung des grammatischen Verständnisses beitragen, wenn der Schüler (§ 133) lernt, dafs von 'konkreten' Substantiven, die keinen Artikel haben, unter anderen *church, school, prison* usw. zu merken sind, 'wenn ihre Verwendung gemeint ist'. Diese Wörter sind dann eben Abstrakta. Die Übersetzung von *to make what discoveries I could* 'etwaige Entdeckungen' (§ 235) ist wohl nicht zutreffend, da 'etwaige' so viel bedeutet wie 'etwa mögliche', während der Sinn ist 'alle Entdeckungen, die ich machen konnte'. Der Unterschied zwischen *thus* und *so* wird aus § 343 nicht genügend klar.

Seltsamerweise sucht man vergeblich in der Syntax nach *I have to do* 'ich mufs tun'.

Auf die Syntax folgt ein kurzer Abschnitt über Interpunktion, die grofsen Anfangsbuchstaben und die Silbenabteilung. Unter den Beispielen für die letztere fehlen solche mit abgetrennter Flexionsendung, wie *defeat-ed* usw. Daran schliefsen sich eine kurze, deutsch abgefafste Synonymik, *Some Remarks on Letter-Writing* nebst Musterbriefen, eine *Versification* und eine englische Beschreibung der Hölzelschen 'Jahreszeiten'.

Die Übungen enthalten eine grofse Anzahl (11 Seiten) freie Aufgaben: Beantwortung grammatischer Fragen, Sätze in anderen Zeiten, in der Aktiv- oder Passivkonstruktion, im acc. cum inf. oder der Partizipialkonstruktion wiederzugeben, Sätze in Fragen aufzulösen, fehlende Wörter einzusetzen, direkte in indirekte Rede zu verwandeln, Substantiva durch Pronomina zu ersetzen, Sätze durchzukonjugieren und schliefslich eine Menge Aufsatzthemata, die vom Leichtesten zum Schweren allmählich fortschreiten. Sie beginnen mit der Zerlegung des Themas in Fragen, die einfach zu beantworten sind, dann folgen Umformungen von Stücken, Auszüge und Nacherzählungen, Beschreibungen, Vergleiche, Dispositionen nach ein paar gegebenen Mustern, Verwandlung von Gedichten in Prosa, wozu gleichfalls ein Muster gegeben ist, und Themata zu Briefen. Die Aufgaben selbst sind sämtlich in englischer Sprache abgefafst.

Den Schlufs des Buches endlich bilden 25 Seiten deutsche Sätze zur Rückübersetzung, die sich an die Kapitel der Grammatik anschliefsen. Es ist nicht viel; aber derartiges Material zu beschränken, ist ja nie ein Fehler. Die Übungen zu den Präpositionen, auf die ein besonderes Gewicht gelegt wird, nehmen allein 4½ Seiten davon ein.

Im Register fehlt unter *be* ein Hinweis auf *to be to* § 312.

Dem gleichfalls in Österreich erschienenen Elementarbuch von S w o - b o d a[1] merkt man es auf Schritt und Tritt an, dafs es das Ergebnis einer viele Jahre langen Erfahrung ist. Dafs es sich dabei noch etwas schärfer auf die Seite der Reformer wendet als das vorher besprochene Buch, ist eine um so erfreulichere Tatsache, als hier und da Stimmen laut zu werden beginnen, welche meinen, gründlichere Erfahrung führe von dem Sturm und Drang der jungen Reformer wieder mehr und mehr zur alten grammatischen Methode zurück. Auf gründlicheren Erfahrungen als das vorliegende Buch dürften wenige Elementarbücher beruhen.

Das Buch beginnt mit einer 'Vorschule der Aussprache', einigen phonetischen Belehrungen elementarer Art, die mit deutschen Fremdwörtern aus der englischen Sprache ihren Anfang machen und gleich von vornherein kleine Aufgaben enthalten. Das Charakteristische des Buches ist, dafs dieser einleitende Lautierkursus, der sehr knapp gehalten ist, um nicht ermüdend zu werden, durch das ganze Buch hindurch in kleinen Abschnitten über Schrift und Aussprache (*Spelling and Pronunciation*) seine eingehende Erweiterung erhält. So findet man, um nur einiges herauszugreifen, auf S. 15 etwas über die stummen Konsonanten, S. 24 über die Aussprache von *r*, S. 35 über Konsonantenverdoppelung, S. 71 über *th*, S. 87 über *ā* vor *n* und *m* usw. zusammengestellt. Das hat den grofsen Vorteil, dafs die Besprechung und Gruppierung lautlicher Erscheinungen ausführlicher werden kann, als wenn alles in dem einleitenden Kursus abgemacht werden sollte, und dafs sich bei diesen eingestreuten Besprechungen allmählich immer mehr schon bekannte Wörter von selbst bieten.

Auf die 'Vorschule' folgen 45 englische Lesestücke, denen sich jedesmal einige grammatische Regeln, von vornherein mit möglichster Benutzung

---

[1] Über eine andere Ausgabe des Buches vgl. *Archiv* CXV, 427 ff.

englischer Termini, und in englischer Sprache abgefafste Aufgaben, aber
keine deutschen Übungssätze anschliefsen.
   Die Auswahl der Lesestücke kann in vieler Beziehung geradezu als
eine Musterleistung für ein Elementarbuch hingestellt werden. Kein einziges ist banal anekdotenhaft, kein einziges trocken belehrend, ein frischer,
zum Teil humoristischer Ton geht durch alle; alle enthalten sie gutes, ge-
sprochenes Englisch, und dabei sind sie so streng systematisch ausgewählt
und angeordnet, dafs sie vom ganz Leichten allmählich zum etwas Schwe-
reren fortschreiten, sich dem grammatischen Plan des Buches anpassen
und, was man in so ausgedehnter Eigenart selten irgendwo anders findet,
fast ständig eine Wiederholung der in den vorhergehenden Stücken gelernten Vokabeln und Wendungen, ja stellenweise geradezu Wiederholungen
ganzer früherer Stücke bieten. Aber auch inhaltlich sind die Stoffe nicht
aufs Geratewohl gewählt. Sie gehen, nach den Forderungen einer weisen
Pädagogik, vom Naheliegenden, vom Bereiche des Schülers aus. Die ersten
22 Lesestücke bringen fast nur Bilder aus dem Schulleben: Beschreibung
des Klassenzimmers, eine englische Unterrichtsstunde, das englische Lesebuch, eine praktische Lesestunde, eine französische Stunde, Szenen aus
der Klasse, ein Stück *How to read*, in dem der Schüler auf die geschick-
teste Weise durch die blofse Art der Wendungen zum sinngemäfsen Betonen gezwungen wird (ein höchst wertvolles Muster für die Lektüre der
anderen Stücke, wie es wohl wenige andere Lehrbücher aufzuweisen haben),
eine Erzählung von dem Marienkäfer, der Spinne und dem Wind, die in
folgenden Stücken zu Diktaten und anderen Übungen Verwendung findet,
eine Schreibstunde, eine Diktatstunde in Gesprächsform, ein Stück über
Unsorgfältigkeit und Unordnung im Schulleben, eins über das Verbessern
von Fehlern, das Zuspätkommen, den Stundenplan, die Rechenstunde und
eine Szene beim Papierhändler. Trotz der Fülle all dieses aus ein und
demselben Gebiet entnommenen Lesestoffes wird er nicht ein einziges Mal
langweilig oder eintönig, eben weil die Darstellungsweise eine so frische
und die Einzelart der Stücke höchst mannigfaltig ist. Dafür aber bietet
er den ganz aufserordentlichen Vorteil, dafs er fast alle Schulausdrücke,
die für einen in englischer Sprache abgehaltenen Unterricht unumgäng-
lich notwendig sind, auf leichteste und gefällige Weise zum Eigentum
des Schülers macht. Die österreichischen 'Instruktionen' verlangen ebenso
wie unsere 'Lehrpläne' von vornherein Sprechübungen in der fremden
Sprache. Nichts erleichtert das aber mehr, als wenn die Schulausdrücke
dem Schüler bekannt sind. Von den übrigen Stücken handeln 17 über
englische Sitten und ähnliches (englische Mahlzeiten, Tischgespräche, ein
Boarding-House, Weihnachten, englische Spiele, Brief und Postbote,
Boarding-School und Beschäftigungen englischer Schüler aufserhalb der
Schule), die übrigen haben Dinge aus der Natur, wie Himmelsrichtungen,
Wald, Sonnenschein und Regen, zum Thema, zwei bringen je ein Gedicht
der ersten Stufe. Alles ist, wie gesagt, sehr anziehend geschrieben (von
sehr verschiedenen englischen Autoren herrührend) und, was man bei
einem Elementarbuch einer fremden Sprache nicht dringend genug fordern
kann, sprachlich sehr einfach und leicht. Erwähnt sei noch, dafs mehrfach '*Advertisements*' zwischen die einzelnen Paragraphen eingestreut sind.
   Die Grammatik, die bruchstückweise zwischen die Lesestücke verteilt
ist, sucht von vornherein auf das 'gesprochene' Englisch hinzuarbeiten.
So weist schon No. 5 auf die Abschwächung des Tones bei Wörtern wie
are, am, shall, you, your, der Präposition *to* usw. hin und bringt Zusam-
menziehungen (in der Aussprache) wie *I am == aim, the boy is = dhə*
bvix, the boys are = dhə bvixə usw. Die Regeln selbst sind knapp und
klar gehalten und sehr praktisch verteilt. Nach manchen Lesestücken ist
das grammatische Pensum minimal, oder es fehlt ein solches ganz, nie ist
es sehr grofs. Um eine Vorstellung von der Art der Verteilung zu geben,

seien die grammatischen Pensen der ersten Stücke angeführt: No. 1: Best. Artikel. No. 2: Einige örtl. Präpositionen, Deklin. der Substantiva, regelm. Wortstellung. No. 3: das *s* der 3. Person Präs. No. 4: Unbest. Artikel. No. 5: Persönl. Fürwörter, Geschlecht der Subst., Präsens. No. 6: Imperativ. No. 7: Pron. poss. und Adjekt. No. 8: Futurum und jetzt schon das Allerwichtigste über *can, may, must, need,* die alle schon vorher vorgekommen sind. Sehr praktisch ist dabei die kurze Zusammenstellung, die man leider nicht in allen Grammatiken findet: 'Die negative Form von *may* ("kann, ist möglich") ist *cannot,* von *may* ("darf") *must not* ("darf nicht"), von *must* ("muſs") *need not* ("muſs nicht, braucht nicht")' (S. 15). Von den folgenden Paragraphen sei nur einiges erwähnt. Schon in No. 10 findet sich *to be to* 'sollen', schon in No. 11 *to have to* 'müssen'. No. 12 bringt die ersten zehn bisher vorgekommenen unregelmäſsigen Verben zusammengestellt, die nächste Zusammenstellung in No. 19 usw. Die Konstruktion mit *to do* in Frage- und Verneinungssätzen findet sich erst in No. 13 und 14. Das ist vielleicht etwas spät. Dafür wird sie aber sehr ausführlich behandelt, da der Verfasser gerade auf dieses Kapitel, gegen das er erfahrungsgemäſs die meisten und schlimmsten Schülerfehler beobachtet hat, besonderen Nachdruck legt. Daher sind die zahlreichen, in fast jeder Nummer wiederkehrenden Übungen dazu auch ausgezeichnet; zahllose Fragen solcher Art, wie '*Where did the spider swing himself?*' sind mit Hervorhebung der richtigen Verbform zu beantworten; in positive Sätze ähnlicher Natur ist *not* einzusetzen usw. No. 19 behandelt sehr genau die verschiedenen Stellungen des Objekts. Anderer Meinung kann man sein, wenn der Verfasser ebenda (S. 44) sagt: 'in dem Satze *Minnie had put the clock on*', den er als einen Ausnahmefall regelmäſsiger Stellungen wie *The teacher puts off his coat* gegenüberstellt, 'schlieſse sich das *on* wie eine Nachsilbe an *clock* an'. Der Grund ist wohl eher der, daſs auf *on* der Ton liegt. Man vergleiche die sehr gründliche Untersuchung über solche Stellungen in dem als letztes hier besprochenen Buche von Poutsma S. 274—276. Erst No. 20 bringt die Zahlwörter; das ist spät; doch kommen einige als Vokabeln schon früher vor. Erst No. 31 sagt etwas über die Pluralia *calves* usw.; das ist jedoch weiter kein Schaden, da diese meist so emsig auswendig gelernten Wörter mehr ins Lexikon gehören. Erwähnt sei aber doch noch, daſs eine viel wichtigere Sache schon in diesem ersten Elementarbuche (No. 35) zu finden ist, das englische Perfektum statt des deutschen Präsens und das Imperfektum statt des Perfektums. Verstreut ziehen sich auch schon durch das Elementarbuch Synonyma.

Die gleichfalls überall zwischen die Lesestücke eingereihten Übungen sind in englischer Sprache abgefaſst und enthalten grundsätzlich keine Übersetzungssätze. Es sind, auſser den schon bei *to do* erwähnten Fragen nach dem Inhalt der Stücke, grammatische Fragen, Ausspracheübungen, Vervollständigung unvollständiger Sätze, Umwandeln von Sätzen in allerlei andere Konstruktionen, Heraussuchen von Beispielen für eine Regel, Rechenaufgaben, kleine Nacherzählungen, Umwandlungen, Beschreibungen (mit Hilfe von gegebenem Skelett) usw. usw. Auch diese Übungen verraten den vielerfahrenen Schulmann.

An das Buch schlieſsen sich Wörterverzeichnisse, deren Anordnung in fortlaufenden Zeilen mir zum Erlernen unpraktisch erscheint. 18 deutsche zusammenhängende Stücke zum Übersetzen, die nach den 'Instruktionen' 'zugelassen sind, aber nicht zur Einübung bestimmter Regeln dienen können und dürfen', und ein alphabetisches englisches Wörterverzeichnis.

Dem Elementarbuche sollen in kurzer Zeit ein *English Reader*, ein *Literary Reader* und eine Schulgrammatik folgen.

An Druckfehlern sind mir nur aufgefallen: S. 3, Z. 3: stimmhaften

st. stimmhafte, S. 53, No. 24, Z. 4: *kept* st. *kep* und S. 105, Z. 13 v. u.:
entweder *the floor* st. *floor* oder 'Fuſsboden' st. 'der Fuſsboden'.

Das in Holland erschienene Buch von G r a s é bildet den dritten Teil
eines Unterrichtswerkes, dessen beide ersten Teile: '*Oefeningen in de Engel-
sche Taal*' I und II 1903 und 1904 erschienen sind. Ein Blick in das
Buch sagt auch dem, der die beiden ersten Teile nicht kennt, daſs es sich
um das Werk eines weitgehenden Reformers handelt. Es enthält den
Lehrstoff für den zweiten oder zweiten bis dritten Jahreskursus im Englischen. Auf den linken Seiten bringt es Lesestücke, auf den rechten die
dazugehörigen grammatischen Regeln.

Der Lesestoff eines Buches, das den Schüler in das Verständnis des
gesprochenen und geschriebenen heutigen Englisch einführen soll, muſs,
nach des Verfassers Meinung, aus den modernsten Autoren genommen
sein. Auſserdem soll er aber auch in des Schülers Gedankenbereich liegen,
die anderen Unterrichtsgegenstände ergänzen helfen, recht interessant sein
und möglichst reale Dinge behandeln. In bezug auf den letzteren Punkt
muſs man dem Verfasser insofern recht geben, als Lesestücke, die sich
mit Realien befassen, sich zu Sprechübungen viel anregender und weiter
ausgestalten lassen als z. B. historische Stücke oder Erzählungen. Die
hier gewählten Texte sind so eigenartig, daſs etwas ausführlicher davon
gesprochen werden muſs. Das erste, *Sounds and Symbols* (2 S.) behandelt
Artikulationserscheinungen und dient damit zugleich als Einleitung. Das
zweite, *Kent's Cavern and the Ancient Cave-men* (8 S.) gibt an einem der
geologisch merkwürdigsten Beispiele der Erde eine für den reiferen Schüler
durchaus verständliche und sehr interessant geschriebene Einführung in
das Studium der Geologie und in die Frage nach dem bisher nachweisbaren Alter des Menschen. Das dritte Stück enthält eine ebenfalls sehr
interessante *Story of our Alphabet* (8 S.). Das vierte, *A Tiff in Suburbia*
(2 S.), bringt eine etwas banal gehaltene Ehezwistszene; abgesehen von
ein paar schönen stilistischen Wendungen, die sich darin finden, könnte
man dieses Stück, freilich als einziges des Buches, gern missen. Dafür
entschädigt das fünfte wieder durch eine sehr lesenswerte Beschreibung
des groſsen Ozeandampfers *The Baltic* (4 S.). Das sechste, *Great-Britain*
(6 S.), gibt eine sehr gute und äuſserst inhaltreiche Schilderung Groſs-
britanniens, nicht nur in bezug auf politische, geographische und klima-
tische Verhältnisse, sondern auch auf Handel und auf Entwickelung, Ausbreitung und Eigenart der englischen Sprache usw. Das siebente, *What
our Body is made of* (4 S.), und das achte, *Air and Food* (6 S.), behandeln,
ebenfalls in sehr anregender Form, chemische Fragen, die das tägliche
Leben berühren und von allgemeinem Nutzen sind. Das neunte, *A Trick*
(3 S.), ist eine Darstellung dreier 'Kniffe': wie die alten ägyptischen Priester dem gläubigen Volke weiszumachen wuſsten, daſs sich die Tür des
Gottes Apis von selbst öffnete und schloſs; die Einrichtung des ersten
in einem ägyptischen Grabe gefundenen Automaten und die Ausführung
eines Zauberkunststückes. Das zehnte Stück bringt eine Schilderung
Deutschlands (4 S.) und das letzte eine Erklärung des *Baseball*-Spiels (4 S.).
Wir können dem Lehrbuch einer Sprache nur dankbar sein, wenn es auch
zur Bereicherung anderer Wissenszweige als der mit der Sprache notwendig zusammenhängenden beiträgt und, wie die Belehrung über die
Lebensmittel, vor allem aber der Abschnitt aus der für die Grundlage
einer späteren Weltanschauung so wichtigen und auf der Schule oft
so arg vernachlässigten Geologie, mithilft, den Gesichtskreis des Schülers
nach allen möglichen Richtungen hin zu erweitern. Zwischen die Stücke
sind eine Menge Rätsel eingestreut, die zum Teil für Schüler ziemlich
schwer verständlich und, indem sie das Schicksal der meisten Rätsel teilen,
wenig geistreich sind; Wert können sie lediglich dadurch haben, daſs es

fast sämtlich Spiele mit mehr oder minder wirklichen Homonymen sind.
Zur Charakterisierung der Rätsel sei ein Beispiel angeführt: *What is the
difference between the Kaiser and a ragged, shoeless beggar?* — *One issues
his manifestoes; the other manifests his toes without his shoes* (S. 94). Zwischen all diesen Texten, die sprachlich nicht gerade leicht sind, befinden
sich 31 dazugehörige Abbildungen der verschiedensten Art, wie die Teile
des Mundes, alte geologische und prähistorische Funde, Hieroglyphen,
Durchschnitt durch einen Dampfer, Lebensmitteltabellen usw., *'because
things seen are mightier than things heard'*, wie der Verfasser mit Tennyson sagt.

Die grammatischen Dinge sind, wie überhaupt das ganze Buch, durchgängig in englischer Sprache abgefaſst, da der Verfasser, der schon im
ersten Jahreskursus fast alles nur englisch behandelt haben will, für diese
vorgeschrittenere Stufe natürlich erst recht die Vermeidung der Muttersprache verlangen muſs. Er will sich aber darum nicht, wie er selbst in
der Einleitung sagt, zum Sklaven der Regel machen, indem er jegliches
Verwenden der Muttersprache als ein Übel ansieht: *'Many ways lead to
the common goal.'* Es ist jedoch selbstverständlich Sache des Lehrers und
nicht des Lehrbuches, wo und wann man einmal praktisch vom Gebrauch
der Fremdsprache abweichen muſs, wie ja überhaupt jedes Lehrbuch, und
sei es noch so gut, erst dann anfängt, von wahrem Nutzen zu sein, wenn
der Lehrer aufhört, von ihm abzuhängen. Die Sprache, die das Buch
lehren will, ist, wie die Einleitung sagt, nicht die Literatursprache, sondern die gesprochene und geschriebene Sprache des täglichen Lebens.
Nicht Übersetzungsgymnastik, sondern die Kunst des freieren mündlichen
wie schriftlichen Ausdrucks soll geübt werden; die Grammatik selbst ist
daher aufs notwendigste zu beschränken; Übersetzungen aus dem Englischen in die Muttersprache (das Holländische) haben nur gelegentlich,
aus der Muttersprache ins Englische nur selten stattzufinden. Da das
Buch für Fortgeschrittenere bestimmt ist, so bleiben die allerelemen-
tarsten Dinge unberührt. Auch ist es, nach des Verfassers Meinung,
zwecklos, sich mit solchen Dingen aufzuhalten, wie daſs *news* früher Plural
war — jetzt ist es eben Singular! —, oder gar mit solch gesuchten Unterschieden wie zwischen *peas* und *pease*. Dagegen ist der Wortbildungslehre mit 'lebenden' Präfixen und Suffixen ein eingehenderer Abschnitt
gewidmet.

Natürlich sind auch in diesem Buche, wie es schon die Anordnung
mit den neben dem Lesestoff stehenden Regeln mit sich bringt, diese
nicht in planmäſsigem Zusammenhange behandelt. So wird, um nur ein
Beispiel aus dem Anfang herauszugreifen, jetzt etwas über die Pronomina
relativa und die Interpunktion, dann über die Pronomina demonstrativa,
dann wieder über *can* und *may* und den Acc. cum inf. gelehrt. Sämtliche Beispiele zu den Regeln sind aus den Lesestücken oder dem grammatischen Teile selbst entnommen. Der Verfasser zitiert z. B. auf S. 25
als Beispiel für die Wortstellung einen auf S. 15 als Regel gegebenen
Satz: *'Must' is hardly ever used in the Past Tense.* Ein derartiges Verfahren ebnet den Weg dazu, auch in den in der Fremdsprache gegebenen
Abhandlungen über grammatische Dinge neuen Lese- und Übungsstoff
selbst zu sehen, und wenn wir uns erst daran gewöhnt haben, so dürften
wir hoffen, daſs die Zeit, wo wir allgemein auch die grammatischen Regeln
in der Fremdsprache behandeln, nicht mehr in allzu ferner Zukunft liegt.
Wenn auch der Verfasser, der Natur seines Buches entsprechend, sich
nicht in gelehrte Auseinandersetzungen über früher übliche oder seltene
Erscheinungen einläſst, so verschmäht er es doch nicht, an passender
Stelle die französische, deutsche und holländische Sprache zum Vergleich
heranzuziehen. Einen solchen Vergleich vermisse ich, nach deutschem
Empfinden, auf S. 27, wo er über das *Past* und *Present Perfect* handelt

Ein Beispiel wie *it was the woolly specimens that lived there* bedürfte eines Hinweises auf das deutsche 'Die wolligen Arten haben dort gelebt' genau so gut, wie bei *I have been waiting for you so long* auf das deutsche und französische Präsens in solchen Sätzen hingewiesen wird.

Eine sehr praktische Einrichtung des Buches ist, dafs schwieriger zu betonende Wörter sowohl in den Lesestücken als auch in dem grammatischen Teile stets mit Betonungsangaben versehen sind, und zwar, um unenglische Akzente zu vermeiden, auf die sehr einfache Weise, dafs der betonte Vokal, wenn er lang ist, allein, wenn er kurz ist, mit dem folgenden Konsonanten fett gedruckt ist.

Im einzelnen sei auf folgende besonders vorteilhafte Fassungen von Regeln hingewiesen: S. 3 die Unterscheidung der Aussprache von *th* am Ende eines Wortes + *s* bei vorhergehendem langem oder kurzem Vokal, S. 33 die besondere Hervorhebung der in der Sprache des täglichen Lebens fast ausschliefslich gebrauchten Pronomina relativa *who* und *that*, S. 45 die Erklärung des *shall* in *shall you come?* als hindeutend auf die Antwort *I shall come*, ebenda die Vergleichung des Präsens *I forget* ('ich habe vergessen') mit *I do not remember*, S. 55 die mannigfaltigen Verwendungen von *to have* mit Infinitiv und Partizipium usw.

Von kleinen Versehen sind mir aufgefallen: auf S. 5 fehlt bei der Regel über die Verwandlung von *y* in *i* ein Hinweis auf die Komparation, für die auch ein Beispiel gegeben wird (wohl ein Druckfehler). *Must* (S. 15) als Ausdruck eines Befehls (*command*) anzugeben, ist nicht zutreffend. In dem den Passivkonstruktionen gewidmeten Abschnitt (S. 37—39) ist einiges nicht ganz klar. Es wird die Regel über die doppelte Passivkonstruktion bei Verben mit Dativ- und Akkusativobjekt gegeben, es fehlen aber Beispiele dazu. Allerdings finden sich in den *Oefeningen* II, S. 121 Beispiele dafür, doch wären hier, des Zusammenhanges wegen, wohl auch einige am Platze gewesen, zumal der Verfasser eine Menge Beispiele für die Aktivkonstruktion und mehrere für die Ausnahme gibt, wo im Passiv nur eine Konstruktion möglich ist. Wenn er ferner dabei sagt: '*Though most active sentences, containing a "direct object" and an "indirect" or a "prepositional object", allow of two passive constructions, only one is possible: .... b. "with the direct object" for subject, when the verb governs two accusatives*', und dazu vorher unter b als Beispiel gibt '*William III was crowned King of England*' und '*He had been proclaimed Pharaoh*', so liegt darin ein Widerspruch, da man doch *King* und *Pharaoh* kein 'indirektes' oder 'präpositionales Objekt' nennen kann. Ein Versehen ist es ferner, wenn der Verfasser als Beispiel für '*Adjectives used as Nouns*' (S. 39) das Beispiel gibt: *Two classes of rocks: the stratified and the unstratified*, wo doch *stratified* und *unstratified* zweifellos Adjektive geblieben sind, wie er ja auch selbst auf S. 31 zugibt, wo er dasselbe Beispiel für die Regel anführt, dafs zwei 'Adjektive', hinter denen ein Substantiv zu ergänzen ist, kein *one* bekommen, wenn sie Gegensätze ausdrücken. Nicht ganz zutreffend gefafst ist endlich die Regel über das Pronomen interrogativum *what* (S. 49): '*What*', *used adjectively, inquires after the 'kind' of person or thing. 'What', used substantively, inquires in a 'general' way*'; auch das adjektivische *what* kann doch ganz 'allgemein' (*in a general way*) fragen, und der Verfasser gibt gleich darauf als Gegensatz zu dem allgemein fragenden *what* die zutreffende Regel für *which*: '*Which*', *substantively and adjectively asks for an individual out of a group of persons or things*.

Dem Buche ist angefügt ein *Vocabulary*, d. h. ein alphabetisch geordnetes Verzeichnis einiger seltenerer, im Text begegnender und daselbst durch einen Punkt hervorgehobener Wörter, die jedoch nicht in die Muttersprache übersetzt, sondern durch eine englische Erklärung umschrieben werden. Es soll das, wie die Einleitung sagt, der Versuch zu einem

English-English dictionary for slightly advanced pupils sein. Daſs so etwas
sehr nützlich sein kann, wird keiner bestreiten, und jeder Lehrer der
neueren Sprachen wird schon mehr oder minder häufig Vokabeln in dieser
Weise abgefragt haben. Ob man aber, wie der Verfasser sich das denkt,
bei so vokabelreichen Lesestücken ein ausführliches, in die Muttersprache
übersetzendes Wörterverzeichnis ganz wird entbehren können, ob der
Unterricht in der Klasse, bei noch so genauer Durchnahme der Stücke,
imstande ist, all diese Wörter mit ihrer Aussprache auch dem unbegabteren Schüler sicher einzuprägen, das ist doch noch die Frage. Wieviel
Schulen haben derartig begabte Schüler? Und wir möchten doch nicht,
daſs die Fortschritte und Errungenschaften moderner Methodik nur dem
begabten Schüler zugute kommen; im Gegenteil, dem unbegabteren wären
sie noch nötiger, da der begabte Schüler auch neben der grammatischen
Methode meist noch Zeit genug für allerlei Sprechübungen übrigbehalten
wird. In dem Wörterverzeichnis fehlt die Erklärung des Wortes *Syllabus*,
das auf S. 74 mit einem auf das Wörterverzeichnis hinweisenden Stern-
chen versehen ist. Endlich sind dem Buche als Anhang noch zwei Heftchen mitgegeben: eine *concise grammar*, eine kurze systematische Zusammenstellung aller vorgekommenen Regeln ohne Beispiele, worin die rechten
Seiten stets freigelassen sind zum Nachtragen und Vervollständigen (40 S.
Text), und ein Heftchen (15 S.) *Exercises*. Den kleinsten Teil dieser
Übungen, etwa ein Viertel, nehmen holländische Sätze zum Übersetzen
ins Englische ein; sonst sind es Aufgaben, englische Sätze mit fehlenden
Wörtern zu vervollständigen, angegebene Wörter an die richtige Stelle zu
setzen, grammatische Fragen zu beantworten, Regeln an Beispielen zu erklären, Aktiv in Passiv zu verwandeln und umgekehrt, einen angegebenen
Infinitiv im richtigen Tempus einzusetzen, Sätze mit *that* in die Konstruktion des acc. cum inf. umzugestalten, Sätze mit angegebenen Wörtern zu bilden, oder es sind freiere Aufgaben, wie Rechenexempel, mathe-
matische Aufgaben, Briefe und kleine Aufsätze, zu denen meist einige
Wendungen gegeben werden.

An Druckfehlern sind mir aufgefallen: S. XIII, Z. 5: 13 st. 13, 15;
S. 9, Z. 27: *noun-clause* st. *noun. clause*; S. 24, Z. 23: *is* st. *as*; S. 25,
Z. 1: *Word-order* st. *Words-order*; S. 36, Z. 12: Punkt vor *owing* weg;
S. 38, Z. 27: *if* st. *of*; S. 48, Z. 3: *promenade* st. *promanade*; S. 51, Z. 26:
form st. *from*; S. 62, Z. 13: *and* st. *ands*; S. 84, Z. 7: *a* st. *at* und Komma
weg; S. 92, Z. 23: *out* st. *our*.

Das Lehrbuch von Poutsma, das gleichfalls in Holland erschienen
ist, kann nicht gut in die angegebene Reihenfolge eingeordnet werden, da
es kein Schulbuch, sondern eine wissenschaftliche Grammatik ist. Man
müſste es denn insofern als der neueren Richtung angehörig betrachten,
als es ganz und gar in englischer Sprache abgefaſst ist.

Der Titel sagt, daſs wir es mit einem Buche zu tun haben, das die
Erscheinungen des modernsten Englisch festzustellen sucht. Der Verfasser
versteht darunter das Englisch ungefähr der letzten 200 Jahre. Aus den
Autoren dieser Zeit oder der Zeit kurz vorher sind die Beispiele genommen. Da es aber natürlich bei einer wissenschaftlichen Grammatik nicht
ganz ohne Vergleiche, ohne Hinweisungen auf die historische Entwickelung abgehen kann, so sind oft, wo es nötig war, auch Beispiele aus dem
Early modern English, aus Shakespeare und manchmal auch aus dem
Mittel- und Altenglischen herangezogen.

Von vornherein gleich sei bemerkt, daſs es sich hier um ein hervorragendes, hochinteressantes Werk handelt, das Resultat einer über viele
Jahre ausgedehnten emsigen Forschung, eine Arbeit voller Feinheiten und
Eigenheiten hinsichtlich der einzelnen Auffassung sowie der Zusammenstellung und Anordnung des Ganzen.

Die Einteilung weicht von der üblichen beträchtlich ab. Zunächst
hat der Verfasser Ableitungs- und Wortbildungslehre sowie Phonetik aus
seinem Programm ausgeschlossen. Formenlehre und Syntax getrennt zu
behandeln, hätte zu dem Charakter und Plan des Buches nicht gepafst.
Der Verfasser hat daher eine andere Einteilung gewählt. Das grofs angelegte Werk soll aus zwei Hauptteilen bestehen, von denen der erste über
den 'Satz', der zweite über die 'Redeteile' handeln soll. Der erste Teil
wieder setzt sich aus zwei Unterabteilungen zusammen: 1) Die Elemente
des Satzes, 2) Der zusammengesetzte Satz. Der vorliegende, 348 Seiten
starke Band ziemlich grofsen Formates enthält diese erste Unterabteilung:
'Die Elemente des Satzes'. Die zweite Unterabteilung soll im Anfang des
Jahres 1905 erscheinen. Der Verfasser hat einige neue grammatische Termini eingeführt, die zum Teil schon von anderen vorgeschlagen, zum Teil
ganz neu gebildet, alle durchaus einfach und verständlich sind und sich
daher sicher praktisch bewähren werden. So fafst er Nomen und Adjektivum als *nominal*, alle näheren Bestimmungen eines solchen *nominal* als
adnominal adjuncts und die Begriffe des *compound sentence* und *complex
sentence* unter *composite sentence* zusammen. Ferner führt er für das unbestimmte *'it'* als Subjekt und Objekt die Bezeichnung *sham-subject* und
sham-object ein.

Es ist selbstverständlich, dafs das Buch alles Wichtige, was im eigenen
Lande oder in anderen Ländern über englische Grammatik geschrieben
worden ist, berücksichtigt und überall, wo es nötig ist, darauf verweist.
Seine Hauptvorzüge aber bestehen in seinem Reichtum an idiomatischen
Wendungen, in der Unmenge der mit rastlosem Fleifs zusammengetrage-
nen, aufs sorgfältigste ausgewählten und stets mit der Quellenangabe ver-
sehenen Beispiele und in der streng zeitlichen Anordnung wechselnder
Ausdrucksweisen (man vergleiche z. B. hinsichtlich des letzten Punktes
den § 70 über die Umschreibung mit *'to do'*). Das Buch ist, wie schon
gesagt, vollständig in englischer Sprache abgefafst; wo es nötig war, ist
aber natürlich die entsprechende holländische Ausdrucksweise, hier und
da, wo sie nicht mit der holländischen übereinstimmt, auch die deutsche
mit der englischen verglichen worden.

Das I. Kapitel des Werkes handelt über das Prädikat. Über die Bezeichnung 'Prädikat' und 'Prädikatsnomen' (das hier *nominal part of the
predicate* genannt wird) läfst sich bekanntlich streiten, insofern man unter
Prädikat bald nach der alten Weise das Verbum oder eine sogenannte
'Kopula' mit 'Prädikatsnomen' versteht, bald nur das reine Verbum, wobei
man dann das sogenannte 'Prädikatsnomen' als eine Ergänzung im Nominativ ansieht, oder aber mit 'Prädikat' alles das bezeichnet, was von dem
Gegebenen, dem Bekannten als neu und wissenswert ausgesagt werden
soll, wobei jede beliebige Wortart 'Prädikat' sein kann. Die alte Bezeichnung, die auch unser Autor beibehalten hat, indem er zwei Arten eines
Prädikates, das *verbal predicate* und das *nominal predicate* (d. h. copula +
nominal or a wordgroup doing duty as a nominal*) unterscheidet, hat ihre
Schwierigkeiten, für die auch dieses gerade in seiner Einteilung und Anordnung mit peinlichster Sorgfalt ausgearbeitete Buch noch Belege genug
gibt. Warum sollten z. B. die Sätze *my bed is close to the wall* und *my
bed stands close to the wall* (S. 2) in ihrer Natur so verschieden sein, dafs
man im ersten *is* als 'Kopula' und daher *is close to the wall* als Prädikat
ansieht, in dem zweiten als Prädikat nur das selbständige Verbum *stands*
betrachtet? Die Verben *to seem* und *to appear* befinden sich nicht unter
den 'Kopulas', da ein Satz wie *he seems happy* nach des Verfassers Deutung eine Abkürzung für den Satz *he seems to be happy* und dieser wieder
eine solche für *it seems that he is happy* ist, was er durch Vergleiche beweist. Da über das *verbal predicate* nichts weiter zu sagen ist, handeln
die ersten 17 Seiten nur von den 'Kopulas'. Der Verfasser unterscheidet

drei Arten: solche, die ein Sein, solche, die ein Bleiben, und solche, die ein Werden ausdrücken. Der interessanteste und mit zahllosen Beispielen belegte Teil ist der, in dem er die Verben zusammenstellt, deren Bedeutung allmählich so zusammengeschrumpft ist, dafs sie zur 'Kopula' herabgesunken sind. Er belegt nicht weniger als für die erste Art 14 (wie *I stand astonished at my own moderation*, S. 7), für die zweite Art 10 (wie *The weather held phenomenally silent*, S. 10), für die dritte Art 11 Verben (wie *At last he waxed utterly mad*, S. 16). Bei vielen dieser Verben geht er auch der mutmafslichen Entstehungsgeschichte dieser 'Kopulas' nach. Abgesehen von dem aufserordentlichen Wert einer so gründlichen Zusammenstellung von Verben, die ohne jeden Zweifel zusammengehören, bei denen man nur über die Benennung verschiedener Meinung sein könnte, drängen sich auch hier wieder die Schwierigkeiten hinsichtlich des Begriffes 'Kopula' auf. Warum soll z. B. *to look* in *Why looks your grace so pale*, woneben es eine Ausdrucksweise mit *to be* gibt, wie in *Young Pen looked to be a lad of much more consequence*, 'Kopula' sein, während *to seem* in *he seems happy* wegen eines daneben bestehenden *he seems to be happy* dasselbe abgestritten wurde?

Der zweite, besonders interessante und gleichfalls ausführlich belegte Teil dieses Kapitels betitelt sich *Complex Predicates*. Der Verfasser behandelt darin auf nicht weniger als 74 Seiten die 'Hilfszeitwörter'. Er teilt sie in sechs Gruppen: 1) solche, die ausdrücken, *that a statement is considered matter of certainty or uncertainty* (*to be, can, may, must, shall, will*), 2) *that a substance is acted upon by a certain power* (*to be, to have, must, need, ought, shall, will*), 3) *that an action or state is habitual or recurrent* (*can, to use, will*), 4) *that it is possible for a person to do a certain action, or to be, remain or get in(to) a certain state* (*can, may, must*), 5) *to dare*, 6) *to do*. Diese Einteilung ist höchst glücklich gewählt und trotz des grofsen Reichtums sehr übersichtlich. Von feinen Beobachtungen, die sich darin finden, sei nur hervorgehoben die Erklärung eines *shall*, das schon Gegenstand manches Streites gewesen ist und zu den verschiedensten Deutungen Anlafs gegeben hat, in Sätzen wie *There is not a girl in town but let her have her will in going to a mask, and she 'shall' dress like a shepherdess* (S. 47). Der Verfasser weist auf Grund einer Reihe von Beispielen nach, dafs wir es hier einfach mit dem *shall* zu tun haben, das nach Ausdrücken des 'Versprechens' gebraucht wird, wobei, ebenso wie bei dem holländischen *beloven*, das *to promise* häufig den Sinn von *to assure* annimmt. Höchst ansprechend ist es auch, wie der Verfasser die beiden Begriffe der 'Fähigkeit' und 'Möglichkeit', die so oft, namentlich in Schulgrammatiken fast als gegensätzlich hingestellt werden, gemeinsam unter der vierten Gruppe behandelt, wie er an einer Unzahl von Beispielen zeigt, dafs die beiden verwandten Begriffe häufig unentzifferbar ineinander übergehen und miteinander verwechselt werden, und wie er dann die schwer zu findende Grenze zwischen beiden wenigstens einigermafsen festzulegen·sucht. Auf eine kleine Ungenauigkeit in der Ausdrucksweise sei aufmerksam gemacht. Der Verfasser sagt auf S. 79: *Nor is either of the auxiliaries 'to have' or 'to be' ever used with 'to do'*, während er S. 87 natürlich das bekannte *don't be afraid* etc. nicht vergessen hat.

Das II. Kapitel handelt über das Subjekt. Hier erfahren wir zunächst etwas über das *sham-subject*, d. h. über die sogenannten 'unpersönlichen Verben', dann etwas über das *anticipatory subject*, d. h. das auf etwas Folgendes hinweisende subjektive *it*, sowie die Fälle, wo es fehlt, dann finden wir in einem Abschnitt, der sich besonders viel mit der historischen Entwickelung der heutigen Ausdrucksweise beschäftigt, eine sehr interessante und eingehend belegte Zusammenstellung der Verben, die neben ihrer eigentümlichen Konstruktion sich eine solche herausgebildet haben, wo Objekt und Subjekt miteinander vertauscht worden sind, wie *it grieves me* und *I grieve at the thought* (S. 109), *it seemed to him* und *he seemed* (S. 121), und endlich erhalten wir im Anschlufs daran eine sehr eingehende Erklärung und Entstehungsgeschichte der Ausdrücke *I had rather, sooner, liefer, liever, better, best* usw.

Das III. Kapitel hat das Objekt zum Thema. Wenn der Verfasser hier zwischen *direct or 'passive' object* und *indirect object* unterscheidet, so scheint mir der Ausdruck *'passive'* gerade fürs Englische nicht passend gewählt, weil auch das indirekte Objekt im Englischen Subjekt des Passivums werden kann. Der Abschnitt über das 'präpositionslose Objekt' belehrt uns über das *redundant object*, d. h. das, was man auch sonst 'Dativus ethicus' nennt, wie: *As I was smoking a musty room, comes me the prince and Claudio, hand in hand, in sad conference* (S. 131, aus Shakespeare), über die Konstruktion der im Holländischen mit präpositionslosem Objekt verbundenen Adverbien und Adjektiva *enough, sufficient, easy, difficult, possible, impossible* und verwandte und gibt uns eine sehr interessante, eingehend belegte Zusammenstellung der Konstruktionen von *worth, worthy, proof, busy, like, unlike, alongside, astride, inside, outside, near* und *opposite.* Darauf folgt ein Abschnitt über das *sham-object*, d. h. das unübersetzbare objektivische *it* in Ausdrücken wie *to lord it.* Hier wäre eine Begründung angebracht gewesen, warum der Verfasser in Sätzen wie *One day, as ill-luck would have it, the game became more exciting than usual* und *He will have it that all virtues and accomplishments met in his hero* und ähnlichen (S. 148) das *it* als *indefinite, not anticipating*, also ebenso wie in *give it him with the left* (S. 148) aufgefafst haben will. Über das zweite Beispiel sagt er nur: *In these quotations there is an ellipsis of an antecedent 'so', and the clause introduced by 'that' is, therefore, adverbial.* Es könnte doch aber auch naheliegen, in dem *it* einfach einen Hinweis auf die Sätze *the game became* … und *that all virtues* … zu sehen, wie doch auch in dem deutschen 'ich will es haben, dafs du das tust' das 'es' auf den folgenden dafs-Satz hinweist, genau so gut wie in 'Ich habe es versprochen, morgen zu kommen'. Der nächste Abschnitt behandelt das *anticipatory object it*, der folgende *the indirect object.* Hier erhalten wir eine 'vollständige' Liste der Verben (139 an der Zahl), die einen präpositionslosen Dativ neben einem Akkusativ haben können, und eine Liste von 76 Verben, die stets einen Dativ mit *to* haben müssen, sämtlich mit Beispielen belegt.

Kapitel IV bespricht die *attributive adnominal adjuncts*, und zwar zunächst die 'Apposition'. Der Verfasser sucht den etwas unklaren und sehr allgemeinen Begriff 'Apposition' näher und schärfer zu begrenzen; er erkennt nur drei Arten von Appositionen an: 1) solche, die nur eine andere Benennung des Beziehungswortes enthalten, wie *Joan of Arc, the Maid of Orleans*, 2) solche, die zu einem Quantitätsbegriff den Gegenstand angeben, wie *a dozen shirts*, 3) solche, die einen Gattungsbegriff spezialisieren, wie *the river Rhine.* Dagegen spielt nach seiner Meinung in *king Alfred* das *king* nur die Rolle eines Adjektivs und ist in *Edward VII, king of England* das *king of England* als unvollständiger Satz anzusehen. Sobald aber in der letzten Art das zweite Nomen derart eng bestimmt ist, dafs es mit dem ersten fast gleichbedeutend ist, wie in *Edward VII, the present king of England,* dann, meint der Verfasser, könnte man es ebensogut als Apposition betrachten. Von dem vielen, das auf den 15 Seiten über die drei Arten der Apposition zu finden ist, sei nur, als ein Beispiel, wie fein und vorsichtig alles bedacht ist, auf die Erklärung solcher Ausdrücke wie *10 000 foot* (S. 199) hingewiesen. Der Verfasser möchte sie, ebenso wie *10 000 infantry, cavalry, horse, rank and file, regular troops* etc., am liebsten durch die Ellipse eines *men* erklären, zu dem dann *infantry* usw. eine Apposition oder eine Art unvollständigen Satzes wäre. Freilich läfst er noch andere Erklärungen als möglich erscheinen,

weist aber die rein äußerliche, in *foot* und *horse* einen unveränderten
Plural zu sehen, entschieden ab. Jedenfalls werden durch seine Erklärung
auch solche Ausdrücke wie *200 wounded, 200 sick* sofort klar.

Das V. Kapitel, das über die *adverbial adjuncts* handelt, bringt zunächst Beispiele für alte adverbiale Genitive, wie *go thy ways, now-a-days*
usw., und im Anschluß daran eine sehr ausführliche und eingehend belegte Zusammenstellung der Konstruktionsarten englischer Zeitbestim-
mungen im allgemeinen. Es sei nur ein Beispiel angeführt, das wiederum
eine Eigenart dieses Buches belegt. Überall ist der Verfasser, ohne es besonders zu sagen, bemüht, die Lebendigkeit und damit die Schwierigkeit
der englischen Sprache möglichst deutlich hervortreten zu lassen, zu zeigen, wie so sehr oft für denselben Gedanken die verschiedensten Ausdrucksweisen möglich sind, die Ausdrücke ineinander übergehen und die
noch lebensfrische Sprache jeder scharfen Regel spottet und übermütig
darüber hinweghüpft. Er tut das besonders durch Anführen solcher Beispiele, wo ein und derselbe Autor in ein und demselben Satze genau dasselbe auf zwei verschiedene Weisen ausdrückt, Beispiele, die der Verfasser
mit großer Sorgfalt überall zusammengesucht hat. So zitiert er hier aus
David Copperfield: *There are two parlours: the parlour in which we sit
'of an evening', my mother and I and Peggotty, and the best parlour where
we sit 'on a Sunday'.*

Kapitel VI handelt über die *predicative adnominal adjuncts*, worunter
er prädikative Bestimmungen zu anderen Verben als den sogenannten
'Kopulas' versteht.

Kapitel VII gibt eine allgemeine Einteilung der Sätze.

Kapitel VIII bespricht die Wortstellung, und zwar zunächst die Stellung des Subjekts. Nicht weniger als 36 Beispiele gibt der Verfasser für
die Inversion (oder Nichtinversion) nach negativen Adverbien oder Konjunktionen wie *hardly, little, never* usw. Nach einigen Beispielen anderer
Fälle, wo ein Adverbium im Anfang eines Satzes Inversion des Subjekts
bewirkt, berichtet der Abschnitt *Inversion caused by front-position of the
object* hauptsächlich über die Inversion oder Nichtinversion in Sätzen, die
in eine direkte Rede eingeschoben sind, wobei nach der Art des Subjekts,
des Verbums und der Erweiterungen sehr klar verschiedene Fälle eingeteilt werden. Ebenso klar werden die Fälle der Inversion nach voraus-
gehendem 'Prädikatsnomen' dadurch gemacht, daß genau nach der Betonung des Verbums unterschieden wird, wie z. B. *Blessed are the poor
in spirit* (S. 260) und *The more virtuous a man is, the happier he is*
(S. 262). Nach allerlei anderen interessanten Dingen handelt der nächste
größere Abschnitt von den Satzteilen, die zwischen Subjekt und Prädikat,
und ein folgender von denen, die zwischen den Teilen eines zusammengesetzten Prädikats stehen. Sehr lehrreich ist ferner der Abschnitt über
die Stellung des Objekts, wo aus der Anordnung und Besprechung der
zahlreichen Beispiele deutlich hervorgeht, daß die Stellung des Objekts
sich nicht streng nach der in manchen Schulgrammatiken sogar als un-
umstößlichen Regel: 'Verbum — Objekt — andere Satzteile' richtet, sondern nach zwei ganz anderen Gesichtspunkten, erstens der mehr oder
minder engen Zugehörigkeit eines Satzteiles zum Verbum, die den betreffenden Satzteil dem Verbum näherbringt, und zweitens der Stärke der
Betonung, die ihn möglichst vom Verbum trennt. Auch bei der Stellung
des Objekts im Anfang des Satzes begnügt sich der Verfasser nicht mit
der herkömmlichen und falschen Erklärung, das Objekt stehe im Anfang
des Satzes, wenn es besonders betont ist, sondern er unterscheidet zwei
Fälle: solche, wo das vorangestellte Objekt die Person oder die Sache bezeichnet, an die der Sprechende vor allem anderen denkt, wie in *silver and
gold have I none* (wo das 'Betonte' natürlich gerade *none* ist), und solche,
wo die Voranstellung einen bequemen Anschluß an Vorhergehendes be-

werkstelligt, wie *His passions and prejudices had led him into a great error. That error he determined to recant* (S. 278). Aus dem langen Abschnitt über die Stellung der adverbialen Bestimmungen sei nur noch auf die ausführliche und reich belegte Liste der Stellungen der Adverbien *so, thus, though, else, besides, however* usw. hingewiesen. Dann folgen Abschnitte über die Stellung des Attributs, besonders des Adjektivs, des Possessivpronomens, des Zahlwortes (hier finden wir, um noch ein Beispiel von der Fülle der Belege zu geben, allein für *both* in seinen verschiedenen Stellungen nicht weniger als 42 Zitate), des Infinitivs, des Partizips und anderes mehr.

Hoffentlich erscheint, wenn die verdienstvolle Arbeit beendet ist, ein alphabetisches Inhaltsverzeichnis dazu, damit sie zu der Freude, die sie jedem Leser bereiten wird, auch noch den Nutzen eines praktischen Nachschlagewerkes bringt. Wegen der eigenartigen Einteilung des Buches müfste dann allerdings dieses Inhaltsverzeichnis sehr eingehend sein, selbst z. B. solche Wendungen wie *to look one in the face* und *to look in one's face* (S. 144) enthalten, da sonst mancher eine reiche Schatzgrube besäfse, ohne zu wissen, wo er die Schätze im Augenblick suchen soll.

Fritz Strohmeyer.

E. Herzog, Streitfragen der romanischen Philologie. Erstes Bändchen: Die Lautgesetzfrage. Zur französischen Lautgeschichte. Halle, Niemeyer, 1904. 122 S.

Es geht ein frischer, origineller Zug durch das Büchlein von Herzog, das viel mehr enthält, als sein Umfang erraten läfst. Die ersten 80 Seiten bringen eine Abhandlung über die Lautgesetzfrage in neuer Beleuchtung. Der Verfasser stellt als einheitliches Prinzip des Lautwandels die Geschlechterablösung auf. Dieser in den Paragraphen 40 ff. ausgesprochene Gedanke ist der Kern der Arbeit. In den vorhergehenden Abschnitten werden die früheren Lösungen des Problems kritisiert und abgelehnt, um dem neuen Vorschlag Platz zu machen. Dabei hat der Verfasser Gelegenheit, die Lautgesetzfrage nach allen Seiten zu drehen, mit Beispielen zu belegen, die keck aus allen romanischen und aus vielen anderen Sprachen gezogen sind, und so entwirft er ein glänzendes, geistvolles Plaidoyer, welchem man trotz der Gedrängtheit der Erklärungen mit Spannung folgt. Der philosophische Zug, der durch alle Wissenschaften geht, scheint auch unseren Prinzipienfragen zugute kommen zu wollen: in letzter Zeit mehren sich allgemeine Abhandlungen. Die Rousselotsche Schulung hat die jüngeren Philologen daran gewöhnt, mit den kleinsten Unterschieden der Lautartikulation zu rechnen. Die Dialektologie hat zur besseren Erfassung sprachlicher Vorgänge viel reiches, kontrollierbares Material besonders viel beigetragen. Herzogs Ansichten sind aus dem gegenwärtigen Stande der Forschung hervorgegangen. Wenn trotzdem seine Hauptthese nicht annehmbar erscheint, so liegt dies weniger am Autor als an der Undurchdringlichkeit der Sache. Unsere Erfahrung ist noch zu sehr theoretisch. Wir verfolgen gewissermafsen den Lauf der Dinge von Stunde zu Stunde, aber noch nicht von Minute zu Minute oder von Sekunde zu Sekunde.

Sehen wir uns gleich das Ablösungsprinzip näher an. Nach Herzog verändert sich der Laut, den wir in der Jugend erlernt haben, infolge des Wachstums unserer Organe. Diese wachsen 'schwerlich alle in genauer Proportion zu einander, so dafs zu der Gröfsenveränderung noch Veränderung der gegenseitigen Lage kommt, die Knochen werden härter, die Stimme mutiert, etc.' (p. 56). So hören die Kinder von erwachsenen Menschen nicht ganz denselben Laut, den die ältere Generation in ihrer Jugend gesprochen hat; mit dem Älterwerden der zweiten Generation wiederholt sich das Spiel, und so kommt ein kontinuierlicher Wandel zustande. Herzog verhehlt sich nicht, dafs die Menschen sich nicht alle dreifsig Jahre, sondern beständig ablösen, so dafs in Wirklichkeit eine ganz unregelmäfsige Geschlechterfolge eintritt; die Spracherlernung erfolgt nicht immer von den Eltern zu den Kindern u. s. f. Aber das scheint mir für Annahme seiner Theorie kein grofser Übelstand zu sein, denn tatsächlich tun sich die Leute nach Generationen zusammen, und man kann die Zwischenglieder auf die Älteren oder Jüngeren verteilen. Aber das Ablösungsprinzip hat andere Schwächen. Herzog will z. B. den Schwund des -d- über -ð- dadurch erklären, dafs die Zunge des Erwachsenen 'bei der Vergröfserung des Organs nicht mehr hinreicht, einen vollständigen Abschlufs zu bilden'. Nun ist aber a priori durchaus nicht gesagt, dafs die Zunge nicht im gleichen Mafsstabe wächst wie die Entfernung vom Halszäpfchen zur oberen Zahnreihe. Die Behauptung, dafs die Zunge zurückbleibe, ist auf nichts gegründet. Auch könnte die proportionelle Verkürzung der Zunge durch die vermehrte Energie des Erwachsenen, die von Herzog nicht in Anschlag gebracht wird, kompensiert werden. Eine solche Erklärung würde ich im gegebenen Falle nur auf Grund wirklicher Messungen an einer Reihe von Individuen annehmen. Und wir haben a priori nicht das Recht, vorauszusetzen, dafs die Veränderung der Organe bei jedem Individuum in gleicher Richtung erfolge, so dafs die einheitliche Tendenz mehrerer Geschlechter: -d- = 0 rätselhaft wäre. Den Einwand, dafs nach seiner Theorie in jeder Sprache -d- verstummen müfste,[1] während im Germanischen umgekehrt eine Stimmlose daraus entstehe,[1] sucht Herzog dadurch zu entkräften, dafs er verschiedene Abarten von d annimmt, z. B. ein schmal- und ein breitflächiges, wobei schmal und breit die Dimensionen von vorn nach hinten bezeichnen. Die erste Abart soll dem Französischen zugrunde liegen, wo -d- schwindet, das provenzalische -ɀ- aus -d- soll sich aus einem breitflächigen -d- entwickelt haben. Aber wie soll aus einem ursprünglich schmalflächigen d im Provenzalischen ein breitflächiges entstanden sein, wenn nach der obigen Erklärung die Zungenaktion mit dem Reifwerden des Individuums an Intensität verliert? Und mir scheint der Übergang einer Gruppe wie ada zu $a\eth a$ auf einem Vorgang zu beruhen, bei welchem es weniger auf die Beteiligungsbreite der Zunge, als auf die Lage der Zungenspitze ankommt. Es wird zwischen den beiden a mit der Hebung derselben gespart, und so kommt statt eines festen ein loser, an den Schneidezähnen gebildeter Verschlufs zustande, der leicht in eine Spirans übergeht. Liefse sich beweisen, dafs das provenzalische ɀ über ð entstanden ist, so fiele Herzogs Annahme eines breitflächigen d für einen Teil des französischen Südens dahin. Es scheint mir also der Versuch, das neue Prinzip durch einen prägnanten Fall zu illustrieren, in mehrfacher Hinsicht gescheitert zu sein.

Die bessere Kenntnis der Lautphysiologie ist nicht nur von grofsem Nutzen, sondern durchaus notwendig gewesen; sie hat aber ein neues Feld der Kasuistik eröffnet, auf welchem jeder Schritt mit der gröfsten Behutsamkeit ausgeführt werden mufs.[2] Gar leicht wird eine Aussprache theo-

---

[1] Im § 49 versucht Herzog auch die deutschen Lautverschiebungen mit dem Ablösungsprinzip zu vereinbaren. Ich überlasse gern die Kritik dieses Punktes den Germanisten.

[2] Ich möchte aber nicht unterlassen, zu betonen, dafs Herzog in dieser Schrift selten für alte Sprachzustände ganz bestimmte Sprechweisen stipuliert, sondern meist von heutigen Erfahrungen und Experimenten ausgeht. Aber hie und da kann ich seine phonetischen Aufstellungen nicht billigen, so p. 32 Anm., wo er behauptet, dafs bei p die Oberzähne auf der Innenfläche der Unterlippe ruhen. Unverständlich ist mir der Ausspruch (p. 61 Anm.), dafs lat. a im Altfrz. zu ę geworden sei, ohne ę zu berühren, und anderes mehr.

retisch angenommen, um im nächsten Augenblick von seiten eines erfinderischen Kopfes wieder umgestofsen zu werden. Und bis die langsame Kritik ihr Wort gesprochen hat, kann es passieren, dafs der Urheber einer Theorie sie längst wieder aufgegeben hat. Es wird sich daher immer empfehlen, die Sache, wenn möglich, auf praktischen Boden zu stellen. Wenn in der Nähe provenzalischer Mundarten, die -d- zu -x- wandeln, heute breitflächige d oder ein Laut, der nachweislich daraus hervorging, zu hören sind, darf man annehmen, dafs die -x-Mundarten einst dieselbe Vorlage besafsen. Fast jeder französische Lautübergang läfst sich in irgendeinem modernen Winkel der Romania studieren. Genaue Beobachtungen wirklicher Verhältnisse werden uns rascher vorwärts bringen als theoretische Spekulationen.

Der Verfasser selber sagt mit aller Offenheit und Deutlichkeit, dafs die Ablösungstheorie zuerst, bevor sie auf Gültigkeit ein Recht beanspruchen kann, 'die Feuerprobe der Erfahrung' bestehen mufs (cf. § 47, 48, 49). Einstweilen ist sie eine geistreiche Hypothese. Ich bin nun weit entfernt, den Wert der Theorie verkennen zu wollen. Jede neue Art der Fragestellung ist anregend und unter Umständen fruchtbar. Und auch die Praxis hat ihre Schattenseiten. Wenn die Theorie durch Verallgemeinerung sündigt, so versandet oft die Beobachtung im einzelnen Experiment. Ich begreife, dafs Meyer-Lübke die neue Schrift Panconcellis über die italienischen Nasalvokale mit einem Seufzer aus der Hand legte; mir selber war die *Phonétique italienne* von Freeman-Jocelyn eine grofse Enttäuschung. Nur oft wiederholte und auf breiter Basis angestellte Versuche haben generellen Wert. Und in Ermangelung des Beweismaterials mufs die Theorie das Feld behaupten.

Obschon ich Herzogs Formulierung des Ablösungsprinzips für unbewiesen halte,[1] glaube ich, dafs der Geschlechterwechsel in verschiedener Art am Lautwandel beteiligt ist. Herzog hat sehr richtig hervorgehoben, dafs die Lautgesetze viel öfter, als man es gemeinhin annimmt, auf Assimilationserscheinungen beruhen, also auf einer Art Reibung der Wortelemente. Diese Reibung scheint mir am stärksten zu sein bei der kräftigen, mittleren Generation, innerhalb welcher am ehesten neue Lautgesetze entstehen können. Ein beginnendes Gesetz bringt eine grofse Unordnung mit sich, indem ein Wort, ein Individuum williger ist als das andere. Diese Ungleichheit hört meist bei der nachwachsenden Generation auf, die das Gesetz konsequenter durchführt. Oder es wird eine nachlässieg Artikulation der Alten, z. B. ein δ, von den Jungen übertrieben, was zum gänzlichen Schwunde des Lautes führt. Hierbei scheint eine Art Vererbung mitzuspielen. Auch das Gehör ist am Lautwandel beteiligt: ein unbetonter Diphthong, dessen Elemente nahe beieinander liegen, z. B. *ęi̯*, kann als *i̯* wiedergegeben werden. Vielleicht sind noch allerlei andere Übertragungsmöglichkeiten vorhanden. Ich würde nicht, wie der Verfasser, darauf dringen, allen Lautwandel auf eine Ursache zurückzuführen. Genau betrachtet, gibt er selbst verschiedene Wege zu. So nimmt er § 24 (ungenaue Wortwiedergabe) Gehörfehler an; die Prothese von *e* vor *s impurum* führt er auf den Fall *la 'state ⁓ estate* zurück, der auf *la stella ⁓ estella* analogisch eingewirkt hätte; er legt grofses Gewicht auf den Ausgleich der Allegro- und der Lento-Formen usw. Trotzdem ich theoretisch die Forderung einer Erklärung für allen Lautwandel anerkenne, wird es mir einstweilen nicht leicht, mich für irgendeine der vorgeschlagenen Einheitstheorien zu erklären. Es wird mir schon schwer genug, z. B. lautliche Analogie (*buona* nach *buonu*, dieses mit Diphthong

---

[1] Sollte nicht auch, wenn der Bau der Organe eine so grofse Rolle spielt, überall leicht eine besondere Frauensprache entstehen?

wegen des auslautenden *u*) und eigentlichen Lautwandel[1] als Aufserungen desselben Prinzips zu betrachten.

So weit bin ich mit dem Autor einverstanden, dafs mit jeder neuen Generation die Sprache einen Ruck vorwärts tut, und dafs die Verantwortlichkeit für entstehenden Lautwandel der mittleren, sprechstarken Generation zugeschrieben werden mufs. Ich halte es daher für eine Inkonsequenz, wenn p. 72 das rasche Vorauseilen des Anglonormannischen gegenüber dem kontinentalen Französisch durch den Tod vieler reifer Männer im Kampf erklärt wird, wodurch der 'retardierende und kontrollierende Einflufs, den die ältere Generation auszuüben pflegt', eingeschränkt wurde. Übrigens bezieht sich diese Kontrolle nur auf die groben Sprechfehler der Kinder, nicht auf keimende Lautgesetze, die unbemerkt bleiben, auch wenn ohrfällige Vertauschungen stattfinden, wie *sy* = *š*, Zungenspitzen-*r* = Halszäpfchen-*r* etc.

Mit der Tendenz, das Ablösungsprinzip zu vollem Rechte kommen zu lassen, hängt die hier und da zu eilige Beseitigung von Spezialfällen zusammen, die bisher angenommen wurden und den Wert der neuen Theorie schmälern könnten. Herzog möchte beweisen, dafs Fernassimilation, springender Lautwandel, Metathesen auf ein Prinzip zurückzuführen sind = 'räumliche und zeitliche Verschiebungen von artikulatorischen Bewegungen'. Er nimmt z. B. an, dafs in *cherchier* für *cerchier* die für *š* nötige Zungenwölbung sukzessive über die ganze erste Silbe ausgriff,[2] bis der Anfangskonsonant erfafst wurde (§ 33). Nun ist zunächst unrichtig, dafs durch die antizipierte Organstellung des *š* das *e* und *r* 'dem Klange nach vollständig oder nahezu unberührt bleiben'; ferner wird die Erklärung unmöglich für die Dialekte, welche die Fernassimilierung zu einer Zeit durchführen, wo der zweite Laut ein Explosivlaut ist: *tšer-tšier*. Ebenso ungläubig verhalte ich mich gegenüber den Argumenten, die gegen den sog. springenden Lautwandel vorgebracht werden. Dafs die Zitterbewegung des alveolaren *r* durch die Zungenhaut auf das Zäpfchen übertragen worden sei und so ein Ersatz von *r* durch *ʀ* entstand, leuchtet mir nicht ein. Ich habe zwar eine Person gekannt, die einen derartigen Übergangslaut sprach, der besonders im Worte *serviteur* auffiel, aber ich sah es für eine Kontamination von *r* und *ʀ* an; der Betreffende gehörte einer verdeutschten, ursprünglich französischen Familie an. Da das *ʀ* besonders in städtischen Zentren um sich greift, glaube ich viel eher an modische Lautsubstitution. Die Landluft enthält weniger *ʀ*-Bazillen. In Italien, wo die *ʀ*-Infektion noch wenig verbreitet ist, liefsen sich darüber Beobachtungen anstellen. Ob Deutschland sein *ʀ* aus Paris bezogen hat, ist schwer zu sagen, da uns für die vergangenen drei Jahrhunderte jede Statistik darüber fehlt.

Eine Metathese, wie *formaticu — fromage*, soll über *frmage* entstanden sein. Theoretisch ist die Bildung von *r* mit verschiedenen Vokalklängen, überhaupt die gegenseitige Durchdringung der Laute nicht anzufechten. Aber es scheint mir, in einer Gegend, wo gerade *formaticu* mit *fromaticu* leicht wechselt, wie in der französischen Schweiz, sollte ein *fr̥* doch häufig anzutreffen sein, und ich erinnere mich blofs, es im Wallis gehört zu haben. Das Aufgehen des Neutralvokals in *r* : *gr̥ner* habe ich oft getroffen, selten aber *r̥* oder *r̥̈* etc. Eine Gesetzmäfsigkeit ist in solchen Fällen nicht vorhanden. Es wird *défermer* zu *défremer*, aber nicht *vernir*, *verdir*, *vermine* zu *vre*... oder gar *servir* zu *sre*.... In *fromage* wird zu

---

[1] Herzog verwirft mit Recht die Bezeichnung spontaner Lautwandel. Jedes Lautgesetz ist ursprünglich bedingt.

[2] Solche Fälle wären für die Experimentalphonetiker ein interessantes Objekt.

einer Zeit, da man vergessen hatte, dafs der Käse nur, wenn er in der Presse geformt[1] wird, so zu betiteln ist, wo also der Zusammenhang mit *forme* gelöst war, die Häufigkeit der Gruppe *fr* in Wörtern wie *froment* etc. gewirkt haben. Um die Metathese zu einer zeitlichen Artikulationsverschiebung zu machen, nimmt Herzog künstlicbe Zwischenformen an, die mir wenig Realität zu besitzen scheinen. Dafür noch ein anderes Beispiel: den Wandel von afrz. *siut* zu *suit*, den er richtig 'Ersatz eines unusuellen Phonems' nennt, möchte er auch mit Hilfe einer Durchgangsform $s\overset{ü}{i}t$ der schnellen Redeweise erklären. Treibt er hier nicht Mifsbrauch mit der Annahme von Allegroformen? Darf man z. B. eine Allegroform $fr\overset{u}{i}t = fruit$ annehmen? Kommt überhaupt dieses Wort so häufig als Schnellsprechform vor, dafs man von da aus eine analogische Bewegung: $fr\overset{u}{i}t : fruit = s\overset{ü}{i}t : suit$ erwarten darf? Das entbehrt alles der Stütze durch Erfahrungstatsachen.

In einem Punkte weichen meine Anschauungen stark von denen Herzogs ab, nämlich in den Vorstellungen über die geographische Ausbreitung des Lautwandels. Die Mode wird als Faktor des Sprachwandels viel zu leichthin abgelehnt. Zugegeben sei, dafs die Schlagwörter von der Wellentheorie und vom Ölfleck nicht ganz das richtige treffen, wie Herzog bemerkt. Nach der Wellenbewegung tritt beim Wasser alles in die frühere Ruhe zurück, nach einer Lautwelle ist ein veränderter Sprachzustand geschaffen; der Ölfleck versinnbildlicht schlecht die Ausdehnung eines Wandels über sehr grofse Gebiete, wie *ct* = *t͡s* oder *it*. Wenn aber die bisherigen Bezeichnungen unzutreffende oder irreführende waren, so spielt die Sache doch eine viel gröfsere Rolle, als man glaubt. Herzog meint, Aussprachemoden hätten in Alpendörfern weniger Chancen als in städtischen Zentren. Das wäre richtig, wenn es sich um affektierte Wohlredenheit handelte. Aber unbewufste Anpassung findet überall statt. In jedem dialektischen Milieu kann man jederzeit generalisierende Aussprachetendenzen konstatieren. Z. B. breitet sich im Kanton Bern die Aussprache *w* für *l* aus: *gäw* für *gäl* (gelt), *miwχ* für *milχ* (Milch) etc. Sie dringt sogar gegenwärtig vom Lande her in die Hauptstadt. Da darf man nicht sagen: in Bern verwandelt sich gegenwärtig *l* oder besser gesagt *ł* (velares *l*) in *w*, sondern es breitet sich durch Ansteckung eine Aussprachemode aus. Nichts ist schwieriger, als zwischen wirklichem Lautwandel und eindringenden Lautnuancen zu unterscheiden. Es kann ja auch gleichmäfsige Bewegungstendenz vorliegen! Haben wir in diesem einen Falle die Stadt unter der Domination der ländlichen Umgebung gesehen,[2] so spielt sich ein anderes Beispiel, das ich zitieren möchte, ganz unter Alpendörfern ab. Im Val de Bagne (Wallis) hört man das Wort *cinque χlē aussprechen. Es ist nun ganz ausgeschlossen, dafs aus lat. $c^{e,i}$ ein χl entsteht, obschon irgendein findiger Theoretiker vielleicht Übergangsstadien herausklügeln könnte, sondern ich erkläre mir den Vorgang auf folgende komplizierte Weise. Ein Wort wie *clave* wird im Wallis je nach dem Dialekten χlā oder ϑā. Kommt nun die Aussprache χlā ins Wandern, so kann in einem Tale, das ursprünglich ϑā und ϑē = *cinque* sagte, welche zufällig im Anfangslaut übereinstimmten, das ϑ in beiden Ausdrücken durch χl ersetzt werden (Überentäufserung). So wird es im Val de Bagne geschehen sein. Man könnte dieses Verfahren Dialektlagerung nennen. Wieviel von der Sprachveränderung auf allmählichen

---

[1] Cf. Luchsinger, *Das Molkereigerät in den romanischen Alpendialekten der Schweiz*, p. 9. (Vgl. hier S. 236.)

[2] Wobei starker Zuzug vom Lande, Demokratisierung der Schule etc. mitspielen.

Eigenwandel, wieviel auf Lagerung, d. h. Mode, zurückgeht, ist einstweilen gar nicht abzusehen. Viele sogenannte Ausnahmen erklären sich dadurch, dafs das Gesetz im neuen Milieu entweder hinter den ursprünglichen Grenzen zurückblieb oder darüber hinausging.

Im Satz, dafs die Erzeugung der Artikulationen rein mechanisch geschieht (p. 12) und die Mitwirkung von Bewufstsein und Willen sich auf die Zeit der Spracherlernung[1] beschränkt, scheint mir der Autor die psychische Seite des Lautwandels zu verkennen. Ist denn die Auflösung einer sprachlichen Analogie ohne Mitwirkung des Gehirns denkbar? Bewufstsein und Wille stehen wohl überhaupt nicht auf derselben Stufe. Wenn ich ein $\tilde{a}$ spreche, so mufs ich den Nasalkanal öffnen, das geschieht nicht automatisch, sondern es bedarf dazu eines kleinen Willensaktes, der mir aber nicht bewufst wird. Wird aus *apto* < *atto*, so ist möglicherweise darin ein rein mechanischer Assimilationsprozefs zu sehen, besonders wenn *a^pto* seitens des Hörenden als *ato* verstanden und wiedergegeben wird. Wenn aber in *planta* das Gaumensegel etwas zu früh heruntergelassen wird und das *a* sich nasal färbt, so kann man darin ein psychisches Vorgreifen der späteren Artikulation erblicken. Oder wenn Herzog p. 49 sagt, dafs in lat. *vīcīnus* das erste *i* weniger sorgfältig geschlossen wurde *(i relâchê)* und daraus z. B. span. *vecino* dadurch entsteht, dafs man den Unterschied **übertrieben wiedergibt**, so ist daran die Psyche beteiligt. Herzog selber sagt, dafs infolge eines **psychologischen** Gesetzes 'Differenzen zwischen zwei ähnlichen Reizen gröfser empfunden werden, als sie sind'. Unleugbar psychisch sind viele Metathesen, Kontaminationen von ähnlich klingenden oder bedeutungsähnlichen Wörtern; auf das Gehirn, das überhaupt jedes menschliche Tun regiert, gehen Affekt, Tempo, Stil, Betonung usw. zurück.

So ist mir Herzogs Aufbau seiner These zu schematisch, und daher befinde ich mich oft mit ihm in Widerspruch bei seinem raschen Gang durch alle Möglichkeiten der Lautdifferenzierung; aber wie oft freue ich mich darüber, dafs er, von anderen Voraussetzungen ausgehend, zu denselben Resultaten gelangt; wie oft eröffnet er neue Ausblicke, löst er spielend schwierige Probleme. Mein Referat, das mehr an die mir negativ scheinenden Seiten seines Systems anknüpft, darf nicht den Verdacht aufkommen lassen, es sei in Herzogs Schrift nur Problematisches und rein Hypothetisches. Wo er gegen den individuellen Anteil am Sprachwandel Front macht, gegen das Ausgehen von der Kindersprache zur Erklärung der allgemeinen sprachlichen Bewegung; wo er die Gründe der Gegner des Lautgesetzes abfertigt, das Bequemlichkeitsprinzip verwirft; wo er nachweist, dafs der Umlaut nicht etwas vom Lautgesetz Verschiedenes ist, sondern nur eine bestimmte Aufserungsform desselben; wenn er einen prinzipiellen Unterschied zwischen Umlaut und Epenthese leugnet; überhaupt wo er sich gegen die rein äufserliche Einteilung der Sprachgesetze von Wechssler[2] richtet, da sind seine Worte knapp und klar und vollständig überzeugend.

Als Beispiel für seine ebenso überraschenden als instruktiven Deutungen romanischer Vorgänge möchte ich seine Erklärung von span. *fuente* ~ *hijo* erwähnen. Er sagt (p. 24 ff.): 'Auch im Deutschen bildet man *f* verschieden nach den folgenden Vokalen. So bestanden auch beim span. *f* verschiedene Mundstellungen, mit gröfserer Enge, wenn lippenengere Vokale darauf folgten, losere, wenn lippenweite danach zu sprechen waren. Von einem bestimmten Zeitpunkt an wurde noch weiter an den folgenden Vokal 'assimiliert'; der Spalt wurde so weit, dafs das Reibungs-

---

[1] Ob wirklich die Kinder mit gröfserem Bewufstsein sprechen?
[2] *Giebt es Lautgesetze?* (Festgabe Suchier).

geräusch bei den Lippen ganz verschwand und nur noch der blofse Hauch
hörbar war; so blieb nur die engste Varietät des *f*, dasjenige, das vor dem
lippenengsten Vokal, dem *u*, gesprochen wurde (*fueco*), ferner dasjenige, auf
das überhaupt kein Vokal folgte (*fronda*) etc.' Von der Richtigkeit dieser
Ansicht kann sich jeder leicht mit einem Spiegel überzeugen. Es könnte
also die Bewegung in ihren Anfängen auf *f* vor *i* limitiert gewesen sein
und progressiv einen Fall nach dem anderen erfafst haben. Im Spanischen
wurde die Bewegung, nachdem *o* zu *ue* geworden war, sistiert. Im Gascogni-
schen wirkte die Gewöhnung an lässige *f*-Aussprache weiter, bis alle Fälle
betroffen waren. Immerhin zeigen die fast 100 Karten des Gilliéronschen
Atlas mit Anlaut-*f*, dafs in der Position *fl* und *fr* das Gesetz weniger
konsequent durchgeführt, also moderner ist. Nichts hindert uns also,
das Lautgesetz *f = h* auf eine Reihe von Jahrhunderten auszudehnen
und den ersten Anstofs dazu noch im Iberischen zu suchen. Der starke
Einwand von Meyer-Lübke (*Einf.* p. 183), dafs der iberische Einflufs sich
unmöglich erst geltend machen konnte, nachdem *ǫ* zu *ue* geworden war,
fällt, sobald wir die Möglichkeit einer Verteilung des Vorganges auf sehr
lange Zeit erhalten. Das würde auch Herzog zugeben, der allerdings
glaubt, dafs ethnische Einflüsse auf den Sprachwandel durch Nachschub
aus der Metropole nach und nach paralysiert werden. aber doch so, dafs
kleine Differenzen, 'wie sie auch sonst innerhalb der Sprache einer Sprachgemeinschaft vorkommen' (p. 77), stehen bleiben können. Ich glaube überhaupt, dafs er auch in diesem Punkte zu weit geht. Wir dürfen uns in
dieser Frage nicht zu sehr durch moderne Erfahrungen beeinflussen
lassen. Im Kanton Waadt hat man vom 13. bis zur Mitte des 19. Jahrhunderts ein stark idiomatisch gefärbtes Französisch gesprochen. Erst die
neueren veränderten Kulturverhältnisse (Eisenbahn, Phonetik, bessere
Schulung etc.) haben auf einmal auffallende Besserung gebracht. In der
Vergangenheit waren die Bedingungen von Land zu Land und von Zeit
zu Zeit verschieden, es kam auf frühere oder spätere Loslösung von Rom,
auf den Grad der Völkermischung, auf die Art der Verbreitung der fremden Sprache an. Und so können die vorromanischen Sprachen in der
verschiedensten Weise nachgewirkt haben.

Im zweiten Teile seiner Schrift unterwirft Herzog einige schwierigere
Punkte der französischen Lautgeschichte scharfer Kritik. Zunächst das
von Horning verfochtene Gesetz, dafs die Gruppe *ti* intervokal vortonig
= *iz*, nachtonig = *ts*, z. B. *prisier ⌣ puix*. Gegen diese Ansicht werden
einige prinzipielle Bedenken geltend gemacht, z. B. dafs sonst im Französischen eine solche verschiedene Behandlung je nach der Akzentlage
nicht vorkommt, dafs das Wort *pris* der aufgestellten Regel widerspricht,
dafs die Beispiele, welche Horning zur Stütze seiner These zitiert, anders
erklärt werden können oder unsicherer Herkunft sind usw. In der Tat
fängt man sogar nach den neueren Arbeiten von Pieri und Clark (*Rom.*
1905) an, daran zu zweifeln, dafs die Behandlung der Konsonanten im
Italienischen von der Betonung abhängig sei. Zwar läfst sich aus den
genannten Arbeiten noch kein klarer Überblick über die italienischen Verhältnisse gewinnen; aber das Meyer-Lübkesche Gesetz mufs revidiert werden, und das wird auch für den genannten altfranzösischen Fall von
Wichtigkeit sein. Herzog hat wohl recht mit seiner Behauptung, dafs
pris = pretium einen lautgerechten Wandel darstellt und eine analogische Bewegung wohl von *pris* zu *prisier*, aber nicht umgekehrt vom
abstrakten, verhältnismäfsig wenig gebrauchten Infinitiv zum Substantivum
supponiert werden darf. Auch Suchier betont in der zweiten Auflage des
Grundrisses (p. 737 Anm.), dafs Horning sich methodisch verfehle, wenn
er das Unsichere gegen das Sichere ausspielt. In der Beurteilung der abweichenden Formen freilich wird man nicht immer die Auffassung Herzogs billigen wollen. Dafs das Wort *puteum* durch den Mund der Ge-

bildeten hindurchgegangen sei, ist wenig wahrscheinlich. Ebenso dafs das sehr lebenskräftige[1] und vom Stammwort *caput* früh losgerissene *capitium* anderswoher entlehnt oder sein *t* durch *caput* länger gehalten worden sei. Suchier hat auch beide Fälle anders, aber noch nicht überzeugend, erklärt. So weit möchte ich einstweilen Herzog recht geben, dafs -*ti*- so früh zu einem einheitlichen Palatallaut wurde, dafs es noch die Sonorisierung mitmachte, während -*ci*- zurückblieb und länger als Kompositlaut gefühlt wurde. Der Weg von *c* zu *i* ist auch länger als von *t* zu *i*, wie die entsprechenden Gaumenbilder deutlich beweisen. Mit dem -*ci*- fällt die späte, gelehrte Behandlung des -*ti*- zusammen, welche künstlich das *i* aufrechterhielt. Von den drei Resultaten von -*itia* sieht Herzog -*eise* als den regelrechten Fortsetzer an, obschon es im Französischen so selten vorkommt. Die Bemerkung Herzogs, dafs *pigritia* > *pareise unter Einflufs des Lateins durch gelehrtes *parece* ersetzt wurde, während *richeise, proeise* sich deswegen hielten, weil die Gelehrtensprache keine stammgleichen Entsprechungen besafs, ist mehr zu beachten. Die Mundarten sind hierin dem Ursprung treuer geblieben. So hat das Greyerzer Patois die schöne Form *pareise* (im Wörterbuch von L. Bornet, gesprochen *parę̃žə*) erhalten. Die vielen Formen auf -*ise*, worunter allerdings viele vorkommen, neben welchen ein Verbum auf -*ir* steht,[2] möchte er durch Einflufs des Partizips auf -*ītus* erklären. Die ganze Sache ist noch nicht spruchreif, und vieles ist trotz aller neueren Arbeiten noch ganz dunkel. Warum ergibt z. B. *vicinu* > *veisin* und *vocem* nicht, wie man erwarten sollte, *voise > *vois? Warum vortonig *plaisir* = *raison*, aber nachtonig *feix* ⏜ *palais*? Die mundartlichen Formen sind wenig dienstbar und fügen uns neue Rätsel hinzu, cfr. für *puteu* im Berner Jura die Form *puš*, für *voce* in der Montagne neuchâteloise *vwę̃s*[3] etc.

Weiter bespricht der Verfasser die Entsprechungen von *hordeum, oleum*. Der häufige Genitiv *hordei, olei*, ohne Palatallaut, hätte das *d* und *l* auch in den anderen Kasus bewahrt. Das *Dictionnaire général* sieht hier, wie so oft, keine Schwierigkeit und gibt einfach an: *oliu — oilu* etc., als ob nicht *foliu* > *fueil* daneben stände.

Endlich macht Herzog glaublich, dafs gedeckter Zwischentonvokal altfranzösisch immer zu *e* wird, daher *chalengier, craventer, nuiternel, volentiers* etc.

Damit glaube ich bewiesen zu haben, welch vollgerüttelt Mafs von Problemen und Lösungsversuchen das angezeigte Büchlein enthält und wieviele Anregungen davon ausgehen.

Bern.   ⸱ L. Gauchat.

Paul Bastier (Lecteur à l'Université de Kœnigsberg), Fénelon critique d'art. Paris, librairie Émile Larose, 1903. Fr. 1.

Fénelon hat sein Leben lang ein offenes Auge, ein grofses Interesse, ein feineres Verständnis als die meisten seiner Zeitgenossen für alle Äufserungen der bildenden Kunst gehabt. Mehr noch als in den *Dialogues*, die ausdrücklich künstlerische Dinge behandeln (*D. entre Parrhasius et Poussin, D. entre Poussin et Léonard de Vinci, D. de Chromis et Mnasile*, wozu noch der *Jugement sur différents tableaux* in den *Opuscules* kommt), findet sich diese Behauptung durch die vielen gelegentlichen Bemerkungen,

---

[1] Cfr. altfrz. *chevece, cheveçaille, chevecel, chevecerie, chevecier, chevecine* etc.

[2] *franchise, garantise, recreantise* etc.

[3] Diese Mundarten lassen bekanntlich regelmäfsig die Endkonsonanten (aufser *r* gelegentlich) abfallen.⸱

Urteile, Abschätzungen bestätigt, die sich in allen seinen Werken finden; seine eigenen Beschreibungen, ja seine Sprache, Ausdrücke wie ganze bildliche Wendungen zeigen Spuren dieser vorherrschenden Neigung, der er gewifs in seinem so beschäftigten Leben nicht nach vollem Belieben nachgehen konnte.

Der Verfasser hat durch sehr fleifsige Benützung dieser verschiedenen Quellen uns zunächst eine sehr willkommene Ergänzung des Charakterbildes Fénelons gegeben; wir würdigen ihn erst ganz, wenn wir den schönheitsbegeisterten Mann auch in seinen Beziehungen zur Kunst kennen. Wir werden danach aber auch aufhören müssen, z. B. mit Brunetière zu behaupten, dafs die Kunstkritik in Frankreich erst mit Diderot beginne. Gewifs, Fénelon war mehr das, was man einfach *amateur d'art* nennen könnte, als Kunstkritiker im heutigen Sinne des Wortes. Seine Anschauungen, seine Urteile gehen auf die verschiedensten Quellen zurück, Altertum und eigene Zeit, heidnische und christliche Kunst, Literatur und Moral; sie sind von Widersprüchen nicht frei, wenigstens hat Verf. diese Widersprüche nicht immer zu lösen gesucht. Doch aber haben wir in der Gesamtheit der an den verschiedensten Orten zerstreuten Urteile, die oft bis ins einzelne gehen und selbst vor technischen Fragen nicht zurückschrecken, eine recht genaue Darstellung der künstlerischen Auffassung des 17. Jahrhunderts. Seiner Zeit, wie in manchen Dingen, auch auf diesem Gebiete vorauseilend, hat Fénelon auf die Kunst des 18. Jahrhunderts einen bedeutenden Einflufs ausgeübt. Er ist dazu einer der ersten gewesen, der von dem Einflusse künstlerischer Bildung auf die gesamte Lebensführung gesprochen hat, der die Kunst in der Erziehung des Kindes, der Kleidung der Frau u. a. eine Rolle spielen lassen will: 'Le beau ne perdroit rien de son prix, quand il seroit commun à tout le genre humain.' Positiv ausgedrückt kehrt dieser Gedanke erst in neuester Zeit, bei Ruskin etwa, wieder.

Wenn Fénelon die Kunst liebte, so vergalt es ihm diese in reichem Mafse. Eine — sicher nicht vollständige — Liste, die die Seiten 51—57 füllt, zeigt, wie viele Künstler, von den berühmtesten bis zu den geringsten, von Coyzevox, Anfang des 18. Jahrhunderts, bis zu Meissonnier, Mitte des 19., sich Vorwürfe aus dem *Télémaque* geholt haben.

Berlin.   Theodor Engwer.

J. Bonnard et Am. Salmon, Grammaire sommaire de l'ancien français, avec un essai sur la prononciation du IXe au XIVe siècle. Paris und Leipzig, H. Welter, 1904. 70 S. gr. 8. Fr. 3,50.

Die Herren J. Bonnard, Professor an der Universität Lausanne, und Am. Salmon, Professor am University College zu Reading, haben aus Godefroys *Dictionnaire de l'ancienne langue française* vor einiger Zeit einen Auszug veröffentlicht. Ihr *Lexique de l'ancien français*,[1] immer noch ein stattlicher Band, soll dem Romanisten, den die Kostspieligkeit des grofsen Werkes von der Anschaffung abschreckt, einen gewissen Ersatz bieten. Es führt ihm nämlich die dort enthaltenen Wörter sämtlich vor, zwar ohne Belege, aber mit einer Übersetzung, erteilt ihm also, soweit Godefroy sie nicht selbst versagen würde, für die Lektüre eine rasche, kurze Auskunft, die er später in einer öffentlichen Bibliothek nachprüfen und ergänzen mag.

Zu dem in seiner Art nützlichen Werke tritt nun eine Grammatik des Altfranzösischen hinzu. Offenbar ist sie für Anfänger bestimmt, doch

---

[1] *Frédéric Godefroy, Lexique de l'ancien français, publié par les soins de MM. J. Bonnard et Am. Salmon.* Paris und Leipzig, H. Welter, 1900.

kann sie auch Fortgeschrittenen zur Wiederholung oder zum Uberblick dienen. Neue Ergebnisse bringt sie selten, beansprucht sie auch nach ihrer Anlage nicht gerade zu bringen, aber ihre Ausführungen sind im allgemeinen zuverlässig, ihre Erklärungen geben etwa die Durchschnittsmeinung in streitigen Fällen. Zum Lobe einer *grammaire sommaire* darf man ferner sagen, dafs sie übersichtlich angeordnet, knapp und einfach gehalten, verständlich geschrieben ist.

In der Absicht der Verfasser hat es leider nicht gelegen, das ganze Buch systematisch mit Literaturangaben auszustatten. Für die Einleitung, die Lautlehre und noch für die Formenlehre des Nomens haben sie ziemlich viele gespendet und plötzlich vom Pronomen ab ohne ersichtlichen Grund damit aufgehört. Ein festes Prinzip ist auch bei der Auswahl schwer zu erkennen, eine gewisse Willkür hat anscheinend gewaltet. Hier und da haben Bonnard und Salmon sich den begreiflichen Wunsch nicht versagt, den Kundigeren mit einem interessanten Nachweis zu erfreuen oder seine Bedenken zu beruhigen; indessen mit der steten Rücksicht auf die Bedürfnisse des Lernenden verträgt sich dergleichen schlecht. Was jener nicht mehr braucht, eine vollständige Aufzählung und Beurteilung der hauptsächlichsten Hilfsmittel, wäre diesem z. B. nützlicher gewesen als die Anführung mancher gelehrten Werke, Abhandlungen und selbst Rezensionen, zu denen er erst später — wenn überhaupt jemals — den Weg findet. Ich sehe nicht, dafs Étienne oder der auch ins Französische übersetzte Schwan-Behrens an irgendeiner Stelle genannt würden. Der erste Abschnitt, *Historique*, handelt von Ausbreitung und Geschichte der Sprache. Hierbei scheint mir die Bereicherung des Wortschatzes durch die germanischen Eroberer einigermafsen unterschätzt, besonders vom altfranzösischen Standpunkt (§ 2 und 10). Auch würde ich die Aufnahme der bekannten Suffixe[1] und der Laute *h* und *w* nicht als *petits cas de phonétique* abtun (§ 2, A. 5). Da das Neufranzösische aufserhalb Europas (§ 4) erwähnt ist, so hätte ich von dem Altfranzösischen im Orient gern ein Wort gehört. Die Erklärung des Unterschiedes zwischen *mots populaires*, *mots d'emprunt* und *mots savants* mag man trotz einer gewissen Subtilität gelten lassen. Für die Konstanz der Lautgesetze ist aber (§ 9) kein glückliches Beispiel gewählt mit betontem *e* in offener Silbe; denn abgesehen von der Beeinflussung durch vorangehendes *c*, erkennt der Leser bei einigem Nachdenken die fatale Verschiedenheit der Schicksale des aus ihm entstandenen *oi*, dessen wichtigste Stufe *oe* hier nicht einmal genannt wird.

Die Lautlehre beginnt mit einem Kapitel *Mécanisme général de la transformation du latin vulgaire*, das ganz den Akzentverhältnissen gewidmet ist. Mit der Fassung von § 18 I a (*Proparoxytons réels*) bin ich nicht einverstanden: ich glaube, dafs auch in *ange, image, orgue* (aus *angele, imagene, orguene*) nicht der Vokal der lateinischen Pänultima erhalten ist, gehe aber auf die viel erörterte Frage hier nicht weiter ein.

Dann folgen, originell gruppiert, allgemeine Bemerkungen über die Entwickelung des Vokalismus. Ich vermisse darunter eine Andeutung des Vorkommens von *ǫ* statt *ǫ* vor Labial; sonst bleiben *coluevre* (§ 16), *juevne* (18) ein Rätsel. Ebenso hätten die wichtigen Fälle, in denen lat. *ē* oder *ĭ* durch Schuld von auslautendem *ī* im Französischen als *i* erscheint, irgendwo besprochen werden müssen, spätestens in der Formenlehre bei *cist, il* oder bei *pris, fesis* etc. Der § 27 über die Kombination von *j* mit Vokalen und Diphthongen ist ohne Beispiele unverständlich. Von *ū > ü* heifst es § 28: *Cette évolution générale est un des caractères qui distinguent*

---

[1] Halb und halb müfste man zu ihnen jetzt auch *-ari* rechnen, wenn es den von A. Thomas, *Nouveaux Essais de philologie française*, Paris 1904, S. 119 ff., behaupteten Einflufs auf die Entwickelung von *-arius* > *-ier* wirklich gehabt hat.

nettement le français, du Midi comme du Nord, des autres langues romanes.
Auch wer die Theorie über die Dialekte von P. Meyer und G. Paris vertritt, die den Höhepunkt der Anerkennung schon überschritten hat, sollte
das Provenzalische nicht als *français du Midi* bezeichnen. Die anderen
Fundorte für *ü* auf romanischem Boden sind in Anm. 4 nicht vollständig
aufgezählt: merkwürdigerweise fehlen gerade die in Betracht kommenden
oberitalienischen Mundarten. Die Enklisis ist ziemlich gut dargestellt;
nur ersinne ich vergebens einen Fall, wo nach § 36, 2 das Pronomen *le*
sich mit *de, a* zu *del, al* verbinden könnte. Nach den vorangegangenen
Auseinandersetzungen durften die einzelnen Erscheinungen des Vokalismus kurz behandelt werden; immerhin war es ein Kunststück, sie auf
1¼ Seite zusammenzudrängen, und dabei haben sich *point, fontaine* u. a.
unter *ǫ libre* verirrt (§ 44).

Beim Konsonantismus treten die gröfseren Gesichtspunkte hinter der
Zusammenstellung der Tatsachen zurück. Die Auffassung, dass heute in
ès, hélas, ours etc. hörbare *s* habe sich aus alter Zeit erhalten, teile ich durchaus nicht (§ 62). Das Zusammentreffen von mouilliertem *l* und auslautendem *s* wird unter L in § 67 geschildert: *devant l's de flexion l' se
vocalise:* **veclos (class. vetulos) > viels, vieus.* Das ergibt ein falsches Bild; denn die Reihe ist bekanntlich **veclos > viel's > vielz >
rieux > rieus*, und *vielz* läfst sich ebensowenig verleugnen wie *travalz,
genolx* § 124.

Den Beschlufs der Lautlehre machen einige Paragraphen über Stö-
rungen der Entwickelung. Das *f* von *soif* erklären auch die Verfasser
durch die an den Haaren herbeigezogene Analogie von *boif* in der Redensart *boif si* [besser *se*] *tu as soif* (§ 73). Über die mancherlei Wörter, wo *f*
sporadisch für altes *d* im Auslaut eintrat (noch nfrz. *bief, fief*), haben sie
sich leider nicht ausgesprochen (vgl. Nyrops Erklärung, *Grammaire historique de la langue française* I² § 395, 1 A.).

In der Formenlehre verdient die Deklination besonderes Lob. Doch
würde ich den § 93, 2 und 96 eine etwas andere Fassung wünschen:
irgendwie wird man den Anfänger auf die Angleichung des Nom. Sing.
an den Obl. aufmerksam machen bei *bues, monz, leons* u. a., wie es bei
den Partizipien auf *-anz* in § 136 geschehen ist. Bei *énfes, ábes* § 106
hätte ich die Betonung angegeben. § 121 steht *soris, empereris* statt *sorix,
empererix* und § 122 *jors* statt *jorx* (vgl. § 62). Die Bezeichnung des
Nom. Sing. Fem. *granz, forz* als etymologische Form (§ 134) entspricht
nicht den Ausführungen von § 117 über *fins, reisons*. Wenn bei den Pronomina neben den gewöhnlichen Formen auch weniger übliche, örtlich
und zeitlich in ihrer Anwendung beschränkte, genannt werden, so erwartet
man meistens eine orientierende Bemerkung. Sie fehlt z. B. in bezug auf
das Verhalten von *mi* zu *mei moi* (§ 156), von *lei, lié* zu *li* (157), von
miue zu *meie moie* (161), von *no* zu *nostre* (162). Dafs *meon* (§ 161), *meos*
(162) in den Eiden und nur in den Eiden sich finden, weifs auch nicht
jeder von Haus aus.

Von der Konjugation handelt zunächst ein allgemeiner Abschnitt,
und darauf folgt eine Tabelle der sogenannten *verbes de la conjugaison
morte.* Ich habe gegen jenen wenig einzuwenden; denn 3. Sg. Präs. Ind.
fenit statt *fenist* (§ 187) halte ich nur für einen Druckfehler, obschon für
einen störenden. *auret* der Eulalia *avret* zu schreiben, sehe ich keine Veranlassung (§ 175). *je voi* und ähnliche Formen begegnen in der Dichtung
nicht blofs bis zum 18. Jahrhundert (§ 188, A. 4). Der § 232 ist gar zu
kategorisch: *caballicet* gibt allerdings *chevalchent chevauchent* wie *cabal-
licant*, aber *caballicet* ist als *chevalxt* erhalten, während *caballicat* zu *che-
valchet chevauche* wurde. Überhaupt hätten die merkwürdigen Formen
der 3. und der 2. Sg. Präs. Konj. mancher Verben der I. Konjugation
mehr Beachtung verdient. Endlich hätte ich unter den *verbes irréguliers*

de la première conjugaison auch *doner, trover* etc. ein bescheidenes Plätzchen neben *aler, ester* gegönnt (§ 267).

Die lange Tabelle (§ 268) betrachte ich dagegen mit gemischten Gefühlen. Ihre Grundsätze für die Auswahl der Formen teilen B. und S. selbst S. 41 A. 5 mit: *Nous en donnons les formes complètes, telles qu'elles se présentent dans les textes, antérieurs au XVI· siècle, recueillis dans le Dictionnaire de l'ancienne langue française de Godefroy, ou dans les deux recueils de Bartsch: Chrestomathie de l'ancien français et La langue et la littérature françaises depuis le IXᵉ siècle jusqu'au XIVᵉ siècle.* Es ergiefst sich infolgedessen eine Fülle des Segens über den Leser, ohne dafs natürlich eine absolute Vollständigkeit gewährleistet oder erstrebt würde. Der Fortgeschrittene wird zwar hierdurch in die Lage gesetzt, die Menge der Erscheinungen einigermafsen zu überblicken, vielleicht auch ihm unbekannte Formen rasch unterzubringen. Den Anfänger aber mufs die grofse Mannigfaltigkeit und scheinbare Regellosigkeit verwirren: 17 verschiedene Formen oder Schreibweisen allein von dem Part. Pass. von *conoistre*, ohne ein Wort der Erklärung aneinandergereiht, schrecken den Eifrigsten ab. Und doch könnte die mühsame Zusammenstellung in Verbindung mit dem allgemeinen Abschnitt leichter benutzbar werden und bessere Dienste leisten, wenn das Wichtige, und zwar alles Wichtige, gegenüber dem Nebensächlichen durch Sperrdruck hervorgehoben und in der Anordnung ein klar erkennbares Prinzip durchgeführt wäre. Man vergleiche nun aber das Präs. Ind. von *croire*: *1ʳᵉ s. crei, creid, croi, croy, crois, cro; 2ᵉ s. crois, croix; 3ᵉ s. creit, croit; 1ʳᵉ pl. creons; 2ᵉ pl. crees; 3ᵉ pl. creient, croient, craient.* Wer soll sich danach ein Bild von den Tatsachen und von ihrem Zusammenhange machen?

Während ich also diese Tabelle im Rahmen einer *grammaire sommaire* nicht loben kann, freue ich mich um so mehr, dafs die Verfasser auch eine Syntax aufgenommen haben, die mit reichlichen, selbstgewählten Beispielen über die wichtigsten Abweichungen von der Syntax des Neufranzösischen unterrichtet.

Der letzte Abschnitt, *Prononciation* betitelt, ist eigenartig und anregend. Er beginnt mit einer Übersicht über das Lautsystem des 9. bis 10. Jahrhunderts. Natürlich enthält diese manche problematische Aufstellungen: dafs damals *uou* in *fuou, iẹu* in *jieu, lieu* vorhanden war, wird sich kaum beweisen lassen, solange uns die Denkmäler nur im Versinnern die Vertreter von *focum* und *locum* zeigen (§ 340 und 341). Die Geschichte der einzelnen Laute bis zum Ende der altfranzösischen Epoche wird dann ausführlich vorgetragen.

Den längsten Paragraphen widmen B. und S. der Demonstration des Satzes: *L'ū conserve la valeur latine ou jusque vers la fin du XIᵉ siècle, à la tonique comme à l'atone* (328). Gegen diese Annahme hat inzwischen schon Suchier in der zweiten Auflage vom I. Band des *Grundrisses* (S. 729) gewichtige Bedenken geäufsert: er ist sogar überzeugt, dafs der Übergang von *ū* in *ü* nicht später eingetreten ist als im 4. Jahrhundert n. Chr. Wie immer auch die Frage beantwortet werden mag, so ist von den (sonst beachtenswerten) Gründen der Verfasser einer nach meinem Dafürhalten hinfällig. *Les mots empruntés par l'ancien haut allemand au gallo-roman pendant les IXᵉ—Xᵉ siècles ont un ū: mulhtra (lat. mulctra), mūl (lat. mulum). Au contraire les mots empruntés par l'allemand dans le XIIᵉ siècle, ont ü: mütze < almuce, aumusse.* Sie berücksichtigen dabei nicht, dafs das Althochdeutsche selbst ein langes *ü* — gewöhnlich *iu* geschrieben — frühestens seit dem 10. Jahrhundert kennt (s. Braune, *Ahd. Grammatik*, 2. Aufl., Halle 1891, § 42 und 49). Bis dahin konnte es französisches *ü* nicht anders wiedergeben als durch *ū*, wie z. B. die Italiener heute noch tun.

Die Qualität von *ei* ist in dem Lautschema (§ 318) nicht bezeichnet.
La diphtongue èi (beirre, veine, feire, etc.), liest man § 331, *a à peu
près le son de ey' dans veille dès le XIe siècle; elle passe à òi du XIIe au
XIIIe siècle, excepté devant une nasale ou une l mouillée: plein, conseil.*
Zunächst gehören *veine* und *plein* gar nicht hierher, da sie den nasalen
Diphthongen *ẽi* aufweisen, also nach § 345 zu beurteilen sind. Sodann
ist es höchst bedenklich, für das 11. Jahrhundert die Aussprache *ẹi* in
beivre, feire (feria) usw. anzusetzen, also von der bewährten Annahme
eines *ẹi* abzugehen. Wir würden nämlich zu dem völlig unwahrscheinlichen Schluſs kommen, daſs im Roland zwei *ẹi* vorlägen, die nicht miteinander assonieren und auch nachher nicht zusammenfallen (auſser im
Normannischen und in den südwestlichen Dialekten): jenes angebliche *ẹi*
aus betontem *ẹ* in offener Silbe oder mit angezogenem *i* — später *oi* —
und das tatsächlich nachweisbare *ẹi* aus *ai* — später *ę* —. Auch in bezug
auf *eu* billige ich die ähnlichen Ausführungen der Verfasser nicht (§ 334),
die nur *ẹu* in der ganzen Zeit des Altfranzösischen kennen.
Breslau.   Alfred Pillet.

Walter Bökemann, Französischer Euphemismus. Berlin 1904. VIII, 174 S.

Das Gebiet des Euphemismus, der gemilderten oder verhüllten Redeweise, scheint noch wenig durchforscht zu sein. Der Verfasser der vorliegenden, sehr fleiſsigen und gründlichen Arbeit, einer erweiterten Berliner Dissertation, hat zwar mannigfaltige Definitionen des Euphemismus
vorgefunden, die er zu prüfen und zu berichtigen nicht unterläſst; aber
nirgends bezieht er sich auf eine umfassendere Vorarbeit, abgesehen von
der einer besonderen Gattung von Euphemismen gewidmeten Sammlung,
die unter dem Titel 'Verblümter Ausdruck und Wortspiel in altfranzösischer Rede' als Anhang zur zweiten Reihe der *Vermischten Beiträge zur
französischen Grammatik* von A. Tobler gegeben ist, sowie der daselbst
S. 192 zitierten Sammlungen von van Hamel und Nyrop, die ebenfalls
nur spezielle Arten des Euphemismus in Betracht ziehen.

Der groſsen Schwierigkeit, die die reinliche Abgrenzung des Gebietes
des Euphemismus von verwandten Spracherscheinungen bietet, ist sich
der Verfasser wohl bewuſst gewesen. An mehr als einer Stelle drückt er
seinen Zweifel darüber aus, ob gewisse Ausdrucksweisen noch irgendwie als
Euphemismus bezeichnet werden können, sei es hinsichtlich des Zustande-
kommens derselben oder der erzielten Wirkung. Wir wollen darauf, die Erwägungen Bökemanns ergänzend und weiterführend, etwas näher eingehen.

Der Begriff des Euphemismus setzt den einer normalen, direkten,
unverhüllten Ausdrucksweise voraus. Aber von normalem Ausdruck zu
deutlichem Euphemismus gibt es feine Übergänge. Jedes Wort hat neben
seinem logischen Wert einen eigentümlichen Gefühlswert, durch den es
euphemistischer Wirkung angenähert oder abgerückt wird. Sind nicht schon
salon, concierge, magazin, bonne, gouvernante in ihrer gegenwärtigen Bedeutung Euphemismen — Bökemann zieht sie nicht in Betracht, trotzdem
er dem Begriff des Euphemismus die äuſserste Dehnbarkeit gibt —, die
über die Eigenschaften des Winzigen, Unscheinbaren, Miſsachteten bei
den bezeichneten Personen und Sachen hinwegtäuschen sollen? Ist anderseits im Deutschen die Bezeichnung 'Kammerjäger' für einen berufs-
mäſsigen Vertilger lästiger Lebewesen noch als Euphemismus anzusehen,
wenn sie amtlich und von den diesen Beruf Ausübenden selber angewendet
wird? Ist die Benennung eines Lumpensammlers als 'Naturforscher', eines
ständigen Zuhörers bei strafgerichtlichen Verhandlungen als 'Kriminal-
student' Euphemismus oder nur humorvolles Spiel mit Wörtern und Begriffen? Es wird für die Entscheidung in solchen Fällen, wie es auch

Bökemann aus Anlafs ähnlicher Fälle ausspricht, oft auf die individuelle Empfindung oder die Auffassung seitens einer Sprachgemeinschaft ankommen. Wo sich für einen den Euphemismus begünstigenden Begriff wie z. B. 'sterben' sehr viele Verhüllungen und Umschreibungen finden, wird man nach dem Grade der erreichten Milderung oder Verhüllung eine Art Skala aufstellen können, zwischen deren Gliedern eine relative Euphemie stattfindet. 'Entschlafen' und 'verscheiden' sind beides Euphemismen; ersteres für unser Gefühl der stärkere; 'zur ewigen Freude eingehen' ist noch stärker. Wie steht es aber nun mit dem hierneben so ganz anders wirkenden 'ins Gras beifsen', französisch *'mordre la poussière'*? Ist dies auch, wie Bökemann will, ein Euphemismus? Oder müfste man hier nicht wenigstens hinsichtlich des Gefühlswertes von etwas Entgegengesetztem, von Dysphemie, reden? Der Phantasie läfst diese Redensart, da Menschen nie anders als in Todesqual das Bezeichnete tun, keinen Spielraum, keine Wahl; vielmehr veranschaulicht sie durch eine Art pars pro toto das Sterben in abschreckender Weise. Immerhin wird auch hier die Absicht der Verhüllung, wenigstens ursprünglich, bestanden haben, wenn diese Verhüllung auch nicht mildernd zu wirken vermag. Noch eine andere Beispielgruppe möge zeigen, wie sich verhüllte Ausdrucksweise nach zwei entgegengesetzten Richtungen von der Wirkung direkter Sprechweise zu entfernen vermag. 'Sie kommt gewifs, die Stunde, die uns nach der Zypresse ruft' ist Verhüllung mit erzielter Milderung. Moltkes am 14. Juli 1870 gesprochene Worte: 'Wenn ich unser Heer in diesem Kriege führen kann, so mag der Teufel dieses Gerippe holen' sind trotz der verhüllenden Form für den Gedanken des Sterbens von einer Wirkung, die der der Euphemismen wenigstens nach einer Seite hin entgegengesetzt ist. Man würde freilich in dieser Redeweise auch eine aus bescheidener Gesinnung fliefsende Selbstherabsetzung sehen können, aus der eine, von Bökemann nicht übersehene, Gruppe von Euphemismen herstammt.

Dafs die Unterbrechung einer begonnenen Rede, die Aposiopesis, in vielen Fällen euphemistisch gedacht ist und auch so wirkt, ist nicht zu bestreiten; vielleicht aber, ob das immer der Fall ist. Bökemann setzt seinen Beispielen das klassische *quos ego!* voran. Es fragt sich, ob hier und in manchen anderen Fällen das Verschweigen der Ungehorsamen zugedachten Strafe, da es alle, auch die schlimmsten Möglichkeiten offen läfst, nicht eine Wirkung hervorbringt, die der Bezeichnung dieses Mittels als Euphemismus widerstrebt; wenn auch zugegeben werden mufs, dafs, wie Bökemann es ausdrückt, 'den Redenden nicht die Schuld trifft, wenn in der Vorstellung des anderen ein unerwünschtes Bild erwächst'. — Ähnlich ist es mit dem Ausdruck des Gedankens durch eine Gebärde, ein Verfahren, das Bökemann auch als Euphemismus hinstellt. Ein Berühren der Stirn kann viel stärker und verletzender wirken als ein noch so barsches 'du bist verrückt'. Der die Geste statt der Rede Wählende hat aber den leidigen Trost, eine Dysphemie vermieden zu haben.

Wo, wie in diesen beiden Fällen, die Absicht des Redenden erkennbar ist, sich selbst durch die Form der Gedankenäufserung in Vorteil zu setzen, sich vor möglicher Anschuldigung zu bewahren, da wird man immerhin noch von Euphemismus reden dürfen. An die äufserste Grenze dieses Gebietes wird man diejenigen hierhergezogenen Redeweisen setzen müssen, die übertreiben, ohne zu mildern. So, wenn für 'schielen' gesagt wird: *avoir un œil à Paris, l'autre à Pontoise.* Doch auch hier kann man noch insofern von Euphemie reden, als das Gefühl, das durch direkte Benennung des Häfslichen verletzt werden könnte, dadurch geschont wird, dafs die Phantasie des Hörers in ablenkender, wenn auch grotesker Weise, in Bewegung gesetzt wird, und die Vorstellung der gemeinten Sache erst auf Umwegen, durch einen Akt der Intelligenz, gewonnen wird.

Die vorstehenden Erwägungen deuten nach verschiedenen Richtungen hin die Schwierigkeiten an, welche einer Sammlung und Gruppierung der Euphemismen einer Sprache anhaften, Schwierigkeiten, die in der vorliegenden Arbeit durch eine sehr geschickte Gliederung des Stoffes gröfstenteils überwunden sind. Wir geben nunmehr, unter gelegentlichen Ergänzungen, einen Überblick über die Quellen, den Plan und den Inhalt des Buches, dessen Nutzen durch ein genaues Register noch hätte erhöht werden können.

Erstaunlich grofs ist die Zahl und die Mannigfaltigkeit der Euphemismen, die der Verfasser aus der französischen Sprache von Rabelais ab vorführt. Als Quellen haben ihm, aufser Wörterbüchern, namentlich Rabelais, Molière und 26 moderne Romane gedient. Einige Ausbeute hätte auch Grüners *Dictionnaire de la causerie française*, sowie der Anhang zu Boissières *Dictionnaire analogique* geliefert, das von Sachs nicht benutzt worden ist. Es liegt in der Natur der Sache, dafs ein grofser Teil der gesammelten Euphemismen sich auf unerfreuliche oder, euphemistisch gesprochen, natürliche Dinge und Vorgänge bezieht. Die Einleitung, welche versucht, die Entwickelung des französischen Euphemismus in Beziehung zu setzen zu der Kultur- und Geistesgeschichte, namentlich im 17. Jahrhundert, ist der am wenigsten gelungene Teil des Buches. Der Verfasser zeigt sich hier völlig aufserstande, seinen Gedanken einen verständlichen Ausdruck zu geben: die acht Seiten der Einleitung sind für den Leser eine Tortur. Weniger mifslungen ist die kurze Auseinandersetzung über das Wesen des Euphemismus, obgleich auch hier der Verfasser nicht imstande ist, den deutlichen Ausdruck dafür zu finden, dafs er zum Einteilungsgrund für seine Sammlung von Euphemismen das verschiedene Verfahren wählt, durch welches der Redende die euphemistische Wirkung erzielt.

In Kap. I hören wir von der Änderung der Lautgestalt solcher Wörter, die man, namentlich aus religiöser Scheu, zu vermeiden wünscht. Dahin gehören die zahllosen, von Bökemann sehr sorgfältig untersuchten und gruppierten Entstellungen von *Dieu, sacrement, Notre-Dame, diable* und Verwandtes. Es folgen Änderungen anstöfsiger Wörter in Rede und Schrift. Zu der Umschreibung *'les cinq lettres'*, wobei an das englische *'man of three letters'* erinnert wird, wäre noch zu stellen das französische *'sot en trois lettres'* (doch jedenfalls zur Unterscheidung von den gleichklingenden *sceau* und *seau*); auch das Deutsche hat Euphemismen dieser Art. Kap. II handelt von Beschränkung und Unterbrechung oder Abschwächung des Ausdrucks. Dies geschieht erstens durch Aposiopesis, wozu der Verfasser auch den Ersatz der Rede durch eine Geste stellt (das Beispiel S. 13 aus P. Mérimée stammt übrigens nicht aus *Colomba*, sondern aus *La prise de la redoute*); zweitens durch Verneinung oder etwas Besserem, Harmloserem als das, was man im Sinne hat. Beispiele: 1) *Buvez, ou je vous ...*; 2) *Qu'allez-vous devenir tous les deux, quand je ne serai plus là?* Kap. III ist dem Anagramm und Wortspiel gewidmet. Ersteres kann freilich nur sehr uneigentlich als Euphemismus bezeichnet werden. Dagegen liefert das Wortspiel und die verblümte Rede, für deren Behandlung Bökemann Toblers obenerwähnte Arbeit für das Altfranzösische benutzen konnte, ein bedeutendes Kontingent an Euphemismen. Dem Ausdruck *Saint-Jean le Rond* (S. 54) liegen zwei ganz verschiedene Anschauungen zugrunde: die Wendung *être de la paroisse de St-Jean-le-Rond* = 'betrunken sein' hat schwerlich etwas mit der Verwendung von *St-Jean-le-Rond* = *cul* zu tun; sie beruht vielmehr auf dem Euphemismus *rond* = 'betrunken', den Bökemann nicht erwähnt (cf. Coppée, *Le Naufragé: le capitaine était toujours rond comme un œuf*). In Kap. IV, Euphemistische Ausdrucksart durch einen Begriff von weiterem Umfange, kommt die gebräuchlichste Art des französischen Euphemismus zur Darstellung. Der Verfasser gliedert das Material in Bezeichnungen von Personen und solche von Sachen. Eine Person, deren Nennung man zu vermeiden wünscht, wird oft durch *on* bezeichnet. Zu solchem *on* läfst sich ein Prädikativum nicht nur im Femininum setzen, was Bökemann aus Molière belegt, sondern auch im Plural. So V. Hugo, *Souvenir de la nuit du 4*, v. 22: *On est donc des brigands?* — Die euphemistische Anwendung von *il* geht noch weiter, als es in den von Bökemann gesammelten Stellen geschieht (wo es sich überall um bekannte Personen handelt), in folgender Stelle aus R. Tœpffer, *La Peur*: *J'étais sous la voûte du ciel, qui seule, durant la nuit, n'inspire point de frayeur. J'avais autour de moi de l'espace et quelque clarté. S'il vient, pensais-je, je le verrai venir. — S'il vient! Attendiez-vous quelqu'un? — Sans aucun doute. — Et qui? — Celui qu'on attend quand on a peur. Et vous, n'eûtes-vous jamais peur? Le soir, autour de l'église, à l'écho de vos pas: la nuit, au plancher qui craque; en vous couchant, lorsqu'un genou sur le lit vous n'osiez retirer l'autre pied, crainte que, de dessous une main. ... Prenez la lumière, regardez bien: rien, personne. Posez la lumière, ne regardez plus: il y est de nouveau. C'est de celui-là que je parle.* — Zu den Fällen, wo Bökemann den Gebrauch von *il* und *lui* zwecks Vermeidung des Namens Napoléon belegt, ist noch zu stellen das Gedicht V. Hugos in den *Orientales*, das unter der Überschrift '*Lui*' den Genannten in vielen Strophen verherrlicht, ohne seinen Namen jemals auszusprechen. — Der Verfasser bespricht dann *l'autre, quelqu'un, certain, homme, monsieur, fille, femme, celui qui* (das, wie es scheint, sich nicht mit unvollständigem Relativsatz findet, wie etwa deutsches 'das ist derjenige, welcher!'). Es folgt die verhüllende Anwendung von *en* und *y*, von *le, ça, chose, quelque chose*, allein und mit andeutenden Zusätzen, *autre chose, part, ce que vous savez* und ähnliches, bei dem das zu Verhüllende sehr verschiedener Art sein kann. Aus Gründen der Übersichtlichkeit stellt Bökemann von hier ab den Begriff desjenigen voran, was gemildert werden soll, und führt dann die verschiedenen Euphemismen für jeden solchen Begriff auf. — Kap. V handelt von euphemistischer Ausdrucksart vermöge eines Vergleiches durch einen Begriff, der einem ganz anderen Gedankenkreise als das zu Bezeichnende angehört. Auch das reiche Material dieses Kapitels ordnet der Verfasser nach den Dingen an, die gemildert oder verhüllt werden sollen: eheliche Untreue, natürliche Funktionen, sittliche Verirrungen, Krankheiten, unsittliche Berufe, geistige und körperliche Mängel, Obdachlosigkeit u. s. f. Erstaunlich reich ist das Französische an Euphemismen für Sterben (ich vermisse: *tourner l'œil*, z. B. A. de Vigny, *Servitude* p. 55: *lorsque je viendrais à tourner l'œil, comme on dit poliment*), verhältnismäfsig arm an solchen für Trinken und Betrunkensein. Für die euphemistische Verwendung von Sprichwörtern, die eine so grofse Rolle im Niederdeutschen spielt, führt Bökemann nur wenige Beispiele auf. Mit Recht bildet er eine besondere Gruppe aus den Benennungen, welche in humoristischer Weise trivialen Dingen volltönende, prahlerische Namen geben. Dahin würde auch *meurtrir l'omoplate à quelqu'un* zu stellen sein, wo der Euphemismus durch Anwendung eines gelehrt klingenden Wortes zustande kommt. Interessant wäre eine Zusammenstellung der Euphemismen nach den Lebensgebieten, denen sie entnommen sind. Wie bezeichnend für den redelustigen Franzosen ist doch der Ausdruck *avoir une discussion avec le pavé* für 'hinfallen'. — Kap. VI behandelt unter dem Titel 'Indirekter Euphemismus' solche Ausdrucksweisen, bei denen der Hörer erst durch Nachdenken, durch geistiges Nacharbeiten das Gemeinte erkennen kann. Es ist schwer zu begreifen, weshalb der Ausdruck *lame de Saint-Crépin* für 'Schusterahle' in das V. Kapitel, dagegen *combats de Vénus* in das VI. gehören soll. Uns scheint auch in sehr vielen der in früheren Kapiteln aufgezählten Euphemismen das Gemeinte nur durch mehr oder weniger

intensive Reflexion erfafst werden zu können. Die erste Unterabteilung
von Kap. VI bringt 'Euphemismen mittels Anlehnung an Eigennamen
aus antiker Mythologie, alter Sage und Geschichte, antiker Dichtung, aus
der Geographie (z. B. *candidat pour Charenton*). Wir vermissen hier den
bekannten Euphemismus: *le quart d'heure de Rabelais* zur Bezeichnung
einer unangenehmen Situation, durch die man hindurchmufs; ferner die
Agnès aus Molière für ein beschränktes Mädchen. — Kap. VII ist den
verschiedenen Arten der 'Umnennung' im engeren Sinne gewidmet. Vorangestellt ist die Benennung durch das Gegenteil (z. B. lat. Pontus Euxinus).
Bökemann sagt hier S. 159: *sacré* vor dem Substantiv bedeute 'verdammt,
verflucht'. Dies trifft für das 17. Jahrhundert noch nicht zu, sonst hätte
Corneille nicht den Don Diego zu Don Gormas sagen lassen: *Joignons
d'un s a c r é nœud ma maison à la vôtre.* — Eine zweite Art der Umnennung ist die mittels geräuschnachahmender und Refrain-Silben, sowie
der Silbeneinschiebung in der Gaunersprache. Drittens werden unheim-
lichen Wesen ziemlich willkürliche Eigennamen gegeben (vgl. Freund Hein,
trz. *le vieux Guillaume*; der Henker heifst *Maître Jean-Guillaume*). Eine
vierte Gruppe bildet Bökemann aus den Höflichkeitseuphemismen (*Dieu
vous assiste* = ich kann nichts geben). Hierher stellt er auch die Milderung eines gebrauchten Wortes durch abschwächende Zusätze wie *révé-
rence parler, s'il vous plaît*. An dieser Stelle hätte auch der Euphemismus Platz finden können, der in der Verwendung aller der Redensarten
liegt, mit denen jemand seine Rede als lediglich subjektive Meinung hinstellt (*à mon avis, pour ainsi dire*), wie sie Goethe einmal für das Deutsche
zusammengestellt hat (Ausg. von Gödeke VI, 411). — Besonders mannigfaltig und interessant sind die Umnennungen vom Standpunkt der Auffassung des Sprechenden. Bökemann führt unter seinen Beispielen mit
Recht die berühmte Stelle aus Lukrez an, die Molière seinem *Misanthrope*
(II, 1) einverleibt hat. Er erwähnt aber nicht, dafs ganze Gedichte ihren
Schwerpunkt in solchen Umnennungen haben können. So, um deutsche
Dichtungen dieser Art unerwähnt zu lassen, das Gedicht *L'aimable voleur*
von G. Nadaud, wo der Räuber einem Reisenden seine Uhr mit den Worten
abnimmt: *Si, par hasard, au coin d'un bois, Il me tombait entre les doigts,
Un chronomètre de rencontre . . .,* freilich aber diesem Euphemismus Nachdruck gibt durch den Zusatz: *D'ailleurs, j'ai là deux pistolets!*
    Der Gegenstand, dem Bökemanns Arbeit gewidmet ist, ist seiner Natur
nach unerschöpflich. Wir tragen zum Schlufs noch, wie es der Verfasser
auch getan hat, einige uns kürzlich aufgestofsene Euphemismen, die wir
uns nicht erinnern können bei Bökemann gefunden zu haben, in bunter
Reihenfolge nach. Sehr beleibte Personen heifsen *les martyrs de la graisse*;
eine gewisse Art von Ausflügen: *partir en partie fine*; tüchtig beim Essen
zulangen: *être une bonne cuiller*. Don Rodrigue in dem *Cid* von Corneille
kleidet seine Herausforderung an den Grafen Gormaz in die euphemistische
Wendung: *A quatre pas d'ici je te le fais savoir.* 'Flatterhaft sein' wird
ausgedrückt durch *voler le papillon.*
    Kiel.   F. Kalepky.

**Max Walter, Der Gebrauch der Fremdsprache bei der Lektüre
in den Oberklassen.** Vortrag, gehalten auf dem XI. Deutschen Neuphilologentage zu Köln a. Rh. am 27. Mai 1904. Mit Ergänzungen
und Anmerkungen. Marburg, Elwert, 1905. M. 0,70.

    Der auf dem XI. Neuphilologentage zu Köln am 27. Mai 1904 gehaltene
und mit grofsem Beifall aufgenommene Vortrag des Herrn Direktor Walter
liegt nun, mit einigen Ergänzungen versehen, gedruckt vor. Viel war bereits in den letzten Jahrzehnten über die Anwendung der Reformmethode
im fremdsprachlichen Unterricht in den unteren und mittleren Klassen der

höheren Schulen gesprochen und geschrieben, und zahlreiche Erfahrungen
waren auf diesem Gebiete schon gesammelt worden, so dafs man von einer
bestimmten, auf ziemlich allgemein anerkannten Grundsätzen gegründeten
Unterrichtsmethode sprechen konnte, in die sich jeder Lehrer ohne allzu
grofse Schwierigkeiten einzuarbeiten imstande war. Spärlicher waren dagegen die Erfahrungen mit der neuen Methode in den oberen Klassen,
weiter gingen hier die Meinungen auseinander, es fehlte noch eine feste
Richtschnur, und es schien die Gefahr zu drohen, dafs das auf der Unter-
und Mittelstufe mühsam Erarbeitete und Errungene auf der Oberstufe
der alten Methode geopfert werden müfste und so gänzlich verlorengehen
könnte. Ein Licht in dieses Dunkel warf dann endlich Klinghardts Buch
und ferner Walters Schrift *Über den englischen Unterricht nach dem Frankfurter Lehrplan* (Marburg, Elwert, 1900), welche durch die vorliegende Broschüre eine wertvolle Ergänzung findet.

Der Verfasser stellt die beiden Fragen: 1) Wie hat der Lehrer den
Text in der Klasse zu behandeln? und 2) Wie bereiten die Schüler den
Text zu Hause vor? Die Beantwortung beider Fragen zeigt wesentliche
und durchgreifende Unterschiede von der bisher allgemein üblichen Behandlung der Lektüre in den oberen Klassen.

Für die Verarbeitung des Textes in der Klasse stellt Walter sehr hohe
Anforderungen an den Lehrer, denn dieser soll einen gröfseren Abschnitt
entweder frei aus dem Gedächtnis vortragen, was Walter für das Idealste
hält. oder wenigstens doch, wenn ihm das nicht möglich ist, das Lesestück den Schülern kunstvoll vorlesen. Ist der Text schwierig, so ist es
geboten, denselben Satz für Satz an die Tafel schreiben zu lassen, also
im Klassendiktat vorzunehmen. Die Schüler stellen dann fest, was ihnen
unbekannt ist, worauf der Lehrer ihnen die neuen Ausdrücke möglichst
in der fremden Sprache erklärt und durch Verarbeitung im Satzzusammen-
hang befestigt. Mit Recht legt Walter grofsen Wert darauf, dafs jedes
neue Wort dem Schüler immer in der Verknüpfung mit schon Bekanntem
geboten werde. Ist so die Aufgabe, welche an den Lehrer gestellt wird,
nicht gering, so ist sie nicht minder schwierig für den Schüler, welcher
nun, bei einem leichteren Text, diesen sofort wiedererzählen und an die
Tafel schreiben soll, denn mündliche und schriftliche Darstellung müssen
stets Hand in Hand gehen. Der Schüler soll befähigt sein, das, was er
sprechen kann, auch sofort niederzuschreiben, er soll also nichts schreiben, was er nicht sprechen kann. Die mündliche Wiedergabe durch die
Schüler geschieht in der Art, dafs einzelne Schüler das Gehörte frei vor
der Klasse vortragen, damit sie sich an freies Sprechen gewöhnen. Die
anderen Schüler machen sich Notizen über die Verstöfse des Vortragenden
gegen Aussprache, Grammatik, Ausdruck und Inhalt und geben am Schlufs
des Vortrages eine Kritik. 'Man mufs die Schüler zum Sprechen ermutigen,
auf die Gefahr hin, dafs sie Fehler machen; besser falsch sprechen, als
überhaupt nicht sprechen.' Darauf wird nach den eben angegebenen Gesichtspunkten das Schriftbild an der Tafel von der Klasse verbessert,
womit Übungen im Ersatz des Ausdrucks durch gleichbedeutende Ausdrücke verbunden sind, damit der Schüler sich immer freier und selbständiger in der fremden Sprache bewegen lernt. Auch Sprachgeschicht-
liches und Etymologisches wird festgestellt, Ableitungen werden gebildet,
das Grundwort wird gesucht, und rein grammatische Untersuchungen
und Vergleiche mit anderen Sprachen werden angestellt. Für dieses Verfahren ist es notwendig, dafs in der Klasse mehrere Tafeln vorhanden
sind, damit mehrere Schüler zu gleicher Zeit an der Tafel beschäftigt
werden können. Der Lehrer ist verpflichtet, in jeder Stunde und
möglichst viel schreiben zu lassen, damit diese Übung nicht vernachlässigt wird. Walter bemerkt ausdrücklich, dafs diese verschiedenen
Übungen nicht alle in derselben Stunde vorgenommen werden sollen,

sondern daſs der Lehrer beliebig, je nach den Umständen, abwechsle,
denn der Verfasser erblickt gerade darin einen groſsen Vorzug der neuen
Methode, daſs der Lehrer mit möglichst groſser Bewegungsfreiheit einmal
die eine, ein andermal eine andere Übung vornehmen kann, so daſs das
langweilige Unterrichten nach einer einzigen bestimmten Schablone ver-
hindert wird. So weit die Durchnahme des Textes in fremder Sprache
in der Klasse.

In ihrer h ä u s l i c h e n Vorbereitung benutzen die Schüler in Frankfurt
e i n sprachige Wörterbücher, und zwar für das Französische den kleinen
L a r o u s s e und für das Englische A n n a n d a l e, *The Concise English Dictio-
nary* (London, Blackie and Son). [Auſser diesen empfiehlt Walter auch noch
Petit Larive et Fleury (Paris, Delagrave) und G a z i e r (Paris, Colin) für das
Französische, sowie C h a m b e r s ' *Twentieth Century Dictionary of the English
Language* (London, Chambers) für das Englische.] Ist die Erklärung eines
Wortes in der fremden Sprache zu umständlich, so können die Schüler
auch das d e u t s c h e Wort in ihr Präparationsheft eintragen; sonst aber
müssen sie die fremdsprachliche Erklärung einschreiben und auch stets
die neuen Ausdrücke i m S a t z z u s a m m e n h a n g angeben können. Sind
die Schüler imstande, die fremdsprachliche Worterklärung ohne Niederschrift zu behalten, so kann man ihnen die Arbeit des Aufschreibens ersparen, und der Lehrer erspart sich dann die Mühe, die Vokabelhefte der
Schüler immer wieder durchsehen zu müssen. Mit besonderem Fleiſs
haben die Schüler den neuen Text zu l e s e n, um ihn, vor der Klasse
stehend, ihren Mitschülern gut und sinngemäſs vorlesen zu können; diese
notieren sich die Fehler, welche ihr Kamerad bei dem Lesen macht, worauf
dann die Kritik folgt. Besonders ist den Schülern einzuschärfen, daſs sie
bei der häuslichen Vorbereitung immer den Text l a u t lesen. Sie haben
sich aber ferner auch den Inhalt des neuen Stückes so einzuprägen, daſs
sie imstande sind, in der Klasse auf Fragen des Lehrers oder der Mit-
schüler zu antworten oder das Ganze vor der Klasse vorzutragen oder an
die Tafel zu schreiben. Nach einiger Zeit werden gröſsere Abschnitte
noch einmal zusammengefaſst, es werden Dispositionsübungen angestellt
und Themata zum freien Vortrag gestellt. Stets aber müssen die Schüler
gerüstet sein, den gelesenen Text auch in der M u t t e r s p r a c h e wiederzugeben, und es werden gelegentlich M u s t e r ü b e r s e t z u n g e n charakte-
ristischer Stellen i n d a s D e u t s c h e angefertigt. Was also nach der alten
Methode dauernd geschieht, geschieht nach der neuen g e l e g e n t l i c h,
aber dann g r ü n d l i c h, und es wird Wert darauf gelegt, daſs die Übersetzung auch wirklich ein reines, musterhaftes Deutsch biete.

Nach des Verfassers Ansicht liegt in der steten Nötigung, welche bei
dem überwiegenden Gebrauch der Fremdsprache dem Schüler aufgelegt
wird, sofort den I n h a l t des Gelesenen oder Gehörten zu erfassen und
umgekehrt einen Gedanken sogleich in das fremde Gewand zu kleiden,
eine g r o ſ s e g e i s t i g e S c h u l u n g, die schlieſslich auch dem D e u t -
s c h e n zugute kommt, da durch diese Methode eine gröſsere Schlagfertig-
keit in der Auffassung und eine gröſsere Gewandtheit in der Form des
sprachlichen Ausdrucks erzielt wird. Es wird anderseits die Gefahr vermieden, welche bei der alten Methode leicht eintritt, daſs nämlich der
Schüler bei dem Übersetzen und dem ewigen Hin- und Herpendeln zwischen zwei Sprachen gar nicht dazu kommt, den Inhalt des Gelesenen
richtig zu erfassen.

Eine möglichst groſse Beschränkung im Gebrauch der Muttersprache
ist aber auch unerläſslich, wenn wir ohne Stundenvermehrung eine möglichst hohe Steigerung der Leistungen in den neueren Sprachen erzielen
wollen. Es muſs d a s V e r s t e h e n m i t d e m L e s e n z u s a m m e n f a l l e n,
damit die Schüler dazu angeregt werden, auch später noch gern Französisch und Englisch weiterzutreiben. Das soll das höchste Ziel sein, wel-

ches der Unterricht erreichen mufs: die Erweckung dieses starken Interesses. Um dieses im Schüler zu erhöhen, ist es wünschenswert, dafs die Klassenbibliotheken neben deutschen Büchern auch geeignete fremd-sprachliche enthalten, welche den Schülern zur Privatlektüre in die Hand gegeben werden, und über die sie gelegentlich in der Klasse berichten müssen; an diese Berichte schliefst sich dann eine Besprechung in Form von Rede und Gegenrede. Freilich darf der Lehrer bei der grofsen Belastung unserer Schüler ihnen hierin nicht zu viel zumuten, aber eine Anregung zu einer solchen Privatlektüre wird gewifs manchmal auf guten Boden fallen. Um den Schüler an ein schnelles Erfassen des Inhalts zu gewöhnen, gibt es noch ein Mittel, nämlich die statarische Lektüre gelegentlich durch die kursorische zu ersetzen, welche den Schüler auf die gröfseren Aufgaben, die ihm das Leben stellen wird, vorbereitet. Schliefslich kann der Lehrer dem Schüler dadurch persönlich nähertreten, dafs er wichtige Tagesfragen in die fremdsprachliche Unterhaltung hineinzieht und die letztere durch Vorführung von Bildern aus Büchern und Zeitschriften noch mehr belebt. Es wächst so der Einflufs des Lehrers auf die Schüler, welche ihn immer mehr als Berater und Freund schätzen lernen. —

Die Gedanken, welche Herr Direktor Walter in dem besprochenen Vortrag, den ich auf dem Kölner Neuphilologentage mit Vergnügen gehört habe, entwickelte, und von deren praktischer Ausführung ich mich im vorigen Herbst persönlich in Frankfurt, wo ich verschiedenen Stunden in der Musterschule beiwohnte, überzeugen konnte, stellen gewifs an Lehrer und Schüler die höchsten Anforderungen und sind ein beredtes Zeugnis für die ideale Gesinnung, mit der Direktor Walter das Studium und den Unterricht der neueren Sprachen erfafst. Ob diese Gedanken aber, gerade weil sie aus einer so hohen Auffassung entsprungen sind, überall und ganz durchführbar sind, erscheint vielleicht zunächst manchem Leser der Walterschen Broschüre fraglich. Manch einer wird fürchten, dafs die Schüler bei dem blofsen Lesen des fremden Textes und der fremdsprachlichen Erklärung desselben sich leicht eine gewisse Oberflächlichkeit bei ihrem Arbeiten angewöhnen und nicht immer so tief in das Verständnis des Inhalts eindringen, als wenn der Text wörtlich und genau in die Muttersprache übertragen wird, ohne dafs dieses dabei eine kunstvolle Musterübersetzung zu sein braucht. Auch der Gebrauch der einsprachigen Wörterbücher und die Einführung der Reformausgaben mit Erläuterungen in der fremden Sprache wird manchem bedenklich erscheinen, denn was soll der Schüler z. B. anfangen, wenn er im Larive et Fleury für *chameau* die Erklärung findet: *Genre de grands mammifères ruminants ayant sur le dos une ou deux bosses volumineuses*, oder in den Erläuterungen zu Alges Ausgabe von Daudets *Le Petit Chose* in der Rofsbergschen Reformbibliothek für *'mémoires'*: *relation écrite par ceux qui ont pris part à des événements* (S. 45), oder für *'ruban'*: *les dames et les jeunes filles portent des rubans sur leurs chapeaux, dans les cheveux* (S. 39)? Der Schüler hat hier eine doppelte Arbeit, denn er mufs, nachdem er wahrscheinlich über diese französischen Erklärungen nachgedacht hat, ohne ihren Sinn zu ergründen, doch zu Sachs oder einem anderen französisch-deutschen Wörterbuche greifen, in welchem er dann durch ein einziges deutsches Wort plötzliche Klarheit erhält. Aber selbst wenn ein geschickter und kundiger Lehrer imstande ist, leichtere Texte in der fremden Sprache zu erläutern, so dürfte es deren doch nicht allzuviele geben, die dasselbe bei einer schweren Lektüre, etwa gar bei einem poetischen Werke, und dann noch in französischer und englischer Sprache auszuführen vermöchten. Es liegt die Gefahr nahe, dafs man sich mit einfacheren Schriftstellern begnügt, um die fremde Sprache ohne grofse Mühe gebrauchen zu können, wobei dann leicht das geistige Niveau der Klasse zu tief herab-

gedrückt werden kann, oder dafs die fremdsprachlichen Erklärungen
schwierigerer Texte die Reinheit des sprachlichen Ausdrucks vermissen
lassen und dann unklar bleiben.

Das alles sind Bedenken, die sich vielen aufdrängen werden, und die
sicherlich nicht von der Hand zu weisen sind, wenn man in Erwägung
zieht, dafs eine grofse Zahl von Schülern nur mittelmäfsig begabt ist, und
dafs viele Lehrer, namentlich wenn sie mit vielen Unterrichtsstunden und
anderen Arbeiten überlastet sind, nicht imstande sind, ein schwierigeres
Lesestück in zwei fremden Sprachen, Französisch und Englisch, zu erklären. Trotzdem möchte ich doch die Waltersche Methode, auch in dieser
ihrer Anwendung für die oberen Klassen, für die beste erklären, die zu
versuchen und auszubauen unser aller höchstes Ziel sein müfste. Zwei
Gründe scheinen mir für sie zu sprechen. Einmal ist sie die wirklich
natürliche Methode, wenn man nämlich Französisch und Englisch in
dem Sinne treibt, dafs die Schüler in diesen Stunden eben möglichst viel
Französisch und Englisch lernen, und wenn man nicht die früher noch
häufig verbreitete Ansicht teilt, dafs die Erlernung der fremden Sprachen
vor allem zu einem besseren Verständnis der Muttersprache dienen soll.
Ist aber das Können in der Fremdsprache das Hauptziel, so wird man
zugeben müssen, dafs dieses um so besser erreicht wird, je mehr die
Fremdsprache gebraucht wird und je weniger die Muttersprache störend
dazwischentritt. Zweitens spricht aber für die Waltersche Methode auch
ein praktischer Grund, nämlich die Berücksichtigung der geringen
Stundenzahl, die dem Französischen und Englischen auf den Gymnasien
und dem Französischen auf den Reform-Realgymnasien gewährt ist. Man
mufs hier eben mit der Zeit geizen; jeder Augenblick ist kostbar und für
die Fremdsprache auszunützen, wenn das hochgesteckte Ziel erreicht werden
soll. Bei gutem Willen läfst sich hier auch sicherlich viel erreichen, und
ein Versuch wird zeigen, dafs die allerdings grofse Mühe reichen Lohn
bringt. Ich selbst habe anfänglich, als ich Walters Methode nur als
Theoretiker beurteilen konnte, an der Möglichkeit ihrer Ausführung etwas
gezweifelt, aber jetzt, nach praktischen Versuchen in der Obersekunda eines
Reform-Realgymnasiums, sehe ich ein, wie sehr ein Unterricht in dieser
Art die Schüler anregt, und wieviel Förderung er auch dem Lehrer gewährt. Die Arbeit wird leichter werden, wenn Münchs Wünsche für eine
bessere Ausbildung der Neuphilologen und für eine Einschränkung ihrer
Arbeitsleistung (s. Walter S. 18—19) sowie Borbeins Vorschlag einer Arbeitsteilung der Neuphilologen (Walter S. 21) erfüllt sein werden, und
noch mehr, wenn vielleicht die Schüler der oberen Klassen durch das Zu-
geständnis von wahlfreien Fächern entlastet werden (Walter S. 30). Weitere Versuche und mehr Erfahrungen in den oberen Klassen werden, so
hoffe ich, zu einer vielseitigen und individuellen Ausgestaltung der Unterrichtsmethode führen, denn hier mufs ein jeder möglichst selbständig und
frei werden und sich nicht mit einer blofsen Schablone begnügen. Es ist
doch in der Unterrichtskunst wie in den schönen Künsten, wo die Nachahmung häufig zur blofsen Manier wird.

Wilmersdorf-Berlin.   J. Block.

Clemens Klöpper und Hermann Schmidt, Französische Stilistik
   für Deutsche. Dresden u. Leipzig, C. A. Koch, 1905. VII, 382 S. 8.
   M. 8.

   Ich glaube, dafs jeder Neusprachler, der ein Verzeichnis eben erschie-
nener Bücher überfliegt, sofort aufmerksam innehalten wird, wenn er als
Buchtitel liest: Französische Stilistik. Er wird interessiert nach dem
Namen des Verfassers sehen, der eine so ungeheure Aufgabe übernommen
hat. Eine Stilistik soll doch noch etwas Höheres als eine eigentliche

Grammatik sein; sie ist doch zum mindesten der zusammenfassende In-
begriff, der Gipfel und die Krönung der Grammatik; und wer nicht einen
klaren Überblick über die gesamten Ausdrucksmittel der Schriftsprache
und der Umgangssprache hat, wird sich nicht unterfangen, eine Stilistik
zu schreiben. — Er wird aber vor allem ein gesteigertes Interesse dem
Werke selbst entgegenbringen. Er weifs ja aus vielfacher Erfahrung, dafs
ein Satz unter Beobachtung aller grammatischen Regeln ganz korrekt gebaut sein, aber doch durch Härte und Schwerfälligkeit des Ausdrucks
und der Wortfügung das Ohr des Eingeborenen verletzen kann. Ein
Buch also, das geeignet wäre, ihm selbst den letzten Schliff zu geben,
geeignet zugleich, ihm die Wege zu weisen, auf denen er andere anleiten
könnte, zum Guten den Glanz und den Schimmer, zur äufseren Richtigkeit die Eleganz zu fügen, ein solches Buch müfste hochwillkommen sein.

Wer nun mit so hochgespannten Erwartungen die Stilistik von
Klöpper und Schmidt in die Hand nimmt, wird sicherlich enttäuscht, so
sehr er seine Freude an einzelnen Abschnitten mit ihren fleifsigen Zusammenstellungen haben mag. Nun sagen die Verfasser zwar bescheiden
im Vorworte, sie mafsten sich nicht an, etwas durchaus Neues auf dem
Gebiete der Sprachvergleichung gebracht zu haben. Aber man durfte doch
auf alle Fälle erwarten, dafs das Gebrachte über das hinausrage, das schon
andere geboten hatten. Das ist nun aber eigentlich nicht der Fall. Vielmehr sind all die Unzulänglichkeiten, die A. Tobler in seiner mustergül-
tigen Besprechung *Archiv* CIII, S. 241 ff. für die *Französische Stilistik*
von E. Franke (das einzige Werk, das in Betracht kommt) aufgezeigt
hat, Zug um Zug auch in der neuen Stilistik von Klöpper und Schmidt
zu finden, einige sogar in noch stärkerem Mafse.

Vor allem hätten die Verfasser sich doch klar sein müssen über den
Inhalt und den Umfang ihrer Aufgabe. Eine grundsätzliche Auseinandersetzung über die sicherlich schwierige, aber wichtige Grundfrage, was in
die eigentliche Grammatik, was in die Stilistik gehört, findet sich nirgends;
die gelegentlichen Bemerkungen zu dieser Frage wirken eher verwirrend
als klärend. Man vergleiche folgende Gegenüberstellungen: (Vorwort S. III)
Jede Sprache hat ihre besonderen Mittel, Gedanken in Worte zu kleiden,
im einzelnen sowohl wie hinsichtlich des gesamten Stils;
(S. 6) In den Fällen nun, wo das deutsche Substantiv nicht durch ein
französisches Substantiv wiedergegeben werden kann ..., oder wo
es aus stilistischen Gründen nicht angebracht ist; (S. 101) In
grammatisch-stilistischer und rein stilistischer Hinsicht behandeln wir nun das deutsche Verb im Verhältnis zum französischen nach
folgenden Kategorien; (S. 119) Die Behandlung sämtlicher französischer Verben dieser Art überschreitet die Aufgabe der Stilistik und
gehört mehr in das Gebiet der Lexikographie. Es kann sich daher
hier nur um eine Zusammenstellung der wichtigsten dieser Verben handeln; (am Schlufs des folgenden, korrespondierenden Kapitels, S. 130) Die
Zahl der deutschen Verben, die durch verschiedenartige französische gegeben werden, liefse sich noch bedeutend vermehren; doch wir brechen
ab, da wir sonst auf das Gebiet der Synonymik geraten würden. Im
allgemeinen scheint es, als ob die Verfasser alles das zur Stilistik rechnen,
was vom Deutschen abweicht, vgl. z. B. S. 117 oben; in manchen Abschnitten aber, vor allem in dem, der die Überschrift trägt: 'Harmonie
des Ausdrucks und die Belebung der Rede durch Tropen und Figuren'
(S. 262—292), werden allgemeine, für alle Sprachen gleichmäfsig gültige
Gesetze des Stils behandelt.

Bei solcher Unklarheit der Scheidung ist es nicht zu verwundern,
dafs viele sprachliche Erscheinungen behandelt sind, die in die Grammatik
oder das Wörterbuch gehören. Nun ist ja sicher, dafs es die Stilistik
mit demselben sprachlichen Stoff zu tun hat wie die Grammatik. Über

diese Frage haben doch wohl Ries' Ausführungen in seinem Buche: *Was ist Syntax?* (Marburg 1894) S. 121 ff. volle Klarheit geschaffen. Verschieden sind nur die Gesichtspunkte, aus denen sie diesen Stoff behandeln. 'Die Stilistik wählt aus der vollständigen Grammatik das für ihre Zwecke Passende aus, gruppiert es neu unter ihrem Gesichtspunkt, dem der stilistischen Wirkung, und vereinigt es zu einem neuen selbständigen Ganzen' (Ries S. 127). Solche stilistischen Gesichtspunkte ergeben sich aus dem Hinblick auf die Eigenart, auf das Charakteristische einer Sprache; auf die Aufstellung solcher Gesichtspunkte (s. Ries S. 130; Lyon, *Kurzgefaſste deutsche Stilistik* S. 2 und 4), auf die Herausarbeitung solcher neuen, selbständigen Ganzen kommt es an. Dafs der Verfasser einer englischen Stilistik z. B. alle Fälle der für die englische Sprache so charakteristischen persönlichen Konstruktionen im Passiv zusammenfassend besprechen müfste, wird niemand bestreiten. Ebenso müfsten die für die französische Sprache so charakteristischen verschiedenen Infinitivkonstruktionen zusammenfassend gruppiert werden. Klöpper und Schmidt begnügen sich, an mehreren Stellen die Vorliebe des Franzosen für Infinitive und Infinitivkonstruktionen hervorzuheben; sie verabsäumen es aber, darzutun, welchen Einflufs und welche Wirkung die Neigung für den Infinitiv auf den französischen Satzbau hat, und wie sie den Deutschen, der französisch sprechen und schreiben will, zwingt, seine Gedankengänge in besondere Zucht zu nehmen, ihn vor allem anhalten, nicht unnötigerweise mit dem Subjekt zu wechseln. Die Verfasser haben unzweifelhaft recht, wenn sie die Infinitivkonstruktionen unter den allgemeinen Gesichtspunkt des Strebens nach Klarheit und Deutlichkeit der Rede stellen (S. 311), und wenn sie unter demselben Gesichtspunkte die Herausstellung des Subjekts behandeln in Sätzen wie *Poniatowski, quoiqu'il n'eût point de commandement dans l'armée, rallia* ... (S. 307). Aber unter denselben Gesichtspunkt fallen meines Erachtens auch der Vorantritt des Subjekts im französischen direkten Fragesatz, die Herausstellung des Objekts in Sätzen wie *on imagine les raisons qu'il pouvait leur donner* (deutsch: man kann sich denken, **welche Gründe** ...), vgl. *Archiv* CV, 55 ff.) u. a. m. Die Stilistik von Kl. u. Sch. bestätigt, was mir schon durch die Frankesche klar geworden war: die für die eigentliche Grammatik übliche Einteilung des Sprachstoffes nach **Wortarten** und **Satzbau** läfst sich nicht ohne weiteres auf die Stilistik übertragen; vor allem deshalb nicht, weil durch diese Einteilung der Zerreifsung zusammengehöriger Erscheinungen einerseits und Wiederholungen andererseits Tür und Tor geöffnet wird. Machen wir uns das an einem einfachen Beispiele klar. Die deutsche Sprache ist an altüberlieferten formelhaften Verbindungen sinnverwandter Wörter (wie **Mann und Maus**) sehr reich, und 'da durch sie ein Begriff in lebendiger Weise veranschaulicht und dem Gemüte näher gebracht wird (Lyon a. a. O. S. 14), so mufs von ihnen in einer Stilistik gesprochen werden. Sie fehlen nun auch im Französischen nicht, und es wäre sehr anregend, zu erfahren, in welchem Umfange sie hier existieren, woher sie stammen und welchen Begriffssphären sie angehören. Kl. u. Sch. sprechen von dieser Erscheinung nur kurz beim **Substantiv**, indem sie ein Beispiel anführen, wo **ein** deutsches Substantiv durch **zwei** französische, und **zwei** Beispiele, wo **zwei** deutsche Substantive durch **ein** französisches wiedergegeben werden (*le territoire* = **Grund und Boden**, *trouver moyen* = **Mittel und Wege** finden. Ich füge noch hinzu *sur place* = an **Ort und Stelle**, *de cette manière* = auf **diese Art und Weise**, *sans foi* = ohne **Treu und Glauben**, *son avoir* = sein **Hab und Gut**, *à bon droit* = mit **Fug und Recht**). Fälle aber wie *nul* = **null und nichtig**, *tout entier* = **ganz und gar**, *caresser* mit Sachobjekt = **hegen und pflegen** hätten die Verfasser an anderer Stelle behandeln müssen. Dafs sie zusammengehören, dafs sogar im selben Ka-

pitel Fälle wie *il faut bien* = man mufs wohl oder übel hätten zur
Sprache kommen müssen, ist mir nicht zweifelhaft.

Nun ist noch ein anderer Umstand vorhanden, der der Willkür in
der Anordnung, der Zerreifsung des Zusammengehörigen, den Wiederholungen den allergröfsten Vorschub leistet: die Verfasser gehen meistens
nicht vom Französischen, sondern vom D e u t s c h e n aus, und das zum
Teil von dem Deutschen, das sie erst, oft mit unnötiger Freiheit und
sonst ungenau, aus den französischen Stellen, die angeführt werden sollen,
gewonnen haben. So kommt es z. B., dafs die bekannten Verbindungen
se faire connaître, se faire aimer, die doch sicherlich verbaler Natur sind,
einmal beim H a u p t w o r t (S. 32) und einmal beim E i g e n s c h a f t s w o r t
(S. 54) behandelt werden, und das blofs, weil sie das eine Mal wiedergegeben werden durch 'sich einen N a m e n machen, sich L i e b e erwerben',
das andere Mal durch 'sich b e k a n n t, sich b e l i e b t machen'. *C'était
p i t i é de voir* reihen die Verfasser S. 45 unter die stilistischen Eigentümlichkeiten des A d j e k t i v s, weil sie es übersetzen mit 'es ist s c h r e c k -
l i c h'. Ja, wenn man es nun übersetzte mit 'es ist ein J a m m e r' und
dabei noch meinte, man habe den Gefühlswert des französischen Ausdrucks auf diese Weise besser getroffen? Ist 'er wird b e i w e i t e m nicht
einwilligen' (S. 88), 'alles würde gut gehen ohne d a s A b t r a g e n d e r
K l e i d e r' (= *tout irait bien ... sans les habits qui s'usent*) (S. 34), 'die
Soldaten von Friand vor Semenowska aufgestellt, schlagen ...' (S. 296)
gutes Deutsch? Ist das ein Deutsch, das über die Einordnung in bestimmte Kapitel entscheiden kann? Natürlich mufs in einer französischen
Stilistik für Deutsche das Deutsche zur Vergleichung herangezogen werden; jede Stilistik beruht ja im letzten Grunde auf Vergleichung. Aber
die Hauptsache bleibt doch, Sinn und Wesen der f r a n z ö s i s c h e n Ausdrucksmittel und Darstellungsweise zu verstehen. Man kann nicht genug
die Warnung Toblers (a. a. O. S. 246) beherzigen, 'die zahllosen Beispiele
von Divergenz des Ausdrucks nach der Art des Ersatzes zu sondern, den
bestimmte Arten der Wortverbindung in der anderen Sprache finden
k ö n n e n', nicht genug seine Mahnung S. 247, 'im allgemeinen von der
Vergleichung mit dem Deutschen abzusehen, Wörter, Formen, Funktionen,
Wortgruppierungen blofs daraufhin anzusehen, was sie für den Franzosen
sind'. Ja, auch die einzelnen Wörter! Welchen Gewinn kann es bringen,
wenn S. 95 aufgezählt wird, auf wievielerlei Art 'als' wiedergegeben wird,
und dabei so verschiedenartige Dinge wie *en, comme*; *étant, devenu*; *en tant
que*; *plus de* zusammengewürfelt werden? Und ist es mehr als eine rein
mechanische Sprachbehandlung, wenn in dem Abschnitte, der von den
Präpositionen handelt, mechanisch aufgezählt wird, auf wie mannigfache
Art a n, a u f, b e i u. s. f. französisch übersetzt werden können; wenn
dann weiterhin (S. 206—240) nach willkürlicher Auswahl in alphabetischer
Reihenfolge 1) deutsche Verben, 2) deutsche Eigenschaftswörter, 3) deutsche
Hauptwörter 'in Verbindung mit Präpositionen' aufgezählt werden? Wenn
irgendwo, so mufste hier das rein Grammatische und Lexikalische vom
Stilistischen geschieden und 'neue Ganze' stilistischer Geltung geschaffen,
z. B. alle Fälle abweichender Raum- und Zeitanschauung zusammengefafst
werden. Sollten aber die einzelnen Präpositionen systematisch behandelt
werden, so mufste von den f r a n z ö s i s c h e n Präpositionen ausgegangen
und aus der Grundbedeutung die einzelnen Verwendungsgebiete abgeleitet
werden.

Ebenso wie die Einteilung und Anordnung des Stoffes, so gibt auch
die Ausführung im einzelnen zu mancherlei Ausstellungen Anlafs. Ich
will nicht allzuviel Gewicht auf die Lücken legen. Da wird leicht der
eine dies, der andere das vermissen. Die stilistische Kraft des nicht getrennten *c'est que* ist von den Verfassern nicht gewürdigt worden (vgl.
Sätze wie: *Il est heureux que monsieur Bernard ne soit plus de ce monde.* —

Et pourquoi? — *C'est qu'il serait pour mon fils un rival dangereux peut-être.* Mlle de la Seiglière I, 5; *ce qui est sûr, c'est que* ...; *si les nobles s'habillent en bourgeois, c'est qu'ils sont eux-mêmes devenus des bourgeois,* Taine, *Origines de la France contemporaine).* Die stilistisch wichtige Frage nach den mannigfachen Fällen, in denen der Franzose eine komparativische Wendung für einen deutschen Positiv oder einen Komparativsatz der Ungleichheit für einen im Deutschen üblichen der Gleichheit gebraucht, ist nur eben angerührt (S. 58). *Pourvu que* (= utinam), *puisque* an der Spitze von Hauptsätzen (vgl. A. Schulze, *Archiv* XCVIII, S. 363 ff.), charakteristische Partizipialkonstruktionen wie die mit *une fois* und ähnliches hätten Erwähnung verdient, ebenso die abweichende Gestaltung des Satzes im Hinblick auf die Negation und den Ausdruck der Allgemeinheit (vgl. Sätze wie *Que pareille chose arrive encore!* = dafs mir das n i c h t noch einmal geschieht!; *tout ce qui reluit n'est pas or*; *le maître de poste dont presque tous les chevaux avaient été mis en réquisition par notre cavalerie* = ... dessen Pferde f a s t a l l e ...); das Kapitel von der Ellipse wird mancher sehr mager finden und ungern eigenartige Wendungen wie *et dire* und *et penser, histoire de rire, rien qu'à le voir, le temps de dételer* u. a. m. vermissen. Recht lückenhaft ist auch das Kapitel vom Gebrauch der Zeiten (S. 147 ff.) geraten. Der s t i l i s t i s c h e Unterschied zwischen Passé défini (Schriftsprache) und Passé indéfini (Umgangssprache) auf der einen Seite und Imparfait auf der anderen ist nicht hinreichend beleuchtet (vgl. besonders Kalepky, *Der Unterschied zwischen Imparfait und Passé défini,* Progr. des Falk-Realgymnasiums, Berlin 1904). Sollten nun einmal die Funktionen der einzelnen Zeiten aufgezählt werden, so durfte das Futurum nicht fehlen, das Seeger das 'prophetische' genannt hat (vgl. Tobler, *V. B.* II, 124 ff.), und das deutsch am besten mit s o l l t e wiedergegeben wird (vgl. folgende Sätze aus Taine a. a. O.: *Aussi l'exaltation qui commence ne s e r a g u è r e q u'une ébullition de la cervelle, et l'idylle presque entière se j o u e r a dans les salons. Il n'y eut jamais rien d'égal en histoire; pour la première fois, on v a v o i r des brutes devenues folles travailler en grand* ...). *Il a pu, dû p l e u r e r* 'er mag, mufs g e w e i n t h a b e n' wird nicht erwähnt, u. s. f. Ich möchte, wie gesagt, auf solche Lücken kein grofses Gewicht legen, vielmehr gern anerkennen, dafs die Verfasser eine reiche Fülle von Erscheinungen zur Sprache bringen. Doch kann über die Art, wie sie besprochen werden, leider nicht so milde hinweggegangen werden. Es fehlt fast durchweg an der erforderlichen Schärfe und Richtigkeit im Ausdruck und in der logischen oder psychologischen Analyse. Es ist charakteristisch, dafs ein Werk wie Toblers *Vermischte Beiträge* überhaupt nicht genannt wird. Auch Meders *Erläuterungen zur französischen Syntax* (Leipzig 1899) hätten öfter zu einer vertiefteren Auffassung der französischen Sprachverhältnisse führen können. Es sträubt sich förmlich das grammatische Gefühl, wenn wir S. 112 lesen: Es gibt manche d e u t s c h e reflexive Verba, die im F r a n z ö s i s c h e n *se* unbeschadet i h r e r B e d e u t u n g a b l e g e n; oder S. 259: Mit Vorliebe verwendet die französische Sprache den partitiven Genitiv dazu, den S u p e r l a t i v hervorzuheben, wo es gilt, den Ausdruck *'c'est un ouvrage des p l u s i n t é r e s s a n t s'* zu charakterisieren. Es ist auch eine recht unsorgsame Redeweise, wenn es S. 155 heifst: Das deutsche Possessivpronomen sein, ihr wird im Französischen durch *en* wiedergegeben 1. als A t t r i b u t e i n e s v o r a n gegangenen S u b j e k t s (gemeint sind Sätze wie: diese Angelegenheit ist kitzlich, i h r Erfolg ist zweifelhaft); oder S. 160: *tel* dient z u w e i l e n zur Wiedergabe des neutralen d a s (besser S. 259); oder S. 258: Die B e tonung des durch e r s t und n u r eingeschränkten W o r t e s geschieht im Französischen durch *ce n'est que* ... *que* oder durch *il n'y a que* ... *qui* oder *que*. S. 151 wird der Satz *il s'éveilla de bonne heure, et s'étant habillé tranquillement, il sortit seul* folgendermafsen analysiert: 'Stilistisch

wichtig ist noch, dafs im Französischen in der erzählenden Prosa **gern
das Partizip oder der Infinitiv eingefügt wird**.' Dafs hier nicht
étant für sich genommen werden darf, vielmehr der Gesamtsatz Gegenstand der Analyse sein mufs, dafs also der Satz nicht in den Abschnitt
gehört, der von den **Wortarten**, sondern in den, der von den **Satzarten**
handelt, wird ohne weiteres einleuchten. Als **Satzart** war auch die schon
oben angeführte Ausdrucksweise zu behandeln: *sachons le projet qu'il
médite* (deutsch: ... **welchen Plan** ...). Die Verfasser bringen sie beim
Interrogativum zur Sprache und erläutern recht oberflächlich (S. 173):
'Zuweilen wird das deutsche Interrogativum durch eine relativische Wendung ersetzt.'

Es ist wohl überflüssig, noch weitere Beispiele anzuführen; zur Verfügung stehen noch viele.

Meines Erachtens hat die Stilistik am wenigsten mit **dem** Teile des
Sprachgutes zu schaffen, das der einzelne nicht nach freier Wahl gestalten
kann; oder hat es doch nur insofern damit zu tun, als dieser Teil des
Sprachgutes sich mit einer charakteristischen Eigenart der Sprache oder
der Nation verknüpfen läfst, wie die im Anfang berührten formelhaften
Wendungen, wie die feststehenden Sprachmetaphern. Am meisten nun
der individuellen Sprachgestaltung anheimgegeben ist der Satzbau, und
die Form und der Anbau des Satzés wird die Hauptdomäne der Stilistik
sein. Ich würde die Wortarten und Redeteile nebst der Wortbildung
auch als Teile der Stilistik des einfachen Satzes behandeln. Kl. u. Sch.
haben dem Satzbau auch mehr Aufmerksamkeit zugewandt als Franke.
Aber was sie bringen, reicht bei weitem nicht aus und bleibt zu sehr an
der Oberfläche. Ganz ihre Schuld ist das nicht; ich meine, es ist überhaupt verfrüht, eine französische Stilistik zu schreiben. Dazu müfsten
die typischen Satzformen des Französischen in der Schriftsprache und in
der Umgangssprache erst genauer durch Einzeluntersuchungen durchforscht werden. Hier läge ein schier unerschöpfliches Feld für angehende
Doktoren.

Ich will zum Schlufs noch auf eine solcher Satzformen hinweisen.
In Elsafs-Lothringen, z. B. in Metz, werden Schüler oder Schülerinnen
französischer Nationalität stets geneigt sein, eine Aussage so anzufangen:
Der Kaiser, als er dies gesagt hatte, gab ..., eine Aussage, der Schüler
deutscher Nationalität derselben Klasse ohne weiteres diese Form gegeben
hätten: Als der Kaiser dies gesagt hatte, gab er .... Wenn O. Brahm
in seiner *Kleist-Biographie* (Berlin, Fontane & Ko.) S. 170 (und ähnlich
öfter) sagt: Adam, während er Hals über Kopf Toilette macht, spricht
etwas von ..., so wird man darin französischen Einflufs erkennen, besonders wenn sich noch andere Gallizismen bei diesem Schriftsteller finden.
Für die normale deutsche Ausdrucksweise ist hierbei charakteristisch, dafs
der Nebensatz an zwei Stellen stehen kann, einmal als Vordersatz zu Anfang des ganzen Gefüges (Während Adam Hals über Kopf Toilette macht,
spricht er etwas von ...) oder aber gleich nach dem Verbum finitum
(Adam spricht, während er Hals über Kopf Toilette macht, etwas von ...).
Kl. u. Sch. sprechen von dieser Satzform (S. 304), und zwar in dem Kapitel, das von der 'Einheit und Klarheit der Periode' handelt. Es heifst
dort: Ungleich dem Deutschen wird das Subjekt des Hauptsatzes, **wenn
es zugleich Subjekt des Nebensatzes ist**, an den Anfang der
Periode gestellt; dann folgt ein Nebensatz, in dem das Subjekt durch ein
Pronomen wieder aufgenommen wird, oder eine Partizipialkonstruktion, und dann erst das Prädikat. Als Beispiele werden u. a. angeführt:
*Thémistocle, arrivé à Lacédémone, ne voulut point ...; l'armée d'Annibal,
lorsqu'elle entra en Italie, était beaucoup inférieure en nombre ....* Regel
wie Beispiele erwecken den Eindruck, als wenn die Partizipialkonstruktion
unter allen Umständen einem deutschen **Nebensatz** entspräche. Das ist

keineswegs der Fall. Auch wir haben gerade hier die Möglichkeit, einen
Partizipialsatz anzuwenden: ein appositiver Partizipialsatz vor dem Subjekt ist durchaus im Geiste der deutschen Sprache; es ist ein gutes Deutsch,
wenn wir sagen: Von den Russen geschlagen, beschlieſst Gustav III. ...;
In Sparta angekommen, wollte Themistokles .... Französisch heiſst das
dann am besten: *Gustave III battu par les Russes, résout* ... u. s. f. Noch
ein weiteres aber haben Kl. u. Sch. nicht beachtet. Dieselbe Aussage-
form hat statt, wenn an Stelle eines Nebensatzes, eines appositiven Parti-
zipialsatzes nur eine adverbiale Bestimmung vorhanden ist. Oder sollten
Sätze wie *le Nil, après son inondation, laisse un limon fertile*; *Bonaparte, dans un mouvement d'impatience, prononça le mot de dé-
mission*; *Bonaparte, après la bataille des Pyramides, s'était trouvé
maître de l'Egypte* nicht ganz dieselbe sprachliche Erscheinung darbieten?
Man beachte auch, daſs wir im Deutschen wieder die Möglichkeit der
vorhin gekennzeichneten doppelten Stellung haben: Nach seiner Überschwemmung läſst der Nil ..., oder unmittelbar nach dem Verbum
finitum: Der Nil läſst nach seiner Überschwemmung .... Französisch ist es, wenn Brahm a. a. O. S. 274 sagt: Kleist mit seinem einzigen Bardenchore läſst die Erinnerung an Klopstock und seine Nachahmer weit zurück. Und wir alle haben eine französische Stileigentüm-
lichkeit angenommen, wenn wir, wie wir jetzt so sehr geneigt sind, sagen:
A. Darmesteter, in seinem Buche La Vie des Mots, behauptet .... Die
Frage ist durchaus noch nicht erschöpft, aber was ich hier dartun wollte,
ist wohl jetzt schon klar: Kl. und Sch. haben die Frage ganz einseitig
behandelt; sie kann erschöpfend nur behandelt werden, wenn vom Französischen ausgegangen wird.
    Die *Französische Stilistik* von Kl. und Sch. wird sich nichtsdesto-
weniger in mancher Beziehung als ein nützliches und lehrreiches Buch
erweisen. Es wird sich als solches erweisen vor allem durch die mit Umsicht und Fleiſs gesammelten Beispiele und durch die Reichhaltigkeit mancher Sammlungen.
Friedenau.   E. Mackel.

Études sur l'historiographie espagnole: Georges Cirot, Mariana
    Historien. Bordeaux 1905. XV, 481 S. Frs. 15. (Bibliothèque de
    la Fondation Thiers. VIII.)

    Das Schicksal, das Juan de Mariana, der gelehrte spanische Jesuit,
bei der Nachwelt hatte, ist merkwürdig genug: der Ruhm, den sein historisches Werk erwarb, lieſs vergessen, daſs er auf manchem anderen Felde
des Wissens Hervorragendes und Eigenartiges geleistet hatte; wer von
Mariana sprach, dachte an den Verfasser der *Historia general de España*.
Als nun in späterer Zeit von solchen, die sich der Erforschung und Schilderung spanischer Geschichte widmeten, immer häufiger der Vorwurf erhoben wurde, daſs der berühmte Vorgänger doch zu leichtgläubig seinen
Quellen alle möglichen Fabeln nacherzähle und ihnen den Schein unantast-
barer Wahrheit verleihe, da wurde der, den man so gern den spanischen
Tacitus genannt hatte, in Bausch und Bogen verdammt. Kaum daſs man
ihm noch den Ruhm lieſs, das von seinen Vorgängern aufgehäufte Material
zwar unkritisch, aber doch in gutem Stil bearbeitet·zu haben. Dabei
blieb es dann auch, als Pi y Margall im Jahre 1854 den Denker
Mariana förmlich neu entdeckte; dem Historiker machte der gelehrte Herausgeber der Werke in der *Biblioteca de autores españoles* wahrlich kein
Kompliment, wenn er (S. XLVI) den Wert der *Historia* darin fand, daſs
sie, wenn nicht die Entwickelung, doch die Beispielsammlung für das
philosophische System ihres Verfassers sei.
    Nun hat auch der Historiker Mariana in Cirot seinen Verteidiger

gefunden. Nicht als ob er den fruchtlosen Versuch gemacht hätte, das
Werk seines Helden als modernen Ansprüchen noch genügende Darstellung der spanischen Geschichte zu empfehlen, aber den Vorwurf der
Kritiklosigkeit und wissenschaftlichen Unzuverlässigkeit will er von ihm
nehmen. Und dazu hat er sich mit gutem Rüstzeug versehen: zunächst
ist ihm die gedruckte historische Literatur des Mittelalters und der Renaissance, soweit sie für seine Studien irgend in Frage kommt, vertraut
(zu gleicher Zeit mit dem Marianabuch erschien von ihm ein Werk über
die *Histoires générales d'Espagne*, ein anderes über die Vorgänger Marianas
wird angekündigt), sodann ist aber auch sehr umfangreiches und wertvolles ungedrucktes Material (vor allem Marianas Manuskripte im *British
Museum*) herangezogen und durch Abdruck in den Beilagen allgemein zugänglich gemacht; erst hierdurch werden Marianas Leben und Charakter,
seine Beziehungen zu Zeitgenossen und die Entstehungszeit seiner Werke,
endlich sein Prozeß, alles Dinge, von denen man bis jetzt nur sehr unvollkommen unterrichtet war, einigermaßen klar. Denn dafür haben wir
dem Verfasser noch besonders zu danken, daß er seine Aufgabe nicht
bloß vom fachwissenschaftlichen Standpunkt angriff, sondern, um den
Historiker Mariana verteidigen zu können, den ganzen Menschen zu verstehen suchte. Dabei bleibt stets der oberste Gesichtspunkt, den der Titel
angibt, gewahrt; wenn sich die Darstellung auch manchmal in behaglicher
Breite ergeht, wird man ihr Überflüssiges kaum nachweisen können.

Der Stoff gliedert sich in drei große Abschnitte: daß nach seinem
Lebensgang und nach seinen nichthistorischen Werken Mariana Neigung
und Fähigkeit zu wissenschaftlicher Kritik hatte, den Sinn für die Wahrheit, mochte sie auch geistlichen Vorgesetzten und weltlicher Obrigkeit
wenig erfreulich sein, ist das Thema probandum des ersten Abschnittes,
und es sei gleich hinzugefügt, daß der Beweis zweifellos erbracht ist.
Nachdem der Verfasser sich so seinen Boden bereitet hat, soll der Fort-
gang des Buches zeigen, daß Mariana als Historiker sich nicht untreu
geworden ist: der zweite Abschnitt, *Historique de l'Histoire d'Espagne*, erzählt von der Entstehung des großen Geschichtswerkes in seiner lateinischen und seiner spanischen Form, der Aufnahme bei Gelehrten und
Laien, den verschiedenen Ausgaben und ihrem Werte, endlich von dem
Urteil der Nachwelt und seinen Wandlungen; der dritte Abschnitt, *Valeur
de l'Histoire etc.* betitelt, behandelt Marianas historische Methode, seine
Quellen, seine Geschichtsauffassung, schließlich auch in drei besonders
anziehenden Kapiteln seine Sprache und seinen Stil. Das Ziel dieser Abschnitte ist vor allem, den Standpunkt festzustellen, von dem Mariana aus
beurteilt werden muß, und das ist n i c h t der der absoluten Richtigkeit
des von ihm Gebotenen. Der Jesuit, der in der Theologie, der Moral-
philosophie, auch in der wissenschaftlichen Erforschung antiquarischer
Fragen seinen Mann stellte, sah sich in der Geschichte selbst nicht als
Forscher an; sein Ziel war erreicht, wenn er den Inhalt guter Quellen
in angemessener Form wiedergab. Freilich, wer so Geschichte erzählen
will, braucht Vorarbeiten, und die waren nicht für jede Periode der spanischen Geschichte vorhanden; hat nun Mariana in solchen Fällen dem
ersten besten Gewährsmann leichtgläubig nacherzählt, oder hat er die Gelegenheit benutzt, historische Kritik zu üben, die sich ihm trotz seines
bescheiden gesteckten Zieles förmlich aufdrang? Die Beispiele, durch die
Cirot im Laufe seiner Untersuchungen Marianas Art zu arbeiten beleuchtet, genügen vollständig, um ihn gegen den so oft erhobenen Vorwurf
schnellfertiger Vertrauensseligkeit zu schützen. Cirot geht noch weiter
und faßt das Ergebnis seiner Untersuchungen in die Worte '(*Mariana) ne
pensait composer qu'une œuvre de vulgarisation ... il a su faire de cette
Histoire, jusqu'à un certain point, une œuvre de critique et de science.*'
Hierzu seien einige Bemerkungen gestattet.

Liest man Cirots Kapitel III, 4: *L'information de Mariana*, so mag
man freilich erstaunen über die Menge Quellenschriftsteller, die Mariana,
obwohl er nur Kompilator sein wollte, heranzog; aber die Zahl der benutzten Quellen tut es nicht allein, es kommt doch sehr auf das Wie an.
Danach hätte Cirot mehr fragen können. So scheint mir das Beispiel auf
S. 320 f. wenig geeignet, den Ruhm des Historikers Mariana zu vermehren;
wenn er bei seinem Bericht über römische Gesandtschaften an Hannibal
mehr als eine Quelle (neben Livius auch Polybius) heranzog, so nahm er
dabei auch eine Quellenkontamination vor, die wohl auch vom Standpunkte der Historiographie des 17. Jahrhunderts nicht zu billigen ist. Aber
wichtiger deucht mich doch noch ein anderes. Cirots Liste der für die
Historia benutzten Quellen scheint vor allem auf einem im Nachlafs
Marianas gefundenen Notizblatte (pag. 447), den Angaben im Index der
lateinischen Ausgabe und am Rande der spanischen Ausgabe zu beruhen;
eine Nachprüfung dieser Angaben hat wohl nicht immer stattgefunden.
Und doch wäre das sehr nötig gewesen, wäre auch wohl geschehen, wenn
dem belesenen Verfasser nicht eine sehr interessante Kritik des Historikers
Mariana fremd geblieben wäre: diejenige, die ihm Ranke in *Zur Kritik
neuerer Geschichtschreiber* [2] 60 ff. widmete. Da stellt der berühmte Historiker fest, dafs (in den Büchern 26—30) Mariana zwar 'des Anton von
Lebrixa, des Peter Martyr, des Carajaval, des Alvar Gomez gedenkt', in
Wirklichkeit aber 'alle wichtigen Nachrichten Marianas aus Zurita (*Anales
de la Corona de Aragón*) genommen sind'. 'Ich habe sie beide (Mariana
und Zurita) durchaus exzerpiert und kann beinahe nichts finden, wo
Mariana eigentümlichen Berichten gefolgt wäre.' So scheint denn die
Frage, in welchem Umfange Mariana über die direkte Vorlage hinaus 'zu
den Quellen stieg', der Nachprüfung noch sehr bedürftig; leider hat Cirot
diese nun nicht leicht gemacht. Niemand wird tadeln, dafs er die Tatsache
mehr oder minder häufiger Quellenbenutzung zunächst an ihm geeignet
erscheinenden Einzelbeispielen beweist; aber anstatt darauf einfach die
Quellen ohne Andeutungen über ihre Wichtigkeit zusammenzustellen, hätte
er doch wohl besser getan, nach einer etwas übersichtlicheren Anordnung
zu streben. Wäre es nicht möglich gewesen, die Quellen um die Haupt-
vorlagen zu gruppieren? Also anzugeben, wem in den einzelnen Perioden
der spanischen Geschichte Mariana den Lauf der Begebenheiten im wesentlichen nacherzählt, und dann hinzuzufügen, wo Cirot die Benutzung eigentlicher Quellenschriftsteller konstatiert oder sie auch nur vermutet hat?
So würde der Leser nicht nur die Überzeugung davontragen, dafs Mariana
mehr oder minder häufig wirkliche wissenschaftliche Arbeit geliefert hat,
er würde auch ein genaueres Bild von dem Anteil erhalten, den der Historiker an dem Werke des Kompilators hat. Wie die Sache liegt, wird man
sich auch für die letzten Bücher leicht diesen Anteil viel gröfser vorstellen, als er nach Ranke sein kann.
Wenn so Zweifel erlaubt sind, ob der Grad, bis zu dem Marianas
Werk '*une œuvre de critique et de science*' ist, schon endgültig präzisiert
ist, so soll damit der These an sich nichts abgemarktet werden; als blofsen
zurcidor de frases wird niemand mehr Mariana behandeln dürfen, davor
scheint er mir durch die grofse Fülle von Einzeluntersuchungen, in der
Cirot seinen Helden gegen alte und neue Tadler in Schutz nimmt, ein
für allemal geborgen zu sein. Auch wenn der Verfasser dabei gelegentlich im Eifer für Mariana oder gegen seine Gegner zu weit geht, wird
man im einzelnen wohl widersprechen, im ganzen ihm doch recht geben
müssen.
Unter diesem Gesichtspunkte mögen folgende Einzelheiten aufgefafst
werden, die ich mir bei der Lektüre des Werkes als zweifelhaft oder doch
näherer Aufklärung noch bedürftig angemerkt habe. Da ist zunächst die
Frage nach dem Wert der einzelnen Ausgaben der spanischen *Historia*,

von denen drei zu Lebzeiten Marianas erschienen. Schon Herausgeber des 18. Jahrhunderts hielten die beiden jüngeren Ausgaben (von 1617 und 1623) nicht für authentisch, Cirot ist nur die Ausgabe von 1623 verdächtig, weil in ihr sich einige Stellen finden, die er für Interpolationen hält: Entlehnungen aus apokryphen Quellen, deren Wertlosigkeit Mariana wohl bekannt war. Nun beweist Cirot die Tatsache der Interpolation — und um die handelt es sich zunächst — so einleuchtend, wie derartiges eben bewiesen werden kann; aber damit scheint mir die Frage nach dem Werte der Ausgabe durchaus nicht erledigt. Ein Gesuch Marianas an Philipp IV. um Geldbeihilfe zum Druck (254) behauptet von dieser Ausgabe ausdrücklich, sie sei vermehrt und verbessert. Das schließt nun die Möglichkeit von Interpolationen nicht aus — Mariana war alt geworden und hat vielleicht nicht selbst den Druck durch alle seine Stadien überwacht — aber es muß doch gefragt werden, ob sich nicht Zusätze oder Veränderungen finden, die keine Interpolationen sind, der Ausgabe sogar ihren eigenen Wert geben. Darum genügt es wohl für Cirots nächsten Zweck, wenn er nur bei den aus irgendwelchem Grunde besprochenen Stellen den Text der verschiedenen Ausgaben vergleicht; für die Entscheidung über den Wert der einzelnen Drucke muß eine umfassende Kollation als notwendig erscheinen. — Wer ist der Interpolator der Ausgabe von 1623? Ich glaube, daß Cirot da Tamayo de Vargas zu schnell freispricht. Allerdings ist der Gedanke nicht sehr erfreulich, daß derselbe Tamayo, der eine Verteidigungsschrift für Mariana gegen seinen Kritiker Pedro Mantuano verfaßte, zum Fälscher am Werke des Meisters wurde. Aber die Verdachtsgründe gegen ihn (256 ff.) sind recht gravierend, und was Cirot für ihn vorbringt, ist wenig stichhaltig: eine der Änderungen widerspricht Tamayos sonst dargelegter Ansicht. Traut man aber dem Interpolator die Schlauheit zu, sich gerade stofflich ziemlich unwichtige Einzelheiten für seine Fälschungen herauszusuchen, um unliebsames augenblickliches Aufsehen zu vermeiden (253), so wird man ihm auch nicht zu viel Ehre antun, wenn man annimmt, daß er gerade in solchem Widerspruch ein Mittel sah, sich selbst vor jedem Verdacht zu schützen. Damit bleibt also Tamayo der Meistbelastete; was Cirot gegen andere vorbringt, bleibt doch reine Konjektur. — Dagegen scheint mir jener Mantuano, der Verfasser der *Advertencias á la Historia de Juan de Mariana* (1611 und 1613), zu schlecht wegzukommen. Daß der Kritiker nicht 'toute la bonne foi désirable' zu seinem Unternehmen mitgebracht habe, halte ich nicht für erwiesen. Es wird ihm vorgeworfen, er habe sich mehrfach einseitig an den späteren spanischen Text gehalten, während ein Vergleich mit der älteren lateinischen Fassung ihm seinen Tadel als unbegründet oder doch nur die Güte der Übersetzung treffend hätte zeigen müssen. Dieser Argumentation vermag ich nicht zu folgen. Wenn (210 Anm.) die lateinische Fassung über den Todesort Konradins nichts berichtet, die spanische aber fälschlich Messina nennt, so hatte Mantuano vollkommen recht, das zu rügen; wenn die lateinische Ausgabe hat *Hannonem nunciarunt ... in Piceno agro cum copiis omnibus oppressum fuisse*, die spanische aber sagt *fue ... vencido, desbaratado, y muerto*, so scheint mir das kein Übersetzungsfehler zu sein, sondern ein Zusatz, den, wenn er falsch ist, das Lateinische nicht rechtfertigen kann. Ähnliches gilt doch auch von den anderen Beispielen; nur beim zweiten (Cäsars Tod, den die erste Fassung richtig auf die Iden des März legt, findet im spanischen Text am 7. März statt) handelt es sich augenscheinlich um ein bloßes Versehen, das allerdings nicht als historischer Fehler hätte aufgemutzt werden sollen. Bei den anderen Vorwürfen wird man wenigstens leicht Milderungsgründe für Mantuanos Verfahren finden können: daß er Quellennachweise Marianas wegließ, läßt sich (bei dem Beispiel S. 212 Anm. 4 II 6 liegt es auf der Hand) daraus erklären, daß Mariana die Meinung der Quelle ja zu seiner eigenen

zu machen schien; bedenklicher ist, dafs Mantuano in den *Advertencias*
Stellen früherer Ausgaben monierte, die inzwischen im Druck von 1608
verbessert worden waren, und zwar, wie Cirot 179 f. wahrscheinlich macht,
auf Grund eines ersten (verlorenen) Druckes von Mantuanos eigener Kritik.
Doch auch hier erscheint das Verhalten des Kritikers wenigstens in mil-
derem Lichte, wenn man die Ausführungen auf S. 176 berücksichtigt.
Auf eine höfliche Übersendung seiner Kritik, der durch eine Bemerkung
in der Vorrede jeder verletzende Stachel wenigstens genommen werden
sollte, erhielt Mantuano von dem bärbeifsigen Mariana — man glaubt das
treffliche, dem Buch beigegebene Porträt sprechen zu hören — eine derartig grobe und verächtliche Antwort, dafs er wohl zunächst nicht auf
den Gedanken kommen konnte, seine Besserungsvorschläge könnten irgendwie berücksichtigt werden. Jedenfalls ist denkbar, dafs von nun an seine
Kritik nicht mehr dem Werke, sondern dem Verfasser galt, und dafs er
sich berechtigt glaubte, zur Charakteristik des Feindes auch inzwischen
verbesserte Schnitzer blofszustellen. So wird sein Verhalten, wenn nicht
entschuldbar, doch erklärlich. Cirot hätte vielleicht besser getan, mit Bei-
seiteschiebung des Persönlichen seines Helden Sache dadurch zu führen,
dafs er die Kleinlichkeit dieser in Einzelheiten steckenbleibenden Kritik in
den Vordergrund stellte: den glücklich gefundenen Splitter machte Mantuano zum Balken, für das Grofse der ganzen Leistung ging ihm und
den meisten seiner Zeit, auch Tamayo, dem Verteidiger Marianas, der
Blick ab. Die nächsten Jahrhunderte haben Mariana ja zunächst reichlich
für die philisterhafte Beurteilung seiner Zeit entschädigt. Cirots Überblick (260 ff.) ist in dieser Beziehung recht interessant; ergänzend sei hier
darauf hingewiesen, dafs der Spanier auch in Deutschland seine Verehrer
fand: nachdem der auch sonst als Vermittler spanischen und deutschen
Geisteslebens bekannte Publizist Friedrich Buchholz (1768—1843) in Wolt-
manns Zeitschrift *Geschichte und Politik* I 265 ff. (Berlin 1801) einen Artikel 'Über Mariana und einige seiner Werke' — nämlich die *Historia* und
das Buch *De rege* — hatte erscheinen lassen, veröffentlichte er drei Jahre
später noch eine Art historisch-philosophischen Roman: *Juan de Mariana,*
die Entwicklungsgeschichte eines Jesuiten (Berlin 1804), der als Zeitdoku-
ment der Aufklärungsperiode einiges Interesse hat.

Zum Schlufs möge noch ein Wunsch ausgesprochen werden. Cirot
betrachtet seine drei Bücher über die spanische Historiographie nur als
Materialiensammlungen *'ils ne vaudront pas à eux tous un livre court et*
condensé sur ce beau sujet' — das zu schreiben er aber anderen überlassen
will. Das ist bedauerlich: niemand wäre dieser schönen Aufgabe besser
gewachsen als Cirot, nicht nur sachlich — wer wäre ihm an Kenntnissen
auf diesem Spezialgebiet gewachsen! — sondern auch formell; wer einen
an sich trockenen Stoff, wie der des vorliegenden Buches immerhin ist,
so anziehend zu behandeln weifs, der braucht keinen anderen zu suchen
'pour présenter les choses d'une façon plus agréable'.

Schöneberg.   A. Ludwig.

Verzeichnis

der vom 29. November 1905 bis zum 8. März 1906
bei der Redaktion eingelaufenen Druckschriften.

The American journal of philology. XXVII, 4, whole no. 104.
Zeitschrift für österreichische Volkskunde. XI, 5—6 [F. Lentner, Über
Volkstracht im Gebirge. — G. Polivka, Eine alte Schulanekdote und ähn-
liche Volksgeschichten. — A. John, Volkstümliches im 'Freischütz'. —
Kleine Mitteilungen. — Ethnographische Chronik aus Österreich. — Be-
sprechungen. — Mitteilungen aus dem Verein und dem Museum für österr.
Volkskunde].

Zeitschrift für Ästhetik und allgemeine Kunstwissenschaft, hg. von
Max Dessoir. I, 1 [Th. Lipps, Zur 'ästhetischen Mechanik'. — K. Lange,
Die ästhetische Illusion im 18. Jahrh. — H. Riemann, Die Ausdrucks-
kraft musikalischer Motive. — G. Simmel, Über die dritte Dimension in
der Kunst. — H. Spitzer, Apollinische und dionysische Kunst. — Th. Poppe,
Von Form und Formung in der Dichtkunst. — Besprechungen. — Schriften-
verzeichnis für 1905].

Philosophische Wochenschrift und Literatur-Zeitung. I, 1 [H. Renner,
Über Philosophie und ihre Popularität. — R. Eucken, Die Philosophie
und das deutsche Publikum. — F. Berolzheimer, J. Kohler als Rechts-
philosoph. — B. Bauch, Zum Begriff der Erfahrung. — Selbstanzeigen. —
Besprechungen. — Zeitschriftenschau].

Dilthey, W., Das Erlebnis und die Dichtung: Lessing, Goethe,
Novalis, Hölderlin. 4 Aufsätze. Leipzig, Teubner, 1906. 405 S. M. 4,80.

Oswald, Eugene, The legend of fair Helen as told by Homer, Goethe
and others, a study. London, Murray, 1905. XII, 211 p. [In wohl-
gemeinter Begeisterung für die Goethesche Lichtgestalt, die im zweiten
Teil des Faust die Schönheit des Altertums vertritt, als Persönlichkeit,
nicht als Allegorie, hat Oswald, der renommierte Förderer der Goethe-
Society, zu schildern unternommen, wie viele Sagenbildungen von ihr vorhanden sind. Die Poesie der verschiedensten Völker von Homer bis zur
Gegenwart, die Musik und die Künste hat er ausgebeutet, von den alten
Ägyptern ging er bis zu Lewis Morris, vom ernsten Dante zu Offenbach,
um das schier unerschöpfliche Wachstum der Helenensage aufzudecken.
Wenig ist nachzutragen. Die Anrede von Marlowes Faust an die Helena
'Was this the face that launched a thousand ships' fand mehrfaches Echo
bei Shakespeare, am deutlichsten in All's well I, 3, 74: Was this fair face
the cause why the Grecians sacked Troy? Etwas ferner abstehend, doch
immerhin noch nennenswert ist Richard II IV, 1, 283: Was this the face
that, like the sun, did make beholders wink? Was this the face that faced
so many follies? Ferner scheint Oswald eine Jugenddichtung von William
Morris entgangen zu sein (bei Mackail, Life of W. M. I, 283), in der es
sich um ihre Rückgewinnung durch Menelaus und ihre halb freiwillige
Mithilfe bei der Erschlagung ihres dritten Gatten Deiphobus handelt: ein
Fragment von barocker Kraft. Ein schönes Bild von D. G. Rossetti,
Helene ein Halsjuwel sich ansteckend, schmückt das Buch.]

Finck, Franz Nikolaus, Die Aufgabe und Gliederung der Sprachwissenschaft. Halle, Rudolf Haupt, 1905. 55 S.

Taylor, Dr. Clifton O., Über das Verstehen von Worten und Sätzen.
S.-A. aus der *Zeitschrift für Psychologie und Physiologie der Sinnesorgane*,
hg. von Ebbinghaus & Nagel, 1905, S. 225—51.

Taubner, Kurt, Sprachwurzel-Bildungsgesetz und harmonische Weltanschauung. Berlin, W. H. Kühl, 1905. 36 S.

Lipperheide, Franz Freiherr von, Spruchwörterbuch, Sammlung
deutscher und fremder Sinnsprüche, Wahlsprüche, Inschriften an Haus
und Gerät, Grabsprüche, Sprichwörter, Aphorismen, Epigramme, von Bibelstellen, von Zitaten, von Schnaderhüpfln, Wetter- und Bauernregeln,
Redensarten usw., nach den Leitworten, sowie geschichtlich geordnet und
unter Mitwirkung deutscher Gelehrter und Schriftsteller herausgegeben.
In 20 monatlichen Lieferungen, je 3 Bogen fassend. 5. Lieferung. Berlin
(W. 35, Potsdamerstr. 38) 1906. S. 193—240.

Schroeder, Otto, Vom papiernen Stil. 6. durchgesehene Auflage.
Leipzig u. Berlin, Teubner, 1906. VIII, 102 S. M. 2,80.

Zur Kunst. Ausgewählte Stücke moderner Prosa zur Kunstbetrachtung und zum Kunstgenufs, hg. von Dr. M. Spanier. Mit Einleitung,
Anmerkungen und Bilderanhang. (Aus deutscher Wissenschaft u. Kunst.)
Leipzig u. Berlin, Teubner, 1905. X, 148 S. M. 1,20.

Koltan, J., Für die akademische Freiheit! [S.-A. des Nachwortes
aus den *Naturphilosophischen Strömungen: E.* Häckels monistische Weltansicht]. Zürich, Speidel, 1905. 19 S. M. 0,30.

Curčin, Dr. Milan, Das serbische Volkslied in der deutschen Literatur. Leipzig, Fock, 1905. [Wiener Doktordissertation.] 220 S.

Literaturblatt für germanische und romanische Philologie. XXVI,
11, 12; XXVII, 1, 2 (Nov. 1905—Febr. 1906).

Modern language notes. XX, 7 [R. Holbrook, The printed text of
four fabliaux in the 'Recueil général et complet des fabliaux' compared
with the readings in the Harleian ms. 2253. — M. W. Smith, The numbers in the ms. of the old English 'Judith'. — E. P. Morton, An 18th century translation of Ariosto. — D. Klein, A contribution to a bibliography
of the medieval drama. — W. M. Belden, Heine's Sonnenuntergang and
an American moon-myth. — E. E. Stoll, On the dates of some of Chapman's plays. — J. D. Bruner, Parallel situations in Hernani and Filippo.
— K. Campbell, A neglected ms. of 'The prick of conscience'. — J. R.
Effinger, Lemercier's Méléagre. — G. F. Swearingen, English orthography. — C. L. Nicolay, Francisco Pacheco and the Italians. — Albert
Cook, Shakespeare, Hamlet 3. 4. 56. — Reviews. — Correspondence].
8 [F. A. Wood, The origin of color-names. — E. H. Wilkins, Notes on
the inflection of Spanish verbs. — R. C. Holbrook, Heg! Hay! Hay
avant! and other Old French locutions used for driving beasts. — C. S.
Northup, A bibliography of comparative literature. — C. J. Kullner,
A passage in 'Hermann und Dorothea'. — W. O. Sypherd, Chaucer's
eight years' sickness. — G. Norton, The use made by Montaigne of some
special words. — Reviews. — Correspondence]. XXI, 1 [J. Adams, The
sources of Ben Jonson's 'News from the new world discovered in the
moon'. — M. A. Buchanan, Partinuplés de Bles. — A. S. Cook, Cynewulf,
Christ 1320. — J. P. W. Crawford, Some notes on 'La constante Amarilis'
of Christoval Suarez de Figueroa. — L. M. Harris, Macbeth's 'unmannerly
breech'd with gore'. — C. S. Northup, A bibliography of comparative
literature. — L. Pound, Arnold's sources for 'Sohrab and Rustum'. —
P. M. Buck, Note on Milton's Comus. — E. N. S. Thompson, The 'Ludus
Coventriae'. — E. E. Stoll, The influence of Jonson on Dekker. — Browne,

'Paw'; Havelock's Lament. — Reviews]. 2 [Leite de Vasconcellos, A rola viuva na poesia popular portuguesa. — O. M. Johnston, Sources of the lay of the 'Two lovers'. — F. A. Wood, Etymological notes. — A. F. Chamberlain, Preterite forms, etc. in the language of English-speaking children. — L. Cooper, A dissertation upon northern lights. — L. Foulet, The prologue of 'Sir Orfeo'. — A. S. Cook, 'Tempest' 2. 2. 28. — J. Walz, An English parallel to Klopstock's 'Hermannsschlacht'. — Reviews etc.]. Publications of the Modern Language Association of America. XX, 4 [A. C. L. Brown, The knight of the lion. — F. N. Scott, The scansion of prose-rhythm. — A. E. Jack, Thomas Kyd and the Ur-Hamlet. — J. L. Lowes, The prologue of the 'Legend of good women' considered in its chronological relations. — Appendix etc.].

Die neueren Sprachen ... hg. von W. Vietor. XIII, 8 [A. Schröer, Zu Spenser im Wandel der Zeiten. — R. J. Lloyd, Glides between Consonants in English (VIII). — H. Bornecque, Romans français à lire. — Berichte. — Besprechungen. — Vermischtes]. XIII, 9 [O. Jespersen, Zur Geschichte der Phonetik (Schlufs). — G. Huth, Rostands Cyrano, eine Bereicherung der französischen dramatischen Lektüre. — Berichte. — Besprechungen. — Vermischtes].

Schweizerisches Archiv für Volkskunde, hg. von E. Hoffmann-Krayer und J. Jeanjaquet. IX, 4 [E. Bandi, Volkstümliche Handwerkerkunst und bäurische Zierformen. — Chr. Luchsinger, Das Molkereigerät in den Alpendialekten der roman. Schweiz (Schlufs). — A. Rossat, Les Paniers (suite). — S. Meier, Volkstümliches aus dem Frei- und Kelleramt. — Miszellen. — Bücheranzeigen. — Vereinschronik. — Register].

Neuphilologische Mitteilungen, hg. vom Neuphilol. Verein in Helsingfors. Nr. 7/8, 1905 [J. Uschakoff, Die Einteilung der neuhochdeutschen starken Verben. — A. Wallensköld, Contribution à l'enseignement des verbes irréguliers en français. — Besprechungen. — Zeitschriften-Rundschau. — Protokolle. — Eingesandte Literatur. — Mitteilungen].

Modern philology. III, 3 [E. E. Stoll, Shakespeare, Marston, and the malcontent type. — E. J. Dubedont, Shakespeare et Voltaire; 'Othello' et 'Zaïre'. — J. Q. Adams, Greene's Menaphon and 'The Thracian wonder'. — L. Cooper, The Abyssinian paradise in Coleridge and Milton. — F. M. Josselyn, An obscure passage in Dante's 'Purgatory'. — A. D. Schoch, The difference in the middle English 'Romaunt of the rose' and their bearing upon Chaucer's authorship. — J. M. Manly, The lost leaf of 'Piers the Plowman'. — J. S. P. Tatlock, Chaucer and Dante. — J. J. Jusserand, Spenser's 'Twelve private morale vertues as Aristotle hath devised'. — D. B. Shumway, Indo-European I and E in Germanic].

Modern language teaching. I, 7 [R. J. Lloyd, On thinking in a foreign tongue. — Discussion column: The use and abuse of conversation in modern language instruction. — The Esperanto congress at Boulogne. — University of London: Holiday course for foreigners. — The vacation courses in modern languages in Edinburgh. — Examinations. — From here and there. — Editorial note]. 8 [Direktor Walter on the direct method. — Discussion column: The use and abuse of conversation in modern language instruction. — E. Miall, My little French class. — Suggestions for a modern French curriculum. — R. J. Lloyd, A summary of the grammar of the Esperanto language. — From here and there etc.]. II, 1 [Annual meeting of the Modern Language Association. — H. G. Atkins, On the comparison of opposite extremes. — D. L. Savory, The form-master system in public schools in relation to modern language teaching. — R. J. Lloyd, The uses and abuses of the Esperanto language. — Correspondence. — Reviews. — From here and there. — Good articles]. 2 [H. W. Atkinson, On thinking in a foreign language. — R. H. Allpress, On translation. — V. Partington, On the teaching of French phonetics. — V. E. Kastner,

Du symbolisme dans l'enseignement supérieur. — R. J. Lloyd, The uses
and abuses of the Esperanto language. — Discussion column etc.].
Skandinavisk månadsrevy. I, 5 [Öberg, Det grundläggande språket.
— G. Raphael, L'enseignement des langues vivantes en France. — Miscellanea. — H. Hungerland, Liliencron als Erzieher. — Dänische Lehrbücher
der deutschen Sprache. — English books for schools etc.]. 6 [H. Hungerland, Das historische Studium der deutschen Sprache. — The Kipling
reader. — Miscellanea. — Résolutions de l'Académie Française relatives à
la simplification de l'orthographe. — Comptes rendues etc.].
       The modern language review. I, 2 (Jan. 1906) [F. W. Moorman, The
pre-Shakespearian ghost. — H. A. Rennert, Notes on some comedias of
Lope de Vega. — W. Bang, Memorandums of the immortal Ben. — W. W.
Jackson, On the interpretation of 'pareglio' in Dante. — A. E. Swaen,
G. C. Moore Smith, A. B. McKerrow, Notes on 'The devil's charter' by
Barnabe Barnes].
       Brinkmann, Friedrich, Syntax des Französischen und Englischen
in vergleichender Darstellung. 2. unveränderte Ausgabe des 1884 erschie-
nenen Werkes. Braunschweig, Vieweg, 1906. Bd. I: XVII, 628 S. Bd. II:
920 S.
       Hoffmann, P., L'expansion économique et la question des langues
vivantes dans l'enseignement moyen et supérieur. Rapport présenté au
Congrès international d'expansion écon. mondiale, Mons 1905, Section I. —
Enseignement. 34 S.
       Potel, M., Trois ans de méthode directe in: 'Bulletin mensuel de la
Société des professeurs de langues vivantes', Décembre 1905. [Der Redner
der Generalversammlung der *Soc. des prof. de langues vivantes* konstatiert,
dafs die Unterrichtsreform von 1902 dem neusprachlichen Unterricht in
Frankreich grofsen Gewinn gebracht habe. Die Stellung der *langues
vivantes* sei im Mittelschulunterricht und in der Reifeprüfung eine viel
bedeutendere und würdigere geworden. Die dabei vorgeschriebene Unterrichtsmethode habe sich bewährt. *Qui donc aujourd'hui parmi nous —
je vous le demande — voudrait rayer la méthode directe de son enseignement?* Die heifsen Kämpfe seien vorüber, die Gegner haben sich, auf
Grund der Erfahrungen, verständigt. Auf die rein praktische Spracherlernung der ersten Jahre folge ein Unterricht, der höhere wissenschaftliche Ansprüche stelle, einen neuen, lebensvolleren Betrieb der Grammatik
darstelle (*la méthode directe ... a rénové les études grammaticales*), der vorläufig auch noch mit der Herübersetzung als Kontrollmittel arbeite, und
in welchem man spreche nicht blofs um Sprechübungen zu machen, sondern *pour dire quelquechose et ce quelquechose, c'est le pays étranger, la vie
du peuple qui l'habite et sa littérature.*]

_____

       Steinhausen, Georg, Germanische Kultur in der Urzeit. (Aus Natur
und Geisteswelt, 75. Bändchen.) Leipzig, Teubner, 1905. 156 S. M. 1,25.
       Streitberg, Wilhelm, Gotisches Elementarbuch. Zweite verbesserte
und vermehrte Auflage (Sammlung germanischer Elementar- und Hand-
bücher. I. Reihe: Grammatiken, Nr. 2). Heidelberg, Winter, 1906. XV,
351 S. M. 4,80.

_____

       Berg, Ruben Gison, Några anteckningar om några fall af attraktion I:
Några Svenska arbeten [S.-A. aus *Nyfilologiska Sällskapets i Stockholm
Publikation*]. Stockholm 1905. S. 127—154.
       Östergren, Olof, Stiliska studier I: Törneros' språk (Upsala uni-
versitets årsskrift 1905). Upsala, Lundström, 1905. IX, 150 S.

Zeitschrift für deutsche Mundarten. I, 1 [O. Weise, Das prädikative Eigenschaftswort. Einige sprichwörtliche Redensarten. Küchenlatein. — G. Binz, Eine Probe der basellandschaftlichen Mundart aus dem 17. Jahrhundert. — L. Hertel, Erzählung in Suhler Mundart. — O. Heilig, Alte Flurbenennungen aus Baden. — W. Unseld, Schwäbische Sprichwörter und Redensarten. — L. Sütterlin, Sprache und Stil in Roseggers 'Waldschulmeister'. — W. Schoof, Beiträge zur Kenntnis der Schwälmer Mundart. — V. Hintner, Mundartliches aus Tirol. — Bücherbesprechungen. — Bücherschau].

Piquet, F., L'originalité de Gottfried de Strasbourg dans son poème de *Tristan et Isolde*. Etude de littérature comparée [Travaux et mémoires de l'Université de Lille. Nouvelle Série. I. Droit-Lettres. — Fasc. 5]. Lille, Siège de l'université, 1905. 380 S.

Anz, Heinrich, Die lateinischen Magierspiele. Untersuchungen und Texte zur Vorgeschichte des deutschen Weihnachtspiels. Leipzig, Hinrichs, 1905. VIII, 163 S. M. 4,50.

Kaulfufs-Diesch, Carl Hermann, Die Inszenierung des deutschen Dramas an der Wende des 16. und 17. Jahrhunderts. Ein Beitrag zur älteren deutschen Bühnengeschichte (Probefahrten VII). Leipzig, Voigtländer, 1905. VIII, 236 S. M. 6.

Euling, Karl, Das Priamel bis Hans Rosenplüt. Studien zur Volkspoesie (Germanistische Abhandlungen, begründet von Karl Weinhold, hg. von Friedr. Voigt, 25. Heft). Breslau, Marcus, 1905. VIII, 583 S. M. 12.

Sahr, Julius, Deutsche Literaturdenkmäler des 16. Jahrhunderts, III: Von Brant bis Rollenhagen: Brant, Hutten, Fischart sowie Tierepos und Fabel, ausgewählt und erläutert (Sammlung Göschen Nr. 36). Leipzig, Göschen, 1905. 155 S. M. 0,80.

Gedichte von Otto Heinrich Grafen von Loeben. Ausgewählt und herausgeg. von Raimund Pissin (Deutsche Literaturdenkmale des 18. u. 19. Jahrh.). Berlin, Behr, 1905. XVII, 171 S. M. 3.

Briefe von und an G. E. Lessing. In fünf Bänden. Hg. von Franz Muncker. Vierter Band: Briefe an Lessing aus den Jahren 1771—1773. Leipzig, Göschen, 1905. VI, 296 S. M. 5.

Bryant, Frank Egbert, On the limits of descriptive writing apropos of Lessing's Laocoon (Contributions to rhetorical theory, ed. by Fred Newton Scott, VI). Ann Arbor (Mich.) 1906. 43 S.

Thayer, Harvey Waterman, Laurence Sterne in Germany. A contribution to the study of the literary relations of England and Germany in the eighteenth century (Columbia University Germanic studies, II, 1). New York, Columbia Press, 1905. 198 S. $ 1.

Braun, Wilhelm Alfred, Types of Weltschmerz in German poetry (Columbia University Germanic studies, II, II). New York, Columbia Univ. Press, 1905. 91 S. $ 1.

Bodmer, Dr. H., Goethe und der Zürichsee [S.-A. aus der *Neuen Zürcher Zeitung*]. Zürich 1905. 31 S.

Fries, Albert, Miszellen zu Goethe [S.-A. aus dem *Pädagog. Archiv* XLVII, 10, Okt. 1905]. S. 581—583.

Goethes Iphigenie auf Tauris, edited with introduction and notes by Max Winkler. New York, Holt, 1905. CV, 211 S.

Etudes sur Schiller, par MM. Ch. Schmidt, A. Fauconnet, Ch. Andler, Xavier Léon, É. Spenlé, F. Baldensperger, J. Dresch, A. Tibal, A. Ehrhard, Mme Talayrach d'Eckardt, H. Lichtenberger, A. Levy (Bibliothèque de philologie et de littérature modernes). Paris, Alcan, 1905. VII, 228 S. Fr. 4.

Kräger, Heinrich, Zu Schillers Gedächtnis. Rede, gehalten zu Düsseldorf am 9. Mai 1905. 16 S.

Fries, Albert, Miszellen zu Schiller (S.-A. aus dem *Pädagog. Archiv* XLVII, 718, Juli—Aug. 1905). S. 401—405.

Soergel, Albert, Ahasver-Dichtungen seit Goethe (Probefahrten VI). Leipzig, Voigtländer, 1905. VIII, 172 S. M. 4,80.

Ploch, Arthur, Grabbes Stellung in der deutschen Literatur. Leipzig, Scheffler, 1905. 224 S. M. 2.

Dresch, J., Une correspondance inédite de Karl Gutzkow, de Madame d'Agoult (comtesse de Charnacé) et d'Alexandre Weill [S.-A. aus der *Revue germanique* II, 1, 64—95]. Paris, Alcan, 1906.

Lyrische Andachten. Natur- und Liebesstimmungen deutscher Dichter, gesammelt von Ferdinand Gregori. Buchschmuck von Fidus. Leipzig, Hesse [o. J.]. XXXII, 367 S.

Deutsche Lyrik seit Liliencron. Hg. von Hans Bethge. Mit 8 Bildnissen. Leipzig, Hesse [o. J.]. XXXII, 297 S.

Koltan, J., E. Häckels monistische Weltansicht. (Naturphilosophische Strömungen der Gegenwart in kritischen Darstellungen. Erste Folge.) Zürich, Speidel, 1905. 88 S. M. 1,50.

Deutsche Schulausgaben, hg. von Dr. Julius Ziehen. Dresden, Ehlermann [o. J.].

Nr. 34. Quellenbuch zur deutschen Geschichte von 1815 bis zur Gegenwart. Hg. von Dr. J. Ziehen. 187 S. M. 1,45.

Nr. 35. Goethes Gedankenlyrik. Hg. von Dr. Paul Lorentz. 162 S. M. 1,40.

Nr. 36. Körners Zriny. Hg. von Dr. H. Schladebach. 104 S. M. 0,80.

Nr. 37. Hebbelbuch. Auswahl von Gedichten und Prosa. Hg. von Dr. Paul Lorentz. 160 S. M. 1,20.

Zur Erdkunde. Proben erdkundlicher Darstellung für Schule und Haus, ausgewählt und erläutert von Dr. Felix Lampe [A. v. Humboldt, Über die Wasserfälle des Orinoco. — K. Ritter, Aus der Einleitung zur 'Erdkunde'. — O. Peschel, Der Zeitraum der grofsen Entdeckungen. — H. Barth, Reise in Adamana. — Richthofen, Aus China. — E. v. Drygalski, Die deutsche Südpolarexpedition. — A. Kirchhoff, Das Meer im Leben der Völker. — F. Ratzel, Deutschlands Lage und Raum. — J. Partsch, Das niederrheinische Gebirge. — K. v. d. Steinen, Die Indianer am Schingu]. Leipzig u. Berlin, Teubner, 1905. 151 S. M. 1,20.

Zur Geschichte der deutschen Literatur. Proben· literarhistorischer Darstellung für Schule und Haus, ausgewählt und erläutert von Dr. Rudolf Wessely. Leipzig u. Berlin, Teubner, 1905. 169 S.

Tumlirz, Karl, Deutsche Sprachlehre für Mittelschulen. Wien, Tempsky, 1906. 145 S. 1 K 50 h.

Hölzels Wandbilder für den Anschauungs- und Sprachunterricht. Serie III, Blatt 11: Wien, aufgenommen von Fr. Beck. Mit einem Begleitwort von Prof. Dr. F. Umlauft. Gröfse des Bildes 142 : 92 cm. Wien, Hölzel, 1906. Auf Leinwand gespannt M. 8,50. [Die frühere Aufnahme von Wien in Hölzels Städtebildern, die einen Blick auf die Millionenstadt nur aus der Ferne, vom Abhange des Kahlengebirges aus, wiedergab, ist vergriffen und jetzt durch eine ganz neue Aufnahme ersetzt, wobei der Beschauer vor der Oper gedacht ist, natürlich in Vogelhöhe. Das Strafsennetz der inneren Stadt, der Deutlichkeit halber etwas vereinfacht, bildet das Zentrum; das dunkle Gestein des Stephansturmes überragt das ganze Gewirr mit beherrschender Wucht. Dahinter sticht zuerst das schmale Silberband des Donaukanals hervor, noch weiter rückwärts das breitere des Donaustromes. Nach links zu erheben sich Kahlenberg und Leopoldsberg. Warum die Stadt gerade hier entstand, wo die Donau aus den letzten Ausläufern der Alpen hervorbricht, welche Stellung sie gegenüber den drohenden Magyaren im Osten einnahm, und wie das Gelände beschaffen war, auf dem sich 1683 die entscheidende Türkenschlacht abspielte, wird hier auf grofsartige Weise sichtbar. Es ist ein schönes und lehrreiches Bild, das nicht blofs österreichischen Schülern zum Vorteil gereichen wird. — In dem Begleitwort des Prof. Umlauft sind die wichtigsten Ereignisse aus der Stadtgeschichte knapp erwähnt, mit besonderem Akzent auf der Schaffung von Grofs-Wien.]

Englische Studien. XXXV, 3 [J. Weightman, Vowel-levelling in Early Kentish, and the use of the symbol ę in OE. charters. — P. Lendeertz jr., Die Quellen der ältesten mittelengl. Version der Assumptio Mariae. — Fr. Brie, Zum Fortleben der Havelocksage. — H. Willert, Vom Gerundium]. XXXVI, 1 [M. Förster, Eine nordengl. Cato-Version. — Ch. W. Wallace, New Shakespeare documents. — A. Greeff, Byron's Lucifer. — A. Western, Some remarks on the use of English adverbs. — P. Fijn van Draat, After].

Anglia. XXVIII, 4 [H. Guskar, Fletchers Monsieur Thomas und seine Quellen. — E. Flügel, Eine mittelenglische Claudian-Übersetzung (1445). — Fr. Klaeber, Notizen zur Texterklärung des Beowulf. — Fr. Klaeber, Zum Beowulf. — H. A. Evans, A Shakespearian controversy of the eighteenth century. — W. Horn, Zur engl. Grammatik. — E. Einenkel, Zum engl. Indefinitum. — E. Einenkel, A friend of mine].

Beiblatt zur Anglia. X, 10—12. XVII, 1, 2.

Bonner Beiträge. XVII [Brüters, Otto, Über einige Beziehungen zwischen altsächsischer und altenglischer Dichtung. — Bülbring, Karl Daniel, Die Schreibung des eo im Ormulum. — Heuser, Wilhelm, Das frühmittelenglische Josephslied. — Trautmann, Moritz, Nachträgliches zu Finn und Hildebrand. Der Heliand eine Übersetzung aus dem Altenglischen. Auch zum Beowulf (ein Grufs an Herrn Eduard Sievers). Die Auflösung des 11. (9.) Rätsels. Die neueste Beowulf-Ausgabe und die altenglische Verslehre]. 191 S. M. 6. — XIX [Ostermann, Hermann, Lautlehre des germ. Wortschatzes in der von Morton herausgegebenen Handschrift der Ancren riwle. — Williams, Irene, A grammatical investigation of the Old Kentish Glosses. — Trautmann, Moritz, Alte und neue Antworten auf altenglische Rätsel; Hasu]. 218 S. M. 7. — XXI [Wilkes, J., Lautlehre zu Ælfrics Heptateuch und Buch Hiob]. 176 S. M. 5,60.

Scottish historical review. III, 10 [A. Lang, Portraits and jewels of Mary Stuart. — H. Brown, The Scottish nobility and their part in the national history. — T. F. Henderson, 'Charlie he's my darling', and other Burns' originals. — J. Edwards, Greyfriars in Glasgow. — J. H. Round, The Ruthven of Freeland barony. — H. Bingham, The early history of the Scots Darien Company. — Sir Herbert Maxwell, The 'Scalacronica' of Sir Thomas Gray. — Reviews. — Queries. — Notes etc.].

Bausteine, Zeitschrift für neuenglische Wortforschung. I, 2 [L. Kellner, Beiträge zur neuenglischen Lexikographie. — H. Richter, Chattertons Rowley-Sprache (Schlufs). — G. Krüger, Shakespeareana. — J. Ellinger, Der doppelte Akkusativ oder Nominativ im heutigen Englisch. — H. Ullrich, Nachträge zu Murets Wörterbuch. — J. Hatschek, Der parlamentarische Ausdruck 'Session'. — Kleine Notizen. — Fragen und Antworten. — Bücherschau. — Plauderecke]. 3 [R. Dyboski, Die Sprache Tennysons. — G. Reiniger, Ergänzungen zu E. W. Eitzens Commercial Dictionary. — R. Brotanek, Übersicht der Erscheinungen auf dem Gebiete der englischen Lexikographie im Jahre 1903. — R. Dyboski, Zur Wortbildung in Tennysons Jugendgedichten, etc.].

Renton, William, Outlines of English literature, with diagramms. London, Murray, 1905. XI, 248 S.

Clark, J. Scott, A study of English prose-writers, a laboratory method. New York, Scribener, 1904. XV, 879 S. [Mit eigenartigem Streben

nach Unbefangenheit und Vollständigkeit sind hier 21 englische und
5 amerikanische Schriftsteller von Francis Bacon bis herab zu John
Ruskin auf ihren Stil hin beschrieben. Jener dieser Autoren ist für sich
behandelt: zuerst erhalten wir eine kurze Lebensbeschreibung, dann ein
Verzeichnis der Schriften, die über seinen Stil irgendwelche Urteile enthalten, dann *particular characteristics*, und zwar sind letztere aus den
vorgenannten stilistischen Urteilen abstrahiert. Jede Eigenschaft, die den
meisten Beurteilern und am meisten auffiel, ist vorangestellt; also bei
Bacon *conciseness*, bei Milton *magnificence*, bei Bunyan *terseness*, bei Addison *elegance*, bei Steele *colloquial ease*, bei Defoe *minuteness*, bei Swift
caustic satire, impatience of absurdity, bei Goldsmith *graceful ease*, bei
Johnson *latinised diction*, bei Burke *impatient eloquence*, bei Lamb *quaint-
ness*, bei Walter Scott *vivid personal portraiture*, bei De Quincey *excessive
qualification and suspense*, bei Macaulay *fondness for contrast, balance,
point and epigramm*, bei Thackeray *hatred of shams*, bei Newman *finish*,
bei Matthew Arnold *literary inside*, bei Carlyle *free coinage and verbal
excentricities*, bei George Eliot *psychological analysis of character*, bei
Dickens *caricature*, bei Ruskin *descriptive power*. Indem Clark die Wert-
urteile anderer summierte, hat er nach möglichst vielseitiger und objektiver
Charakteristik gestrebt; sicherlich nicht ohne Erfolg. Auf die Haupt-
eigenschaft folgen mehr oder minder viele Nebeneigenschaften, illustriert
durch einige bezeichnende Sätze aus dem Autor selbst. Wir erhalten
hiermit eine Art von arithmetischer Prosaästhetik, die dem Lehrer der
englischen Literatur treffende Ausdrücke an die Hand gibt und auch dem
literarhistorischen Forscher zu denken gibt.]

    J e s p e r s e n , Otto, Growth and structure of the English language.
Leipzig, Teubner, 1905. IV, 260 S. M. 3.

    S c h ö n , Eduard, Die Bildung des Adjektivs im Altenglischen (Kieler
Studien zur engl. Philologie, hg. von F. Holthausen, Neue Folge, Heft 2).
Kiel, Cordes, 1905. 110 S. M. 3.

    S c h u l d t , Claus, Die Bildung der schwachen Verba im Altenglischen
(Kieler Studien zur engl. Philologie, hg. von F. Holthausen, Neue Folge,
Heft 1). Kiel, Cordes, 1905. 95 S. M. 2,50.

    S t o f s b e r g , Franz, Die Sprache des altenglischen Martyrologiums.
Bonn, Hanstein, 1905. 167 S. M. 4.

    T r i l s b a c h , Gustav, Die Lautlehre der spätwestsächsischen Evan-
gelien. Bonn, Hanstein, 1905. 173 S. M. 4.

    P a l m g r e n , Carl, English gradation-nouns in their relation to strong
verbs. Inauguraldissertation. Upsala, Appelberg, 1904. 92 S.

    Neues und vollständiges Handwörterbuch der englischen und deut-
schen Sprache von Dr. F. W. T h i e m e . 18. Auflage, vollständig neu bearbeitet von Dr. Leon K e l l n e r . Zweiter Teil, Deutsch-Englisch. Braunschweig, Vieweg, 1905. XLIV, 597 S. M. 6.

    Beowulf, Altengl. Heldengedicht, übersetzt und mit Einleitung und
Erläuterungen versehen von Paul V o g t . Mit einer Karte der Nord- und
Ostseeküsten. Halle a. S., Buchhdlg. d. Waisenh., 1905. 103 S. M. 1,50.

    S c h l e i c h , G., Sir Eglamour (Palaestra LIII). Berlin, Mayer & Müller,
1906. 160 S. M. 4,50.

    L o w e s , John Livingston, The prologue to the 'Legend of good women'
considered in its chronological relations. [Reprinted from the *Publications
of the Modern Language Association of America* XX, 4.] Modern Language
Association of America, 1905. S. 749—864.

    F r e n c h , John C., The problem of the two prologues to Chaucer's
Legend of good women. Johns Hopkins Univ. diss. Baltimore, Furst,
1905. 100 p. [Nochmals wird die Frage mit Genauigkeit behandelt, ob
G ein erster Entwurf war, wie Skeat sofort behauptete, oder eine spätere
Umformung, wie ten Brink wollte. Sinn, Satzbau und Metrik sind für

French deutliche Zeugen der ersteren Auffassung. Nach ihm wurde G vom Dichter später umgeformt, um die Königin Anna als *daisy* und Alcestis zu preisen, wahrscheinlich nicht viel später. Sollten ten Brink, Koeppel u. a. dies auf der Oberfläche liegende Argument wirklich übersehen haben? Den unfertigen Zustand von G leugnet niemand; die Frage ist nur, ob ·G die Grundlage des ersten oder des zweiten Entwurfes war. Die Ansicht von French ist natürlicher, die von ten Brink deshalb noch nicht unmöglich. Der Stil ist eben in chronologischen Dingen, wie bei Echtheitsfragen, ein sehr unsicherer Führer, während er, wenn die chronologische Reihenfolge feststeht, für die Entwickelung des Autors der Kronzeuge ist.]

Vocabularium latino-anglicum saeculo quinto decimo compositum e manuscripto Musei Britannici edidit Hermannus Varnhagen. Universitätsschrift. Erlangen 1905. 27 S.

· Brie, Friedrich W. D., Geschichte und Quellen der mittelenglischen Prosachronik The Brute of England oder The chronicles of England. Marburg, Elwert, 1905. VIII, 130 S.

Baeske, Wilhelm, Oldcastle-Falstaff in der englischen Literatur bis zu Shakespeare (Palaestra Bd. L). Berlin, Mayer & Müller, 1905. VI, 119 S. M. 3,60.

Dowden, Edward, Shakespeare. Deutsch von Paul Tausig (Max Hesses Volksbücherei 245—247: Dichter und Denker II). Leipzig, Max Hesse [o. J.]. 200 S. M. 0,60.

Franz, Wilhelm, Orthographie, Lautgebung und Wortbildung in den Werken Shakespeares mit Ausspracheproben. Heidelberg, Winter, 1905. VI, 125 S.

Vershofen, Wilhelm, Charakterisierung durch Mithandelnde in Shakespeares Dramen (Bonner Beiträge, XX). Bonn, Hanstein, 1905. 157 S. M. 5.

Garth's 'Dispensary'. Kritische Ausgabe mit Einleitung und Anmerkungen von Wilh. Jos. Leicht (Engl. Textbibliothek, hg. von Hoops, Nr. 10). Heidelberg, Winter, 1905. VIII, 175 S. M. 2,40.

Varnhagen, Hermann, Über Byrons dramatisches Bruchstück 'Der umgestaltete Mißgestaltete'. Rede beim Antritt des Prorektorates der Universität Erlangen. Erlangen, Junge, 1905. 27 S. M. 0,80.

Leonard, W. E., Byron and Byronism in America. Columbia Univ. diss. Boston 1905. VI, 126 p. [*Sub-literary* nennt Leonard mit einem bezeichnenden Wort den Einfluß auf die amerikanische Literatur, denn eine Menge unbedeutender Zeitschriften, Dichter und Kritiker, haben ihn vermittelt, während von namhaften Autoren nur Poe ein eigentliches Verhältnis zu ihm hatte. Der puritanische Geist Amerikas war dem Autor des 'Don Juan' im innersten Wesen abgekehrt. Das zeigte sich z. B. in einer Anzeige dieses Epos im Portfolio 1823: es sei *a terrible poem for youthful readers — the work of a titled profligate — sneers at that character on which in the female sex the happiness of life depends, a virtuous and modest woman* (p. 24). Daneben gab es jenseits des Ozeans zwar viele Reflexe der Bewunderung, die Byron in Europa genoß, aber sie gingen alle nicht tiefer. Die Studie ist ein Zeugnis dafür, wie in den Vereinigten Staaten, kaum daß sie ein Jahrhundert nennenswerter Literatur gehabt, schon deren Geschichte einsetzt.]

Longfellows Evangeline. Kritische Ausgabe mit Einleitung, Untersuchungen über die Geschichte des englischen Hexameters und Anmerkungen von Ernst Sieper (Engl. Textbibliothek, hg. von Hoops, Nr. 11). Heidelberg, Winter, 1905. VII, 177 S. M. 2,60.

Ruskin, John, Steine von Venedig, Band III. Aus dem Englischen von Hedwig Jahn (John Ruskin, Ausgewählte Werke in vollständiger Übersetzung, Bd. X). Jena, Diederichs, 1906. 458 S. M. 10, geb. M. 11.

Reuton, William, Oils and water-colours (Nature poems). A new edition. London, Greening, 1905. 160 S. 5 s.

Collection of British authors. Tauchnitz edition. à M. 1,60.

Vol. 3845—46: Stanley J. Weyman, Starvecrow farm.
„   3847: E. W. Hornung, A thief in the night.
„   3848—49: H. Rider Haggard, Ayesha. ·The return of 'She'.
„   3850: Gertrude Atherton, The travelling thirds.
„   3851: Robert Hichens, The black spaniel and other stories.
„   3852: Agnes and Egerton Castle, French Nan.
„   3853: Lloyd Osbourne, Baby Bullet.
„   3854—55: F. Marion Crawford, Soprano.
„   3856: W. W. Jacobs, Captains all.
„   3857—58: H. G. Wells, Kipps.
„   3859: Arnold Bennett, Sacred and profane love.
„   3860: "Q" (A. T. Quiller-Couch), Shakespeare's Christmas and other stories.
„   3861: John Ruskin, Sesame and lilies.
„   3862: Kate Douglas Wiggin, Rose o' the river.
„   3863: George Moore, The lake.
„   3864—65: Maurice Hewlett, The fool errant.
„   3866: Vernon Lee, Pope Jacynth, etc.
„   3867—68: Horace Annesley Vachell, Brothers.
„   3869: Eden Phillpotts, The golden fetich.
„   3870—71: John Ruskin, The stones of Venice.
„   3872: 'Rita', Prince Charming.

Reventlow, Graf, Die englische Seemacht (England in deutscher Beleuchtung, Einzelabhandlungen hg. von Dr. Th. Lenschau, Heft 5). Halle, Gebauer-Schwetschke, 1906. 72 S. M. 1.

Pünjer, J., und Hodgkinson, F. F., Lehr- und Lesebuch der englischen Sprache. Ausgabe B, I. Teil. Dritte verbesserte und vermehrte Auflage. Hannover u. Berlin, Carl Meyer, 1905. VIII, 149 S. M. 1,80.

Swoboda, W., und Kaiser, K., 'Senior book', Part I. Lehr- und Lesebuch für den 2. Jahrgang des englischen Unterrichts (Lehrbuch der englischen Sprache für höhere Handelsschulen, II. Teil). Wien u. Leipzig, Deuticke, 1906. IV, 186, 54 S. 3 K 60 h.

Goerlich, Ewald, Englisches Lesebuch. Ausgabe für sechsklassige Schulen (Realschulen und Realprogymnasien). Paderborn, Schöningh, 1906. VII, 325 S. M. 2,80.

Selections from English poetry. Auswahl englischer Dichtungen von Dr. Ph. Aronstein. Ergänzungsband (Velhagen & Klasings Sammlung, English authors, Lief. 104). Bielefeld und Leipzig, Velhagen & Klasing, 1906. 130, 63 S.

Macaulay, J. B., Selections. Für den Schulgebrauch hg. von Dr. A. Sturmfels (Freytags Sammlung franz. u. engl. Schriftsteller). Leipzig u. Wien, Freytag, 1906. 164 S. M. 1,60.

Jefferies, Richard, The life of the fields. In Auszügen mit Anmerkungen und einem Wörterbuch zum Schulgebrauch hg. von A. W. Sturm (Kühtmann's English library 37). Dresden, Kühtmann, 1906. 160, 8, 50 S.

Schmidt, Friedrich, Short English prosody for use in schools. Leipzig, Renger, 1905. 14 S. M. 0,30.

Borgmann, Ferdinand, Leitfaden für den englischen Anfangsunterricht. II. Teil: Erweiterung der Formenlehre und Syntax. Drittes Schuljahr. Bremerhaven, Vangerow, 1906. VIII, 167 S. M. 1,50.

Camerlynck, G., A handbook of English composition for the use of continental pupils. Leipzig, Brandstetter, 1906. 176 S.

Ellinger, Dr. Joh., und Butler, A. J. Percival, Lehrbuch der englischen Sprache, Ausgabe A. (Für Realschulen, Gymnasien und verwandte höhere Lehranstalten.) I. Teil: Elementarbuch. Wien, Tempsky, 1905. 165 S. 2 K 25 h.

Hamburger, Sophie, English lessons. After S. Alge's method for the first instruction in foreign languages. With Ed. Hölzel's pictures. Fifth edition. Leipzig, Brandstetter, 1905. X, 246 S. M. 2,40.

Poutsma, H., A grammar of late modern English for the use of continental, especially Dutch, students. Part I, Section II: The composite sentence. Grooningen, Noordhoff, 1905. S. 349—812. M. 6.

Swoboda, Wilhelm, Schulgrammatik der modernen englischen Sprache mit besonderer Berücksichtigung der Geschäftssprache (Lehrbuch der englischen Sprache für höhere Handelsschulen, IV. Teil). Wien u. Leipzig, Deuticke, 1906. VIII, 125 S. 2 K 20 h.

Romania p. p. P. Meyer et A. Thomas. N° 136, Octobre 1905 [A. Jeanroy, Poésies du troubadour Gavaudan. — A. Thomas, Nouveaux documents inédits pour servir à la biographie de Pierre de Nesson. — A. Piaget, *La Belle dame sans merci* et ses imitations (fin). — A. Delboulle, Mots obscurs et rares de l'ancienne langue française. — Comptesrendus — Périodiques — Chronique].

Revue des langues romanes. XLVIII, 6 [F. Castets, *Candide, Simplicius* et *Candido*. — M. Bonnet, Deux fautes dans le Discours de Bossuet sur l'Histoire Universelle. — A. de Stefano, Una nuova grammatica latino-italiana del sec. XIII. — H. Guy, La Chronique française de Maître Guill. Crétin, suite et fin. — J. Calmette, La correspondance de la ville de Perpignan de 1399 à 1430. — Bibliographie].

Romanische Forschungen, Organ für roman. Sprachen und Mittellatein, hg. von K. Vollmöller. [Vgl. *Archiv* CXV, 265 und 475; die Hefte XIX, 3; XX, 2 u. 3; XXI, 1 stehen noch aus.] XXI, 2 [K. Lewent, Das altprovenzalische Kreuzlied. — H. Heifs, Studien über die burleske Modedichtung Frankreichs im XVII. Jahrhundert].

Buck. C. D., Elementarbuch der oskisch-umbrischen Dialekte, deutsch von E. Prokosch (Sammlung indogerm. Lehrbücher, hg. von H. Hirt). Heidelberg, Winter, 1905. XI, 235 S. Geb. M. 6,50.

Roger, M., Ars Malsachani. Traité du verbe publié d'après le ms. lat. 13026 de la Bibliothèque Nationale, Paris, A. Picard, 1905. XXIV, 86 S. Fr. 2.

Roger, M., L'enseignement des lettres classiques d'Ausone à Alcuin. Introduction à l'histoire des écoles carolingiennes. Paris, Picard, 1905. XVIII, 457 S. Fr. 10. [Von Ausonius bis zur Renaissance, d. h. während mehr als eines Jahrtausends, sind die klassischen Studien nie völlig verschwunden, doch haben sie schwere Krisen durchgemacht. Das Buch Rogers untersucht die schwerste und älteste dieser Krisen, die ein halbes Jahrtausend füllt, vom 4.—8. Jahrhundert. Gallien steht im Zentrum dieser Untersuchung; doch ist weder Cassiodor oder Gregor der Grofse noch Isidor von Sevilla übergangen, und fast die Hälfte des Bandes ist Britannien und Irland gewidmet. — Es ist kein unerforschtes Land, durch welches R. uns geleitet. R. hat sich denn auch fortwährend mit denen auseinanderzusetzen, die vor ihm des Weges gegangen sind, der von Ausonius über Sidonius Apollinaris, Fortunat, Gregor von Tours, den Grammatiker Virgilius zu den keltischen und angelsächsischen Mönchen und von diesen, mit Alcuin, wieder nach dem Lande der Franken führt. Diese Auseinandersetzungen sind ebenso besonnen wie kundig. R. gewinnt in hohem Mafse das Vertrauen des Lesers durch die strenge Sachlichkeit der Kritik, die er an den Theorien übt, von denen Ozanam oder Fustel de Coulanges sich *in majorem Ecclesiae* oder *Galliae gloriam* haben leiten

lassen. Besonders lehrreich ist hier sein Urteil über den Grammatiker Virgilius, in dessen *Epitomae* und *Epistolae* er ein wertvolles, wenn auch mit äufserster Vorsicht zu benutzendes Denkmal sieht, und den er eingehend (S. 110—26) behandelt. — Diese Pariser Doktordissertation ist eine hervorragende Leistung.]
   M u r e t , E., *Glaucus*, étude d'étymologie romane. Extrait des 'Mélanges Nicole' S. 379—89. Genève, imprim. Kündig, 1905. [In geistreicher Weise führt Muret span. *loco*, port. *louco* etc. auf den Eigennamen *Glaucus*, spez. den Namen des lykischen Führers bei Homer, zurück.]
   L u c h s i n g e r , Chr., Das Molkereigerät in den romanischen Alpendialekten der Schweiz. Zürcher Inauguraldissertation [S.-A. aus dem *Schweiz. Archiv für Volkskunde*, IX]. Zürich, Juchli & Beck, 1905. 51 S. und 9 Tafeln mit 33 Illustrationen. [Zweimal hat der Verf. dieser an Gignoux, *La terminologie du vigneron dans les patois de la Suisse romande*, 1902, erinnernden Arbeit das romanische Alpengebiet der Schweiz (Gruyère, Alpes vaudoises et valaisannes; Tessin; Graubünden) durchwandert und dabei die Ausdrücke für die Se n n h ü t t e mit ihren G e r ä t s c h a f t e n , für die M i l c h p r o d u k t e und ihre H e r s t e l l u n g und für die Ä l p l e r f a m i l i e gesammelt. Wir werden also, nachdem er sich hier auf die Mitteilung des Materials für die Gerätschaften beschränkt hat, noch ein mehreres von ihm erwarten dürfen. — Diese Gerätenamen zeigen eine auffallende, auch die germanischen Schweizeralpen umfassende Einheitlichkeit. Manche sind mit den Geräten über die Sprachgrenze hin und her gewandert, und gerade diese sind auch zumeist etymologisch dunkel, zum kleinsten Teil römischen Stammes, sondern Zeugen uralter, vorromanischer Kulturschichten. Das gesamte Namenmaterial (195 Wörter) verteilt sich auf etwa 150 verschiedene Wortstämme, von denen mehr als die Hälfte (67 Proz.) sich als römisch erweisen: so ist auch auf diesem Kulturgebiet der Grundstock lateinisch. Das Germanische tritt (mit 11 Proz.) stark zurück. Von den 30 Molkereigeräten, die L. behandelt und i l l u s t r i e r t — das Bild war hier unentbehrlich —, sind nur drei der Milchwirtschaft eigentümlich: die Rahmkelle und das Butterfafs; die Käseformen. Ihnen gelten insbesondere die kulturhistorischen Vorbemerkungen des Verfassers: die Butterbereitung kommt von den Germanen zu den Romanen; das Käsen ist den umgekehrten Weg gegangen und auf schweizerischem Boden wohl zuerst im romanisierten Wallis heimisch oder doch vervollkommnet worden. Den Hauptteil der Arbeit bildet das systematische Verzeichnis der 195 Termini technici mit etymologischer Diskussion. — Diese sehr verdienstvolle Studie Luchsingers gehört zu jenen Arbeiten, die in der Atmosphäre des *Glossaire des patois de la Suisse romande* grofs geworden sind und als willkommene Vorboten zeigen, was wir von diesem Werke erwarten dürfen.]

Revue de philologie française p. p. L. C l é d a t. XIX, 4 [E. Philipon, Compte en dialecte lyonnais du XIVe siècle. — E. Casse et E. Chaminade, Vieilles chansons patoises du Périgord, avec musique (fin). — H. Yvon, La grammaire française au XXe siècle. — Comptes rendus. — Table].
   Zeitschrift für französische Sprache und Literatur, hg. von D. B e h r e n s. XXIX, 1 und 3 [P. Fischmann, Molière als Schauspieldirektor. — E. Brugger, L'enserrement de Merlin. Studien zur Merlin-Sage. I. Die Quellen und ihr Verhältnis zueinander. — D. Behrens, Wortgeschichtliches: *battée*; *becquemoulx*; lyon. *bloyi*; wall. *bonge*, *clavai*; ostfr. *codat*; *daghet*; *freneau*; *gaupe*; blais. *gégneux*; afz. *hoc*; *moine* = Kreisel; ostfr. *möxè*; *pet*; *tamisaille*; *tin*; blais. *tou*; vendôm. *trios*; ostfr. *trous*. — G. C. Keidel, The foliation systems of french incunabula]. XXIX, 2 und 3 [der Referate und Rezensionen erstes und zweites Heft].

Revue des Etudes Rabelaisiennes. III, 4 [E. Picot, Rabelais à l'entre-
vue d'Aiguesmortes (juillet 1538). — A. Lefranc, Les autographes de R.
mit Faksimiles. — H. Clouzot, Le véritable nom du Seigneur de Saint-
Ayl. — Mélanges. — Comptes-rendus. — Chronique].
Bulletin du Glossaire des Patois de la Suisse romande. 4e année,
N° 3 et 4. Lausanne, Bridel & Cie, 1905 [J. Jeanjaquet, Le fléau et ses
parties dans la Suisse romande. — F. Isabel, Les diminutifs dans le patois
des Alpes vaudoises. — J. Surdez, Pronostics et dictons agricoles. Patois
du Clos du Doubs, Jura bernois (suite). — G. Christin, *La moisson d'autrefois*, dialogue en patois d'Aire-la-Ville (Genève)].
Glossaire des Patois de la Suisse romande. Septième rapport annuel
de la rédaction. 1905. Neuchâtel, Attinger, 1906. 16 S.
Freytags Sammlung französischer und englischer Schriftsteller. Leipzig, Freytag, 1905:
J. Sandeau, Madeleine, für den Schulgebrauch hg. von G. Gürke.
106 S. Geb. M. 1,20. Hierzu ein Wörterbuch, 18 S., M. 0,30.
L. Gautier, Epopées françaises, für den Schulgebrauch hg. von Dr. F.
Strohmeyer. 122 S. Geb. M. 1,20. Hierzu Wörterbuch, 39 S.,
M. 0,40.
Le Commerce de France, für die Oberklassen von Handelsschulen hg.
von Prof. H. Fr. Haastert. 146 S. Geb. M. 1,50. Hierzu Wörter-
buch, 34 S., M. 0,40.
J. Sandeau, La Roche aux Mouettes. Für den Schulgebrauch hg. von
H. Glinzer. 77 S. Mit Wörterbuch. Geb. M. 1.
Französische Parlamentsreden aus der Zeit von 1789—1814; für den
Schulgebrauch hg. von Dr. E. Schulenburg. 152 S. Geb. M. 1,50.
Bibliothèque française. Dresden, G. Kühtmann, 1905:
N° 80. La maison roulante par Mme de Stolz. Mit Anmerkungen,
Fragen und Wörterbuch nach der 9. Auflage des Originals für den
Schulgebrauch bearb. von Oberl. Dr. Rahn. 94, 34, 35 S. M. 1,20.
Le Bourgeois, F., Manuel des chemins de fer. Karlsruhe, J. Biele-
feld, 1906. XI, 162 S. Geb. M. 2,80.
Gormond et Isembart. Réproduction photocollographique du manu-
scrit unique avec une transcription littérale par A. Bayot. Bruxelles,
Misch & Thron, 1906. XXIII S. u. 8 Tafeln. Publications de la *Revue
des Bibliothèques et Archives de Belgique*, N° 2.
Gerhards französische Schulausgaben, N° 20: Extraits de journaux.
Tableaux de la vie moderne en France par E. Dannheifser. Mit Er-
laubnis der Redaktionen. I. Teil: Einleitung und Text. VIII, 160 S.
Geb. M. 1,30. II. Teil: Französische Anmerkungen und Wörterbuch. 48 S.
M. 0,35. Leipzig, R. Gerhard, 1906.
Nyrop, Kr., Poésies françaises, 1850—1900, publiées et annotées.
Copenhague, Schubothe, 1905. II, 138 S. [Fünfzehn Poeten, von Leconte
de Lisle über Baudelaire, Richepin, Mallarmé, Régnier, Samain bis zu
Bruant und Xanrof in origineller Auswahl, sorgfältigem Text mit knappen
Erklärungen, für Universitätsübungen bestimmt und sehr brauchbar.]
Fink, P., Volkstümliches aus Südburgund, mit besonderer Berück-
sichtigung des Trinklieder. Genève, Impr. du 'Journal de Genève', 1905.
23 S. [Der gemeinverständliche Vortrag bringt eine Zusammenstellung
von Bräuchen, Redensarten, Liedern, die zum Teil der Bresse, dem
Bugey etc. eigentümlich, meist aber weit verbreitet sind. — *Sarrasin*, p. 5,
heifst einfach: *heidnisch, ungetauft*, wie in der alten epischen Überlieferung.]
Paris, G., La littérature française au moyen âge (XIe—XIVe siècle).
Troisième édition, revue, corrigée, augmentée et accompagnée d'un tableau
chronologique. Paris, Hachette, 1905. XVI, 344 S. Fr. 3,50. [Diese
dritte Ausgabe des nun klassisch gewordenen Handbuches ist mit Hilfe

der vom Verf. hinterlassenen handschriftlichen Verbesserungen und Nachträgen von P. Meyer und J. Bédier besorgt worden. Eine erhebliche Erweiterung hat der Text bei den zahlreichen Detailänderungen nicht erfahren. Auch in das *Tableau chronologique* hat G. P. mit grofser Sorgfalt
die kleinen Resultate der Forschung eingetragen. Vom höheren Alter des
Partenopeu (gegen 1155) scheint er sich nicht überzeugt zu haben; für
Gautiers *Ille et Galeron* nahm er '*vers 1168*' an; der ältere *Eracle* ist, wohl
durch ein Versehen, aus der Tabelle verschwunden. *Ivain* beliefs er trotz seiner Bemerkung, *Romania* XXVIII, 160 f., '*vers 1172*'. Wie mannigfach und
sorgfältig im einzelnen, auch im Text, kleine Ergänzungen, Streichungen,
Umstellungen etc. von G. P. vorgenommen worden sind, zeigt z. B. § 55
über die *Lais*. Seine letzte Meinung über den apokryphen *Tristan* Chrétiens
kommt § 56 f. nicht zum Ausdruck. Die *Notes bibliographiques* sind am
durchgreifendsten umgestaltet und vermehrt worden. Ob es ratsam war,
von dem durch G. P. befolgten System der Verweisungen abzuweichen,
mag dahingestellt bleiben. Dankenswert ist eine so mühevolle Arbeit, wie
die Fortführung der Bibliographie eines anderen, auf alle Fälle. Dafs
bei dem Systemwechsel manches unter den Tisch fallen mufste, ist erklärlich. Ich hebe nur ein Beispiel hervor. G. P. hat die Darstellung
des *Sponsus* geändert und vom Weihnachtszyklus (§ 165) zum Osterdrama
(§ 166) verschoben: zur bibliographischen Orientierung über diese erhebliche Änderung genügte der Hinweis auf die sogen. jüngste Ausgabe des
Sponsus in *Romania* 1893 — die aufserdem nicht die jüngste ist — nicht,
sondern es mufste auf *Zeitschrift für roman. Philologie* 1898 p. 385 oder
wenigstens auf *Romania* 1898 p. 625 verwiesen werden — nach dem System
G. Paris'. Auch anderswo kommt die ausländische Mitarbeiterschaft auf
diese Weise nicht zu ihrem bibliographischen Recht. Doch soll dergleichen
nicht zu schwer ins Gewicht fallen, da wir nun doch die Freude haben,
das unschätzbare Buch, das seit zwanzig Jahren so viele geführt hat, in
neuer Form zu besitzen.]

C l o ë t t a, W., Jean Bodels Nikolausspiel. S.-A. aus der *Österreichischen Rundschau* Band V, Heft 57, S. 200—208. Wien, Konegen [1905].

P i a g e t, A., La Belle Dame sans Merci et ses imitations. Paris,
Bouillon, 1905. 224 S. [Die gelehrten und lehrreichen Aufsätze, die Piaget
seit 1901 über das Gedicht des Alain Chartier in der *Romania* hat erscheinen lassen, finden sich hier vereinigt.]

G e r h a r d t, M., Der Aberglaube in der französischen Novelle des
16. Jahrhunderts. Rostocker Inauguraldissertation. Schöneberg, Langen-
scheidtsche Druckerei, 1906. XII, 158 S. [Nachdem Römer 1903 den
Aberglauben in den D r a m e n des 16. Jahrhunderts in Frankreich behandelt hat, wird hier mit ganz zweckloser Ausführlichkeit der Aberglaube
in der N o v e l l e in langen Beispielreihen, weitläufigen Zitaten und au
petit bonheur zusammengerafften Parallelen und Beredungen aufgerollt.
Hoffentlich kommt nicht einer mit dem 'Aberglauben bei den L y r i k e r n
des 16. Jahrh.' oder mit dem 'Aberglauben in der Novelle des 17. Jahrh.'
nach! — Der Nutzen und das wahrhaft Wissenschaftliche einer Arbeit
wie der vorliegenden würde darin bestehen, dafs das neue und für Epik
und Epiker besonders bezeichnende Material aus dem grofsen Wust heraus-
gearbeitet und nach der sprachgeschichtlichen, künstlerischen und folk-
loristischen Seite scharf charakterisiert würde.]

R i g a l, E., La mise en scène dans les tragédies du 16e siècle (Extraits
de la *Revue d'Hist. litt. de la France*, de Janvier-Mars et d'Avril-Juin
1905). Paris, Colin 1905. 74 S. [Die Entwickelung der Renaissance-
dramatik in Frankreich ist in der letzten Zeit Gegenstand erneuter Untersuchung geworden. Lanson hat 1903 in der *Revue d'hist. litt.* der Frage
Comment s'est opérée la substitution de la tragédie aux Mystères et Moralités
einen längeren Aufsatz gewidmet, der eine Zusammenstellung aller Nach-

richten über Aufführungen von 1552—1628 enthält. Eigentlich Neues
ergibt sich daraus nicht viel;[1] aber lehrreich ist die scharfumrissene Übersicht über das ganze Material, die uns gestattet, festeren Fuſs zu fassen.
Kurz darauf resümierte J. Haraszti in der nämlichen *Revue* XI, 680 ff.
einen Aufsatz, in welchem er sich bemühte, nachzuweisen, daſs die Tragödie des 16. Jahrh. wirklich bühnenmäſsige Darstellung gefunden habe.
Vor Kenntnis dieses Artikels hatte Rigal schon die im Titel angeführte
Studie abgeschlossen und der *Revue* eingereicht: er behandelt auf Grund
neuer Lektüre der Stücke von Jodelle, Grevin, Jean de la Taille, Garnier
und Montchrétien ein Detail der ganzen Frage: die Inszenierung. Wie hat
sich der Dichter die Bühne gedacht? Er zeigt ausführlich und überzeugend, daſs auch die Autoren, die ihre Trauerspiele ausgesprochener-
maſsen für die Aufführung schrieben, wie Jodelle, Jean de la Taille, Montchrétien, sich in vagen Szenenvorstellungen bewegten, und insbesondere
von Garnier bestätigt Rigal, daſs 'er den Schauplatz mit augenscheinlicher
Nachlässigkeit behandelt.' Wie naiv entlehnt und kombiniert z. B. Garnier nach Rigals interessanten Beobachtungen die szenischen Angaben
seiner Quellen! Es gelingt nicht, die Sorglosigkeiten dieser Behandlung
des Ortes mit Hilfe der Annahme kombinierter mittelalterlicher Inszenierung zu überwinden,[2] wie Petit de Julleville gemeint hat — sie finden
ihre Erklärung nur darin, daſs diese Tragöden überhaupt nicht eine dramatische Aufführung in unserem Sinne im Auge hatten, sondern eine
dialogische Rezitation. Diese Trauerspiele wurden nicht sowohl gespielt
als deklamiert. Es sind Stücke rhetorischer Kunst und rhetorischer
Übung — Buchdramen. Ihre eigentliche Heimstätte ist die Kollegien-
bühne, die den Zweck hatte *de faire parvenir les enfants en éloquence.*]
    Heiſs, H., Studien über die burleske Modedichtung Frankreichs im
XVII. Jahrhundert. S.-A. aus Prof. Dr. K. Vollmöllers *Roman. Forschungen*, Band XXI, S. 449—697. Erlangen, Junge & Sohn, 1905. [Eine
mit Liebe, guter Sachkenntnis und bemerkenswertem Darstellungstalent
ausgeführte Charakteristik der travestierenden Dichtung um die Mitte
des 17. Jahrhunderts, speziell Scarrons, Dassoucys und Perraults. Denn
den Ausdruck 'burlesk' definiert der Verf. im Sinne der modernen Poetik,
speziell im Sinne Schneegans', und diese Definition — die ihr gutes Recht
hat — beschränkt literaturgeschichtlich die Burleske wesentlich auf die
Travestie (und Parodie) der Antike. Das 17. Jahrh. hat aber, wie auch
H. kundig ausführt, *le burlesque* in viel weiterem Sinn als literarischen
Jux aufgefaſst, und wer von 'burlesker Modedichtung Frankreichs im
17. Jahrh.' spricht, hat eigentlich kein Recht, diese *poésie burlesque* anders
und enger zu fassen, als es jene Zeit tat. H. hat also zunächst den Titel
seiner Studie entschieden nicht zu Recht formuliert. Er hat auch meines
Erachtens sich stofflich überhaupt zu sehr beschränkt, indem er aus der
reichen *poésie burlesque* nur die Travestien herausgriff und sie in gröſserer

---

[1] An meiner freilich knappen Darstellung (*Geschichte der neueren franz. Litt.*
I, §§ 27 ff.) hätte ich nichts Erhebliches zu ändern, und die Tatsache, daſs der
erste Versuch einer Erneuerung der dramatischen Literatur von den Protestanten
ausgeht, habe ich gebührend hervorgehoben. Ich glaubte sogar, eine besondere
Strömung protestantischer Dramaturgie konstatieren zu können (§§ 28, 32). Man
wird aber zukünftig, nach Lanson, hervorheben müssen, daſs 1560—1600 in der
französischen Provinz Renaissancetragödien — vorzüglich auf der Kollegien-
bühne — zur Vorführung kamen, denen die hauptstädtische Bühne der Passions-
brüder verschlossen war.
    [2] Cf. jetzt Rigals Nachtrag in *Rev. hist. litt.* XII, 508, wo er Montchrétiens
Sophonisbe in ihren drei Redaktionen (1596, 1601, 1604) auch daraufhin untersucht.

Ausführlichkeit behandelte, als die künstlerische und geschichtliche Bedeutung dieses Stoffes erwarten liefs. Er war der Mann, auf den 250 Seiten dieses Buches die *poésie burlesque* jener Zeit in ihrem vollen Umfange darzustellen, so wie sie sich aus den Übertreibungen der Preziosität entwickelt hat und dann durch italienische (Berni, Lasca, Mauro etc.) und spanische Vorbilder beeinflufst und gestärkt worden ist, so dafs sie mit ihrem archaischen, vulgären, ja obszönen Ausdruck das Gegenstück zu Purismus, Prüderie, Feierlichkeit und Regelzwang ward. Wie dieses *burlesque* aus den Übertreibungen der Preziosität spontan entstanden ist, zeigt Balzacs Beispiel. Seine Hyperbel, seine Art, für alltägliche Dinge eine feierliche Form zu wählen, streift ans Burleske (Parodie). Er fühlte auch dessen bedrohliche Nähe und suchte sie abzuwehren. Von all dem spricht auch H. gelegentlich, aber immer nur, um davon die 'eigentliche Burleske', d. h. die Travestie, loszuschälen. Hoffentlich kommt er darauf in einer neuen Arbeit über die ganze *poésie burlesque,* zu der er wohl berufen ist, zurück.]

   Pletscher, Th., Die Märchen Charles Perraults. Eine literarhistorische und literaturvergleichende Studie. Berlin, Mayer & Müller, 1906. VI, 75 S. [Die Studie erscheint, trotzdem sie vielfach flüchtig gearbeitet ist[1] und zumeist nur Forschungen anderer kurz resümiert, als bequem und nützlich, da sie zerstreutes Material vereinigt. Der Verf. steht, was die Ursprungsfragen anbelangt, auf dem Standpunkt Bédiers (Polygenesie). Er hebt die literaturgeschichtliche und folkloristische Bedeutung der *Contes* Perraults zutreffend hervor. Die Bibliographie hätte übersichtlicher dargestellt werden können.[2] Die Argumentation gegen die alte und zuletzt von Marty-Laveaux vertretene Annahme, dafs der junge Perrault der eigentliche Verfasser sei, ist entschieden mifslungen. — Mit Recht lehnt Pl. die phantasievollen Deutungen des Namens *Contes de ma mère l'oie* ab: der Name bezeichnet ursprünglich einen bestimmten, nicht mehr erkennbaren Tiermärchenzyklus aus der Zeit, da, wie Rabelais sagt, *les bêtes parlaient.* — Zu den acht (resp. neun) Märchen Perraults werden schliefslich eine Reihe sehr ungleich gearbeiteter Notizen gefügt, Lesefrüchte, in deren Mitteilung, wie in der ganzen Arbeit, ein fester Plan, eine Scheidung des Wesentlichen und Neuen vom Unwesentlichen und Bekannten zu sehr vermifst wird.]

   Waldberg, M. von, Der empfindsame Roman in Frankreich. Erster Teil: Die Anfänge bis zum Beginne des XVIII. Jahrhunderts. Strafsburg u. Berlin, K. J. Trübner, 1906. XIII, 489 S. M. 6. [Aus Vorbereitungen zu einer Geschichte des deutschen Romans ist diese Arbeit über den französischen *roman sentimental* hervorgewachsen, deren zweiter Teil von Fénelon bis zu Rousseau führen soll. Was hier vorliegt, ist eine sehr verdienstvolle Leistung. Das Gebiet des französischen Romans der zweiten Hälfte des 17. Jahrhunderts ist wenig durchforscht: das traditionelle Urteil über ihn geht auf einige wohlbekannte Spezimina zurück, zwischen denen tote Perioden von ganzen Jahrzehnten liegen. W. füllt diese Lücken auf Grund einer umfassenden Lektüre und einer eindringenden Quellenforschung aus und erneut mit dieser Aufdeckung des Unbekannten auch

---

[1] Schon die einleitenden Bemerkungen über die Brüder Perrault bedeuten keine zutrauenerweckende Einführung. Jean Perrault ist 1669, also keineswegs 'jung' gestorben. Den Hauptanteil an den Travestien der Troja-Epik hat Claude, und ihm allein gehört das nun längst gedruckte 2. Buch der *Murs de Troye* samt Vorwort (*Revue d'hist. litt.* VII, 451; VIII, 110) u. ä.

[2] Die Bibliographie der Originalausgaben der *Griselidis, Peau d'âne* etc. findet sich bei Jules le Petit, *Bibliogr. des princip. éditions originales d'écrivains français du XV*e *au XVIII*e *siècle,* Paris 1888.

das Urteil über die bekannten Dinge. Er hat mit ausgesprochen entwickelungsgeschichtlichem Interesse ein ebenso lehrreiches wie lebensvolles Buch geschrieben. Bisweilen freilich scheint er mir durch die Neigung zu pointierter Darstellung der Entwickelung etwas Gewalt anzutun — gleichsam zu fein hören zu wollen, wie denn unzweifelhaft die Darstellung durch Vereinfachung gewonnen hätte.[1] Einige Bedenken gegen die Chronologie wehrt die Vorrede (p. VII) ab; andere bleiben schon deswegen bestehen, weil der Verf. die genaue Datierung, sei es aus Versehen oder aus künstlerischer Absicht, gelegentlich vernachlässigt, so, um nur gleich den ersten Fall zu nennen, S. 2, wo *Le tombeau des romans* — an welchem übrigens Sorel selbst sicherlich grofsen Anteil hatte, cf. E. Roy, *Charles Sorel*, 1891 — vor dem *Berger extravagant* und dieser vor Cyranos Brief *Sur un hipocondre héroïque de roman* zu nennen war. — Chronologische Übersichtstabellen des reichen Materials, das hier zum erstenmal systematisch dargestellt wird, bringt uns wohl der zweite Band.]

Fueter, E., Voltaire als Historiker [S.-A. aus der *Beilage zur Allgemeinen Zeitung* N° 210 und 211 vom 12. und 13. September 1905]. 6 S. [Der Verfasser stellt Voltaire als Profanhistoriker dar und hebt im Rahmen dieses kurzen Aufsatzes die Bedeutung der von Voltaire zum erstenmal geübten überlieferungskritischen Geschichtschreibung, die Neuheit seines wirtschaftlichen, anthropologisch-vergleichenden Standpunktes trefflich und mit gut gewählten Beispielen hervor. Aber auch die Schattenseiten von Voltaires utilitaristischer Betrachtungsweise, die Mängel seiner Systemlosigkeit und das Unzureichende seiner Methode werden von F. deutlich und gerecht dargestellt.]

Mangold, Dr. Wilhelm, Prof. am Askanischen Gymnasium zu Berlin, Voltaires Rechtsstreit mit dem Königlichen Schutzjuden Hirschel 1751. Mit einem Anhang ungedruckter Voltaire-Briefe aus der Bibliothek des Verlegers und mit drei Faksimiles. Kleine Ausgabe ohne die Akten. Berlin, Ernst Frensdorff, 1905. 48 S. M. 1.

Lenz, K. G., Über Rousseaus Verbindung mit Weibern. Zwei Teile in einem Bande. Unverkürzte Neuausgabe des Originals von 179?. Mit 12 Porträts und Illustrationen nebst 18 neuaufgefundenen, bisher unveröffentlichten Briefen Rousseaus an die Gräfin Houdelot. Berlin, Barsdorf, 1906. VII, 376 S. M. 4. [Eine sehr überflüssige anonyme Neuausgabe des einst ebenfalls anonym erschienenen Buches über Rousseaus Liebesleben nach seinen 'Confessions', das heute die Kenntnis Rousseaus in keiner Weise fördert. Die *Lettres inédites* aber wird der Lernbegierige lieber bei Buffenoir, *La Comtesse d' Houdetot*, im Original nachlesen.]

Annales de la Société Jean-Jacques Rousseau. Tome premier. Genève, Jullien, 1905. XVI, 327 S. [Die Gesellschaft, von deren Gründung und deren Zielen hier CXII, 394 die Rede war, versendet soeben diesen ersten schönen Band an ihre Mitglieder (Jahresbeitrag 12 francs), deren Zahl jetzt 300 ist. Das *Archiv* wird in einem ausführlicheren Referat auf die Publikation zurückkommen. Hier sei nur kurz auf den Inhalt hingewiesen: H. Tronchin behandelt die Beziehungen des vom Verfolgungswahn geplagten Rousseau zu dem berühmten Docteur Tronchin nach unedierten Briefen; Ph. Godet teilt ein Kapitel aus seinem Buch über die Neuenburgerin Madame de Charrière mit, die sich des Andenkens Rousseaus so warm annahm; G. Lanson gibt ungedruckte Aktenstücke zur Verurteilung des *Emile* und der *Lettres de la Montagne*; E. Istel behandelt die Originalpartitur des *Pygmalion*; Th. Dufour unterrichtet über die nachgelassenen Schriften Rousseaus, die man seit 1825 veröffentlicht hat,

---

[1] Griechische Zitate dürften in einem solchen Buche füglich in Übersetzung gegeben werden; dadurch würden auch Druckfehler vermieden (S. XIII).

und fügt zehn neue Inedita hinzu, vorzüglich aus Rousseaus Bildungszeit in Chambéry. Es folgen kleinere Mitteilungen, z. B. ungedruckte Bemerkungen Voltaires zur *Profession de foi du vicaire savoyard* (mit Faksimile); Ikonographisches über Mme de Warens. Eine *Bibliographie* und eine *Chronique* schliefsen das Buch, das in Papier, Druck und Einband vornehm und geschmackvoll ist und an der Spitze eine vortreffliche Reproduktion des *Rousseau peint par Ramsay* (1766) trägt].

Gärtner, J., Das *Journal Etranger* und seine Bedeutung für die Verbreitung deutscher Literatur in Frankreich. Heidelberger Inauguraldissertation. Mainz, Falk & Söhne, 1905. VIII, 95 S. [Es wäre sehr erwünscht, von den älteren literarischen Zeitschriften, besonders von den kosmopolitischen, monographische Darstellungen zu haben. Schon darum ist diese Studie über das *Journal Etranger* (1754—63) sehr willkommen, obwohl der erste Teil, die äufsere Geschichte des Unternehmens unter Grimm, Prévost,[1] Fréron, Arnaud, Suard etc., nur eine Skizze bleiben konnte, da dem fleifsigen Verf. die Schätze der französischen Bibliotheken nicht erreichbar waren. Im doppelt so umfangreichen zweiten Teile stellt er dann systematisch zusammen, was das *Journal* während eines Jahrzehnts seinen Lesern an sympathisch-klugen und aufklärenden Urteilen über deutsches Geistesleben (über Sprache, Schulwesen, epische, lyrische, dramatische Dichtung und literarische Kritik) mitgeteilt hat. Gellert und sein Werk steht im Zentrum des Interesses; aber alle bedeutenderen Namen der deutschen Literatur seit Hagedorn und Gottsched finden ihre Erwähnung, und mit Lessing, Klopstock und Winkelmann leuchtet auch der neue dentsche Tag noch über dem *Journal Etranger*.]

Gobineau, Le comte de, Deux études sur la Grèce moderne: Capodistrias; le royaume des Hellènes. Paris, Plon, 1905. IV, 325 S. [Dieser Band vereinigt zwei zeitlich weit auseinanderliegende (1841 und 1878), inhaltlich eng verbundene Arbeiten Gobineaus, die beide jenem Philhellenismus Ausdruck geben, den ihr Autor trotz aller Schwankungen seines Urteils sich bewahrt hat, und der ihn in beredten Ausführungen über die Kulturmission des modernen Griechenland sprechen läfst. L. Schemann hat dem Band ein kurzes Begleitwort vorausgeschickt.]

Tobler, A., Mélanges de grammaire française. Traduction française de la deuxième édition p. M. Kuttner avec la collaboration de L. Sudre. Paris, Picard, 1905. XXI, 372 S. [Den Reichtum der Toblerschen *Vermischten Beiträge* auch denen leicht zugänglich zu machen, für welche die — hier besonders schwierige — deutsche Form ein Hindernis bildete, war ein ebenso verlockendes wie heikles Unternehmen. Die Übersetzer, denen die Sympathie G. Paris' und der werktätige Rat A. Toblers zur Seite stand, haben die Schwierigkeit glücklich überwunden, und der Verleger hat das Buch sehr schön ausgestattet. Hoffentlich folgen Band II, III — und IV der *Beiträge* diesem ersten bald nach.]

Burghardt, E., Über den Einflufs des Englischen auf das Anglonormannische in syntaktischer Beziehung. Göttinger Inauguraldissertation. Halle a. S., Karras, 1905. VIII, 81 S. [Eine sehr fleifsige und nützliche Arbeit, die zum erstenmal systematisch dem syntaktischen Einflufs des

---

[1] Prévosts Zeitschrift heifst nicht *Le Pour et le Contre,* sondern *Le Pour et Contre,* was er selbst Band V p. 21 humorvoll begründet. — Über den Berner Vinzenz von Tscharner vgl. hier XCVII, 448. — Die chronologische Genauigkeit läfst da und dort zu wünschen übrig, und eine schlimme Nachlässigkeit liegt dem Urteil zugrunde, dafs Gefsner deshalb in *Journ. Etr.* so wenig Beachtung finde, weil seine Werke bereits früher übersetzt worden seien. Gefsner wurde erst seit Ende 1759 in Frankreich übertragen, und da der Übersetzer, M. Huber, ein Mitarbeiter des *Journ. Etr.* war, so ist die Zurückhaltung der Zeitschrift um so weniger erklärlich.

Englischen auf das Inselfranzösische nachgeht. Er deckt z. B. eine ungeahnte Verbreitung des 'faire mit dem Infinitiv zur Umschreibung des
Verbum finitum' (Tobler, *Verm. Beitr.* I² 20 ff.) oder der ans englische
will erinnernden Verwendung von *voloir* auf (wozu auf die Berliner Dissert.
von E. Weber, *Über den Gebrauch von 'devoir'* etc., 1879, p. 27 ff. zu verweisen war) und gibt zu den mehr gelegentlich von anderen, z. B. von Stimming und Suchier, angemerkten Erscheinungen Belege, die einen wirklichen
Sprachgebrauch erweisen. Freilich überschätzt er nicht selten den gesuchten
englischen Einfluß, da seine Kenntnis der gemein französischen Syntax Lücken aufweist. So liegt z. B. in: *En mer les estuet periller*, oder
in: *puis lui prent si graunde pitée*, S. 77, keine Verwechselung von Dativ
und Akkusativ, sondern eine herrschende Konstruktion vor. *Prendre a* =
'beginnen zu' ist völlig gemeinfranzösisch. Die Häufigkeitsverhältnisse,
die der Verf. für anglonorm. *son* == 'sein' und *sa* = 'ihr' berechnet (S. 10 ff.),
sind irrtümlich, weil *son conté*, *sun conquest*, *mun herité* ausscheiden:
conté und *conquest* sind Maskulina; *mun herité* aber verhält sich zu älterem
m'herité wie *mon amie* zu *m'amie* und ist zur Zeit Fantosmes auch auf
dem Kontinent zu finden. In solchen Versehen verrät sich der Eifer des
Anfängers.]

Bézard, L., Toponymie communale de l'arrondissement de Mamers
(Sarthe). Strasbourg, Heitz, 1905. 91 S. [Das nördlich von Le Mans
gelegene Arrondissement *Mamers*, kommt hier zu sehr sorgfältiger topo-
nymischer Darstellung, für welche Lognons *Dictionnaire topographique de
la Marne*, 1891, das Vorbild geliefert hat. Bézard klassifiziert und behandelt ungefähr 150 Ortsnamen. Das historische Material ist augenscheinlich sehr sorgfältig gesammelt und macht die Arbeit sehr wertvoll. Die
Phonetik ist etwas eklektisch. Auch bei Ortsnamen ist in erster Linie
vom Laut auszugehen. B. aber gibt nur selten die örtliche Lautung des
Namens an, und auch dann nur in einer unphonetischen Notierung.]

Scharfenort, Hauptmann a. D. von. Übungsstücke kriegsgeschicht-
lichen Inhalts zum Übersetzen aus dem Deutschen ins Französische, zum
Selbstunterricht mit Anmerkungen und Lösungen behufs Vorbereitung
für die Aufnahmeprüfung zur Kriegsakademie. Teil I: Text. 64 S. Teil II:
Anmerkungen und Lösung. 83 S. Berlin, Barth, 1905. M. 2,25. —
225 deutsche Aufgaben für die Dolmetscherprüfung in Fremdsprachen.
162 S. Berlin, Barth, 1906. — Petit dictionnaire des difficultés grammaticales. Zum Gebrauch bei französischen Arbeiten zusammengestellt.
Berlin, Barth, 1904. 173 S. Geb. M. 3,60.

Brunot, F., La réforme de l'orthographe. Lettre ouverte à M. le
Ministre de l'Instruction publique. Paris, Colin, 1905. 72 S. Fr. 1. [Ein
sehr beredter Appell an den Unterrichtsminister, in der Sache, in der die
sämtlichen pädagogischen Körperschaften des Landes, dann die *Alliance
française*, die *Mission laïque française*, die Philologen und so viele hervorragende Literaten gegen die reaktionäre *Académie* stehen, entschlossen
zu handeln. Br. spricht zuerst von den dringenden Wünschen der Volks-
schule, deren Geißel die Orthographie sei, und für deren Bedürfnisse die
Akademie in ihrem Gutachten nicht einmal ein Wort habe. '*L'école communale, où vont se former les millions de citoyens de demain, l'école de la
démocratie n'est pas nommée.*' Dann spricht er vom guten Recht und von
der Pflicht der Staatsregierung, die orthographische Frage zu entscheiden:
*une orthographe nationale, a dit G. Paris, est une des formes de la vie
publique.* Er skizziert die geschichtliche Rolle der *Académie*, die hier
keineswegs zu legiferieren berufen sei, und der gegenüber der Minister
nicht mehr als eine Form zu erfüllen habe: *il lui doit une politesse, après
cela il est libre.* Schließlich geht er auf die einzelnen Gründe ein, welche
das famose Gutachten der *Académie* gegen die Vorschläge der Reformkommission geltend macht, und übt eine scharfe Kritik an diesem Dilet-

tantismus. — Der offene Brief ist eine erfrischende Lektüre und bringt
auch dem, dem die ganze Streitfrage vertraut ist, manches Neue.]
    F a g u e t, E., Simplification simple de l'orthographe. Paris, Soc. franç.
d'imprimerie & de librairie, 1905. 40 S. Fr. 0,60. [Faguet ist der Meinung, dafs man der Orthographiereform überhaupt viel zu grofse Bedeutung beimesse. Auch die gröfste Vereinfachung werde den Schulunter-
richt nicht stark erleichtern und dem Schüler höchstens vier Wochen Lern-
zeit ersparen. Zwischen den Vorschlägen der Reformkommission und der
reaktionären Akademie nimmt er eine vermittelnde Stellung ein, oppor-
tunistisch jede grundsätzliche Regelung der brennenden Frage ablehnend.
Er schlägt vor, dafs der Schule gestattet werde, die Französierung des
Schriftkleides griechischer Wörter (*ritme*) und die Vernachlässigung der
Doppelbuchstaben (*flater, home*) zu tolerieren.]
    H a b e r l a n d s Unterrichtsbriefe für das Selbststudium lebender Fremd-
sprachen mit der Aussprachebezeichnung des Weltlautschriftvereins (Assoc.
phonétique internationale). Ein zuverlässiger Führer zur vollständigen
Beherrschung der Sprachen im mündlichen und schriftlichen freien Gebrauche. — Französisch. Im Anschlufs an ein franz. Lustspiel und unter
Zugrundelegung der Sprechform hg. von Rektor H. M i c h a e l i s in Bieb-
rich a. Rh. und Prof. Dr. P. P a s s y in Bourg-la-Reine. Leipzig, E. Haber-
land. Brief 1. 40 S.

    K e l l e r, W., Das Sirventes 'Fadet Joglar' des Guiraut von Calanso.
Versuch eines kritischen Textes mit Einleitung, Anmerkung, Glossar und
Indices. Zürcher Inauguraldissertation. Erlangen, Junge, 1905. 142 S.
[Auf diese mit grofser Sorgfalt, Umsicht und Sachkenntnis ausgeführte
Ausgabe des ebenso wichtigen wie schwierigen Stückes wird das *Archiv*
in eingehenderer Besprechung zurückkommen.]
    S c h u l t z - G o r a, O., Altprovenzalisches Elementarbuch (Sammlung
romanischer Elementarbücher, hg. von W. Meyer-Lübke, I. Reihe: Grammatiken, 3). Heidelberg, C. Winter, 1906. X, 187 S. M. 3,60. [Ein solches Elementarbuch zu schreiben, erfordert viel Abnegation: einerseits
mufs der Verf. darauf verzichten, interessanten Detailproblemen nachzugehen, und anderseits mufs er doch recht viel Eigenes in die sum-
marische Darstellung einfliefsen lassen. Es sind ihm die Ausführungen
verwehrt, mit denen er eigene Forschungsresultate kenntlich machen und
begründen könnte, denn das Interesse des Anfängers, für den er eine 'Einführung' schreibt, soll allein ihn leiten. Das ist in diesem aprov. Elementarbuch geschehen: es ist knapp und klar; seine Ausführungen stehen
auf der Höhe der Forschung: in ihrer elementaren Form entbehren sie
nicht persönlicher Art. Die dreifsig Seiten leichterer Text (mit Glossar)
scheinen sehr umsichtig gewählt und in den grammatischen Teil wohl-
verarbeitet zu sein. Das ist ein treffliches Hilfsmittel für den akademischen
Unterricht und das Selbststudium.]
    A r m a n a P r o u v e n ç a u pèr lou bèl an de Diéu 1906, adouba e publica
de la man di felibre. Porto joio, soulas e passo tèms en tout lou pople
dóu Miejour. An cinquanto-dousen dóu Felibrige. Avignoun, Rouma-
nille, 1906. 111 S. [Unter den 60—70 poetischen und prosaischen Stücken
befinden sich auch diesmal wieder einige Beiträge Mistrals, der nicht müde
wird, als Lehrer und Führer seines Volkes — *paure pople de Prouvènço*
nennt er es — dessen Sprache, dessen Lieder, dessen Geschichte gegen
offizielle Bedrängung und Fälschung zu verteidigen und es zum einfachen,
genügsamen heimatlichen Leben zu ermahnen:

Fose ti cantoun, refose!
Parlo fièr toun prouvençau!
Qu'entre mar, Durènço e Rose
Fai bon viéure, Diéu lou saup!

Die meisten Beiträge, und von den frischesten, entstammen der Feder des Redaktors, dessen Name nirgends ausdrücklich genannt wird: Jules Ronjat's.]

Giornale storico della letteratura italiana, dir. e red. da Fr. Novati e R. Renier. Fasc. 138 [A. Pompeati, Le dottrine politiche di Paolo Paruta. — F. Pellegrini, Intorno a nuovi abbozzi poetici di Fr. Petrarca; cf. hier CXV, 464. — A. Segre, La vera data di un lamento storico del sec. XV. — G. Bertoni, Giammaria Barbieri e Lud. Castelvetro. — Rassegna bibliografica. — Bollettino bibliografico. — Annunzi analitici. — Pubbl. nuziali. — Communicazioni ed appunti. — Cronaca].

Bulletin italien. V (1905), 4 [F. Strowski, Une source italienne des *Essais* de Montaigne: l'*Examen vanitatis doctrinæ gentium* de François Pic de la Mirandole. — P. Duhem, Léonardo da Vinci et Bernardino Baldi. — Mélanges et documents: L. Auvray, Inventaire de la collection Custodi, 7me et dernier article. — Bibliographie. — Chronique].

Flamini, Fr., Avviamento allo studio della Divina Commedia (in: Biblioteca degli studenti, riassunti per tutte le materie d'esame nei Licei,. Ginnasi, Istituti technici ecc. Vol. 134—35). Livorno, Giusti, 1906. X, 122 S. Lire 1. [Obwohl dieser 'Führer durch die *Div. Commedia*' für Schüler geschrieben ist, so ist er doch eine selbständige wissenschaftliche Leistung. Wie in seinem gröfseren Werke *(I significati reconditi della Commedia di Dante)* sucht Fl. das Licht, das die verschlungenen Pfade des Danteschen Gedankens erhellen soll, bei Thomas von Aquino. Dessen Summe ist *la fonte vera del pensiero morale dell'Alighieri.* Man wird das — bei allen Vorbehalten im einzelnen — besonders für den späteren Dante zugeben müssen und gern anerkennen, dafs Fl. hier einen sehr nützlichen und aufklärungsreichen Leitfaden geschrieben hat, dessen einzelne Teile trefflich ineinander gearbeitet sind. Ein Kapitel über die Entstehung der *Commedia* steht am Anfang; zwei Abschnitte über ihre späteren Schicksale und über die Hilfsmittel zum Studium stehen am Schlufs des vortrefflichen, seine Ausführungen durch Skizzen erläuternden Büchleins. — Von den Vorbehalten möchte ich vor allem den geltend machen, dafs mir Fl. das thomistische Moralsystem zu systematisch der ganzen *Commedia* aufzwängt. Die *Commedia* ist nicht ein Werk aus einem Gufs, sondern eine Schöpfung langer Jahre. Ihre Gedankenwelt stand nicht von Anfang an fest, in thomistischen Formen erstarrt. Auch sie war im Flufs, und der Schöpfer der *Commedia* lernte und entwickelte sich während der Arbeit. Als Dante den Anfang seiner Vision erzählte, da stand vor seinem inneren Auge vieles noch nicht so scharf gegliedert da wie später. Das gibt auch Flamini z. B. für den *dilettoso monte* zu:

Ch'è principio e cagion di tutta gioia (*Inf.* I. 77),

d. h. den Berg, der das irdische Paradies trägt, zu dessen *beatitudo* der verirrte Dante umsonst emporstrebt: auch Flamini scheint ihn für einen ersten noch vagen Entwurf des Purgatoriumsberges (p. 29) zu halten. Dieser erste Entwurf mit seinen vagen Umrissen stimmt nicht mehr ganz zum späteren, genau lokalisierten und scharfumrissenen Paradiesesberg der zweiten Cantica, und doch hat der Künstler Dante ihn am Eingang des Gedichtes stehen lassen. Gerade so, meine ich, erscheinen am Eingang des Gedichtes die drei Tiere als Repräsentanten der Wollust (*lonza*), des Stolzes (*leone*) und der Habgier (*lupa*) — so wie sie die alten Kommentatoren auffafsten, die Dantes Geistesgenossen gewesen sind —, obwohl diese Sündenübersicht nicht systematisch-thomistisch ist und sich nicht mit dem später von Dante entwickelten Sündensystem deckt. Diese Bestien thomistisch zu deuten als *malixia* (*lonza*), *malixia bestiale* (*leone*) und *malixia secondo passione* (*lupa*), wie dies Flamini tut, erscheint mir

gewaltsam und entbehrt für mich jeder Überzeugungskraft. Für mich hat
Dante in den drei Bestien einfach seine eigenen Hauptschwächen personifiziert, wie sie auch die *Visio Alberici* gibt. Es ist rein persönliche
Poesie, deren tiefbewegter Urheber an gar keine Systematisierung dabei
gedacht hat. Und rein persönlich sind auch die drei *donne benedette* gebildet: die Gnadenmutter, die sich seiner erbarmt und seine Patronin
Santa Lucia, deren *fedele* Dante war, aufbietet, welche ihrerseits ihm
zur Rettung die teure Beatrice — *che l'amò tanto* — sendet. Ich vermag
hier durchaus keine Systematisierung des Gnadenweges zu erkennen,
und weder die *gratia illuminans* noch irgendwelche andere theologische
Konstruktion erklärt mir hier etwas — ja nicht einmal an eigentliche
Personifikation glaube ich. Ich verstehe und geniefse hier naiv und sehe
in dem *il tuo fedele* (II, 98) den Hinweis auf uns verborgene enge persönliche Beziehungen des Dichters zur heiligen Lucia, die offenbar seine
Schutzpatronin war. Dante hat im Himmel drei Helferinnen: die Him-
melskönigin, zu der alle Sünder mit *ora pro nobis* flehen; eine Heilige,
die seine und anderer Schutzpatronin ist: Lucia, und die Geliebte seiner
Jugend: Beatrice. In dieser Reihenfolge läfst er sie in Aktion treten,
und die Beatrice, die um seinetwillen zur Hölle niedersteigt, ist zunächst
weder *fede*, noch *sapienza* noch *teologia* — sie ist einfach das liebende
Weib: die Liebe neigt sich zu ihm. Das ist poetisch und einfach —
sollte es deswegen vor der Dantologie des 20. Jahrhunderts nicht bestehen
können? Schon das allein rechtfertigt das stolze Wort, mit dem Dante
die *Vita Nova* schliefst: *spero di dire di lei quello che mai non fu detto
d'alcuna.* Und wenn später vom irdischen Paradies aus dieselbe Beatrice
ihn hinanzieht, so ist es wieder die Liebe, die, beseligend, ihm Gottes
Himmel aufschliefst, wo sie selbst heimisch ist, so dafs sich ihm alles
offenbart und sein Glaube zum Wissen wird — ohne dafs ich mir darüber
den Kopf zerbreche, ob diese Liebe, diese Beatrice, nun das Symbol des
Glaubens oder das des Wissens oder das der Offenbarung oder das der
Theologie sei. Sie ist schliefslich das alles — weil sie keines davon ist.
Sie ist die in den Himmel entrückte Jugendliebe, die, ein Pharus im
Meere des Lebens, die Blicke des Sünders aufwärts führt und seine Seele
hinanzieht, wo auch er schauen kann.[1] — Lassen wir den Künstler
Dante über dem moralisierenden Systematiker nicht zu kurz kommen.
Diese Gefahr aber besteht, nicht nur bei der systematischen Anwendung
des Thomismus auf die *Commedia*, sondern bei der ganzen herrschenden
Dantologie, die mir zu sehr zu vergessen scheint, dafs Dante nicht den
Aristoteles seiner Prosaschriften, sondern den Vergil zum Lebensführer
seines Gedichts erhoben hat. Den Aristoteles überschüttet er in seiner
Prosa mit bewundernden Titeln wie *maestro e duca della gente umana,
maestro della umana ragione, maestro della nostra vita, magister sapientium*
und *præceptor morum* — in der *Commedia* verneigt er sich nur im Vorbeigehen vor ihm und wählt statt dieses Gepriesenen als *duca, signore e
maestro* den *altissimo poeta, gloria de' Latini* und stellt so das Kunstwerk
in den Schutz des Künstlers.]

Scartazzini, G. A., Dantologia. Vita ed opere di Dante Alighieri,
terza edizione con ritocchi e giunte di N. Scarano. Milano, Hoepli
[Manuali Hoepli N⁰ 42 e 43], 1906. XVI, 417 S. Lire 3. [Dieses bequeme, zur Einführung in das Studium Dantes bestimmte Handbuch, das
zum erstenmal 1883 und in zweiter Auflage 1894 erschienen ist, hat die
Vorzüge und Mängel Scartazzinischer Dante-Arbeit: es beruht auf ein-
gehendster, liebevollster Beschäftigung mit Dante, ist geschickt und prak-

---

[1] Sie ist seine Führerin auf dem Wege zu den Virtutes theologicas: Fidem,
Spem, Caritatem (*Monarchie* III, 16, et *Purg.* VII, 34).

tisch angelegt; aber man vermifst die ruhige und sichere Führung des
Forschers. Daran hat der Redaktor dieser dritten Ausgabe nichts ändern
können, sollte das Buch nicht überhaupt neu geschrieben werden. Er liefs
Scartazzinis Argumentation bestehen, verzeichnete wohl in Fufsnoten einige
Einwände, änderte da und dort einige· Seltsamkeiten, korrigierte augen-
scheinliche Irrtümer, besserte am Stil — denn: lo Scartazzini era un
tedesco — und ergänzte die Bibliographie (die freilich auch um manche
ältere Arbeit hätte verkürzt werden dürfen). In dieser Form verdiente
das Buch wohl neu aufgelegt zu werden. Es darf als Orientierung über
Dantes Leben und Werke und über die wissenschaftliche Arbeit, die diesem Leben und diesen Werken gilt, dem empfohlen werden, der zu eigener
Beschäftigung mit Dante übergehen will.]

Carducci, G., Rede auf Petrarca, bearbeitet· von Fr. Sandvofs
(Xanthippus). Weimar, Böhlaus Nachf., 1905. 25 S. M. 0,80.

Hauvette, H., Les ballades du Décameron. Extrait du Journal ·des
Savants. Paris, Impr. nationale, 1905. 12 S.

Anzalone, E., Su la poesia satirica in Francia e in Italia nel
secolo XVI. Appunti. Catania, Musumeci, 1905. 189 S. [Man weifs,
wie die vergleichende Literaturgeschichte, besonders unter Vianeys Führung, immer deutlicher die Abhängigkeit ·der französischen Renaissance-
poesie vom italienischen Quattrocento und Cinquecento aufdeckt. Auch
die gröfsten, wie Ronsard und Dubellay, sind. Plagiatoren der Italiener,
imitatores imitatorum, wenn auch originelle Nachahmer. Der sehr kun-
dige Verfasser dieser Schrift stellt die Abhängigkeit Frankreichs auf dem
Gebiete der satirischen Dichtung dar (über Weib und Liebe, Poet und
Dichtung, Hof und ewige Stadt). Er resümiert nicht nur geschickt die
bisherige Forschung, er weist auch auf bisher übersehene Beziehungen
hin (z. B. zwischen Ariosts Satira quinta und Du Bellays Regrets, Son.
XV und XIX) und schreibt ein angenehmes und nützliches Buch.]

Vofsler, K., Tassos Aminta und die Hirtendichtung. S.-A. aus den
Studien zur vergl. Literaturgeschichte, hg. von M. Koch, VI, S. 26—40.
1906. [Der schöne Vortrag, mit dem die Aminta-Aufführung der Heidelberger Studenten eingeleitet wurde.]

Luquiens, Fr. Bliss. The Roman de la Rose and medieval Castilian literature [S.-A. aus Rom. Forschungen XX, S. 284—320ᵏ]. [Der
Rosenroman hat auf die spanische Literatur nur einen auffallend geringen
und beschränkten Einflufs ausgeübt: die Klischees seiner Naturschilderungen
finden sich in den Cancioneros wieder; der Rest des grofsen Gedichtes
läfst keine besondere Wirkung bei den Spaniern erkennen.]

Mariezcurrena, Dr. A. N., Deutsch-spanische Handelskorrespon-
denz. Nach der Methode von Prof. Th. de Beaux bearbeitet [Göschens
Kaufmännische Bibliothek, Band 8]. Leipzig, Göschen, 1905. 274 S. Geb.
M. 3.

Hanssen, F., De los adverbios mucho, muy y much [S.-A. aus den
Anales de la Universidad de Chile de enero y febrero de 1905]. Santiago
de Chile, Impr. Cervantes, 1905. 37 S. [Adverbiales multum > muito
ergab an betonter Stelle span. mucho; an tonschwacher Stelle: α) vor
Vokalen muit > much (much ayna), β) vor Kons. mui(t) > muy. Jenes
much ist schon im älteren Spanisch selten; schliefslich ist es neben muy
ganz geschwunden. Es handelt sich also in wesentlichen nur um mucho
und muy. Die Sprache scheidet ihren Gebrauch nach dem Satzton: mucho
era mas blanco (Alexandre 387; diese Konstruktion ist gemeinromanisch,
cf. Böhmers Roman. Studien III 287 und Meyer-Lübke, Gram. III § 494);
mucho amaba, mucho mas grande — aber muy blanco, muy mas, muy
mayor. Doch liegt natürlich in dieser Regulierung der Formen mucho —

muy durch die Satzbetonung ein stark subjektives Element, das einer regelhaften starren Scheidung des Gebrauchs hindernd in den Weg trat. Das sprechende Individuum war geneigt, in der Emphase *mucho* auch da zu gebrauchen, wo in der affektarmen Rede *muy* herrschend war (*mucho grande*), und eine bequeme Brücke für diese Übergänge werden die Partizipien bilden, denen als Verbalformen *mucho*, als Nominalformen *muy* zusteht: *mucho amado, muy amado*. Hanssens Arbeit zeigt die Grundzüge solchen Gebrauchs in den älteren spanischen Texten in fleifsigen Zusammenstellungen, wie er sie uns schon für eine ganze Anzahl von Fragen der altspanischen Sprache und Metrik geliefert hat. Man mufs ihm dafür sehr dankbar sein. — Seine zusammenfassende Besprechung der hier vorgelegten Fälle hätte mit Nutzen die gemeinromanischen Gesichtspunkte mehr ins Licht setzen können.]

    Tiktin, H., Rumänisches Elementarbuch. Sammlung roman. Elementarbücher, hg. von W. Meyer-Lübke. I. Reihe: Grammatiken. Heidelberg, C. Winter, 1905. VIII, 228 S. M. 4,80.

    Vetter, Th., Uber russische Volkslieder. LXIX. Neujahrsblatt zum Besten des Waisenhauses in Zürich für 1906. Zürich, Fäsi & Beer, 1906. 31 S.

    Kawraysky, Dr. Th. v., Russisch-Deutsche Handelskorrespondenz (Göschens Kaufmännische Bibliothek, Band 7). Leipzig, Göschen, 1905. VII, 259 S. M. 3.

Heimat und Alter der eddischen Gedichte.

Das isländische Sondergut.

Alles, was wir an eddischer Dichtung im weitesten Sinne besitzen, geht auf engeren Raum zusammen als der Minnesang der Manessischen Handschrift oder als die dänischen Folkeviser in einer der großsen Sammlungen des sechzehnten Jahrhunderts. Aber in weit höherem Grade erhalten wir von der Eddapoesie den Eindruck: diese wenig umfängliche Dichtmasse ist nicht der Ertrag e i n e r 'Schule', sie entspringt nicht e i n e r kurzen Kunstblüte in einem begrenzten Kreise. Innerlich ganz verschiedene Gebilde sind hier zusammengetreten; mehrere Kulturschichten lagern übereinander, zeitlich und vielleicht auch räumlich entlegenes.

Wenn dies in den Literaturgeschichten nicht klar hervortritt, liegt es daran, daſs man den Gegensatz der Gattungen nicht genügend herauszuarbeiten pflegt. Die stoffliche Gruppierung, wie sie einem isländischen Sammler des Mittelalters naheliegen muſste, übt immer noch ihre Macht. Wir sind gewohnt, Þrymskviða und Alvíssmál als Nachbaren zu sehen: zwei Lieder von dem Gotte Thor, aber zwei Lieder von so groſsem geistigem Abstande, wie er in der ganzen reichen Folkeviserdichtung nicht auszumessen ist.

G. Vigfússon, der eine höchst selbständige, gedankenreiche Gliederung und Aufteilung unserer Dichtwerke unternahm, wurde durch seine Lieblingsidee von der britannischen Heimat zu einer starken Verkennung des isländischen Anteils geführt. Jessen seinerseits hatte das Späte, Meistersingerische, Isländische an der Eddadichtung vortrefflich empfunden, und sein Fehler lag wohl nur darin, daſs er den doch nicht so geringen Bruchteil, den jene Beiwörter nicht treffen, unterschätzt hat.

Ich beschränke mich hier auf die eine Fragestellung: wie weit äuſsert sich in den Eddagedichten die besondere literarische Kultur Islands? Dabei gehe ich von diesen Erwägungen aus.

Island hat in der Überlieferung der Eddapoesie nicht blofse Schreiber- und Sammlerdienste versehen. Was man im dreizehnten Jahrhundert aufzeichnete, hatte der Hauptmasse nach vorher im Munde isländischer Männer gelebt, und ein Teil dieser Poesie

ist sicher auf Island und nirgendwo sonst gedichtet worden:
darin sind alle einig, so verschieden sie sonst über die Herkunft
der Lieder denken. Ob man nun den isländischen Ursprung
auf die jüngeren oder jüngsten Gedichte beschränkt und diese
als uneigentliche Eddalieder bezeichnet, gleichviel, man erkennt
an, daſs Island zu einer Zeit seine besonderen literarischen Bedingungen hatte, und daſs diese ihren Beitrag lieferten zu der
eddischen Familie. Ebenso wird das Folgende einleuchten. Die
Isländer hatten anfangs die gleiche Dichtkunst wie das Mutter-
land Norwegen und wie die übrigen Siedelungen mit norröner
Gesellschaft. Es gab einen Zeitraum der gemeinwestnordischen
Dichtgattungen: die einzelnen Länder hatten sich literarisch noch
nicht zur Sonderart entwickelt. Wie lange dieser Zeitraum auf
Island dauerte, kann man nicht aus unmittelbaren Zeugnissen
bestimmen. Am besten denkt man sich die Grenze um das
Ende der Sagazeit, als die noch im Heidentum herangewachsene
Generation, der Gode Snorri und die anderen Helden der Bauern-
romane, ins Grab gesunken waren. Auch für Norwegen bildet
diese Zeit einen wichtigen Einschnitt. Also bis ungefähr 1030,
nehmen wir an, dichtete man auf Island in annähernd denselben
Gattungen wie in Norwegen und den anderen norrönen Ländern.

Um bei den Eddagedichten, die mutmaſslich in diesen älteren
Zeitraum fallen, zu unterscheiden zwischen norwegischer, isländischer, britannischer Heimat, kann man nicht die durchgreifen-
den Züge der poetischen Gattung befragen: nur von Einzelheiten
in Inhalt und Form kann man Aufschluſs erhoffen. Aber die
bisherigen Ergebnisse, die unbefangener Prüfung Stich halten,
sind gleich null. Diese traditiongebundene, gegenwartferne Dichtung erlaubt so selten den Schluſs: dieses Bild, diese Sitte hat
der Dichter im eigenen Lande gesehen. Und den dichterischen
Sprachgebrauch des neunten und zehnten Jahrhunderts kann
man nicht nach der Jahrhunderte jüngeren Prosa Norwegens
und Islands beurteilen. Es wird sich wenig von dem Satze ab-
ziehen lassen: die Eddalieder der älteren Schicht k ö n n e n alle
aus Island stammen, aber keines b r a u c h t aus Island zu stammen. Es haben sich eben noch keine nur-isländischen Merkmale herausgebildet.

In dem jüngeren Zeitraum wird dies anders. Während die
eddische Dichtkunst im Mutterlande ausstirbt, bleibt sie auf
Island am Leben, und zu den alten Gattungen, die weiter gepflegt werden, treten neue: die nur-isländischen Gattungen.

Daſs auch norröne Vikingreiche auf britannischem Boden
ihre besonderen Spielarten der Eddakunst entwickelt haben, ist
recht wohl möglich; es mag — als Gegenstück zu den nur-
isländischen — nur-orkadische, nur-irische, nur-manxische Gat-

tungen gegeben haben. Die Kulturmischungen in diesen Reichen
mögen im zehnten und elften Jahrhundert sehr eigenartig gewesen sein. Dafs jedoch ein Teil der uns überlieferten Eddapoesie diese nur - britannische Gesittung spiegle, dies ist nicht
glaubhaft gemacht worden. Die Heimatsfrage bei den Eddagedichten kann so gestellt werden: gemeinwestnordisch
oder nur-isländisch? das ist nach dem Gesagten gleichbedeutend mit: eine ältere Schicht, bis ungefähr 1030, wo noch
die alten gemeinsamen Gattungen gepflegt wurden und nur selten
ein Anhalt für die engere Heimat sich bietet — und eine jüngere
Schicht, nach 1030, wo das isländische Sondereigentum erkennbar wird.

　　Von Grönland, dem Ableger Islands, sehe ich hier ab. Mit
Symons, *Lieder der Edda,* S. CCXCV ff., bin ich der Meinung,
dafs die grönländischen Atlamál mit ihrem ganz für sich stehenden sprachlichen Stile eher dagegen als dafür sprechen, dafs
noch andere Lieder die gleiche Heimat haben. Die Benennung
des älteren Etzelliedes, der Atlakviða, als grœnlenzk braucht
nicht mehr auszusagen, als dafs dem Sammler das Gedicht durch
einen Grönländer zukam (Ranisch, *Eddalieder,* S. 14): was aus
Grönland kam, war 'grönländisch'; den Entstehungsort zu ermitteln, waren weder der Sammler noch sein Gewährsmann in
der Lage.

　　Als die alten, gemeinwestnordischen Eddagat-
tungen darf man betrachten: das unmittelbar erzählende Lied
(Ereignislied) mit Inhalt aus der Götter- und Heldensage, und
zwar sowohl in der doppelseitigen Darstellungsform wie in der
reinen Redeform. Ferner die Mehrzahl der spruchhaften Gattungen: einzelne Spruchstrophe, ethisches Lehrgedicht, rúnatal,
rituale Verse u. a. Fraglich scheint mir, ob ebenfalls zu dem
gemeinsamen Grundstock zu rechnen sind: die monologischen
Visionslieder; die Scheltszenen in sagenhaftem Gewande;[1] die
Novelletten mit gnomischer Spitze (wie die Odinsbeispiele).

　　Dafs diese gemeinnorrönen Gattungen zum Teil gemeingermanisch sind, und dafs ostnordischer, ja selbst südgermanischer
Ursprung eines Eddaliedes in den Bereich des Möglichen fällt,
sei nur im Vorbeigehen angemerkt. Der Satz, auf den man
sich geeinigt hat: 'unsere Eddagedichte sind westnordisch und
nicht älter als etwa 830' erleidet ja die bekannte Einschränkung:
'die Eddagedichte in der vorliegenden Gestalt,' und diese Ein-

---

[1] Holger Pedersen (*Festskrift til Ussing*, Kbh. 1900, S. 185 ff.) führt
den Männervergleich, *manniǫfnuðr*, auf irische Anregung zurück. Dies
würde nicht ausschliefsen, dafs schon im neunten und zehnten Jahrhundert sagenhaft eingekleidete Männervergleiche als gemeinnorröne Dichtart
vorkamen.

schränkung k a n n einer Aufhebung recht nahe kommen — man
denke an dänische Balladen in isländischer Gestalt und ähnliches.
Ein Gedicht ist nicht nur eine Kette von Wörtern, sondern auch
ein Aufbau von Szenen, Charakteren usf., und für diese geistigen
Werte haben die Zeitgrenze 830 und die Sprachgrenze westnordisch keine unbedingte Geltung. Damit soll das Gewicht der
tiefer liegenden Merkmale, wie der Landschaftsbilder, nicht verringert werden.

Jene alten Gattungen haben auf Island auch in dem jüngeren Zeitraume schöpferische Pflege gefunden. Daher bleibt
bei jedem einzelnen Gedichte zunächst die Frage offen, ob es
der ersten, norrönen, oder der zweiten, isländischen Periode zu-
falle. Die Zugehörigkeit zur alten Gattung gibt nur die M ö g -
l i c h k e i t alten Ursprungs, Einzelmerkmale müssen hier ergänzend eingreifen. Die Hymiskviða und das Innsteinslied nenne
ich als zwei Vertreter des alten Ereignisliedes (doppelseitig und
einseitig), die für die jüngere, isländische Schicht in Anspruch
zu nehmen sind.

Als die i s l ä n d i s c h e n Neubildungen, die n u r - i s l ä n -
d i s c h e n G a t t u n g e n, sehe ich folgende an:

I. Die heroische Elegie, das mehr oder weniger lyrische
Situationsbild oder Rückblicksgedicht (seltener Traum- und Weis-
sagungslied); die folgerichtigste Form der rein monologische
Ichbericht.

Die Gattung ist ohne Zweifel etwas Jüngeres und bringt in
die germanische Heldendichtung neue Gebilde herein. In Deutschland fehlt jede Spur derartiger Versuche; von den englischen
stabreimenden Elegien lassen sich überhaupt nur Déors Klage
und das erste sogenannte Rätsel vergleichen, aber der Unterschied ist viel größer als die Verwandtschaft. Erst die Ballade
bringt dann wieder ähnliche Rückblickslyrik. Die Annahme,
daß diese eddische Kunstweise erst in der christlichen Zeit, nach
dem rauhen heroischen Sagaalter, aufkam, hat gewiß innere
Wahrscheinlichkeit. Wenn wir sie Norwegen absprechen, so beruht das auf der Erwägung, daß in Norwegen seit der christlichen Zeit die eddische Kunstpflege allmählich erlosch, so wie
die alte Sagendichtung in England und Teilen von Deutschland
früh dem Untergang verfiel. Es ist im Zweifelsfalle nicht anzunehmen, daß diese niedergehende norwegische Kunstübung
noch den neuen Schoß der lyrisch-seelenmalenden Gedichte getrieben habe. Diese Elegien stehen zwar den alten Heldenstoffen
innerlich ferner (die Dichter blicken aus Abstand auf die großen
Schicksale, sie fühlen sich nicht mehr naiv mitten drin); aber
zugleich setzen sie bei Verfasser und Hörer eine sehr lebendige
Sagenkunde voraus: die leisesten Anspielungen rechnen auf Verständnis und Mitgefühl. Man vergegenwärtige sich die andeu-

tenden Rückblicke in der Guðrúnarhvǫt oder im Oddrúnargrát!
Der Boden, der diese Gedichte trug, mufs von der alten Sagen-
poesie voll bestrahlt gewesen sein. Das trifft für diesen späteren
Zeitraum doch wohl am besten auf Island zu.

Doch sei nicht verschwiegen, dafs Axel Olrik hierüber
anders denkt. Er hält z. B. Starkads Sterbelied (Saxo S.
397) für norwegisch; *Arkiv* 10, 278.

Die Blüte dieser Elegien möchte wohl noch ins elfte Jahrhundert fallen: die Gudrun-, Oddrun-, Brynhildrückblicke der
alten Sammlung. Wenn man die zweite Guðrúnarkviða früher
ansetzt als die Verwandten, so geschieht es unter dem Druck
der Bezeichnung *en forna*. Das Lied selbst könnte nicht auf
den Gedanken führen, dafs wir hier auf einer altertümlicheren
Stufe stehen, 'auf der Grenze älterer und jüngerer Kunstübung'
(Symons a. a. O. S. CCLXXV). Stilgeschichtlich ist der Monolog
ohne Rahmen gewifs das spätere gegenüber der Form von
Guðrúnarhvǫt usw., wo man noch an die unmittelbare Erzählung alten Schlages anknüpft. Die männlichen Elegien, ausgenommen vielleicht die des Starkað, fallen nicht früher als das
zwölfte Jahrhundert, desgleichen aus dem Liederbuche das
'Traumlied', umschrieben in der Vǫlsungasaga c. 25.

II. Die zweite isländische Neubildung sind die Sagaeinlagen.

Auf Island erwuchs der prosaische Heldenroman (Fornaldarsaga). In seine Prosa konnte man Strophenreihen einlegen,
episch-lyrischer, eristischer, spruchhafter Art. Zuweilen nahm
man diesen Schmuck von älteren, selbständigen Gedichten: un-
zweideutige Beispiele in der Vǫlsungasaga und mancherorts bei
Saxo. In diesem Falle sind Alter und Heimat der Strophen
unabhängig von Zeit und Ort der Saga. Öfter aber sind die
Verseinlagen von Anfang an für die (mündliche) Saga gedichtet
worden: auch wo sie vollständig vorliegen, sind sie nach Umfang, Gehalt oder Abrundung nicht befähigt, für sich allein
vorgetragen zu werden. Sie können wohl jünger, nicht aber
älter als ihre Saga sein. Ihre Heimat bestimmt sich nach der
der Saga.

Die Gattung Fornaldarsaga hat ihre Voraussetzung in der
geschichtlichen Saga der Isländer, in den Islendingasǫgur und
Konungasǫgur. Danach müssen wir den Heldenroman samt seinen (untrennbaren, unselbständigen) Verseinlagen zu den nur-
isländischen Gattungen rechnen. Die besonders von Olrik vertretene Auffassung, dafs Saxos Fornaldarsǫgur mit ihren Strophen
norwegische Schöpfungen seien, müfste das gesamte Bild der
altnordischen Prosa- und Dichtkunst umgestalten; im Zusammenhange der ganzen Literaturentwickelung ist diese Auffassung
noch nicht begründet worden.

Saxo gibt uns den sicheren terminus ad quem: im zwölften Jahrhundert hat der mündliche isländische Heldenroman mit Sagaeinlagen mannigfacher Art in voller Blüte gestanden. Die Mehrzahl der Stücke in den Eddica minora darf man dem zwölften Jahrhundert zuschreiben. Einiges ist später; diese an die Prosa angelehnte Kleinkunst enthält die letzten Ausläufer der eddischen Familie und reicht noch über das Jahr 1300 herab. Das älteste Zeugnis für die Fornaldarsaga mit Verseinlagen, *Sturl.* 1, 19 f., ·gilt dem Jahre 1119. Sehr viel älter wird der Heldenroman nicht gewesen sein.

Unmittelbarer irischer Einfluſs auf unsere Gattung ist schwerlich anzunehmen, doch mittelbarer, indem die Vorgängerin, die geschichtliche isländische Saga, vermutlich einen Anstoſs von den irischen Prosaerzählern empfangen hat.

Man darf, wie mir scheint, die Frage aufwerfen, ob nicht auch einzelne Teile des eddischen Liederbuches als Sagaeinlagen entstanden sind. Ein Lied wie die Helreið Brynhildar könnte man sich gut als Schmuck einer älteren mündlichen 'Sigurðarsaga' gedichtet denken. Auch bei etlichen Strophengruppen in den Komplexen Helg. Hiǫrv. und Helg. Hund. II kann sich der Zweifel regen, ob sie denn notwendig aus geschlossenen Liedkompositionen losgesprengt sind (die Zahl der Helgilieder wäre unheimlich groſs); ob sie nicht eher den losen Schmuck einer Saga bildeten. Bei den fünf Weissagestrophen der Vögel in den Fáfnismál 40 ff. entgehen wir manchen Schwierigkeiten durch die Annahme, daſs diese Verse, die als Abschluſs eines Fafnisliedes ebenso unmöglich sind wie als Einleitung eines Sigurdsliedes (geschweige eines Sigrdrífaliedes) — daſs sie von Hause aus lose Strophen waren, dazu bestimmt, in· einer zusammenhängenden 'Sigurðarsaga' von der Drachengeschichte zu der Brynhildsage überzuleiten.[1] Dann braucht nichts von der Strophengruppe verloren zu sein, wie ich in der Festschrift für Paul S. 29 angenommen hatte. Chronologische Bedenken treten diesen Vermutungen nicht entgegen: die hier in Frage stehenden Dichtungen müssen nicht älter sein als die Frühzeit der Fornaldarsǫgur, das beginnende zwölfte Jahrhundert. Und daſs der beliebteste aller Helden, Sigurd, seine mündliche Saga bekommen hatte lange vor unserer Vǫlsungasaga, das hat man auch von anderen Erwägungen aus vermutet.

---

[1] Auf die Strophen folgte Sigurds Ritt zu Gjuki, die Vermählung und weiter die gemeinsame Werbungsfahrt zu Brynhild, kurz der Inhalt der Brynhildsage: dies entspricht der klaren Reihenfolge in den Weissagestrophen, gegen deren Verrückung Symons mit Recht eingetreten ist (*Zs. f. d. Phil.* 24, 20). Indem der Liedersammler die sogenannten Sigrdrífumál einschob, durchbrach er den von den fünf Strophen skizzierten Gang der Begebenheiten.

III. Das Beiwort 'nur-isländisch' gebührt am allermeisten einer dritten Gruppe, die freilich recht verschiedenartige Stücke beherbergt. Es ist die antiquarische Gelehrsamkeitsdichtung, die isländische Meistersingerei, die philologisch angehauchte Eddapoesie. Das entlegene kleine Volk, dessen höherer Lebensluxus fast ganz in den Werken seiner Sprache bestand und das nachgerade auf einen reichen Schatz von Überlieferungen aus drei Jahrhunderten zurückschaute, schuf eine heimische Altertumskunde, Poetik und Sprachlehre. Das Ziel war, zu sammeln und ordnen, zu erklären, zu ergänzen und nachzuahmen.

Ihren Gipfel gewann diese einzigartige Kulturbewegung in dem Zeitalter und dem Werke Snorri Sturlusons. Seine Edda fällt in die zwölfhundertzwanziger Jahre. Nicht lange danach entstand das eddische Liederbuch, um 1250 die Grammatik des Ólaf hvítaskáld.

Die Anfänge liegen vier Menschenalter früher, bei Ari und Sæmund, den ersten isländischen Schriftstellern und Historikern. (Den Beginn der Schreibezeit setzt man 1117/8.) Die kleine Notiz in Aris Libellus Islandorum, Anhang II: 'Yngve Tyrkia conungr. Niǫrþr Svía conungr' wirft einen dünnen hellen Lichtstrahl auf die Tatsache, dafs die Väter der isländischen Gelehrsamkeit nicht nur exakte Historie trieben, sondern auch über die alte Göttersage sich ihre Gedanken machten und die euhemeristische Theorie ausheckten, die uns dann bei Snorri und in Andeutungen bei Saxo begegnet. Und derselbe Anhang des *Libellus* zeigt uns, dafs man schon die zeitlose Heroendichtung durch lange Stammbäume mit den isländischen Grofsbauern verknüpft hatte.

In denselben anderthalb Jahrhunderten, als auf Island diese heimische Philologie blühte, hatte Norwegen an vaterländischen Traditionen so gut wie nichts in die Scheunen zu bringen, die Rechtsdenkmäler ausgenommen. Als sich endlich unter Hakon IV. ein weltliches Schrifttum einbürgerte, da war es eine ganz der Gegenwart zugekehrte Ritterprosa. Auf den norwegischen Königsspiegel wirft kein Götter- und Heldenaltertum — es sei denn das der Bibel — seine Schatten.

Snorris Edda ist halb ein gelehrtes Buch, halb ein Kunstwerk. Es gilt von dieser isländischen Scholastik im allgemeinen: Wissenschaft und Dichterei, Forschung und Spiel, Sammeln und Schaffen gehen wunderbar durcheinander. Ein Teil der isländischen Gelehrsamkeit ist in eddischen Dichtformen niedergelegt und bildet den Ausschnitt der Eddafamilie, dessen Umfang wir hier überschauen wollen. Diese Dichtungen geben sich zum Teil unverhüllt lehrhaft; öfter aber ist es die Art der Unterhaltungspoesie, und manche dieser Stücke mögen sich über die lesekundigen Kreise hinaus verbreitet haben und volkstümlich geworden

sein wie die alten naiven Erzählungen in Vers und Prosa. Eine
gewisse Altertumstracht bewahren sie alle. Aber mit Unterschied: die einen gehen mehr auf täuschende Nachahmung aus,[1]
die anderen scheuen sich nicht, in Inhalt oder Aufbau von den
älteren Liedern fühlbarer abzuweichen.[2]

Diese isländische Gelehrsamkeit, in ungebundener und gebundener Form, hat den Geist des germanischen Altertums weit
hinter sich gelassen, auch wo ihr Gegenstand altgermanische
Götter und Helden sind. Die Denkarbeit, die hinter diesen
Schöpfungen steht, hat oft etwas erstaunlich Modernes und —
man möchte sagen — spielerisch Freies. Die Einwirkungen der
Fremde gehen tiefer: schon jener 'Tyrkia conungr' ist ja nicht
in isländischem Garten gewachsen! Gleichwohl zeigt sich die
Selbständigkeit der Isländer nirgends so greifbar wie auf diesem
antiquarischen Felde. Was aus der Eddadichtung hierher fällt,
das sind fast lauter Unika — man darf vielleicht sagen: in der
Weltliteratur. Was keinen Preis des künstlerischen Wertes bedeuten soll. Hier ist nun die Geisteskultur der Insel von der
gemeinnorrönen Vikinggesittung weit, weit weg gerückt.

In diese gelehrte Gruppe und damit ins zwölfte und dreizehnte Jahrhundert gehört unbestritten die Hauptmasse der
Þulur, d. i. der in Verse gebrachten Namen- und Vokabel-
reihen. Vier Handschriften der Snorra Edda überliefern beiläufig 170 Strophen mit 2600 Vokabeln, von verschiedenen Vers-
machern herrührend; vgl. F. Jónsson, *Lit.* 2, 171 ff.; auch Bugge,
Arkiv 16, 31 hat sich für isländischen Ursprung dieser Namen-
haufen erklärt. Auch die umfänglichen Þulabestandteile im eddischen Liederbuche, als Einschiebsel zumal in der Vsp. und
den Grímn., sowie die beiden Þulur in den Skáldskaparmál
brauchen nicht älter zu sein als das zwölfte Jahrhundert. Doch
ist kein Zweifel, dafs die Þulaform in anspruchsloser Verwendung ein uraltes Mittel der gedächtnismäfsigen Überlieferung ist
(*EM.* S. LXXXIX). Auch die Liste der norwegischen Svǫldr-
kämpfer mit 43 Namen (dazu noch Orts- und Vaternamen), also
schon recht stattlichem Umfange,[3] mag immerhin bald nach dem
geschichtlichen Ereignis (a. 1000) in Verse gebracht worden sein,
am ehesten doch wohl von einem isländischen Sagamann: um
die Namen, die ein historischer Vorfall gleich schon vereinigt
an die Hand gab, zu ein paar Memorialstrophen zu ordnen,
brauchte es keine sammelnde Gelehrtentätigkeit, keine besondere
literarische Kultur.

---

[1] Vsp. sk., Hyndl., Svipd.
[2] Alv., Rígsþ., auch Gríp. (die neben den älteren Sigurdsgedichten als
etwas entschieden Neues gewirkt haben mufs), die þulur.
[3] Oddr, *Ol. Tr.* 1853, S. 55 f. 64 f., 1895 S. 104; *Hkr.* 1, 425 f.; vgl.
Olrik, *Arkiv* 10, 267 ff.

Dagegen als ein bezeichnendes Werk der isländischen Meistersingerei betrachten wir die große Brávallaþula, d. i. die Liste der Krieger, die unter den Sagenkönigen Harald Hilditǫnn und Hring die Völkerschlacht auf den Brávellir mitmachten. Wir kennen sie aus Saxo S. 376 ff. und einem isländischen Sagabruchstück (Sǫgubrot) *Fas.* 1, 379 ff. Verschiedene Forscher, am einläßlichsten Olrik, *Arkiv* 10, 223 ff., haben die Herstellung der zu Grunde liegenden Verse unternommen.

Es ist eine ansehnliche Namenmasse: im Sǫgubrot zählt man an die 100, bei Saxo an die 170 Namen, die Vaternamen mitgerechnet; dazu noch viele Beinamen und Ortsnamen. Die Þula verteilt diese Kriegerscharen auf die Ostseeländer, Norwegen und Island. Um überlieferte Gestalten der Hilditǫnnsage handelt es sich hier nur zum allerkleinsten Teile: der Verseschmied mußte die Nummern seiner Liste selbst erst schaffen. Wir haben hier keine lexikalische, keine Sammelþula; man kann es eine Phantasieþula nennen.

Aber der Dichter hielt sich, um die Menge von Namen guten Klanges zusammenzubringen, an die Überlieferungen aus Sage und Geschichte. Sein Gedächtnis umfaßt einen erstaunlich weiten Stoffkreis. Aus Heldensage und Heldenroman sind ihm bekannt: der Kreis der älteren Skiöldunge: Biarki Str. 14, vielleicht Skalo Scanicus Str. 2 (vgl. Saxo S. 92); der Kreis der Ynglinge: Yngvi ... Álfr ... Alreks synir Str. 23, Aðils ofláti frá Uppsǫlum Str. 24, Áli Str. 23 (Müllenhoff, *DAk.* 5, 354), Saxi flettir Str. 13; aus Hilditǫnns Jugendtaten holt er das Paar Dalr eun digri, Dúkr vindverski Str. 5 (= Duc et Dal, duces Sclavorum, Saxo S. 366), während der Ubbi enn fríski Str. 5 (= Ubbo Fresicae gentis athleta, Saxo S. 366) seinen älteren Standort in der Brávallaschlacht haben mag; die Arngrímssöhne bieten einen Búi Brámason Str. 5, vielleicht auch Barri ok Tóki Str. 4; aus der Hildesage stammt Heðinn mióvi Str. 9, von dem Hundingstöter Helgi: Hǫðbroddr Str. 10, aus der Hunnenschlacht Humbli Str. 8; die Starkaðsagen liefern ihm Beigaðr und Haki Str. 4, Vísna Str. 7, Hama Str. 8 (25), die synir Beimuna Str. 10; aus der Hálfsdichtung bezieht er Styrr enn sterki und Steinn Str. 13, Hrókr svarti Str. 14 (sind auch die dicht hintereinander stehenden Hreiðarr-Hrólfr kvennsami-Hringr Str. 15 ein Nachklang der Gruppe Hreiðarr-Hiǫrleifr kvennsami-Hringia in der Hálfssaga?); Ragnarr loðbrók stellt Ámr und Ella Str. 1; Ǫrvar-Oddr erscheint als Oddr víðfǫrli Str. 20, vielleicht Eiríkr málspaki (Ericus disertus) als Sǫgu-Eiríkr Str. 19.

Dann die Entlehnungen aus der Geschichte, den Konungasǫgur: Haki aus Haðaland Str. 10: Haki Haða-berserkr *Hkr.* 1, 91; die Thelemärker Haddr enn harði, Hróaldr tá Str. 17:

Hróaldr hryggr ok Haddr enn harði, brœðr tveir af Þelamǫrk
Hkr. 1, 123; Þórir mœrski Str. 18: Þórir, Rǫgnvalds son Mœr-
raiarls *Hkr.* 1, 131; Tóki af Iómi Str. 7: Pálna-Tóki (Bugge
vermutet Str. 2 Áki af Fióni: Bruder und Sohn Pálna-Tókis
Fms. 11, 43. 55); vier Namen bezw. Beinamen aus der Svǫlðr-
liste (s. o.) Str. 19. 20; Erlingr snákr Str. 20: Erlingr Skialgs-
son + Eyvindr snákr bei Svǫlðr; Sigvaldi mit elf Schiffen Str. 26:
iarl Sigvaldi mit elf Schiffen bei Svǫlðr *Hkr.* 1, 434; Holti und
Rǫgnvaldr ryzki Str. 25: Namen der russischen Dynastie, s. Olrik,
S. 255; (Garðr) Stangbúi Str. 2: (Haquinus) e villa Stangby
a. 1026, Saxo S. 517; Læsir Str. 25: der polnische Stamm Læsir
in einer Strophe Þióðolfs *Hkr.* 3, 76.

   Um die zwei Strophen (Nr. 3 und 21) mit isländischen
Kriegern und Skalden zu füllen, sammelt der Verfasser Namen
aus isländischen Familien: Brandr, Blœingr, Torfi, Teitr, Tyr-
fingr, Hialti, vgl. das Register der Landnámabók, und er fügt
die isländischen Buchten Miðfiǫrðr und Skagafiǫrðr bei. Er erinnert sich des isländischen Skalden Glúmr (Geirason) aus dem
zehnten Jahrhundert, und die zwei Hofdichter Haralds des Ge-
strengen, Grani und Illugi Bryndœlaskáld, verschmelzen ihm zu
einem Grani bryndœlski. Das Paar Bragi-Hrafnkell Str. 21
scheint auf den alten Skalden und den von ihm angeredeten
Hrafnketill zu deuten. Aber auch unter die norwegische Kriegs-
mannschaft stellt der Autor ein paar Namen, die man aus der
isländischen Besiedelungsgeschichte kannte: Álfr enn egðski
Str. 20, Sigurðr svínhǫfði Str. 19, vielleicht auch Hafr-Biarni
Str. 18 (Hafr-Biǫrn Ldn.), Grettir Str. 17, Hiǫrtr Str. 4.[1]
   Es fällt dem Dichter nicht ein, seine Statisten persönlich
gleichzusetzen ihren aus Sage und Geschichte bekannten Namens-
vettern. Er weifs recht wohl, dafs der alte Biarki, der Hrólfs-
held, oder der Jarl Sigvaldi, Olaf Tryggvasons Verräter, nicht
auf den Brávellir gekämpft haben. Die Absicht war, durch die
überlieferten Namen einen allgemeinen Schimmer von Vorzeit
auszubreiten; im einzelnen nachrechnen durfte man der Blütenlese des Verfassers nicht. Darum mischt er auch sorglos Namen
und Beinamen und nimmt sich Freiheiten in der Heimatsangabe:
Ámr und Ella sind bei ihm Süddänen, die Hálfskrieger Styrr
enn sterki und Steinn erscheinen als Westgauten, Bragi und
Hrafnkell stehen unter den Isländern u. dgl. m. Daneben sorgt
er doch dafür, dafs die verschiedenen Volksstämme gewisse kenn-
zeichnende Namenklänge erhalten: Sveinn, Hrói, Túmi sind Dänen,
Gautr und Guti sind Gauten, Gnizli und Grenzli sind Wenden.

---

[1] Für die obige Zusammenstellung benutzte ich aufser Olrik und den
dort genannten Arbeiten die Schrift von S. Bugge: *Norsk Sagafortœlling*,
Kristiania 1901 ff., S. 78 ff. Sie lag mir bis S. 160 vor.

Poesie wird man diese absonderliche Schöpfung nicht wohl nennen. Aber es ist eine Art von Gelehrsamkeit und kunstreichem Spiel, die nicht immer und überall im Mittelalter gedieh, sondern ihre sehr mannigfachen und eigenartigen Voraussetzungen hat. Dieses Stolzstück der Þuladichtung gehört in das Land der Þulur, das Land der Fornaldarsǫgur und Konungasǫgur, Island, und sehr lange vor Saxos Gesta Danorum wird es das Licht des Tages nicht erblickt haben.

Diese Heimat- und Altersbestimmung steht in Widerspruch mit den Ergebnissen Olriks und S. Bugges. Die beiden Forscher sind einig darin, dafs die grofse Þula zusammengehört mit der epischen Schilderung der Brávallaschlacht; die beiden Stücke bilden zusammen e i n e Dichtung, das Brávallalied, dessen Spiegelbild wir in den Prosen Saxos und des Sǫgubrot besitzen. (So weit stimmt auch G. Storms und Müllenhoffs Ansicht.) Dieses umfassende Brávallalied stamme aus Harald harðráðis Zeit († 1066). Olrik erschliefst einen norwegischen Dichter aus Thelemarken und legt die Abfassung um 1050. Bugge denkt an einen Norweger oder Isländer (a. a. O. S. 110), entscheidet sich dann aber für den Thelemärker (S. 128); dieser habe im Spätsommer 1066, auf König Haralds Fahrt nach England, unser Brávallalied verfafst unter Benutzung einer älteren, personenärmeren Brávalladichtung.

Die Beurteilung der Frage verschiebt sich zunächst dadurch, dafs wir in dem epischen Schlachtberichte bei Saxo und im Sǫgubrot keine Wiedergabe eines Liedes, sondern eine sagamäfsige Stoffgestaltung erblicken. Dabei lege ich kein Gewicht darauf, dafs Saxos Ausdrücke (Danico digessit eloquio; cuius seriem pro more patrio vulgariter editam digestamque; belli huius seriem sermone patrio edidit) entschieden gegen ein 'carmen' sprechen. Denn das entscheidende ist nicht, dafs Saxo keine Verse zu Ohren bekam, sondern dafs die Erzählung innerlich nicht liedhaft beschaffen ist.

Nehmen wir die Züge, die beiden Quellen gemein sind oder nach innerer Wahrscheinlichkeit der gemeinsamen Vorlage gehört haben, und sehen wir ab von verdächtigen Zutaten wie den Adhortationes der zwei Heerführer bei Saxo. Dann finden wir eine Darstellung mit grofsem strategischem Apparat, mit viel Zahlen und Namen, mit einer Reihe individualisierter Kämpentaten in der Schlacht: Ubbis Waffengänge — Starkað — die Thelemärker Hadd und Hróald — die Schildmaid Vebiǫrg — Starkað überwindet acht bis zehn mit Namen Genannte. Und als Kehrseite: sehr wenig direkte Rede oder Anlafs zu solcher; die Haupthandlung, das Schicksal des alten Hilditǫnn, durch das Massen- und Kämpenbeiwerk an den Anfang und Schlufs gedrängt.

Den Maſsstab dafür, wie nordische Heldenlieder eine gröſsere
Schlacht zur Darstellung brachten, müssen wir entnehmen dem
Gedichte von der Hunnenschlacht und der Helg. Hund. I, in
zweiter Linie den Biarkamál und dem Víkarsbálk (Str. 7—15).
Der Abstand unseres Schlachtberichtes ist so groſs, daſs eine
von Grund aus sagamäſsige Formung anzunehmen ist. Die sehr
nahen Berührungen zwischen Saxo und dem Sǫgubrot erklären
sich dann hier ebenso wie z. B. in der Hrólf Krakigeschichte:
eine isländische Sagaprosa hat sich erst kurz vor der beidsei-
tigen schriftlichen Fixierung gegabelt zu der dänischen Überlieferung einerseits, der isländischen anderseits.

Daſs Hilditǫnns Ende in der gewaltigen Volksschlacht ein
alter Liedinhalt war, darf man gewiſs annehmen. Es ist einer
der feierlich groſsen Heroenstoffe, die sich in der guten alten
Zeit des nordischen Heldensanges geballt haben. Seinen Inhalt
wird man nicht abstrakt politisch fassen dürfen wie Müllenhoff,
DAk. 5, 348—50: er war menschlich und dramatisch, es war
das Schicksal des Odinshelden, der nach einem Leben voller
Siege von seinem göttlichen Schützer heimgeholt wird mit einem
Valhallgefolge ohne gleichen. Über Heimat und Zeit dieser
Dichtung — sie kann in mehr als einem Liedtexte gelebt haben,
wie die Sigurds-, die Atlilieder — will ich keine Vermutung
äuſsern, auch darüber nicht, wieviel sie schon von den einzelnen
Gestalten und Zügen unserer sagahaften Darstellung enthielt.
Klar sind die zwei Dinge: diese Dichtung kann kein Rückblick
des Starkað gewesen sein, kein Ichbericht; denn falls Starkað
auftrat, war er eine nebensächliche Figur. Und weiter: die Form
muſs die des doppelseitigen Ereignisliedes gewesen sein, wie in
Hunn. und HHu. I; denn der Stoff bot nicht entfernt genug
Redemöglichkeit für die rein dialogische Anlage.

Als Bestandteil eines solchen erzählenden Heldenliedes aber
ist eine Riesenþula mit 200 Namen undenkbar. Man stelle sich
in irgendeinem unserer doppelseitigen Eddagedichte einen solchen
Apparat vor, und man sieht sogleich die Unmöglichkeit. Die
Þula ist eine späte Zutat der isländischen Meistersingerei. Aus
Abstand vergleichen sich die ebenfalls þulahaften Zutaten zu
den Biarkamál und zu Hiálmars Sterbelied; die Neigung zu
Statistennamen zeigt sich ferner in den isländischen Gedichten
Víkarsbálk, Hrókslied, Sterbelied des Ásbiǫrn prúði; vgl. *Cpb.*
1, 353 ff. die 'heroic muster-rolls'. Aber in unserem Falle kam
freilich eine Namenliste von ganz anderem Reichtum und weit
höheren Ansprüchen heraus, und die Aufforderung zu einer so
ausgreifenden Arbeit lag in dem besonderen Sagenstoffe. Die
alte Hilditǫnndichtung schlug den Ton an: alle nordischen Lande
mit ihren Untertanstaaten stellen Krieger zu der groſsen Schlacht,
zu dem groſsen Gefolge, das den Odinsschützling in die Valhall

begleitet. Diesen Dichtergedanken setzte der Isländer in zweihundert Namen um.

Fraglich bleibt, ob Starkað als Sprecher der Þula fingiert
wurde. Möglich, dafs er als Dichter — nicht als Sprecher —
des epischen Liedes galt. Dies braucht den poetischen Bericht
selber nicht berührt zu haben. Die Stellen, die den Starkað
als Gewährsmann für einzelne Begebenheiten nennen (Sǫgubrot
S. 383 u. ok þóttist varla ..., S. 384; Saxo S. 388), kamen erst
mit der sagamäfsigen Verbreiterung herein. Und zwar sieht es
so aus, als ob sie einem wirklichen Starkaðgedichte, d. h. einem
Rückblicksliede, entsammten. Dann möchte die Angabe, Starkað
habe unsere Brávallaerzählung verfafst, überhaupt erst eine
Folgerung Saxos sein.

Wahrscheinlich wurde die grofse Þula verfertigt, als das
epische Lied noch im Wortlaute bestand. Ob die Vortragenden
den Mut hatten, die kurze heroische Dichtung durch Einschal-
tung der 25 Namenstrophen aus den Fugen zu treiben? Vielleicht war man schonend genug, den gelehrten Katalog getrennt
neben dem Liede hergehen zu lassen.

Bald aber setzte der Prozefs der Sagabildung ein. Man
schmelzte dieses Lied, wie so manches andere, in ausführliche
Prosa um, und dabei verwertete man den Namenschatz der Þula.
Der epische Teil bringt, aufser den drei Hauptgestalten Harald,
Brúni, Hring, zwei Dutzend Namen, die im wesentlichen aus der
Þula stammen werden; ein paar bedeutendere Figuren können
schon dem Liede angehört haben (Starkað, Ubbi, die Schild-
maide). Alle hundert und einige Krieger der Þula in der Schlacht
anzubringen, das ging über die Kraft des Sagamannes und über
die Geduld der Hörer. Anderseits liegt es nur an Mängeln der
Überlieferung, wenn zwei oder drei Namen des epischen Teiles
in der Þula fehlen: die prosaische Ausformung geschah in Abhängigkeit von der grofsen Namenreihe.

In die Saga wurde dann die Þula im Wortlaute oder wohl
eher in leichter Prosaauflösung eingeschaltet. Für das Sǫgubrot nimmt Olrik S. 246 eine aufgelöste Form als Vorstufe an,
und auch Saxo spricht, wie wir sahen, nicht von Versen.

Wenn Olrik und S. Bugge die Brávallaþula als norwegisch
patriotische Dichtung feiern, so wirft die Poesie des epischen
Stoffes ihren Glanz auf das gelehrte Anhängsel. Ein 'vocabularium, secundum leges metricas digestum' ist kein sehr brauchbares Gefäfs für vaterländische Begeisterung — so wenig man
etwa in den Goldkenningstropen der Biarkamál einen glühenden
Ausdruck der Mannentreue erblicken wird. Ob die uns vorliegende sagamäfsige Gesamtdarstellung der Brávallaschlacht als
politisch angehauchte Tendenzdichtung wirkt, darüber kann man
wohl verschieden denken. Auch die rühmliche Rolle, die den

thelemärkischen Kämpen zufällt, wird vielleicht als rein dichterische Zierde verständlich. In einem Schrifttum, zu dessen beherrschenden Zügen die Abwesenheit des Nationalismus gehört, wird man nur zögernd das Vaterlandsgefühl als treibende Kraft eines einzelnen Werkes anerkennen.

Was der Þuladichter an Namen aus Harald harðráðis Regierungszeit hergeholt hat, ist nicht so viel und so gewichtig, daſs man auf einen Zeitgenossen Haralds schlieſsen müſste. Und die vielen versteckten, verkleideten Anspielungen auf Harald, die Bugge scharfsinnig herausliest, erklären sich ungezwungener ohne diese überaus raffinierte politische Allegorie, aus der Aufgabe des Dichters, die dänische und die schwedische Streitmacht aus recht vielen Völkern und Landschaften zu rekrutieren. Gegen den von Bugge vermuteten Zeitpunkt der Abfassung spricht nachdrücklich das auffällige Verschweigen der britischen Lande: Haralds Heer hatte soeben den groſsen Zuzug von den Orkaden erhalten (*Hkr.* 3, 196), und der Dichter, der unter dem Sagennamen Hring eigentlich Haralds Kriegerlaufbahn verherrlichte, hätte diesen starken Gegenwartseindruck übergangen und sich auf (vermeintliche) entlegene Anspielungen beschränkt, die ohne Kommentar nicht zu würdigen waren.

In welche Umwelt paſst denn ein geistiges Erzeugnis wie dieser Namenhaufe? Man kann sich ihn nicht vorgetragen denken vor einem norwegischen Kriegsheere, das zur Eroberung Englands hinübersegelte. Diese Kriegsmannen hätten nicht das rechte Verständnis gehabt für solche Verse. Anreizung zum Kampfe, Befeuerung der Königstreue und des Todesmutes, das muſste ihnen in anderen Formen entgegengebracht werden. 'Erwacht und aber erwacht, ihr Freundesseelen …!', die Klänge der Biarkamál, das war ein Lied für Kriegsleute. Welche geistigen Umwege muſste man nehmen, um in der Kette von zweihundert Namen vaterländische Begeisterung durchzufühlen!

Den Hörerkreis unserer Þula denke ich mir ganz anders beschaffen. Isländische Altertumskundige, wohlbewandert in Prosa und Versen; Namenfanatiker. Ich sehe sie vor mir, wie sie das neue Prunkstück ihres Kollegen bedächtig kritisch aufnahmen; wie sie verstehend lächelten, wenn ein Gnizli und ein Grenzli die Wenden kennzeichnete, und bestärkend kopfnickten, wenn die vielen berühmten Namen aus Sage und Geschichte in dieser neuen Beleuchtung antraten. Saxo, der brachte seine eigenen Vorbedingungen mit für eine warme Aufnahme dieser isländischen Scholastik. Für ihn war es urkundliche Historie und war es Erzählung des bewunderten Helden Starkað, vaterländische Erzählung! Wie sollte da nicht der Landeshistoriograph und der Patriot in Feuer geraten!

Die Einwirkungen der irischen Clontarfschlacht auf unsere Schlachtschilderung halte ich nicht für erwiesen. Doch liefse sich dieser Teil von S. Bugges Gedankengang leicht vereinigen mit isländischer Heimat, da die Überlieferungen von Clontarf auf Island lebendig waren.

Die Þula bei Saxo bringt zwei Abteilungen isländischer Krieger, Str. 3 und 21, die eine in Hilditǫnns, die andere in Hrings Lager. Das Sǫgubrot hat die zweite Gruppe mit ihren deutlichen isländischen Ortsnamen gestrichen, bei der ersten Gruppe unterdrückt es die isländische Heimat.

In dem chronologischen Verstofse, dafs Isländer an der vorgeschichtlichen Schlacht teilnehmen, sieht Olrik einen Beweis, dafs der Dichter kein Isländer war (a. a. O. S. 260. 262). Müllenhoff (*DAk.* 5, 346) und Bugge (a. a. O. S. 118) beurteilen es als bewufste dichterische Freiheit; denn der Verfasser, sagt Bugge, verrät zu viel Kenntnis von Island und den Isländern, als dafs ihm die späte Besiedelung der Insel unbekannt sein konnte.

Es handelt sich um eine Frage des poetischen Kostüms, und unser Fall ist zusammenzuhalten mit den zwei anderen Fällen, wo Isländer in Geschichten der forn ǫld auftreten. Es sind Revo und Bero bei Saxo S. 433 ff. und Thorkillus bei Saxo S. 420 ff. Vgl. Olrik, *Sakse* 2, 136, Ranisch, *Gautrekssaga* S. LVI f. Zu beachten ist, dafs das isländische Gegenstück jenes Revo, der Refr der Gautrekssaga, als Norweger erscheint. Unsere auf Island überlieferten Fornaldarsǫgur ziehen niemals einen Isländer in die Begebenheiten der Heldenromane herein. Ich möchte den Widerspruch Saxos mit unseren isländischen Texten so erklären. Die isländischen Erzähler des zwölften Jahrhunderts waren in dieser Kostümfrage weniger streng: sie brachten gelegentlich auch einen Landsmann in die forn ǫld, sie und ihre Hörer machten sich weiter keine Gedanken über diese Lizenz. Saxo gibt in den drei Fällen diese Stufe wieder. Später, im dreizehnten Jahrhundert, kam die strengere Forderung auf (unter dem Einflufs der Landnámabók und der Konungasǫgur?): man hielt jetzt darauf, dafs die wohlbekannte Zeitgrenze von Islands Besiedelung auch in den sagenhaften Erzählungen respektiert werde; eine Art von historischem Purismus. Daher wurde Refr zum Norweger, und die Thylenses der Brávallaschlacht mufsten zur Hälfte verschwinden, zur Hälfte unter Hilditǫnns Dänen untertauchen.

Wer von Olriks oder Bugges wohldurchdachten, gliederreichen Beweisketten überzeugt war, wird meine Bemerkungen hier nicht als Gegenbeweis ansehen. Ich möchte nur zu der erneuten Prüfung angeregt haben: müssen wir die Brávallaþula losreifsen von dem Lande und der Zeit der anderen grofsen

Þulur? Sollten wir nicht neben den mancherlei geschichtlichen, örtlichen, sprachlichen Einzelheiten den so bestimmt ausgeprägten literarischen Gesamthabitus dieses Denkmals in erster Linie zu Rate ziehen?

Einigkeit herrscht darin, dafs die Vǫluspá en skamma und die Grípisspá isländische Erzeugnisse der Schreibezeit sind. Jene eine Studie im Stile der älteren Vǫluspá, doch mit dem Nachdruck auf den genealogischen Angaben; die Grípisspá ein Auszug und Programm zu einer geschriebenen kleinen Sammlung von Heldenliedern.

Auch bei den Hyndlulióð haben sich Jessen und neuerdings Mogk und Symons für jungen isländischen Ursprung ausgesprochen; vgl. auch Ranisch, *Gautr.*, S. XLII ff. Die Namen des Heldenkataloges gehören zum kleineren Teile der Heroendichtung an (Str. 23/4. 25, 5—28), zum gröfseren Teile dem Heldenromane (Eornaldarsaga). Für eine späte Zeit sprechen insbesondere der Kreis des völlig romanhaften Hrólf Gautreksson (Str. 22. 25, 1—4) und der söhnereiche Heldenvater Halfdan (Str. 14—16), über den die Snorra Edda S. 139 f. genauer belehrt: augenscheinlich eine Kombination der gelehrten isländischen Sagengenealogen und Etymologen. Da der 'Halfdan, hæstr Skiǫldunga' Str. 14 dem Scylding 'héah Healfdene' des Beow. 57 gleichgesetzt werden mufs, hat unser Dichter diesen berühmten Dänenkönig zusammengeworfen mit dem fiktiven Stammvater Halfdan gamli, der nach *Fas.* 2, 8 in Norwegen gedacht wurde. Auch sonst scheint er zu den Gestalten der Heroendichtung kein näheres Verhältnis zu haben. Man beachte noch, dafs das Wort 'hirð' (25, 3) sonst in eddischen Versen nicht begegnet aufser in der jungen Zusatzstrophe Biark. 4, 2; die älteren Ausdrücke sind 'drótt' und 'verðung'.

In den Alvíssmál erblicken die meisten Forscher einen sprechenden Vertreter der isländischen gelehrten Poetik; vgl. schon Weinhold, *Altn. Leben,* S. 78, ferner Ljungstedt, *Eddan,* S. 25; Mogk, *PGrdr.*[2] 2, 598; Golther, *Nord. Lit.* (Lpz. 1905), S. 24; Symons, *Edda,* S. CCLXVIII. Die Datierung F. Jónssons — um 950, norwegisch — möchte sich aus der Geisteskultur jener Zeit schwer rechtfertigen lassen. Da der junge Ursprung bei den Alv. als gesichert gelten darf, lernen wir aus dem Gedichte, dafs auch ein Spätling der Schreibezeit eine vollendete Herrschaft über die gnomisch-dialogische Versform erlangen konnte; für das epische Mafs bedarf es eines einzelnen Beleges nicht.

Hätte Schütte recht mit der Annahme (*Idg. Forsch.* 17, 451 ff.), dafs der Dichter südgermanische Wörter wie 'fold, sunna, funi, niól, barr, biórr' geflissentlich den Göttern zuteilt,

weil·ihm die goð = Goð(þióð) = (Süd-)Germanen gelten, dann
läge darin ein neuer Beweis für den späten und· gelehrten· Ursprung. Denn die Gleichsetzung von Goð(þióð), aus älterem
Gotþióð, mit dem appellativum goð 'Götter' entsprang gewifs
der isländischen Philologie. Aber die Rechnung stimmt nicht
so genau wie es bei Schütte aussieht: das gemeingerm. Wort
'marr' steht nicht bei den Göttern, sondern bei den Zwergen
(24, 6); und die ebenfalls südgerm. Wörter 'vágr, veig, sumbl'
(mit stärker abweichender Bedeutung 'vegar, miǫðr, vǫxtr') sind
nicht den Göttern, sondern den Vanen, Helbewohnern oder
Riesen zugeschrieben.

Man pflegt den Hauptteil der Alvíssmál als S a m m l u n g
vorhandener Synonyma zu bezeichnen. Das trifft nur sehr bedingt zu. Von den 65 unprosaischen Ausdrücken finden wir
nicht mehr wie ein Dutzend als poetische Synonyma überliefert;[1]
wobei man absehen mufs von den Þulur der SnE., die unser
Gedicht exzerpiert haben. Mehr als vier Fünftel der Menge
sind Neubildung des Dichters, entweder so, dafs er einem Prosa-
worte einen neuen Sinn beilegt: 'skin' für Mond, 'vǫndr' für
Wald, 'gróandi' für Erde usf.; oder so, dafs er dichterische Ableitungen, Komposita und Wortverbindungen mit neuer Bedeutung gebraucht: 'skyndir' für Mond, 'alskír' für Sonne, 'fagra
ræfr' für Himmel usf.; oder endlich so, dafs er lexikalisch neue
Wörter schafft (Ableitungen und namentlich Komposita), richtige
hapax legomena: 'gneggiuðr, eyglóa, vindflot, svefngaman' usf.
Das Zahlenverhältnis zwischen den überlieferten und den erfundenen Ausdrücken könnte sich etwas verschieben, wenn wir die
Dichtung jener Zeit lückenlos kennten. Aber die grofse Mehrzahl der Worte bliebe doch — begrifflich oder formal — Neu-
schöpfung des Dichters. Dieser hat also kein heitatal schaffen
wollen in der Art der SnE.-Listen, kein sammelndes Hilfsmittel
für junge Skalden, wie es die Skáldskaparmál sind. Es ist ein
phantasievolles und sprachschöpferisches S p i e l mit der Form
der Synonymenliste. Zu einem richtigen heitatal verhält es sich
etwa so wie vorhin die Brávallaþula zu einer blofs sammelnden
Þula von Heldennamen.

Die Neubildungen treten auch in ihrem Stile aus dem skaldischen heiti- und kenning-Geschmacke fühlbar heraus. Man
nehme beispielsweise die fünf Ausdrücke für 'Wolke' Str. 18:
'skúrván' Schauerhoffnung, 'vindflot' Windfahrzeug(?), 'úrván'
Feuchtigkeitshoffnung, 'veðrmegin' Wettergewalt, 'hiálmr huliz'
Tarnkappe. Das ist frischer, erlebter als die durchschnittliche
skaldische Umschreibung. Es fehlen auch bezeichnenderweise

---

[1] fold Str. 10, hlýrnir 12, sunna 16, vágr 24, funi 26, gríma 30, niól 30,
barr 32, biórr 34, veig 34, sumbl 34, wohl auch mylinn 14.

alle Anspielungen auf Mythus und Sage, ausgenommen 16, 3
'Dvalins leika'. In den wallisischen 'Triaden', die Walter, *Das
alte Wales,* S. 520 f. mitteilt, erinnert einiges an den Umschrei-
bungsstil der Alvíssmál; z. B.:

> 'Die drei verschönernden Namen der Sonne: Fackel der Welten, Auge
> des Tages und Glanzpunkt der Himmel.
> Die drei verschönernden Namen des Mondes: Sonne der Nacht, der
> Liebliche und Sonne der Feen.
> Die drei verschönernden Namen des Windes: Held der Welt, Werk-
> meister des schlechten Wetters und Bestürmer der Hügel.'

Auch die stehende Anordnung zu dreien liefse sich den
Sechsergruppen des isländischen Gedichtes vergleichen. Die
Triade als beliebte kymrische Dichtform ist seit dem zwölften
Jahrhundert nachzuweisen; vgl. Loth, *Les Mabinogion* (Paris
1889) 1, 22 ff.; 2, 201 ff. Ob etwa auch für die unerklärte Zu-
weisung der Synonyma an verschiedene mythische Geschlechter
die welsche Literatur den Schlüssel bietet, weifs ich nicht zu
sagen. Mit der isländischen Entstehung der Alv. um 1200 liefse
sich kymrische Einwirkung gut vereinigen, siehe Falk (und
S. Bugge), *Arkiv* 9, 331 f.

Falk scheint mir in der zu wenig beachteten Abhandlung
im *Arkiv,* Band 9 und 10, den Nachweis erbracht zu haben,
dafs auch das Doppelgedicht 'Svipdagsmál' (Grógaldr + Fiol-
svinnsmál) nur als Gewächs der isländischen Schreibezeit zu verstehen ist.

Eine Brautfahrtnovelle mit märchenartigen Motiven, einem
Texte in den wallisischen Mabinogion besonders nahestehend,
bildet die epische Grundlage. Der Isländer hat aber die Geschichte nicht fortlaufend durcherzählt, sondern zwei getrennte
Auftritte herausgehoben und zu zwei eddaähnlichen Gedichten
geformt. Den ersten Auftritt stilisierte er als Totenerweckung
und in seinem Hauptteile als Zauberspruchliste (lióðatal). Vorbilder waren einerseits Hervorlied, Baldrs draumar, Hyndlulióð,
anderseits das lióðatal der Sammlung Hávamál. Auf den zweiten
Auftritt haben die Skirnismál stark eingewirkt, sein Hauptstück
aber wurde nach dem Vorbilde der Vafþrúðnismál und Alvíssmál zu einer Kette von Wissensfragen und Antworten. Beide
Gedichte haben ihren Schwerpunkt aufserhalb des epischen
Ganges: die Zaubersprüche der Mutter kommen nicht zur Verwendung, und die Wissensfragen führen den Helden nicht zum
Ziele: die Nennung seines Namens ist es, was die Hemmnisse
besiegt; Fiolsv. Str. 41 könnte unbeschadet der epischen Hand-
lung gleich an Str. 8 anschliefsen mit Überspringung des ganzen
Hauptteiles. Die beiden Formeln stehen sich gegenseitig im
Wege: 'der Held mufs wundersame Hindernisse überwinden und
Aufgaben lösen' und 'der Held mufs sich als den Rechten, den

Erwarteten zu erkennen geben, seinen Namen nennen'. Von
der ersten Formel ist nur die Ankündigung der Hindernisse beibehalten; damit eben hat der Dichter die Kette der Wissensfragen gefüllt.

Das ganze Verfahren ist alles andere eher als naives Fabu-
lieren. Aber auch das Hauptmotiv der Geschichte — daſs die
böse Stiefmutter den Helden behext, so daſs er nach einer verwunschenen Jungfrau ausziehen muſs — zeugt schon entschei-
dend gegen altnordische Dichtung des zehnten Jahrhunderts.
'Stiúpmœðra sǫgur' kennen wir aus der heidnischen Heldensage
der Germanen nicht — und (da man die Svipd. auch schon
unter die Götterlieder gestellt hat) aus der Göttersage ebensowenig! Aber noch manches andere spricht gegen heidnische
Entstehungszeit.

Fiǫlsv. 38—40 werden neun sonst unbekannte Göttinnen
mit Namen genannt, denen man an altargeweihter Stätte (á stall-
helgum stað) opfere. Lebte der Dichter im Heidentum, so
müſste dieses Verzeichnis ernst gemeint sein, und die an Kult-
göttinnen arme germanische Religion erhielte hier einen Zufluſs,
der durch seine Reichlichkeit Bedenken wecken muſs. Anders,
wenn die Liste mit ihren durchsichtig appellativen oder durchsichtig entlehnten Namen (Ark. 10, 72) die altertümelnde Einkleidung eines Novellenzuges ist.

Die Warnung vor der toten Christin (Gróg. 13) wäre als
ernsthafte Polemik eines heidnischen Dichters ein einzigartiger,
unschätzbarer Rest in der Eddapoesie: sonst wurde ja mit dergleichen gründlich aufgeräumt. Aber die ganze Strophe sieht
aus wie eine unklare Variation über das Thema Sigrdr. 26,
'wenn dich die Nacht ereilt, so meide die Herberge bei der
Zauberin,' und die christliche Grabbewohnerin an Stelle der
lebenden Malefica ist ein Anlauf zu christenfeindlichem und dadurch altertümlichem Kolorit.

Das neue lióðatal im Gróg. hat einige gut getroffene Strophen, daneben aber solche, die aus dem Gedankenkreise alt-
heidnischer Zauberdichtung herausfallen und den Epigonen verraten. Man vergleiche das Gegenstück in den Hávamál mit
seinen bestimmt gezeichneten Lebenslagen (auſser der auch formal verdächtigen Str. 146). Gróg. Str. 6 und 7 nennen eine
ungreifbare, verblasene Situation; zu dem Inhalte 'daſs du hinter
dich werfest, was dir verderblich dünkt; du selber leite dich
selbst' kann man sich schwer eine magische Formel, einen wirklichen galdr vorstellen. Und daſs auflauernde Feinde durch ein
Zauberlied zur Versöhnung gestimmt werden sollen (Str. 9),
atmet nicht eben den Geist der Vikingzeit. Ein Gedicht von
der Art dieser beiden lióðatǫl fordert notwendig zu der Frage
heraus: hat der Dichter die authentischen Formeln, deren Anlaſs

und Wirkung er beschreibt, auch wirklich gekannt, so dafs er
den Anspruch erheben konnte, selber diesen Zauber in seiner
Gewalt zu haben? Diese Frage wird man bei dem älteren
lióđatal wohl bejahen dürfen, und damit hat es den Rang von
echter Spruchdichtung im Dienste des praktischen Aberglaubens.
Bei der Nachahmung im Gróg. mufs man jene Frage verneinen;
es ist nur noch ein Spielen mit der Schale, der zauberkräftige
Kern steckt nicht mehr darin.

    Ähnliches ist von den Wissensfragen der Fiǫlsv. zu sagen.
Sie enthalten 'mythologische Gelehrsamkeit' (Mogk, a. a. O. S. 607);
aber ein sammelndes und ordnendes Memorialgedicht wie die
Vafþrúđnismál oder Grímnismál sind sie nicht: sie wollen nicht
überlieferten Mythenstoff übersichtlich vorführen. Die Züge,
von denen die Fragen ausgehen, sind die der modernen Novelle:
das Gattertor der verwunschenen Burg, die hütenden Hunde,
der wundersame Baum auf dem Burgplatz usf. Diese Märchen-
züge hat der Dichter teilweise mit altmythischen oder mythisch
klingenden Namen und Motiven behängt: die Märchenlinde gleicht
er der Weltesche an mit Entlehnung aus Odins Runenlied
(Str. 20); als Verfertiger der wunderbaren Waffe zieht er Loki
herbei (Str. 26, aus einer Fassung der Baldrfabel?); zu den
Hindernissen um die Burg gehört eine Waberlohe, zaghaft aus
den Skirnismál geholt (Str. 31); einer der bewachenden Hunde
heifst Geri wie Odins Wolf (Str. 14); über die Vergöttlichung
der Dienerinnen der Heldin (Str. 38 ff.) s. o. Der Hauptteil
der Fiǫlsv. hat somit die Allüren der Memorialdichtung, die alte
Form mit neuem Inhalt. Zu den Vafþr. oder Grímn. verhält er
sich ähnlich wie die Alvíssmál zu einem richtigen heitatal.

    Nach Falks Darlegungen darf man die Svipdagsmál be-
zeichnen als 'Studien im eddischen Stile'. Der Name 'unechte
Eddapoesie', den man oft unzutreffend auf die harmlos archaisierenden Sagaeinlagen angewandt hat, trifft bei den Svipd. am
ehesten zu: sie geben sich für etwas anderes aus, als sie sind.
Ein frisch aus der Fremde gekommener romantischer Novellen-
stoff soll auf den Hörer wirken nicht als kindisches 'Stiefmutter-
märchen, wie sich's die Hirtenjungen erzählen' (Oddr *Ol. Tr.*
prol.), auch nicht als modische Rittergeschichte, wie man sie
am zeitgenössischen Norwegerhofe hören konnte, sondern als
ehrwürdiges 'fornt kvæđi' mit altheimischem Zauberdunkel und
Mythengehalt. Diese Wirkung hat der Dichter auch erreicht,
ob bei seinen Zeitgenossen, ist fraglich, jedenfalls aber bei
manchen Lesern des neunzehnten und zwanzigsten Jahrhunderts:
Urformen der Baldr- und der Brynhildsage hat man aus einem
Gedichte herausgeholt, das mit seinen losen Mosaiksteinchen
aus eddischer Sagendichtung nur fragwürdige Beiträge zu unserer
Kenntnis germanischer Sage liefern kann. Wohl ist die zu

Grunde liegende Brautfahrtnovelle eine entfernte Verwandte des Dornröschentypus, aber das berechtigt noch lange nicht, die nordischen Quellen für Sigurds Erweckungssage aus den Svipdagsmál zu ergänzen.

Bei drei Gedichten sehe ich keinen festen Anhalt, den Kulturherd, dem sie entsprungen sind, und damit das Alter zu bestimmen. Ich meine die B a l d r s d r a u m a r, die V a f þ r ú ð - n i s m á l und die G r í m n i s m á l.

Das erstgenannte Gedicht, das Jessen, S. 76, für einen 'isländischen literarischen Versuch des dreizehnten Jahrhunderts' hält, hat keine ausgeprägten Züge der Gelehrsamkeitsdichtung. Für ein Memorialstück ist es zu namenarm; die Ausgestaltung einer dichterischen Szene, das episch-dialogische Leben, scheint dem Verfasser die Hauptsache gewesen zu sein. Sofern das Lied eine anscheinend neu erfundene Handlung, Odins Helritt, an den alten Stamm der Sage anlehnt, läfst es sich vergleichen mit einigen der Heldenlieder der isländischen Nachblüte (Guðr. III, Oddr.). Das prophetische Vorwegnehmen der Sage, als Hauptinhalt eines Gedichtes, gemahnt an noch jüngere Werke, das Traumlied (Vols. s. c. 25), die Grípisspá. Die Ähnlichkeiten mit der Prymskviða würde ich nur aus Nachahmung, nicht aus Einheit der Dichter erklären (vgl. *Cpb.* 1, 181; F. Jónsson, *Lit.* 1, 148); denn die Anlage der beiden Lieder im Grofsen, ihre gesamte Stellung zum Stoffe ist allzu verschieden. Schück, *Studier* 2, 27 sieht in den Bdr. 'tydligen en ganska ung dikt.'

Viel wichtiger wäre es, über die Vaf. und Grímn., diese zwei Hauptquellen der Götterlehre, ins Klare zu kommen. Bei ihnen ist nun der Charakter der lehrhaften, katalogischen Dichtung sehr ausgeprägt. Man würde daher zunächst an das zwölfte Jahrhundert, erste Hälfte, denken. Aber schon die Sprache weckt eher die Vorstellung einer älteren Zeit, und vor allem könnte man sich schwer denken, dafs vier Menschenalter nach der Bekehrung ein so reicher mythologischer Stoff aufzutreiben war. In welcher Gestalt wäre er so lange überliefert worden? Doch nicht in zahllosen epischen Gedichten! Diese kosmogonischen Dinge haben gewifs zum kleinsten Teil in erzählerischen Zusammenhängen gestanden; man erinnere sich an Olriks Ausführungen über den Ragnarökstoff, *Aarböger* 1902, bes. S. 284. Auch aus einer Unzahl von Einzelstrophen oder aus blofsen Umschreibungen der Dichtersprache hätte die Schreibzeit diese mythologische Weisheit nicht wohl gewinnen können. Und wenn wir ältere Lehrgedichte von ähnlicher Art als Quellen annähmen, schüfen wir nur Doppelgänger zu Vaf. und Grímn.

Symons, der die didaktische, katechetische Haltung der zwei Gedichte betont, glaubt, das isländische Heidentum zwischen 930

und 980 biete den geeigneten Hintergrund (a. a. O. S. CCLXIV.
CCXCIII). Gewifs ist von Leidenschaft in Glaubenssachen, ja
von dem mindesten Seitenblick auf die neue Religion in Vaf.
und Grímn. nichts zu bemerken, aber diese Sachlichkeit vertrüge
sich ebensogut mit der Zeit um 1030 oder 1050, und damals
kann die Mythenkenntnis noch nicht wesentlich verkümmert sein,
da ja das fortdauernde Interesse daran verbürgt wird schon
durch die Weitergabe der heidnischen Gedichte. Dafs aber eine
Dichtweise wie die in Vaf. und Grímn. eines der Mittel war,
wodurch 'man die heimische Sitte zu hüten, den alten Glauben
wenigstens äufserlich zu schirmen suchte', das klingt nicht recht
überzeugend. Legte denn das germanische — oder das isländische — Heidentum diesen Nachdruck auf mythologische Einzel-
kenntnisse, war seine Rechtgläubigkeit von so abstrakter und
theoretischer Art? Von 'Sitte' und 'Glauben' (im religiösen
Sinne) steckt ja eben so blutwenig in diesen zwei Dichtungen.
Dafs die ältere isländische Sagazeit, die Zeit Egils und Kormáks,
den Zug auf 'lehrhafte, sammelnde Betrachtung' entwickelt habe,
dafür sehe ich mich in den Quellen vergeblich nach einem Stütz-
punkt um. Aber auch für die Zeit um 1030 oder 1050 kann
man solche Bestrebungen nicht nachweisen, sie zeigen sich erst
in der ritöld. Und darin liegt die Schwierigkeit für die Datierung der Vafþrúðnismál und Grímnismál.

Weit festere Handhaben für die Einordnung gewährt die
Rígsþula.
In der Bestimmung von Heimat und Alter hat man freilich
bei keinem zweiten Eddagedichte so verschieden geraten. Norwegen oder Dänemark oder die Insel Man oder die Orkaden
oder endlich Island zog man als Entstehungsort in Betracht.
Und die Entstehungszeit dachten sich die einen um das Jahr 900,
so dafs die Rþ. in der allerältesten Gruppe stehen würde, Seite
an Seite mit der Þrymskviða und dem Wielandsliede (F. Jóns-
son, Al. Bugge), die anderen um zwei, drei Menschenalter später
(Bj. M. Ólsen, Mogk); Karl Lehmann neigte zum elften Jahrhundert, E. H. Meyer dachte an Einar Skúlason um 1150, und
Eiríkur Magnússon fand, dafs nichts in dem Liede einen früheren
Zeitraum verlange als das dreizehnte Jahrhundert.[1]
Über den verlorenen Schlufs des Gedichtes erhalten wir
Aufklärung aus zwei Prosastellen, die nach Olriks Nachweise

---

[1] F. Jónsson, *Lit.* 1, 65. 186 ff., *Bókmentasaga* (Kph. 1904) 1, 89;
Al. Bugge, *Vikingerne* (Kbh.-Kri. 1904), S. 94. 278 ff., *Vesterlandenes Ind-
flydelse på Nordboerne* (Kri. 1905), S. 111. 163. 212 u. ö.; Bj. M. Ólsen,
Timarit 15, 66 ff.; Mogk, *PGrdr.*[2] 2, 602; K. Lehmann, *Festschrift für
Julius v. Amsberg* (Rostock 1904), S. 1 ff.; E. H. Meyer, *Völuspa*, S. 284 f.;
Eiríkur Magnússon, *Saga-book of the Viking Club* 1896.

aus der isländischen Skiǫldungasaga stammen (Anfang des dreizehnten Jahrhunderts). Die Saga und das Lied, gleichviel wie
ihr Abhängigkeitsverhältnis sich· stelle (s. u.), vertreten in dem
Hauptpunkte die nämliche Auffassung:
Einstmals hat es in den Ländern nordischer Zunge keine
'konungar' gegeben. Da war aber einmal in Dänemark ein
Machthaber — Rígr nach der Skiǫld., Rígr-Konr ungr nach der
Rþ. —, der wurde so mächtig, daſs er sich den Königsnamen
beilegte, die höchste Herrscherwürde begründete; dies war der
erste 'konungr' in nordischen Landen.
      Dieses Königtum, dessen Begründung die Rþ. der Stiftung
der drei Geburtsstände folgen liefs, gehört einer sagenhaften
Frühzeit an. Rígr ist viel älter als die dichtunggefeierten Herrscher der Hálfdan- und der Aðilsgruppe und mufs es sein; denn
Hálfdan, Aðils samt ihren Verwandten und Gegnern sind ja doch
'konungar', sie haben also später gelebt als jener erste König
der Nordlande. Die Namen Danr und Danpr, die unsere letzte
Strophe des Gedichtes nennt, weckten in jedem verständnisvollen
Hörer die Vorstellung einer grauen Urzeit.
      Die Fragestellung: 'Welchen zeitgenössischen Fürsten hat
der Dichter mit seinem Rígr-Konr ungr gemeint?' entbehrt von
vornherein jeder Berechtigung. Er hat den sagenhaften 'ersten
König' gemeint, weiter nichts; gerade so wie er mit dem Prœll
den ersten Knecht, mit dem Karl den ersten Bauer meinte.
Weder Harald Schönhaar noch einen Dynasten der Insel Man
konnte der Dichter mit seinem Rígr-Konr ungr verherrlichen;
denn unmöglich konnte er es so hinstellen, als ob diese Fürsten
des neunten und zehnten Jahrhunderts als erste den Namen
'konungr' getragen hätten; das wäre, mit Snorri zu reden, kein
Lob, sondern Hohn gewesen. Wufste doch jeder, dafs Haralds
Vorfahren seit alters 'konungar' gewesen waren, und dafs die
vielen Kleinfürsten, die er sich unterwarf, gleichermafsen 'konungar' hiefsen. Auch die übrigen Voraussetzungen des Gedichtes
widerstreben der Anknüpfung an ein norwegisches oder ein bri-
tannisches Königshaus. Rígr-Konr ungr ist zweifellos als ein
dänischer Machthaber gedacht, ebenso wie Danr und Danpr,
mit denen er sich verschwägert. Vgl. die treffenden Ausführungen von Bj. M. Ólsen a. a. O. S. 70 ff., denen ich nur von
dem Punkte an widersprechen mufs, wo sie geheimnisvolle Anspielungen auf die Politik des ausgehenden zehnten Jahrhunderts zu entdecken glauben.
      Ähnlich wie hier Bj. M. Ólsen suchte Mogk a. a. St. nach
einer Beziehung zu einem zeitgenössischen Fürsten. Die Rþ. sei
verfafst als Lobgedicht auf dänische Könige, etwa Gorm den
Alten oder Harald Blauzahn; diese würden nicht dem ersten
König Rígr gleichgesetzt, aber in diesem ihrem Ahn verherr-

licht. Hiergegen spricht folgendes. Die Dänenherrscher wuſsten
nichts von einem Stammvater Rígr, sie leiteten sich auf Skiǫldr
oder Danr zurück. Sie hätten es auch schwerlich als Preis
empfunden, daſs man ihnen den selben Urvater gab wie den
verachteten Sklaven. Mogk beruft sich auf das Skáldatal, die
häufigen Aufenthalte isländischer Dichter am Dänenhofe; aber
das Skáldatal kennt keinen Dichter unter den Königen Gorm
und Harald Blauzahn (SnE. 3, 258. 267). Daſs die Rþ. als
Ganzes auf ein anderes Zeitalter und eine andere Umwelt weist,
versucht das Folgende zu zeigen.

Die ganze Annahme, daſs die Rþ. eine aktuelle Spitze habe,
ein 'lofkvæði', ein Fürstengedicht sei, gründet sich auf den Teil,
den wir nicht haben. Eine auf solcher Grundlage aufgebaute
Vermutung heischt das 'Nicht sehen und doch glauben' und
läſst keine Widerlegung zu. Aber das eine darf man verlangen:
wir wollen über dem verlorenen Teile den erhaltenen nicht vergessen. Und der erhaltene ist vor allen Dingen eines: gelehrte
Poesie. Hier haben wir kein naives Göttermärlein und keine
spannende Heldengeschichte und keine Ausprägung volkstümlicher Sittenweisheit; hier haben wir ein Stück Kulturgeschichte
und Poetik.

Das Gedicht spekuliert über einen urzeitlichen Vorgang,
die Anfänge der menschlichen Stände; es ist in der Tat ein
'mythus philosophicus' (P. E. Müller, Saxo 2, 39).

Das Gedicht bringt keine Ereignisse im Sinne der altger-
manischen Erzählpoesie, sondern setzt sich zusammen aus Schilderungen des ruhenden, ereignislosen Alltagslebens, aus realistisch-
genrehaften Bildern der materiellen Gesittung und der Rasse.

Das Gedicht häuft appellativa, überlieferte und neugebildete,
68 an der Zahl, und gibt sie als Eigennamen der vorzeitlichen
Knechte, Bauern, Edeln und ihrer Elternpaare aus. Diese
Vokabelhaufen — heitatǫl wie in Snorris Edda, nur gewissermaſsen historisch drapiert — haben dem Liede seinen Namen
eingetragen; denn 'Rígsþula' heiſst nicht 'Königslied' (Edzardi,
Beiträge 8, 367), sondern 'das an Rígr geknüpfte Versvokabular'.
Und an einen dieser Scheinnamen knüpft sich eine scharfsinnige Etymologie: Rígr-Konr ungr wird, nachdem er die höchste
Herrscherwürde begründet hat, zum Rígr konungr, d. h. sein
(zweiter) Eigenname wird zur Bezeichnung der von ihm geschaffenen Würde — sowie man (nämlich die Isländer) das Wort
'gramr' von einem König namens Gramr, das Wort 'snotr' von
einer Göttin namens Snotra herleitete usf. (bes. SnE., S. 35 f.
139), nur daſs der Fall bei Konr ungr kunstreicher liegt, indem
man hier das Appellativum in zwei sinnvolle Bestandteile ('Für-
stensprofs — jung') zerlegte: nicht nur die äuſsere Herkunft,
auch die lautliche Etymologie des Wortes will man erklären.

Diese Eigenschaften der Rþ. weisen gebieterisch auf das Vaterland und Zeitalter Snorri Sturlusons. Einem nordischen Kopf aus Harald Schönhaars Zeit — mit oder ohne fremden Einfluſs — dürfen wir Gedankengänge dieser Art nicht zutrauen. Damit unterschätzen wir die geistige Raffiniertheit in dem Liede, die den Unterbau der isländischen Altertumskunde und Poetik, die Gedankenarbeit literarischer Generationen zur Voraussetzung hat. Die Rþ. ist das isländischste aller Eddalieder; wir haben kein Recht, die verwickelten Entstehungsbedingungen eines solchen Werkes in irgendeinem anderen Lande zu suchen.

Verschiedene Einzelheiten deuten in derselben Richtung. Als dänische Kleinfürsten erscheinen Danr und Danpr. Der Name Danpr stammt aus der gotischen Sage von der Hunnenschlacht, vielleicht war er dort schon gepaart mit dem Namen Danr (Don und Dnjepr, vgl. Heinzel, *Hervararsaga*, S. 61 ff.). Anderseits gab es den dänischen heros eponymos Danr. Dieser zog das gotisch-südrussische Paar Danr-Danpr an sich, so daſs nun auch Danpr zu einem dänischen Sagenfürsten wurde: eine Kombination, die mehr nach isländischer Gelehrsamkeit des zwölften Jahrhunderts als nach Volkssage des neunten Jahrhunderts aussieht.

Dann der Name Rígr. Die einfache Vorstellung: 'Einst gab es im Norden noch keine "konungar", bis ein dänischer Herr diesen Titel aufbrachte,' könnte alte volkstümliche Sage gewesen sein. Sie könnte auch einen geschichtlichen Kern enthalten; denn das nordische Wort 'konungr' mit seiner merkwürdigen Lautabweichung von dem westgermanischen 'kuning' wird wohl einmal, etwa in der späteren Völkerwanderungszeit, als Lehnwort von den Südgermanen (Franken?) herübergekommen sein und zuerst bei den Dänen Fuſs gefaſst haben: so daſs in der Tat der 'erste König' nordischer Zunge ein Däne war.[1]

Nun ging man aber weiter. Dieser 'erste König' hieſs Rígr. *ríg* (Nom. sg. *rí*) ist das irische Wort für 'König'. Hinter der

---

[1] Etwas anders Al. Bugge, *Vesterl.*, S. 86 f. Auch Saxo S. 21 bringt die Vorstellung, daſs den ältesten Dänenherrschern das regium nomen fehlte. P. E. Müller *not. ub.* S. 45 denkt an geistlich gelehrten Ursprung der Hypothese. — A. a. St. vermutet Al. Bugge, 'konungr' habe ursprünglich den Königssohn, ịm besonderen den Thronfolger bezeichnet, und er fügt bei: 'denselben Übergang von der ursprünglichen Bedeutung des Wortes konungr zu der späteren finden wir in der Rþ., wo Iarls Sohn Konr ungr deutlich als Vertreter der Königswürde aufgefaſst ist; gleichwohl heiſst er von Geburt an Konr ungr (= konungr).' Diese Auslegung scheint mir irrig. Der Gedanke der Rþ. ist dieser (s. o. S. 272): von Geburt an heiſst der Betreffende Konr ungr, 'der junge Fürstenprofs', und später, nachdem er die regia potestas geschaffen hat, wird das angebliche nomen proprium zum Amtstitel. Ein reales Gegenstück zu dieser Fiktion ist der Name Caesar. Über die Bedeutungsentwickelung des Wortes 'konungr' erfahren wir aus der Rþ. nichts.

Namenwahl steckt also Berechnung; es muſs wohl diese sein:
jener 'erste König' war seinem Namen nach schon König, ehe
er den Titel 'konungr' aufbrachte; indem er sich dann 'konungr'
nannte, übersetzte er gleichsam seinen Namen ins Nordische.
(Daſs er aus keltischen Landen gebürtig war, kann nach dem
ganzen Zusammenhange nicht die Meinung sein.) Es ist ein
sprachliches Gedankenspiel, das wiederum nach isländischer
Philologie riecht. Die dänischen Chronisten kennen keinen Ríg,
auch Saxo scheint ihn bei seinen Thylenses nicht gefunden zu
haben, er hätte sich ihn schwerlich entgehen lassen. Mag sein,
daſs der Verfasser der Skiǫldungasaga, bekanntlich ein sehr kon-
struktiver Kopf, diesen Gedanken aufstellte.[1] Den Rígr brachte er
allerdings nicht mehr in die überlieferte Hauptlinie der Skiǫld-
unge hinein, er muſste ihn seitlich ankleben. Das wäre sicher
anders, wenn der 'erste Dänenkönig Rígr' eine alte Sagenfigur
wäre!

Den von der Skiǫld. vertretenen Gedanken übernahm der
Dichter der Rþ., und er formte ihn reicher aus: seine eigene
Fassung erklärt sich als Weiterbildung der Skiǫld.-Formel, nicht
umgekehrt. Er verband nämlich mit dem 'Rígr fyrstr konungr'
seine etymologische Hypothese (s. o.) 'Konr ungr > konungr'.
Daraus ergab sich die auffällige Doppelbenennung des jüngsten
Jarlssohnes, Rígr-Konr ungr: Rígr muſs er heiſsen, weil die
Skiǫld. lehrt, daſs der erste König Rígr war; Konr ungr muſs
er heiſsen, weil der neue Herrschertitel aus seinem Namen
flieſsen soll.

Daſs der Dichter schon dem Vater und Groſsvater den
Namen Rígr verleiht, weiſs ich nicht zu erklären: hier ragt das
mythologische Rätsel herein. Aber so viel darf man aus diesem
Umstande wohl entnehmen: die irische Bedeutung des Wortes
ríg war dem Dichter nicht mehr gegenwärtig. Wuſste er, daſs
der Name soviel wie 'rex' bedeutet, so hätte er sich die eigene
Pointe verdorben, wonach erst der Jarlsspröſsling Würde und
Namen des Königs als etwas Neues aufbringt. In der älteren,
einfacheren Fassung, der der Skiǫldungasaga, war dies logisch:
da gibt es einen Rígr = 'rex' = fyrstr konungr.

Trifft das Gesagte zu, so gewinnen wir die zwei Schlüsse:
die Rþ. fuſst auf einer gelehrten sprachlich-historischen Idee,
die zu Anfang des dreizehnten Jahrhunderts in der isländischen
Skiǫldungasaga niedergelegt wurde; und: Dichter und Publikum
der Rþ. haben nicht in der Nähe von keltischer Sprachgemeinschaft gelebt.

---

[1] Die der Skiǫldungasaga nahestehende Ynglingasaga bringt auch
zwei irische Wörter, die sich nicht als Lehngut in der isländischen Sprache
eingebürgert hatten: díar S. 11, 5, bianak S. 11, 12.

Für die Rolle des ständegründenden Gottes hat man das fremde Vorbild meines Wissens noch nicht gefunden. Denn die Anknüpfung an Noah und seine drei Söhne bei E. H. Meyer, *Vsp.*, S. 15 ff. hat wohl wenige überzeugt. Näher liegt der Gedanke an die Ungleichen Kinder Evae, wenn auch in anderem Sinne als bei J. Grimm, *Kl. Schrn.* 7, 106 ff., *Mythol.* 1, 194. In das, was wir von nordischen Göttern und germanischem Standesgefühl wissen, fügt sich dieser göttliche Erzeuger auch des häfslichen Urknechtes so wenig ein, dafs man ohne ausländische Quelle nicht auskommt, und solange diese unbekannt ist, fühlt man sich allerdings in der Beurteilung der Rþ. sehr gebunden. Doch werden die vorgebrachten Gründe für späten isländischen Ursprung unabhängig von der Quellenfrage bestehen. Auch der Wortschatz und die Kulturschilderungen des Gedichtes sind dem dreizehnten Jahrhundert nicht feindlich gesinnt.

Setzte man die Rþ. um das Jahr 900, so nahm ihr Wortschatz eine merkwürdige Stellung ein. Dafs sie für eine Menge Wörter die älteste Fundstelle wurde, ist nicht anders zu erwarten; denn viel nordische Dichtung vor 900 besitzen wir ja leider nicht. Aber verwundern mufste die Tatsache, dafs die Rþ. etwa zehn Kulturwörter enthält, die in dem Sprachschatze der gesamten älteren Poesie, der eddischen wie der skaldischen, fehlen und erst in der Prosa oder in Strophen des zwölften bis vierzehnten Jahrhunderts auftreten. Es sind folgende Wörter:

Drei altheimische, die wenig zu bedeuten haben: arðr 'Pflug', hlaða 'Scheune', rokkr 'Rocken': diese nur in Prosa belegt. Sieben Lehnwörter: bolli 'Topf', nur pros.; frakka 'Speer', in den Þulur der *SnE.* 1, 570 (aus der Rþ.?), in Prosa das Komp. ryðfrakka Hávarð. S. 22;[1] kanna 'Kanne', nur pros.; kartr 'Wagen', nur pros.; kinga 'Brakteat', in Prosa und bei Einarr Gilsson (vierzehntes Jahrhundert), *BS.* 2, 29; kólfr 'Bolzen', in Prosa und in Ásbiǫrn prúðis Strophen (wohl dreizehntes Jahrhundert) *Flat.* 1, 528; kyrtill (in geitakyrtla 23, 3) 'Rock', in Poesie noch *EM. Laus* F. 2 skinnkyrtill (zwölftes oder dreizehntes Jahrhundert).

Dazu kann man noch nehmen: skokkr 'Truhe', nisl. (BjHalld.), sonst in Bed. 'Schiffsrumpf' od. ähnl.; dúkr 'Tischtuch', so nur in Prosa, in anderer Bedeutung auch in älterer Poesie.

Für Al. Bugge, der die Rþ. um 900 datiert, sind diese Wörter ein Beweis, dafs das Gedicht in Britannien entstanden ist, 'in Irland oder am ehesten in Schottland,' *Vesterl.* S. 212. In seiner vortrefflichen Darstellung der vikingischen Kultur

---

[1] Der von Al. Bugge, *Vesterl.*, S. 212 angeführte Beleg aus Hallfreds Hákonardrápa (*SnE.* S. 92, Str. 82) beruht auf Konjektur Söderbergs, siehe Wisén, *CN.* 1, 135.|

taucht immer wieder die Rþ. auf als ältestes Dokument für die
Entlehnung eines fremden Wortes und einer fremden Sache.
Das Gedicht bekommt geradezu einen prometheischen Zug, es
trägt die Feuerfunken der südlichen Gesittung in die nordische
Dichtung herein. Stellt man die Rþ. ins dreizehnte Jahrhundert,
so finden diese Wörter Anschluſs an die gleichzeitige isl.-norw.
Prosa; die meisten sind geläufige Wörter der Alltagssprache, —
auſser den genannten auch z. B. die in der Dichtung spärlich
vorkommenden skutill 'Schüssel', slœða 'Schleppkleid', plógr
'Pflug', tafl 'Spielbrett'. Mir scheint, diese Beleuchtung der Sache
ist an und für sich die glaubhaftere. Es bleiben die zwei hapax
legomena, das aus dem Englischen entlehnte smokkr 'Brusttuch'
und das dunkle mǫsmar 'Kleinode'(?) Str. 38, 5; auf diese zwei
Wörter wird man keine Vermutung über Heimat und Alter begründen wollen.

In diesem Zusammenhang sei noch erwähnt, daſs S. Bugge,
Skaldedigtning, S. 30, vermutete, das Wort 'flióð' (Str. 25, 5)
sei durch unseren Dichter selbst aus dem ae. Namengliede '-fléd'
gebildet worden. Das Wort kommt schon in Eddaliedern der
älteren Schicht vor und bei Guttorm sindri *Hkr.* 1, 179. Der
Überblick über die Scheinnamen der Rþ. spricht für die Annahme, daſs ein Ausdruck wie flióð — ohne malende Bedeutung,
ohne den Charakter des Spitznamens — vom Dichter nicht neu
gebildet, sondern aus der Überlieferung geholt wurde. Es steht
aber auch nichts im Wege, daſs 'tǫtrughypia, Haderlump' zuerst
in der Scheltrede HHu. I 43, 7 gestanden hat und von hier
unter die Spitznamen Rþ. 13 gelangte. Die Wendungen álm of
bendi 28, 3, álm at beygia 35, 5, hiǫrvi brá 37, 8 eignen sich nicht
zur Bestimmung von Abhängigkeitsverhältnissen (vgl. S. Bugge,
Home of the eddic poems, S. 389 f.). Individuell ist dagegen
der Kurzvers niðrbiúgt er nef 10, 5, gleichlautend in der gut
beglaubigten Strophe des Stefnir, Anfang des elften Jahrhunderts
(*Kristnisaga* ed. Kahle S. 44, 8): hier kann füglich kein Zweifel
sein, daſs der Zusammenhang bei Stefnir der ursprünglichere ist.

Hätte man den Dichter der Rþ. gefragt, welches Zeitalter
er schildere, so hätte er geantwortet: die uralte Zeit, als es noch
keine Könige gab. Dies war die Absicht des Dichters. Er
war ein mittelalterlicher Mensch und wollte nicht wie ein moderner Naturalist seinen Hörern umständlich vormalen, was sie
in ihrem gemeinen Alltagsleben um sich hatten.

Eine andere Frage ist, was er in Wirklichkeit geschildert
hat. Da er keine Quellen aus Dans und Danps Tagen benutzen
konnte, standen ihm für seine Beschreibungen zu Gebote: die
poetischen und prosaischen Überlieferungen, die bis ins neunte
Jahrhundert zurückgingen, und die Beobachtung der eigenen
Umwelt. Gar vieles aus seiner Gegenwart mochte er unbedenk-

lich in die Urzeit zurücktragen, weil er sich gar nicht vorstellen
konnte, dafs man es damit jemals anders gehalten habe. In
anderen Fällen aber wurde er auf die Unterschiede von einst
und jetzt aufmerksam, und dann hat er archaisiert. Es verstand sich von selbst, dafs er den Iarl und seine Söhne nicht
zum Turnier reiten liefs, und dafs er statt der christlichen
Taufe das heidnische Begiefsen mit Wasser brachte; es lag nahe
genug, die geistige Überlegenheit des Konr, statt durch stil-
widrige Sprachenkunde und Bücherweisheit, durch stilvolle
Runenkunst zu markieren.

Man hat die Rþ. immer betrachtet als ein getreues Licht-
bild, das ein Dichter von seiner eigenen Umgebung aufgenommen habe. Die Kultur der Vikingzeit, realistisch und ohne
Hintergedanken abgebildet von einem Zeitgenossen: dies fand
man in unserem Gedichte. Statt dessen müfste man an die Rþ.
die Frage stellen: wie weit fliefst dem Dichter das Bild der
eigenen Zeit ein, des dreizehnten Jahrhunderts, wie weit hat er
aus literarischer Überlieferung altertümliche Züge verwertet, und
zu welchen Zeiten stimmen diese Züge? Allerdings würde sich
dann wohl herausstellen, dafs der gröfsere Teil neutral ist,
ebensogut zum dreizehnten wie zum zehnten Jahrhundert pafst.
Die Gesittung hatte sich nicht so durchgreifend gewandelt.

Als Dinge, die sich besser mit dem dreizehnten als dem
zehnten Jahrhundert vertragen, fallen diese auf.

Der grofse Abstand zwischen dem mittleren und dem dritten
Paare nebst ihren Nachkommen. Nach den sonstigen Zeugnissen
würde man die Lebenshaltung der bœndr und hǫlðar auf der
einen, der hersar und iarlar auf der anderen Seite für die heidnische Zeit nicht so verschieden veranschlagen.[1] Die Vornehmen
sind in der Rþ. ganz aus dem bäuerlichen Leben herausgewach-
sen. Schon die Schilderung der Móðir, Str. 28 f., liefse den
Unbefangenen schwerlich auf das zehnte Jahrhundert raten, und
wenn dann Móðir das Mahl aufträgt, versilberte Schüsseln auf
ein gemustertes leinenes Tischtuch stellt, *Wein* aus der *Kanne*
in *Kelche* schenkt, so fühlt man sich mehr bei einem Vornehmen
Hákons IV. als Haralds des Schönhaarigen zu Gaste. Al. Bugge
erklärt freilich alle diese Züge aus dem Leben der vornehmen
Engländer (*Vesterl.* S. 174 ff.), und dies mufs man ja zugeben:
w ä r e die Schilderung um 900 entstanden, so müfste man allerdings nach aufsernordischen Vorbildern ausschauen.

Dafs der Dichter das Torfstechen in seiner isländischen
Heimat zur Genüge beobachten konnte, sei nur erwähnt, weil
man diesen Zug so oft unverdientermafsen für die Heimatbestim-

---

[1] Vgl. z. B. Hertzberg, *Det norske aristokratis historie*, S. 6 f. Adam
v. Bremen IV 31.

mung bemüht hat (noch Al. Bugge, *Vesterl.*, S. 256; treffend
Lehmann, a. a. O. S. 22 f.).

Eir. Magnússon und Lehmann haben darauf hingewiesen,
dafs die Knechte einfach als niedrigere Landarbeiter, auf eigenem Boden, gezeichnet werden, nicht als besitzlose Sklaven.
Das würde zum dreizehnten Jahrhundert passen, wo die Un-
freiheit auf Island erloschen war. Aber bei dem eigentümlichen
Verfahren des Dichters, wonach es Knechte gibt, ehe die Herren
da sind, k o n n t e der niedrigste Stand gar nicht in persönlicher
Abhängigkeit erscheinen.

Dies führt auf einen letzten Punkt: wie ist die ständische
Dreiteilung und ihre Benennung 'þræll — karl — iarl' bei einem
Dichter des dreizehnten Jahrhunderts zu erklären? Oder, um
es zu vereinfachen: die *Zweiteilung* der *Freien* in 'karl — iarl'.
In seiner fördernden Abhandlung hat K. Lehmann betont, dafs
es damit gar nicht so selbstverständlich liegt, auch wenn man
das zehnte oder elfte Jahrhundert im Auge hat.

Dafs ein Isländer, der die Gesellschaft der nordischen Urzeit schildern wollte, nicht die Verhältnisse seiner Insel kopierte,
sondern den Blick zunächst nach Norwegen und zwar nach dem
norwegischen Altertum schweifen liefs, darüber braucht es keine
Worte. Einen anderen Einwand könnte man vielleicht gegen
unsere Fragestellung erheben, nämlich: Der Dichter meint mit
seinem 'iarl' gar keinen Geburtsstand, sondern nur den minderen
Fürstenrang, der seiner Ansicht nach dem höheren, dem des
Königs, vorausging. Darauf wäre u. a. zu erwidern: So wie der
Dichter den Iarl zeichnet, schwebt ihm kein Herrscheramt vor,
weder ein souveränes noch gar ein lehensmäfsiges. Wir bekommen das Bild eines reichen, kriegerischen Gutsherrn: réð
hann átián búum, 'er gebot über achtzehn Höfe, bäuerliche
Wirtschaften' (Str. 38), das ist weder ein Gau (herað) noch eine
Völkerschaft (fylki), sondern ein privater Grofsgrundbesitz. Der
'iarl' der Rþ. vertritt einen wirklichen Stand, nicht die politische
Institution des Kleinfürsten, des princeps.

Das der Erklärung Bedürftige liegt in folgenden Umständen. Weder 'karl' noch 'iarl' erscheinen zu irgendeiner Zeit als
technische Benennungen von Ständen. Und eine einfache Zweiteilung der Freien — vom König abgesehen — läfst sich schon
seit dem Beginn der geschichtlichen Zeit nicht mehr erkennen.
In Norwegen um 900 gab es die Stufen: bœndr — hǫldar
— hersar — iarlar. Eine gemeinsame technische Bezeichnung
für die hersar + iarlar, also mit dem Sinne von 'Adel, nobili-
tas', kennen wir nicht. Dafs der Standesunterschied zwischen
dem iarl als 'tíginn maðr' (fürstenbürtigen) und dem hersir gelegentlich stark empfunden wurde, zeigen Fälle aus dem zehnten
und elften Jahrhundert (*Hkr.* 1, 367; 3, 142).

In Norwegen um 1200 gab es über dem þræll die Stufen:
1. leysingi, 2. leysingia sunr, 3. reksþegn, 4. bóande, 5. hǫlðr,
6. lendr maðr + stallari, 7. ábóti + abbadís, 8. iarl + bys-
kup, 9. erkibyskup + hertugi, 10. konungr. Davon werden die
Stufen 1. 4. 5. 6. 8. 10 im Prinzip überall vorausgesetzt. Alle
zehn Stufen werden unterschieden Frost. XIII 15 (*NgL.* 1, 244).
Aber die Sprache der Dichtung hatte immer vereinfacht.
Da wird der 'hǫlðr' gesetzt für den Freien schlechthin. Und
das über dem Freien Stehende wird zusammengefaſst, indem viele
kenningar und heiti dem hersir, iarl und konungr gemeinsam
sind; vgl. Snorris Bemerkung in seiner Edda S. 123 f. In der
eddischen Dichtung hat 'iarl' den sehr allgemeinen Sinn 'edler
Krieger, Vornehmer in der Umgebung des Fürsten', wovon sich
deutlich abhebt das siebenmalige 'iarl' in der Prosa der Helg.
Hiǫrv. mit der Bedeutung 'Unterfürst, Statthalter eines Königs',
dem jüngeren, offiziellen Sprachgebrauche folgend.[1]

Ein mit der alten Dichtung vertrauter Isländer konnte auch
von den norwegischen Verhältnissen des dreizehnten Jahrhunderts aus wohl zu dem Schlusse gelangen: diesen vielen Fächern
ordnet sich eine Zweiteilung über; einst, im Altertum, gab es
nur die zwei Arten der Freien, die besseren und die geringeren.
Aber einfacher erklärt man sich seinen Gedankengang so. Der
Dichter kannte die vorharaldische Zeit aus ungefähr denselben
Quellen wie wir, d. h., von der Dichtung abgesehen, aus den
Konunga- und Fornaldarsǫgur. Er fand da neben den 'konungar'
die 'iarlar' und die 'hersar' genannt als solche, die über die
Menge der Bauern und Krieger hinausragten. Gemäſs seiner
Theorie betrachtete er die 'konungar' als spätere Entwickelung.
Blieben also die 'iarlar' und 'hersar' als vornehmer Stand.

Und nun galt es, die Benennungen zu wählen. Der Dichter
macht zwischen 'iarl' und 'hersir' keinen Standesunterschied;
denn wenn Iarl die Tochter des Hersir heiratet (Str. 39 f.), so
ist das nicht als Miſsehe gedacht. Daſs nun von den beiden
zur Wahl stehenden Ausdrücken, 'iarl' und 'hersir', der erste
für den Vertreter des Standes genommen wurde, mag diese
Gründe gehabt haben. 'Iarl' hatte die vollere poetische Reso-
nanz, es klang mehr nach Altertum: in den Geschichten aus
der forn ǫld begegnen weit öfter 'iarlar' als 'hersar'. 'Iarl' klang
auch nicht so spezifisch norwegisch wie 'hersir': in allen fremden Ländern lieſsen isländische Erzähler 'iarlar' auftreten. Ferner
paſste das einsilbige 'iarl' zu den einsilbigen þræll, þír, karl,

---

[1] Der Sinn 'Fürst, Herrscher' ist wohl Háv. 97, 4 anzunehmen (iarls
yndi ...). Die von Gering, *Vollständ. Wb.*, Sp. 535 angesetzte Bedeutung
'Mann im allg.' würde ich nur bei Ghv. 21, 1 erwägen, und auch da läſst
sich die Übersetzung 'Edle' rechtfertigen: der Dichter bleibt im Kostüm,
seine Hörer behandelt er als hochgeborene Leute.

snør, ern, konr': alle diese Hauptspröſslinge und ihre Frauen
führen einsilbige Namen, wie die Elternpaare 'ái-edda' usw.
zweisilbige.

Nun der Name für den Vertreter der geringeren Freien.
Man würde am ehesten 'hǫlðr' erwarten in dem allgemeineren,
untechnischen Sinne, den die Dichtung bewahrt hat (s. o.). Auch
'þegn' hätte sich gut geeignet, vgl. das stabende Paar 'þegn ok
þræll, Freier und Knecht'; vielleicht stand im Wege die häufige
Bedeutung 'Untertan', die zu dem Sohne von Afi und Amma
nicht gepaſst hätte. So kam 'þegn', gleich wie 'hǫlðr', nur in
die Schar der Söhne (Str. 24, 4). Der Stammhalter selbst bekam
den Namen 'karl', und daran bleibt etwas Befremdliches. Wenn
die Wahl auf dieses Wort fiel, so werden dem Dichter formel-
hafte Stellen im Ohre geklungen haben wie die bei Sighvat
(*Hkr.* 3, 31, Z. 11): '*karl*folk ok svá *iarla*', auch Wendungen
wie '*karls* hús' opp. 'konungs garðr', 'konungi ok *karli*' (Lehmann S. 28).[1] Dazu die Klangähnlichkeit mit 'iarl'. Man vergesse nicht, daſs unser Dichter keine aktenmäſsige Historie
schreibt, sondern zwischen Wahrheit und Dichtung, zwischen
Ernst und Spiel wandert.

Nach dem hier Ausgeführten meine ich, die Ständeeinteilung
und -benennung der Rþ. wird begreiflich aus dem Materiale
unserer Quellen heraus, ohne daſs man dem Dichter einen uns
verschlossenen Nahblick auf vorgeschichtliche Zustände zu-
schriebe. Das Lied folgt den freieren Unterscheidungen der
Poesie, nicht den straffen und vielgliedrigen Sonderungen des
Rechtes. Daſs es jemals bei den Nordgermanen einen Geburtsstand unter dem Namen 'Jarle' gegeben habe, entsprechend dem
südgermanischen Stande der nobiles, adalingi, edelen, eorlas,
dies darf man aus unserem Liede — im Widerspruch mit den
Geschichts- und Rechtsquellen — nicht herauslesen.

Hierbei habe ich der Möglichkeit, daſs der Dichter die
Dreizahl in seiner zu vermutenden fremden Quelle vorfand, nicht
Rechnung getragen. Die Frage, ob die altenglische Formel
'eorlas and ceorlas' eingewirkt habe, hat schon Lehmann be-
rührt und, wie mir scheint 'mit Recht, verneint (S. 29). Auch
Al. Bugge, *Vesterl.*, S. 43, scheint sie nicht zu bejahen.

— Die Rþ. ist eines der wenigen Eddagedichte, die in der
altisländischen Literatur selber zitiert werden: 'heiti für die

---

[1] In der Edda allerdings steht 'karl' mit der ständischen Bedeutung
'freier Bauer' nur in der Rþ. Die übrigen Stellen bei Gering, *Wb.*, s. v.
'karl' sind so zu ordnen: 1. mas opp. femina: Br. 20 pr. 11, Hlr. 14,
Am. 62, Háv. 90, Am. 69; 2. Bauer (mit verächtlichem Beiklang), Kerl,
Alter, diese Bedeutungen nicht scharf zu sondern: alle übrigen Stellen,
auch *HHu.* II 2 'era þat karls ætt, das stammt nicht von Bauernpack',
verächtlich, nicht ständisch-technisch.

Knechte stehen in der Rígsþula,' heifst es *SnE.* 2, 496. Diese Anführung reiht das Gedicht ein in den Zusammenhang, der ihm gebührt: in die gelehrte isländische Poetik, die in Snorris Skaldenlehrbuch ihr Meisterwerk· hervorbrachte. Die Rþ. ist in ihren Namenstrophen ein dichterisches, leichtgeschürztes Gegenstück zu den planmäfsig-umfassenden Skáldskaparmál. Aber sie ist noch manches andere. In keinem zweiten Gedichte kommen die Bestrebungen der isländischen Altertumskunde so vielseitig zu Worte. Und dabei hat der Dichter auch das Erzählen gelernt; ein Erzählen freilich, grundverschieden von dem der alten epischen Lieder; denn es fehlt ihm das, worin die Stärke der alten Sagendichter lag, die Rede.

Seit dreifsig Jahren hat man oft betont: die eddische Dichtung atmet das Geistesleben der Vikingzeit.

Der Satz bedarf starker Einschränkung.

Sehr vieles in der Eddadichtung ist — seinem Geiste, seiner Gesittung nach — v o r vikingisch. Eine ganze Reihe von alten Götter- und Heldenliedern trägt in keinem Zuge den Stempel des bestimmten Zeitalters, das mit dem Jahre 793 anbrach. Die grofsen Dichtergedanken der Heroensage sind, tatsächlich oder der Art nach, älter als das Vikingwesen: wie eine richtig vikingische Erfindung aussieht, mufs man bei Ragnar Loðbrók und Ǫrvar-Odd erfragen.

Aber nicht weniges in der Eddafamilie ist n a c h vikingisch. In der Lyrik der heroischen Elegien ahnt man schon die Nähe des Spätmittelalters mit seiner Balladenblüte. Und das gelehrte und geistreiche Spiel der Brávallaliste, der Svipdagsmál und der Rígsþula führt aus der Luft der sagenfrohen Seekrieger in die Kreise grübelnder und formgewandter Literaten.

Die gemeingermanisch - heroische Stufe, die norrön - vikingische, die isländisch-nachvikingische, zum Teil literarische: alle drei liegen in der Eddadichtung vor. Wir werden jeder ihr Recht geben, wenn wir sie klarer auseinanderhalten.

Berlin.   A n d r e a s H e u s l e r.

Zur Entstehung des Märchens.

(Schluſs.)

VIII. Rückblicke und Ergebnisse. Irgendwie vollständig sollen die von mir genannten Beispiele nun nicht sein:
es gibt noch manche andere Märchen, die ihre Heimat in Indien
haben. Da aber eine Reihe sehr instruktiver, in ihrer Geschichte
und Zusammensetzung erkennbarer und für Indien bezeichnender
Märchen aufgezählt wurde und die Fülle der hier gestreiften
oder ausführlich erzählten Märchen auch manchem schon be-
ängstigend und verwirrend scheinen mag, darf ich anhalten und
auf den langen Weg zurückblicken.

Voreingenommenheit für das indische Märchen, die Sucht,
anderen Völkern die Erfindungsgabe abzusprechen und sie den
Indern dafür zuzuschieben, wird diesen Betrachtungen niemand
angemerkt haben. Es ist hier im Gegenteil nicht allein zugegeben — was niemals hätte bestritten werden sollen —, daſs
Märchenmotive auch aufserhalb Indiens bestanden, vielmehr noch,
daſs die Inder den Griechen[1] und Juden[2] manches entlehnt haben.
Die Bausteine zum Märchen, die einzelnen Motive, auch hier und
da einfachere Märchen selber hatten andere Völker ebensogut
wie die Inder, deren Gröſse und eigentliche Begabung es war,
die Motive zur Geltung zu bringen und zusammenzusetzen.

Die Inder bauten die Märchen, die in ihrem eigenen Lande
blieben, genau wie die anderen, die in die Fremde kamen. Sie
häuften die Motive an und steigerten sie, oder sie erzählten sie
Schlag auf Schlag, in überstürzendem Tempo, oder sie zeigten sie
nicht auf einmal und nicht als Summe, sondern allmählich und
zerlegt in ihre einzelnen Teile, sie fügen diese Teile aneinander,
indem sie geschickt immer zum Bedeutsameren fortschreiten, den
Schluſs der Geschichte gern hinausschieben und die Spannung zugleich erhöhen. Sie zeigen diese Motive nicht als Motive überhaupt, sondern sie kontrastieren sie miteinander, sie kehren sie
plötzlich um, sie stellen sie immer in den Dienst einer Handlung,
sie bringen sie vor allem in engsten Zusammenhang mit diesem
Leben. Uns erscheinen dadurch die Märchen oft zu ernsthaft, als
daſs sie Märchen, und zu märchenhaft, als daſs sie Ernst sein sollten.

---

[1] Vgl. z. B. oben *Archiv* CXV, 284; CXVI, 13.
[2] Vgl. z. B. oben *Archiv* CXV, 277. 282 f.; CXVI, 8. 18.

Man kann ihnen also ähnliches vorwerfen, wie man dem in Indien erfundenen, auch so äufserst verwickelten und differenzierten Schachspiel vorgeworfen hat, dafs es nämlich zu ernst für ein Spiel und wieder zu sehr Spiel sei, als dafs man es ernst nehmen dürfe. — Die Inder schildern im Märchen, wie die Wunderdinge auf die Menschen einwirken, zeigen die Menschen im Kampf mit den wunderbaren Gaben, die ihnen verliehen werden, wie diese Gaben nur die Begehrlichkeit reizen, wie sie zu schwach für die Gaben sind, wie sie auch die gnädigsten Geschenke nur entstellen, wie sie sich um Wunderdinge betrügen, wobei sie im Grunde selbst die Betrogenen bleiben, und wie sie durch ihre Künste und wunderbaren Eigenschaften sich vernichten. Zum Schlufs hören wir dann oft die Frage: welche von den wunderbaren Gaben war die wunderbarste? Und das ganze Märchen scheint dann dem Inder nur ein Anlafs, uns seinen Scharfsinn und seine Begabung fürs Märchenhafte vorzuzeigen, denn er lebt in seinem eigentlichsten Element, sowie er scharfsinnige Urteile, Entscheidungen, Beweise von Klugheit und Spürsinn mitteilen und anhäufen kann, er erfindet dabei die sonderbarsten und spafshaftesten Geschichten und vergleicht auch hier die einzelnen Klugheiten, weil er sich doch selbst auch in seinem Scharfsinn überbieten mufs.

Die indische Erzählungskunst, der Aufbau und die Komposition ihrer Geschichten sind, wie wir an vielen Beispielen zeigten, von keinem Volk erreicht worden, und was wir von der Erzählungskunst anderer Völker, etwa der Griechen und Juden, zum Vergleich heranzogen, erschien dagegen kunstlos und unbeholfen. Der Märchenreichtum des einen Landes Indien übertrifft noch immer den Märchenreichtum aller anderen Völker, die gegen Indien sehr wenig originale Märchen besitzen. Ihr Reichtum wurde den Indern wieder zum Unsegen: sie häuften ihre Geschichten zu oft ins Massenhafte, konnten sich auch nicht genug tun, eine immer wieder in die andere zu schachteln, ebenso waren ihnen ihre Erfindungen und Motive nie künstlich, nie spannend und nie raffiniert genug, ihnen fehlte der Sinn für das Einfache, Anspruchslose und Kindliche des Märchens, und wie wir das auch erfahren haben, sie entstellten und verdarben darum hübsche und feine Geschichten, indem sie ein Raffinement in sie hineinbrachten, das nicht in sie gehörte.[1]

---

[1] Es wurde hier versucht, die Erzählungskunst der indischen Märchen zu analysieren und durch Betrachtung dieser Kunst die Kriterien zu gewinnen, die über die indische Herkunft eines Märchens entscheiden. Andere Forscher, namentlich E. Cosquin, *Contes populaires* I, XXVI f. unternahmen, in abendländischen Märchen Züge nachzuweisen, die nicht aus abendländischen, sondern aus indischen religiösen Anschauungen und Idealen, sozialen Zuständen und Gebräuchen zu erklären seien. Ein solcher Nachweis kann nur in seltenen Fällen gelingen, denn Märchen sind internationale, keine nationalen Gebilde, und was an indischen Märchen in kulturgeschicht-

Die Inder, wie sie uns zuletzt Hermann Oldenberg[1] schilderte, sind ein Volk des geschmeidigsten und gelenkigsten Kör-

lichem Sinne indisch ist, mußte sich auf der Wanderung durch die Welt meist abstreifen. Man hat z. B. vermutet, die böse Stiefmutter in abendländischen Märchen, die ihre Stieftochter beim König verleumde, sei eigentlich die Hauptkönigin, die die junge rivalisierende Nebenkönigin verdächtige und beiseite schaffen wolle. Das trifft aber nicht zu: die indischen Märchen erzählen vom Streite der Frauen untereinander nie, dazu sind ihnen die Frauen an sich viel zu unwichtig, nicht die Frau interessiert sie, sondern der Umgang von Frau und Mann. Ich kenne im Indischen nur ganz wenig unbedeutende Märchen, die von schlechten Stiefmüttern (etwa Cukas, t. o. 50) und von rivalisierenden Nebenfrauen (etwa Somadeva VI, 32, Tawney I, 286) berichten (die von Cosquin I, XXX mitgeteilte Geschichte von der Rākschasi, die sich als achte Frau heiraten läßt und die anderen sieben verdächtigt, ist modern indisch). Die böse Stiefmutter im deutschen Märchen hat anderen Ursprung: zum Teil sind die verhaßten Stiefmütter Hexen, und der Haß gegen die Hexen ist auf die Stiefmütter übertragen, wenn sie teuflischer Künste verdächtig scheinen, Kinder vertauschen, Quellen verzaubern, Menschen verwandeln u. ähnl. (vgl. Grimm, *KHM* 3. 11. 31 etc. und Liebrecht, *Zur Volkskunde* 17 f. — auch oben *Archiv* CXIV, S. 5 Anm. 1). — Außerdem erzählt das Märchen, wie wir wissen, seit sehr alten Zeiten von treulosen und neidischen Brüdern, Schwestern und Gefährten, die gerade den guten und unschuldigen nachstellen und ihn zuletzt doch nicht vernichten können, sie werden dafür das Opfer der eigenen Bosheit. Die Eigenschaften dieser Treulosen gingen auf die Stiefmutter fast unverändert über; es ist auch keineswegs Zufall, daß neben der treulosen Stiefmutter fast immer die neidische und häßliche Schwester erscheint, vgl. z. B. Grimm *KHM* 21. 24. 135 usw. — Einige weitverbreitete Märchen freilich haben ihre indische Grundanschauung nicht einbüßen können, diese schimmert durch alle europäischen Zutaten und Überdeckungen hindurch. Man erinnere sich etwa an das Märchen vom undankbaren Menschen und dankbaren Tierev: dessen Erzählungskunst und dessen Grundanschauung sind indisch, genauer buddhistisch, alle Wesen sind gut, doch ein Gefäß aller Schlechtigkeit ist der Mensch (vgl. auch Cosquin I, XXVI f.). Noch buddhistischer fast ist das Märchen von der undankbaren Gattin, die starb, und die der Mann zum Leben erweckte, indem er ihr die Hälfte seines Lebens abtrat, die zum Dank diesen edelsten mit einem Krüppel betrog, einen Abhang hinunterstürzte und ihn dann, als er lebend blieb und sie endlich wiedersah, noch verklagte. Diese Geschichte wird sich wohl ein weiberhassender, weltabgewandter Buddhist ersonnen haben, und sie enthält trotz aller Erklügeltheiten Szenen von grandioser Tiefe und Menschenkenntnis. Sie verbreitete sich schon vor Jahrhunderten, ihre Verästelungen und Verzweigungen hat Gaston Paris in einer seiner letzten Abhandlungen gezeigt (*Zeitschrift des Vereins für Volkskunde* XIV [1903], 1—24. 129—50). Als Volksmärchen (Cosquin II, 342. — Grimm, *KHM* 16) lebt sie noch heute und, wie sehr auch viele ihrer ursprünglichen Motive verblaßten, wie viele Züge anderer Märchen in sie hinein gerieten, die Grundidee, die bodenlose Untreue und der schmähliche Undank der Frau gegen ihren Mann und Lebensretter, gab ein Erzähler immer dem anderen weiter, und sie geht noch wie eine schwere Anklage durch unser Märchen. — Beiläufig sei bemerkt, daß Artur Bonus (*Preußische Jahrbücher* Februar 1905) dieses Märchen mit dem ägyptischen Brüdermärchen vergleicht, als führe es darauf zurück: wie er zu dieser Verirrung kommt, ist mir unbegreiflich, da Gedanken, Motive, Inhalt beider Märchen von Grund aus verschieden sind. Die unbesonnene Voreingenommenheit gegen das indische Märchen führt manchmal zu seltsamen Entgleisungen. — Ein Motiv

perbaues, bedürfnislos, weil sie in einem Land von verschwende-
rischer Fruchtbarkeit lebten und mit geringer Nahrung ihr Leben
fristen konnten. In immateriellen Genüssen trieb das gleiche
Volk einen sonst nicht gekannten Luxus, es berauschte sich an
Düften und Essenzen. Sein Körper ermüdete nicht im Kampf
um den täglichen Unterhalt, und die Kräfte für den Geist blieben
frei. Der bewegte sich mit virtuoser Gewandtheit in den ver-
wickeltsten Gedankengängen, leicht und anmutig, ironisch überlegen, zu schillernder Erfindung, zu phantastisch verworrenen und
seltsam tiefen Träumereien gern geneigt. Die Inder wurden in
ihrem Lande bald ein zahllos grofses Volk, die einzelne Existenz
galt wenig oder nichts, das Leben breitete sich in unübersehbarer
Mannigfaltigkeit um den einzelnen, unendliche Menschenmassen
in einer unendlich reichen Natur, und wer sich behaupten wollte,
bedurfte jeden Tag und jede Stunde indischer Schmiegsamkeit
und Klugheit, zumal dort, wo sich das höchste Leben abspielte,
am Hofe der launischen und grausamen Despoten, die Hofmänner,
nicht Staatsmänner um sich wollten. Hofmänner, die jeder Laune
biegsam entgegenkamen, die sich mit immer neuen Ränken und
Schlichen in ihrer Stellung erhalten mufsten und schliefslich doch
skrupellos verstofsen wurden. Das indische Leben hat eine beängstigende Fülle, eine beängstigende Schönheit, es ist grenzenlos
unsicher, und jeder Tag scheint ungeahnte Katastrophen bringen
zu können: weil die Schönheit und der Genufs so unerhört waren,
reizte es die Inder immer von neuem, ihn ins Unerhörtere zu steigern; ebenso sehr aber wuchsen die Qualen. Dies Leben erschien
dann wie ein böser, nie endenwollender Traum, immer neue Leiden
erzeugend, und die Inder erhöhten sich diese Qualen, indem sie
den Glauben an die Seelenwanderung, an die ewige Wiederkehr
der Menschen und Lebewesen schufen, ganz und gar ins Endlose. Es ist dieser Glaube eine merkwürdige raffinierte und echt
indisch grausame Selbstpeinigung; Oldenberg hat ihn mit einer
Wanderung durch die Wüste im heifsesten Sonnenbrand verglichen, bei der der Wanderer schliefslich in ein Becken mit
glühenden Kohlen stürzt. Es ist auch nur zu natürlich, dafs
gerade Indien das Land der Entsagung und Lebensüberwindung
wurde, in dem man alles, was gerade dieses unerschöpflich reiche
Land bieten konnte, seine Schätze und Drohungen alle, ach so

---

aus dem Märchen von der undankbaren Gattin, die Errettung der Frau
aus Lebensgefahr, ihr Ehebruch mit dem Räuber und die Hinterlist gegen
den Erretter fand aufserdem, was noch nicht bemerkt wurde, in ein ganz
anderes Märchen Eingang: in das von der treulosen Mutter oder treulosen
Schwester, vgl. vor allem Ralston Schiefner, *Tibetan Tales* 291 f. mit Les-
kien Brugmann 401, Waldau, *Böhmisches Märchenbuch* 469, ferner R. Köhler I, 304.
[1] *Die Literatur des alten Indien* 15 f. 65 f.

gern, von sich warf und, ohne jedes irdische Bedürfnis, nur in
die Geheimnisse eines unergründeten göttlichen Seins sich ver-
senkte.

Verblendender Glanz, sinnbetörende Lockung, unerhörter Genufs, furchtbare, endlose Qualen: all das rann dem Inder ineinander, so traumhaft, dafs sich alle Grenzen der Wirklichkeit
verloren und verwirrten. Darum ist auch das indische Märchen ein so seltsames Hin und Her zwischen Wirklichkeit und
Wunder, die Welt selbst erschien dem Inder oft märchenhafter
als das sonderbarste Märchen und traumhafter als der erträum-
teste Traum. Märchen, Novelle, Roman und Leben unterscheiden sich in Indien kaum, und das indische Märchen spiegelt
uns das ganze indische wirkliche Wesen. Wir haben auch etwas
davon gespürt — wir haben freilich nur wenige indische Märchen betrachtet —: die Endlosigkeit, das Massenhafte und Unüber-
sehbare, die Freude an scharfsinnigen, komplizierten, unerhörten
Erfindungen und Entscheidungen, das Schwelgen in wunderbaren
und seltsamen Gaben, die tiefe Erkenntnis von der Nichtigkeit
des Irdischen und der erbärmlichen Schwäche des Menschen, das
fortwährende uns immer neu frappierende, dem Inder ganz gewohnte Ineinandergreifen von Wirklichkeit und Märchen, als hätte
die Welt des Wunders und die des Märchens genau die gleiche
Existenz und sei die eine nur da, um die Schwäche der anderen
zu offenbaren — alle diese Eigenschaften stellen sich uns nun
dar als Eigenschaften des indischen Märchens und zugleich des
indischen Wesens. Wir sahen diese Eigenschaften eine nach der
anderen vor uns auftauchen und eine nach der anderen sich
wiederholen und als indisch bestätigen, und wir dürfen zuversicht-
lich und getrost noch einmal aussprechen, was uns vorher jedes
Beispiel zeigte, dafs die Märchen, die wir aus so einfachen Motiven so überraschend sich bilden sahen, und die alle Märchen
der anderen Völker weit überflügelten: dafs diese Märchen nur
in Indien entstehen konnten, denn ihre Entwickelung stimmt mit
den Eigenheiten keines anderen Volkes, dafür aber bis ins ein-
zelnste mit den Eigenheiten des indischen Wesens.

Die Vermutungen Benfeys[1] über Geschichte und Ausbreitung des indischen Märchens erhielten eine Überfülle von Bestätigungen. Benfey suchte zu beweisen, dafs die meisten der
indischen Märchen auf buddhistische zurückgingen, und als dann
die reichen buddhistischen Märchenschätze bekannt wurden, recht-
fertigte fast jedes Stück diese Meinung und war als Variante oder
als ältere Form der späteren indischen Märchen leicht zu erkennen.
Auch der Einflufs und die Bedeutung der indischen Märchen

---

[1] Vgl. etwa *Pantchatantra* I, XXII f. *Orient und Okxident* I, 133 f.
Kleinere Schriften III, 67. 160. 224.

für die Märchen der Welt stellte sich als ein viel imposanterer
und beherrschenderer dar, als sogar Benfey geträumt hatte, die
mongolischen, die awarischen, die türkischen, die tibetischen, die
syrischen, die afrikanischen Märchen,[1] die in den Jahrzehnten nach
dem Pantschatantra bekannt wurden, zeigten auf Schritt und Tritt
Spuren der indischen Einflüsse, ja das Wertvollste und Interessanteste an ihnen war indisches Lehngut. Mit dem Buddhismus
hatte eben auch das buddhistische Märchen die asiatische Welt
siegreich durchschritten. Wenn nun bei halbbarbarischen rohen
und zurückgebliebenen Völkern die indischen Märchen solche
Eindrücke hinterliefsen, wie sehr mufsten dann erst die Völker
des Abendlandes unter ihren Bann geraten! Es ist kein Wunder,
dafs manche Forscher meinten, es gäbe kein Märchen, das nicht
in Indien seine Heimat habe, auch die Märchen seien indisch,
deren indische Vorbilder man bisher nicht auffand, dafs manche
auch, schlechten Beispielen von Benfey folgend, in abendländischen Märchen nach einzelnen Motiven suchten, die indischen
ähnlich waren, diese Motive dann für die ursprünglichsten und
die Herkunft der ganzen Märchen für indisch erklärten.[2]

Durch diese Übertreibungen wurde nun das Vertrauen zu
Benfeys Theorie recht erschüttert. Wir können es wieder be-
festigen, indem wir zugehen, dafs Benfeys Ansichten teils sehr
wesentlicher Ergänzungen, teils sehr wesentlicher Einschränkungen
bedürfen.

Der Ergänzung insofern, als die Geschichte des Märchens
weit über den Buddhismus hinaufreicht. Gewifs, die in Indien
erzählten Märchen beruhen sehr oft auf dem Buddhismus, aber
die buddhistischen Märchen zeigen uns selbst, dafs ihnen ältere
Geschichten zugrunde liegen,[3] und, um das noch einmal zu sagen,
die Märchenmotive, aus denen sich diese und noch ältere Geschichten zusammensetzen, gehören, zusammen mit den primitiven
religiösen Vorstellungen, den Anfängen der Sage und des Mythus
jedem Volk und der Urzeit des Menschen. Manche haben sich
im Abendlande die Jahrtausende hindurch unverändert erhalten

---

[1] Vgl. etwa Jülg, *Kalmückische Märchen* 1866; Jülg, *Mongolische Märchen* 1868; Schiefner, *Awarische Texte* 1873; Ralston Schiefner, *Tibetan
Tales* 1882; Radloff, *Proben der Volksliteratur der türkischen Stämme Süd-
sibiriens* 1866—72; Prym und Socin, *Der neuaramäische Dialekt des 'Tûr'
'Abdin* 1881; Stumme, *Tunisische Märchen und Gedichte* 1893.

[2] Vgl. oben *Archiv* CXV, 289 Anm. 2.

[3] Vgl. z. B. Serge d'Oldenbourg, *Journal of the Royal Asiatic Society*,
N. S. 25 (1893) 301 f. — Man erkennt jetzt ganz klar, dafs die Buddhisten
diese Geschichten vorfanden und in sie die buddhistische Weltanschauung
hineinbrachten, vgl. Oldenberg, *Literatur des alten Indien* 103 f. — Einzelne
Jātakās sind kontaminierte, entstellte, in Motiven gehäufte Märchen, vgl.
etwa die Nummern 41, 77, 120, 114, 284, 432, 186, 257, 357. — 48, 193 (späte
Auswüchse).

und sich mit neueren Gebilden, auch Gebilden indischen Ursprungs, verbunden.

Der Einschränkung insofern, als lange nicht alle abendländischen Märchen indischen Ursprungs sind. Die Märchen von
Dornröschen und Schneewittchen etwa, die von Goldener und
Allerleirauh, die vom Wasser des Lebens und den Höllenreisen,[1]
die vom Bauer Einochs, der seine Dorfgenossen immer betrog,
und immer auflebte, wenn sie ihn tot glaubten,[2] die Schild-
bürger- und Narrenstreiche, der Meisterdieb: diese Märchen,
um nur einige Beispiele herauszugreifen, gehören zum Teil seit
langen Jahrtausenden dem Abendlande an, sie haben sich aus den
gleichen Motiven, nur kunstloser, entwickelt, wie die indischen
Märchen auch: sie sind diesen in Aufbau, Steigerung, Komposition weit unterlegen, aber gerade in ihrer Einfachheit, weil sie
die alten Vorstellungen so treu bewahren oder so kindlich und
harmlos oder so derb und drastisch erzählen, gerade darin liegt
ihr Zauber und ihre Lebenskraft. Ihre Heimat aufzufinden dürfte
schwer oder unmöglich sein, und Entdeckungsreisen danach kann
man kaum empfehlen; die Hauptsache bleibt, dafs man diese
Märchen unbefangen betrachtet und sich ihrer freut, ohne dafs
man durch die Frage, sind sie indisch oder nicht indisch, gequält
und gewaltsam festgehalten wird.

Das darf man aber behaupten: erkennt man in einem europäischen Märchen eine kunstvolle Art der Erzählung, wie wir

---

[1] Die Opfer, die bei einer Höllenfahrt zu entrichten, die Gefahren und
Mühseligkeiten, die zu überwinden sind, schildert das Indische wieder in
seiner Weise, angehäuft und sich steigernd. Odysseus (*Odyssee XI, 23 f.*)
gräbt, bevor er die Schatten der Toten beschwört, eine Grube, giefst für
die Toten einen Weihgufs hinein: Honig, Milch, Wein und zuletzt Wasser,
das bestreut er mit Mehl und gelobt, zu Hause ein Rind, dem Tiresias
einen fehllosen Widder zu opfern. Bei Jülg, *Mongol. Märchen* S. 96, mufs
ein Held, der eine Unterweltsreise macht, einem eisernen Alten, der ge-
schmolzenes Blei getrunken, Reisbranntwein geben, zwei aufeinander-
stofsende Widder durch Hefekuchen besänftigen, einer Schar von Gepan-
zerten Fleisch und Kuchen verabreichen, zwei blutigen behaarten Dienern
des Höllenrichters ein Blutopfer entrichten usw. Und die Gefahr und
Mühsal schildert ein Märchen aus Tibet so (Ralston, Schiefner S. 62): drei
und nochmals drei Berge und dann den Gebirgsstock des Himavant über-
schreiten, über einen trägt ein Vogel; Zaubergeschöpfe, ähnlich Bock und
Widder, einen greulichen Zaubergeist zu überwinden, eine Schlange, die
wie ein wütender Strom zischt, erschlagen, zwei Widdern, die mit Hörnern
aneinanderstofsen, Hörner abbrechen, von zwei eisernen Männern mit
Waffen einen erschlagen, einem Geist mit Eisenlippen einen Schleuder an
die Stirn schleudern, über einen grofsen gärenden Teich, der sechzig Faden
tief, schreiten, Geister bezwingen etc. etc. (die Worte hier sehr dunkel,
Ralston 64 Anm.). Mit dieser Überfülle von Gefahren vergleiche man die
der Psyche bei Apulejus drohenden — oben *Archiv* CXV, 19 — wie wenig
werden es!
[2] R. Köhler I, 91. 230 f. Cosquin I, 114 f. (indische Formen, modern)
226 f.

sie durch unsere Beispiele anschaulich machten, so ist seine Heimat bestimmt Indien. Man wolle dabei nicht vergessen, dafs nur wenige der indischen Märchen nach dem Abendlande kamen, gerade das Echteste und Feinste, das durchaus Indische am indischen Märchen war zu fein und kompliziert für andere Völker. Vergleicht man die abendländische Form eines indischen Märchens mit der indischen, so erscheint jene als verblafst und abgeschwächt. Oft kamen nicht die ganzen indischen Märchen herüber, sondern nur Episoden und Bruchteile,[1] die sich in Märchen anderer Herkunft einfügten, oft auch nur besonders feine und wirkungsstarke Motive, die sich gleichfalls an andere Märchen ansetzten und neue Verbindungen eingingen. Das wurde auch aus unseren Beispielen klar, wenn es auch aufserhalb unserer Aufgabe lag, den Wanderungen und Wandlungen im einzelnen nachzugehen, der kaleidoskopischen immer neuen Zusammensetzung und den geographischen Wegen zu folgen.[2] Auch bleibt es anderen vorbehalten, die Märchenkunst europäischer Völker zu charakterisieren durch Vergleichung des Indischen und Nichtindischen in ihren Märchenschätzen und durch Betrachtung der Art, in der sie die indischen Motive aufnahmen und verwandelten.[3]

Die Zahl der Märchen indischer Herkunft innerhalb der abendländischen Märchensammlungen bleibt aber noch immer eine stattliche. Was die Benfeysche Hypothese einbüfste: dafs sie manches abendländische Märchen verlor, auf das sie früher zählte,

---

[1] Vgl. oben *Archiv* CXV, 286; CXVI, 9. 11. 15 Anm. 5. 20 Anm. 2. 22 Anm. 1.

[2] Doch sind die literarischen Hinweise, die ich gab, immer so eingerichtet, diese Forschungen zu ermöglichen.

[3] Über das deutsche Märchen, seine Geschichte, seine deutschen und nichtdeutschen Bestandteile, hoffe ich demnächst etwas ausführlicher zu sprechen. — Schon hier aber möchte ich auf die Verse im deutschen Märchen hinweisen, die dann als Beweise für hohes Alter und deutschen Ursprung der Märchen gelten dürfen, wenn sie die Eigentümlichkeiten des alten deutschen volkstümlichen Verses sich bewahrten; Assonanz statt Reim, Fehlen klingender Reime, schweren Auftakt, bald mehrsilbige Senkung, bald Synkope der Senkung, dipodischen Charakter. Vgl. z. B. Grimm, *KHM*:

12 Rapúnzèl, Rapúnzèl ‖ Làfs Dein Háar herúntèr. —

15 Éntchèn, Éntchèn ‖ Da steht úns Grétèl und Hänsèl ‖
   Kein Stég und keine Brücke ‖ Nimm uns auf deinen weifsen Rücken ‖.

89 Wéh Wéh Wíndchèn Nimm Kűrtchèn sein Hútchèn.
   Wenn das Deine Mútter wűfstè
   Das Hérz thät ihr zerspríngèn.

141 Der Kóch der wétzt das Méssèr
   will mir das Hérz durchstéchèn. Usw.

Zur Vortragsweise der Märchen im allgemeinen sei auch hier an Goethes Werther erinnert: 'so dafs ich mich jetzt übe, sie (die Märchen) unveränderlich in einem singenden Silbenfall an einem Schnürchen weg zu recitieren' (Hempel 14, 58).

hat sie für das aufserindische Asien reichlich eingebracht, hier
hat sie sich grofsartiger und vielfältiger bewährt, als irgend jemand
voraussah. Einige Aufsenwerke hat die Hypothese verloren; aber
durch die Verluste wurde, was ihr blieb, nur fester und unüber-
windlicher; bei den Märchen, die sie behalten, läfst sich die Herkunft aus Indien Punkt für Punkt nachweisen.

Die Forscher, die gegen Benfey kämpften, haben alle, mit
einziger Ausnahme von Erwin Rohde, das indische Märchen nicht
so gekannt, wie sie es hätten kennen müssen, wenn ihre Polemik
wirklich den Kern der Meinung Benfeys treffen wollte.[1] Aller

---

[1] Wilamowitz, *Euripides Hippolytos*, Berlin 1891, S. 36 f. sagt: 'Seit
den letzten Jahrhunderten des Mittelalters besitzt die europäische Literatur
einen grofsen Schatz von solchen Novellen; in unübersehbarer Fülle, in
tausend Bearbeitungen, immer verändert und immer dasselbe liegen sie
vor uns. Es ist unzweifelhaft, dafs Europa sie aus dem Orient erhalten
hat, und dafs die grofsen indischen Sammlungen an Alter und Ursprünglichkeit hervorragen. Aber die fast allgemein geltende Ansicht, die in
Indien die Heimat dieser Geschichten sieht, ist schon dadurch widerlegt,
dafs einzelne Stücke mehr als ein Jahrtausend früher in griechischen oder
lateinischen Fassungen erhalten sind, und dafs die Tierfabel des Mittelalters in Ost und West griechischer Herkunft ist. Ja, ein paar Schwänke
von betrogenen Ehemännern, die man den Griechen am wenigsten zutrauen
würde, werden ganz zufällig bei Aristophanes erwähnt. Der Philologe,
der wirklich die hellenische Unterhaltungsliteratur kennt, der an der Sage
gelernt hat, den Umfang und die Bedeutung der ungeschriebenen Literatur
zu schätzen, kann überhaupt gar nicht erst darüber debattieren, dafs es
mit den milesischen, lydischen, jonischen, sybaritischen Geschichten, mit
den Sieben Weisen und der Fahrt in das Wunderland im Verhältnis zu
der orientalischen Novellistik genau so steht wie mit Alexander und Äsop.
Der Orient hat in dem Novellenschatze das Erbe des Hellenismus gerettet, das Erbe vieler Jahrhunderte, wo in seinen weiten Reichen über
allen Völkern die einigende und vermittelnde Macht der hellenischen Kultur und Sprache stand. Diese Macht ist durch die niedergedrückten Völker
zerstört worden, durch Skythen und Parther und Araber und Türken;
aber wie die Blüte des Orients die hellenische Herrschaft war, so zehrt
seine Phantasie an dem Vermächtnis des Hellenismus, und dies hat er
dem barbarischen Europa wiedergegeben. Es versteht sich von selbst, dafs
die Geschichten, indem sie in die fremden Zungen und Gegenden und
Sitten übergingen, Eigentum der anderen Völker geworden sind, denen
nichts an ihrem individuellen Verdienst gekränkt werden soll. Es versteht sich auch von selbst, dafs die hellenische Novelle genau die Voraussetzungen hat wie der Hellenismus, und dafs darin das Hellenische nicht
der einzige Faktor ist. Ja die jonische Novelle schon, die man um 500
auf den Märkten von Milet und Samos erzählte, verarbeitete keineswegs
rein hellenischen Stoff, sondern die gemischte Kultur der kleinasiatischen
Küste und die Erkundungen eines an allen Küsten verkehrenden Kauf-
mannsvolkes sind ihre Voraussetzungen. Die Kultur der Völker um das
östliche Mittelmeer ist ja Jahrtausende älter. Aber den Hellenen hatten
die Götter nun einmal beides gegeben, sowohl die Phantasie wie die Form,
hatten ihnen die Aufgabe gestellt, die Summe aus der Kultur der Jahrtausende zu ziehen, indem sie, dieses von sich heraus, den freien Staat,
das freie Denken, die freie Wissenschaft hinzubrachten; damit waren sie
auch befähigt, den Schatz von Kultur und Menschenerfahrung, von Laune

Einschränkung und Ergänzung ungeachtet, gab es in der Wissenschaft selten eine Theorie, die so viel glänzende und unerwartete Bestätigungen erhielt, so viel Dauer, innere Wahrheit und Lebenskraft besitzt und der Erkenntnis literarischer Zusammenhänge so fruchtbar wurde wie die Benfeys. Es wird nunmehr überhaupt gut sein, das törichte allgemeine Ankämpfen gegen die Priorität der indischen Märchen aufzugeben; ob ein abendländisches Märchen auf ein indisches zurückgeht, muſs in den Fällen, die wir nicht berührten, jedesmal durch eine Einzeluntersuchung nach Art der hier geführten festgestellt werden. Daſs die Ansichten der englischen Forscher: die Märchen seien überall und voneinander

---

und Humor, Schwänken und Fabeln zu sammeln, auszumünzen und unter die Leute zu bringen, der dann so und so oft überprägt oder auch umgeschmolzen Jahrtausende lang kursiert hat und noch kursiert. Sie haben freilich keinen Homer oder Äsop für die Novelle gehabt: aber wer Vater Herodotos recht kennt, der weiſs dennoch, wo die Väter der Novelle zu Hause sind und wie sie etwa ausgesehen haben.'

Von diesen Behauptungen trifft zu, daſs die Griechen Märchen, Novellen und Schwänke kannten und erzählten, und daſs von diesen Geschichten auch manche in den Orient drangen, manche in den Erzählungsschätzen des Mittelalters wieder auftauchen und sich dort in der Nachbarschaft von Geschichten anderer Herkunft aufhalten. Ein andere Völker durchweg ausschlieſsendes Monopol auf die Erfindung von Geschichten besaſsen eben die Inder nicht. — Das war aber alles unnötig zu sagen, denn man wuſste es vor Wilamowitz schon längst; schon 1876 hatte das Erwin Rohde (*Der griechische Roman*² 578 f. *Über griechische Novellendichtung und ihren Zusammenhang mit dem Orient*) besonnen und überzeugend ausgesprochen, und derselbe hatte in seinem griechischen Roman überall auf Spuren des griechischen Märchens, von Homer an, verwiesen. Allerdings betonte auch Rohde nicht den sehr bemerkenswerten Unterschied zwischen den von ihm genannten, einander sehr ähnlichen indischen und griechischen Schwänken und gab eine recht wunderliche und verkehrte Charakteristik des ındischen Märchens (598). Die uns ernaltenen Reste griechischer Märchen, Schwänke und Novellen sind aber dürftig und stehen auf keinem sehr hohen künstlerischen Standpunkt: es sind Motive, Anekdoten und kurze Geschichten wie sie sich andere Völker auch erfinden konnten und erfanden (vgl. die Anekdoten über die Todesarten griechischer Dichter und Denker bei Wilhelm Hertz, *Gesammelte Abhandlungen* 312 f.). Wir müssen darum annehmen, daſs diese Erzeugnisse, im Gegensatz zur Fabel und zur Kunstdichtung, sich mündlich überlieferten und nicht von Künstlerhänden geformt wurden. Da nun andererseits die Geschichten indischer Herkunft, die wir vorführten, und auch die Novellen, die wir noch vorführen wollen, durchaus das Gepräge indischen Geistes und indischer Kunst zeigen und nur aus diesem verständlich werden, oft auch in Zeiten hinaufreichen, die vor allen griechischen Einflüssen liegen, bleibt von der Annahme von Wilamowitz, die Inder hätten mit ihren Erzählungen das Erbe des Hellenismus der Welt überliefert, nichts als ihre bare Willkür, zumal da, wieder im Gegensatz zur Fabel, die Erzähler dieser Novellen niemand nennt und kennt und die Erzählungen selbst sich auch fast spurlos verloren. — Ich habe zu den Behauptungen von W. nur Stellung genommen, weil sie Eindruck machten; vgl. Kögel, *Geschichte der deutschen Literatur*, Straſsburg 1897, I, 2. 243 f. Wie W. dazu kommt, das Europa zur Zeit der Kreuzzüge 'barbarisch' zu nennen, weiſs ich auch nicht.

unabhängig entstanden, fast nur für die Märchenmotive gilt und
für Zeiten, die weit vor dem Buddhismus liegen, bis zu dem
Benfey doch nur vordrang, dürfte nun auch jedem einleuchten;
Benfeys Theorie wird dadurch gar nicht getroffen. Wir gewan-
nen aber durch diese Forscher und durch Benfey die Möglichkeit, das Werden des Märchens in den Urzeiten ahnend zu erkennen, seine Geschichte, seinen Zusammenhang mit Dichtung
und Kultur durch die Jahrtausende hindurch, bei primitiven und
bei gebildeten Völkern zu begleiten, das Wesen der Völker auch
durch ihre Märchen zu bestimmen, und zugleich den ungeheuren,
über Orient und Okzident sich ausbreitenden, tausendfach ver-
zweigten Einfluſs des indischen Märchens zu untersuchen: alles
Aufgaben und Ziele, die zu den weltumspannenden und zu den
verlockendsten gehören, die literarische Forschung erreichen kann
und die zugleich die tiefsten Einblicke in die Völker und ihre
Dichtung verheiſst.

V. (Anhang.)
Bédiers Fabliaux. Die indischen Novellen.

In einem Anhang möchte ich noch zu einem Werke Stellung nehmen,
das vielen Forschern ihre stärksten, noch heute[1] wirksamen Zweifel an der
Theorie Benfeys eingab: Bédiers Fabliaux. Es war ja zuerst die Begeisterung über dieses Buch eine allgemeine. Dann wurden dem Verfasser durch
Cloëtta und Euling[2] eine wimmelnde Fülle von falschen Angaben, Flüch-
tigkeiten und Irrtümern nachgewiesen, und zwar alles so augenfällig,
daſs man sie gar nicht wegstreiten konnte. Wäre über einen deutschen
Gelehrten ein ähnlicher kritischer Schauer niedergegangen, so wäre wohl
der Glaube an Treu und Redlichkeit für. immer zerstört gewesen, den
Franzosen gab man noch nicht preis. Die Methode, biefs es, die scharfsinnige und geistreiche Methode des Verfassers mache die Benfeysche
Theorie doch zu nichte, und wenn auch noch so viele Tatsachen falsch
wären, die Methode bleibe unwiderleglich. Das klingt ungefähr so, als
wenn man sagt, die Soldaten alle sind gefallen, der Feldherr allein hat
durch seine geniale Strategie das feindliche Land erobert, und es ist auch
ebenso glaubhaft. Wir wollen uns nun einmal diese vielgerühmte Methode
näher betrachten und wenden uns dem Werk von Bédier auch darum für
längere Zeit zu, weil es uns bestätigen soll, daſs für die Novellen indischer
Herkunft genau das gleiche gilt wie für die Märchen.

Bédier faſst seine Ergebnisse S. XVIII, XIX, XX der Vorrede in
diesen Sätzen zusammen: L'immense majorité des contes populaires (presque tous les fabliaux, presque toutes les fables, presque tous les contes
de fées) échappent par leur nature à toute limitation.

Les éléments qui les constituent réellement reposent, soit, dans la
plupart des fabliaux et des fables, sur des données morales si générales
qu'elles peuvent également être admises de tout homme en un temps quelconque, soit dans la plupart des contes de fées sur un merveilleux si peu
caractérisé qu'il ne choque aucune croyance et peut-être indifféremment ac-

---

[1] Vgl. z. B. Hermann Reich, *Deutsche Literaturzeitung* vom 8. Juli 1905.
[2] Cloëtta, *Archiv* XCIII, 206 f. — Euling, *Anz. f. deutsch. Altert.* XXIII, 265 f.
(1897) — vgl. auch die Besprechungen von Josef Jacobs, *Folk Lore* VII, 61, Des
Granges, *Romania* XXIV, 135.

cepté, à titre de simple fantaisie amusante, par un bouddhiste, un chrétien, un musulman, un fétichiste.

De là leur double don d'ubiquité et de pérennité. De là par conséquence immédiate l'impossibilité de rien savoir de leur origine, ni de leur mode de propagation. Ils n'ont rien d'ethnique: comment les attribuer à tel peuple créateur? Ils ne sont caractéristiques d'aucune civilisation: comment les localiser? D'aucun temps: comment les dater?

Il faut donc conclure à la polygénésie des contes.

Man wird das Einleuchtende in diesem Räsonnement gern zugeben und zugleich den methodischen Fehler darin leicht sehen. Bédier unterscheidet nämlich nicht zwischen Märchenmotiv und Märchen. Für die Märchenmotive trifft, wie wir sehr oft erfuhren, allerdings zu, was B. sagt, daſs sie jederzeit und bei jedem Volke entstehen. Ein Märchen aber setzt sich aus verschiedenen Märchenmotiven zusammen, und die Art dieser Zusammensetzung, ebenso die Verwertung und Ausbildung der Märchenmotive kann, ganz allgemein gesprochen, sehr wohl für bestimmte Völker charakteristisch sein. Wie oft hat sich uns das bei Betrachtung der indischen Märchen gezeigt! So vergiſst B. bei seinen Erörterungen gerade das, was für den Märchenforscher doch die Hauptsache ist. Soviel über seine Methode im allgemeinen.

Was sind nun seine methodischen Einwände im einzelnen gegen die Herkunft vieler fabliaux aus orientalischen Vorlagen? B. behauptet zuerst ([1]) 115 f. [2]) 130 f.), daſs nur zu elf von 147 fabliaux Parallelen in älteren oder jüngeren orientalischen Sammlungen nachzuweisen wären. Dieses quantitative Argument, das auf viele Forscher den gröſsten Eindruck machte, wurde von Cloëtta (a. a. O. 215) und Pillet[1] zerrissen. Pillet zeigte nämlich, daſs unter den elf fabliaux nur die wichtigsten Vertreter, nicht aber sämtliche Varianten eines Stoffes von B. aufgezählt werden, daſs aber umgekehrt die verbleibenden 136 fabliaux nicht etwa nach den wichtigsten Vertretern, sondern nach jeder einzelnen Variante gezählt sind. Ferner wurden von B. auch manche orientalische Erzählungen übersehen. — Was sind nun die qualitativen Einwände? Und die Einwände gegen die einzelnen fabliaux, die man bisher aus orientalischen Erzählungen herleitete?

B. sagt (S. 155): En un mot on peut reduire une version quelconque d'un conte à une forme irréductible: ce substrat dernier devra nécessairement passer dans toutes les versions existantes ou même imaginables du récit, il est hors du pouvoir de l'ésprit humain d'en supprimer un jota. On redirait le conte dans dix-mille ans que cette forme essentielle se maintiendrait, immuable.

Cela posé (nous apelerons ω cet ensemble de traits organiques) ... Il s'ensuit que nous ne pouvons ne rien savoir du rapport des deux versions qui ne possèdent que ces seuls traits en commun.

Mais il est évident que jamais un conte ne s'est transmis sous cette forme sommaire, abstraite et comme symbolique: le jour même où il a été inventé ces personnages vivaient déjà d'une vie plus concrète, plus complexe. Chacun des incidents nécessaires de l'intrigue était expliqué, motivé: c'était ici un détail de mœurs, là un mot plaisant, là un trait de caractère. Si on nous permet d'employer ces formules le conte ne s'exprimait point par ω, mais par $\omega + a$, b, c, d etc. Chacun de ces traits accessoires a, b, c, d ... est par nature transitoire et mobile. Ils sont les accidents du conte dont ω est la substance. Ils sont par définition, arbitraires, et peuvent varier d'un conteur à l'autre.

Si donc on retrouve l'un d'entre eux dans deux versions — et dans ce cas seulement — ces deux versions sont idissolublement unies. De même qu'une famille de manuscrit est constituée par l'existence d'une

---

[1] *Das fableau von den trois Bossus Menestrels*, Halle 1901, p. 32, a. 1.

même faute dans divers manuscrits, de même plusieurs versions d'un
conte peuvent être rangées en une même famille, si ces versions présentent les mêmes traits accessoires en commun ... La fantaisie créatrice
étant un acte de l'esprit aussi individuel que l'erreur.

Diese letzte Behauptung schränkt B. sofort sehr stark ein in der Anmerkung: Il reste ici comme dans les classifications de manuscrit un
élément de critique subjective: de même qu'une faute identique peut avoir
été suggérée à deux copistes indépendants de même un même trait acces-
soire peut en certain cas avoir été imaginé par deux conteurs indépendants.
Chaque cas doit être étudié à part.

Mit Hilfe dieser Methode untersucht nun B. fünf fabliaux, zu denen die
Parallelen in orientalischen Erzählungen nachgewiesen sind. In zwei von
diesen fünf ereignet es sich nun, daſs orientalische und okzidentalische Version dieselben traits accessoires haben. Erstens in den trois bossus ménestrels: die Geschichte von der Frau, die an einen häſslichen Buckligen
verheiratet ist. Sie läſst sich zu ihrem Vergnügen von drei anderen Buckligen vorsingen, trotzdem ihr eifersüchtiger Mann ihr das verboten. Mitten
in das Vergnügen kommt er zurück, sie versteckt die Buckligen in Kisten,
der Mann geht beruhigt wieder fort, die Buckligen aber sind unterdessen
erstickt. Die Frau ruft einen Träger, der ihr den ersten fortträgt und ins
Wasser wirft; als er seinen Lohn will, weist sie entrüstet auf den zweiten,
warum er ihr den Toten zurückgebracht habe. Der Träger trägt zornig
auch den zweiten fort. Das gleiche Spiel wiederholt sich beim dritten,
und als der Träger in voller Wut unter furchtbaren Drohungen auch den
dritten versenkt hat und zurückkehrt, sieht er wieder einen Buckligen
hinter sich — es ist natürlich der Mann, stürzt sich auf ihn, erdrosselt
ihn und wirft ihn ins Wasser. Darauf gibt ihm die Frau voller Entzücken
seinen Lohn und ist von ihrem Gatten befreit. Die erzählte Form der
Geschichte begegnet nur in der hebräischen Version des Sindabadkreises
(im Mischle-Sandabar), d. h. in den berühmten Erzählungen der sieben
weisen Meister, die uns persisch, arabisch, hebräisch, syrisch und in vielen
abendländischen Übersetzungen erhalten blieb, und für die Benfey ein indisches Original wahrscheinlich buddhistischer Herkunft, den Siddhapati
erschloſs. Es ist nun die Annahme sehr natürlich, daſs der Hebräer aus
einer orientalischen Quelle schöpfte, besonders da die trois bossus ein
durchaus orientalisches Gepräge haben, da namentlich in indischen Märchen Bucklige und Krüppel sehr oft auftreten, die Frauen gerade in indischen Schwänken — ich erinnere an die Cukasaptati — mit ihren Liebhabern und Gatten genau ebenso rücksichtslos und verwegen umgehen,
und da ein Ansatz zu unserer Geschichte im arabischen Bahâr i Danûsh
entdeckt wurde. Auch das verdreifachte Forttragen des Buckligen und
die Pointe, daſs die Frau zum Lohn für ihre Frechheit noch vom Mann
befreit wird, mutet uns, die wir das indische Märchen kennen, als echt
indische Erfindung an. B. meint aber, da die Erzählung in keiner anderen
Rezension des Sindabad wiederkehre, so brauche sie absolut nicht aus dem
Orient zu stammen, sondern könne ebensogut irgendwo anders erfunden
sein. Irgendwelche bestimmte Beweise für diese Behauptung beizubringen,
hält B. der Mühe nicht für wert. Es ist nun zum Glück unwiderleglich
durch Pillet in seiner genannten Abhandlung erwiesen worden, daſs B. im
Unrecht war; der Stoff der trois bossus ist orientalischer Herkunft und
orientalischen Charakters.[1]

---

[1] Eine dem fabliau sehr ähnliche Geschichte wurde jetzt auch in einer sehr
wertvollen modernen indischen Märchensammlung gefunden: Landes, *Contes et Legendes
anamites*, Saigon 1886, p. 190. Vgl. Gaston Paris, *Romania XXX* (1902), 136 f.
(und 140, a. 1), wo auch sehr überzeugend über die verschiedenen Formen unseres
Schwankes gesprochen wird.

Das wäre das erste Unglück. Nun die quatre souhaits St. Martin. Es ist, wie B. sagt, 'une plaisante et obscène exagération' eines bekannten Schwankes von den Wünschen, die Menschen erfüllt werden, und deren Erfüllung die Wünschenden zur Verzweiflung oder in die lächerlichsten Situationen bringt, so dafs sie erleichtert aufatmen, wenn durch den letzten Wunsch der frühere gewöhnliche Zustand wiederhergestellt wird. Dies fabliau findet sich in allen orientalischen Versionen der Sindabadgruppe und nur in diesen. Daraus schliefst doch jeder Unbefangene, dafs die Sindabaderzählung die Vorlage für das fabliau war. Um so eher, als wir die Idee des Schwankes: die Menschen sind nicht einmal fähig, sich einen guten Wunsch auszudenken und bringen sich, wenn ihnen eine besondere Gnade zuteil wird, durch ihre dumme Gier in die albernsten Situationen — als wir diese Idee als eine durchaus indische wiedererkennen. Anders B., er sagt: qu'un fabliau et un recueil oriental se groupent dans une même sous-famille, c'est un fait qui ne prendrait de signification que s'il était constant, mais il est très rare. Das ist doch nichts als eine kümmerliche Ausflucht, die sich aufserdem mit den oben zitierten Exklamationen nicht in Einklang bringen läfst. Ferner behauptet B., das französische fabliau könne ebensogut Vorlage der sämtlichen orientalischen Versionen sein wie umgekehrt. Was er sich bei dieser Behauptung denkt, weifs ich nicht; wenn es ihm Ernst damit wäre, so müfste er annehmen, dafs unsere französische Erzählung im vierten Jahrhundert vor Christus nach Indien wanderte und dort in die buddhistischen Märchensammlungen aufgenommen wurde. Herr B. hat also keinen anderen Grund gegen den orientalischen Ursprung unseres fabliaus als den, dafs die Tatsache dieses Ursprungs nicht zu der eigenen vorgefafsten Meinung pafst, und um dieser Meinung willen scheut er vor leeren Ausflüchten und vor unmöglichen Behauptungen nicht zurück.

Die Art, wie Herr B. die traits accessoires in seiner Methode behandelt, kann also kaum ein günstiges Vorurteil für die Methode selbst wecken, und diese ist der Methode nachgeahmt, die man bei der Klassifikation der verschiedenen Handschriften eines Textes anzuwenden pflegt. Es besteht zwischen beiden Methoden nur ein sehr wesentlicher Unterschied, und durch diesen wird die die Herrn B. meines Erachtens wertlos: bei Handschriften sucht man den Archetypus, wie er einmal existiert haben mufs, und wie er existieren würde, wäre er uns erhalten geblieben, während Bédiers (ω) in Wirklichkeit niemals existiert haben kann. Somit mag Bédiers Methode sehr nützlich sein, so lange es gilt, eine grofse Gruppe von Versionen einer Erzählung übersichtlich anzuordnen; damit erschöpft sich aber ihre Bedeutung. Soll sie benutzt werden zur Erkenntnis der wirklichen literarischen Zusammenhänge, so kann sie uns nur trügerische Ergebnisse vorspiegeln. Eben weil das ω des Herrn B. eine imaginäre und keine wirkliche Gröfse ist, darf man es der tatsächlichen Entwickelung nie zugrunde legen; eben weil es eine gelehrte Erfindung bleibt, kann es uns zur Erkenntnis eines lebenden Organismus nicht verhelfen.

Bei der Untersuchung des dritten der fünf fabliaux, des 'Lai d'épervier' führt uns B. wieder durch seine Methode in die Irre. Die Cukasaptati (t. s. 26—t. o. 35) erzählt: Eine Frau hat zwei Liebhaber, und diese sind Vater und Sohn. Als der Sohn gerade bei ihr ist, kommt der Vater. Sie versteckt jenen, da kommt auch der Mann. Der Vater, von ihr verständigt, entfernt sich drohend; als der Mann sie fragt, was denn das bedeute, antwortet sie: der Sohn habe sich, von jenem Manne verfolgt, hierher geflüchtet, und sie habe ihn dem Wütenden nicht ausliefern wollen.

Diese Geschichte stimmt in ihrer raffinierten Durchtriebenheit durchaus zur indischen Erzählungskunst. Der Mann ist zugleich der Betrogene und Blamierte. Drei Männer dienen der Frau für ihre Lust, und indem sie diese drei in einem Moment betrügt, triumphiert sie dreifach, indem sie gleichzeitig fortwährend fürchten muſs, entdeckt zu werden. Das ist alles echt indisch. Der Inhalt dieser Geschichte ist im wesentlichen zugleich der des 'Lai d' l'épervier',[1] der also auch auf eine indische Quelle sich zurückführen läſst. Der Schwank wurde auch sonst vielfach erzählt, naturgemäſs mit mancherlei Varianten, die sich aber zwanglos als Milderungen der indischen Form erklären lassen und von Gaston Paris (*Romania* VII, 1) auch sehr hübsch so erklärt worden sind. Namentlich erschien vielen Erzählern das Verhältnis der Liebhaber, Vater und Sohn, zu frivol. Sie machten daraus schon im Morgenland Herr und Knecht, im Abendland Ritter und Knappe, Armer und Reicher etc.

B. stellt sein *ω* her: une femme a deux amants. Un jour qu'en l'absence de son mari elle a reçu l'un d'eux, l'autre survient. Le premier amant se dissimule devant le nouvel arrivant. Tandis qu'elle s'entretient avec celui-ci, le mari revient. Elle s'en aperçoit à temps. Elle fait jouer à l'amant qui lui tient compagnie une scène de colère: il prend un air très irrité, passe devant le mari en proférant des menaces terribles et s'en va ainsi.

Le mari fort intrigué demande des explications à sa femme qui lui répond très simplement. L'homme qui sort d'ici empoursuivait un autre qui s'est réfugié chez nous. Je n'ai pas voulu le trahir, il aurait été tué. Je lui ai donné asile, le voici. Elle présente alors le premier amant à son mari. Voilà le bonhomme rassuré.

Dieses *ω* ist ein rechtes Unding. Extrakt und beinahe länger als die Geschichte selbst, und dazu läſst es die nächstliegenden Fragen unbeantwortet, wie B. selbst zugesteht. Z. B. warum denn überhaupt der erste Liebhaber sich zurückzieht, warum beide zur selben Stunde im Hause des Mannes sind etc.?

Dann sagt B. weiter: die Entwickelung braucht nicht vor sich gegangen zu sein, wie Gaston Paris sie uns schildert. Die verschiedenen Varianten konnten auch unabhängig von einander erfunden werden. Ich habe das *ω* nämlich verschiedenen Herren vorgelegt, die die Geschichte nicht kannten. Ich habe sie gebeten, sie möchten sich nun die nähere Motivierung überlegen, das Verhältnis der Liebenden sich ausdenken etc. Und siehe da, sie erfanden, jeder unabhängig vom anderen, sämtliche uns überkommenen Variationen. — Das ist gewiſs möglich. Ich erinnere nur daran, daſs das *ω* Bédiers in **Wirklichkeit** gar **nicht existierte** **und also auch keinem der mittelalterlichen Erzähler vorlag;** vielmehr hatten diese immer eine ganz bestimmte Formulierung der Geschichte vor sich. Und somit ist Herrn Bédiers Beweis, den er 'légitime' nennt, bloſse Spiegelfechterei und durchaus wertlos, er beruht auf einer Grundlage, die er künstlich schuf. Nebenbei hatte das ganze Experiment einen amüsanten Zwischenfall. Als nämlich ein Erzähler für die Liebhaber das Verhältnis Vater und Sohn herausgefunden hatte (also das indische!) wurde das Herrn B. triumphierend als die beste Lösung gemeldet. Die Inder besaſsen also doch eine gewisse Begabung, Geschichten zu erfinden!

Nun das fabliau 'des tresses'. Die Geschichte des Pantschatantra, die bisher als seine letzte Quelle galt, verläuft so (I, 4): Ein Trunkenbold ertappt seine Frau, wie sie sich zu einem Stelldichein schleichen will. Er bindet sie an einen Pfosten und schläft ein. Währenddem kommt eine Freundin der Frau, bindet sie los und sich fest, damit jene doch zu ihrem Liebhaber könne. Kurz danach erwacht der Mann, sein Zorn ist verraucht, er spricht ihr begütigend zu; doch aus Furcht, sich durch ihre Stimme zu verraten, antwortet sie nicht. Da erbost er sich wieder und schneidet ihre Nase ab. Nach dieser Heldentat schläft er nochmals ein. Nun erscheint die Frau, ihren alten Posten einzunehmen. Sie erfährt, was

---

[1] Vgl. auch W. Hertz, *Spielmannsbuch*[2] 253. 423.

sich zugetragen, und als nun der Mann, zum zweitenmal erwachend, wieder poltert, schwört sie, so wahr sie keusch sei, würden auch die Götter ihre Nase wieder heil machen. Der Mann sieht sie unverletzt und bittet tief beschämt um Verzeihung.

Das fabliau hat folgenden Inhalt: Eine Frau verlangt von ihrem Liebhaber, dafs er sich nachts in das Zimmer schleiche, in dem sie mit dem Gemahl schläft. Er dringt ein, tastet sich nach dem Bett und berührt dort unglücklicherweise den Mann, der noch wach ist. Der hält ihn für einen Dieb, ringt mit ihm und stöfst ihn ins Nebenzimmer, in dem sein Lieblingspferd und ein Maulesel stehen. Dort stellt er ihn in einen grofsen Zuber und schreit, seine Frau solle ihm Licht bringen. Aber sie gibt vor, sie werde in der Dunkelheit niemals die Küchentür finden, sie wolle den Dieb bewachen, und er möge unterdes das Licht holen. Der Mann geht darauf ein; sie läfst schnell den 'Dieb' entwischen, und als der Gemahl mit dem Licht in der einen, dem Degen in der anderen Hand wieder erscheint, hält sie im Zuber den Kopf des Maulesels mit dem ernstesten Gesicht der Welt. Da ahnt jener denn doch den Betrug und wirft sie hinaus. Sie geht ins Nachbarhaus, in dem der Geliebte ihrer wartet, und weifs eine Freundin zu bewegen, zu ihrem Mann zu gehen und diesen zu besänftigen. Das wird dem zu arg, im Glauben, es sei seine Frau, prügelt er die Arme und schneidet ihr schliefslich zwei Flechten ab. Dann befördert er sie vor die Tür. Sie erzählt der Frau ihr Mifsgeschick, die tröstet so gut sie kann, schleicht sich ins Ehebett zurück, in dem der Mann nun endlich entschlief, nimmt die Flechten, die sie unter seinem Kopfkissen gefunden, fort, legt statt ihrer einen Pferdeschwanz hin und schläft friedlich bis zum Morgen. Und nun das Erwachen! Der Mann, der die Frau unverletzt findet, mufs natürlich glauben, er habe geträumt, und damit er in Zukunft weniger lebhafte Träume habe, mufs er sich auf Zureden der Frau zu einer langen Pilgerfahrt entschliefsen.

Bédier — seine Rekonstruktion des ω können wir diesmal füglich übergehen — sagt nun: das Pantschatantra hat die schlechtere Form. Bei ihm gelingt der Scherz und die eigentliche Pointe der Geschichte nicht. Die abgeschnittene Nase: das wird im Dorf einen schönen Skandal geben! Und wenn nun der Ehemann davon erfährt, der sich doch erinnert, eine Nase abgeschnitten zu haben, was dann? Dann wird er seinen Irrtum einsehen, und die List der Frau wird sich gegen sie selbst kehren. Darüber schweige das Pantschatantra wohlweislich.

Würde B. das indische Märchen etwas besser kennen, so würde er wissen, dafs dort in Indien es auf eine Nase mehr oder weniger nicht so sehr ankommt: eine abgeschnittene Nase ist dort ebenso auffällig oder unauffällig wie in Frankreich abgeschnittenes Haar. Der Scherz des Pantschatantra ist also ebensowohl gelungen wie der des fabliau, und ein Skandal braucht daraus nicht zu entstehen.

Ferner sagt B.: im Pantschatantra lenke der Zufall die Ereignisse, im fabliau die Frau, sie beherrsche die Situation mit bewundernswertem Geschick und Verschlagenheit, sie sei eine rusée. Unsere Erzählung gehöre aber in die Gruppe der ruses feminines und darum sei die Version des Pantschatantra die entstellte, die des fabliau die primitive.

Mir scheint das Umgekehrte zutreffend. In der indischen Version handelt die Frau — wie in indischen Geschichten dieser Art so oft — in der Not und Eingebung des Augenblicks. Und das ist das Ursprüngliche. Das Handeln nach wohlerwogenem Plan, die Beherrschung der Situation setzt ein reicheres Erzählungsmaterial und eine durchbildetere Technik der Darstellung voraus. Das Pantschatantra gibt das Primitive, das fabliau mildert und hebt die Geschichte in eine künstlerische Höhe.[1]

---

[1] So auch Des Granges, *Romania* XXIV, 135.

Aufserdem aber hat die Frau im Pantschatantra gar keine Möglichkeit, ihre Schläue zu entfalten; diese Möglichkeit erhält sie erst dadurch,
dafs der Geschichte vom abgeschnittenen Haar eine andere vorausgeschickt
wird, sei es durch den französischen Erzähler, sei es durch seine Vorlage.
Diese andere, B. nennt sie 'la mule', bestand früher für sich. In der Form,
wie sie im fabliau auftritt, ist sie nicht — das bemerkt B. — vollkommen; dafs der Mann einen Menschen mit einem Esel verwechsle, sei zu
unmöglich. Die primäre Form der Geschichte, zugleich die, in der sie der
französische Erzähler oder sein Vorgänger vorfand, sei in der Cukasaptati
erhalten und diese Form habe der Franzose abgeschwächt.[1]

B. gibt also hier zu, dafs der Franzose seine Vorlage milderte. Dadurch wird unsere Auffassung, dafs er sie bei der abgeschnittenen Nase
auch milderte, nur wahrscheinlicher. Zweitens gibt Herr B. zu: die ursprüngliche Version unseres fabliau hat die indische Cukasaptati und
in dieser Form fand sie der französische Erzähler vor. Das
ist doch einmal ein schönes Eingeständnis. Aber, sagt B. weiter (161, A. 2),
wenn Indien auch hier die primäre Form habe, darum brauche die Geschichte noch nicht dort entstanden zu sein. — Wo denn sonst?

B. verschweigt uns nun die primäre Form dieser Geschichte. Das ist
begreiflich; ich hätte sie auch lieber verschwiegen. Der Wissenschaft wegen
mufs ich sie trotzdem erzählen (*Cukasaptati t. s.* 27, *t. o.* 36). Eine Frau
geniefst ihren Liebhaber, während ihr Mann neben ihr schläft. Dieser
wacht auf und fafst den Liebhaber bei seinem Glied. 'Halt!' ruft er voller
Angst zu seiner Frau. 'Ich habe einen Dieb, mach' Licht, dafs wir ihn
halten.' Die Frau gibt vor, sie habe Angst, es sei so dunkel, der Mann
solle nach dem Licht suchen, sie werde unterdes den Dieb bewachen. Also
geht der Mann in die Küche, sie läfst unterdes den Schuldigen entwischen
und greift nach der Zunge eines nahebeistehenden Kalbes. 'Sieh!' sagt
sie dem Zurückkehrenden, 'das war der Dieb. Aus Hunger hat er Speichel
zurückgelassen.' Tief beschämt wegen seiner Angst kriecht der Mann ins
Bett zurück. — Also: der Ehebruch vollzieht sich neben dem Ehemann im
Ehebett, und die Frau spielt die Überreste des aufserehelichen Coitus gegen
den Mann aus und beschämt ihn noch damit — eine solche Situation s o
erfinden und sie mit solchem Raffinement und solcher Un-
verschämtheit ausbeuten konnten nur die Inder. Das fabliau
'des tresses' entstand demnach — das ist nun so gut wie sicher — so:
eine indische Geschichte, die von der Nase, wurde mit einer anderen indischen Geschichte, nennen wir sie 'La mule', verbunden und beide im
Abendlande gemildert. Wo die Verbindung sich vollzog, ob im Orient oder
im Okzident, läfst sich nicht sagen. Aber durch die Verbindung gewann
der französische Erzähler die Möglichkeit, die List der Frau zu entwickeln
und die Frau als Leiterin der ganzen Situation darzustellen — das geschah
dann mit einer Grazie und einer überlegenen Kunst, die die des Originals
weit übertraf.

Das fünfte der von Bédier geprüften fabliaux ist der Lai d'Aristote.[2]
Alexander ergibt sich gar zu sehr der Liebe zu der reizenden Phyllis. Der
gestrenge Meister Aristoteles macht ihm deshalb die ernstesten Vorwürfe
und Alexander glaubt es seinem Herrscherberuf schuldig zu sein, dafs er
nun auf Phyllis verzichtet. Er geht dann doch wieder zu ihr, und als
sie erfährt, warum er sie vernachlässigt, will sie den Meister betören: sie
zeigt sich ihm in der Morgenfrühe, nur mit einem Hemd bekleidet, schreitet
durch das betaute Gras des Gartens, summt Liebesliedchen vor sich hin
und macht den gelehrten Meister, der alle ihre Reize sieht, so närrisch,

---

[1] Ils l'ont rendue plus décente et moins claire, *B. s.* 161.
[2] Vgl. Wilhelm Hertz, *Spielmannsbuch* 3, 421. Borgeld, *Aristoteles en Phyllis,*
Groningen 1902, bes. p. 86 f.

dafs er sich von ihr — weil er anders ihre Gunst nicht erlangen könne — als Pferd reiten läfst. Der König, von Phyllis an einen Beobachtungsposten gestellt, hat alles gesehen und lacht nun laut auf, wie der Meister auf allen vieren, die Schöne auf ihn reitend, mühsam dahinkriecht; jener aber erwidert, wenn ihn, den Alten, dies Mädchen schon so weit bringe, wie sehr müsse sich erst der junge König vor dieser Frau hüten. Und Meister und Schüler versöhnen sich.

Diese Geschichte war im Mittelalter, vor allem in Frankreich, überaus beliebt, der gerittene Aristoteles wurde auch in der bildenden Kunst dargestellt, und man konnte ihn auf Chorstühlen und Kirchenfenstern betrachten. Keiner hat die Geschichte aber so geistreich, verlockend und anmutig erzählt wie Henri d'Andeli, der Dichter des Lai d'Aristote.

Man könnte nun zuerst mit Bédier glauben, die Geschichte habe ein französischer Kleriker sich zum Spafs ersonnen, und sie sei aus irgendeiner übermütigen Laune entstanden. Aber dazu ist das Motiv vom gerittenen Aristoteles zu erklügelt und die Pointe auch, dafs er von demselben Mädchen viel ärger gedemütigt wird, vor dem er seinen königlichen Herrn warnte, zu sorgfältig erwogen.

Das Pantschatantra[1] erzählt nun eine Geschichte: ein Minister hat sich mit seiner Frau verzürnt. Sie wird nur dadurch versöhnt, dafs er ihr zu Füfsen fällt und duldet, dafs man ihm das Haupt zur Unzeit schert. Der König, der zu diesem Minister gehört, ist in derselben Lage. Er versöhnt seine Frau, indem er sich von ihr wie ein Pferd herrichten, besteigen und antreiben läfst und dabei wiehert er sogar. Der König belustigt sich nun über den zur Unzeit geschorenen Minister, und der sagt: er wisse von jemand, der wieherte und doch kein Pferd war.

Die Geschichte ist buddhistischer Herkunft[2] und lebte in Indien weiter. In Tibet wird sie in der Form erzählt, dafs zuerst der König — als Reitpferd — gedemütigt wird, und dafs dieser aus Rache den Minister mit Hilfe von dessen Frau demütigt, durch das Haarscheren.[3]

In einer arabischen Form der indischen Geschichte aus dem 9. Jahrhundert n. Chr. ärgert sich die Königin über einen Wesir, der den König vor den Frauen warnt, und schickt dem Wesir eine Sklavin, die ihn durch ihre Schönheit vollkommen betört; damit sie ihm ganz zu Willen ist, läfst er sich von ihr reiten; das sehen König und Königin und verlachen ihn, worauf er aber antwortet: 'Das meinte ich ja eben, wenn ich dich vorher warnte, den Weibern den Willen zu tun.[4]

Und in einer zweiten arabischen Geschichte ist es eine von den Frauen, die der Sultan auf den Rat des Wesirs verschmäht, die den Wesir in der geschilderten Weise demütigt, und der Wesir verteidigt sich wie in der anderen arabischen Version.[5]

Wenn wir nun an Stelle der einen der verschmähten Frauen die Geliebte des Königs setzen, so haben wir die Geschichte, wie sie Henri d'Andeli erzählt.

Wir überblicken die folgende Entwickelung: im Pantschatantra werden Minister und König, jeder durch eine besondere Demütigung, erniedrigt. Im Tibetischen zuerst der König, dann auf seinen Rat der Minister; im Arabischen fällt die Demütigung des Königs fort und die des Ministers wird nicht auf den Rat des Königs durch eine Frau, sondern aus eigener

---

[1] IV, 6, Borgeld 86/7.
[2] Jātāka 191 erzählt auch von einem Mann, den seine Frau wie ein Pferd reitet.
[3] Schiefner, *Mahākātyāyana und Konig Tsanda Pradjota*. Memoires de l'Academie imperiale des Sciences de St. Petersbourg, VIIe Serie, Tome XXII, Nr. 7 (1875). Borgeld, S. 93.
[4] Schiefner, p. 66. Borgeld, p. 97.
[5] Cordonne, *Melanges de la littérature orientale* I, 16, Paris 1870. Borgeld, p. 98.

Initiative der Frau ausgeführt; zuerst durch eine Sklavin der Frau, dann durch die Frau selbst. — Im S t o f f ist also die indische Geschichte die reichste, und sie kontrastiert nach indischer Art zwei Demütigungen miteinander. In der Erzählungskunst steht der französische Dichter, der nicht erfand, sondern den ganzen Stoff vorfand, am höchsten. Wenn B. glaubt, die französische Geschichte sei nach dem Orient gekommen, so wird das aus chronologischen Gründen — die arabische Form stammt, um es zu wiederholen, aus dem 9. Jahrhundert — unmöglich, und ebensowenig darf man sagen, die Geschichte des Pantschatantra entstand für sich und hat mit der französischen keinen Zusammenhang. Das wäre möglich, existierten nur die arabischen Formen nicht, die sich deutlich als vermittelnde zu erkennen geben.

Die Inder und die Buddhisten erzählen sehr oft und sehr gern, wie weise Männer, namentlich Asketen, durch Frauen gedemütigt werden. Griechenland und das Abendland hingegen wissen in früher Zeit von Liebschaften des Aristoteles so gut wie gar nichts. Dafür aber übertrug das Mittelalter auf Aristoteles und Alexander eine Reihe von Geschichten, die ihnen ursprünglich nicht zukamen; besonders nah liegt der Verweis auf die Sage vom Giftmädchen, das so berückend schön war und vor dem Aristoteles den Alexander mit Erfolg zurückhielt.[1] Die Folgerung ergibt sich also für uns von selbst, dafs auch hier eine orientalische Sage dem Aristoteles angedichtet ist.

So kann man bei dem letzten fabliau die Angriffe Bédiers ebenfalls siegreich abschlagen; und alle fünf haben die Heimat, aus der er sie vertreiben wollte, Indien. Die indischen Novellen zeigen uns auch eine dem indischen Märchen durchaus entsprechende Erzählungskunst, die Freude an verwegenen, höchst kunstreich erdachten Situationen, die Freude an den verwegensten, unerwartetsten Ausflüchten, überall ein echt indisches, sonst nie erreichtes Raffinement und eine Art Wehmut, dafs die Männer gar so töricht, und die Menschen überhaupt gar so verblendet sind, klingt doch hinein.[2]

Herrn Bédiers Methode aber löst sich bei näherer Betrachtung in erfolgloses Räsonnement und in Spiegelfechterei auf, Benfeys Theorie bleibt durch sie ganz unberührt. Man könnte sich höchstens erstaunen, dafs eine solche Methode fortgesetzt von ernsthaften Forschern revolutionär genannt wurde, wüfste man nicht, dafs auch in der Wissenschaft der von vornherein der Sympathie gewifs ist, der verbreitete und allgemein geglaubte Theorien angreift. Und wer aufserdem seine Behauptungen mit dieser Bestimmtheit ausspricht, als sei der ein Narr, der zu widersprechen wage, wer sich dazu noch den Anschein der Wissenschaftlichkeit und der tief eindringenden Methode so geschickt gibt, dem wird besonders gern geglaubt; denn man wagt nicht leicht, zu prüfen. Ich aber hoffe, ich habe auch den Glauben an Bédiers Methode gründlich erschüttert.

---

[1] Wilhelm Hertz, *Gesammelte Abhandlungen*, S. 156 f. Die Abhandlung Aristoteles in den Alexanderdichtungen des Mittelalters (S. 1 f.) gibt noch viele Beispiele solcher Übertragungen. — Vgl. auch ·Borgeld, 104 f.

[2] Über buddhistische Züge im abendländischen Märchen spricht B. auch (118 f.). Ich brauche nicht darauf einzugehen und kann auf das oben S. 283 Anm. 1 Bemerkte verweisen.

München.   **Friedrich v. der Leyen.**

Altenglische Predigtquellen. I.

1. Pseudo-Augustin und die 7. Blickling Homily.

Die siebente Blickling Homily,[1] von der ich *Archiv* XCI 182 nur ein kleines Stück auf das Nicodemus-Evangelium zurückführen konnte, ist in ihrem ersten Teile (ed. Morris 83—93[10]) eine mehr oder weniger wörtliche Übersetzung einer Pseudo-Augustinschen Predigt, Sermo CLX bei Migne Patr. lat. XXXIX 2059 ff. Freilich hat der bei Migne gedruckte Text dieser Predigt die eingefügte Version von Christi Höllenfahrt gegen Ende stark verkürzt und verstümmelt; derselbe wird aber ergänzt durch das leider auch ohne Schluſs überlieferte Fragment des *Descensus Christi ad inferos* in dem s. g. Gebetbuche des Bischofs Æþelweald [von Lichfield?], welches letzthin A. B. Kuypers, *The Prayer Book of Aedeluald the Bishop, commonly called the Book of Cerne,* Cambridge 1902, S. 196—198 veröffentlicht hat. Ich hoffe auf dieses Quellenverhältnis noch einmal zurückzukommen und dann auch die Frage zu behandeln, wie sich diese neue, am vollständigsten also in unserer englischen Homilie erhaltene Höllenfahrt-Version zum Nicodemus-Evangelium und zu der supponierten gnostischen Urversion des *Descensus Christi ad inferos* verhält. Einstweilen vergleiche[2] man:

Morris 83[30]:

Uuton nu gehyran & geþencan, hwæt he dyde & mid hwy he us freo gedyde. Næs he mid nænigum nede gebæded, ac he mid his sylfes willan to eorþan astag & her manige setunga & searwa adreag æt Iudeum æt þæm unlædum bocerum; & þa æt nehstan he let his lichoman on rode mid næglum gefæstnian;

Migne XXXIX 2059:

(1) Audite, quid fecerit. Nulla necessitate, sed propria voluntate in ligno se suspendi permisit, clavis corpus suum perforari non renuit, animam ponendo mortem sustinuit, carnem in sepulcro reposuit et comitante secum anima ad inferna descendit, tenebrarum et mortis principem colligavit, legiones illius pertubavit;

---

[1] Über sonstige Quellen der Blickling Homilies haben gehandelt: ich selbst *Archiv* XCI 179—206 und CIII 149 und H. G. Fiedler, *The Modern Language Quaterly* VI (1904) 122—124, woselbst die erste Blickling Homily als Übersetzung einer Pseudo-Augustinschen Weihnachtspredigt (Migne, *Patr. lat.* XXXIX 1984 ff.) nachgewiesen ist.

[2] Die bei Migne in Klammern eingeschlossenen Interpolationen fehlen stets in dem altenglischen Texte.

& deaþ he geþrowode for us, forþon-þe he wolde us þæt ece lif forgifan . & he þa onsende his þone wuldorfæstan gast to helle-grunde & þær þone ealdor ealra þeostra & þæs ecean deaþes geband & gehynde, & ealne his geferscipe swyþe gedrefde; & helle-geatu & hire þa ærenan scyttelas he ealle tobræc; & ealle his þa gecorenan he þonon alædde, & þara deofla þeostro he oforgeat mid his þæm scinendan leohte.

Hie þa swiþe forhte & abregde þus cwædon: 'Hwonon is þes þus strang & þus beorht & þus egesfull? Se middangeard, þe us wæs lange ær underþeoded & us deaþ [lies deaþe oder deaþes] mycel gafol geald, — ne gelomp hit na ær, þæt us swylc deaþ geendod [lies dead gesended] wære, ne us næfre swylc ege ne wearþ ær to helle geendebyrded . Eala nu, hwæt is þes, þe þus unforht gæþ on ure gemæro? & nis no þæt an, þæt he him ure witu ondræde, ac he wile eac oþre of urum bendum alesan.

portarum inferni vectes ferreos confregit; omnes iustos, qui originali peccato astricti tenebantur, absolvit, captivos in libertatem pristinam revocavit, peccatorum tenebris obcaecatos splendida luce perfudit. ...

(2) ... Territae ac trementes inquirere coeperunt: (3) 'Unde est iste tam splendidus, tam fortis, tam praeclarus tamque terribilis? Mundus ille, qui nobis subditus fuit semperque [semper usque nunc, qui Evang. Nicodemi S. 379] nostris usibus mortis tributa persolvit, nunquam nobis talem [talem mortuum hominem Ev. Nicod.] misit, nunquam talia inferis munera destinavit. Quis ergo iste est, qui sic intrepidus nostros fines ingreditur; et non solum nostra supplicia non veretur, insuper et alios de vinculis nostris absolvit?

Noch wörtlicher ist die folgende Stelle, wo auch die Descensus-Version des Book of Cerne (C) einsetzt, dessen Varianten unter dem Text mitverzeichnet sind:

Morris 87 [6]:

Þa sona instæpes seo unarimedlice menigo haligra saula, þe ær gehæftnede wæron, to þæm Hælende onluton & mid wependre halsunga hine bædon & þus cwædon: 'Þu come to us, middangeardes alysend; þu come to us, heofonwara hyht & eorþwara & eac ure hyht; forþon us geara ær witgan þe toweardne sægdon, & we to þinum hidercyme hopodan & hyhtan. Þu sealdest on eorþan mannum synna forgifnesse [Hs. forgifnessa]; ales us nu of deofles onwalde & of helle hæftnede. [Nu]

Migne XXXIX 2061:

(4) ... Ecce subito innumerabiles sanctorum populi, qui tenebantur in morte captivi, Salvatoris sui genibus obvoluti, lacrimabili eum obsecratione deposcunt, dicentes:[1] 'Advenisti, redemptor mundi; advenisti, quem desiderantes quotidie sperabamus; advenisti, quem nobis futurum lex nuntiaverat et prophetae. Advenisti, donans in carne vivis indulgentiam peccatoribus mundi; solve defunctos et[2] captivos inferni.[3] Descendisti pro nobis ad inferos; noli nobis deesse, cum fueris reversurus

---

[1] Dafür in C: Hoc est oratio innumerabilis sanctorum populi, qui tenebantur in inferno captivitate. Lacrimabili voce et obsecratione salvatorem deposcunt, !dicentes quando ad inferos discendit.

[2] et fehlt in C.

[3] Die hierauf bei Migne folgende, in Klammern eingeschlossene Interpolation steht weder in C noch im altenglischen Texte.

þu for us astige on helle-grund; ne
forlæt þu us nu on witum wunian,
þonne þu to þinum uplican rice
cyrre. Ðu asettest þines wuldres
myrecels on worlde; sete nu þin
wuldres tacn in helle?
Næs þa nænig ylding to þon þa*
þeos ben wæs gehyred; þa sona seo
unarimede menigo haligra saula mid
Drihtnes hæse wæron of þæm cwic-
susle ahafene [Hs. ahafena]: & he
gefylde þone ealdan feond & on
helle-grund gebundenne awearp.**
Þa halgan sawla þa mid unasecggend-
licum gefeân cleopodan to Drihtne
& þus cwædon [Hs. cwæþon]: 'Astig
nu, Drihten Hælend Crist, up, nu
þu hafast helle bereafod & þæs
deaþes aldor on þyssum witum gebundenne [Hs. gebundendenne]. Ge-
cyþ nu middangearde blisse, þæt on
þinum upstige geblissian & gehyh-
ton ealle þine gecorenan.'

ad superos. Posuisti titulum glo-
riae in saeculo;[1] pone signum vic-
toriae in inferno.'[2].

(5) Nec mora; postquam audita
est postulatio atque altercatio innumerabilium captivorum, statim a
Domini iussu omnes antiqui iusti
iura potestatis accipiunt atque in
suos tortores ipsi protinus tormenta
convertunt, humili supplicatione cum
ineffabili gaudio clamantes Domino
atque dicentes:[3] 'Ascende, Domine
Iesu, spoliato inferno et auctore
mortis vinculis irretito; redde iam
laetitiam mundo. Iucundentur in
ascensu tuo fideles tui, aspicientes
cicatrices corporis tui.'[4].

Hier bricht die Mignesche Gestalt der Homilie mit der
Höllenfahrt-Version ab; dagegen fährt das Book of Cerne in völ-
liger Übereinstimmung mit dem Altenglischen folgendermafsen fort:

Morris 87[25]:

Adam þagŷt & Eua næron onlysde, ah on bendum hie wæron
hæfde. Adam þa wependre stefne
& earmlicre cegde to Drihtne &
cwæþ: 'Miltsa me, Drihten, miltsa
me for þinre mycclan mildheort-
nesse; & adilega mine unrihtwis-
nesse [Hs. -nessa]. Forþon þe ânum
ic gesyngade & mycel yfel beforan
þe ic gedyde. Ic gedwolede, swa-swa

Kuypers 197[13]:

(6) Adam autem et Eva adhuc
non sunt desoluti de vinculis. Tunc
Adam lugubri ac miserabili voce
clamabat ad dominum dicens: 'Miserere mei, deus, miserere mei in
magna misericordia tua; et in multi-
tudine miserationum tuarum dele
iniquitatem meam [Ps. 50, 3]. Quia
tibi soli peccavi et malum coram
te feci [Ps. 50, 6]. Erravi sicut ovis,

---

* Vgl. Beda I c. 15 (ed. Schipper 42 897): Ne wæs da ylding to þon þæt hi
heapmælum coman (vgl. Wülfing II § 949); das Fragezeichen hinter to þon þa 'until'
in Morris' Glossar darf also gestrichen werden.
** Morris druckt im Text hier awearþ; doch bezeichnet er selbst dies im
Glossar S. 274 als Druckfehler für awearp.
[1] in saecula C; Migne bemerkt zur Stelle: 'Mss. fere omnes in caelo'; die ae.
Version setzt aber das in saeculo des Textes voraus.
[2] Hierauf folgen in C eine Reihe von Psalmenversen: Ps. 32, 22; 35, 10;
84, 8; 73, 2; 78, 8—9.
[3] Dafür in C: Innumerabilium captivorum postquam autem audita est postulatio et
obsecratio, statim iubente domino omnes antiqui iusti sine aliqua mora ad imperium domini salvatoris resolutis vinculis domini salvatoris genibus obvoluti humili supplicatione
cum ineffabili gaudio clamantes.
[4] Statt der ganzen Rede in C nur zwei Psalmenstellen: Ps. 115, 16—17;
102, 10.

þ*æt* sceap, þ*æt* forwearþ.[1] Sec nu
þinne þeow, Drihten, forþon-þe þine
handa me geworhtan & geheowodan.
Ne forlæt þu mine saule mid hell-
warum; ac do on me þine mild-
heornesse[2] & alæd me ût of þyssum
bendum & of þyses carcernes huse
& of deaþes scuan.'

Drihten Hælend þa wæs miltsi-
gende Adame; & raþe his bendas
wæron onlysde. &, befealden to
Hælendes cneowum, he cwæþ: 'Mîn
saul bletsaþ[3] Drihten, & ealle mine
þa inneran his þone halgan naman. Þu-þe ârfæst eart geworden
eallum minum ûnrihtwisnessum;
þu-þe gehældest mîne adla; & mîn
lif of þære ecean forwyrde þu on-
lysdest; mîne geornesse mid gode
þu gefyldest.'
Eua þagŷt on bendu*m* & on wôpe
[*Hs.* owôpe] þurhwunode. Heo cwæþ:
'Soþfæst eart þu, Drihten, & rihte
syndon þine domas, forþon-þe mid
gewyrhtum ic þâs þrowige. Ic wæs
mid weorþmende on neorxna-wange
& ic þ*æt* ne ongeat; ic wæs wiþermede & ûnwîsum netenum gelic geworden. Ac þu, Drihten, scyld*a*
[*Hs.* scyld] minre iugoþe & mine*s*
unwisdomes [*Hs.* min onunwisdomes]
ne wes þu gemyndig. Ne ne ahwyrf
þu þine onsyne ne þine mildheort-
nesse from me, ne þu ne gecyr on
erre from þinre þeowene.'

quae perierat [*Ps. 118, 176*]. Resolve
vincula mea, quia manus tuae fecerunt me et plasmaverunt me [*Ps.
118, 73*]. Ne derelinquas in inferno
animam meam [*Ps. 15, 10*]; sed fac
mecum misericordiam [*Ps. 118, 124*]
et educ vinctum de domo carceris
et umbrae mortis' [*vgl. Ps. 141, 8;
106, 14*].
(7) Tunc domino miserante Adam
e vinculis resolutus domini Iesu
Christi genibus provolutus. Tunc
domino Iesu Christi provolutus:
'Benedic, anima mea, dominum, et
omnia interiora mea nomen sanctum
eius [*Ps. 102, 1*]. Qui propitius factus est iniquitatibus meis; qui sanat
omnes languores meos; qui redimet
de interitu vitam meam; qui satiat
in bonis desiderium meum' [*Ps. 102,
3—5*].
(8) Adhuc Eva persistit in fletu,
dicens: 'Iustus es, domine, et rec-
tum iudicium tuum [*Ps. 118, 137*],
quia merito haec patior [*Gen. 42, 21*].
Nam ego, cum in honore essem, non
intellexi; conparatus sum iumentis
insipientibus, et nunc similis factus
sum illis [*Ps. 48, 13*]. Sed tu, domine, delicta iuventutis et insipientiae meae ne memineris [*Ps. 24, 7*].
Ne avertas faciem misericordiae tuae
a me, et ne declines in ira ab an-
cilla tua' [*Ps. 26, 9*].

Hier bricht das Book of Cerne ab, weil die letzte Lage der
Handschrift (University Library, Cambridge, Ll. 1. 10, aus der
ersten Hälfte des 9. Jahrhunderts) verloren gegangen ist. Es
läfst sich aber leicht zeigen, dafs das in der altenglischen Homilie
Folgende, die weiteren Worte Evas sowie die Abrahams, mindestens bis *mid þinum tocyme* (Morris 89[32]) in der neuen lateinischen Höllenfahrt-Version gestanden haben· mufs. Mit den
Worten *Mid þon-þe Drihten* setzt wieder die Homilie in der Migneschen Gestalt ein:

---

[1] Ae. *forweorþan* heifst nur 'zugrunde gehen'; mithin hat der Übersetzer das
lat. *perierat* falsch verstanden, das hier 'verloren gehen' bedeutet.
[2] Weitere Beispiele für *t*-Schwund führen an Klaeber, *Modern Language Notes*
XVIII 244, und O. Ritter, *Archiv* CXV 172.
[3] Der Angelsachse las wohl nicht den Imperativ *benedic*, sondern den Indikativ
benedicit in seiner Vorlage.

Morris 89 [32]:

Mid þon-þe Drihten þa þa here-hyþe [Hs. -hyhþ þe] on helle ge-numen hæfde, raþe he lifgende ut-eode of his byrgenne, mid his agenre mihte aweht, & eft mid his unwem-mum lichoman hine gegyrede.

Migne **XXXIX** 2061 § 5:

Facta praeda in inferno, vivus exiit de sepulcro; ipse se sua po-tentia suscitavit et iterum se imma-culata carne vestivit.

bis (Morris 91 [10])

Uton we ealle wynsumian on Drihten, — we þe his æriste mær-siaþ —, forþon-þe he his godcund-nesse nan wiht ne gewanode, þa he þone menniscan lichoman onfeng & us of deofles anwalde alesde.

bis

Omnis per totum mundum catho-lica gratuletur ecclesia, quia Christus Dominus et de sua divinitate nihil minuit et hominem, quem fecerat, liberavit.

In dem Vorstehenden habe ich, aufser der bereits *Archiv* XCI 183 begründeten, einige Textbesserungen angebracht, die der Rechtfertigung bedürfen:

1) In dem Satze *Nu þu for us astige on helle-grund* (s. oben S. 303 = Morris 87 [13]) habe ich das subordinierende *nu* gestrichen und damit den Satzteil zu einem koordinierten Hauptsatze ge-macht. Dies verlangt sowohl die Fassung der lateinischen Vor-lage (*Descendisti pro nobis ad inferos*) als auch die Analogie des vorhergehenden und des folgenden Satzes im Altenglischen (*Þu sealdest ......, Ðu asettest .....*).

2) In *ic wæs wiþermede & unwisum netenum gelic geworden* (oben S. 304 = Morris 89 [9]) würde ae. *wiþermēde*, das sonst 'widerwärtig' (objektiv gefafst) oder 'halsstarrig' (subjektiv) heifst, nur dann in den Zusammenhang passen, wenn man, wie Morris es tut, hier eine besondere, verallgemeinerte Bedeutung 'perverse, schlecht' annimmt, für die ich, abgesehen von der vorliegenden Stelle, keinen einigermafsen sicheren Anhaltspunkt wüfste. Weiter mufs uns stutzig machen, dafs auf jeden Fall dies Wort nicht zu dem lat. *comparatus* der Vorlage stimmt. Wenn wir endlich noch beachten, dafs der ganze Satz, sogar mit Beibehaltung des für Eva nicht passenden Geschlechtes, aus Psalm 48, 13 (*compa-ratus est iumentis insipientibus et similis factus est illis*) stammt und dort mit *wiðmeten he is netenum unwisum & gelic geworden he is him* (Regius-Ps.) oder *wiðmeten is nietenum unwisum vel un-snytrum & gelic geworden is him* (Trinity-Ps.) oder *wiðmeten is nitenu on unwisum* (lies *nitenum unwisum*) *& gelic geworden is him* (Stowe) übersetzt ist, so werden wir es für höchst wahrscheinlich halten, dafs obiges *wiþermede* der Homilie aus *wiþmeten* verderbt ist. Der gemeinsame Dativ *unwisum netenum* wäre dann wohl um-zustellen: entweder vor *wiþmeten* oder ganz ans Ende des Satzes.

3) Morris 89 [10] (= oben S. 304) liest *Ac þu Drihten scyld minre iugoþe & min, onunwisdomes ne wes þu gemyndig* und über-

setzt *'Lord, shield of my youth and of me, be not mindful of my folly'*. Die Vorlage (Sed tu, Domine, delicta iuventutis et insipientiae meae ne memineris) zeigt hier klar, dafs *scyld* dem lateinischen *delicta* entsprechen mufs, dafs es also nicht zu ae. *scild* 'Schild', sondern zu ae. *scyld* 'Schuld' zu ziehen und von *gemyndig* abhängig zu machen, d. h. in den Genetiv *scylda* umzuändern ist. Ebenso entspricht *min onunwisdomes* genau dem lat. *insipientiae meae*, so dafs statt *min* eine adjektivische Genetivform, zu *unwisdomes* passend, zu erwarten ist. Wenn wir weiter beachten, dafs das Substantivum *onunwisdom* eine sonst unbelegte und an sich auffällige [1] Zusammensetzung darstellt, so werden wir geneigt sein, *on* von *unwisdom* abzutrennen und zu *min* zu ziehen, dann aber als Korruptel aus dem zu *min* gehörigen Genetivsuffix *-es* aufzufassen. Etwas Analoges wäre der Fall Blickling Homilies 203, 18, wo das handschriftliche *þone apulite* in *þa Neapulite* zu ändern ist (*Archiv* XCI 198).

4) Die oben nicht abgedruckte, aber *Archiv* XCI 183 behandelte Stelle *Ac hwæt wilt þu his nu don? & hwæt miht þu his onwendan?* (Morris 85 [20]) = *Quid est, quod egisti? Quid est, quod facere voluisti?* (Migne XXXIX 2060 § 3) ist mir auch durch die nun gefundene Quelle noch nicht ganz klar geworden. Ich glaube aber, dafs das auffällige *onwendan* für *voluisti* sich daraus erklärt, dafs der Übersetzer ein handschriftliches *uoluisti* fälschlich als *voluisti* auffafste und zu lat. *volvere* zog. Wir haben hier hier also ein neues Beispiel für die auch sonst zu beobachtende Unvollkommenheit der Übersetzungstechnik in den Blickling Homilies.

Es sei hier noch darauf hingewiesen, dafs der unserer Homilie zugrunde liegende *Descensus Christi ad inferos* auch die Quelle ist für die Höllenfahrt-Stellen in 'Christ and Satan' 437 ff., in 'Christi Höllenfahrt' 84 ff. und im mercischen Martyrologium (ed. Herzfeld S. 50), wie sogar wörtliche Anklänge lehren in dem Teile, wo der lateinische Text nicht mehr erhalten ist:

---

[1] Zwar führt Bosworth-Toller auch noch ein Adjektivum *onunwis* und ein Substantivum *onunsped* (beide mit Fragezeichen) an. Doch finden sich beide nur je einmal in der sehr nachlässig geschriebenen [s. Lindelöf, *Bonner Beiträge* XIII 93] Psalterglosse des Stowe-Ms. 2 (ed. Spelman 1640), und zwar an Stellen, wo alle anderen mir zugänglichen Psalterglossen das *on* nicht haben: Ps. 43, 24 *ofergitest unspede* (Reg., Trin.; *wedelnisse* Vesp.) und Ps. 48, 21 *neatum unwisum* (Vesp., Reg.; *unsnytrum* Trin.). Überdies kann das *on-* an beiden Stellen dadurch entstanden sein, dafs der Glossator zunächst nur die erste Silbe des zu glossierenden Wortes (*inopiae* und *insipientibus*) ins Auge fafste, wie ein solches Versehen auch im Vespasianischen Psalter *Anglia Beibl.* XII 356 von mir nachgewiesen ist. Auch sei daran erinnert, dafs spätere Kopisten öfter *on-* und *un-* verwechseln. Ich meine also, die drei Wörter *onunsped, onunwis, onunwisdom* seien in unseren Lexizls zu tilgen.

Christ und Satan 439:

þu fram minre dohtor, drihten, on- woce.

Martyrologium S. 50:

Eua hine halsode for sancta Ma- rian mægsibbe, þæt he hire milt- sade. Heo cwæð to him: 'Gemyne, min drihten, þæt seo wæs ban of minum banum ond flæsc of minum flæsce; help min forðon.'

Morris 89 [20]:

þu wast, þæt þu of minre dehter, drihten, onwoce.

Morris 89 [17]:

'Ic þe halsige nu, drihten, for þinre þeowene, sancta Marian, ... Þu wast, þæt ... & þæt hire flæsc is of minum flæsce & hire ban of minum banum ... Miltsa me & ge- nere me.'

2. Pseudo-Augustin und Ælfric.

In der interessanten Bittwochenpredigt seiner dritten Postille (*Lives of Saints*, ed. Skeat, Nr. XVII) hat Ælfric [1] sich gegen eine Reihe von abergläubischen Volksbräuchen ausgesprochen und dabei den 'weisen Bischof Augustin' (Z. 67) zitiert. Gemeint ist damit jedenfalls eine Homilie *De Auguriis* (Nr. 278 bei Migne, Patr. lat. XXXIX 2269 ff.), welche schon dem grofsen Bonifaz als Augustinisch galt, aber von der Forschung als unecht nach- gewiesen ist. Ælfric hat jedoch seiner Gewohnheit gemäfs keines- wegs die ganze Homilie übersetzt, sondern er hat nur — falls ihm nicht eine von der Migneschen stark abweichende Text- gestalt vorgelegen hat —, einige wenige Stellen daraus genommen. Mehr oder weniger frei übersetzt sind nur die folgenden fünf Stellen: Z. 67—99 = Pseudo-Augustin § 1; Z. 108 f. = § 3; Z. 174—176 und 190—202 = § 4; Z. 216—221 = § 5. Alles andere dürfen wir, solange nicht eine zweite Quelle oder eine interpolierte Form der Pseudo-Augustinschen Predigt nach- gewiesen ist, als Ælfrics eigene Zutat ansehen. Dies Ergebnis ist nicht unwichtig für die altenglische Volkskunde. Denn, wenn wir sehen, dafs Ælfric viele der bei Augustin genannten Volks- bräuche ausläfst und dafür andere anführt, so dürfen wir nun- mehr wohl folgern, dafs Ælfric die letzteren aus zeitgenössischem Volksglauben geschöpft hat, dafs jene Bräuche also um 1000 noch lebendig gewesen sind. Als solche Zusätze Ælfrics ergeben sich z. B. die Zeilen 84—87; 90; 100—104; 110—173 u. a. m.

Zum Beweise der Richtigkeit meines Quellennachweises möge die Gegenüberstellung des beiderseitigen Anfanges folgen, zu- gleich als ein Beispiel von Ælfrics freier Quellenbehandlung:

---

[1] Über sonstige Quellen Ælfricscher Predigten haben gehandelt: H. Ott, *Über die Quellen der Heiligenleben in Ælfrics Lives of Saints I*, Halle 1892; M. Förster, *Über die Quellen von Ælfrics Homiliae Catholicae. I. Legenden*, Berlin 1892, und *Über die Quellen von Ælfrics exegetischen Homiliae Catho- licae* in *Anglia* XVI 1—61, Nachtrag in *Engl. Stud.* XXVIII 423 Anm.; A. Stephan, *Eine weitere Quelle von Ælfrics Gregorhomilie* in *Angl. Beibl.* XIV 315—320.

Ælfric Z. 67:

Agustinus se snotera bisceop sæde eac on sumere bec: 'Mine gebroðra þa leofestan, gelome ic˙ eow war- node and mid fæderlicre carfulnysse ic eow cuðlice manode, þæt ge and- sætan wiglunge, þe unwise men healdað, mid ealle forlætan swa-swa geleaffulle men; forðan, butan ic eow warnige and þone wol eow for- beode, ic sceal agyldan gescead þam soðfæstan deman minre gymeleaste and mid eow beon fordemed. Nu alyse ic me sylfne wið God and mid lufe eow forbeode, þæt eower nan ne axie þurh ænigne wicce-cræft be ænigum ðinge oððe be ænigre un- trumnysse, ne galdras ne sece to gremigenne his scyppend; forðan se-ðe þys deð, se forlysð his cristen- dom and bið þam hæðenum gelic, þe hleotað be him sylfum mid ðæs deofles cræfte, þe hi forded on ec- nysse; and butan he ælmyssan and mycele dædbote his scyppende ge- offrige, æfre he bið forloren [84—87 ist Ælfrics Zusatz]. Eall-swa gelice, se-ðe gelyfð wiglungum oððe be fugelum oððe be fnorum oððe be horsum oððe be bundum, ne bið he na cristen; ac bið for-cuð wiðer- saca. Ne sceal nan man cepan be dagum, on hwilcum dæge he fare oððe on hwylcum he gecyrre; for- ðan-þe God gesceop ealle ða seofan dagas, þe yrnað on þære wucan oð þysre worulde geendunge. Ac seðe hwider faran wille, singe his pater- noster and credan, gif he cunne, and clypige to his dryhten and bletsige hine sylfne, and sidige orsorh þurh Godes gescyldnysse butan ðæra sceoccena wiglunga.'

Migne XXXIX 2269:

Bene nostis, fratres carissimi, me vobis frequentius supplicasse et pa- terna sollicitudine commonuisse, pa- riter et contestatum esse, ut illas sacrilegas paganorum consuetudines observare minime deberetis. .....
Quia si vobis ego non dixero, et pro me et pro vobis malam sum redditurus rationem in die iudicii et vobiscum mihi erit necesse aeterna supplicia sustinere, ego me apud Deum absolvo, dum iterum atque iterum admoneo, pariter et contestor, ut nullus ex vobis caragos, vel di- vinos vel sortilegos, requirat, nec de qualibet eos aut causa aut in- firmitate interroget. Nullus sibi praecantatores adhibeat; quia qui- cumque fecerit hoc malum, statim peribit baptismi sacramentum et continuo sacrilegus et paganus effi- citur; et nisi grandi eleemosyna, dura et prolixa poenitentia sub- venerit, statim in aeternum peribit. Similiter et auguria observare no- lite, nec in itinere positi aliquas aviculas cantantes attendite, nec ex illarum cantu diabolicas divinatio- nes annuntiare praesumite. Nullus ex vobis observet, qua die de domo exeat, qua die iterum revertatur; quia omnes dies Deus fecit, sicut scriptura dicit: Et factus est primus dies et secundus . dies et tertius, similiter et quartus et quintus et sextus et sabbatum. ... Illas vero non solum sacrilegas, sed etiam ridi- culosas sternuationes considerare et observare nolite. Sed quoties vobis in quacumque parte fuerit necessi- tas properandi, signate vos in no- mine Iesu Christi et symbolum vel orationem Dominicam fideliter di- centes securi de Dei adiutorio iter agite.

3. Adso und Wulfstan.

Die zweiundvierzigste Homilie der Wulfstanschen Samm- lung[1] (ed. Napier, Berlin 1883, S. 191·ff.) ist eine meist ziem-

---

[1] Die Quellen von vier Homilien dieser Sammlung, nämlich Nr. XLIII, XLIV, XLV und LVII, hat R. Priebsch in den Otia Merseiana I 129 (Liverpool 1899) behandelt. Napier wies S. VIII seiner Ausgabe darauf

-lich wörtliche[1] Übersetzung des *Libellus de Antichristo,* welches zwischen 949 und 954 von dem französischen Abte Adso[2] († 992) von Montier-en-Der verfaſst ist, in den Handschriften aber auch dem Alcuin und Rabanus Maurus zugeschrieben wird. Dasselbe ist uns in verschiedenen, stark abweichenden Textrezensionen überliefert, von denen eine kürzere bei Migne, *Patr. lat.* XL 1131 und nach einer Metzer Handschrift des beginnenden 11. Jahrhunderts von Floss in der *Z. f. d. A.* X 265 veröffentlicht ist, eine längere, wohl interpolierte, bei Migne, *Patr. lat.* CI 1291. Der altenglische Text stimmt im allgemeinen am besten zu der kürzeren Fassung der Metzer Handschrift, gelegentlich aber auch zu den Lesarten der längeren Version. Anderseits enthält der altenglische Text Stellen, wie 193 [5—7], 195 [8—12], 198 [23] — 199 [7], 199 [20] — 201 [5], die sich in keiner der bis jetzt gedruckten lateinischen Fassungen finden[1]; auch sind Anfang (191 [25] — 192 [15]) und Schluſs (202 [6] — 205 [3]) neu.

Man vergleiche folgende Stelle über die Geburt des Teufels:

Napier 193 [8]:

Soðlice, þonne he gestryned bið, þonne færd se deofol forð mid into his moder innoðe, and þær he hine healt and weardað inne; and æfre fram þam timan, þe he gestryned bið, a he bið mid him and hine næfre ne forlæt. And ealswa se halga gast com to scā Marian ures hælendes Cristes moder and hy mid his mihte ofersceadewade and mid

Z. f. d. A. X 266:

In ipso autem conceptionis suae initio diabolus simul introibit [*al.* intrabit] in uterum matris eius; et ex virtute diaboli confovebitur et contutabitur [*al.* conturbabitur] in ventre matris; et virtus diaboli semper cum illo erit. Et sicut in matrem Domini nostri Iesu Christi spiritus sanctus venit et eam sua virtute obumbravit et divinitate re-

---

hin, daſs fast die Hälfte der 29. Homilie (136 [25] — 140 [2]) aus dem ae. Gedichte *Be domes dæge* (V. 92—269) stammt. Und ich selbst habe in meiner Arbeit '*Über die Quellen von Ælfrics Hom. Cath. I. Legenden*' (Berlin 1892) S. 18 Anm. 3 vermerkt, daſs ein Abschnitt der 16. Homilie (98 [14] — 100 [19]) eine freie Nacherzählung der *Passio Petri et Pauli* (ed. R. Lipsius, *Acta apostolorum apocrypha,* Leipzig 1891) I 120 ist. Einzelne Reden sind aber wörtlicher wiedergegeben, wie z. B. die folgende:

'Ic halsige eow, deofles gastas, þe þæne deofles mann gynd þa lyft feriað and ðurh þæt menn bepæcað, þæt ge þurh Godes ælmihtiges bebod hine nu ða forlætan.' Napier 100 [12—16].

'Adiuro vos, angeli Satanae, qui eum in aera fertis ad decipiendum hominum infidelium corda, per Deum creatorem omnium ..., ut eum ex hac hora iam non feratis, sed dimittatis illum.' Passio § 56.

[1] Die gröſseren Abweichungen mögen sich daraus erklären, daſs die lat. Textgestalt, welche dem Angelsachsen vorgelegen hat, uns vorläufig nicht zugänglich ist.

[2] Über Adso ist zu vergleichen A. Ebert, *Allg. Geschichte d. Literatur d. Mittelalters im Abendlande* III 474—482; W. Meyer, *Der Ludus de Antichristo* in den *Sitz.-Ber. d. bayer. Akad. d. Wiss.* 1882 I 3 ff. Über Adsos Nachwirken siehe Meyer a. a. O. und Gröber im *Grundriſs f. rom. Phil.* II 1, S. 426, 691, 865.

godcundnysse gefylde, swa þæt heo
sceolde geeacnian of þam halgan
gaste and, þæt heo acende, wære
godcund and balig, swa se deofol
befyld into Antecristes moder innode and hy eall ymbutan ymb-
trymd mid deoflicre mihte, and swa
him sylfum he hi geahnad, þæt
deofle samod wyrcendum [1] heo þurh
man geeacnod on innode; and, þæt-
þe bid of hire acenned, eall hit bid
unrihtwis and eall yfel and eal forloren. Đanan is se deofles man
gehaten 'forwyrdes bearn', fordan
swa mycel, swa he mæst mæg, he
forspild manncynnes; and he sylf
æt endenyhstan mid ealle forwyrd.
    Nu ge gehyrdon, hu he bid ge-
boren; hlystad nu, and ic eow secge
þære stowe naman, þe he bid on
geboren. Swa-swa Drihten ure alysend foresceawode him þæt castel
þa cynelican Bethleem, to đan þæt
he wolde þær on þære byrig men-
niscnesse underfon and *usw.*

plevit, ut de spiritu sancto conci-
peret et, quod nasceretur, divinum
esset et sanctum, ita quoque diabolus in matrem Antichristi des-
cendet et totam eam replebit, totam
circumdabit, totam tenebit, totam
interius et exterius possidebit, ut
diabolo per hominem cooperante
concipiat et, quod natum fuerit, totum sit iniquum, totum malum, totum perditum. Unde et ille homo
'filius perditionis' [*2. Thess. 2, 3*] ap-
pellatur, quia, in quantum poterit,
genus humanum perdet et ipse in
novissimo perdetur.

    Ecce audistis, qualiter nascetur;
audite etiam locum, ubi nasci de-
beat. Nam sicut Dominus ac redemptor noster Bethlehem sibi prae-
vidit, ut ibi pro nobis humanitatem
assumere et *usw.*

Wegen ihrer mythologischen Wichtigkeit vergleiche man
auch noch die Stelle:

Napier 197 [16]:

    And he ahefd hine sylfne ofer
ealle, þa-đe hædene men cwædon,
þæt godas beon sceoldan on hædene
wisan, swylc swa wæs Erculus se
ent and Apollinis [2], þe hi mærne
god leton, Þor [Þorr *F*] eac and
Owđen [Oþen *F*], þe hædene men
heriad swide.

Z. f. d. A. X 269:

'Et extollitur', id est, in superbia
[*al.* superbiam] erigitur, 'supra omne,
quod dicitur Deus' [*2. Thess. 2, 4*],
id est, super omnes deos gentium,
[Herculem videlicet *Migne CI 1295*],
Apollinem, Iovem, Mercurium, quos
quos pagani deos [*al.* + esse] existi-
mant.

4. Anselm von Canterbury.

Der spätaltenglische *Sermo in festis S. Mariae Virginis* des
Ms. Vespas. D. XIV fol. 151[b]—158[a], welchen zuerst Kluge in
seinem *Angelsächsischen Lesebuche* 1888 S. 71—74 [= [3] 98—102]
veröffentlicht hat, ist eine meist ganz wörtliche, aber nicht immer
gewandte und fehlerfreie Übersetzung der Homilia IX des Erz-
bischofes Anselm von Canterbury (Migne, *Patrol. lat.* CLVIII
644 ff.). Da Anselm 1093 nach England gekommen und 1109

---

[1] Also eine genaue Nachbildung des lat. Abl. abs.; weitere Beispiele *Archiv*
XCI 185 Anm.
[2] Man beachte den falschen Nominativ, den der Übersetzer zu dem Akk.
Apollinem gebildet.

starb, bestätigt dieser Quellenfund auf das trefflichste die späte Datierung des englischen Textes durch Kluge und Vance.[1] Nur würde ich, da die Handschrift wohl schon um 1125 geschrieben sein mag, die 'Entstehung' unserer altenglischen Version lieber um die Jahre 1100—1120 statt 1150 (Vance) ansetzen. Was Vance S. 15 über die Bedeutung von *cæstel* in unserer Predigt sagt, ist nicht ganz stichhaltig. Der Übersetzer faſste *cæstel* offenbar überall schon im Sinne von 'Burg', ebenso wie auch der aus der Normandie kommende Anselm bei dem *castellum* der Perikope (Luk. X 38: *Intravit Iesus in quoddam castellum*) nach Ausweis seiner Erklärung (*castellum enim dicitur quaelibet turris et murus in circuitu eius = for cæstel is geclypod sum heh stepel, þe byð mid wealle betrymed*) an eine normannische Burg gedacht hat.

Für die Wörtlichkeit der Übersetzung vergleiche man, wobei ich den englischen Text nach der lateinischen Vorlage neu interpungiere,

Kluge, Zeile 51—61:

Sume næmned þone cæstel Magdalum, þe Maria wæs of Magdalenisc geclypod; and þæt becumd wel to þyssere trahtnunge. For Magdalus is 'stepel' geclypod, and betacned eadmodnysse. Here he nis beo name gecyðed, ac is gesæd 'sum' cæstel; and þæt nis na on idel gedon. For 'sum' cæstel, þæt is 'sunderlic' cæstel, þæt wæs þæt mæden Maria. For þeh manege oðre habben mægedhades weall and eadmodnyssen stepel, swa þæt heo mædene beon and eac eadmode, þehhweðer ne mugen heo gehealdene mægedhade modres beon ne bearn geberen, swa þeos synderlice dyde. And forþan heo is rihtlice geclypod 'sum' cæstel, — þæt is 'synderlic' cæstel —, for heo wæs synderlice moder and mæden, swa nan oðer ne mihte ne næfre ma ne mæig.

Anselm l. c. 646:

Sunt qui castellum hoc Magdalum fuisse arbitra[n]tur, a quo Maria Magdalena cognominatur; quod si verum est, praedictae interpretationi famulatur. Magdalus enim 'turris' dicitur et humilitati coaptatur. Hic vero non nominatur, sed tantum 'quoddam' dicitur; quod indiscussum praeterire non debemus. 'Quoddam', id est 'singulare' castellum fuit virgo Maria. Quamvis enim et multae aliae murum virginitatis habeant et turrim humilitatis, — id est, et virgines sint et humiles —, tamen salva virginitate matres esse non possunt neque filios generare; quod ista sola fecit. Ed ideo castellum hoc merito 'quoddam', — id est 'singulare' —, dicitur, quia ista singulariter et virgo et mater fuit; quod nulla alia esse potuit vel esse poterit.

Es soll dem Übersetzer nicht vergessen werden, daſs er einiges von dem sinnigen Detail bei dem reizenden Mutteridyll selbst erfunden hat:

Kluge, Zeile 107—109:

On his cildlicen unfernysse heo hine baðede and beddede [*Hs.* beðede] and smerede and bær and

Anselmus l. c. 648:

Infirmum per infantiam iacentem non solum visitavit, sed balneando, fovendo, leniendo, gestando frequen-

---

[1] Vance, *Der spätangelsächsische Sermo in festis Sanctae Mariae Virginis*, Jenaer Dissert., Darmstadt 1894, S. 31.

frefrede and swadede and roc-
code, swa þæt man mæig rihtlice
beo hire secgen: 'Martha wæs bisig
and cearig emb þa þenunge'.

tavit, ut merito de ea dicatur:
'Maria [lies Martha] autem satagebat
circa frequens ministerium' [Luc.
X 40].

5. Honorius' Elucidarium.

Wanley S. 205 führt bei der Inhaltsangabe von Vespasian
D. XIV unter Nr. XLVII (bei Wanley verdruckt als XLII)
einen theologischen Traktat an, den er 'De Peccato, libero Arbitrio etc.' überschreibt. Es ist dies [= fol. 159ª — 163ᵇ] eine wörtliche Übersetzung aus des Honorius' Elucidarium lib. II cap. 1—6
(Migne, Patrol. lat. CLXXII 1133 ff.). Man vergleiche den
Anfang:

Sum mann sæigd, þæt synne nis
nan þing; and gyf þæt sod is, þonne
is hit wunder, þæt God fordemd þa
mænn for þa þinge, þe naht nis.
And gyf synne is ænig þing, þonne
geworhte God hit; for he geworhte
ealle þing. And gyf þæt sod is,
þonne fordemd he eft mid unrihte
þa mænn, þe dod þæt-þæt he sylf
gescop. — Of Gode synden ealle
þing; and ealle he geworhte heo
gode; and for þan we understanded,
þæt synne nis nan þing on antimbre.
For ælc antimber is god; ac yfel
næfd nan antimber, and for þan
hit nis naht.

Discipulus: Dicitur malum nihil
esse; et si nihil est, valde mirum
videtur, cur Deus homines vel an-
gelos damnet, cum nihil faciant. Si
autem aliquid est, videtur a Deo
esse, cum omnia sint ex ipso; et
sequitur, quod Deus sit auctor mali,
et iniuste eos, qui hoc faciunt, dam-
nari. — Magister: A Deo nempe
sunt omnia, et omnia fecit valde
bona; et ideo malum probatur nihil
per substantiam esse. [Ein Satz ausgelassen.] Omnia vero substantia
bona est; sed malum non habet
substantiam: ergo malum nihil est.

Das in der Handschrift folgende, von anderer Hand geschriebene Stück, Wanleys Nr. XLVIII Quaestiones et responsiones de Christi
resurrectione et ascensione [= fol. 163ᵇ — 165ª], ist, wie ich in 'An
English Miscellany presented to Dr. Furnivall' (Oxford 1901) S. 89 ff.
gezeigt, eine ebenso wörtliche Übersetzung von lib. I cap. 23—25
(nicht 21—22). Ich halte es für möglich, dafs die beiden Eluci-
darium-Abschnitte in unserer englischen Handschrift als Predigten
gedacht sind. Jedenfalls ist die ganze Handschrift Vespasianus
D. XIV ein homiletisches Hilfsbuch zum praktischen Gebrauch
für den niederen Pfarrklerus und für Mönche, die ja damals in
grofsem Umfange regelmäfsige pastorale Tätigkeit in den um-
liegenden Pfarren ausübten und nicht nur für Laiengemeinden,
sondern auch für die grofse Zahl von Laienbrüdern und ungebildeten Mönchen in der Volkssprache predigen mufsten.[1] Über-

---

[1] R. Cruel, Geschichte der deutschen Predigt, Detmold 1879, S. 129;
J. Lingard, History and Antiquities of the Anglo-Saxon Church, London
1845, I 167. — Der Abschnitt über 'Die angelsächsische Predigt' bei
H. Hering, Die Lehre von der Predigt, Berlin 1905, S. 67 f., geht weniger
auf die Interessen des Kultur- und Literarhistorikers ein.

dies ist die 'dialogische Predigt' als eine besondere Predigtart wenigstens für Deutschland nachgewiesen.[1] Da des Honorius schriftstellerische Tätigkeit in die erste Hälfte des 12. Jahrhunderts zu verlegen ist und unsere englische Handschrift wohl um 1125 entstanden sein wird, müssen also obige Übersetzungen aus seinem Jugendwerke verhältnismäfsig bald nach der Entstehung des Originales hergestellt sein. Dafs das Werk eines in Süddeutschland lebenden Autors damals so schnell nach England verbreitet worden ist, darf uns nicht wundernehmen, zumal da Honorius auch sonst direkte Beziehungen zu England gehabt hat. Wir wissen nämlich, dafs Honorius seine Predigtsammlung *Speculum ecclesiae* (Migne, *Patr. lat.* CLXXII 813 ff.) den *fratres Cantuariensis ecclesiae*[2] gewidmet hat, worunter meiner Ansicht nach die Christ Church Priory[3] zu Canterbury gemeint ist, und dafs er sich vorher eine Zeitlang in ihrem Kloster (*in nostro conventu*) aufgehalten und gepredigt hat; auch hat Prof. Endres neuerdings auf seine starke Abhängigkeit von Anselmschen Ideen hingewiesen. Und vollends wird uns alles dies verständlich, wenn wir uns die interessante Aufstellung des Prof. Endres in '*Historisch-politische Blätter*' CXXX (1902) S. 160 zu eigen machen dürfen, wonach Honorius mit dem Schottenkloster S. Jakob zu Regensburg in Verbindung gestanden hat und sonach die Möglichkeit vorhanden wäre, dafs Honorius von Geburt ein Angelsachse[4] oder Inselkelte gewesen ist.[5]

---

[1] R. Cruel a. a. O. S. 605—607; A. Linsenmayer, *Geschichte der Predigt in Deutschland*, München 1886, S. 189, 369, 447.

[2] J. Kelle, *Untersuchungen über das Speculum ecclesiae des Honorius und die Libri deflorationum des Abtes Werner* in den *Wiener Sitzungsberichten* CXLV (1902) S. 41 f.

[3] J. Kelle a. a. O. meint, dafs unter den *fratres Cantuariensis ecclesiae* die Kanoniker an der Kathedrale von Canterbury zu verstehen seien. Es scheint mir aber einfacher und natürlicher, an den alten, durch seine Bücherschätze und Bildungshöhe bekannten *Conventus Ecclesiae Christi Cantuariensis* zu denken, d. h. Christ Church Priory zu Canterbury, zu der auch Anselm nachweislich Beziehungen gehabt hat. Da nach mittelalterlichem Sprachgebrauch das Kloster meist einfach mit *Ecclesia Christi Cantuariensis* bezeichnet wird, ist z. B. der offizielle Titel seines Vorstandes *Prior Ecclesiae Christi Cantuariensis*, wofür auch weniger förmlich *Prior Ecclesiae Cantuariensis* gesetzt werden kann (s. *The Letter Books of the Monastery of Christ Church*, Canterbury, ed. Sheppard, Rolls Series, 1887—89, passim). Und das gleiche gilt von den Mönchen.

[4] Für deutsche Abkunft des Honorius pflegt man ins Feld zu führen, dafs er viermal deutsche Wörter in seinen Werken anführt, nämlich *osterum* 'Ostern', *platta* 'Tonsur', *kyrica* 'Kirche' und *socan* 'aufsuchen' (Cruel S. 131). Aber man scheint noch nicht beachtet zu haben, dafs, abgesehen von dem sowohl niederdeutschen wie oberdeutschen *ōstarūn*, diese Wörter niederdeutsche Lautgestalt aufweisen, was schlecht zu der angenommenen süddeutschen Heimat des Honorius passen würde. Sind nun diese Formen durch niederdeutsche Abschreiber in die Texte ge-

Mehr darüber in Bälde in meinem 'Altenglischen Cato', wo im Anhang sämtliche ungedruckten Texte unserer Handschrift veröffentlicht werden sollen.

Die unter 4 und 5 genannten englischen Übersetzungen scheinen mir aus zwei Gründen von besonderer Wichtigkeit: a) einmal weil sie wohl die einzigsten englischen Texte sind, deren Abfassungszeit (nicht blofse Niederschrift) mit ziemlicher Sicherheit in die ersten Dezennien des 12. Jahrhunderts zu versetzen ist, und b) weil sie bis jetzt die frühesten Texte in englischer Sprache sind, in denen gegenüber dem rein patristischen Charakter der sonstigen theologischen Literatur des Altenglischen ein Einschlag der dialektisch-philosophischen Bewegung der Scholastik zu verspüren ist, und zwar vom Standpunkte jener Richtung aus, welche die Realität der Gattungsbegriffe behauptete und in Anselm von Canterbury ihren Hauptvertreter fand.

kommen — es handelt sich um die zwei Werke *Gemma animae* und *Sacramentarium* —, oder standen im Original etwa die altenglischen Formen *eastron, cyrice* und *secan*? Ein ae. **plætt* oder **plat(t)e* 'Tonsur' (vgl. ahd. *blatta,* afrs. mndd. *platte* 'Tonsur'; mhd. *blate, plate* 'Platte; Tonsur', mndd. *plate,* an. *plata* 'Platte') ist nicht belegt, falls es nicht etwa in der unsicheren Glosse *platum obrixum* (Leo 518, 45; Napier I 3534) stecken sollte oder identisch ist mit ae. *plætt* 'Schlag' (vgl. mndl. *plat* 1. 'flach' 2. 'Schlag' und nnld. *iemand plat slaan* 'einen durchprügeln'). Doch mag es leicht existiert haben, da ja ein Partizip *āplatod* und das Subst. *platung* belegt sind (s. auch Franck s. v. *plaat,* Falk-Torp s. v. *plade, plat, plet*). Überdies ist das Wort *platta* gemein-mittellateinisch (s. Du Cange, Körting, Kluge, *Grdr.* I² 343) und braucht hier gar nicht als germanisches Wort gemeint zu sein.
    ⁵ Die neuerdings von J. Kelle und Hauck vorgebrachten Ansichten über das *Elucidarium* werden teilweise schon durch die Existenz unserer altenglischen Übersetzung widerlegt. — Die mittelenglische Version des *Elucidarium,* welche unter Fortlassung alles Gelehrten nur lib. I cap. 1—31 und lib. II cap. 1—3 übersetzt hat, ist aus den beiden Handschriften St. John's College, Cambridge, G. 25, fol. 1—16, und University Library, Cambridge, Ii. 6. 26, p. 158—208 (beide des 15. Jahrhunderts) von Herrn Reallehrer Fr. Schmitt in Bamberg abgeschrieben, der sie hoffentlich bald den Fachgenossen vorlegen wird.

Nachtrag. Die Stelle über Jamnes und Mambres (*Lives of S.* XVII 113), für welche ich *Archiv* CVIII 27 keine Quelle wufste, kann Ælfric aus der *Passio Petri et Pauli* § 34 (*sicut Aegyptii magi Jamnes et Mambres, qui Pharaonem et exercitum eius miserunt in errorem, quousque demergerentur in mari*) geschöpft haben, die er nachweislich für die Homiliae Catholicae (s. meine Diss. S. 18) benutzt hat. — Die *Passio b. Margaretae* (vgl. *Archiv* CX 427) nennt die beiden Magier zwar nicht in Pipers Text (*Nachträge zur älteren deutschen Literatur* S. 334), wohl aber in der bei Afsmann, *Ags. Homilien* S. 208 veröffentlichten Version § 16 (*In libris tamen Iamne et Mambre invenies genus nostrum*).

Würzburg.   Max Förster.

Zur Geschichte der Französischen Akademie.

(Zur Kenntnis der 'Discours de réception' von Antoine-Vincent Arnault,
Eugène Scribe, Octave Feuillet, Pierre Loti.)

Hätte die Feder A. Daudets im *Immortel* einem selbstlosen
Motive gedient, so würde dieser vielgelesene Roman als läuternde
Kraft auf bedenkliche Zustände gewirkt haben. Doch hat die
fesselnde Erzählung eigentlich nur die vorhandenen Schatten nutz-
los vertieft und schlecht orientierte Pessimisten des Auslandes
mafslos in ihrer abfälligen Kritik der Bedeutung der französischen
Akademie bestärkt. Solche oft ganz unmotivierte Geringschätzung
spiegelt sich von Zeit zu Zeit in den spöttischen Randglossen,
mit welchen vielverbreitete deutsche Tagesblätter die *Discours
de réception* neugewählter Mitglieder der französischen Akademie
begleiten. Und gleichzeitig stehen wir doch im Zeitalter der
vertieft psychologischen, überaus sensitiven Erforschung der Literaturgeschichte. Weshalb zieht man deshalb nur in Ausnahme-
fällen in Betracht, dafs auch diese Aufnahmereden trotz offen-
kundiger Mängel und Einseitigkeiten beachtenswertes Zeugnis
ablegen? Um so mehr, da sie unwillkürlich viele spontane Äufserungen enthalten und in ihrem Gefolge nach sich ziehen? Überdies offenbaren die *Discours de réception* in den verschiedenen
Jahrhunderten, auf welche die französische Akademie seit ihrer
Gründung zurückblicken kann, die sich innerhalb der französischen Nation vollziehende Wandlung höchster geistiger Interessen. Wenn das 17. Jahrhundert im Schofse der Akademie
auch noch stark eingeengt erscheint durch den lange nachwirken-
den rigorosen Absolutismus Richelieus, so streut das 18. doch
bald echt revolutionäre Aufklärungsfunken unter anscheinend
harmlose literarische Theorien, und dem 19. Jahrhundert verdankt
die Akademie manchen von Erfolg gekrönten rhetorischen Versuch, allen Geistesrichtungen Frankreichs, ja der gesamten zivili-
sierten Welt, klassische Formprägung abzugewinnen. Ein sorgsamer Leser wird die *Discours de réception* als unentbehrliche
Quellen für die unparteiische Beurteilung der französischen Literaturgeschichte bezeichnen müssen, und zwar in positiver wie in
negativer Hinsicht. Diese zeitraubende Lektüre erteilt überdies
eine ernste, zur Bescheidenheit mahnende Lehre: Wer sich gelegentlich zutraut, auf Grund jahrelanger Forschung gründliche

Kenntnis bestimmter Literaturabschnitte erworben zu haben, wird sich häufig die Frage vorlegen müssen, was bedeutet diese oder jene Anspielung, was trägt Schuld, dafs dieser oder jener einst hochgefeierte Schriftsteller klang- und sanglos der Vergessenheit anheimgefallen ist; ist wohl die Literaturgeschichte gleich der Weltgeschichte das unfehlbare Weltgericht über dauerhafte und unvergängliche Leistungsfähigkeit?

Man pflegt die sogenannten *banalités des réceptions académiques* des 17. Jahrhunderts bis auf wenige schimmernde Fäden achtlos als unentwirrbaren Knäuel zur Seite zu schieben. Im Jahre 1897[1] hat der treffliche secrétaire perpétuel der Akademie, M. Gaston Boissier, wenigstens die allgemeine Aufmerksamkeit auf die Aufnahmesitzung gelenkt, in der La Bruyère (1693) bestrebt war, seinem *Discours* mit der plastischen Kraft lebensvoller *portraits littéraires* dauernden Wert zu verleihen. Vielleicht war auch La Bruyère der erste, dem dieser ernstgemeinte Versuch wirklich glückte. Der gegen die angestammte Königstreue der französischen Akademie so energisch protestierende Abbé de Saint-Pierre (1658 bis 1743) liefert den Beweis, dafs im engeren Kreise der Akademiker selbst lange Zeit widersprechende Ansichten über die Bedeutung der Akademiereden herrschten. Der jedem formellen Zwange abholde Abbé wollte sich selbst von seinem treuen Freunde Fontenelle[2] nicht von der Notwendigkeit überzeugen lassen, dafs sein für den 3. März 1695 bestimmter *Discours de réception* dringend der Feile bedürfe. *Ces sortes de Discours, répondit-il, ne méritent pas, pour l'utilité dont ils sont à l'Etat, plus de deux heures de temps; j'y en ai mis quatre, et cela est fort honnête.*[3] Auch der Brauch, zwei, ja mehr Mitglieder in einer einzigen[4] Sitzung zugleich aufzunehmen, hat bis ins 19. Jahrhundert dazu beigetragen, den Verfassern wie den Hörern von Akademiereden den Eifer zu dämpfen.

Nach der französischen Revolution folgte überdies ein kurzer Zeitraum, während dem Neugewählte der Verpflichtung enthoben waren, eine feierliche Antrittsrede zu halten.[5] Auch die am 21. März 1816 durch bourbonische Gewaltmafsregel einge-

---

[1] Cf. *L'Académie Française au XVIIe siècle.* (*Revue des deux Mondes,* 15 juin 1897, p. 25 ss.)

[2] Fontenelle war bekanntlich der einzige, der gegen die Ausstofsung Saint-Pierres aus der Akademie stimmte.

[3] Cf. D'Alembert, *Histoire des Membres de l'Académie française,* t. I. p. 95 ss.

[4] So z. B., als 1672 Racine aufgenommen wurde; 1807, als der Verfasser von *Paul et Virginie* drei neue Mitglieder (Laujun, Raynouard und Picard) zugleich begrüfsen mufs u. a. m.

[5] Cf. Paul Mesnard, *Histoire de l'Académie Française, depuis sa fondation jusqu'en 1830,* Paris 1857, p. 234—235 ... *La première harangue de réception fut celle de Parny, admis le 6 nivôse an XII.* (27 décembre 1803.)

setzten Akademiker wurden ohne Einzelfeierlichkeiten eingereiht.[1] Es fehlen somit unter Napoleon I. wie unter Ludwig XVIII. Zeugnisse akademischer Beredsamkeit, die der Literarhistoriker gern verwerten würde. Unter den 1803 klanglos eingetretenen Akademikern befindet sich auch der lebenslängliche Schützling Napoleons, Antoine-Vincent Arnault (1766 bis 1834), der zu den elf Exilierten des Jahres 1816 gehört. Am 24. Januar 1829 gleichzeitig mit Etienne zurückberufen, hielt er eine feierliche Gedächtnisrede auf seinen Vorgänger Louis-Benoit Picard (1769 bis 1828). Bereits am 28. Januar 1836 wurde Augustin-Eugène Scribe (1791 bis 1861) Arnaults Nachfolger. Am 26. März 1863 trat Octave Feuillet (1821 bis 1891) an die Stelle des gefeierten Modelustspieldichters. Seit dem 7. April 1892 ist der 1850 geborene Romancier Pierre Loti Inhaber des gleichen Fauteuils. Der Klang der Namen: Arnault, Scribe, Feuillet, Loti ist in vielen Beziehungen lehrreich, besonders für die wetterwendischen Launen des Zeitgeschmacks. Überdies fallen die Aufnahmereden dieser Schriftsteller in historisch wichtige Zeitabschnitte: unter Karl X., Louis-Philippe, das zweite Kaiserreich, die dritte Republik.

Von Arnault melden unsere Literaturgeschichten nur weniges. Heute rühmt man seine Fabeln, vielleicht von Hörensagen, bezeichnet ihn wohl als Tragödiendichter streng klassischer Richtung und somit als Gegner der Romantiker. Ist seine Antrittsrede vom Jahre 1829 geeignet, neues Interesse für ihn zu wecken? Wohl schwerlich, insofern er kein direktes künstlerisches Kredo ablegt. Aber seine kritische Musterung der Verdienste Picards weckt Teilnahme. Denn abgesehen von einer rapiden aber sorgsamen Analyse der meisten Bühnenprodukte Picards gestattet er sich Quellenangaben, lehrreiche vergleichende Ausblicke, auch generalisierende Betrachtungen über die der Prosa wie dem Verse gebührende Rolle im französischen Drama. Auch legt er als Zeitgenosse Zeugnis ab von der historisch treuen Sittenschilderung, die Picards Bühnenstücken zwar nicht ewige Zugkraft, aber das dauernde Interesse der Soziologen sichern wird: *Picard a peint les objets, qu'il voyait, et les seuls qu'il lui fût permis de peindre. Il l'a fait avec une singulière fidélité qui donne à son théâtre une physionomie particulière, et le fera rechercher indépendamment de tout autre mérite, par quiconque voudra connaître les mœurs françaises pendant la période qui s'est écoulée entre le renversement de la société en France et son rétablissement. Rien ne prouve mieux que ce théâtre la justesse de cette opinion d'un de nos confrères[2] que l'histoire*

---

[1] Man ging auf diese Weise einer großen Verlegenheit aus dem Wege, denn die Exilierten konnten doch unmöglich von ihren Nachfolgern in Gedächtnisreden wie Tote gefeiert werden.
[2] Etienne.

des mœurs d'un peuple se retrace dans les modifications qu'a éprouvées son théâtre comique. Arnault benutzt diese Gelegenheit, sich für einen ausgesprochenen Gegner der Prosakomödie zu erklären.[1] *C'est évidemment par les mimes, par les bouffons de place, qui ne se donnaient pas la peine de versifier les improvisations dont ils divertissaient la populace, que l'usage de la prose s'est introduit dans le dialogue comique. En le transportant des tréteaux sur le théâtre, les auteurs d'un ordre supérieur n'ont agi que dans l'interêt de leur paresse. Est-ce agir dans l'interêt d'un art, que d'en rendre la pratique plus facile en le dépouillant d'une difficulté d'où naît son plus bel ornement, et que de mettre à la portée de l'artisan ce qui n'était qu'à la portée de l'artiste?* Picard habe wie Molière nur aus Zeitmangel, als Autor, Schauspieler und zugleich Theaterdirektor die Verskomödie vernachlässigt. Wenn Arnault einen Vergleich mit Regnard, Dancourt, Destouches, ja Beaumarchais riskiert, so beweist dies einerseits die zeitgenössische Beliebtheit seines akademischen Vorgängers, anderseits die Möglichkeit, dafs Picards Verdienste in den Augen der Nachwelt durch erneute Lektüre vielleicht zu steigen vermöchten. Arnault formuliert wenigstens bei aller Vorsicht sein Gesamturteil überraschend günstig: *Aussi moral mais plus comique que Destouches, plus vrai, plus réservé et presque aussi original que Regnard, Picard n'a-t-il pas droit de prendre place sur le même rang qu'eux, où ne doit pas se trouver Dancourt, qui ne met pas toujours dans l'action la vérité qu'on trouve toujours dans son dialogue, et qui s'applique moins à venger la morale qu'à peindre des mœurs dissolues, dans des scènes où il les montre sous l'aspect ridicule moins que sous l'aspect plaisant?* Auch der Stil Picards nötigt Arnault rückhaltlose Bewunderung ab: *Le style de Picard n'est ni moins naturel ni moins comique que celui de Dancourt et de Lesage, et peut-être est-il habituellement plus vif. Il doit cette vivacité à l'usage de certaines ellipses qui jettent dans son dialogue un mouvement qu'on ne trouvait guère avant lui que dans le dialogue de Beaumarchais. Les réparties, chez Picard, ne sont pas à la vérité aussi scintillantes d'esprit et de jeux de mots que chez l'auteur du Barbier, mais elles sont plus vraies; et Picard, si spirituel d'ailleurs, ne diffère guère de Beaumarchais qu'en ce qu'il n'a pas usé de l'esprit jusqu'à l'abus.*

Rein persönliche Ansichten Arnaults treten bei seiner Wiederaufnahme in die Akademie nur verschleiert zutage. Scribes Gedächtnisrede auf den bald verstorbenen secrétaire perpétuel[2]

---

[1] In völlig entgegengesetztem Sinne äufserte sich vor einigen Jahren Georges Ohnet im **Figaro**: *Le vers est une admirable béquille. Il soutient les pièces mal faites. La prose les laisse très bien tomber. Le vers est donc avantageux.*

[2] Ste-Beuve beklagt in den *Nouveaux Lundis* (t. XII, *l'Académie française*) die rasche Aufeinanderfolge von drei secrétaires perpétuels: Auger stirbt 1829, ihm folgt Andrieux, der schon am 10. Mai 1833 stirbt, Arnault ersetzt ihn nur bis zum 16. September 1834.

bringt einen zwar verspäteten aber noch kräftigen Nachhall des Unwillens, den Arnaults Verbannung durch den Gönner seiner Jugend, Ludwig XVIII., in Frankreich erregt hatte. *Singulière destinée que la sienne! Ce protecteur qu'il s'était donné,*[1] *prince alors et plus tard devenu roi, oblige deux fois M. Arnault à sortir de France: en 92 par son départ, en 1815 par son retour.* Äufserst humoristisch beleuchtete Scribe die Mitarbeiterschaft Napoleons am fünften Akte von Arnaults Tragödie *les Vénitiens.* Der ursprüngliche Schlufs des Dramas forderte die Mifsbilligung eines Membre de l'Institut heraus, des Generals Bonaparte, *qui avait en littérature des idées aussi arrêtées qu'en politique. Il détestait Voltaire, il avait le malheur de ne pas aimer beaucoup Racine, mais il aurait fait Corneille premier ministre. Il était pour les dénouemens énergiques, et voulait que même au théâtre toutes les difficultés fussent enlevées à la baïonnette.* Der junge Dichter fügte sich tatsächlich dem kategorischen Befehle: *Il faut que le héros meure! Il faut le tuer ... tuez-le.* Es bedarf kaum der Erwähnung, dafs dem Publikum der neue Tragödienschlufs behagte, und dafs Napoleon huldvoll die Widmung annahm.

Die vergleichend vertiefte[2] Anerkennung des Fabeldichters Arnault durch Scribe ist allem Anschein nach in viele Literaturgeschichten übergegangen.

Einen beträchtlichen Teil des Umfangs seiner Aufnahmerede benutzte Scribe zu einem anderen Zwecke, d. h. zur Verteidigung eines Paradoxon, das ihm sehr am Herzen zu liegen schien. Zwar fühlte sich der begrüfsende Directeur Villemain zu der berechtigten sarkastischen Äufserung veranlafst: *une question que vous avez décidée avec plus d'esprit et de succès que de vérité,* aber Scribes harmlose, pikante Auseinandersetzung spiegelt seine liebenswürdige Persönlichkeit in all ihren Schwächen und Vorzügen. Er gefällt sich in der unwahrscheinlichen Annahme, dafs durch irgendeine Katastrophe sämtliche historische Dokumente von der Erdoberfläche verschwinden könnten. Es sei behauptet worden, dafs in diesem Falle die Comédies einen Ersatz bieten würden. Scribe ist anderer Meinung: viel unersetzlicher dünkt ihn der etwaige Verlust der *virelais, noëls, pont-neufs et vaudevilles*

---

[1] Arnault hatte dem Comte de Provence, dem späteren Ludwig XVIII., seine Tragödie *Marius* gewidmet.

[2] ... *ses fables, son plus beau titre littéraire, selon moi; car il a créé un nouveau genre qui restera comme modèle, par cela même qu'il n'a cherché à imiter ni La Fontaine, ni Florian; ce n'est point la naïve bonhomie du premier, ni la sensibilité élégante et gracieuse du second: c'est de l'épigramme, c'est de la satire, c'est Juvénal qui s'est fait fabuliste! comme lui peut-être! Poussant jusqu'à l'excès sa mordante hyperbole, M. A. a-t-il fait la société trop vicieuse et les hommes trop méchants? On a reproché avec raison à Florian d'avoir mis dans ses bergeries trop de moutons: peut-être dans les fables de M. A. y a-t-il un peu trop ... de loups.*

satiriques imprimés jusqu'à nos jours ... Voyons si par hasard et avec ces seuls documents il serait tout à fait impossible de rétablir les principaux faits de notre histoire. Die an diese kühne Behauptung geknüpfte Darlegung der historischen Bedeutsamkeit der 'chansons' ist so geistvoll und witzsprühend, dafs der Leser (wie schon einst der Zuhörer) sich über die Fülle eingetauschter Trugschlüsse gar nicht recht klar wird. Scribe gestattet manchen originellen Ausblick. Wie oft hat das buntscheckige Lied im · Laufe der Jahrhunderte keck sein Gewand gewechselt: seit den Zeiten Rolands, der trouvères und ménestrels, der Kreuzzüge, unter Karl VII. und Agnes Sorel, Franz I., der Liga und der Fronde: *Attaquant les rois, renversant les ministres, changeant les parlemens.* Denn in Frankreich war unter den Königen lange Zeit die *chanson la seule opposition possible. On définissait le gouvernement d'alors une monarchie absolue tempérée par des chansons. La liberté de la chanson* ging der Prefsfreiheit voraus. *Sous Mazarin le peuple payait, il est vrai, mais il chantait, c'est à dire il protestait.* Dieser Protest half die Revolutionsideen vorbereiten. *La chanson empêche Richelieu de dormir et Mazarin de dîner.* Auch Ludwigs XIV. geheiligte Majestät dient unausgesetzt ihren spöttischen Angriffen zur Zielscheibe. Hohn ergiefst sich über seine Liebesverhältnisse, seine Feldzüge und nicht zuletzt seine finanzielle Mifswirtschaft. Scribe liefert einige köstliche Vers-Illustrationsproben, u. a. die folgende:

> *Dans ses coffres pas un doublon!*
> *Il est si pauvre en son ménage,*
> *Qu'on dit que la veuve Scarron*
> *A fait un mauvais mariage!*

Das Herannahen der Revolution gestaltet die Chansons zu einer gefürchteten Macht: sie trotzt den lettres de cachet; sie schreibt ihr flammendes Menetekel an die Mauern der Bastille; sie enthüllt schonungslos die Zustände im Sérail von Versailles, gibt unterschiedslos den Monarchen, Minister und Favoritinnen dem bittersten Spotte preis. Auch von dem Welteroberer Napoleon entwirft sie Zerrbilder — solange sein Glücksstern strahlt. Ihre Bedeutung erlischt erst mit der gewährten Pressfreiheit. Jedenfalls besafsen diese so gefällig vorgetragenen Ansichten Scribes im Jahre 1836 den Reiz der Neuheit; man beobachtet ihn mit Vergnügen, solange er sich auf dem Terrain dieser lebensfrischen Dichtungsgattung bewegt. Er fragt allerdings nicht danach, ob die pikanten Anspielungen der Chansons ohne historischen Kommentar jedermann verständlich bleiben würden; er greift — leider — auch zu negativen Einwänden gegen die Bedeutung der Bühnenstücke für zeitgeschichtliche und sittliche Belehrung. Die Literaturgeschichte hat Scribe augenscheinlich nur wie ein recht oberflächlicher Dilettant beurteilt. Am grellsten offenbart sich sein Mangel sensitiven Verständnisses in einigen Aufserungen über Molière:[1] *La comédie de Molière nous instruit-elle des grands événemens du siècle de Louis XIV? Nous dit-elle un mot des erreurs, des faiblesses ou des fautes du grand roi? Nous parle-t-elle de la révocation de l'édit de Nantes?* Unter Ludwig XV. beschäftige sich die Bühne ebensowenig mit dem *Parc aux Cerfs* und der Teilung Polens, ebensowenig unter Napoleon mit der *manie des conquêtes.* Was die zeitgeschichtliche Sittenschilderung anbelangt, so räumt Scribe ein *que la comédie est plus près de la vérité des mœurs que de la vérité historique,* aber zugleich ist er der Ansicht, dafs nur seltene Ausnahmen, wie *Turcaret,* als *chefs d'œuvre de fidélité* gelten können: *Il se trouve, par une fatalité assez bizarre, que presque toujours le théâtre et la société ont été en contradiction directe.* Eine geschickt zusammengetragene Fülle von Angaben scheint Scribe recht zu geben. Er führt z. B. an, dafs 1793, unbekümmert um den Königsprozefs, *La belle Fermière, comédie agricole et sentimentale* in Paris über die Bretter ging. Immer nur von einem einzigen Gesichtspunkt ausgehend, führt Scribe seine negative Argumentation bis zur Neuzeit und krönt sie mit dem energischen Protest: *Le théâtre est donc bien rarement l'expression de la société — souvent l'expression inverse; et c'est dans ce qu'il ne dit pas qu'il faut chercher ce qui existait.*

Mit dieser pikanten Streitfrage hat sich der bekannteste Bühnendichter der Julimonarchie nicht widerspruchslos in die Akademie eingeführt. Villemains Entgegnung fiel vornehm überlegen aus; der treffliche Literarhistoriker war im Jahre 1836 bereits recht vertraut mit einer psychologisch vertieften Erforschung der grofsen französischen Dichter. Würdevoll wies der noch jugendlich begeisterte Gelehrte den verständnislosen Angriff auf Molière ab: *Connaîtriez-vous parfaitement le siècle de Louis XIV sans Molière? Sauriez-vous aussi bien ce qu'étaient la cour, la ville, et Tartuffe surtout? Il n'est aucune pièce de Molière, jusqu'au drame fantastique de Don Juan, qui ne nous montre quelque côté curieux de l'esprit humain dans le 17ᵉ siècle, qui ne vous fasse sentir le mouvement des mœurs, et deviner le travail même des opinions, sous le calme apparent de cette grande et majestueuse époque.* Selbst schwache Dramen sind in mancher Beziehung wertvolle Dokumente. Scribe habe wenigstens *Turcaret* der Erwähnung wert befunden, *et le mariage de Figaro, p. ex., est un renseignement incomparable pour l'histoire et la fin d'une monarchie.*

---

[1] Als 1829 Etienne an Stelle Augers seinen Sitz in der Akademie zurückgewann, war er im Gegensatz zu dem ihn begrüfsenden Directeur Droz der Ansicht, dafs Augers *Commentaire de Molière* von hohem Werte sei: *Ces qualités qu'il réclamait comme indispensable dans l'homme appelé à mesurer toute la hauteur de Molière, M. Auger les avait en lui-même.* Scribe bekundet viel weniger Verständnis für Molière.

Auf Scribe wie Villemain wirft die geschilderte Akademie-
sitzung wertvolle Streiflichter.   Siebenundzwanzig Jahre später
erhalten wir ein neues eigenartiges Bild, als der kaiserliche Günstling, Octave Feuillet, den durch Scribes Tod erledigten Sitz einnimmt und von Vitet begrüfst wird. Diesmal weht Hofstim-
mung und schnürt klerikaler Einflufs jeden freieren Meinungs-
austausch ein.   Feuillets Rede ist sicherlich auch aus diesem
Grunde weniger charakteristisch als diejenige Sandeaus vom Jahre
1859, mit der dem Eingeweihten der Vergleich sehr nahe liegt.
Sandeau sprach bei dieser Gelegenheit kühn von den grofsen
Romanschriftstellern Lesage, Prévost, Balzac, deren Ruhm der
Akademie gefehlt habe.   Feuillet äufsert sich über das gleiche
Thema (die Bedeutung des Romans für die Literatur) viel be-
hutsamer, im Grunde genommen entsprechend der höfisch-aristo-
kratisch abgeglätteten Tonart seiner einst so vielgelesenen Romane.
Als chronologisch wichtig für die ablehnend abwartende Haltung
der Akademie gegenüber den Romanschriftstellern ist die einleitende Äufserung Feuillets hervorzuheben, dafs die Akademie
zum zweitenmal innerhalb weniger Jahre einen *simple auteur de
romans* in ihre Mitte berufen habe.   Auch bezeichnet er im Laufe
seiner Auseinandersetzung den Roman bescheiden als *genre secon-
daire*, dessen Entwickelung er bis zum 14. Jahrhundert zurück-
verfolgt und als ursprünglich tändelndes Unterhaltungsspiel der
höheren Gesellschaftskreise definiert.   Er streift die Schäfer-
romane, die preziösen Machwerke des klassischen Jahrhunderts,
spricht von einer *éclatante exception*[1] dieser fad behandelten Un-
terhaltungsstoffe, erwähnt dann in ziemlich knapp gehaltener Aufzählung *Gil Blas, La nouvelle Heloïse, Paul et Virginie, René* und
Corinne und gleitet schliefslich mit ziemlich vagen Äufserungen,
ohne auch nur einen einzigen Namen oder Titel zu nennen, über
alle gefeierten Romanschriftsteller seines Zeitalters hinweg. *La
fiction, la description pittoresque, l'étude des caractères et des passions,
les domaines autrefois réservés et distincts de la poésie, du théâtre,
de la philosophie même et de l'histoire, — le roman envahissait tout,
et quelquefois usurpait tout.   Les imaginations les plus riches, les
esprits les plus pénétrants, les plumes les plus heureuses, rivalisaient
en ce genre, d'invention séduisante, d'observation forte et d'éloquence
passionnée.   Le roman, par ses mérites et aussi par ses excès, par la
complicité ardente du goût public dans toutes les classes de la nation,
par son action manifeste sur les idées et sur les mœurs du siècle, té-
moignait d'une vitalité véritable.   Il avait prouvé, dans l'ordre littéraire,
qu'il pouvait servir à la gloire du pays, dans l'ordre moral, qu'il pouvait faire le bien et le mal.*   M o r a l lautete in der Tat die an diesem merkwürdigen Tage ausgegebene Parole der Akademie.   Der

---

[1] Jedenfalls ist Madame de La Fayette gemeint.

Feuillet begrüßende Directeur (Vitet) war sichtlich bemüht, diese anscheinend sittlich gedämpfte Atmosphäre noch durch einen gewagten Vergleich zwischen Musset und Feuillet drückender zu gestalten. Allerdings nur · in einer ganz begrenzten Richtung. Feuillet hat bekanntlich zu Mussets *Spectacle dans un Fauteuil* anmutige Fortsetzungen geliefert. Vitet ist zwar ehrlich genug, den höheren dichterischen Gehalt der Mussetschen Produkte gebührend hervorzuheben und gegen Feuillet einzuwenden: *La touche moins ferme, le trait moins assuré, et l'expression bien que svelte et piquante 'ne faisait pas jaillir aussi souvent ces éclairs de pensée, ces notes incomparables où se trahissait le poëte'; mais en revanche quel parfum plus salubre, quelle atmosphère nouvelle, quel calme et quelle sérénité. Plus de froide ironie, plus de mots desséchants, plus d'images suspectes: le licencieux et le sceptique avaient à la fois disparu ... Tout en vous inspirant des grâces de votre modèle, tout en lui dérobant ses secrets, vous preniez hardiment le contrepied de ses doctrines.*

Wahrlich, die klerikale Partei am Hofe Napoleons III. konnte am 26. März 1863 mit der Akademie zufrieden sein. Die sittlichstrenge Tendenz der Werke Feuillets trug — wohl zum ersten und einzigen Male in seinem Leben — einen offiziell verkündeten Sieg über ein Genie wie Musset davon. Wird ihm diese klerikal beeinflußte Anerkennung wirklich Freude bereitet haben? Eine noch seltsamere posthume Ehrung stand ihm allerdings im Jahre 1892 durch seinen akademischen Nachfolger Pierre Loti bevor.

Loti hat sich mit der ihm eigenen lässigen, halb naiven, halb manierierten rhetorischen Grazie in die Akademie eingeführt. Seine Rede ist bekanntlich im französischen wie im ausländischen kritischen Blätterwalde mit teilweise mißfälligem Rauschen begrüßt worden, unterzog man sich doch sogar der Mühe einer Berechnung, wie oft er das liebe Wörtlein 'ich' in den Mund genommen habe. Und das war eigentlich nicht verwunderlich: Loti bot doch nur einen spontanen Ausfluß seiner künstlerischen Eigenart, des stark persönlichen Gepräges seiner Werke. Als unverschleiert subjektives Bekenntnis des Verfassers der *Pêcheurs d'Islande* ist die Rede wertvoll, wenn sie auch als Wildling dem Maßstab des Literarhistorikers und methodischen Kritikers widerstrebt. Haarscharf analysiert, spiegelt sie zwei widerspruchsvolle Anschauungen Lotis: einerseits sein Verlegenheitslob einer Romangattung, die als echtes Salonprodukt von der Herscherlaune der Mode abhängig ist, überdies eine Kluft bildet zwischen veralteter und moderner Künstlertechnik, die sich bei dem grellen Kontrast Feuillet-Loti nicht durch pietätvoll vermittelnde Sentimentalität überbrücken läßt. Anderseits das sich leise regende Mißfallen des angehenden Vierzigers, der sich hochmodernen literarischen Strömungen gegenüber bereits zur Defensive rüstet. Wer wagt nach seiner Ansicht, Feuillet für veraltet zu erklären?

Certaines petits jeunes gens, qui se croient des auteurs pour avoir publié deux ou trois saugrenuités inintelligibles dans ces feuilles éphémères consacrées aux déliquescences cérébrales du jour. Der klare Denker Loti, dem ein kristallheller Stil zu Gebote steht, konnte für die stark gärende Richtung der 'Symbolistes'[1] freilich nicht viel Verständnis übrig haben. Er vergaſs sogar momentan, daſs diese von ihm so scharf bekrittelte Dichtergruppe eine wirkungsvolle Gegenströmung gegen den von ihm am gleichen Tage schroff bekämpften Realismus und Naturalismus verhieſs. Seine Polemik kam — insofern wir sie nicht als offiziellen Protest der französischen Akademie auffassen wollen — zu spät, da die ersehnte Reaktion gegen Zolas Schule[2] bereits eingetreten war, jedoch beansprucht sie historisches Interesse, da auch sie geeignet ist, Wandlungen der Literaturinteressen zu veranschaulichen, die als stetig sich weitende Wellenringe schlieſslich unmerklich im weiten Ozean des Völkergeschmackes verlaufen. Lotis Äuſserungen offenbaren den freimütigen Blick des Seemanns, der eher über den Koterien steht: *Le réalisme et le naturalisme qui en est l'excès, je suis loin de contester leurs droits: mais comme de grands feux de paille impure qui s'allument, ils ont jeté une épaisse fumée par trop envahissante. La condamnation du naturalisme est, d'ailleurs, en ceci, c'est qu'il prend ses sujets uniquement dans cette lie du peuple des grandes villes, où ses auteurs se complaisent. N'ayant jamais regardé que cette flaque de boue, qui est très spéciale et très restreinte, ils généralisent, sans mesure, les observations qu'ils ont faites-et, alors, ils se trompent outrageusement. Ces gens du monde qu'ils essayent de nous peindre, ou bien ces paysans, ces laboureurs, pareils tous à des gens que l'on prendrait dans des bals de Belleville, sont faux. Cette grossièreté absolue, ce cynisme qui raille tout, sont des phénomènes morbides, particuliers aux barrières parisiennes, j'en ai la certitude, moi qui arrive du grand air du dehors. Et voilà pourquoi le naturalisme, tel qu'on l'entend aujourd'hui, est destiné — malgré le monstrueux talent de quelques écrivains de cette école, à passer, quand la curiosité malsaine qui le soutient se sera lassée ...* Der begrüſsende Directeur de Mézières protestierte mit vollem Rechte gegen Lotis Bemühung, seine eigene Künstleranschauung mit derjenigen Feuillets zu identifizieren:[3] *n'est-ce point là une illusion ou un artifice de piété académique?* Denn Loti hatte es wahrlich

---

[1] Cf. A. G. van Hamels treffliche kleine Studie: *Fransche Symbolisten* (Overdruk uit de Gids), 1902.

[2] Man datiert bekanntlich den Abfall einer Anzahl Jünger Zolas von dem Erscheinen seines Romans *La Terre*.

[3] Beachtenswert bleibt Lotis nachdrückliche Erklärung: *Un commun dégoût nous unissait d'ailleurs contre tout ce qui est grossier ou seulement vulgaire, et peut-être aussi, il faut l'avouer, un commun éloignement trop dédaigneux, pas assez tolérant, à peine justifiable, pour ce qui tient le milieu de l'échelle humaine, pour les demi-éducations et les banalités bourgeoises.*

nicht nötig, sich hinter dem bröckelnden Gemäuer des veralteten
Schlofsbaues eines Feuillet wie hinter einem Schutzwall zu ver-
schanzen, um Angriffe auf neuere und neueste Parnafsströmun-
gen Frankreichs zu unternehmen. Aber in einer wichtigen Beziehung stiefs Loti bei Mézières auf völliges Verkennen seiner
künstlerischen Eigenart. *Quoique vous restiez un idéaliste convaincu,
vous ne reculez pas devant la reproduction la plus hardie de la réalité ...
Aucun roman naturaliste ne dépasse en horreur et en réalité la peinture
que vous nous faites des dernières années, des derniers jours d'un
vieux marin. L'école nouvelle, même la vôtre, ne connaît pas les scru-
pules littéraires qui tourmentaient la vie et qui troublaient la conscience
d'Octave Feuillet. Pourvu qu'elle secoue nos nerfs, qu'elle fasse passer
dans nos veines un frisson de pitié ou de terreur, les moyens lui sont
indifférents. Sentiments et sensations, angoisses morales et souffrances
physiques, tout vous est bon, Monsieur, pour nous arracher des larmes.
Personne de notre temps n'en fait plus verser que vous.* Unbestreit-
bar arbeitet Loti mit viel intensiveren Farben wie Feuillet, seine
Kunst wirkt modern-sensitiv, aber war er nicht durchaus berechtigt, die zarte Feinheit seiner Darstellungsgabe von den
brüsken Mitteln der Hauptvertreter des modernen Realismus,
insbesondere eines Zola, abzusondern? Ihm widerstrebt die
dumpfe, drückende Atmosphäre der widrig lasterhaften Grofs-
städte. Dem frischen Auge des Weltumseglers hat der strah-
lende Abglanz einer lichteren Sonne reinere Linien, edlere mate-
rielle und geistige Konturen eingeprägt. Glücklicherweise besann
sich de Mézières auf die *peinture plus discrète de la douleur* in
den *Pêcheurs d'Islande.* Aus den Schlufsworten seiner Begrüfsungs-
rede klingt die warme Anerkennung des praktischen Nutzens,
den der Romancier Loti durch seine plastisch ergreifende Schilderung des Fischerelends seiner bretonischen Heimat gestiftet
hat. Die gerügte literarische Skrupellosigkeit der modernen Kunst
hat in diesem Falle ungeahnt segensreiche Wirkungen zu verzeichnen, weil sie der oberflächlichen Lebensflüchtigkeit moderner Generationen werktätige Teilnahme an ergreifendem Men-
schenelend zu entlocken vermocht hat. Das Meisterwerk *Pêcheurs
d'Islande* verzeichnet somit von der Leserschar ungeahnte Nütz-
lichkeitserfolge, deren hochpoetische Kristallisation der rührenden
Heimatsliebe des Seemanns ihre Entstehung verdankt!
     In malerischem Kontraste zu der mehr nüchternen Utilitäts-
frage steht die fesselnde Eingangsschilderung der Rede Lotis.
Hier ist der Dichter, in einem glücklichen Momente, zum Worte
gekommen. Wie originell wirkt diese Situationsbeschreibung!
Niemals ist wohl die Kunde eines Wahlerfolges auf bizarrerem
Wege zu den Ohren eines in fernen Landen weilenden zukünfti-
gen Akademikers gedrungen. Das Stimmungsbild, das er entwirft, gleicht der feinsten Mosaik bunt wechselnder Dichter-

empfindungen, insbesondere in der dem Seemann charakteristischen Mischung von Lebensfreude mit Wehmut: *Tout en glissant sur l'eau tranquille, je déchirai un à un, les papiers bleus, lisant de près, aux dernières lueurs rouges du jour, dans le beau crépuscule commençant, ces félicitations qui m'arrivaient de toutes parts, et où les mots: joie, bonheur, revenaient toujours à côté du mot gloire. Dans ce calme du jour de printemps qui finissait, cet instant me semblait solennel, comme chaque fois qu'un grand pas vient d'être franchi dans la vie; je sentais même une sorte d'angoisse étrange, comme si un manteau trop magnifique—mais en même temps trop lourd, trop immobilisant—eût été tout à coup jeté sur mes épaules. Et puis, je songeais à celui dont le départ m'avait ouvert ces portes, et qui précisément avait été, dans le monde des lettres, le premier déclaré de tous mes amis intellectuels; il me semblait qu'en prenant sa place, je le plongeais plus avant dans la grande nuit où nous allons tous. —* Ist die Geschichte des Fauteuil 'Loti' im 19. Jahrhundert nicht überaus lehrreich? Dringt nicht aus den *Discours de réception* eines Arnault, Scribe, Feuillet, Loti ein lebensvoller Hauch beachtenswerter individueller Begabung? Für die Kenntnis der Geschichte des französischen Theaters wie des französischen Romans im 19. Jahrhundert sind aus der Lektüre dieser Aufnahme- und Begrüfsungsreden wertvolle Fingerzeige und Berichtigungen einzusammeln. Und zwar rechtzeitig. Denn in seinen originellen *Sensations d'Italie* [1] erteilt Bourget den Literarhistorikern eine beachtenswerte Lehre ... *Un livre, par exemple, n'est plus tout à fait le même à cent ans de distance. Les mots n'en ont pas bougé, mais gardent-ils exactement le même sens? · Quel lecteur habitué aux sensations intellectuelles ne comprend que, pour un homme du dix-septième siècle, les vers de Racine n'étaient pas ce qu'ils sont devenus pour nous? ... Il semble qu'en effet nous ajoutions à l'œuvre en l'interprétant d'une certaine manière et dans le sens de nos besoins personnels d'esprit. En réalité, ce que nous paraissons lui ajouter, elle nous le suggère. Elle portait en elle la possibilité. La preuve en est que certaines créations seulement des temps passés ont gardés cette puissance, d'autres non.* Die *Discours de réception* sind mehr oder weniger 'Stimmungsbilder, die verblassen'. Tragen wir rechtzeitig Sorge, die Quellen zu würdigen, denen sie ihre Entstehung verdanken. Auch im Schofse der französischen Akademie pulsiert literarischer Lebensstrom; seine Frische und Originalität unbefangen zu geniefsen und fruchtbringend auszunutzen ist eine Pflicht, die bis jetzt nur in vereinzelten Fällen getreue Erfüllung gefunden hat.

---

[1] *Sensations d'Italie*, p. 130.

München.   M. J. Minckwitz.

Sur 'les Contemplations' de Victor Hugo.

L'un des plus fidèles amis de Victor Hugo, son exécuteur testamentaire, le poète M. Paul Meurice, a entrepris de publier une nouvelle édition des œuvres complètes de Victor Hugo, qui formera quarante volumes, [1] et qui deviendra bien vite indispensable aux bibliophiles comme aux lettrés. Les bibliophiles y trouveront une impression d'une beauté grave, due à l'Imprimerie Nationale de Paris, des facsimilés des manuscrits, et des gravures empruntées aux éditions antérieures, à la *Maison de Victor Hugo*, aux archives de la Comédie Française, etc. — Les lettrés y trouveront mieux encore: l'histoire des œuvres publiées, des notices bibliographiques et iconographiques, des variantes, des textes nouveaux, des traces multiples et précieuses des recherches préparatoires et du travail de composition auxquels se livrait le fécond écrivain. Trois volumes ont paru déjà [2] et, pour *Notre-Dame de Paris*, nous avons des canevas curieux, qui nous permettent de suivre les tâtonnements du romancier; pour *Marie Tudor* et pour *les Burgraves*, deux prologues inconnus, dont le second ne compte pas moins de six cents vers. *Les Contemplations* ne sont pas accompagnées de documents de ce genre; mais M. Paul Meurice, sans faire une édition vraiment critique, en a multiplié les variantes, et surtout il nous a donné, sur les diverses pièces qui composent ce recueil, des indications chronologiques complètes, qui sont d'une capitale importance. C'est sur la chronologie nouvelle des *Contemplations* que je voudrais appeler l'attention de mes lecteurs.

Les Châtiments datent de 1853; *les Contemplations* ont été publiées à Paris le 24 avril 1856, mais d'après une impression belge qui était achevée à la fin de 1855. Deux années seulement séparent donc les deux ouvrages, et ces deux années ont été consacrées à beaucoup d'œuvres, outre *les Contemplations*. Sans parler des discours, lettres et actes politiques de toute sorte que l'on trouve dans *Actes et paroles*, Victor Hugo composait alors un grand nombre de pièces de la future *Légende des siècles;* en 1854 il écrivait la plus grande partie de *la Fin de Satan* et, en 1855, amené, par les *Con-*

---

[1] Grand in-8º à 10 francs le volume. Paris, librairie Ollendorff.
[2] *Roman: Notre Dame de Paris; — Théâtre*, tome III; — *Poésies: les Contemplations.*

templations mêmes, à sonder les problèmes métaphysiques, il écrivait *Dieu,* terminé au mois d'avril. D'autres poésies datent aussi de cette période, qui ont été insérées dans des recueils postérieurs: *les Chansons des rues et des bois* (1865), *les Quatre vents de l'esprit* (1881), *Toute la lyre* et *les Années funestes* (recueils posthumes). Sans qu'une liste de ces dernières pièces soit utile, on voit combien l'activité du poète était prodigieuse au temps où il écrivait *les Contemplations.*

Il est vrai que *les Contemplations* n'ont pas le caractère des recueils lyriques antérieurs. Eux ne nous donnaient de renseignements sur l'âme et l'art de Victor Hugo qu'à un moment précis et court; *les Contemplations* sont une autobiographie morale et poétique allant de 1830 à 1855 — 1856 même, si l'on consulte les dates de certaines poésies — et formée de documents qui s'échelonnent le long de ce 'Grande mortalis aevi spatium'. Du moins le poète nous le dit et, malgré quelques restrictions peu importantes, les critiques le répètent.

Victor Hugo écrit dans sa préface:

'Si un auteur pouvait avoir quelque droit d'influer sur la disposition d'esprit des lecteurs qui ouvrent son livre, l'auteur des *Contemplations* se bornerait à dire ceci: ce livre doit être lu comme on lirait le livre d'un mort.

'Vingt-cinq années sont dans ces deux volumes. *Grande mortalis aevi spatium.* L'auteur a laissé, pour ainsi dire, ce livre se faire en lui. La vie, en filtrant goutte à goutte à travers les événements et les souffrances, l'a déposé dans son cœur. Ceux qui s'y pencheront retrouveront leur propre image dans cette eau profonde et triste, qui s'est lentement amassée là, au fond d'une âme.

'Qu'est-ce que *les Contemplations?* C'est ce qu'on pourrait appeler, si le mot n'avait quelque prétention, *les Mémoires d'une âme.*

'Ce sont, en effet, toutes les impressions, tous les souvenirs, toutes les réalités, tous les fantômes vagues, riants ou funèbres, que peut contenir une conscience, revenus et rappelés rayon à rayon, soupir à soupir, et mêlés dans la même nuée sombre. C'est l'existence humaine sortant de l'énigme du berceau et aboutissant à l'énigme du cercueil; c'est un esprit qui marche de lueur en lueur, en laissant derrière lui la jeunesse, l'amour, l'illusion, le combat, le désespoir, et qui s'arrête éperdu "au bord de l'infini". Cela commence par un sourire, continue par un sanglot, et finit par un bruit du clairon de l'abîme.

'Une destinée est écrite là jour à jour.'

L'ouvrage lui-même est divisé en deux parties, subdivisées chacune en trois livres: I. *Autrefois: 1830—1843 (Aurore, l'Ame en fleur, les Luttes et les rêves);* II. *Aujourd'hui: 1843—1855 (Pauca meae, en Marche, au Bord de l'infini).* La plupart des pièces sont datées, et, si nous classons ces dates, voici à quel tableau nous arrivons:

Aurore a une pièce qui remonte à 1820; deux qui sont datées d'une façon vague; seize qui vont de 1830 à 1840; sept qui vont de 1840 à 1843. Une — la pièce VIII — est de 1854, mais parce qu'elle est une *suite* (c'est du reste le titre) de la pièce VII, datée de 1834 et intitulée *Réponse à un acte d'accusation.* Cette pièce étant exceptée, ce livre est pour la plus grande partie antérieur à *Rayons et ombres,* en partie peu postérieur.

L'Ame en fleur commence moins tôt, comme il est naturel, mais ne nous fait pas descendre plus bas. Ce livre contient une pièce de 1839 et vingt-sept non datées; ce sont des pièces d'amour qui rappellent les poèmes d'amour, non datés aussi, des *Chants du crépuscule* ou des *Voix intérieures,* et qui doivent être sans doute du même temps.

Nous ne commençons à descendre qu'avec *les Luttes et les rêves*: cinq pièces antérieures à 1840; trois de 1840; une de 1841; quatre de 1842; seize de 1843; une de 1846.

Le livre *Pauca meae,* formé par les poésies inspirées par la mort de Léopoldine, ouvre nettement une période nouvelle de la vie de Hugo: 'Nous venons de le dire, c'est une âme qui se raconte dans ces deux volumes: *Autrefois, Aujourd'hui.* Un abîme les sépare, le tombeau.' Il est donc naturel que ce livre commence par une sorte de prologue, daté de 1843 et antérieur au mariage de Léopoldine, sur la noble destinée qu'on pouvait prédire à cette jeune fille; qu'il continue par une pièce sur le mariage même (15 février 1843); qu'il nous signale par une simple ligne de points la catastrophe du 4 septembre 1843, et qu'il nous présente ensuite, de 1844 à 1854, les lamentations du père-poète.

Le livre V, *En marche,* a une pièce sans millésime; le reste est de 1846 (une pièce, avec post-scriptum de 1855), de 1852 (deux pièces), de 1854 (huit pièces) et de 1855 (quinze pièces).

Le livre VI, *Au bord de l'infini,* remonte à 1846 pour l'élégie de *Claire,* mais se place ensuite tout entier pendant l'exil: 1852 (une pièce); 1853 (quatre), 1854 (sept), 1855 (onze), 1856 (deux). L'ensemble du recueil est encadré par un prélude de 1839 et la belle pièce d'envoi à sa fille morte, *A celle qui est restée en France,* 1855.

A vrai dire, quelques-unes de ces dates ont été discutées. M. Biré[1] a ingénieusement montré que la *Réponse à un acte d'accusation* ne pouvait pas être de 1834, parce qu'en 1834 le poète n'aurait pas employé les mots doubles, les mots centaures, comme on les a appelés, qui abondent dans ce poème: le *bagne lexique,* la *borne Aristote,* l'*astre Institut,* la *lettre aristocrate,* la *lanterne esprit,* la *balance hémistiche,* la *cage césure.* Le même critique a affirmé que la pièce *Ecrit en 1846* était certainement antidatée;[2] et M. Rochette[3]

---

[1] *Victor Hugo après 1852,* page 95—97.   [2] *Victor Hugo après 1830,* Ch. V.   [3] *l'Alexandrin chez Victor Hugo,* p. 40.

a contesté aussi la date de 1835 attribuée aux pièces *A Horace* et
les Oiseaux.

Dans leur ensemble cependant, les indications, en quelque sorte
officielles, des éditions ont été acceptées, et on en a tiré des conclusions littéraires fort importantes. M. Fernand Gregh écrit dans
ses études sur Victor Hugo [1]: 'Le premier ouvrage qu'il donna au
monde fut l'œuvre de sa colère, *les Châtiments.* Mais il continuait
là (à Jersey), dans cette solitude laborieuse, une œuvre commencée,
mûrie déjà dans la retraite où il s'était enfermé après la mort de sa
fille, *les Contemplations.* Hugo, en effet, s'était mis à les écrire immédiatement après *les Rayons et les ombres* (quelques pièces, peut-
être antidatées, sont même marquées comme étant de 183...), et *la
plupart des pièces du premier volume,* Autrefois, *sont antérieures à
1843.'* En conséquence, M. Gregh, qui veut faire des œuvres de
Victor Hugo une revue strictement chronologique, étudie *les Contemplations* (et même le second volume, qu'il était difficile de séparer
du premier) avant *les Châtiments.* Ainsi ne fait pas M. Brunetière
dans le cours fameux où il étudie l'évolution de la poésie lyrique
au XIXe siècle. Voulant étudier conformément à la chronologie *la
seconde manière de Victor Hugo,* il laisse *les Châtiments* avant *les
Contemplations;* mais il a bien soin d'ajouter:

'Vous me permettrez de ne rien dire du premier volume des
Contemplations. Les pièces qu'il contient sont toutes datées de 1830
à 1843 et, — sans examiner à ce propos les raisons que le poète
avait eues de ne pas les insérer dans ses précédents recueils [*en
note:* "J'ai tâché d'indiquer plus loin quelques-unes de ces raisons"],
— toujours est-il que la facture n'en diffère pas sensiblement de
celle des *Chants du crépuscule,* ou des *Voix intérieures.* Même observation à faire du premier livre du second volume: c'est celui qu'il
a consacré à la mémoire de sa fille, sous le titre de *Pauca Meae.*
Vous y trouverez d'ailleurs quelques-uns de ses chefs-d'œuvre: *Trois
ans après; Veni, vidi, vixi; A Villequier. ...*

'Mais tout en étant plus émues, plus sincères, plus humaines
peut-être, moins mêlées de rhétorique que *la Prière pour tous* ou *la
Tristesse d'Olympio,* je ne trouve pas, Messieurs, que rien d'essentiel
les en distingue, — si ce n'est un degré de maîtrise ou de perfection
de plus.

'Il n'en est qu'une qui fasse exception; c'est la douzième de ce
premier livre: *A quoi songeaient les deux cavaliers dans la forêt;* et
aussi est-elle datée de 1853.

> La nuit était fort noire et la forêt très sombre,
> Hermann à mes côtés me paraissait une ombre,
> Nos chevaux galopaient ...

'Ce n'est pas qu'elle ne soit extrêmement romantique, presque alle-
mande, — et, si je ne me trompe, visiblement inspirée de la *Lénore*

---

[1] *Revue de Paris,* 15 mars 1902, p. 338.

de Burger, — mais, en l'étudiant de plus près je ne crois pas me tromper non plus quand j'y vois l'indication au moins d'un changement de manière ...¹'

De ces positions la critique est en grande partie délogée par ce qui est maintenant connu du manuscrit autographe des *Contemplations*. Déjà M. Victor Glachant, dans une étude critique publiée par la *Revue universitaire*², avait donné pour certaines pièces les dates du manuscrit et avait fait remarquer qu'elles n'étaient pas celles des éditions; mais ces indications de M. Glachant étaient peu nombreuses. M. Paul Meurice, dans la belle édition des œuvres de Victor Hugo qu'il fait imprimer par l'Imprimerie nationale, est allé beaucoup plus loin: avec une très intéressante histoire des *Contemplations,* des notes sur certaines pièces et une longue série de variantes, il a donné la liste complète des dates du manuscrit comparées aux dates que Victor Hugo avait assignées à ses poésies dans les éditions. Pour un petit nombre de pièces seulement la date manque dans le manuscrit, mais M. Paul Meurice a pu la suppléer en considérant le papier employé par le poète, le caractère de son écriture et d'autres indices encore. Maintenant enfin, nous avons une base sérieuse pour étudier la composition du recueil.

Lorsque, en 1854, Victor Hugo a conçu le projet de revenir à la poésie lyrique et de faire succéder aux *Châtiments* les *Contemplations,* il se proposait d'abord de ne publier qu'un seul volume; une note, écrite sur la feuille de titre, porte: 'Trier encore, Dans le volume actuel ne mettre que Dieu, la nature et Didine (Léopoldine).' Puis, l'idée d'écrire *les Mémoires d'une âme* a séduit le poète, et il s'est arrêté quelque temps à ce premier plan:

    Tome I. Autrefois. — 1833--1842.
        Livre premier: *les Joies*
        Livre deuxième: *les Rêves* (?)
    Tome II. Aujourd'hui. — 1842—1854.
        Livre troisième: *Au bord du tombeau* (ou *le Tombeau*)
        Livre quatrième: *Au bord de la mer* (ou *l'Exil*).

Il songeait aussi à d'autres titres: *Vivre. — Rêver. — Pleurer. — Mourir.* Et il dédiait son livre à la France, pour laquelle il écrivait l'épigraphe qui est ensuite passée en tête de la *Légende des siècles.*

Peu à peu, le plan s'est modifié; les quatre livres ont fait place aux six livres actuels; l'ensemble de l'œuvre a été dédié *à celle qui était restée en France,* dans le cimetière de Villequier; mais, plus que jamais, Victor Hugo s'attachait à l'idée de faire son histoire poétique,

---

¹ Brunetière, *L'Évolution de la poésie lyrique en France au XIX⁰ siècle,* 1894, t. II, p. 87—88.
² Avril 1898, p. 362 sqq.

de donner aux lecteurs un cycle de poèmes qui caractérisât les diverses phases de sa vie — et aussi de la leur, puisque 'nul de nous n'a l'honneur d'avoir une vie qui soit à lui. Ma vie est la vôtre, votre vie est la mienne, vous vivez ce que je vis; la destinée est une'[1]. Victor Hugo voulait pouvoir dire au public: 'Vingt-cinq années sont dans ces deux volumes. ... L'auteur a laissé, pour ainsi dire, ce livre se faire en lui. La vie, en filtrant goutte à goutte à travers les événements et les souffrances, l'a déposé dans son cœur[2].'

Or, les poèmes de l'heure présente, Victor Hugo n'avait qu'à les écrire; les élégies et les méditations que lui avait inspirées la mort de sa fille, il les avait conservées, émouvantes et sublimes; mais, pour les périodes antérieures, les recueils déjà publiés avaient presque tout pris et il n'y avait que peu de chose dans les portefeuilles du poète. Il fallait donc ou renoncer à son programme ou fabriquer après coup de 'vieilles chansons du jeune temps'; et c'est à quoi Hugo se décida. Les pièces écrites, il les datait d'après les souvenirs qu'elles évoquaient ou, si je puis dire, d'après l'âge des sentiments qu'elles exprimaient. Dans cette sorte de reconstitution, le goût seul devait guider le poète; les dates étaient à lui comme les vers mêmes; il pouvait les inventer pour les pièces nouvelles, il pouvait même les changer pour les pièces anciennes; et, de fait, il les a changées souvent.

En agissant ainsi, avouons-le, il avait quelquefois d'autres raisons que des raisons de goût, et les adversaires de Victor Hugo n'avaient pas tout à fait tort de le soupçonner. Si la *Réponse à un acte d'accusation* a été datée de 1834 (au lieu de 1854, où elle a été composée en même temps que la pièce *Suite*), c'est bien parce que le poète trouvait flatteur pour lui d'avoir eu dès 1834 la pleine conscience de son rôle révolutionnaire en poésie. Mais il ne songeait pas à tromper longtemps le public, puisqu'il laissait la date exacte,

---

[1] Préface.

[2] Une fois éclairé sur l'histoire vraie des *Contemplations*, on remarque aisément que la préface ne dit pas ce qu'elle semblait dire autrefois. Dans le passage que nous venons de citer, comme dans celui qui le suit immédiatement, pas un mot n'affirme que les états d'âme successifs du poète sont représentés dans son livre par des pièces qui en sont contemporaines; au contraire, les expressions employées nous invitent à admettre que le poète a évoqué du fond de son âme les *souvenirs*, qui y *dormaient*, du passé (cf. le dernier vers de *la Tristesse d'Olympio*:

C'est toi qui dors dans l'ombre, ô sacré souvenir).

Je cite encore une fois, en soulignant les termes les plus expressifs: 'L'auteur a laissé, pour ainsi dire, ce livre se faire *en lui*. La vie, en filtrant goutte à goutte à travers les événements et les souffrances, l'a déposé *dans son cœur*. Ceux qui s'y pencheront retrouveront leur propre image dans cette eau profonde et triste, *qui s'est lentement amassée là, au fond d'une âme* ... Ce sont, en effet, toutes les impressions, *tous les souvenirs, toutes les réalités, tous les fantômes vagues, riants ou funèbres, que peut contenir une conscience, revenus et rappelés* rayon à rayon, soupir à soupir, et mêlés dans la même nuée sombre'.

toutes les dates exactes sur son manuscrit, qu'il destinait, avec les autres manuscrits de ses œuvres, à la Bibliothèque Nationale. Une seule fois peut-être il est permis de le prendre en flagrant délit de supercherie complète. Une pièce qui est, au point de vue politique, le pendant de ce qu'est, au point de vue littéraire, la *Réponse à un acte d'accusation,* et qui, comme elle, a un post-scriptum daté de 1855, porte pour titre: *Écrit en 1846.* M. Paul Meurice lui-même doute que Victor Hugo ait pu avoir en 1846 les idées qu'il affiche dans ce poème; et cependant, au lieu de le dater dans son manuscrit de 1854, Victor Hugo a écrit: 'Recopié le 12 novembre 1854'; et à côté de ces deux vers:

> Mais, Longwood et Goritz m'en sont témoins tous deux,
> Jamais je n'outrageai la proscription sainte,

il a ajouté cette note: 'On n'a rien changé à ces vers écrits en 1846: aujourd'hui l'auteur eût ajouté Claremont.'

Mais il est arrivé aussi que les soupçons portassent — au moins en partie — à faux. La pièce *A propos d'Horace,* datée de 1835, a bien été achevée à Jersey en 1855; seulement elle avait été commencée à Paris, à une date que le manuscrit ne précise pas. Et ce qui est arrivé surtout, c'est que le poète ait changé ses dates sans dessein intéressé, qu'il les ait changées même par habitude d'en disposer librement, et sans but nettement visible.

Quoi qu'il en soit, on voit que d'assertions ruineuses ont été fondées sur les dates des éditions, et avec quel soin il faudra désormais examiner les dates réelles.

Il ne peut plus être question, par exemple, pour faire l'histoire des villégiatures de Victor Hugo, de s'appuyer sur les pièces des *Contemplations* qui prétendent avoir été écrites à Granville ou aux Roches [1]. Les Roches, propriété des Bertin, et la vallée de la Bièvre où cette propriété était située, ont tenu une grande place dans la vie du poète. Là ont été écrits ou inspirés, entre autres poèmes, *Bièvre* des *Feuilles d'automne* (6 juillet 1831) et *la Tristesse d'Olympio* (21 octobre 1837); de là peut-être vient la pièce *Le poète s'en va dans les champs* des *Contemplations,* datée de juin 1831 et qui est en réalité du 31 octobre 1843; mais *A André Chénier* n'est plus né aux Roches en juin 1830, ni *Oui, je suis le rêveur* en août 1835: les deux œuvres sont nées à Jersey, et en 1854.

---

[1] Cependant M. H. Dupin écrit dans son *Étude sur la chronologie des Contemplations, Mélanges d'hist. litt.,* p. 106, n. 1 (voir la *note additionnelle* ci-après): 'Il convient de constater ici avec quel souci d'exactitude et de précision Victor Hugo antidate ses pièces. Partout où la vérification est possible, on s'aperçoit que le poète se trouvait réellement aux endroits qu'il indique dans son édition, le jour ou dans le mois dont il date sa pièce. On peut vérifier, à l'aide de la Correspondance et des récits de voyage, qu'il était bien: Aux Roches, en juin 1831 (pièce I, 1, 2) etc. ...' — Mais aucune vérification n'a été possible pour les deux poèmes que je cite à la fin de cet alinéa: *A André Chénier* et *Oui, je suis le rêveur.*

De même on ne pourra plus dire, comme je l'ai fait moi-même dans mon *Victor Hugo poète épique* (p. 19), que la fin de *Halte en marchant* préludait à la poésie épique de la *Légende* dès 1837, puisque *Halte en marchant* est, en réalité, de 1855.

Mais il importe aussi qu'une réaction aveugle contre les anciens dires ne fasse pas maintenant méconnaître tout ce qui, dans la première période de la carrière de Hugo, a préparé et rendu possible la seconde. Tout ce qui constitue la profonde et éblouissante poésie de l'exil était en germe dans l'œuvre antérieure, et il y a dans la première partie des *Contemplations* des pièces caractéristiques qui sont anciennes. Si *Halte en marchant* est de 1855, *le Rouet d'Omphale*, que je citais au même endroit de mon livre, est de 1843; de 1840 est *la Fête chez Thérèse*; *la Vie aux champs* et *la Source* sont de 1846; *Melancholia* a été composée en plusieurs fois de 1833 environ à 1838.

Passons en revue les six livres des *Contemplations,* et, après en avoir indiqué la chronologie conventionnelle, indiquons-en maintenant la chronologie réelle.

La production du livre I, *Aurore,* ne part plus de 1820, puisque la courte pièce intitulée: *Vers 1820* est de 1854; elle ne part plus même de 1836, puisque la pièce intitulée: *A Granville, en 1836* est, elle aussi, de 1854; nous y trouvons une poésie de 1839 (N° I), deux de 1840 (N°ˢ X et XXII; encore le N° X a-t-il été remanié en 1855), une de 1841 (XVII), deux de 1842 (III et XX), trois de 1843 (II, XI et XXV), deux de 1846 (VI et XXIV), une de 1847 (XXVIII). Sauf quelques vers au début de la pièce XIII, *A Horace,* tout le reste est de 1854 (onze pièces) et de 1855 (cinq pièces).

Le livre II, *l'Ame en fleur,* est en grande partie antérieur au livre 1ᵉʳ, ce qui paraît d'abord assez étrange, et ce qui s'explique pourtant fort aisément. En effet, M. Gregh se trompe quand il écrit que 'quelques pièces, peut-être antidatées, sont marquées comme étant de 183...'. Les pièces auxquelles il songe sont en réalité marquées comme étant de 18..., et, par là, comme par le sujet et par le ton, elles ressemblent, nous l'avons dit, à force pièces des *Chants du crépuscule* ou des *Voix intérieures.* Après la représentation de *Lucrèce Borgia,* après sa liaison avec Juliette Drouet, Victor Hugo avait écrit pour cette dernière tant de poésies, qu'il n'avait pas osé les insérer toutes dans ses recueils de 1835, de 1837 et de 1840; et il n'avait pas cessé d'écrire des pièces d'amour après *les Rayons et les ombres:* il lui en restait donc un certain nombre avec lesquelles il pouvait peindre *l'Ame en Fleur.* Ce livre contient une poésie de 1833 (V), deux de 1834 (X et XVI), une de 1838 (XX), une de 1839 (VI), une de 1841 (II), une de 1842 (XXIV), deux de 1843 (III et XXII), une de 1845 (VII), six de 1846. Il est complété par trois pièces de 1854 et neuf de 1855.

Le livre III, *les Luttes et les rêves,* contient un plus grand nombre de pièces récentes: deux de 1853, huit de 1854, huit de 1855. *Melancholia* (II), complétée seulement en 1855, a été commencée vers 1833 et composée surtout en 1838; *Magnitudo parvi* (XXX), achevée en 1855, date en partie de 1836; les autres pièces sont de 1839 (III et XXI), 1841 (XVIII), 1843 (V, XV, XXIV et XXV), 1846 (VI, XI et XIV) et 1847 (IV).

De l'admirable livre IV, *Pauca meae* (d'abord intitulé: *Larmes*), M. Faguet[1] a dit: 'Il y a là le poème complet de la douleur vraie, toutes les phases successives du grand deuil profond'; et sa critique pénétrante a montré avec quelle logique douloureuse ces phases se succédaient dans les vers du père-poète. Malheureusement, l'ordre où se présentaient ces vers n'était pas l'ordre qu'impliquaient les dates des éditions, et M. Perrollaz[2], s'appuyant sur ces dates, a essayé de substituer à l'explication de M. Faguet une autre évolution de la douleur. Comme si la marche normale de la souffrance n'était pas sans cesse traversée par des élans imprévus et gênée par d'inévitables retours! En réalité, M. Faguet était d'accord avec la conception générale du poète, telle qu'il en avait eu conscience après coup, et ni M. Faguet, ni M. Perrollaz n'étaient d'accord avec les dates exactes de la composition.

Le prologue de 1843 n'a été fait qu'en 1855; de 1854 datent les pièces VIII, XVI et XVII; et, au contraire, la pièce XII, la seule que M. Brunetière attribue à la période de l'exil (*A quoi songeaient les deux cavaliers dans la forêt*) n'a même pas été composée à propos de Léopoldine et date du 11 octobre 1841. Ajoutons qu'une pièce du livre VI, la 7ᵉ, que les éditions datent de 1855, est en réalité du 4 septembre 1846, jour anniversaire de la catastrophe de Villequier, et se rattache donc intimement aux *Pauca meae*. Et ajoutons aussi, en passant, que l'impression produite sur le poète par cette catastrophe a été plus profonde encore qu'on ne le supposait. Sauf la petite pièce: *Le poète s'en va dans les champs* qui, sauf erreur de l'édition nouvelle, est du 31 octobre 1843[3], le père accablé n'a pu écrire, de septembre 1843 à l'année 1846, que l'immortel poème *A Villequier* (4 septembre 1844 et 24 octobre 1846).

Il est inutile d'insister sur le livre V, *En marche*, et sur le livre VI, *Au bord de l'infini*, qui, de par leurs titres mêmes et leur objet, devaient comprendre uniquement des poèmes récemment écrits. Quelques œuvres antérieures s'y sont glissées cependant. *Au poète qui m'envoie une plume d'aigle* (V, XIX), qui était de 1841; *Aux Feuillantines* (V, X); *Écoutez, je suis Jean* (VI, IV) et *Croire, mais*

---

[1] *Dix-neuvième siècle, Etudes littéraires*, p. 173.
[2] Louis Perrollaz, *Victor Hugo pleurant la mort de sa fille, Etude historique et psychologique sur les Pauca Meae*, Besançon, 1902, 8°.
[3] M. H. Dupin (voir la *note additionnelle*) dit qu'elle n'a pas été datée par le poète et la date lui-même de 1843, sans indication plus précise. — En revanche, il place au 20 octobre 1844 la petite pièce *l'Hirondelle au printemps* ... (I, 2, 16).

pas en nous (**VI, VII**), qui étaient de 1846; et une partie de *Pleurs dans la Nuit* (**VI, VI**) qui datait d'avant l'exil; mais tout le reste est bien de 1852 (**V, II**), de 1854 et de 1855.

De 1855 aussi, et tout à fait de la fin de l'année, date la belle pièce d'envoi *à Celle qui est restée en France.*

Tels sont les principaux renseignements qu'il m'a paru utile d'extraire de la publication de M. Meurice. Les critiques seront peut-être un peu fâchés de voir telle ou telle de leurs assertions infirmée par la chronologie nouvelle des *Contemplations;* les moralistes gronderont contre la désinvolture avec laquelle le grand poète faussait l'état civil de ses œuvres; mais les artistes n'en admireront que davantage la souplesse et la prestigieuse habileté d'un génie qui savait raviver tous ses souvenirs, retrouver en les complétant toutes ses inspirations et nous peindre, en même temps que les feux de son *Aurore,* ce qu'il entrevoyait *au bord* sombre *de l'infini.* Tous enfin remercieront M. Paul Meurice d'avoir, en publiant son beau volume, rendu un signalé service aux historiens qui, avant tout, se préoccupent de la vérité.

Montpellier (décembre 1905). E u g è n e R i g a l.

Note additionnelle.

Depuis que l'article ci-dessus a été écrit et livré à l'impression, M. Paul Meurice est mort, — et un travail intéressant, fait sur le manuscrit même de Victor Hugo et pour lequel M. Meurice avait fourni des renseignements utiles, a été publié par M. H. Dupin sous ce titre: *Étude sur la chronologie des Contemplations.*

La mort regrettable de M. Meurice va sans doute retarder l'édition nouvelle de Victor Hugo et peut-être en changer quelque peu le caractère; du moins ne l'arrêtera-t-elle pas [1].

Quant au travail de M. H. Dupin, il a pour objet essentiel de montrer que les dates du manuscrit nous renseignent exactement sur la composition des poèmes que contiennent *les Contemplations;* il traite une question que, pour mon compte, j'avais supposée résolue, mais que l'on conçoit aussi qui soit examinée dans tous ses détails: ne se pourrait-il pas, en effet, que les dates inscrites par le poète sur le manuscrit fussent, dans bien des cas, les dates où les pièces ont été recopiées, tandis que la date vraie de la composition ou au moins d'un premier jet serait donnée par les éditions? Pour montrer qu'il n'en est rien, M. Dupin examine les arguments qui peuvent

---

[1] Pendant que s'imprimait cet article, la continuation de l'édition a été confiée à l'auteur, excellemment informé, de *l'Enfance de Victor Hugo* et du *Roman de Sainte-Beuve,* M. Gustave Simon, et un nouveau volume a paru, contenant *le Rhin.*

être avancés en faveur des deux explications possibles; et surtout il
étudie à divers points de vue les œuvres de Victor Hugo dont la
chronologie ne peut être contestée, pour leur comparer celles qui font
l'objet propre de ses recherches.   Il examine ainsi l'évolution du
sentiment de l'amour chez Victor Hugo de 1820 à 1865, des *Odes*
aux *Chansons des rues et des bois*, — ce qui lui permet de conclure
à l'ancienneté ou à la nouveauté des poésies amoureuses des *Con-*
templations.   Il examine, en ce qui concerne les coupes et les enjambe-
ments, la versification de Victor Hugo de 1832 à 1854; il fait de
même pour le style.   Formé aux méthodes rigoureuses de l'érudition
par M. G. Lanson, dont il est — ou dont il a été — l'élève à la
Faculté des Lettres de Paris, il multiplie les statistiques, les tableaux,
les index; il nous donne, chemin faisant, nombre d'indications qui
ont leur valeur.

Enfin, M. Dupin étudie en particulier quelques pièces, dont la
date est exceptionnellement importante: *Réponse à un acte d'accu-*
sation, Quelques mots à un autre, Écrit en 1846.

Comme son mémoire peut être souvent consulté, il ne sera pas
inutile de faire ici quelques remarques de détail.

Je ne comprends pas très bien ce que dit M. Dupin, p. 52, de
la pièce *A Villequier*: 'Le manuscrit porte les deux dates de 4 septembre 1844 et 26 octobre 1846.   L'édition porte la date du 4 septembre 1847.   La vraie date doit être la date terne de 26 octobre
1846.   [S'il faut choisir, l'indication est judicieuse, mais pourquoi le
poème n'aurait-il pas été composé en deux fois?]   Victor Hugo a
mis d'abord la date de l'événement [où cela?], puis la date du premier anniversaire.   Enfin, comme il parlait de douleur apaisée, il a
reporté la pièce jusqu'en 1847.   [Cette fois, l'explication est juste.]'

Il est malaisé de vérifier les statistiques sur la versification;
mais, dans leur ensemble, elles sont évidemment exactes et instruc-
tives.   De même, on doit accepter les conclusions générales sur le
style; mais on pourrait contester tel ou tel jugement; pourquoi l'image
de la page 72:

> Qui vous dit
> Que la bulle d'azur que mon souffle agrandit

est-elle déclarée *singulière*?   pourquoi l'image de la page 89:

> L'âme de deuils en deuils, l'homme de rive en rive,
> Roule à l'éternité

est-elle déclarée *banale*?   Elle ne paraît pas, du moins, banale dans
sa forme, puisque ces deux vers disent sous une forme très elliptique
que l'*âme roule à l'éternité de deuils en deuils, comme l'homme de rive*
en rive arrive au port. — P. 78, on pourrait ajouter à l'histoire des
substantifs accouplés et signaler, par exemple, *le géant Paris* dans
les *Feuilles d'automne*, *le géant Europe* dans les *Voix intérieures*. —
Dans les poésies qui s'étagent de 1830 à 1840, il y a plus d'*images*
qui sont des sensations, de *choses animées et personnifiées*, — de

métaphores ou idées-images, — et même de *symboles-métaphores* que ne le croit M. Dupin.

Parmi les tableaux qui nous sont offerts, quatre sont particulièrement commodes: celui des pièces pour lesquelles la date du manuscrit et celle des éditions concordent (p. 41—42); — celui des dates du manuscrit comparées à celles des éditions pour les pièces où il n'y a pas concordance (p. 43—46); — la liste des œuvres non datées, avec la date que M. Dupin leur attribue (p. 46—47); — et l'ordre chronologique de toutes les pièces (p. 99—102). En étudiant ces documents, je suis amené à faire les remarques suivantes:

M. Dupin est en désaccord avec M. Meurice quand il enregistre les dates assignées par le manuscrit à certaines pièces. *On vit, on parle* ... (II, 4, 11) est daté par M. Dupin du 11 juillet 1846 et par M. Meurice de 1846 seulement. — *Ce que dit la bouche d'ombre* (II, 6, 26) est des 1—13 octobre 1854 pour M. Dupin, des 1—13 octobre 1855 pour M. Meurice. — *Pure innocence, vertu sainte!* (II, 4, 1) et la fin de *Melancholia* (I, 3, 2) sont de 1855 pour l'un, du 22 janvier et du 1er février 1855 pour l'autre. Je passe sur d'autres divergences moins importantes (pièces II, 4, 8; II, 6, 22; II, 5, 14; I, 2, 27; I, 1, 13).

M. Dupin et M. Meurice ne s'entendent pas pour déclarer si telles pièces sont datées ou non. D'après M. Dupin, *le Poète s'en va dans les champs* (I, 1, 2), *Veni, vidi, vixi* (II, 4, 13) et *la Source* (I, 3, 6) ne sont pas datées: M. Meurice trouve pour ces pièces dans le manuscrit les dates: 31 octobre 1843, 11 avril 1848 et 4 octobre 1846. Inversement, M. Dupin date du 20 octobre 1844 et du 12 octobre 1846 les pièces: *l'Hirondelle au printemps* (I, 2, 16) et *O souvenirs, printemps, aurore* (II, 4, 9) que M. Meurice déclare non datées. Pour *l'Hirondelle au printemps,* M. Meurice adopte l'année 1834, et il semble bien avoir tort (voir Dupin, p. 71 et 89).

Quand il s'agit d'assigner une date à des pièces ou à des parties de pièces incontestablement non datées, on comprend mieux que les divergences soient grandes. Le début de *A propos d'Horace* (I, 1, 13) est de 1846 pour M. Dupin et n'a pas de date précise pour M. Meurice. — Le début de *Melancholia* (I, 3, 2) est de 1846 pour l'un et de 1838 pour l'autre. — Le début de *Magnitudo parvi* (I, 3, 30), que M. Dupin place en 1846, a été, d'après M. Meurice, écrit en deux fois: en 1836 et deux ou trois ans après. — Le remerciement *Au poète qui m'envoie une plume d'aigle* a été, pour M. Dupin qui, du reste, n'étudie guère cette pièce, écrit en 1852 (voir p. 100; 1825, par erreur, à la p. 45): il est de 1841 pour M. Meurice. — Je ne signale pas un certain nombre de pièces, pour lesquelles M. Dupin hésite entre 1854 et 1855, alors que M. Meurice choisit l'une ou l'autre de ces dates.

Pour deux pièces, M. Dupin est en contradiction avec lui-même: à la p. 42, il place au 15 février 1843 la pièce qui porte cette date pour titre (II, 4, 3); mais à la p. 89, il veut qu'elle soit de 1846. — *L'enfant, voyant, l'aïeule* ... (I, 3, 25) est du 25 août 1843 à la p. 41, mais du 25 août 1854 ou 1855 aux p. 45, 47 et 100.

Enfin le maniement du Tableau chronologique de M. Dupin est rendu moins commode qu'il ne devrait l'être par une inadvertance et par des oublis:

Quelques pièces, qui portent un titre, sont rappelées, non par ce titre, mais par leur premier vers: Juin 1842: *Dans le frais clair-obscur;* lire: *Mes deux filles* (I, 1, 3); — 26 juin 1846, *Elle me dit un soir en souriant;* lire: *Un soir que je regardais le ciel* (I, 2, 28); — 20 août 1854, *O femme, pensée aimante!;* lire: *N'envions rien* (I, 2, 19); — 30 octobre 1854, *On conteste, on dispute* ...; lire: *Voyage de nuit* (II, 6, 19); — 18 janvier 1855, *Je ne songeais pas à Rose;* lire: *Vieille chanson du jeune temps* (I, 1, 19).

Cinq pièces ont été omises; 30 avril 1839, *Saturne* (I, 3, 3; la date de cette pièce a été attribuée par erreur à la pièce suivante: *Lettre,* I, 2, 6, qui est du 15 mai 1839); — 15 juin 1839, *Un jour, je vis debout* ... (prologue); — 15 février 1843, *15 Février 1843* (II, 4, 3; cf. p. 42); — 12 juillet 1846, *Chanson* (I, 2, 4); — 11 avril 1848 d'après M. Meurice (voir ci-dessus): *Veni, vidi, vixi* (II, 4, 13).[1]

Le mémoire de M. Dupin, avec deux autres du même genre: *les Sources grecques des Trois cents* (dans *la Légende des siècles*) par M. E. Fréminet, et *Étude sur les manuscrits de Lamartine conservés à la Bibliothèque nationale* par M. J. des Cognets, forme des *Mélanges d'histoire littéraire* (21e fascicule de la *Bibliothèque de la Faculté des Lettres de Paris,* Alcan éditeur, 1906, 8º).

M. Fréminet prouve que V. Hugo s'est servi de la traduction d'Hérodote autrefois écrite par du Ryer; il donne une édition soigneusement annotée des *Trois cents* et, grâce aux révélations du manuscrit, il éclaire les procédés de composition du poète. M. des Cognets, de son côté, étudie la façon de composer de Lamartine et nous donne les variantes d'un certain nombre des pièces des *Médi-tations* et des *Harmonies.*

---

[1] J'ai déjà relevé quelques fautes d'impression; en voici d'autres. P. 55, à la dernière ligne des notes: *Soudain mon âme s'éveillera* doit se lire en deux vers (*Rayons et ombres,* 27):

> Soudain mon âme
> S'éveillera.

P. 57, n. 1, lire:
> Le démon dans ces bois repose,|
> Non le grand vieux Satan fourchu ...

P. 58, n. 1, *Elle était déchaussée* ne doit pas être écrit comme une citation, mais comme un titre, faisant suite à la *Vieille* (et non *Vielle*) *chanson du jeune temps.* — P. 58, n. 3, lire: I, 1, 14 et non I, 1, 12.

(Janvier 1906.)   E. R.

Cervantes

et

le troisième Centenaire du 'Don Quichotte'.

La fête littéraire célébrée en Espagne au mois de mai 1905, en l'honneur du *Don Quichotte,* dont la première partie, comme chacun sait, parut à Madrid en 1605, a été l'occasion ou le prétexte de nombreuses publications portant soit sur la vie, soit sur les œuvres de Cervantes. Ces publications se répartissent aisément en deux groupes: celles qu'on pourrait nommer de circonstance, qui sont dues uniquement à la fête, qui n'existeraient pas si elle n'avait pas eu lieu; et puis celles qui avaient été préparées auparavant, que leurs auteurs tenaient pour ainsi dire en réserve et dont la fête a seulement hâté ou décidé l'impression. Je ne dirai que quelques mots des premières.

Beaucoup d'écrivains ont voulu s'associer à cette solennité par des discours, des articles, des essais, des aperçus. Ces écrits valent naturellement ce que valent leurs auteurs: il en est de spirituels, d'ingénieux, d'éloquents; il en est aussi de simplement curieux, de paradoxaux et d'insignifiants. A coup sûr, il ne saurait être indifférent de connaître ce que tel critique, ou tel érudit en renom aujourd'hui, pense de l'auteur du *Don Quichotte,* de la valeur littéraire et morale du célèbre roman et des autres œuvres de Cervantes. Ainsi, on lira certainement avec plaisir et profit le beau discours prononcé par D. Marcelino Menéndez y Pelayo le 8 mai dernier dans le grand amphithéâtre de l'Université de Madrid,[1] et, parmi les contributions de l'étranger à la célébration de la fête, celui qu'a demandé à M. Arturo Farinelli le cercle de lecture Hottingen de Zürich.[2] Ces deux discours représentent des points de vue assez différents. Le premier est d'un Espagnol pur sang, défenseur ardent des anciennes gloires

---

[1] *Discurso acerca de Cervantes y el 'Quijote', leído en la Universidad Central, en 8 de mayo de 1905, por D. Marcelino Menéndez y Pelayo, de la Real Academia Española.* Madrid, 1905, 31 pages in 8° (Extrait de la *Revista de Archivos, Bibliotecas y Museos*).

[2] *Cervantes. Zur 300jährigen Feier des 'Don Quijote'. Festrede gehalten in Zürich am 6. März 1905, im Auftrage des Lesezirkels Hottingen, von Arturo Farinelli.* München, 1905, 39 pages in 8° (Extrait de la *Beilage zur Allgemeinen Zeitung* des 16, 17 et 18 mai 1905).

de son pays pour lesquelles il combat sans cesse, et quelquefois un peu à la façon du bon chevalier de la Manche, mais avec tant de sincérité, de conviction et de talent qu'il gagne la sympathie de ceux même qui sentent ce que certaines de ses revendications ont d'exagéré. Je dois dire qu'ici cette exagération n'apparaît pas; M. Menéndez y Pelayo se montre au contraire très mesuré et fait voir, avec beaucoup de tact et de nuances, que l'œuvre de Cervantes ne forme pas un bloc intangible, comme le voudraient quelques fanatiques, mais un assemblage de parties, les unes tout à fait supérieures où se marque l'empreinte d'un grand maître d'invention et de style, les autres plus faibles où l'auteur sacrifie au goût du jour, imite et ne s'élève pas plus haut que la moyenne des écrivains de son temps. L'autre discours est d'un homme de culture plus cosmopolite qui, grâce à son érudition très étendue, a toujours présent à l'esprit le tableau comparé de nos littératures modernes, qui cherche à définir et à apprécier le génie de Cervantes, non pas seulement en l'étudiant dans son milieu mais par rapport aux grandes œuvres d'imagination des autres pays; ses jugements ont d'autant plus d'ampleur et de portée qu'ils ne sont pas influencés par l'amour propre national.

Le discours académique de D. Juan Valera[1] ne donne pas la vraie mesure du talent si délicat de ce charmant esprit dont les lettres espagnoles pleurent la mort récente. Si l'on veut connaître toute la pensée du célèbre romancier sur son grand ancêtre, car ils appartiennent bien tous deux à la même famille, mieux vaut recourir à un morceau déjà ancien, qui date de 1864, mais qui n'a rien perdu de sa valeur.[2] — Restreint aux rapports de Cervantes avec la ville de Valence et ses habitants, le discours de l'excellent érudit valencien D. José E. Serrano y Morales mérite qu'on s'y arrête.[3] L'auteur y parle avec compétence et exactitude de la participation de certains commerçants de Valence au rachat de Cervantes, des séjours que fit dans la belle ville méditerranéenne l'auteur du *Don Quichotte*, des souvenirs qu'il garda de la localité et des Valenciens, enfin de la propagation de son roman due aux presses de l'imprimeur Mey. Con-

---

[1] *Juan Valera. Discurso escrito por encargo de la Real Academia Española para conmemorar el tercer centenario de la publicación de 'El ingenioso hidalgo D. Quijote de la Mancha'.* Madrid, 1905, 46 pages in 8º.

[2] *Sobre el Quijote y sobre las diferentes maneras de comentarle y juzgarle*, dans *Disertaciones y juicios literarios* par D. Juan Valera. (*Biblioteca Perojo*), Madrid, 1878, in 8º; ou bien dans les *Discursos académicos*, du même, t. I (*Obras completas*), Madrid, 1905.

[3] *Valencia, Cervantes y el Quijote. Discurso leído por el Excmo. Sr. D. José Serrano Morales en el acto de la colocación de la primera piedra para la construcción de la Escuela graduada 'Cervantes'.* Valencia, 1905, 24 pages pet. in 4º.

trairement à ce qu'a prétendu Pedro Salvá, suivi par D. Clemente Cortejón, M. Serrano pense qu'il existe une et non deux
éditions valenciennes du *Don Quichotte* sous la date de 1605, et
que les différences que l'on constate entre les exemplaires sortis
de l'imprimerie de Pedro Patricio Mey tiennent à des changements pratiqués pendant le tirage et n'impliquent pas une nouvelle impression: l'opinion du savant auteur du *Diccionario de las
imprentas en Valencia* a naturellement un grand poids.

Quelque mérite que possèdent ces morceaux et d'autres qu'il
serait facile de citer, il est clair que le genre du discours ou
de la conférence ne permet guère de s'étendre, d'entrer dans
l'examen minutieux de questions compliquées et de dire du nouveau. Le discoureur doit tenir compte de son public auquel
suffisent des vues générales et des aperçus sommaires, et que
des détails trop précis ou des nouveautés imprévues étonneraient
et égareraient. J'en viens donc aux publications du second groupe.

Il s'agit de travaux de longue haleine et préparés de plus
longue main, dont la publication seule a coïncidé avec la fête
parce que leurs auteurs ont jugé le moment propice pour mettre
en lumière le fruit de leurs veilles. Il s'agit aussi de dissertations érudites de moindre volume, mais résultant souvent d'efforts prolongés et répétés, qui ont coûté du temps et de la peine
et offrent parfois autant d'intérêt que de gros livres. Comme,
bien entendu, je ne puis parler de tout, je renvoie ceux qui voudraient se renseigner plus complètement à la bibliographie du
Centenaire de D. Emilio Cotarelo.[1] On peut également con-
sulter, surtout pour les prix des ouvrages, un catalogue de la
librairie de la Viuda de Rico à Madrid.[2] J'examinerai succes-
sivement les publications relatives à la vie de Cervantes et celles
qui portent sur ses œuvres et sa carrière littéraire.

Une biographie documentée, munie de tout l'appareil d'un
travail d'érudition, n'était plus à faire; elle existait dès la veille
du Centenaire sous la forme d'un respectable volume in-folio,
intitulé *Cervantes y su época* et que son auteur, D. Ramón León
Máinez, destinait à servir d'introduction à une nouvelle édition
du *Don Quichotte,* laquelle n'a pas encore paru.[3] N'ayant pas

---

[1] *Bibliografía de los principales escritos publicados con ocasión del tercer
centenario del Quijote* (Numéro de mai 1905 de la *Revista de Archivos,
Bibliotecas y Museos*). M. Cotarelo n'a pas recensé les articles des journaux
ou ceux des revues qui n'ont pas publié un numéro spécial à propos du
Centenaire.

[2] *Tercer centenario del 'Quijote'. Catálogo de una colección de libros
cervantinos que se venden en la librería de la Viuda de Rico.* Madrid, 1905,
95 pages in 8°.

[3] *Primera edición del Quijote en Jerez. Cervantes y su época por
D. Ramón León Máinez,* tomo I. Jerez de la Fontera, 1901, XXIV, 572
et XXII pages in-fol. La couverture porte la date 1901—1903.

étudié de près toutes les parties de cet important ouvrage, je m'abstiendrai de prononcer un jugement d'ensemble; je puis dire cependant que les passages que j'en ai lus m'ont paru assez satisfaisants. Le récit se fonde sur les travaux des anciens biographes, tels que Pellicer et Navarrete, comme sur les recherches récentes et les belles découvertes documentaires que D. Cristóbal Pérez Pastor a présentées au public dans ses deux volumes de *Documentos cervantinos* (Madrid, 1897 et 1902), sans parler d'autres trouvailles dues à d'autres cervantistes, au nombre desquels il faut surtout mentionner le très intelligent érudit sévillan, D. Francisco Rodríguez Marín. La biographie de M. Máinez est donc généralement au courant des dernières investigations et nous en donne le résumé; elle témoigne au surplus d'un esprit judicieux et prudent. De proportions un peu démesurées et d'une forme littéraire trop provinciale, qui manque de sobriété et de légèreté, elle effraiera peut-être certains lecteurs qui eussent préféré quelque chose de moins massif. Néanmoins cet in-folio s'impose, non seulement par son volume, mais par des qualités sérieuses et méritoires. Bon gré, mal gré, quiconque se propose d'acquérir une connaissance un peu complète du sujet devra s'en nourrir.

Ce que le Centenaire aurait dû nous apporter, puisque le travail savant n'avait pas attendu la fête pour se produire, c'est un petit livre semblable à ces *primers* anglais si bien compris et comme il en existe, par exemple, pour Shakespeare, ou encore semblable à la *Dantologia* de Scartazzini dans les *Manuali Hoepli;* j'entends un résumé succinct des principaux épisodes de la vie de Cervantes et un aperçu sommaire de son œuvre accompagnés d'une bibliographie très soignée et complète, de références copieuses et très exactes. Un tel petit livre nous manque et nous en sentons le besoin: heureux celui qui le fera, car il pourra compter sur la reconnaissance de tous, des ignorants comme de ceux qui croient savoir.

En revanche, le Centenaire nous a valu une nouvelle vie de Cervantes, un ouvrage de plus de six cents pages et qui a obtenu un grand succès, quoiqu'il ne s'adresse évidemment qu'à une partie assez restreinte du public, à des lecteurs assez lettrés. Il porte le titre spirituel: *El ingenioso hidalgo Miguel de Cervantes Saavedra, sucesos de su vida contados por Francisco Navarro y Ledesma.* [1] Dans les 'deux mots' au lecteur qui lui servent de préface, M. Navarro y Ledesma nous expose son programme: 'Le poème de la vie de Cervantes demanderait à être chanté par un grand poète et non par un humble journaliste comme moi. *Vérité et poésie,* voilà le titre qui conviendrait à cette narration, si à la

---

[1] Madrid, 1905, 618 pages in 8°.

vérité découverte par tant de patients investigateurs, qui dans ces derniers temps ont étudié la vie de Cervantes, je réussissais à joindre la poésie qui jaillit des documents.' Il s'agit donc d'un livre sans prétentions érudites, mais non sans prétentions littéraires. Appliquer à son récit le titre des mémoires de Goethe, se donner la mission d'extraire la poésie dont est imprégnée la vie de Cervantes est le fait de quelqu'un qui entend sortir de l'ornière commune et tenter quelque chose de non tenté encore. A certains égards, rien de mieux. Nous avions déjà, depuis Pellicer et Navarrete jusqu'à M. Máinez, plusieurs types de biographies très documentées, très alourdies de notes et de dissertations; on pouvait désirer autre chose: un livre bien informé mais agréablement écrit et qui ne traînerait pas après lui une encombrante *balumba* de commentaires et d'appendices destinés aux seuls érudits. Reste à savoir si l'innovation de M. Navarro y Ledesma, si ce mélange de vérité et de poésie qu'il nous présente comme la caractéristique de son livre méritent l'approbation. Certes, on voudrait n'avoir qu'à louer ce jeune publiciste et professeur mort il y a quelques mois, laissant à tous ceux qui l'ont connu et ont apprécié ses écrits de très vifs regrets. Mais n'a-t-on pas dit qu'on ne doit aux morts que la vérité? Les critiques d'ailleurs qu'on peut adresser à cette nouvelle biographie atteignent beaucoup moins l'auteur lui-même que le genre de littérature qu'il préconise. Tous les genres sont permis, hors le genre ennuyeux; d'accord, mais parmi les genres permis il s'en trouve qui offrent certains inconvénients et même certains dangers, surtout dans un pays comme l'Espagne où la critique ne court pas précisément les rues. Or, ce que nous expose M. Navarro y Ledesma est tantôt une biographie fondée sur les informations les plus sûres, tantôt un roman historique où l'auteur, très imaginatif de sa nature, donne libre cours à sa fantaisie. Si encore il nous avertissait lorsqu'il change de manière, quitte le terrain historique pour l'hypothèse et la divination, le mal serait moindre; mais il ne le fait pas. Vérité et poésie s'enchevêtrent et se confondent chez lui au point que les lecteurs non familiarisés avec la documentation de la vie de Cervantes — et ce sont naturellement les plus nombreux — ne réussissent pas à faire le départ de ce qui, dans ce récit, est historique ou fictif. Un exemple fera toucher du doigt le procédé. Chacun connaît l'épître en vers adressée vers la fin de 1577 par Cervantes, captif dans les bagnes d'Alger, au secrétaire de Philippe II Mateo Vázquez, qui jouissait alors de la faveur absolue de son maître, qu'on tenait même pour bien plus influent que les ministres. La faveur de ce Vázquez remontait déjà à quelques années auparavant; ce fut en effet à partir de 1572 que Philippe II commença à se servir de lui et à lui donner

des missions de confiance. Cervantes, comme tous ses contemporains, connaissait l'élévation de Vázquez et son crédit en
croissance; il en fut certainement informé en Italie et avant
sa captivité. Lors donc que l'idée lui vint de rimer sa supplique,
d'implorer dans une épître en vers sa délivrance des bagnes, en
rappelant ses honorables services et ses souffrances, il n'est pas
étonnant qu'il ait adressé ce document à quelqu'un qui touchait
de si près la personne du roi, qui passait pour le principal exécuteur et même pour l'inspirateur de sa volonté. N'osant pas
écrire à Philippe II, il écrivit à son secrétaire le plus influent.
Inutile de supposer des relations antérieures entre Vázquez et
Cervantes; d'ailleurs la teneur même de l'épître, qui n'a peut-
être jamais atteint le destinataire, n'incite pas à les supposer.
Cervantes y enguirlande son correspondant de flatteries assez
grosses pour se le rendre favorable, mais pas un vers du morceau ne trahit un lien d'amitié, une rencontre, une relation quelconque entre les deux hommes. Ajoutons que dans aucun autre
écrit de Cervantes on ne voit apparaître le nom de Mateo Vázquez. Or, que fait M. Navarro y Ledesma? Il s'empare de ce
Vázquez, qui paraît l'avoir séduit à cause de ses origines obscures
et mystérieuses, il en fait un camarade d'enfance de Cervantes;
il les met sur les bancs de la même école à Séville, il sait leurs
conversations et les vers qu'ils se récitaient l'un à l'autre. Plus
tard, les deux amis se rencontrent à Madrid, peu après la mort
d'Élisabeth de Valois, à la mémoire de laquelle Cervantes rima
des vers élégiaques, ses premiers essais poétiques. Mateo Vázquez, déjà en passe de devenir un personnage, protège son ancien
camarade, lui parle de la reine, l'introduit dans le monde ... et
que sais-je encore? Le lecteur, qui ignorait ces belles choses, se
dit: voilà du nouveau, sans doute M. Navarro y Ledesma a mis
la main sur une correspondance inédite entre ces deux amis;
c'est très curieux. Oui, c'est très curieux, mais c'est surtout du
pur roman: M. Navarro n'a puisé tout ce qu'il nous conte que
dans son imagination, il a tout tiré de sa fantaisie.[1] Est-ce trop
dire après cela que ce genre est faux et condamnable? Je ne
le crois pas. Libre à ceux qui le veulent et le peuvent d'écrire
des romans historiques — et Cervantes est un sujet de roman
historique comme un autre et même meilleur qu'un autre, vu le
caractère romanesque de beaucoup d'épisodes de sa vie — mais
en ce cas il faut intituler son livre roman et ne pas nous laisser
croire à un récit historique. Ces réserves faites, je dirai que le

---

[1] Dans ces passages concernant Vázquez, M. Navarro y Ledesma s'inspire très visiblement de la biographie de Máinez (p. 167 et suiv.); seulement ce qui chez ce dernier n'est qu'une hypothèse, à mon avis injustifiée,
prend chez l'autre l'apparence d'un fait démontré et certain.

livre de M. Navarro y Ledesma mérite d'être lu, à cause de sa
réelle valeur littéraire, de la chaleur de l'exposition, du joli entrain
qui y règne, de la passion même qui y perce à propos de certaines questions débattues,[1] enfin à cause de son style, un peu
trop travaillé pour mon goût et d'une recherche verbale exagérée,
mais en somme intéressant.   Un autre mérite de l'auteur est
celui-ci: il cherche à nous donner une vision nette des milieux
où a vécu Cervantes, il s'efforce de décrire les localités et les
personnages, de ressusciter l'Espagne du XVIe siècle et de nous
familiariser avec les gens que Cervantes a trouvés sur sa route,
qu'il a aimés ou haïs, ceux qui l'ont aidé à conjurer l'infortune
et ceux qui ont jalousé son talent et voulu le desservir, ses pro-
tecteurs, ses émules, ses rivaux.   Dire que l'auteur a toujours
réussi dans cette restitution du passé, qu'il a toujours trouvé la
note juste et que jamais il n'outrepasse les limites prescrites à
l'historien, je ne l'oserais pas.   Son information ne semble pas
partout de première main et il est facile de s'apercevoir qu'il l'a
amassée un peu hâtivement; elle n'est pas le résultat d'une
longue intimité avec les livres et les autres souvenirs de l'époque
mais une acquisition récente, parfois insuffisamment digérée.   Il
n'importe: l'intention était bonne et la tentative vaut qu'on la
loue, car dans une biographie le héros, quelque grand qu'il soit,
ne peut pas toujours absorber l'attention; il a autour de lui
d'autres êtres qui lui font cortège, et c'est cet entourage qu'il
faut expliquer, peindre et animer, ou bien il n'aura pour nous
aucune signification et nous n'y prêterons aucun intérêt.   On lira
donc M. Navarro y Ledesma, mais de préférence après avoir lu
une biographie exclusivement historique, afin d'être armé contre
certains débordements d'imagination qui risqueraient de tromper
un lecteur non prévenu.

Il reste à signaler quelques publications plus modestes qui
ont trait à la vie de Cervantes et dont chacune a son utilité.

D'abord un petit volume du même M. Cotarelo auquel nous
devons la bibliographie du Centenaire, volume intitulé *Efemérides
cervantinas, ó sea resúmen cronológico de la vida de Miguel de Cervantes Saavedra.*[2]   M. Cotarelo a eu l'idée ingénieuse de cataloguer
chronologiquement les faits importants de la vie de Cervantes

---

[1] M. Navarro se pose en fervent admirateur du talent poétique de
Cervantes, qu'il défend contre les attaques de certains critiques, particulièrement de Quintana.   Le 'bon monsieur Quintana' et son ode à la
vaccine passent un mauvais quart d'heure.   Or, la question n'est pas de
savoir si les vers de Quintana valent plus ou moins que ceux de Cervantes, mais si Quintana a vu juste, comme critique, en signalant les
faiblesses de beaucoup de vers de Cervantes: à mon sens, il a eu parfaitement raison.

[2] Madrid, 1905, 315 pages in-12.

depuis la naissance de l'écrivain jusqu'à sa mort, en les accompagnant d'indications bibliographiques précises et qui m'ont paru généralement exactes et complètes. Cet aide-mémoire facilite beaucoup les recherches et rendra de bons services.

Un collaborateur, qui ne s'est pas nommé, de la *Revista penitenciaria* de Madrid nous a offert une description de la prison de Séville[1] où l'on admet maintenant que Cervantes a conçu son grand roman, lequel, selon ses propres paroles, 'fut engendré en une prison'. Il se trouve que l'on possède une relation par un contemporain de l'affreux repaire de misères et de vices qu'était la prison de Séville vers la fin du XVIᵉ siècle, à l'époque précisément où Cervantes fut condamné à y séjourner quelques mois à cause de certaines irrégularités reconnues dans sa comptabilité d'agent du fisc.[2] Cette relation a servi à l'auteur de l'article pour nous dépeindre l'état matériel et l'administration de la prison, son personnel, les occupations et les mœurs des détenus. Il y a joint une étude sur la criminalité, les lois pénales, la police, etc.

Un autre spécialiste — cette fois un géographe — a traité de la Manche au temps de Cervantes.[3] Cette province que l'auteur du *Don Quichotte* connaissait bien, qu'il a parcourue, où il a séjourné, quoique plus personne ne croie à la légende de son emprisonnement à Argamasilla de Alba, cette province qui joue un si grand rôle dans son roman, où nous marchons et dormons sous le soleil et la pluie en compagnie du bon hidalgo et de son écuyer, il importe à coup sûr que nous apprenions d'un homme compétent ce qu'elle représentait géographiquement, administrativement et socialement. D. Antonio Blázquez satisfait notre légitime curiosité d'une façon sobre et explicite. Sur la condition des habitants de la province, qui nous intéresse particulièrement, il a tiré quelques précieux renseignements de la grande entreprise de statistique prescrite par Philippe II, les fameuses *Relaciones topográficas,* qui malheureusement ne furent pas conduites à bonne fin.

La marine de guerre espagnole a voulu aussi apporter son tribut à la solennité; elle s'est souvenue du plus glorieux épisode

---

[1] *Centenario del Quijote. Homenaje de la Revista penitenciaria. Retrato de Cervantes. La Carcel de Sevilla en 1597 donde se engendró el Quijote,* etc. Madrid, 1905 (Extrait du numéro de mai 1905 de la *Revista*).

[2] Ce contemporain, avocat de l'Audience de Séville, se nommait Cristóbal de Chaves; sa relation a été publiée par D. Aureliano Fernández Guerra dans l'*Ensayo* de Gallardo, t. I, col. 1341 et suiv.

[3] *La Mancha en tiempo de Cervantes. Conferencia leída el día 3 de mayo de 1905 en la velada que la Real Sociedad geográfica dedicó á conmemorar la publicación del Quijote de la Mancha por Don Antonio Blázquez.* Madrid, 1905, 31 pages in 8ᵘ.

de la carrière navale de Cervantes, la bataille de Lépante. Dans un numéro spécial de la *Revista general de marina*, [1] un numismatiste très compétent, D. Adolfo Herrera, nous a donné la description avec planches à l'appui des médailles commémoratives de la grande victoire chrétienne; après quoi, le savant historien de la marine espagnole, D. Cesáreo Fernández Duro, a disserté sur les étendards de la Sainte Ligue remis par le pape Pie V à Don Juan d'Autriche et qui sont encore conservés dans le trésor de la cathédrale de Tolède.

Un autre recueil de mélanges doit aussi être cité; il porte le titre de *Cervantes y el Quijote* [2] et contient une série d'articles de cervantistes anciens et modernes, relatifs les uns à la vie de Cervantes, les autres à son roman. Le recueil vaut surtout par ses illustrations très nombreuses, qui mettent sous nos yeux, en même temps que beaucoup de localités intéressantes, depuis Alcalá de Henares jusqu'à la Cueva de Montesinos, les portraits de divers contemporains célèbres de Cervantes et ceux de ses commentateurs les plus appréciés.

A D. Francisco Rodríguez Marín, si connu par son admirable recueil de chants populaires espagnols et tant d'autres travaux sur l'histoire littéraire andalouse, nous devons la seconde édition d'un opuscule qui en 1901 avait vivement piqué la curiosité; [3] il y démontrait péremptoirement, et démontre mieux encore aujourd'hui, que les parents de Miguel habitèrent Séville en 1564 et 1565, il nous découvrait la profession du père, *médico zurujano*, retrouvait à Osuna et à Cordoue les traces du grand-père Juan, rendait aussi possible la fréquentation par Miguel d'un collège de la Compagnie de Jésus à Séville qui expliquerait les éloges sentis qu'il décerna plus tard à l'enseignement des Pères dans son *Coloquio de los perros*. M. Rodríguez Marín met beaucoup de bonne grâce à exposer les résultats de ses trouvailles et sait rendre attrayant tout ce qu'il écrit.

L'épître en vers de Cervantes à Mateo Vázquez est essentiellement un document autobiographique; c'est pourquoi je parlerai ici de la nouvelle édition qu'en a donnée D. Emilio Cotarelo. [4] D. Leopoldo Rius [5] nous dit que ce morceau, découvert en 1863

---

[1] *Revista general de marina. Homenaje á Cervantes en el tercer centenario de la publicación del Quijote.* Madrid, 1905, 56 pages in 4º, avec planches et reproductions en couleur des étendards de la Ligue.

[2] *Cervantes y el 'Quijote'.* Madrid, 1905, 171 pages in 4º.

[3] *Cervantes estudió en Sevilla (1564—1565). Segunda edición.* Sevilla, 1905, 36 pages pet. in 4º, et une planche de facsimilés.

[4] *Epístola á Mateo Vázquex dirigida en 1577 desde Argel por Miguel de Cervantes Saavedra, con introducción y algunas notas.* Madrid, 1905, 22 pages in 16. L'introduction est signée des initiales E. C.

[5] *Bibliografía crítica de las obras de Miguel de Cervantes Saavedra,* Madrid, 1895, t. I, p. 184.

dans les archives du comte d'Altamira, fut publié pour la première fois dans le numéro du 3 mai de cette année de *El Museo Universal;* il ajoute que le manuscrit qui servit à l'imprimeur était d'une 'main du temps de Cervantes'. L'édition que signale Rius n'est peut-être pas la première: en tout cas, j'ai sous les yeux le numéro du 1ᵉʳ mai 1863 du *Boletín bibliográfico español* de Hidalgo où le morceau se trouve aussi, et là l'éditeur dit qu'aussitôt la découverte connue et ébruitée par les journaux diverses personnes demandèrent des copies de l'épître pour les livrer à l'impression. Quel a été le sort du manuscrit, lequel d'ailleurs n'était qu'une copie et non l'original autographe que personne n'a vu? A-t-il été compris dans quelque lot des archives d'Altamira vendues de droite et de gauche?[1] Comment les cervantistes n'ont-ils pas veillé sur cette précieuse relique? En attendant qu'on la retrouve, il faut se contenter des éditions. Celle de M. Cotarelo ne reproduit pas l'orthographe du manuscrit, qu'avait respectée Hartzenbusch, dans le tome IV du *Don Quijote* d'Argamasilla,[2] ainsi que l'éditeur du *Boletín bibliográfico;* elle contient quelques fautes,[3] mais M. Cotarelo a joint au texte des notes utiles. Lui aussi penche à admettre des relations antérieures entre Vázquez et Cervantes, à cause de ce premier tercet:

> Si el bajo son de la zampoña mia,
> Señor, á vuestro oido no ha llegado,
> En tiempo que sonar mejor debia.

Mais Cervantes veut simplement dire que sa musette aurait rendu un m. 'lleur son s'il en avait joué avant d'avoir perdu sa liberté. Ces vers indiqueraient tout au plus que le captif avait eu d'autres occasions d'adresser une requête au secrétaire, et quant aux autres passages qui 'corroboreraient la présomption', je les cherche en vain.

Ce qui convient le mieux comme introduction à l'étude des œuvres d'un auteur est la bibliographie de ces œuvres. En ce qui concerne Cervantes, le travail avait été fait d'une façon très recommandable par D. Leopoldo Rius dans sa *Bibliografía crítica de las obras de Miguel de Cervantes Saavedra* (Madrid et Barcelone, 1895—1899), deux volumes grand in 8⁰, qui ont été augmentés d'un troisième en 1905: il n'y avait pas à y revenir. Rius donne l'essentiel et même beaucoup d'inutilités, ayant accueilli

---

[1] Il n'y a pas très longtemps, l'un de ces lots fut proposé au duc d'Aumale pour la bibliothèque de Chantilly.

[2] M. Cotarelo ne cite ni cette édition ni celle de Guardia dans sa traduction du *Viaje del Parnaso* (Paris, 1864).

[3] Dans le troisième tercet de la page 17, il faut supprimer la virgule après *escarmiento* et lire *pudo* au lieu de *pude*.

dans son répertoire certains enfantillages qu'il eût peut-être mieux
valu omettre, et perdu beaucoup de place à analyser longuement
de très pauvres élucubrations. Les bibliographes désireux de
célébrer à leur façon le Centenaire n'avaient donc plus à recenser
les éditons innombrables du *Don Quichotte,* les traductions qui
en ont été faites en toutes langues et les travaux de ses inter-
prètes; mais plusieurs ont pensé que le meilleur moyen d'inté-
resser le public à l'histoire du roman consistait à mettre sous ses
yeux des facsimilés des premières impressions, des reproductions
d'estampes ou de gravures des éditions illustrées et de certaines
œuvres d'art inspirées par les épisodes les plus connus de l'*Ingenioso hidalgo.* Ceux qui n'ont pas pu visiter l'exposition bibliographique et artistique du Centenaire installée dans trois salles
de la Bibliothèque nationale de Madrid examineront avec un
réel plaisir le catalogue qui en a été dressé [1] et qui comprend:
la description de ce que possède ce grand dépôt en fait d'éditions
du *Don Quichotte* (avec facsimilés pour les premières); des reproductions de dessins, de tableaux et de tapis, et en dernier lieu
un essai bibliographique, intitulé 'La bibliothèque de D. Quijote',
où ont été décrits, d'après les exemplaires du dépôt, les ouvrages
qui composaient la collection de l'hidalgo si brutalement expurgée
par ses amis, c'est-à-dire surtout des livres de chevaleries. Le
volume n'aura pas l'existence éphémère de beaucoup de catalogues
d'exposition; on le gardera, car il rend un excellent témoignage
de l'intelligence des bibliothécaires de la Nationale de Madrid et
de leurs connaissances professionnelles.

Décrire des éditions est chose utile, en faire si l'on peut de
bonnes vaut mieux encore. Divers imprimeurs d'Espagne, pour
répondre aux besoins du jour, ont rapidement reproduit le texte
du roman en entier ou en l'abrégeant. De ces éditions je ne
parlerai pas, mais je signalerai avec éloge l'initiative d'un éditeur de Barcelone qui nous a donné pour le prix extrêmement
modique de 4 pesetas l'édition en facsimilé des deux parties du
Don Quichotte (Madrid, 1605 et 1615). [2] Cette reproduction un
peu pâle, mais très suffisamment lisible, remplacera pour beaucoup d'amateurs la phototypie fort coûteuse exécutée à Barcelone
de 1871 à 1873 par D. Francisco López Fabra.

Quelle catégorie de lecteurs vise la soi-disant 'primera edición crítica' de *El ingenioso hidalgo,* pompeusement mise au jour
par D. Clemente Cortejón, directeur et professeur de l'Institut

---

[1] *Catálogo de la exposicion celebrada en la Biblioteca nacional en el
tercer centenario de la publicación del Quijote,* Madrid, 1905, 100 et LV
pages, et 40 planches, in 4".
[2] *Miguel de Cervantes. El ingenioso hidalgo Don Quixote de la Mancha.
Edición facsimile,* etc. Barcelona, 1905, 2 vol. in 12 (*Enciclopedia literaria,*
t. VII et VIII).

général et technique de Barcelone?[1] On se le demande, car il
est à craindre que la méthode ici suivie ne satisfasse ni les érudits, qui la jugeront tout à fait défectueuse, ni les simples curieux
auxquels le fatras de variantes, de citations et de commentaires
ainsi que le verbiage ampoulé et fleuri de l'éditeur donneront
littéralement la nausée. Sans doute, on éprouve quelque gêne à
condamner si catégoriquement les bonnes intentions de ce très
digne ecclésiastique, originaire de Meco, près Alcalá de Henares,
ce qui le rend presque 'pays' du grand Miguel et d'autant plus
sympathique. Mais aussi qu'allait-il faire dans cette galère?
M. Cortejón me paraît s'être trompé aussi bien sur l'établissement
du texte que dans le commentaire extraordinairement diffus et
généralement inutile qu'il y a joint. En l'absence de tout manuscrit autographe ou non du *Don Quichotte*, les sources uniques
du texte du roman sont les éditions publiées du vivant de Cervantes et auxquelles on peut supposer qu'il a eu une part quelconque, c'est-à-dire, dans l'espèce, pour la première partie, les
deux éditions de Juan de la Cuesta de 1605, celle du même imprimeur de 1608, et, pour la seconde partie, l'édition, toujours de
Juan de la Cuesta, de 1615. Il est en effet très invraisemblable
qu'il ait corrigé ou fait corriger les éditions publiées ailleurs qu'à
Madrid, par exemple celles de Valence, Milan, Bruxelles, où l'on
note des leçons nouvelles. Ces leçons ont la valeur, non de variantes, mais de *corrections* dues aux imprimeurs ou aux protes,
corrections qu'il faut traiter exactement *comme celles des éditeurs
modernes*. Or, M. Cortejón confond tout, variantes des éditions
originales et corrections, et il nous donne de ces *variae lectiones*,
de catégories distinctes, des spécimens en tableaux qui, dépliés,
couvriraient une table. A quoi sert cet étalage? A rien, si ce
n'est peut-être à amuser les badauds. D'ailleurs, d'une façon
générale, toutes les discussions qui remplissent les premieres pages
de ce livre sont oiseuses, puisque la généalogie des éditions du
Don Quichotte a été établie déjà et se trouve très suffisamment
indiquée par Rius ou Fitzmaurice-Kelly. Après un pareil dé-
ploiement de pseudo-érudition, on pouvait s'attendre au moins à
voir l'éditeur conserver scrupuleusement l'orthographe ancienne
des éditions primitives. Point; il transcrit le texte dans l'orthographe académique, et le comble est que cette orthographe a été
même introduite dans les variantes citées au bas des pages, et
tirées des Juan de la Cuesta et autres! Déjà M. Fitzmaurice-
Kelly avait diminué la valeur de son édition de Londres (David

---

[1] *El ingenioso hidalgo Don Quijote de la Mancha compuesto por Miguel
de Cervantes Saavedra. Primera edición crítica por D. Clemente Cortejón,
director y catedrático de historia de la literatura en el Instituto general y
técnico de Barcelona.* Primera parte. Tomo I. Madrid, 1905, CLXVI et
300 pages in 4.

Nutt, 1898) en adoptant l'orthographe académique sous prétexte que les 'extravagances' de Robles ou de Cuesta ne méritaient pas d'être respectées; mais ces extravagances Cervantes en commettait d'analogues, et elles ressemblent en tout cas davantage à ce qu'il écrivait que l'espagnol du XXe siècle. Au surplus, il y avait un travail intelligent à essayer dont M. Cortejón aurait pu s'octroyer le mérite et la gloire. Nous possédons de Cervantes bien plus d'écrits autographes qu'il n'en faut pour fixer les principaux traits de son orthographe usuelle, et de ces écrits il serait parfaitement légitime de se servir pour rectifier çà et là Juan de la Cuesta. Mais passons au commentaire. Il suffit de le parcourir pour se convaincre que la partie historique répète en les délayant les notes de Clemencín et y ajoute des digressions dont le moins qu'on puisse dire est qu'elles ne contribuent en rien à l'éclaircissement du texte de Cervantes. Au reste, M. Cortejón ne semble pas fort versé dans la connaissance des mœurs et des institutions de l'Espagne au XVIe et au XVIIe siècle, sa note sur *duelos y quebrantos* le montre surabondamment; il se donne surtout pour un grammairien et un connaisseur de la langue castillane. Quand il tient un idiotisme, il ne le lâche pas avant d'avoir vidé son sac. Ainsi le *solas y señeras* très justement introduit par Pellicer au chap. XI de la première partie, au lieu de *solas y señoras,* qui ne donne aucun sens, nous vaut six pages de commentaire. Sur cette locution toute faite, protégée en outre par une allitération, comme *modos y maneras,* si M. Cortejón avait voulu nous communiquer quelque chose de topique, il aurait pu, par exemple, signaler un passage de la nouvelle de Lope de Vega, *Las fortunas de Diana,* où nous voyons 'una mujer *sola y señera,* que caminaba ... por la aspereza de los montes', et faire remarquer que l'édition princeps porte *sola y señora,* ce qui prouve que la faute était de celles que les compositeurs de l'époque commettaient volontiers, et que par conséquent la correction de Pellicer a gagné droit de cité dans le texte du *Don Quichotte.* En résumé, et sans rien vouloir dire de désobligeant au très méritant professeur, j'estime peu désirable que l'énorme labeur qu'il a entrepris arrive à son terme, d'autant moins que la méthode de travail qu'il a adoptée, et qui consiste à se faire aider par des jeunes gens qui, assis autour de sa table, lui dictent les leçons du texte, n'inspire qu'une médiocre confiance, même pour ce qui touche au relevé des variantes et des corrections. Quant au commentaire, et d'une façon générale qui ne s'applique pas seulement à M. Cortejón, il me semble qu'au procédé des notes de longueur démesurée, qui encadrent le texte et l'étouffent, mieux vaudrait substituer un dictionnaire dans le genre du *Dictionary of proper names and notable matters in the Works of Dante* de M. Paget Toynbee, où figureraient, avec tous les noms de per-

sonne et de lieu des œuvres de Cervantes, les curiosités, les
traits de mœurs et de costume, en un mot tous les faits et
toutes les choses qui réclament une explication historique. La
langue fournirait la matière d'un autre lexique, et sur ce point
je reviendrai tout à l'heure. Mais avant d'en finir avec cet essai
malheureux d'une 'édition critique', je me permets d'exprimer le
vœu qu'on reproduise bientôt en phototypie toutes les éditions
originales de toutes les œuvres de Cervantes. Pour le *Don Quichotte*, il ne reste plus à reproduire que le second Juan de la
Cuesta de 1605;[1] pour les autres œuvres, l'opération s'accom-
plirait sans difficulté, et certainement celui qui s'en chargerait
pourrait compter sur une rémunération très suffisante, car tous
les amis de Cervantes voudraient posséder ces facsimilés qui
nous délivreraient des 'éditions critiques' faites ou projetées, chacun ayant ainsi sous la main l'instrument nécessaire pour établir
un texte à sa guise.

La langue de Cervantes ou, pour parler plus exactement, celle
du *Don Quichotte* a été l'objet d'un travail important par D. Julio
Cejador y Frauca, dont la première partie consacrée à la grammaire a seule paru.[2] Comme les Espagnols d'antan, M. Cejador
a soumis son livre à l'approbation d'un censeur, qui n'est autre
que l'éminent linguiste D. Rufino José Cuervo, le maître uni-
versellement reconnu et admiré des études de langue espagnole.
L'assurance, donné par ce dernier, qu'il se sent plus souvent
d'accord qu'en contradiction avec l'auteur rassurera tout le monde,
et c'est pourquoi, sans toucher au fond du livre et à sa doctrine,
me bornerai-je à quelques remarques sur sa composition. A quoi
répondent la phonétique et la morphologie générales qui remplissent les deux cents premières pages? On ne le voit pas
clairement, car dans cet exposé, où l'auteur répète surtout des
choses assez connues, il est fort peu question de Cervantes. Ce
qu'il y a à dire d'intéressant sur la phonétique et la morphologie de cet auteur tiendrait très aisément en dix pages: à quoi
bon s'écarter ainsi du sujet? Avec la syntaxe, qui occupe les
trois cents dernières pages du volume, M. Cejador y revient,
seulement ce qu'il nous donne n'est que la syntaxe du *Don Quichotte* et non celle de tout Cervantes. Le lexique, qui formera
le second volume de l'ouvrage, ne contiendra aussi que le vocabulaire du roman. Cette restriction se comprend puisque le pro-

---

[1] La première édition de 1605 et celle de la seconde partie de 1615
ont été reproduites deux fois, comme il a été dit. Celle de 1608, l'a été
en 1897 par les éditeurs Montaner y Simon de Barcelone, qui ont aussi
répété la seconde partie.
[2] *La lengua de Cervantes. Gramática y diccionario de la lengua castellana en El ingenioso hidalgo Don Quijote de la Mancha. Tomo I. Gramática.* Madrid, 1905, XII et 571 pages in 8º.

gramme du concours de l'Ateneo de Madrid portait *Gramática y vocabulario del Quijote* et que M. Cejador devait s'y conformer, mais ce découpage d'un auteur n'en offre pas moins de graves inconvénients. Le *Don Quichotte* a beau occuper la place prépondérante dans l'œuvre de Cervantes, nous ne connaîtrons vraiment la langue du grand écrivain que lorsque tous ses écrits auront été analysés par le lexicographe. Rien qu'au point de vue du vocabulaire, les *Nouvelles* fournissent autant si non plus que le *Don Quichotte*, et quant à la syntaxe, la *Galatea* et le *Persiles*, qui représentent les deux extrêmes de la vie littéraire de Cervantes, le point de départ et le terme final, réclament l'examen au même titre que l'œuvre principale qui occupe le milieu de la carrière. On souhaite donc que M. Cejador étende son étude et, puisqu'il a si bien commencé, entreprenne un travail d'ensemble qui formerait un pendant au *Shakespeare-Lexicon* d'Alexandre Schmidt, incomparable modèle dont le lexicographe espagnol fera bien de s'inspirer. Il est vrai que ce lexique général suppose la publication préalable des facsimilés dont je parlais plus haut, car il importe que les renvois, comme M. Cejador l'a bien reconnu pour le *Don Quichotte*, s'appliquent aux éditions originales, lesquelles doivent être rendues toutes facilement accessibles afin de permettre au lecteur de se reporter au texte et de vérifier les citations.

Une question concernant l'histoire du *Don Quichotte*, et non résolue encore, est celle de l'auteur du faux *Don Quichotte*, de ce *Segundo tomo del Ingenioso Hidalgo* publié en 1614 à Tarragone sous le nom du licencié Alonso Fernández de Avellaneda. La recherche du personnage réel qui s'est caché sous ce pseudonyme, car le nom d'Avellaneda semble fictif, a fait couler beaucoup d'encre, en général de mauvaise encre. Avant de discuter, il convient d'avoir sous les yeux le corps du délit; aussi devons-nous des remercîments à M. Menéndez y Pelayo pour avoir provoqué une réimpression fidèle de l'édition de Tarragone.[1] Il y a joint une dissertation instructive où il examine les thèses anciennes pour les détruire, défend sans beaucoup de conviction, me semble-t-il, un nouveau candidat, et polémise contre M. Groussac, auteur de l'identification d'Avellaneda avec un Juan Martí qui passe pour avoir écrit le faux *Guzman de Alfarache*, hypothèse insoutenable pour bien des raisons et qui n'a obtenu aucun succès.[2]

---

[1] *El ingenioso hidalgo Don Quixote de la Mancha compuesto por el licenciado Alonso Fernández de Avellaneda, natural de Tordesillas. Nueva edición cotejada con la original, publicada en Tarragona en 1614, anotada y precedida de una introducción por Don Marcelino Menéndez y Pelayo.* Barcelona [1905], LXIV, 330 pages et 10 feuillets.

[2] Voy. *Bulletin hispanique*, t. V (1903), p. 359, et surtout l'article concluant de D. José E. Serrano y Morales, *El licenciado Alonso Fernández*

Le mieux serait maintenant de ne plus rien écrire à ce propos
tant qu'on n'aura pas d'arguments décisifs à produire en faveur
de telle ou telle solution; surtout l'on pourrait souhaiter ne pas
voir reprendre de vieilles suppositions depuis longtemps anéanties,
comme il est arrivé à l'auteur d'une brochure, bien à tort couronnée par les Jeux floraux de Saragosse en 1904, qui soutient
encore la candidature du Père Aliaga![1]

L'épithète d'*ingenioso* appliquée par Cervantes au héros de
son roman a donné du fil à retordre à certains commentateurs:
Clemencín, entre autres, la trouve obscure et peu heureuse. Le
criminaliste bien connu D. Rafael Salillas en cherche l'explication
dans le célèbre livre du Dr Juan Huarte, *Examen de ingenios,*
auquel il attribue une grande influence sur Cervantes, allant
jusqu'à nommer Huarte 'le grand inspirateur du romancier'.[2] Sans
aucun doute Cervantes avait lu l'*Examen,* cet ouvrage si amusant et si remarquablement écrit, mais qu'il y ait pris l'idée du
genre de folie de son chevalier et d'autres choses encore, c'est
ce qui me paraît fort improbable. En ce qui concerne l'épithète
d'*ingenioso,* il va de soi que Cervantes devait accompagner le
mot *hidalgo* d'un qualificatif favorable: *el hidalgo Don Quijote*
aurait eu un sens presque péjoratif, étant donné que la condition
du gentillâtre campagnard prêtait alors déjà au ridicule et que
le nom de Quijote était en soi burlesque. Il fallait donc en
quelque sorte relever l'expression, la corriger par un adjectif exprimant l'idée que Cervantes voulait qu'on se fît de son héros
un homme bon, noble, judicieux et avisé toutes les fois que sa
manie ne lui trouble pas la cervelle; un homme n'ayant rien
de commun avec l'*hidalgo* grotesque du théâtre populaire; car,
comme l'a si bien dit Samuel Johnson dans sa *Vie de Butler:*
'Cervantes had so much kindness for Don Quixote that, however he embarrasses him with absurd distresses, he gives him
so much sense and virtue as may preserve our esteem: wherever he is, or whatever he does, he is made by matchless dexterity commonly ridiculous, *but never contemptible.'* La théorie
des *diferencias de ingenio* proposée par Huarte n'a rien à voir
là dedans.

Comme il était à prévoir, les dramatistes espagnols, toujours
en quête de sujets, ne manquèrent pas de mettre à profit la
fable du *Don Quichotte,* dont la publication coïncida avec l'épa

---

de *Avellaneda fué Juan Martí?,* publié en 1904 dans la *Revista de Archivos, Bibliotecas y Museos* et reproduit par M. Menéndez y Pelayo à la
suite de sa dissertation.
  [1] *Cervantes y el autor del falso Quijote por Don José Nieto.* Madrid,
1905, 175 pages in 8º.
  [2] *Un gran inspirador de Cervantes. El doctor Juan Huarte y su Examen de ingenios.* Madrid, 1905, 162 pages in 8º.

nouissement de la *comedia*. Nous possédons de l'un des plus célèbres auteurs dramatiques de l'époque, Guillén de Castro, deux pièces intitulées, l'une *Don Quixote de la Mancha*, l'autre *El curioso impertinente*, celle-ci tirée de la nouvelle intercalée par Cervantes dans son roman: ni l'une ni l'autre ne comptent parmi les meilleures de l'*ingenio* valencien. Chez lui, comme dans toutes les autres pièces de théâtre, le personnage de Don Quichotte n'apparaît que comme une caricature du héros du livre. Castro certes avait l'âme assez haute et le tact assez fin pour démêler dans l'hidalgo de Cervantes, à côté des extravagances ridicules, des signes révélateurs de la plus noble des natures, mais s'il avait mis sur la scène un Don Quichotte sérieux, les *bancos* n'auraient pas compris et les *mosqueteros* auraient sifflé: l'admirable compléxité du caractère de l'hidalgo dépassait l'intelligence un peu fruste du *vulgo* amateur de théâtre, elle n'a été bien saisie que de nos jours. Quoiqu'il en soit, le *Don Quixote* de Castro est une pièce assez curieuse que la société valencienne du Rat-Penat a eu raison, après l'avoir fait jouer, de réimprimer d'après l'édition fort rare de 1621.[1] La petite farce de Francisco de Avila, *Los invencibles hechos de Don Quijote de la Mancha*, qui vient d'être réimprimée, transporte le chevalier dans le milieu picaresque des cabaretiers, des muletiers et des Maritornes; nous sommes ici dans la parodie burlesque, assez grosse mais amusante. La pièce du reste peut passer, comme le dit son éditeur qui en a élucidé les passages difficiles, pour une 'curiosité bibliographique'.[2]

Et puisque je viens de toucher au théâtre, je signalerai ici une brochure relative à Cervantes auteur dramatique et qui pourra servir de guide à ceux qui se proposent d'aborder l'étude de ses drames, de ses comédies et de ses farces.[3] Cet essai méritoire sera remplacé bientôt par un ouvrage beaucoup plus développé, l'Académie Espagnole de la Langue ayant choisi comme sujet du premier concours de la fondation instituée par le duc d'Albe, comte de Lemos, en mémoire de son inoubliable mère, et pour récompenser des auteurs de travaux littéraires, histo-

---

[1] '*D. Quixote de la Mancha*', *comedia en tres jornales y en vers per D. Guillem de Castro y Bellvís. Representada de vell-nou.en lo Teatro Principal de Valencia, en la nit del VIII dia de Maig de MDCCCCV.* Valencia, 1905, VI et 119 pages in 8º.

[2] *Curiosidad bibliográfica. Los invencibles hechos de Don Quijote de la Mancha, entremés famoso compuesto por Francisco de Avila, natural de Madrid.* Madrid [1905], 35 pages in 8º. L'avant-propos est signé des initiales F. P. G.

[3] *Apuntes escénicos cervantinos ó sea un estudio histórico, bibliográfico y biográfico de las comedias y entremeses escritos por Miguel de Cervantes Saavedra, etc. por Narciso Díaz de Escovar.* Madrid, 1905, 79 pages pet. in 8º.

riques et scientifiques, l''étude critique du théâtre de Miguel de Cervantes'. [1]

Le séjour de Don Quichotte en Aragon chez un duc et une duchesse, qui hébergent le chevalier et son écuyer et s'en amusent, sera toujours tenu pour un des plus délicieux épisodes du grand livre: l'humour de Cervantes atteint ici son maximum. Ces chapitres accusent aussi les intentions satiriques de l'écrivain qui, avec une habileté consommée, y a dépeint les vices du régime seigneurial en Espagne au XVIIe siècle. Depuis Pellicer, qui a identifié la villa où est accueilli Don Quichotte avec le bourg de Pedrola et l'île Barataria avec Alcalá de Ebro, une tradition ·s'est accréditée suivant laquelle le duc qui réalise le rêve de Sancho aurait été le chef d'une des plus grandes maisons de la noblesse aragonaise, le duc de Villahermosa. Profitant de cette tradition, les Aragonais d'aujourd'hui l'ont célébrée par une mascarade et des fêtes dont une a eu lieu à Pedrola, sous les auspices de la duchesse de Villahermosa, Doña María del Carmen Aragón Azlor, grande dame aussi patriote que lettrée et que la mort hélas! est venue surprendre il y a quelques mois avant la publication du beau volume consacré au souvenir de cette commémoration. [2]

Je terminerai cette revue par quelques mots sur la participation des étrangers à la célébration du Centenaire. L'Angleterre, où l'humour de Cervantes a toujours eu de fervents admirateurs et même inspiré de grands écrivains — que ne doit pas Fielding à son ancêtre espagnol? — l'Angleterre possède aujourd'hui un cervantiste fort distingué, éditeur, biographe et traducteur, dans la personne de M. James Fitzmaurice-Kelly. Sa contribution à la fête a consisté en une lecture qu'il a faite devant la British Academy, de fondation récente, sur *Cervantes en Angleterre*. [3] — L'Allemagne a rafraîchi en la réimprimant une traduction renommée, celle de Tieck, [4] et nous a offert

---

[1] L'*entremés* de Cervantes intitulé *El vizcaino fingido* vient d'être réimprimé avec un commentaire assez estimable mais beaucoup trop verbeux (*Estudio crítico acerca del entremés 'El vizcaino fingido' de Miguel de Cervantes Saavedra por Manuel José García*. Madrid, 1905, 184 pages in 8⁰.)

[2] *Album cervantino aragonés de los trabajos literarios y artísticos con que se ha celebrado en Zaragoza y Pedrola el III centenario de la edición príncipe del 'Quijote'. Publícalo la Excma. Sra. Duquesa de Villahermosa*. Madrid, 1905, XV, 224 pages et 26 planches in-folio.

[3] *The British Academy. Tercentenary of 'Don Quixote'. Cervantes in England*. London, 1905, 19 pages in 8⁰.

[4] *Leben und Taten des scharfsinnigen Edlen Don Quixote von la Mancha von Miguel de Cervantes Saavedra. Übersetzt von Ludwig Tieck. Jubiläums-Ausgabe in vier Bänden mit einem Titelbild. Mit einer biographisch-kritischen Einleitung und erklärenden Anmerkungen herausgegeben von Dr. Wolfgang von Wurzbach*. Leipzig [1905], 2 vol. in-12. La biographie de Cer-

une nouvelle édition d'une autre version très appréciée aussi, celle de Ludwig Braunfels.[1] Il y aurait un chapitre et presque un livre à écrire sur les traducteurs du *Don Quichotte* et leur méthode. A mon avis, pour un roman de ce genre, que savoure le monde entier, aucun genre de traduction n'est à exclure, tous ont leur raison d'être, depuis la 'belle infidèle' jusqu'à la traduction la plus exacte et la plus savante. Ce qui captive la plupart des lecteurs est la fable avec ses incidents, surtout les inimitables dialogues de l'hidalgo et de son écuyer, et cela peut être rendu intelligible dans une forme agréable et facile en abrégeant le texte, en élaguant de ci de là certaines superfétations et des passages qui sentent trop le terroir pour pouvoir être aisément transposés en une langue étrangère. Mais le *Don Quichotte* s'adresse aussi à un autre public qui s'intéresse à la langue, au style, aux particularités de la vie espagnole, qui voit dans ce livre le grand roman social de l'Espagne des Philippe. En un mot, le *Don Quichotte* n'est pas un livre simple comme l'autre roman mondial, *Robinson Crusoé*, qui n'a ni style ni même de date, puisqu'il ne s'y trouve pour ainsi dire aucune allusion, aucune couleur historique. Le *Don Quichotte* lui est en quelque sorte à deux faces, il se révèle alternativement sous deux aspects distincts. Aux deux catégories de lecteurs, il faut donc des traductions appropriées. Celle de Tieck me semble conserver sa valeur comme livre de lecture courante, malgré les contresens et les inexactitudes qu'on y pourrait noter; mais je conçois que le lecteur allemand désireux de pénétrer plus profondément dans l'œuvre de Cervantes, d'en assimiler, autant que faire se peut sans savoir la langue originale, *el sabor de la tierruca*, comme dirait Pereda, ait désiré une version plus fidèle, serrant de plus près le texte espagnol. A ce lecteur la traduction de Braunfels donnera entière satisfaction. Sous sa première forme, dans la *Collection Spemann*, elle contenait des notes assez nombreuses que les réviseurs de la nouvelle édition, MM. H. Morf et S. Gräfenberg, ont en partie omises. Je le regrette un peu pour ma part, quoique je comprenne les raisons éditoriales qui ont motivé cette suppression. Quoiqu'il en soit, en renouvelant dans cette *Jubiläumsausgabe*, aussi correcte qu'élégante, la meilleure peut-être des traductions du *Don Quichotte*, M. Karl J. Trübner rend un vrai service à ses compatriotes et à tous les amis de Cer-

---

vantes et l'étude de ses œuvres par M. von Wurzbach, qui renseignera le public allemand sur tout ce qu'il a besoin de savoir, donne un prix particulier à cette réimpression.

[1] *Der sinnreiche Junker Don Quijote von der Mancha von Miguel de Cervantes Saavedra. Übersetzt, eingeleitet und mit Erläuterungen versehen von Ludwig Braunfels. Neue, revidierte Jubiläumsausgabe.* Strassburg, 1905, 4 vol. in 8⁰.

vantes.[1] — La France, où depuis le XVIIe siècle Cervantes a joui d'une si grande popularité et où d'éminents critiques ont apprécié son génie avec tant de finesse, la France cette fois s'est abstenue, car j'ose à peine mentionner un opuscule de quelques pages où celui qui écrit ces lignes a dénoncé un faux autographe de Cervantes, lequel s'était glissé dans une de nos collections publiques.[2]

Ce court résumé, et qui ne vise nullement à être complet, des publications du Centenaire laissera, je l'espère, une assez bonne impression. Si surtout l'on compare cette commémoration à celle du deuxième centenaire de la mort de Calderon célébrée il y a tantôt vingt-cinq ans, on estimera que les Espagnols ont cette année bien mieux réussi qu'en 1881. A la vérité, le héros de la fête de 1905 avait beaucoup plus d'ampleur, son nom parle à la nation entière. Calderon, au contraire, ne représente que certains traits du génie espagnol qui ne répondent plus à nos idées d'aujourd'hui et que beaucoup d'Espagnols jugent même antipathiques et nuisibles. Entre le dramaturge-théologien du XVIIe siècle et l'Espagne moderne le contact s'est perdu; pour le renouer il faut des efforts multiples et un état d'âme particulier. C'est pourquoi le centenaire de Calderon fut surtout l'œuvre de quelques lettrés qui provoquèrent un enthousiasme de commande, tout à fait factice, que ne partagea point la masse du public. Cervantes lui réunit tous les suffrages, il peut compter sur la sympathie universelle. Ceux même qui ne l'ont point lu savent en gros ce qu'il fit et ce qu'il écrivit; ils savent

---

[1] J'en ai examiné les premiers chapitres avec assez d'attention. Dans le Prologue, *hijo del entendimiento* doit être rendu, non par *Sohn*, mais par *Kind* qui se trouve chez Tieck. — Plus loin, dans le même Prologue, il me semble que *oficiales amigos* sont plutôt des 'amis empressés' que des 'compagnons de métier amis'. Tieck fait aussi de *oficiales* un adjectif qu'il traduit mal par *vertraute*. Reste à savoir si Cervantes emploie ailleurs adjectivement *oficial* avec le sens du français 'officieux'. — Chap. Ier. *Salpicón* n'est pas un pâté (*Fleischkuchen*) mais une salade de viande froide, comme l'explique longuement à Oudin son rival Ambrosio de Salazar. — Chap. IV. En traduisant *infante* par *Prinz*, Braunfels a pensé qu'il respectait un idiotisme espagnol, mais *infante* avait aussi le sens d''enfant' qui convient seul au passage (cf. une note intéressante de D. Ramón Menéndez Pidal, *La leyenda de los infantes de Lara*, p. 442). Tieck a bien mis *Knabe*. — Chap. 18. 'Sin salir del camino real, que por allí iba muy seguido' n'est pas 'ohne von der Landstrasse abzuweichen, die dort vielbegangen war', mais 'sans sortir de la route royale qui en ce lieu s'avançait en ligne droite'. *Seguido* a le sens qu'on trouve plus loin (chap. 20) dans l'adverbe *seguidamente*: 'Dilo seguidamente', c'est à dire: 'd'une traite, sans t'écarter du sujet'. Oudin avait déjà commis la faute. — Comme on le voit par ces quelques remarques, il ne s'agit que de vétilles.

[2] *Un faux autographe de Cervantes.* Paris, 1905, 15 pages in 8[°] (Extrait du *Bulletin du Bibliophile*).

qu'il personnifie ce qu'il y a de plus sain et de plus fin dans
le tempérament espagnol: le courage et la gaîté, l'ironie spiri-
tuelle et le désintéressement. Aussi, malgré quelques voix dis-
cordantes, quelques réserves de certains directeurs de l'opinion,[1]
les Espagnols ont-ils le droit de croire et de dire que leur fête
fut belle et vraiment digne du héros, le plus grand à tous égards
de leurs grands écrivains.

Paris, janvier 1906.   Alfred Morel-Fatio.

P. S. Depuis qu'ont été écrites les lignes qui précèdent,
quelques nouveaux travaux sont venus grossir la littérature déjà
considérable du Centenaire. Je citerai notamment une dissertation de D. Julio Puyol y Alonso, qu'a couronnée l'Académie
des sciences morales et politiques de Madrid, et qui roule sur
l'état de la société espagnole tel qu'il apparaît dans le *Don Quichotte:*[2] le sujet avait été traité déjà et M. Puyol ne l'a pas
renouvelé, mais son exposé conduit avec assez de méthode mérite
une mention honorable. Une autre publication beaucoup plus
importante est le *Rinconete y Cortadillo* de D. Francisco Rodríguez
Marín.[3] L'établissement du texte de cette nouvelle offre des
difficultés particulières, car il faut tenir compte ici d'une version
manuscrite assez différente du texte imprimé en 1613 et 1614.
M. Rodríguez Marín nous fait connaître les deux *états* du célèbre
conte picaresque dont le seul rapprochement est fort instructif
et dissipe quelques obscurités des éditions courantes, mais je ne
pardonne pas à l'érudit éditeur son amour pour l'orthographe
académique. Comment un homme de goût comme lui et si versé
dans la connaissance de l'ancienne langue ne sent-il pas que

---

[1] J'entends ici parler de l'article un peu chagrin et maussade de
M. Gómez de Baquero intitulé 'El centenario del Quijote. Lo que ha
sido y lo que debió de ser', dans *La España moderna* du 1er juin 1905.
Dans un autre numéro de la même revue (1er décembre 1905), D. Miguel
de Unamuno, recteur de l'Université de Salamanque, qualifie le Centenaire de 'ridicule'. Cette boutade ne tire pas à conséquence, M. Unamuno
se tenant et se donnant pour un grand humouriste, seulement son humour
n'a rien de commun avec celui de Cervantes. — Pour finir, j'avertis
charitablement que le livre du Père Juan Mir y Noguera, *El centenario
quijotesco* (Madrid, 1905, 245 pages in 8º) n'est qu'un manuel du purisme
et des réformes que l'auteur voudrait introduire dans l'espagnol d'aujourd'hui en le remodelant sur celui qu'écrivaient les auteurs de son choix
au XVIe et au XVIIe siècle.
[2] *Estado social que refleja 'El Quijote'.* Madrid, 1905, 108 pages gr.
in 8º.
[3] *Rinconete y Cortadillo, novela de Miguel de Cervantes Saavedra, edición crítica por Francisco Rodríguez Marín.* Sevilla, 1905, 485 pages, pet.
in 4º.

transcrire un ouvrage du XVIIᵉ siècle en écriture de trois siècles postérieure donne au lecteur quelque peu raffiné l'impression de ces cathédrales romanes ou gothiques sur lesquelles on a plaqué un portail jésuite ou un clocher en fonte? Qu'on fasse des éditions populaires des auteurs célèbres en écriture moderne, cela se conçoit et cela doit être, mais, pour Dieu! que celles qui ne s'adressent qu'aux érudits et aux curieux respectent le costume et le style du temps; sans compter qu'en altérant la forme des vieux livres, l'éditeur se prive du meilleur moyen de rendre plausibles les corrections qu'il juge à propos d'introduire dans son texte. Ceci dit, je me hâte de donner au travail de M. Rodríguez Marín tous les éloges auxquels il a droit: le commentaire à la fois linguistique et historique dont il a entouré la petite nouvelle sévillane est d'une richesse, d'une précision vraiment admirables; et ce trésor de renseignements puisés aux meilleurs sources et si agréablement présentés aux lecteurs justifie ce qu'il dit de ces éditeurs qui pensent avoir fait quelque chose en copiant un texte et en le ponctuant: 'Es mucho más fácil copiar un texto que entenderlo, depurarlo y fijarlo. Hasta Pero Grullo conocía y pregonaba esta verdad.' L'Académie Espagnole a eu bien raison de récompenser à nouveau son ancien lauréat et de se charger des frais d'impression de cet excellent ouvrage.

Avril 1906.   A. M.-F.

Kleinere Mitteilungen.

Die Bedeutung der Wörter Himmel und Himmelreich.

Himmel und Himmelreich als Aufenthaltsort der Seligen — Himmel als Himmelsgewölbe sind die ursprünglichen Vorstellungen, die mit beiden Wörtern verbunden werden.

Hinter beiden Namen stecken aber noch viele andere Bedeutungen. Das Wort Himmel bezeichnet häufig Gegenden von reizender Lage mit entzückendem Um- und Ausblick. In Vorarlberg im Gamperdonertal liegt der berühmte Nenziger Himmel. Rings von dunklen Wäldern und saftgrünen Mähdern umrahmt, nimmt sich dieser umfangreiche Weideplatz zu beiden Seiten des Mängbaches ganz prächtig aus. Zahllose Alpenhütten, teils in Reihen gestellt, teils in Gruppen, sind rings auf der grünen Fläche zerstreut. In der Mitte steht das stille St. Rochuskirchlein (Ludw. v. Hörmann, *Wanderungen von Vorarlberg* S. 135).

Himmel bedeutet auch ein einzelnes Haus, wie z. B. in meinem Heimatlande nahe der Grenze des Gerichtsbezirkes Kirchbach an der Pielach. Pamphilus Gengenbach besaſs in Basel seit 1508 9 seine eigene Offizin: 'daneben hat er auch einen laden im hause zum roten kleinen löwen in der freien straſse (Nr. 31) neben dem zunfthaus zum himmel' (*Zeitschr. f. d. Phil.* 37, S. 48).

Am Himmel ist eine herrliche Anlage mit Park, Schloſs und einer Meierei, die heute nach Einbeziehung der Vororte zu Wien im Stadtgebiete unweit von Sievering liegt. Diesem Himmel eilen Einheimische und Fremde gern zu, denn man genieſst von hier einen bezaubernden Ausblick auf das Häusermeer der groſsen Stadt und auf die vielen Hügel und Berge, die sie umsäumen.

Eine andere Landschaft, die 'Am Himmel' zubenannt ist, breitet sich um den 836 Meter hohen Himmelberg aus und greift in die Lehenrotte, Ortsgemeinde Türnitz, über. Unweit davon steht das Haus, welches Himmelbauer heiſst. Andere einzelne Häuser führen die Namen Himmelfeld, Himmelreich, Himmelreichswies, Vorder- und Hinterhimmelsberg (*Topographie v. N.-Östr.* IV, 264).

In Elling bei Ingolstadt in Oberbayern ist ein in Felsen ausgehauener unterirdischer Gang. Von anderen vielleicht mit diesem zusammenhängenden unterirdischen Gängen sind Spuren vorhanden. Auf dem betreffenden Steuerblatte sind folgende Ortsnamen angezeigt: Höllriegel, **Himmelreich**, Osterbrunngewänder, Osteräcker, Osterwiesen (Frd. Panzer, *Bayr. Sag. u. Geb.* I, 62).

In Mittelfranken liegt der anderthalb Wegstunden lange und dreiviertel Wegstunden breite Haselberg. Da finden sich Orte mit den Namen: Schlöfslesbuck, das Drutental, die Osterwiese, der Hangenstein, die Schwarzefichte und d a s **H i m m e l r e i c h**. Daran knüpft sich die Sage: Vom Schlöfslesbuck nach dem Heslasberg zieht ein unterirdischer Gang. Auf dem Schlöslesbuck wohnten drei Jungfrauen, man nannte sie die Schlöfslesbuckjungferle; sie waren klein und gingen nicht weiter als in das **H i m m e l r e i c h** und in das Drutental. Zwei waren ganz weifs, die dritte weifs bis zum Gürtel, abwärts schwarz (Panzer, a. a. O. 136).

H i m m e l r e i c h, Helgraben, Gründlein sind Benennungen einzelner Plätze eines schönen bei Vestenberg, zweieinhalb Stunden von Ansbach gelegenen Eichwaldes (a. a. O. II, 254).

Sollten die würdigen Augen eines Abstinenten von striktester Observanz auf diesen Absatz etwa fallen, so ist er freundlich gebeten, die paar Zeilen zu überspringen, denn das **G r a a c h e r H i m m e l r e i c h** würde sein Gemüt betrüben oder ihn gar aufser Rand und Band bringen; von diesem Himmelreich erzählt nämlich unser launiger Julius Wolf im *Landsknecht von Cochem* S. 41, dafs dort einer wächst, der zur besten Sorte gehört.

Himmelreich ist ein häufig vorkommender Ortsname. In Rudolfs *Ortslexikon* erscheint er zweiunddreifsigmal (A. Heintze, *Deutsche Familiennamen* 161).

Aussee ist das s t e i r i s c h e **H i m m e l r e i c h** (Kolm. Kaiser, *Da franxel in da Fremd* S. 10).

Jeder Besucher Gmundens kennt die aussichtsreiche Himmelreichswiese, die sich über dem Nordostende des Traunsees auf dem Wege zum Franzl im Holz und zum Laudachsee erhebt.

Welchen Zauber das Himmelreich einer Darstellung zu verleihen vermag, das zeigen die '*Kinder von Finkenrode*' von Wilhelm Raabe, S. 62, wo die Frage auftaucht: 'Kennen Sie auch das romantische Jägerhaus unter dem Wartemberg, das Haus i m **H i m m e l r e i c h**'? — Hier ist das Himmelreich ein idyllisches Jägerhaus.

Gasthöfe, Herbergen führen mitunter auch poetische Kennzeichen. Die Bezeichnung z u m e w i g e n **L e b e n** kommt im Stadtgebiet von Wien öfters vor; wie die Tageschronik meldet, mufs es irgendwo auch einen Gasthof zum Himmelreich gehen: 'Ein zwanzigjähriger Student und eine siebzehnjährige Hausbesorgerstochter entflohen miteinander. Die zwei losen Vögel wurden in einem Gasthofe, der den wohlangebrachten Namen z u m **H i m m e l r e i c h** führt, ertappt und den Familien übergeben' (*Neue Freie Presse* vom 11. März 1904).

In Köln heifst nach der *Zeitschrift f₍ d. deutschen Unterricht* XV, 772 eine ganze Strafse d a s **H i m m e l r e i c h**, und irgendwo, bemerkt

O. Weise (*Ästh. d. d. Sprache* 152), bezeichnet **Himmelreich** das Stadtviertel, wo die Ärmsten wohnen.

So benennt man auch Wohnungsbestandteile, die nach obenzu liegen: 'Vorwärts, Antonio! halt dich nicht auf!' rief Leone. Vorwärts treppauf ins Himmelreich' (W. Raabe, *Die schwarze Galeere* S. 42).

Das Antlitz gilt auch als Himmel: 'In ein Gewitter oder in ein stürmendes Meer sehe ich herzhafter als in das kleine Gesicht, in einen **heitern Himmel** von drei Nasenlängen' (J. Paul, *Hesperus* 23, Hundsposttag).

Das Himmelreich ist Kennzeichen der Bildung. Abraham a Sancta Clara scherzt in Auf auf ihr Christen: 'Man kann ganz richtig wissen, was ihr für Landsleut seid, ob ihr aus dem **Himmelreich** oder Lümmelreich'.

Himmel nennt man in katholischen Ländern den an vier Stangen befestigten Traghimmel, d. i. Tragbaldachin, unter dem bei der Auferstehungs- und Fronleichnamsprozession der Priester das hochwürdigste Gut trägt. Auf die metaphorische Bezeichnung von **Himmel** in **Thronhimmel**, **Betthimmel** und **Himmelbett** hat Dr. A. Waag in seinem hübschen Buche über die *Bedeutungsentwickelung unseres Wortschatzes* (Nr. 248) aufmerksam gemacht.

Um eine gewisse, relativ bedeutende Höhe zu bezeichnen, verwendet der aus dem Jahre 1558 stammende Tiroler Landreim das Wort im Sinne von First, wie in der Anmerkung angegeben ist. Die Stelle lautet:

> Da wirt des suessen Wassers vil
> In die werckh gfüert | wie mans hab'n wil.
> Biſs es den **Himel** thuet anriern
> Doch nit den | daran stet das Gstirn.
> (V. 241—244.)

Von der Taubstumm-Blinden Laura Bridgman ist ein Gedicht überliefert, in dem der Himmel als heiliges Heim gilt: *Heaven is holy home* (Prof. Dr. W. Jerusalem, *Laura Bridgman* S. 63).

Mögen uns Menschen, Gewalt- und Machthaber verkennen, verunglimpfen, kränken und zurücksetzen, ein Himmelsausschnitt weiſs uns zu versöhnen: es ist der **vaterländische Himmel**.

An den Wörtern Himmel und Himmelreich ist der Bedeutungswandel des Wortes gut zu beobachten. Von der Bedeutung des Himmelsgewölbes gehen die Namen über zur Bedeutung der malerischen, romantischen Lage einer Gegend, von der Gegend zu dem einzelnstehenden Haus, vom Haus zu dessen Bewohner, wie das so manche Familiennamen deutlich zeigen: **Friedrich Heinrich Himmel** danken wir u. a. sinnige Liederkompositionen und die Oper ‚Franchon', die seinerzeit viel Aufsehen erregte. **Wilma Himmelreich** ruft Mitleid hervor, denn sie, die achtundzwanzigjährige Meisterstochter, wurde, wie die betrübende Nachricht aus

Esseg vom 9. September 1904 meldete, von dem um zehn Jahre jüngeren Gesellen ihres Vaters, weil der von einem Liebesverhältnis der beiden wegen ihres Altersunterschiedes nichts wissen wollte, durch vier Revolverschüsse getötet. Zuchthäuser, Gefängnisse u. dergl. führten in früheren Tagen mitunter sehr drollige Namen, wie z. B. Das Schellenwerk in Bern,[1] das berüchtigte Loch des Nürnberger Rathauses,[2] das alte Loch,[3] das Hundeloch,[4] den Narrenkotter und das Narrenhäusel,[5] das Hainburger Jungfrau Kötterl,[6] die Harfe der Stadt Meiningen,[7] die Keuche der ehemaligen Benediktiner Universität in Salzburg,[8] die Schergstube zu Neuhaus in Böhmen,[9] die Bärenhaut, besser Bernhut,[10] ein Gefängnis für Hurer und Ehebrecher, den schwarzen Sack, den Diebskeller[11] — ja, man bekäme bald ein ganzes Büchlein solcher bodenständiger Bezeichnungen zusammen, wollte man planmäfsig von Stadt zu Stadt derartige Überlieferungen verfolgen; doch die anmutigste darunter dürfte doch der alte Gefängnisname der landesfürstlichen niederösterreichischen Stadt Hainburg an der Donau bleiben: das Himmelreich.

Josef Maurer erwähnt in seiner Geschichte dieser Stadt einigemal diesen sicheren Aufenthaltsort, wobei aus verwichenen Tagen auf das Leben und Treiben in diesem Städtchen ein wertvolles Streiflicht fällt. S. 370: Die fremden Schuhmacher wurden ausgewiesen, ihre Rädelsführer kamen in das Himmelreich. — S. 377: Der Müllermeister Michael Hintermüller bezahlte wegen schlechten Brotes fünf Reichstaler Strafe, Michael Fasser aus der gleichen Ursache drei Gulden und Jos. Georg Zeininger wegen schlechtem Mehlmafs einen Reichstaler. Am 1. August 1693 sank ohnehin das Gewicht der Kreuzersemmel auf 10 Lot, das des Sechskreuzerlaibes auf $4\,^1/_3$ Pfund, das des Groschenlaibes auf $2\,^1/_2$ Pfund. Michael Fasser redete respektwidrig gegen den Rat wegen seiner Strafe und kam dafür einen Tag ins Himmelreich.

S. 428: Die Bürger hielten aufs neue um Entschädigung für die durch die Baireuthschen Dragoner im Jahre 1704 erlittenen

---

[1] E. L. Rochholz, *Schweizersagen aus dem Aargau* I, 219.
[2] Gutzkow, *Hohenschwangau* V, 333.
[3] Wilhelm Raabe, *Das Horn von Wanza* S. 166.
[4] Dr. H. Wimmer, *Geschichte der Pfarre St. Agathe zu Hausleiten bis zur Diözesanregulierung im Jahre 1783*. Wien.
[5] Puntschert, *Denkwürdigkeiten der Stadt Retz* S. 136, 141.
[6] Ratschlufs vom 12. September 1710.
[7] Balthasar Spiefs, *Idiotikon* 93.
[8] *Beiträge der österreichischen Erziehungs- und Schulgeschichte*, V. Heft, S. 32, 36.
[9] *Führer durch Neuhaus* S. 36. Bei A. Landfras in Neubaus.
[10] *Alemannia* 15, S. 192.
[11] Dr. Georg von Below, *Das ältere deutsche Städtewesen und Bürgertum* S. 50.

Einquartierungslasten an. Dabei ging es wieder nicht ohne Lärm ab. Als mit dem Handelsmanne Johann Engler abgerechnet wurde, war dieser nicht zufrieden und 'gofs villfältige scheltwort höchst straffmäfsig aus', so dafs er ins Himmelreich gesperrt werden mufste, bis er seinen schuldigen Täz bezahlt und nachgewiesen hatte, dafs er 1704 wirklich 24 Klafter hartes Holz für die Soldaten hergegeben.

S. 456: Der Hofmeister des Pfarrers Mathias Wolf war mit den Fuhrleuten des Kardinals von Sachsen-Zeitz so grob, dafs er für acht Tage ins Himmelreich gesperrt wurde.

S. 466: Hanns Andreas Schettin, Schuhmacher in Berg, lästerte im Hause seines Vaters in Hainburg Gott, schmähte über die zehn Gebote Gottes, die Heilige Schrift und den Stadtrat. Er wurde am 15. Januar 1716 vormittags ins Himmelreich gesperrt, dann durfte er sich eine Stunde im Gerichtszimmer wärmen, worauf er von zwölf bis zwei Uhr wieder eingesperrt wurde.

Respektwidriges Benehmen, Fluchen und Schelten, Grobheit, Gotteslästerung, Schmähung der Heiligen Schrift und auch des löblichen Stadtrates, ausgiefsen von Injurien bei der Einquartierung von Soldaten, ausgiefsen von Calumnien, erwiesener Ungehorsam, wie der Ratschlufs der Stadt vom 19. Juli 1710[1] zeigt, das alles führte in das Himmelreich von Hainburg.

Himmel und Himmelreich zeigen so deutlich, welch mannigfache Bedeutungen die Wörter unserer Sprache anzunehmen vermögen. Das eine wie das andere Wort leistet gute Hilfsdienste, dieses oder jenes zu benennen, wobei meistens die Unterströme des Bewufstseins auch in Flufs geraten und das menschliche Gemüt in Bewegung setzen. Der Glückseligkeit der Menschen helfen die beiden Wörter schlicht und einfach zum Ausdruck. Da jeder Mensch in etwas anderem sein Glück und seine Glückseligkeit findet, so ist es begreiflich, wie viele verschiedene Bedeutungsnuancen in Himmel und Himmelreich verborgen sind. Aber das Erhabene, das Erquickende, das Beglückende im Erkennen, Fühlen, Wollen, alles, was dem Menschen als heilig gilt, dann beseligende Zufriedenheit, fernab zu sein vom grofsen Strome der Welt in einem stillen Winkel des Glücks, die Zauber der Romantik mit allem, was angenehm ist oder wenigstens so vorgestellt wird, schimmert bei den beiden Namen immer durch. Daher kommen auch bei der Namengebung Orte in Betracht, wo die Sage ihre zarten Fäden spinnt. Aus den Namen Kanzelried, Himmelsbühl, Sonnenbrunnen und Heiligematten, wie einige Wiesgründe und Zelgen in der Schweiz benannt werden, schliefsen die dortigen Leute sogar auf einen Tempel, der da ge-

---

[1] Für die Freundlichkeit, dafs mir der Herr Gemeindesekretär Franz Hölzl in die Ratsprotokolle der Stadt Hainburg Einsicht gewährte, sei an dieser Stelle der ihm gebührende Dank abgestattet.

standen haben soll (E. L. Rochholz, *Schweizersagen* II, 299). Schliefslich lehnt sich alles Grofse, das sittlich Hohe, ausgiebige mathemati-
sche Höhe, das Wunderbare und alles, was in der Seele des Menschen
Staunen hervorruft, mehr oder minder an diese Himmel- und Himmel-
reichbenennungen an.

Wien. Franz Branky.

Zu 'N. Praun und P. Collenuccio', Arch. CXV 22 ff.

Bei Abfassung des obgenannten Artikels habe ich leider eine
Studie von Prof. L. A. Stiefel 'Eine Quelle Niklas Prauns' übersehen, die *Zs. f, d. Philol.* XXXII 473—484 erschienen war. Ich
stelle fest, dafs bereits Prof. Stiefel durch einen genauen Vergleich
von Cynthios Libro della origine delli volgari proverbii (Kap. 34
Contrasto), Collenuccios Philotimo und Praun erwiesen hat, dafs nicht
Cynthio, sondern Collenuccio allein die Quelle Prauns ist.

Adolf Hauffen.

Die Lösung des ae. Prosarätsels.

Zu dem *Archiv* CXV 392 gedruckten Prosarätsel macht mich
Kollege Schick darauf aufmerksam, dafs dasselbe bereits gelöst ist:
der treffliche Dietrich hat es am Schlusse seines bekannten ersten
Rätsel-Aufsatzes in der *Z. f, d. A.* XI 489 f. behandelt. Dietrich
meint, das Rätsel habe 'zwei anscheinend verschiedene Teile', da die
'sprechenden Gegenstände' verschieden seien: der Ausdruck *min agen
wif* weise auf einen Mann, während *ic wæs mines broðor dohtor* eine
Frau verlange. Eigentlich zwei Rätsel lägen also vor, deren erstes
mit 'Tag' gelöst werden könne; bei dem zweiten sei offenbar Eva
gemeint. Doch fügt Dietrich hinzu: 'Eva könnte auch im ersten
Teile sprechen, wenn man die Begriffe "Vater" für "meiner Mutter
Mann" und "Sohn" für "den mein eigen Weib gebar" einsetzt und
die Verallgemeinerung der Vorstellung des ersten Manns zu Mann
überhaupt annehmen will.'

Ich glaube nun mit Schick, dessen Briefe ich im folgenden mehrfach glückliche Formulierungen entnehme, dafs wir nur ein Rätsel
anzunehmen haben, und dafs das Ganze mit 'Eva' zu lösen ist. Eva
ist sowohl die Tochter Gottes als auch Adams [1] (— da aus seiner
Rippe geschaffen —) und der Erde. [2] Adam ist aber zugleich ebenso
Sohn Gottes und der Erde; er ist also in zwiefacher Weise auch

---

[1] In einem lateinischen Rätsel bei Mone, *Anzeiger für Kunde der teutschen Vorzeit* VII 49, wird von Evas *mater mascula* (d. i. Adam) gesprochen.
[2] Man beachte, dafs hierin eine biblische und eine uralte Volks-
anschauung (A. Dieterich, *Mutter Erde*, Leipzig 1905, und G. Schütte, *Die
Schöpfungssage in Deutschland und im Norden = Indog. Forsch.* XVII
444 ff.) zusammengeflossen sind.

Evas Bruder. Weiter ist Eva durch die Jungfrau Maria die Mutter Christi, d. h. Gottes, geworden.[1]

Danach dürfte das Rätsel der Hauptsache nach klar sein. *Grét ðu minne broðor* [grüſse du meinen Bruder, d. i. Adam], *minre modor ceorl* [?], *þone acende min agen wif* [?]. *And ic wæs mines broðor dohtor* [d. h. Adams Tochter]. *And ic eom mines fæder modor geworden* [d. h. die Mutter Christi, d. i. Gottes, meines Vaters]. *And mine bearn* [meine Nachkommen bis auf Maria] *syndon geworden mines fæder modor* [d. h. Christi Mutter]. Der letzte Satz lieſse sich mit Schick auch folgendermaſsen deuten: *mine bearn*, d. h. die Menschen überhaupt, sind *mines fæder modor*, nämlich Adams Mutter, d. h. Erde, Staub geworden; doch möchte ich die erstere, theologische Deutung mit Rücksicht auf die unten Anm. 1 ausgehobenen Stellen und namentlich wegen des präteritalen *syndon geworden* vorziehen. Zwei Punkte machen noch Schwierigkeiten:

1) Was heiſst *minre modor ceorl*? Da der Ausdruck in Apposition zu Adam steht, kann sich *modor* wohl nur auf die Erde als Evas Mutter beziehen. Das Wort *ceorl* hat im Altenglischen, von der Grundbedeutung 'Mann' ausgehend, sich in zwei Bedeutungssphären[2] gespalten: a) eine geschlechtliche, im Verhältnis zum Weibe entweder 'männliches Wesen'[3] schlechthin oder 'Ehemann'[4] bedeutend, und b) eine rechtlich-ständische,[5] ursprünglich den 'Gemeinfreien' schlechthin bezeichnend. Als aber, wie überall, so auch in England der Stand der Gemeinfreien sich nach der Art und Weise des Besitzes[6] spaltete, wurde *ceorl* auf die niedrigste Stufe derselben beschränkt, zu welcher die kleineren Grundeigentümer, namentlich

---

[1] Blickling Homilies 89 19 sagt Eva zu Christus: *þu wast, þæt þu of minre dehter, Drihten, onwoce*, und 'Christ & Satan' 437 heiſst es: *þu fram minre dohtor, Drihten, onwoce*; auch Mones *Anzeiger* 1833 Sp. 236 *Ich ... ward in meinem wesen an gelayd, das mein sun mein vater wardt.*

[2] Die Bedeutungsscheidungen bei Bosworth-Toller sind hier, wie so oft, völlig unbrauchbar. Freilich ist die Bedeutungslehre überhaupt der schwächste Teil unserer altenglischen Philologie. In einer von mir geplanten Serie von 'Beiträgen zur englischen Wortlehre' hoffe ich gerade diesem Punkte erhöhte Aufmerksamkeit zu schenken.

[3] Beweisende Belege im Altenglischen sind selten: *mas ceorl* Wr.-W. 449 9; dazu ae. *ceorl-strang* Wr.-W. 108 17. In mittelenglischer Zeit jedoch taucht diese Bedeutung mehrfach wieder auf.

[4] Corp. Gl. 2175 uxorius *ceorl*; Napier I 5166 maritum *ceorl*; Denkspr. Exeter 9 *biδ his cĕol cumen and hyre ceorl to hām, āgen ætgeofa*; Joh. IV 18 (ed. Bright, Boston 1904) *þu hæfdest fíf ceorlas, and se-δe δu nu hæfst, nis δin ceorl*; Joh. IV 16 *clypa þinne ceorl*; Cura Past. 405 11 *gif hwelc wif forlæt hiere ceorl*; 99 12 *Hæbbe ... ælc wif hiere ciorl*. [Dazu Liebermann II 33.] Vgl. auch ae. *ceorlian* 'einen Mann nehmen, heiraten' und *ceorlas* 'gattenlos'.

[5] Belege bei Bosworth-Toller, Schmidt und demnächst vor allem bei Liebermann [soeben erschienen].

[6] Amira in Pauls *Grundriſs* III 2 134.

die Hintersassen eines Landherrn,[1] sagen wir also etwa die 'Bauern',[2] gehörten.

Welche der beiden Grundbedeutungen[3] pafst nun an unserer Rätselstelle? Kaum die erstere; denn ich wüfste nicht, wie Adam der Ehemann von Evas Mutter genannt werden kann. Und *minre modor ceorl* mit Dietrich als Kenningar für 'Vater' anzunehmen, will mir hier wenig passend dünken. Es bliebe also nur die zweite Bedeutung übrig. Aber mit dem rein ständischen Begriffe 'Gemeinfreier' oder 'Bauer' werden wir hier immer noch nicht auskommen können: nur wenn sich die ständische Bedeutung auch zu einer Berufsbezeichnung 'Bauer' = 'Landbebauer, Landmann, Ackersmann' weiterentwickelt hat, wüfste ich an unserer Stelle mit *ceorl* etwas anzufangen. Und tatsächlich ist auch diese Sinn-Nuance nachzuweisen. Ich finde sie nämlich einmal in den Metren des Boethius XII 27 (wo, ebenso wie in unserem Rätsel, ein Genitiv mit *ceorl* verbunden ist): *swa-swa londes ceorl of his æcere lycđ yfel weod* 'ebenso wie ein Landmann [so richtig Krämer, *Bonner Beitr.* VIII 108] schlimmes Unkraut auszieht', und anderseits in dem Kompositum *æcer-ceorl* 'agricola', das uns zwar nur durch Somner überliefert, aber kaum von diesem erfunden ist. Ich übersetze also mit Schick *minre modor ceorl* 'den Bebauer meiner Mutter, d. i. der Erde'.

2) Schwieriger ist die Deutung des nun folgenden *þone acende min agen wif*. Im allgemeinen ist wieder klar, dafs gemeint sein mufs: Adams Mutter, d. i. die Erde. Aber wie kann die Erde Evas *agen wif* genannt werden? Für sich betrachtet könnte der Ausdruck *min agen wif* wohl dreierlei bedeuten:

a) 'mein eigen Weib', d. i. 'meine Ehefrau' — sei es, dafs man *āgen* als ein das Possessiv verstärkendes Adjektiv[4] nimmt, wie in *min agen bearn* usw., oder dafs man *āgen-wif* als Kompositum fafst, wie an. *eiginkona, eiginkvān, eiginhūsfrū* 'Ehefrau', *eigenbōndi* 'Ehemann'.

---

[1] Amira a. a. O. III[2] 138.

[2] Mit diesem Heruntersinken als Standesbegriff erhielt das Wort auch einen pejorativen Nebensinn, der sich namentlich in Ableitungen wie *ceorlisc* 'bäuerlich > bäuerisch' (z. B. *ceorlisc folc* 'vulgus uel plebs' Wr.-W. 170 37) und *ceorlfolc* 'vulgus' (Ælfrics *Gramm.* 300 19) fühlbar macht und im Neuenglischen ausschlaggebend geworden ist. Die Bedeutung 'Unfreier', die Grein im *Sprachsch.* und Kluge im *D. etym. Wtb.* unter *Kerl* schon fürs Altenglische annehmen, erhielt das Wort aber erst, als durch die normannische Eroberung der sächsische Bauer zum unfreien Knecht herabgedrückt war.

[3] Mindestens folgende fünf Bedeutungen wären also für ae. *ceorl* anzusetzen: 1) 'Mann, männliches Wesen', 2) 'Ehemann', 3) 'Gemeinfreier', 4) 'freier Bauer', 5) 'Landmann'.

[4] Weitere Beispiele (ebenfalls stark flektiert) siehe bei Bosworth-Toller unter *agen* sowie bei L. Kellner, *Hist. Outlines of English Syntax*, London 1892, § 310.

　　b) Zweitens könnte man ein Kompositum *āgenwīf* annehmen,
das mit dem in den Gesetzen belegten ae. *āgenfrēa* 'Eigentümer'[1] zusammenzuhalten wäre und dann die Bedeutung 'Eigentümerin' haben
müfste. Aber mit dieser Bedeutung, selbst in dem verallgemeinern-
den[2] Sinne von 'Herrin', wüfste ich in unserem Zusammenhange
wenig anzufangen, da die Erde doch wohl kaum Evas Besitzerin
oder Herrin genannt werden kann.

　　c) Eine letzte Möglichkeit wäre endlich, *mīn āgen wīf* oder, als
Kompositum aufgefafst, *mīn āgenwīf*, als 'höriges, leibeigenes Weib,
Sklavin' zu deuten und unsere Stelle mit Schick zu übersetzen 'meine
Dienerin', d. h. 'die mir untertane Erde'. Mein Hauptbedenken hiergegen ist nur, dafs wir nicht die geringste Spur haben, dafs das
Adj. *agen* auf englischem Boden je die Bedeutung 'leibeigen' entwickelt hat, welche ja für as. *ēgan* (nur Genesis 169: *thin egan skalk*),
mndd. *ēgen*, mndl. *eighen*, afrs. *ein* und ahd. *eigan* (Otfried) freilich
gesichert ist und auch in den Kompositis an. *eignarmaðr* (nur Karla-
magnussaga: *eignarmenn konungs*), mndl. *eighenman*, mhd. *eigenman*
'Knecht, Dienstmann' und mhd. *eigenwīp*, *eigendiu* 'Hörige' zutage
tritt. Sachlich würde diese Bedeutung aber sehr wohl passen; denn
von der Erde als 'Dienerin Evas' könnte man insofern sprechen, als
Jehovah Genesis I 28 dem ersten Menschenpaare die Weisung gab:
replete terram et subjicite eam.[3]

　　Nach allem möchte ich mich für diese letzte Erklärung entscheiden und den ersten Satz also folgendermafsen übersetzen: 'Grüfse
du, o Wanderer, meinen Bruder, meiner Mutter Bebauer, den meine
Dienerin gebar'.

---

[1] Belege: z. B. II Cnut 24, 1 und Ine 53, wo drei Hss. *agendfrio*
mit *d* lesen. Man möchte deswegen versucht sein, die Form *agenfrea* auf
das auch sonst sicher belegte und gleichbedeutende *agendfrea* 'Eigentümer',
eine Zusammensetzung von ae. *āgend* 'Eigentümer' + *frēa* 'Herr' zurückzuführen und lautlich also Verstummen des mittelsten von drei Konsonanten (Bülbring § 533) anzunehmen. Anderseits könnte man aber auch
an Parallelen wie mhd. *eigenherr* 'Eigentümer' (Lexer), bayer. *aigenherr*,
aigenfrāu 'Besitzer(in)' (Schmeller I ² 48) erinnern und von einem jetzt
bei Liebermann II 9c belegten Substantivum *āgen* 'Eigentum' ausgehen,
das einem gt. *aigin*, an. *eign*, afrs. *ein*, as. *ēgan*, mndd. *ēgen*, ahd. *eigan*
entspricht. Wegen des Nebeneinander von *agenfrea* und *agendfrea* würde
im letzteren Falle auf an. *eigumaðr* (zu an. *eiga* 'Eigentum') neben *eigan-*
dismaðr zu verweisen sein.
　　[2] Vgl. ae. *āgend* 'Eigentümer', im weiteren Sinne auch 'Herr'; so z. B.
von Gott gebraucht Exod. 295 und Beow. 3075.
　　[3] Ähnlich die Anschauungen der Kirchenlehrer, z. B. Hilarius (Migne
IX 426): *Ut creatis aut uteretur aut dominaretur homo est electus*; Hugo
de S. Victor (Migne CLXXV 37): *Dominari debuit homo omnibus, sed per
peccatum amisit dominium*; Petrus Abaelardus (Migne CLXXVIII 40):
*Non hominem homini praeponit Deus, sed insensibilibus tantum vel irratio-
nalibus creaturis, ut eas scilicet in potestatem accipiat*; Ernaldus (Migne
CLXXXIX 1534): *Dominatio omnium, quae in terra est et quae in aquis
sunt, homini data est.*

Nach dieser Lösung kann natürlich von Volkstümlichkeit auch bei diesem Rätsel nicht mehr die Rede sein. Der Vollständigkeit wegen sei noch erwähnt, dafs das ae. Prosarätsel sowohl von H. F. Maſsmann in Mones *Anzeiger für Kunde des teutschen Mittelalters* (1833) Sp. 238 als auch von Grein im Appendix zur *Bibliothek der ags. Poesie* (1858) Bd. II S. 410 aus Wanley abgedruckt worden ist.

Würzburg.　　　　　　　　　　　　Max Förster.

Die Aussprache des ne. *aw*.

Einen neuen Beleg für die Gleichsetzung des ne. *au, aw* mit kontinentalem *ā*, worüber in der letzten Zeit öfters gehandelt ist,[1] finde ich in Alex. Popes († 1744) Gedichtchen 'Phryne' (*Globe Edition* p. 183 unten), wo es V. 7 ff. von der englischen Dirne heiſst:

> Her learning and good breeding such,
> Whether th'Italian or the Dutch,
> 　　Spaniards or French came to her:
> 10　To all obliging she'd appear:
> 'Twas *Si Signior*, 'twas *Yaw Mynheer*,
> 'Twas *S'il vous plaist, Monsieur*.

Yaw in V. 11 soll offenbar das holländ. *ja* wiedergeben; interessant ist auch der Reim *Mynheer : appear*, woraus für das letztere Wort die ältere Aussprache *æpér* folgt.

Kiel.　　　　　　　　　　　　F. Holthausen.

Etymologien.

1. Ne. *reak, reek* — aisl. *rek*.

Ne. *reak, reek*, schott. *reik* 'Streich, Possen', nach dem *N. E. D.* 1575 zuerst belegt, jetzt veraltet und meist im Plural gebraucht, scheint mir das aisl. *rek* n. (< *vrek*) 'Unternehmung, Bestrebung' — auch in *af-rek* 'ausgezeichnete Tat', *far-rek* 'Verdruſs, Verlegenheit', *tor-rek* 'Verlust' — zu sein. Das Subst. gehört zum Verbum *(v)reka* = got. *wrikan*, ae. *wrecan* 'treiben' und bedeutet also eigentlich 'Betrieb'. Bemerkenswert ist noch die Bedeutung 'aufziehen, hänseln', die aisl. *reka* u. a. aufweist, weil sie so gut zu der des engl. Subst. paſst. Da anlautendes *v* vor *r* geschwunden ist, müfste das engl. Wort aus dem Westnord. entlehnt sein, vgl. Björkman, *Zur dialekt. Provenienz der nord. Lehnwörter im Englischen (Språkvetenskapl. sällsk. förhandl.* 1898—1901) S. 22 f. Die Länge des Vokals stammt natürlich aus den Cas. obl.

2. Ne. *to jaunt, jaunce* — gr. *κάμπτω*.

Ne. *to jaunt* hat nach dem *Oxf. Dict.* folgende Bedeutungen: "1) To make (a horse) prance up and down; to exercise or tire a horse by riding him up and down. *Obs.* 2) To prance. *Obs. rare.* 3) To

---

[1] Zuletzt von W. Horn, *Unterss. zur ne. Lautgesch.* (Q. F. 98) S. 21 ff.

carry up and down on a prancing horse; to 'cart about' in a vehicle.
Obs. rare. 4) Of a person: To trot or trudge about (with the notion
of exertion or fatigue); to run to and fro. *Obs.* or *arch.* 5) To make
a short journey, trip, or excursion; to take a jaunt, now, esp., for
pleasure." Im lebendigen Gebrauch sind also nur noch die beiden
letzten Bedeutungen. — Dazu gehört das Subst. *jaunt:* "1) A fati-
guing or troublesome journey. 2) An excursion, a trip, or journey,
esp. one taken for pleasure." Das Verbum weist auf ein afrz. **janter*
hin, meines Wissens bisher unbelegt, aber leicht aus gr. κάμπτειν
'beugen, biegen, krümmen, einlenken, umlenken, wenden, umkehren'
abzuleiten. Das Lautliche macht keine Schwierigkeiten, da gr. κ im
lat. Anlaut gern als *g* erscheint (Schwan-Behrens § 27, 1) und *-mpt-*
> *-nt-* wird, vgl. *conter* < *comp(u)tare*.

Ein aus vulgärlat. **gantāre* weitergebildetes **gantiāre* steckt nun
offenbar in dem selteneren *jaunce* 'to make (a horse) prance up and
down'; 'to prance as a horse', das bei Palsgrave und Cotgrave als
frz. *jancer* 'ein Pferd kräftig im Stalle bewegen' bezeugt ist, woneben
Palsgrave ein auf pikard. norm. **gancer*[1] zurückweisendes engl. Verbum *gaunce* (in der Bedeutung von *jaunce*) anführt, vgl. das *Oxf.
Dict.* s. v.

3. Ne. *rein*, frz. *rêne*.

Afrz. *resne*, aglnorm. *redne*, nfrz. *rêne* 'Zügel' kann nicht auf
lat. *retina* beruhen (wie ital. *redina*, span. *rienda*, port. *redea*), sondern
setzt ein vulgärlat. **restina* voraus, vgl. *pastinaca* > afrz. *pasnaie*,
æstimare > afrz. *esmer*. Dies mag auf verschiedene Weise entstanden
sein, da man sowohl an Einfluſs von *restis* 'Seil, Strick' wie von
*adrestāre > afrz. *arester* 'festhalten' oder von **restinēre* 'zurückhalten'
(nach *abs-tinēre*) denken könnte. — Die afrz. Nebenformen *regne*,
raigne, *rainne*, prov. kat. *regna*, auf denen ne. *rein* beruht, lassen
sich nur durch Umbildung nach *regnum*, *regnāre* erklären.[2]

Kiel.						F. Holthausen.

---

[1] [Pic. norm. würde die Form **ganchier* lauten.]
[2] [Für das allerdings rätselhafte **retina* ein **restina* anzusetzen, ist
wegen afrz. *resne*, anglon. *redne* (d. h. *reðne*) doch nicht nötig: *s*, *ð* sind
die schwankenden Bezeichnungen des postdent. tönenden Reibelautes, der
in *reðena* zur Zeit der Synkope erklang, und der dem völligen Schwund des
Lautes vorangeht. *d* und *s* alternieren dabei, cf. *adne*, *chaidne*. In engl.
meddle ist der französische Laut (*medler*) als *d* festgehalten worden; in engl.
male ist er geschwunden (afrz. *masle*, *madle*). — *Regne* ist keine Umbildung durch *regnare*, das bekanntlich im Afrz. trotz *gn* kein mouilliertes *n*
aufweist, und dessen Lautgeschichte selbst unaufgeklärt ist. Es könnte
sich nur um Angleichung der Schreibung handeln. Vising vermutete
vielmehr Einfluſs von **retinare* auf *regnare* schon *Z. f. rom. Phil.* VI, 379,
und der ist im höchsten Maſse wahrscheinlich, oder besser: afrz. *rener*,
rené gehören zu *rene* < **retina*, und *regnare* tritt nur nachträglich als
Lehnwort in die Entwickelung ein. — Die Graphie *gn* in Konkurrenz mit
sn, *dn* ist keineswegs *regne* eigentümlich, cf. *ignel* etc., und stellt ein all-
gemeineres Lautproblem dar (cf. *Romania* XV, 618 f.). H. M.]

Beiträge zur Quellenkunde der me. geistlichen Lyrik.

I.

In Bd. CIX, S. 69 des *Archivs* hat B. Fehr aus der Hs. Sloane 2593 unter Nr. LXXI ein in kurzen vierzeiligen Strophen geschriebenes religiöses Lied mit dem Anfang: *Enmy[1] Herowde, þu wekkyd kyng* veröffentlicht, das sich schon durch den beigesetzten, allerdings gräfslich entstellten, lateinischen Urtext als eine Übersetzung zu erkennen gibt. Der Quelle, damit auch der Erklärung und Verbesserung der geradezu grotesken lat. Beilage, ist F. nicht weiter nachgegangen, obwohl sie mit Hilfe der vorzüglichen Register in Dreves' *Analecta hymnica* nicht eben schwer zu finden war. Es ist der sehr bekannte und beliebte *Hymnus II* des Dichters C a e l i u s S e d u l i u s, und zwar entsprechen die Verse 1—16, d. h. die vier ersten Strophen der me. Übersetzung, den Versen 29—36, 41—44 und 49—52 der lat. Dichtung, die ebenfalls in Vierzeilen verfafst ist, und worin jede Strophe der Reihe nach mit einem Buchstaben des Alphabetes beginnt. Wie aus dem hier unten beigefügten Abdruck zu ersehen ist, wurden nur die mit H, I, L und N beginnenden Strophen wiedergegeben — vorausgesetzt, dafs wir es mit einer vollständigen Kopie zu tun haben.

Das Original lautet nach der Ausgabe von Huemer (*Corp. script. eccles. latin.* X) p. 163:

30 Hostis Herodes impie,
Christum venire quid times?
Non eripit mortalia
Qui regna dat caelestia.

Ibant magi qua venerant,
Stellam sequentes praeviam;
35 Lumen requirunt lumine,
Deum fatentur munere.

* * *

41 Lavacra puri gurgitis
Caelestis agnus attigit,
Peccata qui mundi tulit
Nos abluendo sustulit.

* * *

Novum genus potentiae:
50 Aquae rubescunt hydriae,
Vinumque iussa fundere
Mutavit unda originem.

Die letzte Strophe (*Gloria tibi, domine* etc.) ist offenbar eine spätere Zutat; Huemer gibt sie in den Fufsnoten S. 168 in etwas anderer Fassung nach mehreren Handschriften, deren Mitteilung nicht lohnt, weil die engl. Übersetzung auf dem beigedruckten lat. Texte beruht. Statt *(s) com* ist natürlich bei Fehr *sancto* zu lesen!

Kiel.   F. Holthausen.

[1] So hat offenbar die Hs. an Stelle von *Eumy*.

Ein englisches Kinderlied.

In Österreichisch-Schlesien entscheiden die Kinder beim Blinde-
kuhspiel und 'Haschen', wer zuerst die unangenehme Rolle des Blinden, bezw. des 'Häschers' zu übernehmen habe, indem das älteste
Kind folgende Worte spricht und bei jedem Wort eines der im Kreise
aufgestellten Mitspielenden berührt; das beim letzten Wort berührte
Kind ist das Opfer.   Enze, Denze, Diche, Dache,
                        Bohne, Knache,
                        Im, Schim,
                        Pär, Lein, Puff.   Du gehst raus!

In England wird, wie ich aus Mrs. Hope Merricks Einakter *Jimmy's
Mother* sehe, das gleiche Verfahren beobachtet — mit etwas anderen
Worten: Ena Dena Dina Dust
                        Bottle o' Wena Wina Wust
                        Each, Peach, Pear, Plum,
                        Black Ink, Old Tom.   Out goes one.

Czernowitz.   L. Kellner.

Das Liederbuch MS. Rawlinson Poet. 185.[1]

In a note to the second song of the Rawlinson MS. songbook
Herr Bolle says: 'über diese Melodie (i. e. *The Tune of Legoranto*)
ist weiter nichts bekannt', and immediately before: 'der *Tune of Legoranto* ist natürlich mit dem *Lacoranto* (Nr. XV) identisch.' [*Archiv*
CXIV, 356.] I believe I can prove to satisfaction that the tune is
a wellknown one.

One of the favourite dances of the 17th and 18th centuries was
the *courante* (*corant, currant, corrant, couraunt*) or *coranto* (*couranto,
choranto, corranto, caranto, caronto, carranto, carranta, curranto*). The
name was used both for the step and for the music. to which it was
danced, a tune in triple time. There were some varieties of the courante, such as *courante diminuée, courante madame, courante royale*.
(v. Fl. v. Duyse, *Het eenstemmig Fransch en Nederlandsch Lied* 323,
293, 292.) For the music and further particulars I refer the reader
to Chappell's *Old English Popular Music*, Grove's *Dictionary of
Music*, Land's *Luitboek van Thysius*, i. v. *courante*. Also to the *New
English Dictionary* for numerous examples of the different forms of
the word. — Another popular dance was the *volta* which had been
introduced from Italy. Instead of calling it 'the volta', it was invari-
ably named 'the lavolta', the Italian article *la* having been mistaken
for a part of the word. The name took various forms in the mouths
of the people: *lavalto, lavolto, lavolt, lovalto, levalto, levolto*. (v. *N. E. D.*
i. v. *lavolta.*) The form *levalto* occurs in the *Roxburgh Ballads* (Hind-
ley) II, 170, where *A Pleasant Ballad of King Henry the Second* is
set to the tune of *The French Levalto*. In *The Knight of the Burning*

---

[1] *Archiv* CXIV, 326—357.

Pestle III, 5, Merrythought says: 'Play me a light *lavolta*'. The name of the dance was even made into a verb: to *lavolta, levalt, lavolt.*

Perhaps *Labandala shot* given as the tune of a song in Robinson's *A Handful of Pleasant Delights,* p. 57, is another case in point, but there can be no doubt that in *De Nieuwe Laboré* given as tune to Starter's song beginning *Stil, stil een reys* (p. 42 of Van Vloten's edition), *laboré* is corrupted out of *la boré (bouré, bourrée,* Valerius 147 *La Boree*), a well-known dance, called in England *boree, bory;* v. *N. E. D.* i. v. *boree,* and Land, *Luitboek van Thysius* p. 380, 396; *Oud-Holland* I, 109.

There can be little doubt that *lacoranto, legoranto* is a corruption of *la courante* influenced by the form *coranto,* and is on a par with *lavolta* and *laboré.* Cp. lavolta and lavolto.

It is a pity that Dr. Bolle does not tell us whether the text in the Archiv is a verbatim reprint: we do not know whether such a form as *Iron fosell* for *Iron to sell* (I, 41), *stinking nettle* for *stinging nettle* (XIV, 70), *storkinge* for *stockinge* (XV, 10), *waaden* for *wooden* (? XV, 53), *sheeps* for *sheepe* (ib. 49), *lones* for *loues* (ib. 104), *clinke* for *climbe* (ib. 122), *banen* (ib. 57), *carres* for *iarres* (XVII, 2) are printer's errors, errors of the writer of the songbook, or errors of the transcriber. Is *hore* (I, 22) in the MS.? As some of these poems contain very interesting words it is important to know how far the text is reliable.

Medley seems also to have been applied to a dance consisting of steps from various dances; N° 447 of *Het luitboek van Thysius* (Veertiende Afdeeling: Danswyzen) is *Le Medly.* There are good examples of this sort of song in *Merry Drollery,* pp. 182 and 333, each consisting of a number of stanzas written to various tunes, not merely of 'opening lines', 'refrains', 'proverbs' etc. (*Archiv* 357.)

For *Lord Willoughby's March* (N° XVI *The Carman's Whistle*) I refer to *Lord Willoughby's Welcome home,* and for *O neighbour Robert* to *Soet Robbertgen* in *Het Luitboek van Thysius* p. 87; to *Prins Robberts Mars,* a tune in Gysbert Japicx, *Rymlarye,* p. 13, and especially to Fl. v. Duyse, *Het Oude Nederlandsche Lied,* pp. 1149—54.

Groningen.   A. E. H. Swaen.

Nachträge zu dem Aufsatz 'Quellen und Komposition von Eustache le Moine', diesen Roman und hauptsächlich den 'Trubert' betreffend.

(Vgl. *Archiv* CXIII, S. 66—100.)

1. *Eustache le Moine.*

Zum *Eustache* haben wir nur eine kurze Bemerkung nachzutragen: Der verschlagene Held versteckt sich einmal auf einem Baume und pfeift, als ob er eine Nachtigall wäre: ,*Ochi, ochi!*' Der Graf aber antwortet: '*Je l'ocirai par saint Richier!*' (V. 1148). — Dafs Eustache als Vogel dem Grafen entgeht, ist wohl ein Märchenmotiv. In Grimms *Märchen* findet auf der Flucht Verwandlung in eine Ente statt

(Nr. 51, 56), der Zauberlehrling (Nr. 68) verwandelt sich, wenn er entkommen will, in einen Vogel.

Das Motiv: Ein Tor hält Tierstimmen oder Naturlaute für Worte, ist stehend und versagt wohl auch nie seine burleske Wirkung. Die Katze macht: 'Miau, Miau', der Edelknabe versteht: 'Durchaus, durchaus nicht'. (Grimms Märchen Nr. 70). Der ins Wasser Fallende macht 'Plump', die anderen verstehen 'Kommt!' und fallen auch hinein (Nr. 61). Weitere Auslegung von Tierstimmen finden wir in den Märchen 21, 24, 27, 47, 105, 171 u. a. m.

Ein weiteres Motiv der *Robin Hood-Balladen* und des *Eustache*, die Heiligkeit der Mahlesgemeinschaft, vor der sogar der Outlaw sich beugt, findet eine hübsche Parallele in der orientalischen Literatur, die ich, obgleich nur Verwandschaft der Anschauungen vorliegt, dennoch dem Leser nicht vorenthalten möchte.

In der *Bibliographie arabe* Chauvins ist eine Erzählung analysiert, die sich in 1001 Nacht befindet und die von einem Diebe folgendes erzählt (Bd. VI, S. 195):

'*Un manœuvre, poussé par la misère, se joint à des voleurs et pénètre avec eux dans le trésor du roi. Ayant touché de la langue un morceau de sel qu'il voit briller comme un joyau, il se considère comme l'hôte du sultan et obtient de ses complices qu'ils laissent tout là.*'

Ähnlich erzählt Lafcadio Hearn in *Kokoro* (1905) aus Japan: 'Es gibt eine Geschichte, die von dem berühmten Räuber Ishikawa Goëmon erzählt, dieser sei bei dem nächtlichen Einbruch in einem Hause vor dem Lächeln eines Kindes, das ihm sein Händchen entgegenstreckte, so bezaubert gewesen, daſs er sein verbrecherisches Vorhaben völlig vergaſs.' —

Dem Stande entsprechend, dem die Erzähler- und Zuhörerkreise orientalischer Märchen angehören, nämlich dem Kaufmannsstande, haben diese Märchen naturgemäſs ganz andere Vorstellungen, wie solche der Landbewohner. So finden wir auch hier, im Gegensatz zu Eustache und Robin Hood, den Stadtdieb, den Einbrecher, eine Figur, die im orientalischen Märchen nicht weniger beliebt ist, als der Strauchdieb im germanischen. Davon zeugt Chauvins Sammlung in der *Bibliographie arabe* Band VII, S. 134 *Les voleurs* mit 34 Nummern und dem Verweis auf 45 andere zerstreute Erzählungen.

Von den kulturellen Unterschieden zwischen Räubern und Dieben abgesehen, finden wir, den angeführten Erzählungen nach, dieselbe Anschauung von der Heiligkeit der Mahlesgemeinschaft in Orient wie Okzident.

2. Die Quelle des *Trubert*.

Fast gleichzeitig mit unseren Ausführungen über *Eustache* und *Trubert* erschien eine Neuausgabe dieses von Jakob Ulrich.[1] Es

---

[1] *Trubert*, afrz. Schelmenroman des Douin de Lavesne, Gesellsch. f. roman. Lit., Bd. 4. 1904.

ist dem Herausgeber gelungen, ein Märchen in mehreren modernen
Versionen beizubringen, von dem der Verfasser des *Trubert*, D o u i n
de L a v e s n e, Kenntnis gehabt und das er in seiner Weise verwandt
hat, ein Zusammenhang, den bereits R. Köhler vermutete (*Ztschr. f.
Rom. Phil.* VI, 483). Dieses Märchen hat ungefähr folgenden Inhalt:
Ein Bauernbursche (Sohn einer Waschfrau u. dergl.) wird bei Ver-
kauf eines Huhns (Schweins etc.) von einem Räuber betrogen. Um
sich zu rächen, verkleidet er sich als Mädchen, erweckt die Begierde
des Räubers, veranlaſst diesen, den Gebrauch eines Galgens zu de-
monstrieren und bindet ihn daran fest. Dann prügelt das vermeintliche Mädchen den Räuber, sagt, wer er sei und wofür die Prügel
seien, und macht sich aus dem Staube.

Hierauf verkleidet er sich als Arzt, wird zu dem von den Prügeln kranken Räuber geschickt, und die Kur endet abermals mit
Prügel und Offenbarung.

Während nun statt eines dritten Auszuges die von Ulrich erzählte französische Version (S. XVI ff.) den Rachsüchtigen mit einer
Geldsumme befriedigen läſst, übernimmt in der sizilianischen Version
(S. XI ff.) der Peiniger als Straſsenkehrer verkleidet den Transport
des schwerkranken geprügelten Räubers ins Hospital (!?), nimmt ihm
unterwegs alles Geld ab, worauf neue Prügel und Offenbarung. Beide
Märchen scheinen mir in diesem letzten Zuge unursprünglich zu sein.

Ulrich nimmt nun im zweiten Abschnitt seiner Einleitung dieses
Märchen, wie es da ist, als Quelle des *Trubert* und bespricht die Abweichungen des letzteren:

Daſs im Gegensatz zum Märchen *Trubert* einem Herzog gegenübergestellt wird, erscheint Ulrich nicht symptomatisch: 'Wie man
sich in den Fabliaux so oft über Bauern, Bürger und Pfaffen lustig
macht, muſs hier zur Abwechslung einmal — in Anlehnung an Märchenmotive — eine Familie aus der ritterlichen Gesellschaft her-
halten.' — Ich glaube wohl, daſs die Verteilung der Rollen im *Trubert*, der Waldbewohner als unerbittlicher Verfolger des Fürsten, wie
ich in meinem Aufsatz S. 86 und 90 angegeben, einem *Outlaw*roman
nachgebildet ist.

Für den seltsamen Handel mit dem Herzog, von dem Trubert
als Gegengabe für seine bemalte Ziege vier Haare von einem gewissen Körperteile verlangte, ihn aber, statt diese auszureiſsen, tief in
das Fleisch stach, wuſste ich seinerzeit keine Analoga zu nennen.
Ulrich bringt als treffende Parallele ein modernes Märchen aus der
Basse-Bretagne bei, in welcher ein Bursche seine silberne Pfeife um
'*trois coups d'alène que je vous donnerai dans le derrière*' zu verkaufen
bereit ist (S. XX). Im *Trubert* ist das Motiv aber dadurch kompliziert, daſs sich der Schelm v i e r H a a r e ausbedingt. Dieses Aus-
reiſsen von Haaren aus Bart oder Haupthaar oder von Zähnen ist
ebenfalls ein Märchenmotiv. Wir beobachteten es im *Gaufrey* und
warfen auch einen Blick auf *Huon* im *Archiv* CXI, S. 332 ff. Und

auch hier war die Zahl vier eine typische, durch die Summe einer
uralten Abgabe bedingt, so dafs die Quelle dieser vier Haare feststeht. Dafs die Haare vom Hinterteile genommen werden,
ist ein weiteres typisches Beispiel für die absichtliche
Travestierung ernsthafter Motive, die den *Trubert* aus-
zeichnet.

Ebenso ist aufzufassen, wenn Trubert als Trophäen von seinem
angeblichen Kriegszug gewisse Teile eines Frauenzimmers mitbringt.
Ulrich bringt hierzu (S. XXIII u.) eine, wie er selbst gesteht, nicht
ganz passende Parallele. Es ist aber nur dieselbe Art der Travestierung wie vorhin. Der Märchenheld bringt als Trophäen stereotyp
die Zunge des Drachen oder den Kopf des Riesen mit. Trubert
aber den angeblichen Mund und Schnurrbart des Königs, die aber
in Wirklichkeit ganz etwas anderes sind.

Dieser Auszug Truberts nebst seinen vermeintlichen Heldentaten, dem im Märchen nichts entspricht, fand eine Parallele in
Berengier au long cul (mein Aufsatz S. 89), während Ulrich eine treffende Parallele aus Hindu- und mongolischen Märchen beibringt
(S. XXIII).

Truberts Beziehungen zur Herzogin sind wohl aus der Fabliauxliteratur (Dreilager; mein Aufsatz S. 88) besser erklärt als wie Ulrich
es tut, mit Heranziehung italienischer Novelle und eines Zigeuner-
märchens.

Für die weiteren Züge vergleiche man folgende Angaben:

1. Trubert tauscht mit dem Neffen des Herzogs Klei-
der, der dann statt seiner gehängt wird (S. 88, Hinweis auf
*Outlaw*romane); Ulrich S. XXIV, Das siebenbürgische Märchen
vom dummen Hans.

2. Trubert verführt, als Mädchen verkleidet, die Her-
zogstochter (S. 89; S. XXVII. Ulrich hat seither den Zusammenhang mit Fabliaux ebenfalls erkannt: *Rom. Forschungen* XIX, 632).

3. Die Tochter ist vom heiligen Geist schwanger (S. 89;
S. XXVIII).

4. Die Travestierung des Märchens von der untergeschobenen Braut (S. 90; S. XXIX).

Ulrich ist es hier gelungen, eine genau entsprechende Parallele
aus den Streichen des 'rumänischen Eulenspiegels' Bacala oder Pacala
beizubringen: Genau so wie im *Trubert* läfst sich der Rumäne einen
Faden ans Bein binden und macht sich draufsen los. Es scheint
mir zweifelhaft, ob man auf Grund des einen rumänischen Märchens
dieses, d. h. eine Version desselben, als Quelle *Truberts* ansehen darf
und ob die Travestierung nicht eben *Trubert* zukommt. Freilich
müfsten wir dann annehmen, dafs aus unserem Gedichte die Schwank-
literatur geschöpft hat und diese Episode bis nach Rumänien drang,
und das ist durchaus nicht unmöglich. Die einzelnen Elemente der
Szene finden sich übrigens auch sonst: Derselbe Vorwand, unter dem

sich Trubert entfernt (2877), findet sich in einer Version dieses
Märchens, in dem franko-italienischen Gedichte von *Berta·le li gran
Piè* (*Romania*, Bd. III)

> 854 'A le matin quant el avera soner,
>   E eo me levarò si como a ori[n]er;
>   Enlora porés en le leito entrer.'

Wie dieses Mittel Trubert ermöglicht, ein wirkliches Mädchen
ins Bett zu schmuggeln, so gibt es der richtigen Berta Gelegenheit,
die Umarmung des Königs noch hinauszuschieben, indem sie an ihrer
Stelle eine Magd ins Bett läfst, die aber dann als die falsche Berta
diesen Platz behält.

Zu dem Motiv, dafs der brünstige Ehemann die vermeintliche
Gattin an einen Faden bindet, damit sie sich nicht entfernen könne,
schrieb ich damals (S. 90): 'Auch das Anbinden am Strick ist nicht
ohne Vorbilder.' Seither habe ich ein älteres Beispiel dafür wieder-
gefunden: Es steht in einer Erzählung aus 1001 Nacht, *Der Kadi
und die Kaufmannstochter*, in der sich ein Mädchen vor dem Vezir
auf gleiche Weise rettet. V. Chauvin erzählt in seiner uns so wertvollen *Bibliographie arabe*, die uns sogleich noch beschäftigen wird,
die Szene folgendermafsen (Bd. VI, S. 159):

> *Le vizir veut la séduire, et dans ce but, tue successivement les
> trois enfants; menacée elle-même de mort, elle feint de consentir
> et obtient de sortir un instant, une corde attachée à la
> main: elle la dénoue, la lie à un arbre et s'enfuit.'*

Man sieht im *Trubert* abermals, wie ein ganz ernsthaftes Motiv,
burlesk gefafst, also travestiert wurde.

*
*

Es hat von seiten Ulrichs keine Besprechung erfahren: Das
Mittel, mit dem der Schelm, als Frau verkleidet, den Räuber (Metzger) veranlafst, seinen Kopf durch die Schlinge zu stecken, eine Episode, die dem Märchen ureigen ist, da sie durch okzidentale und
orientalische Version (s. unten) gebunden ist. Ähnlich läfst in *Hän-
sel und Gretel* sich das Mädchen von der Hexe vormachen, wie man
den Kopf in den Backofen steckt, und schiebt sie dann hinein (Grimm
Nr. 15). Ähnlich läfst im *Trubert* der Held als Baumeister den
Herzog einen Baum ausmessen, bindet ihn daran fest, worauf, wie
stets, Prügel und Offenbarung folgen.

Gleich drei solcher 'Mittel, um jemand zu binden', bringt das
Märchen *vom wunderlichen Spielmann* (Grimm Nr. 8). Der Wolf will
fiedeln lernen. Daraufhin fordert ihn der Spielmann auf, seine eine
Pfote in einen hohlen Baum zu legen, und keilt diese mit einem Stein
dort fest. Dem Fuchs ergeht es nicht besser. Er mufs sich mit beiden Pfoten an heruntergebogene Haselnufsbäume binden lassen und
wird in die Höhe geschnellt. – Der Hase (der wohl ein gefähr-
licheres Tier erst sekundär vertritt) wird an den Baum gebunden

und muſs zwanzigmal herumrennen, daſs er sich nicht mehr rühren kann.

So ist zu vermuten, daſs der Volkserzählung noch eine ganze Reihe solcher ingeniösen Mittel zur Verfügung stehen.

*

*   *

Von dem Märchen, das Ulrich als Quelle *Truberts* beibrachte, befindet sich eine weitere, von den bekannten unserem Gedicht am nächsten stehende Version in 1001 Nacht.

Ich fand dieses für uns wichtige Märchen wiederum durch Vermittelung von Chauvins wertvoller Bibliographie. Dort finden wir im VII. Bande unter den Räuber- und Diebserzählungen auch die folgende: 430. -- *Histoire du premier filou.*[1]

Un jeune orphelin veut vendre un veau; mais les quarante bouchers de la corporation s'entendent pour lui dire que c'est une chèvre et lui en donner un prix dérisoire. Il l'accepte cependant pourvu qu'on lui remette aussi la queue du veau.

Résolu à se venger, il en fait un fouet. Vêtu en femme, il va trouver le chef de la corporation, chez qui les bouchers festoyaient en mangeant le veau; il lui plaît et, resté seul avec lui, il l'amène à se suspendre à la corde où il pend les animaux et le bat sans pitié; puis il part, lui enlevant de l'argent et des objets précieux.

Les bouchers mènent leur chef au bain pour le guérir; le filou se couvre de sang, se fait aussi admettre au bain, bat de nouveau le boucher et fuit par une autre issue.

On conduit le boucher à la campagne; un bédouin, aux gages du filou, vient crier que c'est lui qui l'a battu et attire à sa poursuite les bouchers qui veillent sur lui: le filou bat de nouveau son ennemi et le dépouille.

Le boucher demande alors qu'on feigne de l'enterrer pour que son persécuteur, le croyant mort, le laisse en paix. Pendant qu'on le porte, le filou lui donne un coup qui le ressuscite.

Puis le filou se retire dans la caverne où le sultan vient le trouver. Le sultan le gracie.

In der Anlage haben wir also eine gleiche Erzählung wie *Trubert:* Ein Bursche hat gegen eine Person einen besonderen Haſs, zieht zu verschiedenen Malen verkleidet aus, und es gelingt ihm jedesmal, den Gehaſsten gehörig zu verprügeln.

Daſs es sich um eine weitere Version des von Ulrich beigebrachten Schelmenmärchens handelt, ist sofort ersichtlich. Der erste Auszug als Mädchen stimmt Zug um Zug zu den okzidentalen Redaktionen. Der zweite Auszug ist in 1001 Nacht offenbar verderbt, hier ist die Rolle des Arztes durch okzidentale Versionen und *Trubert* gesichert. Das Prügeln des blindlings Verfolgenden hat in unseren Versionen keine Parallele, die Wiedererweckung des angeblich Toten ebenfalls nicht, ist aber zweifellos der beste und volkstümlichste Schluſs von allen. Das Zusammenhalten einer Zunft zwecks Betrügen eines anderen hat im *Eulenspiegel* Parallelen. Was für uns besonders wichtig ist, wäre: Im orientalischen Märchen verkauft

---

[1] Hennings Ausgabe in *Reclams Universalbibliothek*, XXIII, 213.

der Schelm ein **Kalb** um den **Preis einer Ziege** ... im Trubert
ein **Kalb**, um **dessen Erlös** er **eine Ziege einhandelt**. Diese
Ziege bemalt der Schalk und kommt mit derselben zum Herzog, der
von nun ab das Objekt der Rache wird, obgleich nach allen Versionen hierzu derjenige dienen sollte, welcher das Tier **unter dem
Preis** oder **umsonst** gekauft, d. h. der *macecrier* (34) des Herzogs.

Diese Auseinanderzerrung ist dafür beweisend, dafs die Quelle
des *Trubert* denselben Eingang hatte wie das orientalische Märchen:
Der Held verkauft ein Kalb (= 1001 Nacht, *Trubert*), der Metzger
(= 1001 Nacht, *Trubert* 34) macht ihm weifs, es sei eine Ziege (= 1001
Nacht; vgl. *Trubert* 46 ff.) und kauft das Tier unter dem Preis (1001
Nacht, *Trubert* 41). Gegen diesen betrügerischen Käufer wendet sich
von nun ab des Schelmen Rache (1001 Nacht; okzidentale Märchen).

*
 *   *

. Der Dichter des *Trubert* kannte also eine einfache Erzählung
im Stile derer, die wir aus 1001 Nacht beibrachten und von der
noch moderne Versionen umlaufen (Ulrich). Er entwickelte dieselbe
in freier Weise, indem er die Gestalt des Helden nach den Vorbildern der Outlaws seiner Heimat umgestaltete, ihn in den Wald
versetzte und einem Fürsten gegenüberstellte. Hierdurch wurde der
ursprünglich einfache Anfang unklar. Das als Ziege verkaufte Kalb
wurde zu einer Ziege, die für den zu geringen Erlös eines Kalbes
eingehandelt worden war. Der ursprüngliche Grund des Hasses, der
Betrug des Käufers, blieb stehen, aber ohne Zweck, während es dem
Verfasser nicht gelang, einen neuen Grund des Hasses gegen den
Herzog zu erfinden (vgl. S. 86 meines Aufsatzes u., wo, ohne die
Quelle zu kennen, das Auffallende hiervon gezeigt wurde, ohne dafs
der richtige Grund angegeben werden konnte).

Von hier ab hielt sich der Dichter des *Trubert* nur in etwas an
seine Quelle, entwickelte die 'Verprügelung des festgebundenen' und
'diejenige des kranken Gegners' in eigener Weise, unter steter Benutzung von Motiven aus der Fabliauxliteratur und interessanter
Travestierung von Märchenzügen. Erfand Truberts Rolle als Krieger (4. Auszug) und entwickelte aus der auch schon in der Vorlage
enthaltenen 'Verkleidung des Filou als Frau' die lange, besonders
ergötzliche Travestierung des Märchens 'von der untergeschobenen
Braut', verquickt mit dem Märchen 'von dem Freier in Weiber-
kleidern', in deren Mitte die Schilderung leider abbricht.

Wir können also unsere Studien über *Trubert* nun als vollends
beendigt betrachten. Die Entdeckung der Quelle seitens Ulrichs und
Interpretierung der letzten noch nicht erläuterten Züge hat uns in
den Stand gesetzt, das Verfahren seines Dichters hell zu beleuchten
und das Wesen des ganzen für seine Zeit hochbedeutsamen Gedicht-
chens klar zu erkennen.

München.   Leo Jordan.

Der Infinitiv als voranstehendes Subjekt.

Die Grammatiken weisen für das Neufranzösische bisher nur Beispiele auf für den nachgestellten Infinitiv mit *de*. Daſs die Präposition *de* beginnt, sich sogar dem voranstehenden Subjektsinfinitiv aufzudrängen, und daſs nach *il lui fut pénible de mentir* ein *de mentir lui fut pénible* sich einzubürgern anfängt, dafür mögen die folgenden, aus einer gröſseren Zahl ausgewählten Belege einen Beweis liefern:

Aus Bourgets *Le Divorce:*

De recommencer à mentir lui fut si pénible qu'il prononça cette phrase avec une impatiente brusquerie (p. 237).

De raconter à qui que ce fût cette douloureuse histoire lui a été trop pénible (p. 384).

De l'apprendre l'avait rempli d'une colère transformée en indignation (p. 230).

De découvrir que cette âme de femme n'était plus tout entière à lui ... le secouait d'un frisson de révolte et de douleur (p. 255).

De se revoir après s'être quittés sur un mutisme si chargé de pensées avive chez eux l'angoisse de sensibilité (p. 263).

D'avoir assisté aux derniers jours de son père, d'être allé ensuite dans ce coin de province d'où sortait leur lignée, d'avoir vécu cette semaine entière avec des parents et parmi les souvenirs du mort, avait suscité chez le jeune homme des pensées et des sentiments bien différents de ceux et de ceux qu'il avait eus autrefois, et de ceux même dont l'éclat avait rempli cette pièce (p. 329).

Aus Bourgets *L'Eau Profonde:*

Le discours intérieur enveloppait un de ces redoutables secrets comme la vie élégante en cache tant sous ses rites frivoles. De se le prononcer avait mis du rose aux joues d'ordinaire trop pâles de la jeune femme (p. 13).

De constater, à de très petits indices, comme ceux-là, que son aventure avec le mari de sa cousine était soupçonnée, l'irritait toujours (p. 44).

De savoir que les deux complices n'avaient pas saisi cette opportunité d'une rentrée l'un avec l'autre suspendait, pour quelques instants, la crise de douleur morale qu'elle subissait depuis la veille (p. 94).

D'évoquer seulement la silhouette élégante de sa femme dans un pareil décor lui parut une telle absurdité qu'il haussa les épaules.

Aus Bourgets *Le Fantôme:*

Et d'y entrer me fait si mal que je n'y vais pas six fois l'an! (p. 102).

Si Antoinette pouvait recevoir encore quelque joie dans ce pays de l'éternel oubli où elle est entrée, de sentir combien elle me reste vivante ne lui serait-il pas une douceur? (p. 121).

Je sais cela, et de le savoir est pour moi comme un jugement en effet, comme une condamnation (p. 220).

Aus Bourgets *Œuvres complètes*, Romans I:

Si elle avait oublié sa bourse? Non, elle avait 40 francs en petites pièces de 10 francs. Tant pis, elle en donnerait une à l'homme, car d'attendre de la monnaie sur le trottoir, elle ne le pourrait pas (p. 182).

De s'être levée si tôt l'avait déjà épuisée pour tout le jour (Voyageuses I, Cosmopolis 1896, p. 407).

Aus Bourgets *Œuvres complètes*, Romans II:

Mais pourquoi, de voir ce vieux beau parler familièrement à Suzanne, à demi retournée et qui s'éventait, fit-il du mal à René, tant de mal qu'il se retira brusquement du couloir? (p. 215).

Hélas! d'*avoir causé avec Moraines lui avait suffi pour le jeter de nouveau dans le pire abîme du doute* (p. 226).

Il avait souffert, et il savait que de c r i e r *sa souffrance soulage* (p. 242).

Mais de d i r e *au jeune homme ce qu'elle avait fait, elle le remettait d'heure en heure, incapable maintenant de braver sa colère* (p. 267).

Ib. Romans III:

Elle sentit que de *laisser ainsi tomber la phrase innocente du petit garçon me ferait mal* (p. 186).

Ib. Romans IV:

Il lui avait semblé que de *se retirer ainsi constituait un honteux aveu, une lâche désertion et elle était resté* (p. 150).

Aus Doumic, *Écrivains d'aujourd'hui*:

D e s a v o i r *qu'il y a des gens qui souffrent, cela doit suffire pour que nous formions le projet de n'être jamais cause de cette souffrance chez autrui, mais de la soulager partout où nous la rencontrerons* (p. 20).

D'*être désenchanté, c'est là encore une supériorité morale: c'est signe qu'on s'était fait de la vie une conception relevée et qu'on avait un idéal*[1] (p. 29).

Herr Prof. Morf stellt mir aus Brunetière (Art. *Lafontaine* in der *Grande Encyclopédie*) das Beispiel zur Verfügung:

D e *dire qu'il l'est par le don de l'expression pittoresque, ce n'en serait rien dire que l'on ne sache ....*

und ebenso aus N. Faret, *L'honnête homme*, Paris 1637, p. 5:

Mais de *s'aller figurer que mes avis le puissent mettre au dessus de la roue de Fortune .... c'est une proposition trop ridicule pour tomber en un sens raisonnable.*

Wie alt übrigens die Neigung des Infinitivs ist, ein *de* vor sich zu nehmen, das zeigt und erklärt Tobler in seinen *Vermischten Beiträgen* I, 11 u. 217.

---

[1] Ganz anders geartet, aber interessant durch die Stellung des adverbialen Infinitivs sind folgende Beispiele aus Anatole France, *Crainquebille*:

D e *la voir acheter des choux au petit Martin, un sale coco, un pas grand' chose, il* en *avait reçu un coup dans l'estomac.*

Et il se vit lui-même assis sur un siège élevé, comme si de *paraître devant des magistrats l'accusé lui-même* en *recevait un funeste honneur* (p. 6).

Charlottenburg.   H. E n g e l.

Beurteilungen und kurze Anzeigen.

W. Meyer-Rinteln, Die Schöpfung der Sprache. Leipzig, Grunow, 1906. XIV, 256 S.

Wieder eine jener unglückseligen 'Entdeckungen', bei denen mifsbrauchter Fleifs und verirrter Scharfsinn jeder methodischen Schulung sorgfältig ausweichen. Von den bösen Orts- und besonders Flufsnamen geht das Unglück aus, wie so oft; sie haben von V. Jacobis traurigberühmten *Blinden Hessen* an bis zu Th. Lohmeyers *Hauptgesetzen der germanischen Flufsnamengesetzgebung* gar zu häufig die wildesten Etymologien ermutigt. 'Alles ist im Flusse': dieselbe Wurzel erscheint nicht nur als *gel, ger, gem, gen,* sondern auch als *geo* (S. 97); und da stellt sich denn auch der selige *Doppelsinn der Urworte* C. Abels ein: νίκη ist ganz eins mit *vīci* (S. 98). Der Strom erweitert sich dann fürder noch zu *geph, gech, geth* (S. 124) — kein Wunder, wenn dieselbe Wurzel in mhd. *wal,* lat. *Lemures* und lat. *morior* (ebd.) auftreten darf. 'In jeder Wurzel können alle Konsonanten spirantischer Natur beliebig miteinander wechseln' (S. 146). Lat. *portare* ist in umgelagerter Form got. *dragan* (S. 161), *rigor, gelu, algor* sind (S. 160) ungefähr dasselbe. Alles kann alles bedeuten (vgl. z. B. S. 212 über 'Wurzeln mit dem generellen Bedeutungsinhalt "fliefsen"'), und so haben wir denn (S. 221) Alster, Ulster, Inster, Amstel, Vispel, Mulde, Moldau, Fulda, Brigach, Pregel, Warte, Trave 'fast mit mathematischer Sicherheit bestimmen können', obgleich nicht recht zu erklären ist, weshalb jede dieser 'zahllosen Möglichkeiten' (S. 223) gewählt wurde. Die unerklärliche Verteilung der Formen (S. 201) ermächtigt uns, von jeder Systematisierung im Sinne der bisherigen Etymologie abzusehen; und dieser Rückfall in die wildeste Zeit des Wurzelratens bedingt (S. 251) eine 'Revolution der Denkart', wie Kant und Galilei sie herbeiführten.

Berlin.   Richard M. Meyer.

Spruchwörterbuch, herausgegeben von Franz Freiherrn von Lipperheide. Berlin W. 35, Expedition des Spruchwörterbuches. Lieferung 1 bis 4; erscheint in 20 monatlichen Lieferungen, je drei Bogen umfassend, zu M. 0,60, Gesamtpreis M. 12.

Der auf dem Gebiete der Kostümkunde als Sammler und Forscher hochverdiente Verfasser hat in langjähriger Arbeit und Fürsorge ein eigenartiges Werk zustande gebracht, das ihn auf einem ganz anderen, noch nicht genügend bestellten, aber reichen Ertrag verheifsenden Ackerlande als rüstigen Vorarbeiter zeigt. Wir hatten bisher internationale, nationale und stammliche Sprichwörterlexika, und daneben mehr oder minder reichhaltige Zitatensammlungen, wie das Büchmannsche Werk *Geflügelte Worte,* die nebenher auch das Volkstümliche berücksichtigen. Aber die bisherigen Sammler waren doch nicht von der auf den ersten Blick befremdenden, und dennoch, wie sich zeigen wird, auf einem ganz richtigen Gefühl beruhenden Absicht ausgegangen, volkstümliche und rein individuelle Sprichwörter, 'Sprüche' und Aussprüche in einer lexikalischen Sammlung zu vereinigen, d. h. möglichst alles, was 'einen selbständigen Gedanken trägt, der möglichst knapp und sinnvoll, gebunden oder ungebunden, allgemeine Wahrheiten irgendwelcher Art aus den verschiedensten Gebieten menschlicher Lebensweisheit verkündet.' Das Riesenwerk, dessen Anfang vorliegt und das im ganzen etwa 30000 Stellen bringen wird, beruht auf der gemeinsamen Arbeit einer kleinen Schar von treu-fleifsigen Gehilfen. Der Herausgeber nennt als Sammler der deutschen und griechischen Zitate W. Queckenstedt, der lateinischen H. Grau, der italienischen C. Pozzoni, der französischen E. Zimmermann, der englischen J. Drabig. Die ausländischen Beiträge umfassen insgesamt nur ein Sechstel des ganzen Werkes, weil es dem Verfasser nicht so sehr darauf ankam, ein ethnologisches, als ein nationales Werk zu schaffen und er darum vor allem dasjenige berücksichtigen wollte, was aus fremden Sprachen Hausrecht bei uns erlangt hat. Das ist nun ein relativer Begriff, und solange uns nicht zahlenmäfsig nachgewiesen werden kann, wo und wie oft ein Wort zitiert wird, läfst sich das 'Hausrecht' nicht bescheinigen; eben deshalb wird man die Fülle des Gebotenen um so dankbarer begrüfsen, zumal damit ein reiches Vergleichsmaterial dargeboten wird. Dafs dabei das Mafs des Aufgenommenen durchaus von dem subjektiven Ermessen des jeweils verantwortlichen Mitarbeiters abhängt, liegt auf der Hand und läfst sich nicht ändern. Die direkten und Hauptquellen sind, soweit sich das bis jetzt übersehen läfst, sorgfältig ausgeschöpft, und wer wollte die indirekten alle übersehen, die oft für ganz bestimmte Kreise sehr bedeutsam werden? Z. B. hat der verdienstvolle Begründer des deutschen Gymnasiums zu Madrid, der verstorbene Fritz Fliedner, in seinen zahllosen, von echter Popularität getragenen und mit reichem Humor durchwürzten Schriften und Predigten manches spanische Sprichwort in origineller Verdeutschung zu wahrhaft geflügelten Worten umgeprägt, die sich weithin eingebürgert haben. Z. B.: 'Wenn deine Frau dir sagt: du springst vom Dache, so bitte Gott nur, dafs er's niedrig mache.' Auf solche Quellen aber wird mancher besser achten lernen, der ein Werk wie dieses ausgiebig benutzt und dadurch sein Ohr für die epigrammatische, satirische usw. Prägung der Gedanken geschärft hat.

Die Zitate selbst sind möglichst genau nach den Quellen, die ausländischen zum gröfseren Teile deutsch und in der Ursprache wiedergegeben. Die Quellen selbst werden genannt und zeitlich fixiert, soweit das irgend möglich ist. Innerhalb der einzelnen Artikel sind die Belege chronologisch geordnet; am Schlufs werden die anonymen Produkte zusammengestellt. Nun ist aber zwischen Sprichwort und individuellem Spruch nicht immer leicht zu scheiden, so wenig wie zwischen Volksliedern und volkstümlichen Kunstliedern, und gerade in Sprichwörtern wird recht viel 'fabriziert'; obwohl wir nun den Bearbeitern des Werkes nach den vorliegenden Proben gern zutrauen wollen und dürfen, dafs sie ihre Quellen nicht blofs mit Fleifs, sondern auch mit Kritik benutzt und ausgeschöpft haben, müssen wir doch gestehen, dafs uns als Philologen die blofse Bezeichnung 'Sprichwort' nicht immer genügt, und die vieldeutige Angabe 'Alter Spruch' noch weniger helfen kann. Es dürfte gut sein, ein genaueres Verzeichnis der benutzten Lexika, Sammlungen usw. zu veröffentlichen und für die Sprüche die jeweils älteste, von den Mitarbeitern ermittelte Belegstelle zu notieren. Erst dann würde das Werk im vollen Umfange der Wissenschaft dienstbar gemacht werden können.

Denn daran hat der Herausgeber doch wohl vor allem gedacht, der Forschung ein möglichst reiches Kapital an die Hand zu geben, mit dem sie wuchern kann, und dieser Erfolg dürfte nicht ausbleiben. Ist doch gerade in diesen letzten Jahren die 'Schlagwortforschung' zu einem eigenen

Spezialfach geworden, in dessen Dienst sich u. a. Kluges *Zeitschrift für deutsche Wortforschung* mit Fug und Recht gestellt hat. In dem neuen *Spruchwörterbuch* liegt nun eine stattliche Grundlage vor, auf der sich weiterbauen läßt.

Aber auch da wird es dann doch mit der bloßen Sammlung nicht getan sein; die geistige Durchdringung des Materials ist die Hauptsache; es handelt sich um seine psychologische Verarbeitung, wodurch die Sprache und vor allem die Literaturwissenschaft reiche und wertvolle Befruchtung erfahren werden. Hier können freilich nur ein paar Gesichtspunkte eröffnet werden.

Alle hier in reichster Fülle vereinigten Aussagen, also, um den Titel zu kopieren: 'Deutsche und fremde Sinnsprüche, Wahlsprüche, Inschriften an Haus und Gerät, Grabsprüche, Sprichwörter, Aphorismen, Epigramme, Bibelstellen, Liederanfänge, Zitate aus älteren und neueren Klassikern sowie aus den Werken moderner Schriftsteller, Schnadahüpfln, Wetter- und Bauernregeln, Redensarten' usw. haben doch das gemeinsam, daß sie eine auf allgemeine Anerkennung rechnende Wahrheit auf eine eindringliche, durch ihre inhaltliche, logische oder formale Eigenart frappierende Weise aussprechen — eine Ausdrucksweise, die zweifellos einen ästhetischen Reiz ausüben soll und ausübt; so können wir die ganze Gattung vielleicht auf eine bestimmte Form der ästhetischen Apperzeption der Außenwelt zurückführen, für die ich den Namen der 'gnomischen Apperzeption' vorschlagen möchte.

Aus der Menge der Einzelformen, die eine genaue Durchforschung auf Grund des *Spruchwörterbuches* verdienen, heben wir nur folgendes heraus:

Die allgemeine Wahrheit kann zunächst schlichtweg als Gesetz formuliert werden, und ihr ästhetischer Reiz beruht dann einfach darauf, daß sie etwas unmittelbar Gegebenes und von allen Gefühltes durch Aussprache in das Bewußtsein erhebt. Aber mit dem bloßen Lehrvortrag ist es nicht getan; auch ein Zitat, wie das Lessingsche: 'Man wird des Guten und auch des Besten, wenn es alltäglich zu werden beginnt, sobald satt' (S. 10) erhält doch erst durch den mitschwingenden Gegensatz von 'gut' und 'satt', also durch das Angrenzen an das Paradoxe seinen Reiz. Oder die Wahrheit wird zwar allgemein gefühlt, liegt aber nicht auf der Oberfläche, wird in der Praxis gern umgangen und bedarf einer Erhebung über das Alltägliche zu ihrer Anerkennung; dahin gehört etwa das englische *The noblest motive is the public good* (S. 10).

In der Spruchweisheit des Volkes viel häufiger ist eine andere Vortragsform, die eng mit der symbolischen, das Einzelne für die Gesamtheit, den Teil für das Ganze, den Namen für die Sache nehmenden Auffassungsweise zusammenhängt, wie sie im Sympathiezauber so bedeutsam hervortritt. Ein Einzelfall wird zur Illustration der allgemein gültigen Wahrheit verwendet: 'Wenn das Wenn und das Aber nicht wäre, so wäre der Bauer ein Edelmann.' Dabei braucht nun die Wahrheit nicht immer dem Allgemeinsten zu gelten: gewöhnlich greift der Mann aus dem Volke doch nur in das Menschenleben hinein; aber was er über dies zu sagen hat, verdeutlicht er gern an parallelen Zügen mit dem Naturleben, wie ja denn Jesu Gleichnis vom bösen Baum, der keine guten Früchte bringen kann, in diese Reihe gehört. Dabei ist nun zu beachten, daß doch wieder in volkstümlicher Rede die Natur (vielleicht entsprechend dem engen Verhältnis des Bauern zu ihr) viel stärker anthropomorphisiert wird: 'Alte Kuh gar leicht vergißt, daß sie ein Kalb gewesen ist' (S. 12); oder noch auffallender: 'Ein gut Ampt vernaturet offt daß Schaaff in einen Wolff' (S. 18), was nun freilich nicht aus dem Volksmund, sondern aus Lehmanns *Politischem Blumengarten* (1662) stammt. Auch hier wirkt die Freude an der Antithese mit.

Diese führt nun zu einer ganz besonders beliebten weiteren Unterabteilung, die wir die epigrammatische oder paradoxe nennen könnten. 'Alter schützt vor Torheit nicht.' Dabei kann eine Paradoxie durch die andere erklärt werden; schon in allgemein gefühlten Wahrheiten werden Naturparallelen als Beweisstützen gern beigefügt ("n ollen Mann un 'n old Piärd sinn nix mehr wähd', münsterisch, S. 12), oder denken wir an Schillers Ideal und Leben:

> Nur dem Ernst, den keine Mühe bleichet,
> Rauscht der Wahrheit tief versteckter Born,
> Nur des Meifsels schwerem Schlag erweichet
> Sich des Marmors sprödes Korn.

Vielmehr nun bedarf es solcher Hilfen unter individuellen Verhältnissen, wie in Arndts Blücherlied:

> So frisch blüht sein Alter, wie greisender Wein.

In anderen Fällen freilich wird die Paradoxie, die Abweichung der eigenen Meinung von der allgemeinen Ansicht einfach zugestanden; so sagt Goethe im Vorspiel zum 'Faust':

> Das Alter macht nicht kindisch, wie man spricht,
> Es findet uns nur noch als wahre Kinder.

Hier spricht der Dichter eine eigenste Erfahrung aus, immerhin auf Zustimmung rechnend und nicht gesonnen, erst einen Beweis anzutreten; gewisse Anknüpfungspunkte beim Hörer aber setzt jede Äufserung voraus, die Anspruch auf allgemeine Geltung, auf die Rezeption als 'Spruch' erhebt. Häufig gibt das religiöse Leben den durch die Praxis verhüllten, nun aber aufgedeckten Untergrund her: 'Almosengeben armet nicht, Kirchengehen säumet nicht' (S. 11).

Damit genug. Wir wollten an einigen Stichproben zeigen, was sich alles in dem Buche beobachten und lernen läfst, und die Wissenschaft kann dem verdienten Sammler für das beigebrachte Riesenmaterial keinen besseren Dank abstatten, als den der Tat: Möge sie es denn an der Verarbeitung nicht fehlen lassen, für die wir einige Anregung geben wollten.

Heidelberg.   Robert Petsch.

Karl Weinhold, Kleine mittelhochdeutsche Grammatik. 3. Auflage, neubearbeitet von Gustav Ehrismann. Wien und Leipzig 1905.

Die von Ehrismann besorgte 3. Auflage von Weinholds Kleiner mittelhochdeutscher Grammatik bringt uns das Büchlein in einer fast ganz neuen Gestalt, mit ihm auch natürlich der ursprüngliche Zweck, mit ihm eine knappe Einführung in die Lektüre mittelhochdeutscher Texte zu bieten, sowie Anlage und Plan im grofsen beibehalten blieb. Der Herausgeber hatte eben nicht nur die Forschungsergebnisse der letzten 16 Jahre auf diesem Gebiete zu berücksichtigen, er mufste auch in der Anordnung selbst vielfach ändern. Weinholds eigenartige Arbeitsweise, welche die Menge gemachter Einzelbeobachtungen nur selten in ein übersichtliches System zu vereinigen verstand, vermochte hier so wenig wie in seinen übrigen grammatischen Arbeiten Laut- und Flexionslehre ohne Restbestände in Darstellung aufzulösen. Diese aber waren nicht immer glücklich untergebracht.

Hier war also viel zusammenzufassen und umzustellen, insbesondere aber viel auszuscheiden. Rezensenten scheint hierin die Neuauflage nicht immer weit genug gegangen zu sein. Schreibgewohnheiten und graphische Eigenheiten einzelner Schulen, wie die Umstellung des *r aller-alre, kellerkelre, unerkant-unrekant,* verdienen in diesem Abrifs ebensowenig einen

Platz wie so vieles andere, was von Ehrismann mit Recht ausgeschieden
wurde. Weit eher hätte z. B. hier der Schwund des *r* in *vlïesen* u. a.
erwähnt werden können. Daſs die übersichtliche, klare Entwickelung der
Lautwandlungen Einzelerscheinungen oft absichtlich übersehen muſs und
die bestimmte, normative Sprache eines Lehrbuches die tatsächlichen Verhältnisse bisweilen etwas verschiebt und zurechtrückt, ist nie ganz zu
vermeiden. Immerhin wünscht man z. B. eine Korrektur, wenn es § 27
heiſst: 'Die mittelhochdeutschen Dichter vermeiden Reime zwischen dem
ë und dem älteren Umlauts-*ę*, binden aber *ë* mit dem jüngeren Umlauts-*ä*',
da die grofse Gruppe der österreichischen Dichter auch *ë* und *ä* im Reime
trennt. Ebenso § 76: 'Die Verschiebung des westgermanischen *d* zu *t* ist
nur oberdeutsch eingetreten, während im Mitteldeutschen *d* geblieben ist.'
Auch hier möchte man gern den letzten Teil des Satzes einschränken und
ein Wort über die Bewegung des *d* zu *t* in bestimmten Stellungen bei
einzelnen mitteldeutschen Mundarten im Laufe des 13.—15. Jahrhunderts
hören. Zur Unklarheit führte Kürze des Ausdrucks § 68: 'Neben *jëner*
und *jâmer* gehen Formen ohne *j*, *ëner* und *âmer*, welche aber gar nicht
miteinander stammverwandt sind' — was wohl nur sagen will, dafs *ëner*
nicht durch Abfall des *j* in alt- oder mittelhochdeutscher Zeit zustande
kam. Denn in letzter Linie bleiben *jëner* und *ëner* doch stammverwandt,
da *jëner* auf *ëner* oder eine damit ablautende Form (ags. *jeonne*) zurückgeht, die sich mit dem *io*-Pronomen verband (vgl. Brugmann, *Abhandlungen der phil.-hist. Klasse der königlich sächsischen Gesellschaft der Wissenschaften*, Bd. XXII Nr. 6).

Im ganzen bleibt die sorgsame Umarbeitung, die auch nicht eine Zeile
der alten Auflage unbesehen herübernahm und die in allem nicht nur den
wohlunterrichteten Fachmann, sondern den im gleichen Arbeitsfelde tätigen
Forscher verrät, eine schöne Leistung, für welche wir dem Bearbeiter Dank
wissen müssen.

Znaim.   Viktor Dollmayr.

Waldemar Oehlke, Bettina von Arnims Briefromane. Berlin 1905.
Mayer u. Müller (Palästra X 41). 365 S.

Es ist wohl noch selten an ein ähnliches Thema aus der neueren
deutschen Literaturgeschichte so viel gründlicher Fleiſs, so viel scharfsinnige
Beobachtung und unablässige Aufmerksamkeit gesetzt worden; und der
eigentliche Gegenstand: Bettinens Verhältnis zu ihren 'Quellen', kann
gewiſs im wesentlichen als damit erledigt gelten. Freilich doch nur, soweit
unter diesen Quellen wirkliche Originalbriefe von Frau Rat Goethe, Clemens und der Günderode zu verstehen sind — auf den Briefroman mit
Philipp v. Nathusius erstreckt sich die Arbeit nicht —, die entweder unmittelbar benutzt, oder als Vorbild für einigermafsen analoge Fiktionen
gebraucht sind. Versteht man unter 'Quellen' Bettinens ihre lebendige
Anschauung der Persönlichkeiten, so fehlt fast das Beste: es wäre dann
noch erst zu studieren, wie sich tatsächlich jene Gestalten in ihrem Auge
malten. Denn wohl ist in gewissem Sinne alles, was Bettine schreibt, 'nur
Selbstporträt' (S. 358), doch schon die Posen, die sie sich gibt, sind von
ihrer Auffassung des Gegenübers abhängig.

Überhaupt merkt man dem Buche ein gewisses Haften am Literarischen an, wie es neuerdings Walzel mit Recht an vielen Studien zur
Romantik getadelt hat — der Mensch 'kommt nicht heraus'. Der Verfasser
weiſs nicht nur vortreffliche Stilbeobachtungen zu machen — wie schade,
dafs ein Wortverzeichnis zu seinen guten Bemerkungen über die Wort-
wahl fehlt —, sondern er erhebt sich auch zu geistreichen Bemerkungen
über den Stil im ganzen, etwa (S. 358) über Bettinas Interpunktion, oder
(S. 326 f.) über ihren und Caroline Günderodes Stil. Aber dem Psycho-

logischen bleibt er so fremd, dafs er (S. 341) jenen wüsten Brief Brentanos, von dem Zeitler (*Deutsche Liebesbriefe aus neun Jahrhunderten*, S. 429) treffend urteilt, es dampfe aus ihm eine Mischung aus Satyriasis und Vampirismus, als 'ursprünglich' bezeichnet, wenn auch daneben als 'toll'. Und der sorgsame Stilkritiker versteigt sich (S. 339) zu dem mehr als wunderlichen Satz: 'Grofse dichterische Geister haben nicht eigentlich einen Stil, denn sie schaffen an dessen Fundament für andere'. Also wäre Stil eigentlich das Kennzeichen untergeordneter Geister!

Indes — dafs die Untersuchung noch tiefer gehen könnte, macht ja die literarische Prüfung nicht weniger wertvoll. Für sie hat der Verfasser alles ausgenutzt, mit grofsem Geschick sogar (für die Datierungen) die Temperaturtabellen Bansas (S. 78, 84, 119, 185, 253, 276). Von der Literatur scheint ihm aufser meinem Aufsätzchen über Goethes Sonette — das sich freilich in der *Chronik des Wiener Goethevereins* versteckt hat — nichts entgangen zu sein. Für die Vergleichung bringt er aber neben den Kenntnissen auch Objektivität mit, die er z. B. in der schwierigen Untersuchung über Bettinens Verhältnis zu Bartholdy (S. 104 f.) bewährt.

Besonders interessant ist natürlich das Ergebnis betreffs der Dichtungen: der Sonette Goethes (S. 66 f., 69, 74, 82, 86, 100) oder des Gedichtes 'Wiederfinden' (S. 145), vgl. 157, der Dichtungen Tians (S. 224 und besonders S. 219; auch hier vermifst man ein Register der Stellen). Wie Bettine nichts unverändert läfst (S. 144), wie sie einmal eine Stelle in allen drei Briefromanen verwendet (S. 77), wie sie Berufungen erfindet (S. 227) und überhaupt aus ihrer eigenen Brieftechnik (S. 355) heraus umformt (S. 6, 302, 311) — das alles bereichert unsere Anschauung von Bettinens Art und Kunst auf das verdienstlichste.

Durfte nun diese Arbeit von bleibendem Wert nicht auch einer besseren Form wertgehalten werden? Die wirren (S. 66) oder unklaren (S. 227) Sätze passen so wenig zu der Art der Arbeit; die hastig hingeworfenen Ausdrücke ('Schreiblässigkeit' S. 81, 'für Unechtheit prädestiniert' S. 127, 'Zusammenhäufung' S. 305), oder die barbarische Verkoppelung von Gedankenstrichen und — Gottvertrauen (S. 305) ärgern; die lieblose Aneinanderreihung meint man dem Verfasser um seiner selbst willen verdenken zu müssen. Wollen wir wieder in die ungekämmte Manier verfallen, die unseren früheren Literarhistorikern so sehr geschadet hat? Bei einer unbedeutenden Arbeit liegt nicht so viel daran; Oehlke aber durfte mit dem schönen Wort schliefsen, mit dem er Bettina charakterisiert: als einen 'Protest gegen das Unbedeutende!'

Berlin.   Richard M. Meyer.

Max Drescher, Die Quellen zu Hauffs Lichtenstein. Leipzig, Voigtländer, 1905. (Probefahrten. Erstlingsarbeiten aus dem Deutschen Seminar in Leipzig. Herausgegeben von Alb. Köster. Bd. VIII.) VII, 146 S.

Die aufmerksame Arbeit bietet mehr als sie ankündigt: sie behandelt Hauffs Technik im 'Lichtenstein' überhaupt. Insofern freilich, als bei der starken Abhängigkeit unserer Erzähler am Anfang des 19. Jahrhunderts die literargeschichtlichen Vorbilder (S. 51 f.) unmittelbar auf die Auffassung von Ereignissen (S. 8 f.) und Personen (S. 25 f.) oder Sagen (S. 32 f.) einwirken, kann man ja auch diese Vorbilder zu den 'Quellen' rechnen.

Drescher vergleicht Hauffs Technik (S. 77 f.) und Art mit der von Cramer, Spiefs, Fouqué und Van der Velde, sowie des mir bisher unbekannten Hildebrand (S. 52); die Vergleichung zeigt Van der Velde den vier anderen bedeutend überlegen. Aber immer wieder hat der Verfasser (der überhaupt recht monoton schreibt und, besonders S. 61, pedantisch einteilt) zu betonen, dafs Hauff viel stärker von Scott bedingt ist als von allen deutschen Vorbildern. Natürlich wirkt dabei (S. 145 Anm.) der schottische Zauberer mit seiner Gesamtleistung, nicht etwa (wie Eastman meinte) blofs mit 'Ivanhoe'.

Die Untersuchung enthält sich schädlicher Parteilichkeit, und wenn Drescher auch nicht eigentlich zu charakterisieren versteht, gibt er doch etwa aus Cramers und Fouqués Sprache (S. 75) oder aus den typischen Kerkerszenen (S. 140) geeignete Beispiele. Ein Versuch, Anregungen festzustellen, die nicht von historischen Romanen der Zeit ausgehen, bleibt aufser dem Hinblick auf Sprichwörter (S. 119 f.) und ältere Lieder (S. 120 f.) aus. Ergiebig aber wird Hauffs Stil besonders auch in bezug auf die Varianten des Ausdrucks (S. 116) untersucht.

Im ganzen: die etwas mühsame Arbeit des fleifsigen Schülers eines tüchtigen Lehrers.

Berlin.   Richard M. Meyer.

Friedrich Hebbel, Briefe. I 1829–39 (Nr. 1—91), 414 S. — II 1839 bis 1843 (Nr. 92—172), VIII, 370 S. — III 1844—46 (Nr. 173—228), VI, 355 S. — IV 1847—52 (Nr. 229—394), X, 425 S. — (Friedrich Hebbel, Sämtliche Werke. Historisch-kritische Ausgabe, herausgegeben von R. M. Werner. 3. Abt.). Berlin 1904—1906, je M. 3, geb. M. 4.

Hebbels Briefe stehen zwischen seinen Tagebüchern und seinen Dichtungen: mit jenen teilen sie den monologischen Charakter, das Momentane und Improvisatorische, mit diesen die für den Dichter so bezeichnende Tendenz, sich selbst aufzuklären, indem er sich in fremde Seelen versetzt. Im ganzen sind sie doch naturgemäfs den privaten Aufzeichnungen noch näher verwandt und, wie diese, eine unerschöpfliche Schatzkammer für den Literarhistoriker, den Ästhetiker, den Psychologen.

Die nicht genug zu rühmende Hingabe R. M. Werners mufste selbstverständlich dies corpus epistularum der grofsen Gesamtausgabe einfügen, wodurch der Herausgeber und auch der Verleger mit tapferer Selbstverleugnung die eigene 'Nachlese' überflüssig gemacht haben. In schlichter Sachlichkeit legt Werner die Briefe in ihrer chronologischen Folge vor. Unzugänglich blieben wenige Originale, wie Nr. 208 (3, 260), im Besitz der Familie Gurlitt; verschollene wurden, wie Nr. 138 (2, 132), aus Kuhs Biographie ergänzt. In den Anmerkungen hielt der Herausgeber sich zurück, fügte nur etwa dem berühmten 'Memorial' (Nr. 113; 2, 39) eine Übersicht von Hebbels Beziehungen zu seinem weiblichen Sindbad Amalie Schoppe bei, oder tut in chronologischen Feststellungen (zu Nr. 99; 2, 19) philologische Arbeit. Auf die Briefe der Korrespondenten wird fast zu selten Bezug genommen (so zu Nr. 372; 3, 349). Gelegentlich (wie zu Nr. 184; 2, 68) sind Nachweise zu Hebbels Anspielungen auf eigene Dichtungen gegeben. Eine Riesenarbeit haben wir noch von Werners bewährtem Fleifs zu erwarten: das Register.

Mit dieser Ausgabe ist Hebbel auch offiziell in die Reihe unserer *grands écrivains* eingetreten; und wenn in Briefpublikationen für Anzengruber oder Mörike vielleicht des guten schon zu viel geschehen ist, dürfte bei dem Genie der ästhetischen Beichte freilich auch kein Zettel fehlen. Die Briefe an Hedde, ein seltsames Gemisch von Aktenwesen und Dichterspielen, geben den Prolog zu dieser ungeheuren Lebensarbeit des Kirchspielschreibers, der wie der Methodist Whitefield auf seinen Grabstein hätte schreiben dürfen: 'Die Welt ist mein Kirchspiel'. Und ist in dieser leidenschaftlichen Aufmerksamkeit, die jeden Einfall und jede Beobachtung ins Repositorium legt, ist in der Art, wie Hebbel solche Aufzeichnungen in seinen Dichtungen nutzt, nicht jederzeit etwas von dem Aktenschreiber lebendig geblieben? Waltet in der pathetischen Anrede

des Poeten Hebbel aus Wesselburen vom 30. März 1831 nicht schon etwas
von jenem Geist der Selbststilisierung, der ihn auf solche Höhen geführt hat?
Dann wandern wir durch die verhängnisvollen Erlebnisse mit Elise
Lensing und Amalie Schoppe: es ist die Zeit seiner breitesten Brief-
schreibung, fast die einzige, in der er korrespondiert, um zu berichten und
Berichte zu empfangen. Der literarisch-geschäftliche Briefwechsel mit
Gutzkow, Tieck, Kühne, Menzel, Oehlenschläger entwickelt sich. Mit dem
dritten Bande tritt Bamberg auf, und der Briefwechsel fängt an, vernehm-
lich 'zum Fenster herauszusprechen'. Die Wiener Zeit zeigt den Dichter
dann bereits als beherrschenden Mittelpunkt eines grofsen, geistig regsamen
Kreises, aber zugleich auch einer ihn mit Liebe umgebenden und erfüllen-
den Familie. Die Kämpfe mit den Dramaturgen und den Kritikern gewinnen eine dramatische Lebhaftigkeit. Ein nicht geringes Mafs von Diplomatie, von klug berechneten Andeutungen besonders beim Urteil über
andere Autoren, ist reizvoll zu beobachten. Mit dem Münchener Sieg der
'Agnes Bernauerin' schliefst wirksam der zweite Band, und 'Nux' unter-
schreibt sich, wie der Amtsschreiber in dem Briefwechsel mit Freund
Hedde sich hatte unterschreiben können: 'Fröhlich, aber geplagt'. So
wird auch der Herausgeber sich unterschreiben können, wenn er auf seine
Arbeit zurückschaut: 'Geplagt, aber fröhlich!'

Berlin.   Richard M. Meyer.

E. Sutro, Das Doppelwesen des Denkens und der Sprache.
Herausgegeben unter dem Protektorat der Internat. physio-psych. Gesellschaft. Berlin 1905. XIV, 279 S.

Auch in diesen auf die Entstehung der Stimme und der Sprache ge-
richteten Untersuchungen finden wir nur voreilige 'Gesetze' auf schmalster
empirischer Basis. 'Wenn man genau zuhört, wird man finden, dafs in
der Sprache der Ausdruck für das Abstrakte einen gröfseren Wohlklang
in sich birgt als der für das Konkrete' (S. 121). Bei zusammengesetzten
Wörtern geht die Bewegung bei dem ersten, dem ideellen Wort, vom
Zwerchfell aufwärts, beim zweiten, dem reellen, vom Zwerchfell abwärts
vor sich (S. 146). Und so entsteht (S. 232) 'eine neue Wissenschaft'.

Berlin.   Richard M. Meyer.

J. Ernst Wülfing, Was mancher nicht weifs. Sprachliche Plaudereien. Jena, Costenoble, 1905. VIII, 192 S.

Wieder eins der seit Hildebrand, Schroeder, Schrader Mode
gewordenen Spracherziehungsbücher, das (wie die meisten) seine Aufgabe
spielend zu lösen sucht. Schlagworte, Zitate, Fremdworte, Redensarten
werden besprochen, etymologisch beleuchtet, kritisch gewürdigt; 'erstklassig'
wird (S. 139) glücklicherweise verworfen. — Die Anordnung ermüdet durch
ihre Willkür, wird aber durch ein Wortverzeichnis einigermafsen ausge-
glichen. Der Umkreis der besprochenen Worte und Wendungen ist ziemlich weit; sogar der funkelnagelneue 'Concern' fehlt nicht (S. 155). Natürlich steht auch recht viel darin, was mancher schon weifs; aber als Zeichen des neuen Interesses an der Sprache begrüfsen wir auch dies Büchlein.

Berlin.   Richard M. Meyer.

Friedrich Blatz, Neuhochdeutsche Schulgrammatik für höhere Lehr-
anstalten. 7. Auflage, neubearbeitet von Dr. Eugen Stulz, Professor
am Grofsherzoglichen Lehrerseminar in Ettlingen. Karlsruhe, J. Langs
Buchhandlung, 1905. 272 S.

Die Blatzsche Schulgrammatik hat durch diese Neubearbeitung eine
wesentliche Umgestaltung erfahren. Hinzugetreten ist zu dem alten Stoffe

vor allem ein Abrifs der Phonetik mit erläuternden Abbildungen aus
Techmers *Phonetik* und ein Überblick über die geschichtliche Entwickelung der deutschen Sprache, in dem die drei Sprachstufen, Alt-, Mittel-
und Neuhochdeutsch, im allgemeinen charakterisiert werden, der zeitliche
Bedeutungswandel der Wörter durch Beispiele anschaulich gemacht und
die Differenzierung der Sprache in Mundarten sowie deren Geltungsgebiet
besprochen wird. Dafs es dem Bearbeiter insbesondere darum zu tun ist,
dem Schüler deutlich zu machen, dafs die Sprache etwas geschichtlich
Gewordenes, in steter Entwickelung und Veränderung Begriffenes, etwas
Lebendiges ist, zeigt sich nicht nur hier. Dahin zielen auch vielfach Bemerkungen in der Flexions- und Satzlehre. Und darum findet sich auch
nirgends jene schulmeisternde Engherzigkeit und Unduldsamkeit, die nur
e i n e Gebrauchsform als richtig anerkennt, wo die tatsächlichen Verhältnisse oft schwanken und Doppelformen vorliegen, wie im Prät. von fragen,
fragte — frug, oder, um eins für vieles zu erwähnen, in der Konstruktion
von lehren mit Akk. und Dat. der Person, welch letzteren die Latein-
schulen meist schon des Parallelismus mit *docere* wegen perhorreszieren.
Und doch ist hier die Dat.-Konstruktion — auch in aktiven Wendungen
(vgl. dagegen Blatz - Stulz § 150 4, Anm. 1) — in der Umgangssprache
wie in der Kunstprosa (z. B. Goethes) oft zu belegen und darum erlaubt.
    Der Stoff der früheren Auflagen ist stark gekürzt, insbesondere in
den Beispielsammlungen, aber auch in der Darstellung, welche freilich
darum stellenweise eine Kürze und Prägnanz zeigt, die nur bei ausgiebiger
mündlicher Erörterung von Seite des Lehrers fruchtbar werden dürfte.
Dafs der Bearbeiter trotz mancher tiefgreifender Umformung im wesentlichen die alte Einteilung nicht änderte und an der alten Abgrenzung der
Syntax festhielt, ist nur zu billigen. Die von John Ries aufgerollte Prin-
zipienfrage (*Was ist Syntax*, 1894) ist an und für sich noch nicht zum
Austrage gebracht, und auch in rein wissenschaftlichen Darstellungen von
vielen Syntaktikern mit gutem Grunde in konservativem Sinne beantwortet worden. Um so weniger darf eine Schulgrammatik diese neuen,
unsicheren Wege beschreiten. In dieser Überzeugung hat Rezensenten
Sütterlins interessanter Versuch (*Die deutsche Sprache der Gegenwart*, 1900)
eher bestärkt als erschüttert.
    In Einzelheiten der Anordnung hätte Stulz allerdings noch bessern
sollen. So sind auch in der neuen Auflage die deutschen Betonungs-
gesetze nicht im Zusammenhange, sondern in drei Abschnitten zerstreut
besprochen. Am meisten Bedenken erregt im Anhangteile die Darstellung
der Lautverschiebung. Dafs die idg. Media Aspirata im Germ. nicht zu
'weichen Verschlufslauten (Mediä)' wurden, wufste Stulz gewifs selbst, aber
auch der Vereinfachung halber durfte er diesen Satz nicht schreiben, da
er ja doch im folgenden den Terminus 'tönende Spiranten' gebraucht.
    Znaim.   V i k t o r D o l l m a y r.

Arthur Ritter von Vincenti, Die altenglischen Dialoge von Salo-
    mon und Saturn. Mit historischer Einleitung, Kommentar und
    Glossar. Erster Teil. Leipzig, A. Deichertsche Verlagsbuchhdlg. Nachf.
    (Georg Böhme), 1904. XXI, 125 S. 8. M. 3,60. (Münchener Beiträge
    zur roman. u. engl. Philologie, hg. von H. Breymann und G. Schick,
    XXXI. Heft.)

    Der erste Teil der noch nicht vollständig erschienenen Arbeit über
das altenglische Gedicht Salomon und Saturn bildet gewissermafsen eine
literaturgeschichtliche Einleitung zu dem noch abzuwartenden zweiten
Teil, der eine Lautlehre und einen unter nochmaliger Vergleichung der
Handschriften hergestellten kritischen Text mit beigefügtem Kommentar
und Glossar bringen wird. Bisweilen beruft sich der Verfasser auf Resul-

tate, die der zweite Teil bringen wird; in solchen Fällen ist es natürlich nicht möglich, sich über die Richtigkeit seiner Darstellung eine Ansicht zu bilden.

Die eigentliche Einleitung (S. 1—25) behandelt die allgemeine Geschichte der Sagen von Salomo. Zuerst wird natürlich über die Berichte über Salomo in der Bibel, dem Talmud und den kabbalistischen und talmudischen Schriften gehandelt. Es war natürlich nicht die Absicht des Verfassers, in dieser und der folgenden Darstellung der Geschichte der Sagen von Salomo Neues zu bringen. Es kam natürlich nur darauf an, mehr oder weniger bekannte und feststehende Tatsachen kurz und handlich zusammenzufassen. Der Verfasser zitiert hier wie sonst sehr fleifsig die einschlägige Literatur; in dieser Hinsicht scheint sogar Vollständigkeit angestrebt zu werden. Der elfte Band der grofsen *Jewish Encyclopedia* (herausgegeben von Singer), wo die semitischen Sagen von Salomo ausführlich behandelt werden, erschien nach der uns vorliegenden Arbeit und konnte also vom Verfasser nicht benutzt werden.

Von den Juden wanderte die Sage zuerst zu den Arabern, wo sie mehrfach umgestaltet wurde. Aus dem Orient wanderte sie nach dem Abendlande, wo sie einen riesigen Erfolg erzielte und in fast alle Vulgärsprachen übersetzt und aufserdem fast überall poetisch behandelt wurde. Der Verfasser erwähnt kurz ihre Entwickelung in Byzanz, in den slawischen, germanischen und romanischen Ländern.[1]

Von den germanischen Bearbeitungen ist die altenglische Sage von Salomo und Saturn sicher die älteste. Sie unterscheidet sich von den Fassungen der Sage in anderen Ländern dadurch, dafs sie von der bekannten Entführungsgeschichte keine Spur enthält; eine Frau des Salomo wird nicht einmal erwähnt, und ebensowenig kommt ein Ring oder ein Horn zur Sprache.

Die altenglische Fassung gehört nun zu jener Gestaltung der Sage, in welcher zwei Persönlichkeiten sich in einem Redekampf messen. In drei Gesprächen tritt Salomo als König der Christenheit dem heidnischen Saturn gegenüber. In dem ersten poetischen Dialog erklärt Salomo dem Saturn die Überlegenheit des Paternoster über die Teufel, und dies in ganz orientalischer Weise. Hierin erblickt v. Vincenti eine Anlehnung an die Dämonensagen, wie sie bei den Juden, Arabern und im Testament des Salomo vorliegen. Der darauf folgende prosaische Dialog mit der riesenhaften Beschreibung des Paternoster erinnert an die Beschreibungen des Aschmedai (Asmodeus), die wir in talmudischen Schriften finden. In einer von diesen schleudert Aschmedai den König Salomo 400 Meilen weit hinweg, in einer anderen wächst er, als Salomo ihm seinen Ring gegeben hat, riesig empor; ein Flügel reicht bis in den Himmel, der andere stützt sich auf die Erde. Er verschluckt den König und speit ihn 400 Parasangen weg von sich. In dem dritten poetischen Dialog belehrt Salomo den Saturn über allgemeine Dinge theologischen, naturwissenschaftlichen oder rein menschlichen Interesses. Mit denjenigen Dialogen in lateinischer, französischer und deutscher Sprache, die zu einer Vergleichung herangezogen werden können, hat dieser ae. Dialog so gut wie gar nichts gemeinsam. Einige Berührungspunkte zwischen der englischen Sage im allgemeinen und den anderen Salomo-Markolphsagen lassen sich jedoch erkennen, worauf wir aber hier nicht näher einzugehen brauchen (v. Vincenti S. 24 f.).

Danach behandelt der Verfasser die altenglische Sage selbst, zuerst ihre Überlieferung und dann ihre Komposition (S. 26—125). Im ersten

---

[1] Der schwedische Marcolphus (s. Schück, *Svensk Literaturhistoria*, Stockholm 1890, S. 361 f.) ist dem Verfasser unbekannt geblieben.

Abschnitt (S. 26—44) wird über die Ausgaben, Textverbesserungen und Besprechungen der altenglischen Bearbeitungen der Sage berichtet. Von der Gestaltung der Sage, die im *Cotton Vitellius* A XV überliefert ist, wird mit Recht ganz abgesehen, da sie mit den anderen Fassungen gar nichts zu tun hat und in ein ganz anderes Gebiet gehört. In diesem Abschnitt wird auch über die vom Verfasser in Aussicht gestellte Ausgabe gehandelt. Er will versuchen, 'einen den philosophischen Anforderungen entsprechenden Text mit vollkommenem Variantenverzeichnis zu liefern'; ebenso hat er sich bemüht, durch einen ausführlicheren Kommentar das Verständnis der schwierigeren Stellen zu erleichtern und durch das beigefügte vollständige Glossar einem sämtlichen Ausgaben anhaftenden Mangel abzuhelfen. Hier gibt der Verfasser auch die verschiedenen, oft weit auseinander gehenden Ansichten der Gelehrten über diese Dialoge wieder. S. 44—51 enthalten eine Beschreibung der Handschriften mit Auseinandersetzungen über ihr Verhältnis zueinander und ein Verzeichnis der handschriftlichen Längezeichen.

Der Rest des Heftes (S. 52—125) handelt über die Komposition der Dialoge und zerfällt in die folgenden Abschnitte: 1) Wesen und Erklärung der altenglischen Fassungen, 2) Die Persönlichkeiten des Salomo und Saturn, 3) Über die Gottheit Saturns bei den Germanen, 4) Quellenfrage.

Die drei Zwiegespräche, woraus der altenglische Salomo und Saturn besteht, sind voneinander vollständig unabhängig; die zwei poetischen Stücke rühren von zwei verschiedenen anglischen Dichtern her, das Prosastück ist von einem Westsachsen verfafst. Der vollständige Beweis für diese Behauptungen wird erst in der noch ausstehenden Lautlehre erbracht. Die eingehende Analyse der Dialoge, die der Verfasser schon in dem uns vorliegenden Teile bringt, soll seine Behauptungen in diesem Punkte noch weiter erhärten. Durch sie wurde es auch möglich, den Kern der Dichtung und das Wesen des rätselhaften Saturn zu ergründen.

Wie schon bemerkt, ist die altenglische Überlieferung in drei gesonderte, unabhängige Stücke zu zerspalten. Die beiden Gedichte sind sicher nur wegen der äufserlichen Ähnlichkeit, dafs in beiden Salomo und Saturn auftreten, in eine Handschrift vereinigt worden; die Prosa wurde nur wegen des verwandten Inhalts, den sie mit dem ersten Gedichte hat, eingeschoben; denn in ihrer Auffassung des Paternoster ist sie mit dem ersten Gedichte gänzlich unverwandt.

Über das Wesen und den Inhalt der altenglischen Fassungen berichtet uns nun der Verfasser sehr ausführlich, wobei einige Beiträge zu ihrer Erklärung geliefert werden. Natürlich mufs ich auf ein eingehendes Referat dieses Abschnittes verzichten. Nur einige Punkte werde ich hier herausgreifen. Saturn ist ein Chaldäer; er ist ferner ein Heide, der über das palmenbezweigte Paternoster, über den Cantic und über das Wesen des Christentums aufgeklärt sein will. Über diese Gegenstände entspinnt sich nun das Zwiegespräch zwischen ihm und Salomo; hierbei handelt es sich aber hauptsächlich um die Gewalt des Paternoster und der neunzehn Buchstaben desselben. Zugrunde gelegt ist das Paternoster nach Matthäus VI 9—13 (nach der Vulgata). Eine lateinische Vorlage ist sicher dafür anzunehmen. Nach der Ansicht des Verfassers wollte der Dichter mit seiner Schilderung des Paternoster vor allem den Zweck verfolgen, die Überlegenheit des Christentums über die heidnisch-germanische Religion zum Ausdruck zu bringen. Noch deutlicher tritt uns dieselbe Tendenz in dem auf das erste Gedicht folgenden prosaischen Dialoge entgegen, der nun vom Verfasser analysiert wird.

Nach dem Prosabruchstück ist ein Blatt herausgeschnitten worden. Der Verfasser ist nun der Meinung, dafs dieses Blatt nicht die Fortsetzung der Prosa enthielt; diese Fortsetzung mufs man sich nämlich viel ausführlicher vorstellen, als dafs ein einziges Oktavblatt dafür ausgereicht hätte. Vielmehr mufs man annehmen, dafs sich auf dem fehlenden Blatte die Fortsetzung des zweiten Gedichtes (also nach V. 501 = V. 504 bei Grein-Wülker) befand, an die sich dann der Schlufs des zweiten Gedichtes in den Versen 169—177 (= V. 170—178 bei Grein-Wülker) anschlofs. Die letztgenannten Verse gehören nämlich, wie der Verfasser in der Lautlehre zu zeigen verspricht, der Sprache nach zum zweiten Gedicht und bilden also nicht den Schlufs des ersten Gedichtes. Dafs auf dem fehlenden Blatte die Fortsetzung des zweiten Gedichtes gestanden hat, will der Verfasser auch aus anderen Umständen erschliefsen: zwischen V. 501 (504) und V. 169 (170) haben wir nämlich höchstwahrscheinlich eine Auseinandersetzung Salomos über das Jüngste Gericht und die Verurteilung des bösen Menschen sowie die letzte Frage Saturns nach dem Jüngsten Gericht zu erwarten. Dieses kann höchstens zwei Seiten in der Handschrift ausgefüllt haben und mufs den Versen 169—177 (170—178) vorhergegangen sein.

Wie schon angedeutet, weicht das Prosastück von dem ersten Gedicht inhaltlich ab. Das Paternoster erscheint in der Prosa nicht als ein Palmbaum, sondern als ein Riese von unermefslicher Gröfse: seine Augen sind 12000 mal glänzender als die ganze Erde, seine Arme 12000 mal länger als die Erde, sein Gedanke ist schneller als 12000 heilige Geister usw. Noch mehr sticht der Verfasser des Prosastückes gegen den des zweiten Gedichtes ab, das nun vom Verfasser analysiert wird. Auf diese Analyse will ich auch nicht weiter eingehen. In Bezug auf die Überlieferung möge erwähnt werden, dafs der Verfasser annimmt, dafs vor S. 23 ein Blatt fehlt, und dafs dieses eine lange Betrachtung Saturns über das Wasser (wahrscheinlich über die Taufe) enthielt. Schipper und Wülker nehmen hier keine Lücke an. — In dem zweiten Gedicht unterscheidet der Verfasser acht verschiedene Hauptpunkte; hier finden wir orientalisch-rabbinische, christliche und germanisch-heidnische Elemente vereinigt. Wir haben hier sehr ernste, ja recht objektive Auseinandersetzungen in Rätselform.

In allen drei Fassungen läfst sich eine Gegenüberstellung von Christentum und Heidentum erkennen. Der Verfasser ist deshalb der Ansicht, dafs sie in einer Zeit entstanden sind, in der das Christentum das germanische Heidentum noch nicht endgültig besiegt hatte.

Das zweite Gedicht ist nach v. Vincenti von einem Nordhumbrer verfafst. Um es zu datieren, müssen die kirchlichen Verhältnisse Nordhumbriens, wo die Kultur im 9. Jahrhundert von den Dänen zerstört wurde, mit in Betracht genommen werden. Als terminus ad quem könnte das Jahr 1000 betrachtet werden.

Der Abschnitt schliefst mit einigen Vergleichen von den altenglischen Dialogen mit anderen Denkmälern, mit welchen sie a priori nähere oder entferntere Verwandtschaft vermuten liefsen. Ein Vergleich mit anderen englischen Denkmälern führt aber nur zu einem negativen Resultat. Dagegen erinnern die Dialoge in hohem Grade an die Wortkämpfe, die wir in der altskandinavischen Literatur finden. Hier kommt vor allem das altnordische Vafþrúðnismál in Betracht. Dagegen hat das Hárbarþslióð mit unseren Dialogen nichts gemeinsam. Andere Eddagedichte bieten jedoch einige Ähnlichkeiten. Auch in der altfranzösischen Literatur lassen sich hier und dort einige Berührungspunkte mit unseren Dialogen erkennen.

Danach bespricht der Verfasser (S. 86—107) die Persönlichkeiten des Salomo und Saturn. Über Salomo ist dabei nicht viel zu sagen; dafs er zugleich als Herrscher Israels und als König der Christenheit erscheint und den Saturn über das Paternoster, das Jüngste Gericht usw. aufklärt, ist nicht so besonders auffallend und steht mit der Auffassung dieser

Zeiten völlig im Einklang. Von einer Frau Salomos wird kein einziges Wort gesagt.

Um so mehr interessiert uns aber die Persönlichkeit Saturns. Er ist in allen Hinsichten eine echt orientalische Figur; mit dem römischen Gott hat er nur den Namen gemeinsam. Daſs ihm dabei auch heidnisch-germanische Weisheitssprüche in den Mund gelegt werden, läſst sich ja leicht erklären; sogar der Philisterfürst führt ja den germanischen Namen 'Wandernder Wolf'. In seiner Auffassung von der Persönlichkeit Saturns weicht der Verfasser von den Ansichten Vogts (*Salman u. Morolf*, Halle 1880, S. LIII ff.) mehrfach ab. So z. B. weist v. Vincenti die Ansicht Vogts, wonach Saturn als der Bruder Salomos aufzufassen sei, mit Recht zurück.

Ganz besonders interessiert uns die Frage, wie die altenglischen Verfasser resp. deren Quellen dazu kamen, den Chaldäerfürsten Saturn dem Salomon gegenüber zu stellen. Der Verfasser beruft sich hier auf Schenkels *Bibellexikon*, wonach der echt italische Saturn ziemlich früh mit dem alten Kronos identifiziert wurde; bei einer späteren Identifizierung hellenischer und phönizischer Götter stach bei Kronos der Zug in die Augen, daſs er die Kinder verschlungen hatte, und dies führte nun dahin, daſs man ihn mit dem kinderverschlingenden Moloch zusammenstellte. Auch die astrologische Bedeutung, die Saturn erhielt, muſs man mit in Betracht nehmen. 'Den babylonisch El genannten Planeten finden wir durch die Vermittelung des Kronos latinisiert als Saturn wieder, und so wird dieser, resp. der ihm entsprechende Moloch, in das astrologische System gebracht, so daſs der Planet El-Moloch oder Kronos-Saturn zum wichtigsten Schicksalsbestimmer wird, dem unter den Wochentagen der Samstag gewidmet wurde.' Es ist deshalb wahrscheinlich, daſs der dem Salomo gegenübergestellte Saturn eine Erinnerung an den chaldäischen Sternenkultus und Wahrsagedienst widerspiegelt. Natürlich ist in dem Falle die Vermittelung antiker oder anderer Quellen anzunehmen. 'Der gemeinsame Zug des Kinderfressens wird doch wohl der Grund zu der Vermischung von Moloch und Saturn gewesen sein. Für die Verbindung des Salomo mit Moloch und die Ausgestaltung zur Sage mag vielleicht der Bericht aus 3. Könige Kap. 11, 5 und 6: 'und Salomo verehrte den Moloch, den Götzen der Ammoniter' einen Einfluſs gehabt haben.

Der Name Moloch, der König bedeutet, gehört nur der LXX an; im Hebräischen heiſst er Molech, Milcom, Malcom, Malcol, und so müssen wir wohl mit ten Brink annehmen, daſs durch die Verwechselung von Malcol mit Marcol Saturn als Salomos Dialogist in die Reihe gekommen ist.'

In dem folgenden Abschnitt (S. 107—122) bespricht v. Vincenti die von früheren Gelehrten ausgesprochene Ansicht, daſs wir auch einen Saturn als germanischen Gott ansehen dürfen. Diese schon a priori durchaus unwahrscheinliche Behauptung wird nun einleuchtend widerlegt und dürfte wohl jetzt endgültig aus der Welt gebracht sein.

Zuletzt berührt der Verfasser ganz kurz die Quellenfrage (S. 122—125). Die Vorlage, die unsere altenglischen Verfasser benutzten, ist noch nicht gefunden. Die Ansicht früherer Forscher, daſs wir sie in der verlorenen, in einem Dekret erwähnten *Contradictio Salomonis* zu erblicken hätten, weist der Verfasser als höchst unwahrscheinlich zurück. Es ist aber ziemlich sicher, daſs die Verfasser nach einer lateinischen Vorlage arbeiteten. Ich habe mich in meinem Referat absichtlich jeder Kritik enthalten. Eine solche überlasse ich berufeneren Kräften. Besonders viel Neues enthält das Buch ja nicht. Aber es bildet eine sehr nützliche und dankenswerte Einleitung zu dem Studium dieser überaus interessanten altenglischen Denkmäler.

Göteborg.   Erik Björkman.

Max Schünemann, Die Hilfszeitwörter in den englischen Bibelübersetzungen der Hexapla (1388—1611). Berlin, Mayer & Müller,
1902. 59 S.

Franz J. Ortmann, Formen und Syntax des Verbs bei Wycliffe
und Purvey. Ein Beitrag zur mittelenglischen Grammatik nebst
einem Anhang. Berlin, Mayer & Müller, 1902. VII, 95 S.

Die Sprache der englischen Bibelübersetzungen hat hier zwei gleichzeitig erschienenen verbalsyntaktischen Untersuchungen das Material geliefert, das in glücklicher Arbeitsteilung von den Verfassern für die Forschung nutzbar gemacht worden ist. Schünemann unternimmt es, in stoff-
licher Begrenzung des Gegenstandes der Entwickelung nachzugehen, die
die bedeutsame Kategorie der Hilfsverben in einem Zeitraum von etwas
mehr als zwei Jahrhunderten durchgemacht hat.

Die in dem Neudruck *The English Hexapla*, London 1841, vereinigten
sechs Übersetzungen des Neuen Testaments umfassen die Zeit von 1388
(Wyclif-Purvey) bis 1611 (Authorised Version); beinahe 150 Jahre liegen
zwischen dem Text von Wyclif und seinem unmittelbaren Nachfolger,
dem Tyndaleschen in der revidierten Fassung vom Jahre 1534, nur fünf
Jahre dagegen trennen diesen von der dritten Version der Hexapla, der
Cranmerschen, die drei übrigen Fassungen verteilen sich auf die nächsten
siebzig Jahre. Schünemann beschränkt sich in seinen Untersuchungen
auf die Evangelien des Matthäus und Markus und betrachtet jedes Verb
nach seiner Verwendung als Begriffszeitwort und eigentliches Hilfs-
zeitwort.

Auf Einzelheiten näher einzugehen, fehlt es mir leider bei meiner
gegenwärtigen beruflichen Stellung an Zeit und Möglichkeit der Nachprüfung. Bemerkenswert scheint mir, dafs Wyclif das emphatische *do*
überhaupt nicht gebraucht, was Verfasser mit seinem engen Anschlufs an
das Original wohl richtig erklärt; zur Bildung der Negation wird *do* nur
in den beiden letzten Versionen, aber auch hier in zwanglosem Wechsel
mit der einfachen Negation verwandt. Aus dem Abschnitt über *sculan*
möchte ich hervorheben, dafs Wyclif zur Futurbildung immer *shall* verwendet — die zwei Ausnahmen gehören kaum hierher —, die übrigen
Versionen in der 1. Person überwiegend *will*, in der 2. und 3. *shall* gebrauchen. Naturgemäfs ist überall die sprachliche Entwickelung am spür-
barsten bei Gegenüberstellung der Texte von Wyclif und Tyndale, zwischen denen anderthalb Jahrhunderte liegen. Die Veränderungen im
Sprachgebrauch der übrigen Versionen sind verhältnismäfsig geringfügig,
bestimmte Schlufsfolgerungen lassen sich aus ihnen um so weniger ziehen,
als Verschiedenheit der Vorlage — hier Urtext, dort Vulgata — und Abhängigkeit einzelner Fassungen von einander die Einsicht in den Zusammenhang trüben. So sieht sich, was genaue zeitliche Begrenzung von Neubildungen angeht, der Verfasser genötigt, seine Ausführungen mit einem
Fragezeichen abzuschliefsen.

Gegenüber diesem interessanten Versuch einer Aufstellung von Ent-
wickelungsreihen für eine bestimmte Verbengruppe behandelt Ortmann in
seiner Arbeit mit Ausschlufs der Hilfszeitwörter die gesamte Verbalsyntax
eines einzelnen Denkmals und schöpft sein Material aus der Wyclifschen
Übersetzung allein, natürlich mit steter Heranziehung der Purveyschen
Überarbeitung. Vorausgeschickt ist eine kurze Übersicht über den For-
menstand des Verbums, der auch bei Schünemann tabellarisch verzeichnet
ist. Wie zu erwarten, herrscht hier regelloses Nebeneinander alter historischer Formen und analogischer Neubildungen, doch möchte ich darauf
aufmerksam machen, dafs im *Ind. Praes.* die nördlichen Endungsformen

der 2. Person sing. und des Plurals gar nicht vorkommen, ebenso findet sich der flektierte Infinitiv auf -*enne* nicht mehr, sondern es erscheint stets die Endung -*yng(e)*. Im syntaktischen Teil verzichtet Verfasser anerkennenswerterweise darauf, das ganze Material innerhalb des herkömmlichen Scheuas vorzuführen, er beschränkt sich auf die Abweichungen vom gewöhnlichen Sprachgebrauch des Me. Er hätte vielleicht in dieser Beschränkung noch weiter gehen können, so in den Abschnitten über *Tempora* und *Modi*. Dagegen ist die eingehende Behandlung des Infinitivs und der Formen auf -*ynge* rühmend hervorzuheben. Der Konstruktion des Akkusativs mit dem Infinitiv ist ein besonderer Anhang gewidmet, der den Einfluß der lateinischen Syntax auf diese Bildung recht gut erkennen läßt, so gibt Wyclif sogar das lateinische *se* bei Subjektsgleichheit des regierenden und abhängigen Satzes durch das Pronomen wieder.

Am Schluß seiner Untersuchungen wirft der Verfasser noch die Frage nach dem Anteil Wyclifs an der unter seinem Namen gehenden Bibelübersetzung sowie nach deren Bedeutung für die Geschichte der englischen Sprache auf. Er glaubt, Wyclif mit Bestimmtheit die Übersetzung der vier Evangelien zusprechen zu können; die Antwort auf den zweiten Punkt befriedigt nicht recht, denn was da über die nahe Verwandtschaft der Bibelsprache mit dem modernen Englisch vorgebracht wird, gilt, wie der Verfasser selbst zugibt, fast ausschließlich von der Purveyschen Revision. Übrigens hätte ich gewünscht, daß der Verfasser zur weiteren Klärung dieser wichtigen Frage im Verlauf seiner Ausführungen den neuenglischen Sprachgebrauch öfter zur Vergleichung herangezogen hätte.

Danzig-Langfuhr.   H. Füchsel.

Margarete Rösler, Die Fassungen der Alexius-Legende mit besonderer Berücksichtigung der me. Versionen (Wiener Beiträge zur engl. Philolopie XXI). Wien, Braumüller, 1905. X, 197 S.

Schipper läßt die Quellenvergleichung zu seinen me. Alexius-Ausgaben durch eine fleißige Schülerin nachtragen, die zunächst vier Grundfassungen unterscheidet, in griechischer oder lateinischer Sprache, und dann die mittelalterlichen Texte in den Volkssprachen einreiht. Die sechs me. Versversionen gehen auf zwei verschiedene Typen zurück: der Vernon-Text, der nördliche Ashmole-Gg-Text und Barber beruhen auf jenem Grundtyp, der besonders durch die Acta sanctorum Boll. und die Legenda aurea vertreten ist; die drei übrigen auf einer Grundform, die nicht so deutlich zu bezeichnen ist, aber gerade von Dichtern gern bearbeitet wurde, auch in Frankreich, Deutschland und Spanien. Jetzt sieht man des weiteren, daß alle sechs me. Dichter unabhängig voneinander gearbeitet haben; daß keiner eine nennenswerte Originalität entfaltete, war von vornherein jedem Leser klar. Gerade deshalb wäre jetzt an ihren Produkten gut zu erörtern, wie dieselben Dinge in verschiedenen Dialekten mit verschiedenen Wörtern und Phrasen ausgedrückt wurden; es wäre vielleicht der beste Nutzen, den die englische Philologie aus ihrer Unmasse geistloser Legenden ziehen kann; die Autoren pflegten eben nicht die Auffassung, sondern nur das Sprachgewand zu wechseln. — Im Anhang bietet Rösler noch eine Reihe bisher ungedruckter Texte: zwei griechische aus der Pariser Nationalbibliothek, einen in englischer Prosa des früh 15. Jahrhunderts (Hs. Harl. 4775, nach Vignays Übersetzung der Leg. aur.), einen lat. des 11. Jahrhunderts (Hs. Reg. Bruxell. Lat. II 992) und einen enger damit verwandten franz. des 13. Jahrhunderts (Hs. Français 412), endlich drei italienische in Strophen aus neuerer Zeit. Die ganze Geschichte der Alexius-Legende ist hiemit in helleres Licht gerückt.

Berlin.   A. Brandl.

Dr. Karl Süfsbier, Sprache der Cely-Papers, einer Sammlung von englischen Kaufmannsbriefen aus den Jahren 1475—1488. Berlin, E. Ebering, 1905.

Dafs Caxton und die folgenden Drucker den weitaus bedeutendsten Anteil an der Konsolidierung der neuenglischen Schriftsprache hatten, scheint jetzt allgemein angenommen zu sein. Der Umfang von Caxtons Tätigkeit wird uns um so klarer, je deutlicher der Hintergrund wird, von dem sich seine Arbeit abhebt. Einen nicht unwichtigen Beitrag zur Illustrierung dieses Hintergrundes bieten uns die Cely-Papers: die Celys waren Londoner Kaufleute mit vielen auswärtigen Handelsbeziehungen, und ihre Briefe stammen aus derselben Zeit, in der Caxton in London zu drucken begann. Dieselben Faktoren, die die Sprache der Celys bedingen, sind auch bei Caxton wirksam. Nur kommt bei ihm noch zweierlei hinzu: er ist gebildet, d. h. in sprachlicher Beziehung: er steht stärker unter dem Eindruck überlieferter literarischer Formen; und er ist Drucker, daher schon durch den Kontakt mit der Maschine zu mehr Gleichmäfsigkeit genötigt. Die Celys aber zeigen eine starke Vorliebe für phonetische Schreibung und zugleich eine weitgehende Unsicherheit in der Bezeichnung von unbetonten Vokalen, von Gleitlauten, von Kürzung vor gewissen Konsonanten und von Konsonantenübergängen, namentlich bei den *t*-Lauten. Für die betonten Vokale sind bei ihnen folgende wichtige Schreibungen zu verzeichnen: *e* für *a* in offener Silbe, *o* für *a* neben Labialis, *y* + *r* für *e* + *r*, *u* + *r* für *y* + *r*, *y* für *éé*, *ey* für *î*, *ou* für *óó*; *ou*, *ew* für anglonorm. *au* vor Nasalis, endlich *sch* + *on* für *-cyon*; ferner wechseln *a* und *o* vor *nd*, sowie *e* und *a* vor gedecktem *r*; nach dunklem Vokal vor gedecktem *l* wird *u* eingeschoben in *aull*, *hawlfe* u. dgl. Für gewisse häufig vorkommende Wörter haben sie eine bestimmtere Schreibung, so für *and*, *hand*, *answere;* auch *when*, das freilich überhaupt für Londoner Schreiber — nicht aber für Drucker — im letzten Viertel des Jahrhunderts als fest zu betrachten ist; beim Schreiber WC glaubt man sogar Caxtons Scheidung von *than = quam*, *then = tum* zu bemerken. Ausgesprochener Dialekt wird von Süfsbier bei zwei Gruppen von Korrespondenten konstatiert: die eine, zu der der alte Richard Cely gehört, neigt zu südlichem Dialekt; die andere, zu der der jüngere Richard Cely und ein entfernterer Verwandter, William C., zählen, hat viele nördliche Eigentümlichkeiten, die ja sich überhaupt in der zweiten Hälfte des Jahrhunderts in London bemerkbar machten. — Auf Grund der Celyschen Schreibweise glaubt S. zwei Erscheinungen genauer als bisher datieren zu können: die Verdumpfung des *a* neben *w* und die *r*-Modifikation *er > ur*, die bisher beide auf Grund der Untersuchungen über die Literatursprache später angesetzt wurden. Es zeigt sich eben auch hier, dafs die volkstümliche Aussprache fortschrittlicher ist, wie ja heute die Sprache ungebildeter Londoner schon die Weiterentwicklung des *e*ⁱ zu *ai* und des *ai* zu *aa* hören läfst; mindestens aber ist deutlich, dafs Ungebildete sich weniger scheuen, den Lautwandel auch schriftlich zum Ausdruck zu bringen.

Süfsbiers Arbeit stellt diese sprachlichen Verhältnisse klar und deutlich dar nach dem Schema der bekannten Göttinger Arbeit von Römstedt über Caxton.

Die einschlägige Literatur wird reichlich zitiert, namentlich Luicks bedeutsame und weitausschauende Arbeiten (*Anglia* XIV, XVI, *Untersuchungen* 1896, *Studien* 1903).

Es ist nur schade, dafs die so interessante Arbeit durch zahlreiche Druckfehler und auch durch das Fehlen der letzten sprachlichen Feile entstellt wird.

Halberstadt. S. Blach.

Specimens of the Elizabethan drama from Lyly to Shirley A. D.
1580—A. D. 1642. With introduction and notes by W. H. Williams,
M. A. Oxford, Clarendon Press, 1905. VIII u. 576 S. 7 s. 6 d.

Die Ziele, die sich der Herausgeber der vorliegenden Auswahl gesteckt
hat, sind praktischer Natur. Er will denen, die nicht in der Lage sind,
sich eingehend mit dem Drama der Elisabethzeit zu beschäftigen, eine gute
Chrestomathie in die Hand geben, um sie mit dem Stil und dem Geist
jener einzig dastehenden Blütezeit des englischen Theaters bekannt zu
machen. Wissenschaftliche Ziele verfolgt der Herausgeber also nicht; bei
dem grofsen Mangel an praktischen Chrestomathien aus dieser Periode —
wir besitzen nur Lambs *Specimens of English dramatic poets*, das als
nennenswerte Ausnahme erwähnt werden mufs — ist seine bescheidene
Gabe sehr willkommen, und sie wird gewifs auf englischen Schulen und
auf deutschen Universitätsseminaren dankenswerte Aufnahme finden. Der
Herausgeber bietet mit Übergehung Shaksperes, den er sich ganz in den
Händen seiner Leser denkt, eine Auswahl von 24 Autoren: Lyly, Kyd,
Marlowe, Peele, Greene, Lodge, Nashe, Chettle, Munday, Jonson, Chapman, Dekker, Marston, Middleton, Rowley, Heywood, Day, Beaumont-
Fletcher, Massinger, Field, Webster, Tourneur, Ford, Shirley, die mit insgesamt 89 Stücken zu Worten kommen. Die Rechtschreibung der Elisabethzeit ist durch die neuenglische ersetzt, ein Verfahren, das ich bei dem
praktischen Charakter des Buches ganz am Platze finde. Eine Vergleichung des Buches mit Lamb liegt nahe. Lamb hat eine reichere Auswahl
(insgesamt 178 Stücke); er setzt bedeutend früher ein, bei dem Gorboduc,
und geht hinunter bis zu den letzten Stuarts (d'Urfey). Auch gibt er
einige pseudoshakspersche Stücke, was mir ein Vorzug zu sein scheint.
Ich habe das Fehlen solcher Stücke bei Williams ungern bemerkt. Ein
Vorzug des Williamsschen Buches vor Lamb sind dagegen die biographischen Einleitungen, die jedem Autor vorausgeschickt sind. Sie sind bisweilen allzu ausgedehnt, doch sonst wohlgeraten. Bei Kyd hätte ich eine
Erwähnung des Ur-Hamlet gewünscht.

Gegen die Auswahl, welche der Herausgeber getroffen hat, irgendwelche Ausstellungen zu machen, unterlasse ich; Tadel über diesen
Punkt sind bei Chrestomathien und Anthologien bekanntlich sehr wohl-
feil. Der Hauptmangel des Buches liegt an anderer Stelle, nämlich in
dem Fehlen einer historischen Übersicht der Entwickelungsgeschichte
des englischen Dramas bis auf Elisabeth. Gerade bei dem Zweck, den
der Herausgeber verfolgt, wäre es gut gewesen, die älteren Perioden, die
nicht mit Erzeugnissen zu Wort gekommen sind, kurz in einer Einleitung zu skizzieren. Eine solche Übersicht hätte nicht allzuviel Platz
beansprucht, sondern sich auf ungefähr 30 Seiten wohl geben lassen.
Vielleicht holt der Herausgeber das Unterlassene in einer späteren Auflage nach.

Ist mir der Herausgeber hier zu karg gewesen, so hat er an anderer
Stelle zu viel gegeben, nämlich in den Anmerkungen, die fast ein Viertel
des Buches einnehmen. Dafs bei einem Buche, welches sich an den gebildeten Laien und nicht an den Forscher wendet, veraltete oder schwierige Wörter und Redensarten reichlich mitgeteilt und erklärt werden, ist
selbstverständlich; Textvarianten zu verzeichnen ist höchst überflüssig.
Die benutzt erfahrungsgemäfs nur der Forscher; dem aber ist mit dem
vorliegenden Text nicht gedient. Er kann nur die kritischen Ausgaben
brauchen.

Alles in allem ist der Herausgeber seinen Zielen gerecht geworden,
und sein Buch erscheint mir vollauf geeignet, eine bestehende Lücke aus-
zufüllen.

Berlin. Ernst Kröger.

Rudolf Schoenwerth, Die niederländischen und deutschen Bearbeitungen von Thomas Kyds Spanish Tragedy (Literarhist. Forschungen,
hg. von Schick und v. Waldberg, 26). Berlin, Felber, 1903. CXXVII, 227 S.

In diesem Buche liegt das Werk vor, das Schick bereits 1898 in der
Temple Edition der Spanish Tragedy ankündigte. Zu den dort kurz aufgeführten holländischen Ausgaben, von denen Schoenwerth ein volles Drittel
entdeckt hatte, ist in dem abgeschlossenen Werke noch eine neue aus dem
Jahre 1678 hinzugetreten, so daſs mit Einschluſs eines verloren gegangenen
Druckes von 1674 das Dutzend voll geworden ist. Es mag sein, daſs das
düstere, mit dem Untergang des spanischen Königshauses endigende Stück
in Holland Erinnerungen an die schweren Tage der spanischen Fremd-
herrschaft wachrief und daſs man gerade dort das ausschweifende Rache-
gefühl Jeronimos besonders nachempfinden konnte. Es ist wohl nicht
zufällig, daſs in der Bearbeitung von 1638 der Figur der Rache besondere
Worte der Verwünschung gegen Spanien in den Mund gelegt werden.
Jedenfalls ist es interessant, an der Hand der Untersuchungen Schoenwerths
zu verfolgen, wie die mit dem Hamletstoffe so eng verwandte Spanish Tragedy die Holländer immer wieder zu Neuausgaben anreizt bis in das erste
Drittel des 18. Jahrhunderts hinein. Diese zum gröſsten Teil allerdings
unbewuſste Wertschätzung der Muse Kyds auf fremdem Boden bildet für
diesen gewissermaſsen sein 'century of praise', und als das vorüber ist,
setzt bereits im Heimatlande, wo Kyd längst vergessen worden war, mit
der ersten Ausgabe von Dodsleys *Old English plays*, 1744, die literarhistorische Betrachtung Kyds ein.

Zur allgemeinen Charakteristik der sämtlichen fünf von Schoenw. vorgeführten Bearbeitungen sei vorweg bemerkt, daſs sie in der sprachlichen
wie technischen Behandlung des Stoffes weit hinter dem Original zurück-
bleiben und, was darin zum Teil schon eingeschlossen liegt, sich auch
ziemlich weit von ihm entfernen; wörtliche Herübernahme ist jedenfalls
sehr selten. Dies erklärt sich wohl daraus, daſs das eigentliche Bindeglied
zwischen dem Original und fast allen Bearbeitungen, nämlich die Fassung,
welche den englischen Komödianten für ihre Aufführungen als Grundlage
diente, leider verloren gegangen ist.

Schoenw.s Arbeit gliedert sich in zwei Teile. Im ersten Teil erhalten
wir neben dankenswerten Mitteilungen über das Leben und die literarische
Tätigkeit der holländischen Bearbeiter eine äuſserst eingehende und sorgfältig durchgeführte Parallele zwischen jedweder Bearbeitung und dem
Original; der zweite Teil, der, wie mit dem Verfasser zu wünschen ist,
hoffentlich das Interesse holländischer Vertreter der Wissenschaft auf sich
ziehen wird, bringt den Neudruck der drei holländischen Bearbeitungen.

Aus den Untersuchungen des ersten Teils ist folgendes hervorzuheben:
Den Reigen der holländischen Bearbeiter eröffnet ein Epiker, Everaert
Siceram, der bereits 1615 in seine Übersetzung von Ariosts 'Rasendem
Roland' den hauptsächlich in den ersten drei Akten der Spanish Tragedy
vorgeführten Stoff einrückte als Ersatz für gewisse Streichungen, die er
sich an seiner italienischen Vorlage erlaubt hatte. Schon Worp (*Shakespeare-Jahrbuch* 1894, 183 ff.) hat auf Grund einer Lesart gezeigt, daſs
Siceram, übrigens der erste Holländer, der aus einem englischen Drama
wörtlich entlehnt, auf einer Ausgabe vor der von 1599 fuſst, also einen
der ältesten Texte benutzt. Es ist bezeichnend, daſs Siceram, der seine
Auswahl ziemlich geschickt zu treffen weiſs, den längsten der langatmigen
Schlachtberichte, welche den Anfang der Spanish Tragedy so schwerfällig machen, übergeht, während er sich sonst im allgemeinen eng an
seine Vorlage anschlieſst. Die beiden anderen niederländischen Bearbeitungen beruhen auf einem jüngeren Text, denn sie kennen bereits die Addi-
tions. Die eine, von Schoenw. mit A bezeichnet, ein vieraktiges Drama in

Alexandrinern, hat A. van den Bergh zum Verfasser, von dem auch ein
'Polidoor' und ein 'Titus Andronikus' herrühren, und stammt aus dem
Jahre 1621. Hiernach ist die Angabe von Lee im *Dict. of Nat. Biogr.*
XXXI, 350 zu berichtigen, der 1608 als Entstehungsjahr angibt und in
einer Ausgabe von 1683 irrtümlich eine Neuausgabe von A sieht. Bald
darauf folgte die dritte Bearbeitung (B), ein anonymes Drama, welches A,
obwohl in demselben Versmaße geschrieben und auch sonst in vielen
Punkten von ihm abhängig, in formaler Hinsicht übertrifft und überhaupt
an Gewandtheit des Ausdrucks und der Komposition dem Original von
sämtlichen Bearbeitungen am nächsten kommt. Schoenw. vergleicht beide
untereinander und mit der Spanish Tragedy in denkbar genauester Weise
und gibt von Szene zu Szene, zum Teil in Paralleldruck, so ausführliche
Inhaltsangaben, daß dadurch der Abdruck des Textes im zweiten Teil
fast überflüssig gemacht wird. Vielleicht war eine solche von größter
Geduld zeugende Kleinarbeit in diesem Falle, wo textkritische Erörterungen nicht in Frage standen und die zeitliche Aufeinanderfolge der Bearbeitungen bekannt war, doch nicht angebracht. Sowohl in A wie in B
fehlt es nicht an auffälligen Abweichungen von der Spanish Tragedy. So
wird in beiden Fassungen aus dem Lorenzo ein Don Pedro, dem bei Kyd
nur vier Worte gegeben werden, und aus Balthasar statt dessen in B
Lorenzo, was wohl aus einer Verwechselung oder einer Schauspieler-
laune zu erklären ist. Inwieweit vielleicht Einflüsse aus anderen Stücken
zu Abweichungen Anlaß gegeben haben könnten, erörtert Schoenw. nicht.
Gewisse Stellen scheinen an das Jeronimovorspiel anzuklingen. So sind
die Worte Belimperias, als sie in Ohnmacht fällt, I. B 2. 79: *Ick swijm,
ick sijgh, ick sterf* zu vergleichen mit Jeron. II. 4. 118: *I swound, I die.*
In B stürmt Lorenzo auf Don Pedro ein, weil er ihn für seinen Neben-
buhler Oratio hält, wie in Jeron. Lazarotto dem fälschlich für Andrea ge-
haltenen Alcario sogar den Garaus macht. In einem Schlußmonolog des
Don Pedro (B I. 4. 57) erinnern die Worte: *Ick sie het soo in, dat mijn
suster sal verliesen Haer Minnaer, hy sich selfs* an die entsprechende Mo-
nologstelle Jeron. I 1. 121: *So she a husband, he shall lose a wife.* Doch
diese und ähnliche Anklänge mögen zufällig sein. Eher konnten aus dem
Hamlet, den die englischen Schauspieler, die seit dem Ende des 16. Jahrhunderts häufig nach den Niederlanden kamen (vgl. Cohn, *Shakespeare in
Germany*, LXXV ff.), wohl ebenfalls herübergebracht haben werden, und
dessen nahe Stoffverwandtschaft mit der Spanish Tragedy ja kaum entgehen konnte, konkrete Einflüsse kommen. Schon in A ist der Geist des
Andrea durch den des Oratio ersetzt worden. Wie also im Hamlet der
Geist des Vaters dem Sohne mahnend gegenübertritt, so nun hier der
Sohn dem Vater, und zwar ist dieser Geist — zum Unterschiede von dem
Andreas in der Spanish Tragedy, der in die Handlung ja gar nicht ein-
greift — in die Szene Spanish Tragedy. 2 hineingebracht worden, die
der Szene Hamlet I. 5 insofern entspricht, als auch hier der Held die
erste Nachricht über den zu rächenden Mord erhält. Dem Verfasser von
B ist der Brief, den Belimperia zu Jeronimos Aufklärung schreibt, offenbar nicht genug. Der Geist des Oratio muß ihr diesen Brief entreißen
und ihn mit eindringlicher Mahnung zur Rache seinem Vater überbringen.
Es scheint also gleichsam nach dem Grundsatze: 'Doppelt hält besser'
eine Herübernahme der Geistererscheinung aus dem Hamlet stattgefunden
zu haben. Daß Oratio sich dabei seiner Braut mit den Worten vorstellt
(B II. 5. 92): *Ick ben Oraty Gheest ... Van uwen Broeder moort in d'armen
van sijn Bruyt,* ihr also die Mordtat erzählt, von der sie doch Zeuge gewesen und auf deren Sühnung sie schon bedacht ist, ist in B ganz un-
motiviert und mag auf den Hamlet zurückgehen, wo eine solche Belehrung seitens des Geistes für Hamlet notwendig ist. B als die interessanteste
Bearbeitung wurde mit geringfügigen Abweichungen immer wieder heraus-

gegeben. Die letzte Ausgabe stammt aus dem Jahre 1729. An eine dieser Ausgaben knüpft auch Caspar Stielers Bellemperie (C) aus dem Jahre 1680 an, die bei Schoenw. so gut wie zum erstenmal im Rahmen der wissenschaftlichen Forschung erscheint. Zu bedauern ist, dafs nicht auch diese Fassung zum Abdruck gelangte, zumal davon nur ein einziges von Bolte entdecktes Exemplar in Kopenhagen bekannt ist und die Abweichungen von B sehr bedeutend sind. C ist fast ganz in Prosa geschrieben und setzt, die Handlung auf einen Zeitraum von etwa 24 Stunden zusammendrängend, erst mit der bei B erwähnten Erscheinung Horatios ein. Charakteristisch für C ist, dafs die komischen Szenen, die schon in A und B reichlich vertreten sind, die Haupthandlung fast zu überwuchern drohen. Die überall herumspukenden Geister sinken auf die Stufe von neckischen Kobolden herab, die ebenso wie ein Totentanz der Erschlagenen mehr Heiterkeit als Entsetzen erregen. Auf Einflufs italienisch-französischer Komödien deutet hin, dafs dem Liebesverhältnis zwischen Horatio und Bellemperie ein solches zwischen Skaramutza (= Pedringano) und Gillette, einer Kammerzofe der Bellemperie, gegenübergestellt wird, wie überhaupt den Dienern ein gröfserer Anteil an der Handlung eingeräumt ist. Schön erfunden ist nur eine Szene, II. 1, wo Bellemperie, vor dem Bilde Horatios hingekniet, Rache schwört. Bell. ist überhaupt viel mehr als in der Spanish Tragedy bei der Rache die treibende Kraft; sie gibt hier dem Hieronymo ein von ihr verfafstes Stück, das der Ausführung der Rache dient. An letzter Stelle gelangt bei Schoenw. die bekannte 'Pelimperia' von Ayrer (D) zur Besprechung, die ihrer Entstehungszeit nach — zwischen 1598 und 1605 — an den Anfang der ganzen Reihe gehört. Weit ab hält sich das sechsaktige Stück von den anderen Bearbeitungen dadurch, dafs es den Schauplatz nach Konstantinopel verlegt und durch die völlig abweichende Gestaltung des eingelegten Schauspiels. Welche Vorlage Ayrer benutzte, hat auch Schoenw. nicht endgültig entscheiden können. Der Umstand, dafs D alles in allem 17 Personen weniger hat als die Spanish Tragedy, könnte zu der Annahme führen, dafs er aus dem Manuskript oder aus Aufführungen einer Schauspielertruppe schöpfte, während anderseits die zwischen D und Spanish Tragedy schon von Tittmann festgestellte wörtliche Übereinstimmung sowie die von Schoenw. vermerkte Gleichheit 'im Aufbau der Handlung und in der Folge der Gedanken' und eine gewisse Anlehnung an die Fassung A doch noch eine andere Quelle zur Voraussetzung zu haben scheinen. Mit den niederländischen Bearbeitungen besteht, wie mir scheint, auch insofern Ähnlichkeit, als Don Pedro und Balthasar in D wie in B Reue über ihre Untaten empfinden, was Kyds Helden ganz fremd ist. — Bis auf A schliefsen die dramatischen Bearbeitungen im Gegensatz zu Kyd mit einem kleinen fabula docet.

Den Beschlufs von Schoenwerths Buch machen Anmerkungen, die sachliche Erläuterungen und Übersetzungshilfen für den deutschen Leser bringen, und ein kurzer Nachtrag mit der graphischen Darstellung des Abhängigkeitsverhältnisses der Bearbeitungen, das Ergebnis der mühsamen und äufserst gewissenhaft angefertigten Untersuchungen. Da nach Schoenwerths eigenen Angaben (S. XVIII u. L) Siceram und B, was kaum zufällig sein dürfte, in gleicher Weise etwas aus der Szene Spanish Tragedy IV. 2 in die Szene II. 5 übertragen, so konnte wohl auch Siceram mit B durch eine Abhängigkeitslinie verbunden werden.

Berlin.   Otto Michael.

Shakspere's vocabulary. Its etymological elements. I. By Eilert Ekwall (Upsala Universitets årsskrift 1903). XIX, 99.

Berechnungen und Betrachtungen über das prozentuale Verhältnis der verschiedenen Sprachanteile am englischen Wortschatz gehören schon lange

zu den beliebtesten Fragen der englischen Sprachgeschichte, an denen
selbst ganz elementare Lehrbücher selten vorbeizugehen pflegen, da sie
allgemeinen Interesses sicher sind. Zur wissenschaftlichen Lösung und
exakten Beantwortung dieser Fragen liegt jedoch wenig brauchbares Material vor. Die älteren Auszählungen leiden an drei Grundmängeln: sie
gehen entweder von einer zu kleinen oder aber von einer zu grofsen, un-
übersehbar zerfliefsenden Stoffbasis aus; sie individualisieren die Zählmethoden nicht hinreichend; sie sind endlich auf unzureichenden etymologischen Erkenntnissen aufgebaut; wie viele feinere Fragen der Etymologie,
z. B. der Einflufs der skandinavischen Sprachen, sind erst in den letzten
Jahren ihrer Lösung näher geführt worden! Die exakte Forschung hat
hier so ziemlich neu aufzubauen, und es werden sich viele Hände rühren
müssen, ehe das *mare magnum* des englischen Wortschatzes in allen seinen
Strömungen und Mischungen uns wie auf einem fein detaillierten Karten-
bilde in hinreichender Individualisierung entgegentreten kann. Denn es
sind hier vielerlei Quer- und Längsschnitte zu ziehen, verschiedene Zählmethoden zu verfolgen und individuelle Gruppen zu umschreiben, soll aus
der Statistik Einsicht in ein organisches Gebilde hervorgehen.

Was in älterer Zeit in erster Linie des Interesses stand, die Zusammensetzung des ganzen englischen Lexikons, wird vermutlich das letzte
Forschungsobjekt bilden, die Dachkrönung eines Gebäudes von vielen
Stockwerken mit zahlreichen Räumen, das erst zu errichten ist. Kein
ernsthafter Philologe wird selbstverständlich eine lexikalische Auszählung
des englischen Wortschatzes vornehmen vor Vollendung des *New English
Dictionary;* aber auch wenn der grofse Augenblick einmal gekommen ist,
wo der glückliche Anglist seine Hand auf den Turm von Folianten legen
und sagen kann: *hic est liber* — auch dann wird das Auszählresultat,
höchst interessant an sich und unentbehrlich, nicht die Lösung der Frage
schlechthin für ihn bedeuten, weil das Thema eben nicht e i n e Frage, sondern ein ganzes Bündel von Fragen ist, die von verschiedenen Gesichtspunkten erforscht werden wollen, während der lexikalische Stoff nur e i n e
Art von Querschnitt ermöglicht.

Schon die Analyse der allgemeinen Prinzipien einer Wortstatistik
zeigt, dafs vier Zerlegungsmethoden nebeneinander notwendig sind, um
ein volles Bild zu gewinnen. Der Hauptsache nach kommen in Betracht:
1. das Zählprinzip, 2. die Abgrenzung der Materialbasis.

1. Das Zählprinzip kann lexikalisch oder statistisch sein, d. h. man
zählt das Wort als lexikalische Einheit ohne Rücksicht auf die Häufigkeit
seines Vorkommens nur einmal, oder man zählt jedes Wort des Textes als
separate Nummer. Die Prozentberechnung ergibt natürlich sehr abweichende
Resultate: der Prozentsatz heimischer Wörter im Wortschatze Shaksperes
beträgt nach Marsh bei lexikalischer Zählung 60 Prozent, bei statistischer
aber 91—88 Prozent. Beide Zählmethoden müssen geübt werden, da sie
verschiedenen Erkenntniswert haben: die lexikalische zeigt die Zusammensetzung, die statistische die Gebrauchshäufigkeit.

2. Die Basis. Die Zählung kann sich erstrecken α) auf kürzere und
längere Abschnitte eines Wortes, die dann nur annähernde typische Resultate ergeben; β) auf die ganze Produktion eines Autors; γ) auf den
Sprachschatz der einzelnen Jahrhunderte oder auf den Gesamtsprachschatz.
Bei γ) kommt aus naheliegenden Gründen nur die zweite Alternative in
Betracht, da Speziallexika für die einzelnen Jahrhunderte nicht existieren;
von den Zählmethoden ist aber nur e i n e, die lexikalische, anwendbar, und
das durch sie Erreichbare ist daher nur eine einseitige Erkenntnis. Selbst
diese ist zu wenig individualisierbar; denn jedes neuenglische Lexikon umfafst den Sprachschatz mehrerer Jahrhunderte; wieviel davon ist nur kurz-
lebig gewesen, wieviel sogar nur ein-, zweimal von einem Einzelnen gebraucht und ad hoc geprägt worden! Das Ergebnis der Auszählung eines

neuenglischen Lexikons zeigt daher nur, über welche etymologischen Bestandteile die Sprache in ihrem ganzen Verlaufe verfügt hat; gewifs ebenfalls ein wissenswertes Resultat, aber für alle feineren Fragen versagend. Am leichtesten wäre ein historisch einheitlicher lexikalischer Querschnitt bei Beschränkung auf die lebende Sprache zu ermitteln; aber die Scheidung zwischen gesprochenem oder· auch literarisch wirklich lebendem und totem Sprachgut stöfst im einzelnen auf grofse Schwierigkeiten. Es ist daher notwendig, sowohl Längsschnitte — die Entwickelung durch die Jahrhunderte umfassend — als Querschnitte, den gleichzeitigen Sprachgebrauch zeigend, zu ziehen. Wieviel bleibt da noch zu tun übrig, von der Detaillisierung der Schnittlinien in Unterabteilungen zu schweigen!

Von allen Seiten her werden wir zu der Erkenntnis gedrängt, dafs zurzeit am notwendigsten und am fruchtbarsten die Erforschung des Wortschatzes einzelner Autoren ist. Ekwall hat Shakspere herausgegriffen und darf des Dankes für diese Wahl sicher sein; ein Buch, das den Sprachschatz Shaksperes nach etymologischen Gesichtspunkten untersucht, dient nicht nur den allgemeineren sprachstatistischen Forschungen, sondern ist auch zugleich ein Beitrag zur Stilerkenntnis des Dichters, soweit die Sphäre lexikalischer Kriterien eben reicht. Diese Arbeit ist umsichtig angelegt und mit ernstem Fleifse ausgeführt; wir haben es nicht mit einer oberflächlichen Summarisierung nach einem bequemen Schema und auf Grund etymologischen Gemeingutes aus dritter oder vierter Hand zu tun; Ekwall ist bestrebt, die etymologischen Forschungen direkt zu verwerten und übt in den zweifelhaften Fällen selbständig Kritik. Dafs hierbei nicht immer Abschliefsendes oder Erschöpfendes geboten werden konnte, liegt in der Schwierigkeit der Sache. Ein Eingehen auf Einzelheiten mufs ich den Etymologen vom Fach überlassen. Der vorliegende erste Teil enthält eine interessante Einleitung über die älteren sprachstatistischen Studien, von Hickes, 1705, bis auf unsere Tage, sowie über Methode und Ziele solcher Forschungen, und die von lehrreichen Fufsnoten begleiteten Listen der heimischen, skandinavischen und kontinental-germanischen Wörter (76 — 13 — 4 Seiten). Der zweite Teil wird die romanischen, keltischen und sonstigen Elemente behandeln und die Schlüsse aus dem gesamten Material ziehen. Hierbei soll, sehr richtig und notwendig, nicht nur der lexikalische Prozentsatz, sondern auch der Gebrauchswert berücksichtigt werden, letzterer jedoch nicht auf Grund einer Gesamtauszählung, sondern durch Analysen ausgewählter Partien. Man hat kein Recht, die enorme Arbeit der Auszählung von dem Verfasser zu verlangen und mufs ihm beistimmen, wenn er die dabei zu erreichenden Ergebnisse als *hardly worth while* bezeichnet; es gibt Grenzen selbst statistischer Forschungen, über die hinaus kein Erkenntniswert von wirklich wissenschaftlichem Belang zu erwarten ist. Dabei fällt besonders ins Gewicht der (von Ekwall geltend gemachte) Gesichtspunkt, dafs in den verschiedenen Worten Shaksperes verschiedene Prozentverhältnisse herrschen können. Man möchte in der Tat von vornherein annehmen, dafs die Renaissancezeit und die Sonette sich von den Dramen auch in diesem Punkte unterscheiden. Damit hängen weitere Fragen zusammen: zeigt die Sprache der verschiedenen sozialen Schichten in den Dramen abweichende etymologische Prozentverhältnisse, übt das Thema des Dialogs einen Einflufs darauf aus? Hier ist die Linie, wo wortstatistische Forschungen in Stiluntersuchungen ohne scharfe Grenze überfliefsen. Für alle diese Fragen würde eine allgemeine Gebrauchsstatistik versagen; Partienanalyse wird viel lehrreicher sein. Immerhin wäre zu bedenken, ob nicht schon auf Grund der Konkordanzen und des Schmidtschen Lexikons sich wenigstens scheiden liefse zwischen hapex eiremena, ganz seltenen und allgemeiner üblichen Wörtern, und ob eine Sondertabelle darüber nicht Typisch-Wertvolles ergäbe. Denn es ist ein wesentlicher Unterschied, ob wir wissen, dafs Shakspere *counsel* und *rede* hat, oder ersehen, dafs er *rede* nur einmal, 'Hamlet' 1, 3, 51, gebraucht: *and recks not his own rede,* sicher in Zusammenhang mit der alliterierenden Bindung und beeinflufst von dem Charakter der Stelle, wo von dem Sittenprediger die Rede ist, angepafst dem archaisierenden Predigerton, den Ophelia schelmisch nachahmt. Und ähnliches liefse sich noch mehr anführen, was auf die Notwendigkeit einer synonymischen Gebrauchsbetrachtung hinleitet. Solche Individualisierung ist von einem Werke lexikalischer Art nicht zu erwarten; sie kann nur in stilistischen Arbeiten zu Rechte kommen; wieviel hier zu gewinnen und noch zu holen ist, haben die sehr anregenden und lehrreichen Stilstudien Sarrazins gezeigt. Wie weit die stilistischen Gesichtspunkte bei der Analyse von Partien in Ekwalls Buch zu Worte kommen werden, bleibt abzuwarten, da der Verfasser kein Programm aufgestellt hat (*I cannot enter more fully upon this part of my plan, as many things may occur to me in the course of my work, of which I am not aware now*); dafs ihm die Notwendigkeit freier Differenzierung der Methode in der Verwertung der Ergebnisse gegenwärtig ist, zeigt die Bemerkung, dafs auch nach der Art der Redeteile Querlinien zu ziehen sein werden, wobei von Formworten abzusehen ist; Adjektiva, Substantiva, Verba dürften verschiedene Prozentsätze aufweisen. So drängt auch hier alles nach einer Stilistik Shaksperes hin, deren wir dringend bedürfen (vgl. die Äufserungen H. Conrads in dieser Zeitschrift CXIV, 443); sie von Ekwalls Buch erwarten, hiefse den Zweck und das Arbeitsgebiet seiner Studie verkennen; aber es verspricht, willkommene Beiträge dazu zu bieten, und die Ergebnisse von Ekwalls mühevoller und nützlicher lexikalisch-statistischer Arbeit werden auch der Stilästhetik zu gute kommen; 'denn wer in den Schönheitsschatz eines Dichters die Eimer ganz tief hinabsenkt, wird der Grammatik als den Elementen des Ausdrucksvermögens nicht entrinnen' (Brandl). Dem Abschlufs der Arbeit darf man mit Interesse entgegensehen.

Münster i. W.   Otto L. Jiriczek.

E. Koeppel, Studien über Shakespeares Wirkung auf zeitgenössische Dramatiker. Louvain 1905 (= Materialien zur Kunde des älteren englischen Dramas, hrsg. von W. Bang. Bd. 9).

Die vorliegende Schrift ist ein Seitenstück zu zwei früheren allgemeineren Arbeiten Koeppels, *Quellenstudien zu den Dramen Ben Jonsons, Marstons, und Beaumonts und Fletchers* (1895), und *Quellenstudien zu den Dramen Chapmans, Massingers und Fords* (1897). Die in den beiden 'Quellenstudien' untersuchten Dramatiker kommen natürlich für die sie ergänzenden neuesten 'Studien' nicht in Betracht, da etwaige Einwirkungen Shakespeares auf ihre Dramen schon in jenen behandelt worden waren. Es scheint aber Koeppels Absicht gewesen zu sein, die übrigen Dramatiker jener Zeit, die in neueren Ausgaben vorliegen, in annähernder Vollständigkeit auf ihr Abhängigkeitsverhältnis von Shakespeare zu untersuchen. Wenigstens vermisse ich unter den vom Verfasser herangezogenen jüngeren Dramatikern der Renaissance nur Day, Nabbes und Samuel Rowley; Tourneur war von Koeppel schon anhangsweise in seinen 'Quellenstudien' behandelt worden.

Um die 'Ausstrahlungen eines Herrschergeistes' wie Shakespeare in den Werken seiner jüngeren Zeitgenossen verfolgen zu können, dazu bedarf es vor allem einer umfassenden Belesenheit, einer allseitigen Vertrautheit mit den Werken des Meisters, die nicht häufig anzutreffen ist. Koeppel besitzt diese Eigenschaften in hohem Grade. Allerdings wurde seine Arbeit durch das treffliche *Shakespeare-Lexikon* von Alexander Schmidt beträchtlich erleichtert. Dies Hilfsmittel versagt aber, wo es sich nicht um die Entlehnung einzelner Redewendungen Shakespeares handelt, sondern eine allgemeine Situation, ein einzelnes Motiv oder ein Charakter aus einem seiner Stücke von einem anderen Dramatiker nachgeahmt worden ist. Auch in solchen Fällen bewährt sich durchaus die hervorragende Shakespeare-kenntnis des Verfassers.

Eine Quellenuntersuchung, die den Einfluſs eines einzelnen Dichters auf die Literatur seiner eigenen oder einer späteren Zeit erforschen will, kann auf zwei Arten angestellt werden: entweder indem man von dem als Quelle gegebenen Dichter ausgeht, den Stoff nach dessen einzelnen Werken gliedert und innerhalb eines jeden Abschnittes alle bei anderen Schriftstellern vorkommenden Anklänge an das betreffende Werk vorführt, oder indem man die Werke der Nachahmer einzeln durchgeht und bei jedem dieser Werke alle Fälle solcher Nachahmung zusammenstellt. Durch erstere Art wird deutlich, in welchem Umfange und Grade die einzelnen Werke des als Quelle dienenden Dichters nachgeahmt worden sind; letztere Art läſst die Eigenart des Nachahmers eher hervortreten. Koeppel hat recht daran getan, diese Art zu wählen; um sich aber auch die Vorteile der ersteren Art nicht entgehen zu lassen, bietet er S. 97 ff. ein nach den Stücken Shakespeares geordnetes Verzeichnis derartiger Fälle von Nachahmung.

Koeppels Arbeit hat zunächst grosses geschichtliches Interesse. Es ist natürlich von hohem unmittelbarem Wert für die literaturgeschichtliche Forschung, den tatsächlichen Einfluſs der Werke Shakespeares auf die Dramen seiner jüngeren Zeitgenossen im einzelnen festzustellen. Erst nach einem Mosaikbilde solcher Einzelheiten können wir uns ein Urteil über das allgemeine literarische Abhängigkeitsverhältnis des betreffenden Dichters von Shakespeare bilden. Als mittelbarer Gewinn von Koeppels Buch ergibt sich auſserdem gelegentlich die Möglichkeit, ein Stück Shakespeares genauer zu datieren. In dem vorhin erwähnten Register (Koeppel S. 97 ff.) hat der Verfasser die für die Chronologie der Dramen Shakespeares wichtigen Stellen durch fetten Druck hervorgehoben. In einem Falle gewinnt er aus seiner Untersuchung auch ein Kriterium gegen die Echtheit eines zweifelhaften Stückes. Es erweist sich nämlich, daſs bei Thomas Heywood Spuren von Bekanntschaft mit Shakespeares Dramen nur selten anzutreffen sind. Um so auffälliger sind die zahlreichen Shakesp010eareanspielungen in dem bisher Heywood zugeschriebenen Lustspiel 'The Fair Maid of the Exchange'. Koeppel schlieſst sich daher der Meinung Fleays an, der aus dem eben genannten Grunde das Stück Heywood abspricht. Heywoods Verfasserschaft wird danach in der Tat recht unwahrscheinlich.

Anzuerkennen ist es, daſs Koeppel nicht nur die Dramen, sondern auch die bisher zu wenig beachteten epischen Dichtungen Shakespeares in den Kreis seiner Betrachtung gezogen hat. Die verhältnismäſsige Häufigkeit von Anklängen an diese Epen bei den Dramatikern jener Zeit beweist uns, wie beliebt Shakespeares epische Dichtungen bei seinen Zeitgenossen waren.

Die Besprechung wenigstens der gröſseren Dramatiker, Dekkers, T. Heywoods, Middletons, Richard Bromes, Randolphs, James Shirleys und Glapthornes gibt dem Verfasser Gelegenheit, einige feinsinnige Bemerkungen zur allgemeinen Charakteristik ihrer dichterischen Persönlichkeiten einzuflechten.

Auch Koeppel selbst ist sich, wie sein Vorwort zeigt, dessen wohl bewuſst gewesen, daſs bei der von ihm angewandten Art der vergleichenden Betrachtung eine gewisse Subjektivität des Urteils zuweilen unvermeidlich ist, und daſs eine solche Betrachtung schwerlich jemals völlig erschöpfend sein kann. Der aufmerksame Leser der von Koeppel behandelten Dramatiker wird daher leicht zwischen diesen und Shakespeare neue Ahnlichkeiten entdecken, die dem Verfasser entgangen sind. Zu der

Zeit, als ich mit Koeppels Buch bekannt wurde, beschäftigte ich mich gerade mit den Dramen von James Shirley. In diesen Dramen ist mir eine Reihe von Shakespeareanklängen aufgestofsen, die ich als Nachtrag zu Koeppels Arbeit hier anführe. Für einige dieser Anklänge mufs ich freilich dasselbe Recht der Subjektivität für mich in Anspruch nehmen, das Koeppel für sich selbst geltend gemacht hat.

Im Lustspiel 'The Changes, or, Love in a Maze' sagt Sir Gervase Simple: *thy chin is hatch'd with silver,* nach 'Troilus und Cressida' (I 3, 65), wo Ulysses den Nestor *Venerable Nestor, hatch'd in silver* nennt.

Die spottlustige und spröde Männerfeindin Carol im Lustspiel 'Hyde Park', bei der die Spottlust im Grunde nur ein Panzer ist, hinter dem sich ihre Liebe zu Fairfield verbirgt, gleicht der Beatrice in 'Much Ado about Nothing'. Sie äufsert an einer Stelle (Shirley, *Dram. Works with Notes by Gifford and Dyce* II, S. 502): — *ne'er was simple camomile so trod on, Yet still J grow in love.*

Vgl. Falstaff in 'Henry IV', Part I, II 4, 441 ff.: *the camomile, the more it is trodden on the faster it grows.* Koeppel (S. 70) zitiert eine andere *camomile*-Stelle in Wilkins 'Miseries of Enforced Marriage' und betont mit Recht, dafs die Vergleiche mit der Kamille wegen ihrer Häufigkeit bei den alten Dramatikern zur Feststellung eines Shakespeareeinflusses nicht genügen. Shirley konnte hier auch unmittelbar aus Lylys 'Euphues' geschöpft haben, der auch Shakespeares Quelle für die angeführte Stelle gewesen war. Aber gleich darauf begegnet in Shirleys Stück eine andere Stelle, die es meines Erachtens wahrscheinlich macht, dafs Shirley hier doch den ersten Teil von Shakespeares 'Henry IV.' als Muster vor sich gehabt hat. Carol sagt (S. 503):

> Oh give me, lend me but the silken tie
> About your leg, which some do call a garter.

Diese humoristische Umschreibung eines Alltagsbegriffs erinnert, wie mir scheint, an eine andere bekannte Stelle in derselben Rede Falstaffs an den Prinzen (II 4, 453 ff.): *There is a thing, Harry, which thou hast often heard of, and it is known to many in our land by the name of pitch.*

Ein anderes Mal erkennen wir in Carols Worten an Fairfield:

> you have
> A medley in your face of many nations, usw.

eine Nachahmung des wenig geschmackvollen Scherzes in 'The Comedy of Errors', wo Dromio die einzelnen Körperteile seiner Geliebten, der Küchenfee Nell, mit verschiedenen Ländern vergleicht (vgl. auch Koeppel S. 84).

In 'The Gamester' begegnet das aus Shakespeares 'All's well that ends well' und 'Measure for Measure' bekannte Vertauschungsmotiv: Der lüsterne Wilding schlägt seiner Nichte Penelope einen nächtlichen Besuch vor; diese aber will seine eigene Frau an ihre Stelle treten lassen. Das Motiv wird dadurch variiert, dafs Wilding nicht selbst zum vermeintlichen Stelldichein mit Penelope geht, sondern statt seiner den Spieler Hazard hinschickt, dem er zu Dank verpflichtet ist, und dafs, wie am Schlufs herauskommt, Hazard von Wildings Anerbieten keinen Gebrauch gemacht hat.

In der Tragikomödie 'The Doubtful Heir' verwendet Shirley ein durch Shakespeares 'Twelfth-night' aufgebrachtes Motiv: Rosania folgt, als Page verkleidet, dem Geliebten ihres Herzens, Ferdinand, dem König von Murcia, und wird am Schlufs mit ihm vermählt. Zum Unterschied vom Herzog Orsino bei Shakespeare weifs aber Ferdinand von vornherein, wer der ihm folgende Page ist.

Aufserdem ist noch zu erwähnen, dafs zu den zahlreichen Nachahmern der Gestalten der Polizeirüpel in Shakespeares 'Much Ado about Nothing' auch Samuel Rowley gehört. Die Nachahmung erkennen wir in den Wortverdrehungen und dem Schlafbedürfnis des ersten Wachmannes in dem einzigen erhaltenen Stück dieses Dramatikers, *When you see me, you know me, or, The Famous Chronicle History of King Henry VIII.* (hrsg. von Elze, Dessau und London, 1874).

Schliefslich sei noch die Bemerkung Koeppels (S. 79) berichtigt, 'The City-Nightcap' sei das einzige uns erhaltene Stück von Davenport. Dieser Dichter ist auch der Verfasser von zwei anderen Dramen, die allerdings nur in Originaldrucken des 17. Jahrhunderts überliefert sind:[1] eines Lustspiels 'A New Trick to cheat the Devil', und eines Trauerspiels 'King John and Matilda'. Ich habe im Herbst vorigen Jahres beide Stücke in der Bodleiana in Oxford in Händen gehabt. Das zuerst genannte Lustspiel ist dadurch merkwürdig, dafs Davenport den bekannten, auch von Andersen in seinem Märchen 'Der kleine und der grofse Klaus' verwerteten, ursprünglich altfranzösischen Schwank ('Der arme Schüler' (vgl. Hertz, *Spielmannsbuch*) hineinverarbeitet hat.

Diese Zusätze mögen mein grofses Interesse an Koeppels Buch beweisen, das ich als eine wertvolle Bereicherung der Literatur über Shakespeare und seine Nachfolger willkommen heifse.

Freiburg i. Br.   E d u a r d   E c k h a r d t.

Johnson, Samuel, Lives of the English poets, ed. by George Birkbeck Hill, D. C. L. Oxford, Clarendon Press, 1905. Vol. I: XXVII, 487 S. Vol. II: 440 S. Vol. III: 568 S. 36 sh. net.

Auf die bekannten Ausgaben von Johnsons '*Letters*' und '*Life*', die Birkbeck Hill vor wenigen Jahren im grofsen Oxforder Verlage erscheinen liefs, ist jetzt ein Neudruck von Johnsons Dichterbiographien mit einem Kommentar gefolgt, der alle 52 Lebensbilder, wie sie der literarische Diktator der Goldsmith-Zeit entwarf, in neues Licht rückt. Mit anerkennenswertem Fleifse und Gedächtnis hat der Herausgeber jeden Satz nachgeprüft, jede vorkommende Persönlichkeit erläutert, die Zitate nachgeschlagen, Parallelen aus den Werken Johnsons und seiner Zeitgenossen angeführt und seine Quellen Schritt für Schritt festgestellt. Ich glaube nicht, dafs ein moderner Biograph bisher einen so gründlichen Interpreten gefunden hat. Das Werk ist für den Forscher in der Literatur des 18. Jahrhunderts eine Fundgrube.

Die Methode Hills kann man als eine antiquarische und zugleich vergleichend-kritische bezeichnen. Er will uns sagen: wer die Leute waren und was sie taten; ferner: wieweit Johnsons Urteile mit denen seiner Zeit übereinstimmten, und ob sie dem englischen Geschmack entsprachen. Diese beiden Ziele erreicht er durch ausgiebige Stellenvergleichung. Als Kommentator haftet er naturgemäfs am vorliegenden Satz. Die Entwickelung von Ideen und Formen in freierer Weise zu verfolgen wäre über seine Grenze hinausgegangen — das ist Sache des Literarhistorikers, der deshalb immer noch einiges beizufügen vermöchte. Wenn Johnson z. B. im Artikel über Milton (1779) — dem Hauptstück der ganzen Sammlung — erklärt: '*The highest praise of genius is original invention*' (I 194), so liegt es nahe, an Thomas Youngs Essay '*On original composition*' (1759) zu denken und an die ganze Ausbildung der Genielehre seit Dryden, als an die Vorbedingung jener lapidaren Sentenz. Bei Johnsons Einschätzung

---

[1] Wie ich nachträglich bemerke, gibt es auch eine Neuausgabe der Werke Davenports (von Bullen, London 1890), die allerdings nach englischer Unsitte in sehr kleiner Auflage gedruckt worden ist.

des Epos als der erhabensten Poesiegattung erinnert man sich gern an
das Herauswachsen dieser Lehre nicht blofs aus Le Bossu, Dryden und
Addison, die Hill I 171 anführt, sondern aus Longinus, in dessen '*Περὶ
ὕψους*' sie wurzelt. Johnsons Wort über 'Allegro' und 'Penseroso' (*Every-
man that reads them reads them with pleasure'* I 165) liefse sich durch
zahlreiche Nachahmungen dieser Gedichte bei den englischen Landschafts-
dichtern des 18. Jahrhunderts erhärten, u. dgl. Nicht als Ausstellung sei
dies erwähnt, sondern um die Leistungslinie Hills zu markieren und der
banalen, niemals zutreffenden Meinung vorzubeugen, die Forschung sei
jetzt auf einem Gebiete abgeschlossen. Im Gegenteil, jetzt drängen sich
erst die Fragen auf, wodurch sich Johnson von früheren Lebensbeschrei-
bern unterscheidet, nach welchen ästhetischen Prinzipien er urteilte, woher
er sie hatte, und inwiefern er sie förderte? Die Dichterbiographie setzte
in England mit Sidney passiv ein (*Life of Sidney* von seinem Freunde
Fulke Greville † 1628, gedr. 1652), die Dichterkritik mit demselben Manne
in aktivem Sinne (*Defence of poetry*); auf beiden Gebieten fand Johnson
schon eine bedeutende Erbschaft vor; was er aus eigener Kraft beifügte,
ist jetzt mit Hills Hilfe leicht ins Klare zu stellen.

Vielleicht hätte es der Herausgeber selbst in einem Prolegomenon
getan, wenn ihm das Leben geblieben wäre. Aber er starb 1903, und so
steht vor seinem posthumen *opus magnum* seine eigene Lebensskizze, verfafst von seinem Neffen H. S. Scott. Wir erfahren daraus, wie eine Menge
Faktoren zusammenwirken mufsten, um diesen eingehenden Kommentar
möglich zu machen. Hill war geboren (1835) und aufgewachsen im Schul-
haus Bruce Castle, Tottenham, Middlesex, das mit Heinrich VIII. und
Elisabeth in Beziehung stand. Sein Vater war ein Schüler Priestleys gewesen und übertrug dessen rationalistischen Geist als innerliche Nachwirkung der Johnson-Zeit auf seinen Sohn, so dafs dieser in der Jugend
nicht anders zu denken verstand als utilaristisch und in der Art der Edinburgh Reviewers. Doch prägte er sich bereits damals achtzehn Stücke von
Shakespeare ins Gedächtnis, so dafs er sie noch als hoch Siebziger jederzeit hersagen konnte. Persönliche Bekanntschaft mit Dichtern gewann er
zu Oxford im Kreise der Prärafaeliten. Im Jahre 1878 vertiefte er sich
in Johnson mit einer Studie über dessen Freunde und Kritiker, blieb ihm
fortan mit geringen Unterbrechungen treu und begann schon 1892 zu den
vorliegenden Bänden '*Lives*' das Material zu sammeln. Das erklärt die
Trefflichkeit seiner Leistung.

Berlin.   A. Brandl.

Heinrich Heines Verhältnis zu Lord Byron, von Felix Melchior.

Berlin, Emil Felber, 1903 (Literarhistorische Forschungen, Heft XXVII).
170 S.

In Germany, Heine has long since been crowned and definitely ac-
cepted as the country's greatest lyric poet of Romanticism, despite the
fact that officially his character as a 'geistreicher Schalk' (Treitschke)
still prevents him from attaining the highest pinnacle of recognition. In
England, on the contrary, the place of Byron in English literature is still
under debate. It is one of the strangest phenomena of literary history
that this should be so, and that, while the whole Continent enthusiasti-
cally hails him as the hero of the Romantic movement, England still per-
sists in considering his case as 'non-proven' and his position in the gallery
of Fame as still disputable. It is absurd, however, thus late in the day,
to do as Melchior does in this otherwise most interesting comparative
study of his, and rail at the English for not accepting Byron as un-
questioningly and as absolutely as he himself has been taught to do. 'Die
Engherzigkeit und Heuchelei des Krämervolkes, welches elf Jahre vorher

seinen gröfsten Dichter aus dem Lande getrieben hatte, lernte auch Heine jetzt kennen' says Melchior, with noble rage making Byron's poetic woes his own. But isn't all this talk about 'Krämervolk' and 'Heuchelei' rather silly and out of place in a scientific essay? Such expressions must be put down, I suppose, to the ill-informed enthusiasm of adolescent wisdom; but these and similar statements will, it is to be hoped, be struck out in the second edition which the book well deserves.

It was an attractive and remunerative theme to trace the influence of the great Mediterranean Romanticist upon his acolyte of the Northern Plain. Born eight years after Byron, the poet Heine grew to maturity in an atmosphere of glorified Byron worship. A Mr. Jacobsen, apparently of Young Heine's circle, even invited Byron, much to the poet's amusement, from Venice to Holstein, with talk 'of the wild roses growing in the Holstein summer'; 'why, then,' asks Byron demurely' 'did the Cimbri emigrate?'

'The wild roses growing in the Holstein summer', by the way, is quite in the mood of romantic hyperbole which Byron in his earlier poetry often indulged in, and which comes in for Thackeray's realistic wrath! (Thack., *Works* V, 625).

The influence of Frau v. Hohenhausen's hero-worship and of A. W. Schlegel's aesthetic praise, together with other details traced by Melchior, seem to have aroused in Heine's breast the 'ambition to become a German Byron, and he even begins, somewhat to M.'s disgust, to refer to himself as Byron's "Vetter". The development of the Düsseldorf bard certainly shows many strange examples of Byronic attitudinizing and literary 'mimicry' (I believe that is the name naturalists give to the phenomenon) and there is talk about Byron having 'discovered new worlds in his agony'. Later on the literary parallelism between the two poets is also remarkable. It is just this 'Weltschmerz' Byron that his compatriots will not hear of; This side of Byron was made much of in England up to about 1850 (a fact which Melchior does not seem to know) but with the rise of the realistic and anti-sentimental novel in England, Byronism of this sort received a great set-back, and gradually Byron has come to be most prized for that splendid work in *ottava rima* which is one of the highest glories of English poetry. — In Don Juan Byron throws 'Weltschmerz' and all its attitudes to the dogs. The real Byron begins when the poet discovered his comic power, and from that time, as Swinburne, the kindred poet of revolt at the end of the nineteenth century, has said, Byron rose at once beyond sight or shot of any rival. No one, none of the Italians even, knew the wonderful capabilities of the *ottava rima* before Byron wrote his Don Juan. Heine and Gildermeister, as M. points out, have both tried to translate this masterpiece, and Goethe with admirable critical insight characterized it as proving 'dafs die englische Poesie schon eine gebildete komische Sprache hat, welche wir Deutschen ganz ermangeln', at the same time recommending it as a 'treffliches Übungsobjekt für Übersetzer'. The marvellous elasticity of the *ottava rima* rhythm in Byron's hands renders possible one particular device of style which Heine, whether he imitated it or not, uses in many poems with an altogether fatal result. This parallelism M. as far as I remember does not mention. I mean the habit of suddenly dropping from a lyric or heroic strain to one of comic or satiric jest. This takes place with perfect propriety and without offending us at all in a hundred places in Don Juan. One example at random:

> The ship was evidently settling now
> Fast by the head; and, all distinction gone,
> Some went to prayers again, and made a vow
> Of Candles to their saints, — but there were none

To pay them with; and some looked o'er the bow
Some hoisted out the boats; and there was one
That begged Pedrillo for an absolution
Who told him to be damn'd — in his confusion.

When Heine in his lyrics drops as he notoriously so often does from the lyric to the satiric and leering vein, the effect is quite different and quite indefensible although the method is the same as Byron's; why then is the same thing right when Byron does it in Don Juan and wrong when Heine does it in his lyrics? The fact is, it seems to me, that Byron here anticipated that reaction against the lachrymose, the maudlin and sentimental in English literature which was a little more than half a century later to be pilloried and branded with psychological contempt by Geo. Meredith.

In Rudyard Kipling's Tales we find an absolutely analogous device for presenting the reader with the full pathos of a situation and at the same time keeping him from succumbing to this pathos. Byron was a pioneer of this method and no better example can be found of it than the Shipwreck in Don Juan. What the spiritual genesis and motive of this aesthetic device is in Byron, Heine, Meredith and Kipling respectively, is of course another matter.

The comparison between the metrical and linguistic devices of Heine and Byron is just as interesting, and Melchior marshals his facts with considerable skill and betrays much finesse and insight into word 'values' both in English and German. It seems ungenerous where there is so much that is good, to dwell upon a fault, but a point in M.'s reading of Childe Harold's 'Good Night' seems to me to challenge criticism. 'Die englische Betonung "*staunch yeomán*" ist altem Gebrauch zufolge', he says (p. 63) 'im Ton des Volksliedes wohl eher statthaft, als die im Deutschen nachgeahmte Betonung "Schlófsdienstmánn", die etwas schwerer ins Ohr fällt.' I have not the slightest doubt that Byron pronounced 'yeoman' 'jo^{u}mən' with the same accent as 'foeman'. The words 'staunch' and 'French' before 'yeoman' and 'foeman' respectively are then pronounced with somewhat of a drawl so that they become equal to dissyllables. This is certainly only a way out of the metrical difficulty; but to read compounds of '-man' with a full 'æ' would now-a-days be ludicrous. M. should remember that Byron with all his brilliance is not an infallible metrist. 'Even at its best' says Swinburne in the middle of a fervent eulogy of him, 'the serious poetry of Byron is often so rough and loose, so weak in the screws and joints which hold together the framework of verse that it is not easy to praise it enough without seeming to condone or extenuate such faults as should not be overlooked or forgiven.' This verdict could certainly not apply to Heine, and it is a verdict which in the case of Byron is probably still beyond the ken of many of his continental admirers.

Another instance of Melchior's naive Byronic prejudice is to be found in his disparaging remarks about Heine's 'Lebewohl' contrasted with the original, the notorious 'Fare thee well'. Melchior actually accuses the German poet of a too rhetorical style in his rendering. As if 'rhetoric' were not the crying fault of the English poem! M. here as in other places fails to distinguish Byron's bad verses from his good ones, a lack of discrimination in which he does not stand alone. It is interesting to remember Thackeray's criticism of this poem, — a poem which Thackeray gives as an example of literary snobbism. I take the liberty of quoting yet another passage of Thackeray as bearing witness to Byron's vogue in England in 1845, as well as for the interest of the passage as a protest of the new realism which had ousted Sir Walter Scott and the Gothic romance. The passage points to facts which Melchior in his bias has quite lost sight of.

'No' says Thackeray speaking of maids to love, 'give me a fresh, dewy, healthy rose out of Somersetshire, not one of those superb, tawdry, unwholesome exotics (of Greece); Lord Byron wrote more cant of this sort than any poet I know of. Think of "the peasant girls with dark blue eyes" of the Rhine — the brown-faced, flat-nosed, thick-lipped, dirty wenches! Think of "filling high a cup of Samian wine"; small beer is nectar compared with it, and Byron himself always drank gin. That man never wrote from the heart. He got up rapture and enthusiasm with an eye to the public. The Great Public admires Greece and Byron: the public knows best. ... Well! woe be to the man who denies the public gods.' (Thack., *Works* V, 624.)

The last chapter of M.'s book is a philosophic consideration of the causes of the 'Weltschmerz' in the two poets and in their age, and contains much that is stimulating and much that is debatable.

I would, in conclusion, fain recommend this study of Byron's and Heine's literary relationship to all English students, as likely to prove valuable to them both in matter and in suggestiveness. Such studies as this, — the attempt to establish causal historical and psychological connections between the German and the English protagonists of a poetic attitude — illustrate the German conception of the function of literary history and of its henchmen. Literary history has become a 'science' with a philosophical 'method' of its own. Its goal is still far off, and its aim is to explore and describe the imaginative processes of the creative writer and to relate him to the history of man's mind; it traces and investigates (I quote Dilthey's words) 'die Phantasie des Dichters, ihr Verhältnis zu dem Stoff der erlebten Wirklichkeit, und ihr Verhältnis zu dem Stoff der Ueberlieferung.'

This purely scientific and well defined aim the writer of this book on Byron and Heine seems to have held before him, in the present study, in the modest consciousness, however, that he was not an architect working at the final edifice but merely a mason helping to prepare the foundations of a great work to come. And it is one of the fine things about this theory of literary history that it invites, acknowledges and welcomes multitudes of such humble labourers and renders them proud of their co-operation in a great task.

I only noticed two misprints in the volume: ausgesprochen, page 11. l. 1. £ 2500 (not '2500 £') p. 32.
Halensee.   F. Sefton Delmer.

E. Kruisinga, A grammar of the dialect of West Somerset, descriptive and historical. Bonn, P. Hanstein, 1905 (Bonner Beiträge zur Anglistik, hg. von Prof. Dr. M. Trautmann, Heft XVIII).

Wer die spärlichen Fortschritte auf dem Gebiete der wissenschaftlichen englischen Dialektforschung verfolgt, wird begreiflich finden, dafs jede Neuerscheinung auf diesem karg angebauten Felde der Anglistik von vornherein freudiger Bewillkommnung sicher sein darf. Die letzten drei Jahre haben uns nun, seit Wrights erster auf wissenschaftlicher Grundlage aufgebauter *Grammatik des Windhill Dialect* (1892), mehrere Bereicherungen der Dialektliteratur rasch hintereinander beschert: Kjederqvists *Dialect of Pewsey*, 'Wiltshire' 1903, Hargreaves' *Dialect of Adlington*, (Lancashire) 1904, denen sich nun als vierte Dialektgrammatik die hier angezeigte von Kruisinga (1905) anreiht. Sie ist der Mundart von West Somerset gewidmet, die lange Jahre hindurch allen Dialektforschern durch die oft gerühmten und unentbehrlichen Arbeiten von Elworthy (*The Dia-*

lect of West Somerset 1875, *An Outline of the Grammar of the Dialect of West Somerset* 1877, *West Somerset Word Book* (1886, mit Nachträgen: *Athenaeum* 1898, 282) von allen heutigen Mundarten am leichtesten zugänglich und verhältnismäfsig am bekanntesten war. K. hat sich nun zur Aufgabe gemacht, mit Elworthys Material eine deskriptive und historische Grammatik des Dialekts aufzustellen. Für die Formenlehre bot ihm bereits Elworthys zweites Werk ausführliche systematische Vorarbeiten mit verstreuten Beiträgen zur syntaktischen Betrachtung. Dagegen mufsten hauptsächlich die Wortlisten der ersten Veröffentlichung Elworthys, bei deren Aufstellung sich dieser mehrfach der Beihilfe Ellis' und Murrays bediente, und in denen die Lautlehre des Dialekts niedergelegt ist, zu einer systematischen, deskriptiven und historischen Lautlehre verarbeitet werden. K. ist nicht der erste, der die Durchführung dieser sehr lockend erscheinenden Aufgabe unternommen hat, an die er auf Anregung von Prof. Bülbring herangetreten ist. Dafs er nun als der erste mit den Resultaten seiner Forschungen in einem stattlichen Bande vor die Öffentlichkeit trat, ist, trotz aller Bedenken, die im folgenden geäufsert werden müssen, schon deswegen zu begrüfsen, da jetzt, nach seiner Publikation, ein in engeren Kreisen schon länger feststehendes Urteil über den Wert der Elworthyschen Dialektwerke mit Sicherheit begründet und offen ausgesprochen werden kann. Bei näherer Beschäftigung mit dem Material von Elworthy nämlich stellte sich den bisherigen Bearbeitern, die deswegen auch die Resultate ihrer Untersuchungen noch zurückgehalten haben, immer klarer heraus, dafs die unbedenkliche Wertschätzung, deren sich die Elworthyschen Arbeiten in der englischen Dialektforschung zu erfreuen haben, grofsen Zweifeln unterworfen werden mufs. Wie hoch Elworthys Bemühungen um seinen Heimatdialekt im einzelnen stets geschätzt werden dürfen, so kann doch nicht länger unausgesprochen bleiben, dafs die vielfach sich ergebenden Ungenauigkeiten und Widersprüche seiner Aufstellungen, die keinem Bearbeiter auf die Länge verborgen bleiben, und zwar nicht nur in den zeitlich aufeinanderfolgenden Veröffentlichungen, sondern innerhalb ein und desselben Werkes, auf tieferliegende Ursachen zurückzuführen sind, als gemeinhin, und auch von dem Verfasser der vorliegenden Grammatik, angenommen worden ist. Die Annahme unvollkommener Erfassung und Präzisierung des phonetischen Lautwertes, die Heranziehung des schriftsprachlichen Einflusses oder ähnliche Erklärungsmittel, wie sie auch K. in schwierigen Fällen, teilweise gewifs mit grofsem Scharfsinn und manchmal mit Glück, verwendet hat, helfen allein über die Unsumme von Schwierigkeiten, die Elworthys Materialien dem Bearbeiter auf Schritt und Tritt bieten, nicht hinweg. Mit grofser Wahrscheinlichkeit scheint jetzt, nach dem Eindruck der systematischen Bearbeitung des Materials im ganzen durch K., festzustehen, dafs es sich bei Elworthy nicht um eine wirklich geschlossene Dialekteinheit handelt, sondern dafs, worauf schon die weit gezogene Umgrenzung 'West Somerset' deutet, in seinen Aufstellungen, besonders auf lautlichem Gebiete, nebeneinander herlaufende und sich durchkreuzende Entwickelungen im einzelnen unterschiedener Unterdialekte zu erblicken sind. Auch Elworthy selbst ist, wie es scheint, an einigen Stellen seiner Bücher darauf aufmerksam geworden, ohne aber der Entwirrung der Probleme, die seine ganzen Untersuchungen hätten umgestalten müssen, weiter nachzugehen. Gelegentlich statuiert er nämlich einen Unterschied zwischen '*vale*'- und '*hill*'-Distrikt (vgl. z. B. bei K. Anm. zu S. 25), ohne aber Ortsbezeichnungen hinzuzufügen, die überhaupt bei ihm fehlen, oder nähere Angaben über die Ausdehnung der betr. Erscheinung zu machen. Es soll nun nicht verkannt werden, dafs K. der Schwierigkeit seines Unternehmens bis zu einem gewissen Grade sich stets bewufst bleibt und im einzelnen mit scharfsinnigem Eindringen und grofsem Fleifse an die deskriptive und

historische Behandlung der Mundart herangetreten ist. Um so bedauer-
licher ist es daher, daſs ihn seine gewiſs über längere Zeit sich erstrecken-
den Bemühungen um den Dialekt nicht zur letzten Konsequenz geführt
haben, das ganze Material mit der Dosis Skepsis zu betrachten, die ihn
unbedingt veranlaſst hätte, gleich einem früheren Bearbeiter der Elworthyschen Listen, an Ort und Stelle die Nachprüfung der Aufstellungen zu
betreiben. Wahrscheinlich wäre dann auf gesichertem Material die Darstellung eines lokal scharf umgrenzten Dialektgebietes in West Somerset
zustande gekommen, wie Wright für Windhill und seine neueren Nachfolger für andere Orte sie versucht haben, und die für den Fortschritt
der Kenntnis der heutigen Dialekte noch in gröſserer Anzahl dringend
erwünscht sind. Da sich nun K. hierzu nicht verstanden hat, so sind
ihm bei aller Anerkennung der gründlichen Durchforschung und scharf
methodischen Zergliederung, die er dem Material gewidmet hat, die besten
Früchte seiner schwierigen und langwierigen Studien, die Zuverlässigkeit
und Unantastbarkeit der erlangten Resultate, über der Unsicherheit des
schwankenden Untergrundes verloren gegangen. Das volle Maſs der Anforderungen, die seitens der Phonetik, der historisch-vergleichenden Sprachforschung und der Prinzipienwissenschaft an eine Dialektgrammatik gestellt
werden müssen (vgl. darüber z. B. Holthausen, *Soester Ma.* Vorrede), ist
also in K.s Werk nicht zur Verwirklichung gelangt.

Über die methodischen Grundsätze, die ihn bei der Bearbeitung von
Elworthys Materialien geleitet haben, gibt der Verfasser in der Vorrede
Aufschluſs. Er macht vor allem von dem von Luick aufgestellten Satz
Gebrauch, daſs Doppelheit der Belege, und auch sonst, jede mit der
Schriftsprache übereinstimmende Lautung an und für sich den Verdacht
der Entlehnung aus dieser unterliegt, und nur das, was von ihr abweicht,
als echt dialektisch anzusehen ist. Mehrfach begegnet die Annahme einer
'*dialectal adaptation of the standard pronunciation*', also einer Anpassung,
nicht Übereinstimmung der dialektischen Lautung mit der schriftsprachlichen, z. B. § 214, 207, Anm. zu S. 117 u. ö. Mit der 'Übersetzung aus
dem Lautsystem der Schriftsprache in das der Mundart' (Luick, *Archiv*
CIII, 65) ist zweifellos zu rechnen, nur ist meines Erachtens vor billiger
Verallgemeinerung dieses Erklärungsgrundes zu warnen, dessen Berechtigung nur dann über jeden Zweifel erhaben ist, wenn alle sonstigen Erklärungen im betreffenden Falle versagen. Die Nachbardialekte sind mehr
zum Vergleich als zur Erklärung und Aufhellung einzelner Erscheinungen
herangezogen worden. Bei unserer derzeitigen mangelhaften Kenntnis
dieser, die sich nur auf wenige Einzeluntersuchungen, in der Hauptsache aber noch auf Ellis' Listen stützt, hat dies sicher seine Berechtigung. Über den Wert der letzteren urteilt übrigens K. sehr treffend
(Vorrede S. 3).

Bevor ich auf einzelne Punkte von K.s Untersuchungen näher ein-
gehe, seien noch einige Bemerkungen mehr äuſserer Natur gestattet. Der
Verfasser hat Elworthys 'Glossic Transscription' in Ellis' 'Palaeotype' um-
gewandelt, das er, weil in Ellis' *OEEP.* angewandt, für bekannter annimmt.
Es ist fraglich, ob er nicht der Mehrzahl seiner Leser mit der Anwendung
des handlicheren und angenehmer lesbaren Bell-Sweetschen Systems, wie
es z. B. Wright in seiner *Grammatik* benutzt hat, einen gröſseren Dienst
geleistet hätte. Auch das von dem Verfasser gewählte Verfahren, alle
Dialektwörter in der Standard-Orthographie zu geben und ein für allemal
auf das Glossar, das die phonetische Umschrift enthält, zu verweisen,
empfiehlt sich meines Erachtens nicht zur Nachahmung. Es erschwert
dem, der fremd an den Dialekt herantritt, aufserordentlich das Einlesen
und verursacht, selbst bei genügender Vertrautheit mit der Mundart, Zeitverlust durch fortwährendes Nachschlagen und die Nötigung zur beständ-
digen Umsetzung des Wortbildes. Endlich hätte K. dem nachprüfenden

Leser seiner Grammatik die Übersicht bedeutend erleichtert, wenn er die
Belegliste seiner Dialektwörter in den einzelnen Paragraphen alphabetisch
angeordnet und bei der phonetischen Beschreibung der Laute die jedes-
malige Nummer der betreffenden Liste bei Elworthy mit berücksichtigt
hätte.

Die Untersuchung setzt im ersten Kapitel mit einer Beschreibung der
mundartlichen Laute ein. Sie wird mit grofser Gründlichkeit und, wenn
man die hier gerade sich häufenden Schwierigkeiten in Elworthys Material
berücksichtigt, mit viel Glück geführt. Stellenweise freilich bieten sich
Beispiele höchst künstlicher, wenn auch, was gern zugegeben sein mag,
scharfsinniger Interpretation, die man eher zur Eruierung von Schreiber-
gewohnheiten in alten Texten gutheifsen mag, als wo es sich um die Beschreibung lebender, in der Gegenwart zugänglicher Laute handelt. Man
lese zum Beweise dessen die Deutung von Elworthys willkürlichem Verfahren bei der Setzung des Länge bezeichnenden Punktes nach auslautendem Vokal (§ 2. 3). Die Übersicht über dieses wichtige Kapitel wäre
übrigens durch eine Tabelle aller in der Mundart vorkommenden Laute
wesentlich erleichtert worden.

Das folgende II. Kapitel geht der Herkunft der heutigen betonten
Vokale und Diphthonge der Mundart bis zum Me. nach. Es sind hier,
soweit sich nachprüfen läfst, alle bei Elworthy vorkommenden Wörter
übersichtlich und sorgfältig behandelt. Im einzelnen läfst sich hier und
da, gegenüber K.s Anordnung und Unterbringung eines Wortes, eine abweichende Meinung begründen. So konnte z. B. *mæš* (*marsh*) 151, 1 me.
mersh, ae. *mersc, merisc* zu 2 *æ* = me. *e, says, said* mit *æ* zu 3 *æ* =
spätme. *ě* gestellt werden. Bei *a* (153) wird *jăp* (*yelp*) vermifst, das unter
ǯ 'me. *a, varying with e*' zu bringen ist. Von den 154, 1 angegebenen
Beispielen gelten *'hint'* und *'betwixt'* mit *e* besser als Fortsetzungen von
me. *e. clot* (ebenda unter 6) kann auf me. *clẹte*, ae. **clêat* zurückgehen,
děl (*dull*) neben entlehntem *dvl* (unter 7) ae. **dyll* fortsetzen, vgl. Napier,
Acad. 41, 447. *šīn* (*shine*) 156, 6 konnte nach Luick, *Archiv* CIII, 275,
unter 5 (= me. *i*) aufgeführt und durch sekundäre Dehnung vor *n* (wie
eine überwiegend grofse Anzahl der Belege in 5) erklärt werden. Ebendort fehlt *īs* (*yes*) : me. *yis*, vgl. Sweet, *HES.* 898. 157 ist unter 1 oder 4
hrĭp (*reap*) hinzuzufügen, zu 158, 5 *wōr* (*ware*) : ae. *(je)wær*, während
schriftsprachliches *'ware'* auf die ae. flektierten Formen .zurückweist, vgl.
Koeppel, *Archiv* CIV, 62. 63. *Naiš* (*nesh*) 175, 3 läfst sich besser aus me. *a*,
ae. *hnæsce* erklären als durch me. *e*, das die schriftsprachliche Form fort-
setzt. 176 fehlt eine Aufklärung über *'waip'*, das von Elworthy dem ne.
wisp gleichgesetzt wird, wahrscheinlich geht es auf ae. *wĭpian* (verb.) zurück. 180 bleibt *shovel* unerwähnt, dessen Diphthong auf schon me. *shoūl*
zurückgeht. In mehreren Fällen wäre besser schon in der allgemeinen
Übersicht der Vokale auf den für die Mundart so wichtigen Einflufs be-
nachbarter Konsonanten einzugehen gewesen, so bei *æ* für *a* (151, 1) in
der Nachbarschaft von *n* und *ŋ* (vor Dentalen nur in drei Fällen), bei *iə*
für me. *ẹ* (182, 1) vor *l* und *r*, bei *iə* für me. *ā* (182, 5) nach *š, k, g*.

Die historische Betrachtung der mundartlichen Laute umfafst das
das III. Kapitel, mit dem sich das IV., die Erörterung einiger schwieriger Probleme der Lautlehre, sehr eng berührt. Ein Abschnitt über die
Quantitätsverhältnisse bildet die Einleitung. Es zeigt sich im allgemeinen,
dafs der Dialekt an den quantitativen und qualitativen Vokalwandlungen,
die die Schriftsprache betroffen haben, teilgenommen hat. Abweichungen
im einzelnen ergeben sich für die Lautfolge -*end*, für die *'īn'* (*end*), neben
schriftsprachlich beeinflufstem *ēnd*, und *'tīn'* me. *tend*, die sich neben
Orms *'ende, wendenn'* stellen, Länge erweisen. Bei -*ld* zeigt die Mundart
den Stand der Schriftsprache, *guəl* (*gold*), für das K. (195) me. *gôld* ansetzt, weist nach den Lautverhältnissen des Dialektes auf frühne. *ǫ̂* < *ou*

$<$ ol, vgl. auch Kluge, *Grdr.* [2] I, 1043. Bei *fiərn* (*fern*) 195 c war auf frühne. ę in diesem Worte zu verweisen, vgl. Luick, *Angl. B.* VIII, 131. Die Belege für -*st* erweisen Dehnung vor *a, i, o, u.* Offenbar ist, worauf K. sehr richtig hinweist, der Bestand an Dehnungsprodukten durch die Einwirkung der Schriftsprache stark reduziert worden. Die Klarstellung der in den Dialekten herrschenden Dehnungs- und Verkürzungsgesetze wird zweifellos die Forschung in Zukunft noch mehr beschäftigen, wenn erst eine gröfsere Reihe von Dialekten der verschiedensten Gegenden in zuverlässigen Darstellungen vorliegen.

Was nun über die Geschichte der me. Vokale und Diphthonge in diesem und den Exkursen des nächsten Kapitels niedergelegt ist, bildet den Kernpunkt des Buches. Da es sich hier um dialektische Reflexe wichtiger, in ihren Einzelheiten umstrittener Probleme der englischen Lautlehre handelt, sei es gestattet, etwas ausführlicher auf sie einzugehen. Im allgemeinen kann betont werden, dafs wir die Lautgeschichte der Mundart in K.s Darstellung gut überblicken. Dafs jedoch in einzelnen Punkten seine Deutung des Sachverhalts der Ergänzung und Berichtigung bedarf oder manchmal Widerspruch hervorruft, ist bei der Schwierigkeit der Untersuchung und der Eigenart des Objekts, das der Analyse unzählige Hindernisse in den Weg legt, nicht verwunderlich. Es wird sich daher im folgenden öfters Gelegenheit bieten, zu dieser und jener Frage, teilweise in einer von K. abweichenden Weise, Stellung zu nehmen.

Bei der Betrachtung der dialektischen Entwickelung von me. *a* (197—209) wird die Vertretung durch *ă*, neben der durchgehenden *ā*, nicht besonders erwähnt. Indes scheint die Kürze, die in einer Reihe von Beispielen bei Elworthy vorliegt, doch die ursprüngliche Lautung gewesen zu sein, aus der sich als Quantitätsänderung vor gewissen Konsonanten, hauptsächlich Gruppen oder Doppelkonsonanz, der lange Vokal herausbildete. Die heutige Länge des Dialekts vor *s* + Kons., *þ* und *f* kann also auf einfacherem Wege als in der Schriftsprache erreicht worden sein. In der Entwickelung der Gruppen *a* + *l* + Kons. (205) nimmt der Verfasser als reguläres Ergebnis dialekt. *ɔ̄* (= schriftsprachl. *ɔ̄*) an, weifs aber das daneben sehr gut bezeugte *ā* nicht aus dem Wege zu schaffen. Wenn in dieser Doppelheit nicht lokal verschiedene Lautentwickelungen zu erblicken sind, die in Elworthys ungenügender Fixierung zusammengeworfen sind, läfst sich die Lautung *ā* als Fortsetzung des frühne. *au* > *ā*, das im 18. Jahrhundert in der Schriftsprache zum heutigen *ɔ̄* wurde, auffassen, die aber allmählich dem Einflufs des letzteren zum Opfer fällt, vgl. Elworthy, *Word Book* S. 856 *all* = *au·l, aa·l* (*rarely*). — Auch bei me. *e* (210—217) scheint mir der dem me. Laut nächstliegende Entwickelung *ė* zu wenig Platz eingeräumt zu sein. Aus ihr hat sich einerseits die für den Dialekt charakteristische Halblänge, besonders vor *m* und *n*, ergeben, andererseits die Öffnung > *æ*. — Für me. *i* wurden in 218 Murrays Feststellungen (bei Elworthy, *Dial.* S. 114) über den Wechsel zwischen *i* und *ə* ('natural vowel') benutzt. — Über die schon öfters auffällig bemerkte Vertretung des me. -*iht* durch *ēt* und des *ē* in '*is pig with*' (223, 224) weifs auch K. keinen Aufschlufs zu geben, dagegen sind in 226 *spät* (*spit*), *slät* (me. *slitten*) und *āt* (*hit*) richtig durch Neubildung aus dem Präterit. erklärt. Für die starke Flexion des letzteren konnte noch auf Wright, *Windh. Dial.* 373, verwiesen werden. — Zu me. *o* (228—233) wäre eine zusammenfassende Behandlung der Lautgruppen *o* + *l*, *o* + *r* sehr erwünscht gewesen. Soweit ich sehe, begnügt sich K. mit der Feststellung, dafs '*yolk*' und '*folk*' mit der Vertretung von me. *ọ̄* gehen, nimmt aber für beide Einwirkung des schriftsprachlichen Lautes an. Für '*yolk*' soll dies durch die 'echt dialektische' Nebenform *ʹjelk*ʹ bewiesen sein; wie sich die danebenstehende, im Glossar als schriftsprachlich beeinflufste Form *ʹjək*ʹ verhalten soll, bleibt unklar. An Beispielen war noch *jək* (*yoke*),

daneben *jōk*, zu erwähnen, das sich zu Orms *jokk* stellt. In 231 ist *knot*
statt *knol* zu lesen, ebenda fehlt das in drei Varianten auftretende *'clot'*.
— Der Vertretung des me. *u* durch dial. *i* (235, u. Anm.) ist anscheinend
von K. nur die Bedeutung einer 'dialectal pronunciation of the literary
sound' beigelegt. Es fragt sich aber, ob nicht in den hierhergehörigen
Wörtern (*rust, tun, such* u. a., eine vollständige Liste derselben vermisse
ich bei K.) eine jüngere Entwickelung aus *v* vorliegt. Sie findet sich besonders vor Dentalen und palat. *š*. — In 238 ist die Vorgeschichte der
Wörter *'wood, bull, bush, could'* nicht zu klarem Ausdruck gelangt. Es
handelt sich hier (außer bei *could*, über dessen frühne. *ū* vgl. Luick, *Angl.*
XVI, 471) um jene *ŭ* in geschlossener Silbe, die sich auch in der Schriftsprache seit ae. Zeit infolge Nachbarschaft labialer Konsonanten erhalten
haben. Sie sind in dem Dialekt mit den *ū* aus me. *ọ̄* zusammengefallen
und mit diesen zu *ö* weitergegangen. Auffällig bleibt dabei, daß die
kurzen *u* ganz entsprechend den langen (bei K. 288) behandelt worden
sind. Die Erklärung scheint mir darin zu suchen zu sein, daß bei der
schon für jene Zeit anzunehmenden Neigung des Dialekts zur Halblänge
vor gewissen Konsonanten der quantitative Unterschied zwischen Länge
und ursprünglicher Kürze sehr gering war.

Die Ausführungen über die langen Vokale und die Diphthonge der
Mundart machen den Rest dieses und den größsten Teil des nächsten Kapitels aus. Hier berührt es auffällig, daß es der Verfasser durchweg vermieden hat, sich mit Luicks Ergebnissen, die im ersten Bande seiner
'Untersuchungen' niedergelegt sind, auseinanderzusetzen. Mag man mit K.
(Vorwort S. 2) zugeben, daß Luicks genanntem Werke größere Bedeutung durch die Anregung neuer Forschungsweisen als durch die Sicherheit der Resultate zukommt, so durften doch die letzteren nicht stillschweigend übergangen werden. So sucht man z B. in dem der Diphthongierung des me. *â* gewidmeten Exkurs, 491 ff., vergebens einen
Hinweis auf Luicks Ausführungen a. a. O. 248 ff. Es wird dort der Versuch unternommen, den Zeitpunkt der nach Luick an offene Vokalqualität
gebundenen 'Abstumpfung' des *â* > *ea* (auch dieser glücklich gewählte Terminus ist nirgends bei K. erwähnt) durch Ansetzung einer oberen (Wallis
1650) und einer unteren Grenze (Gill 1621) als das zweite Viertel des
17. Jahrhunderts wahrscheinlich zu machen. Den Übergang des *ea* > *ia*
in der Nachbarschaft von *š, k, g* erweist K. (492) richtig von der Stufe *ea*.
— Auch bei der Erörterung der schwierigen Fragen, die sich an die Entwickelung von me. *ẹ̄* und *ē* in der Mundart knüpfen (258—273; 493—497),
läßt sich mehrfach der Eindruck nicht abweisen, daß die Probleme klarer
hervorgetreten wären, wenn der Verfasser die fraglichen Abschnitte in
Luicks *'Untersuchungen'* herangezogen hätte. Auch wer der Lehre der
symmetrischen Entsprechungen (Luick a. a. O. 229 ff.) nur den Wert einer
Hypothese zuspricht, wird sicher nicht leugnen, daß mit ihr manche Zusammenhänge recht glücklich beleuchtet sind. Hierher ist vor allem die
dort angedeutete innere Parallele zwischen dem Beharren des me. *ẹ̄* auf
der *ē*-Stufe, der auffälligen Bewahrung des me. *ai, ei* und der Abstumpfung
des *ā* > *ea* zu rechnen, auf die, soweit ich sehe, bei K. nicht eingegangen
ist, obwohl sie mir für den Zusammenhang der Lauterscheinungen wichtig
genug erscheint, um eine zustimmende oder ablehnende Äußerung zu verdienen. Die auffällige Vertretung des me. *ẹ̄* durch *ī* und *ia* (neben ge-
wöhnl. *ẹ̄*) gibt zu einer gründlich geführten Untersuchung der hierhergehörigen Wörter Anlaß. *ia* in *'clean, sleep, beat, bead'* (494), alle vier daneben mit *ẹ̄* belegt, erledigen sich offenbar durch schriftsprachlichen Einfluß, was mir zweifelfreier erscheint als K.s Versuch, die Lautung als
'different appreciation of *ẹ̄*' aufzufassen. Schwieriger ist das Verhältnis
des heutigen *ī*- (bezw. *ǐ*-)Lautes in *deaf, shred, instead, beam, heap* (496),
hinzuzufügen ist noch *sheath*. K. sucht, gestützt auf Grammatikerzeug-

nisse, für die meisten der fraglichen Wörter Vorstufen mit $\breve{e}$ zu konstruieren. Sein Hinweis, daſs eine genauere Kenntnis der modernen Dialekte in absehbarer Zeit eine Revision der heute geltenden Regeln über die lokale Verbreitung der Entsprechungen von westg. $ai + i$ und westg. $\bar{a}$ im Me. herbeiführen werden, ist beachtenswert. Auf jeden Fall ist er mit seiner Erklärung über Kluges Versuch, $\bar{e}$ für $\breve{e}$ durch i-Umlaut zu rechtfertigen, hinausgekommen, ebenso über Curtis' unzureichende Erklärung *Angl.* XVI, 423, der die 'keltische Nachbarschaft' verantwortlich macht. Wer sich allerdings das über den allgemeinen Charakter des Materials Gesagte vergegenwärtigt, wird vorläufig nicht zu einer uneingeschränkten Anerkennung von K.s Hypothese gelangen. Die Annahme unzulänglicher Aufzeichnung durch Elworthy einerseits oder das unerkannt gebliebene Ergebnis von Dialektmischung, besonders mit einer Mundart, die andere Verkürzungsgesetze als die Schriftsprache kennt, ist nicht durchaus von der Hand zu weisen. — Die Vertretung eines me. $\breve{e}$ durch dialekt. $\bar{e}$ an Stelle des regulären $\bar{\imath}$, 265, die der Dialekt mit mehreren Distrikten des Südens und Ostens teilt (Belege bei Curtis, *Angl.* XVI, 423), ist von K., nach Luicks Vorgang als 'Rückbildung aus dem Vokalextrem' beurteilt worden, wonach 'frühne. $\bar{\imath}$ wieder zu $\bar{e}$ gesenkt' worden wäre (Luick a. a. O. 156). Unerklärt bleibt aber bei dieser Annahme, warum gerade diese me. $\bar{e}$ von der Rückbildung ergriffen wurden, andere aber nicht. Dieses unregelmäſsige $\bar{e}$ hat seine Parallele in dem viel erörterten $\bar{o}$ des Dialektes für me. $\bar{\varrho}$, für welches sich der Beweis der Rückbildung sicher erbringen läſst. — Auch die interessante Frage des Fortlebens einer speziell südwestlichen Eigentümlichkeit in ae. und frühne. Zeit, $\hat{y} < ie$, Umlaut von $e\hat{a}$, $\acute{e}o$ wird in 267 bei Besprechung von '*beetle*' und '*hear*' berührt. Ob die diphthongische Lautung (∂i) dieser Wörter mit Recht nur als Entlehnung aus einem Nachbardialekt, südöstlich von West Somerset, hingestellt werden darf, wie K. es tut, oder ob nicht doch letzte schwache Spuren der alten Lautung vorliegen, bleibe dahingestellt. In letzterem Falle wäre Elworthys Angabe, daſs der Diphthong nur selten gehört werde, nach Ellis V S. 49, Nr. 314 (Christian Malford, Wilts.) zu interpretieren, wo für '*heard*' der Diphthong mit dem Zusatz 'older people' angegeben wird.

Das me. $\bar{\imath}$ lebt im Dialekt neben der regulären diphthongischen Entwickelung als $\bar{\imath}$, $\breve{\imath}$ und $\bar{e}$ fort (498—503). Die schon früher öfters besprochenen Fälle der Erhaltung des $\bar{\imath}$ werden von K., wie schon vorher von Luick, teils auf verkürztes i zurückgeführt, teils durch Analogie erklärt. Über die auffällige Vertretung von ae. *eoh, eah, ieh* $+ t$ durch $\bar{e}$ in '*fight*' etc. spricht sich K., auſser der Konstatierung der Tatsache in 223, nicht weiter aus. Ellis, bei Elworthy, *Dial.* S. 40, Vorbem. zu Liste 12, scheint diese me. $\bar{\imath}$ das Schicksal derjenigen teilen zu lassen, die zu e und $\bar{e}$ weitergingen, wie *pig* > *pēg*. Luick, *Archiv* CIII, 274, deutet eine andere Auffassung an, nach der eine Bewahrung der ersten Stufe der Diphthongierung anzunehmen sei. Die dialektischen Produkte von me. $\bar{\varrho}$: $\bar{\varrho}$, $\breve{o}$, $o\partial$, $u\partial$, werden von K., wie aus 274 ff. hervorgeht, als phonetische Varianten ein und desselben Lautes, des regulären $\bar{\varrho}$, der phonetisch nächsten Stufe des me. Lautes, angesehen. Die ungenaue, ja teilweise sich widersprechende phonetische Aufzeichnung durch Elworthy und besonders das häufige Vorkommen ein und desselben Wortes in beiden Gestalten des oben genannten Diphthongen lassen allerdings, wie durchaus nicht bestritten sein mag, diese radikale Auffassung des Sachverhaltes zu. Wie sich aber damit einige von anderen bereits festgestellte Erscheinungen in der Lautlehre der südwestlichen Dialekte vereinigen lassen, ist eine andere Frage. Schon Luick (*Untersuch.* 61 ff.) sah in dem Nebeneinander der heutigen Entwickelung das Produkt lautlicher Vorgänge und suchte die schwierige Vorgeschichte dieser zu rekonstruieren. Besonders war es ihm um die Aufklärung des Verhältnisses der beiden 'Abstumpfungsdiphthonge' *oə* und *uə* zu tun, denen, wie wir sahen, bei K. keinerlei Bedeutung zugelegt wird. Ist ihr Nebeneinander eine Folge von Dialektmischung, oder ist *uə* aus *oə* hervorgegangen, wie Luick (a. a. O. 60 ff.) für einige Gegenden von Lincolnshire wahrscheinlich macht? Dafs, soweit ich überblicke, die *uə* vor gewissen Konsonanten, hauptsächlich Dentalen, seltener Labialen, stehen, läfst vielleicht auf einen stufenweisen Übergang von *oə* > *uə* schliefsen. Auch das merkwürdige *gū* (*go*) 285, dessen *ū*, wenn es, wie K. annimmt, auf me. *ǭ* zurückweist, nach den Lautverhältnissen des Dialekts ohne Zusammenhang bleibt, kann bei Annahme einer Monophthongierung im Auslaut < *uə* in anderer Beleuchtung erscheinen. Die Wörter in 278, die für me. *ǭ* im Anlaut den steigenden Diphthongen *u̯ə* aufweisen, ergeben sich als besondere Weiterentwickelung der 'Abstumpfung' *uə*. Die Entwickelung des me. *ǭ* zu heutigem *ɔ̄* wird von K. in 275 als 'Kürzung' bezeichnet. Luick (*Untersuch.* 88 ff.) hatte diese Erscheinung unter der sehr gut gewählten Bezeichnung der 'Aufhellung' ausführlich besprochen. Das Verhältnis dieser zur 'Abstumpfung' und die etwaige innere Beziehung zur Erhaltung der *ai*-Diphthonge ist ebendort erörtert. Über die letztere, die durch Grammatikerzeugnisse für das 16. und 17. Jahrhundert bezeugt wird, ist in 289 ff. gehandelt. Die zahlreichen *eə* vor *r, l* und *ę̄*, an Stelle der diphthongischen Lautung, in einer Reihe häufig gebrauchter Wörter (daneben meist auch die lautgesetzliche Form) werden durch schriftsprachlichen Einflufs gedeutet. *əgün* (*again*) (256), das, wie Luick gezeigt hat, sich in den Dialekten teils mit *ā*, teils mit *ę* berührt, deutet unzweifelhaft auf me. *ā*. Über die schwierigen Doppelformen *vđer* und *ę̄đer* in 'either-ways' sucht der Verfasser durch doppelte me. Grundlagen *ou̯đer* und *either* wegzukommen; eine Vereinigung der beiden ist nach den Lautverhältnissen des Dialekts schlechterdings ausgeschlossen. — Die Entwickelung des me. *au* (302 ff.) zeigt das Nebeneinander von *ɔ̄* und *ā*, das auch bei me. *a + l + Kons.* zu konstatieren war und seine wahrscheinliche Erklärung in dem dort Bemerkten findet. *'daughter'*, bei dem im Glossar auf 331 verwiesen sein müfste, erscheint als *dārter* mit der Entsprechung von me. *au*. Für den *r*-Einschub in diesem Worte, der im Konsonantismus, 331 behandelt ist, finden sich weitere Beispiele in der Brieforthographie des 16. Jahrhunderts, vgl. Schröer, *E. St.* XXVII, 127. — Für me. *ou* scheint K. erst nachträglich (s. Nachtrag zu 312) die Vertretung durch *ɔ̄* als lautgesetzlich zuzulassen. Sie entspricht der 'Aufhellung', die auch me. *ǭ* traf, mit dem der Diphthong, wie in der Schriftsprache, parallele Entwickelung zeigt.

Auf die historische Behandlung des Konsonantismus und der Flexionen in den weiteren Abschnitten dieses Kapitels soll hier nicht mehr eingegangen werden. Sie ermöglichte eine weit abgerundetere und übersichtlichere Darstellung der Vorgeschichte, da sich die Entwickelung einerseits in klareren Zügen vollzieht und anderseits, besonders für die Flexionslehre, das Material bei Elworthy schon ziemlich gesichtet vorlag. Das V. Kapitel bringt einige willkommene Beigaben über das Verhältnis des Dialekts zu den benachbarten, bei Ellis unter Dialect 4. 10. 11 behandelten, seine Stellung zur Schriftsprache und den im Südwesten datierten Denkmälern des Me. Viele Leser hätten zweifellos dem Verfasser für einige Dialektproben, wie sie bei Elworthy geboten sind, Dank gewufst. Den Schlufs des Buches bildet ein Glossar aller bei Elworthy vorkommenden Wörter, dem, wie mir zahlreiche Stichproben bewiesen, ganz besonders die Eigenschaften grofser Zuverlässigkeit und Gründlichkeit nachgerühmt werden können, die überhaupt, trotz aller Einwände im allgemeinen und besonderen, K.s Werk zu einem rühmlichen 'specimen eruditionis' machen. Ist zwar für diesmal noch seine Arbeit dem Idealbild einer englischen Dialektgrammatik, wie sie dem Mundartenforscher zur Förderung seiner Disziplin vorschwebt, in wesentlichen Zügen fern geblieben, so darf man den weiteren Veröffentlichungen des Verfassers nach dieser Probe mit Interesse entgegensehen.

Bremen. Carl Scriba.

Englisches Lehr- und Lesebuch für höhere Mädchenschulen und Mittelschulen von Prof. Dr. Rudolf Dammholz. Ausgabe B. 1. Teil: Erstes Unterrichtsjahr. 2. verm. Aufl. Hannover u. Berlin, Carl Meyer (Gustav Prior), 1900. M. 2.50. — 2. Teil: Oberstufe, Band IIa: Lesebuch für Klasse 2. Daselbst 1899.

Schulgrammatik der englischen Sprache nebst einer Synonymik und Übungsstücken, bearb. von Prof. Dr. John Koch. 2. verb. u. verm. Aufl. (4. Teil des Lehrbuches der englischen Sprache von Foelsing-Koch). Hamburg, Henri Grand, 1905.

Methodische englische Sprechschule. Englische Texte, Systematisches Wörterverzeichnis, Phraseologie von Direktor Dr. A. Harnisch und Professor Dr. John G. Robertson. 1. Teil mit einem Plan von London. Leipzig, O. R. Reisland, 1904. Preis geb. M. 1.80, Ausg. ohne Plan M. 1.40.

Das Lehrbuch der englischen Sprache von Prof. Dammholz ist ein Werk, das sich zur Einführung sehr gut eignen dürfte. Es zerfällt in zwei Teile: English Grammar und English Reader. Seine Absicht ist, den Schüler möglichst schnell zum Sprechen zu führen. Darum geht es von Lesestücken aus, die, anfänglich leicht, allmählich schwieriger werden. Daran wird Aussprache und Grammatik gelehrt, die an folgenden Summaries und Exercises befestigt werden. Die Ausnutzung der Lesestücke ist sehr geschickt. Manches, das später seine systematische Behandlung findet, wie die Zahlen, wird an den Kapitelüberschriften vokabelmäfsig vorweggelernt. Die Aussprachelehre fufst auf dem so oft übergangenen Grundgesetz vom Lautwert in offener und geschlossener Silbe. Die 'Wiederholungstafeln' und 'Grammatische Übersicht' (S. 90—108) stellen noch einmal zusammen, was im Grammar auf die einzelnen Kapitel verteilt war. Der English Reader fängt an mit Gegenständen des täglichen Lebens, der Schule, des Hauses, um dann zu Themata allgemeinen Inhalts und Gedichten überzugehen. Ein englisch-deutsches und deutsch-englisches Wörterverzeichnis beschliefst den Band, den ich, trotz des naiven Inhalts seiner Lesestücke, seiner praktischen Anlage wegen unbedenklich auch für Knabenschulen empfehlen würde, wenn nicht inzwischen die Grammatik von Wilhelm Swoboda erschienen wäre.

Eine Fortsetzung des English Reader ist das Lesebuch für Klasse 2. Die Proben sind in fünf Gruppen eingeteilt: 1) Useful Knowledge; 2) Tales and Sketches from British History; 3) Tales and Sketches from British Geography; 4) Tales and Sketches on British Life and Customs; 5) Letters. Dazu kommt eine Auswahl Gedichte. Die Zusammenstellung dieses Buches ist weniger glücklich als die der Grammatik. Der erste und letzte Teil hätten fortbleiben sollen, um breiteren Raum für den Rest zu lassen. Stücke wie: God, our Creator, How a house is built (in drei Abschnitten), Speaking waren als langweilig in jedem Fall auszuscheiden. Ein guter Gedanke war es dagegen, einen tüchtigen Satz aus Defoes Robinson Crusoe aufzunehmen (den Schiffbruch und Freitags Rettung). Die übrigen Teile geben keine rechte Übersicht über englische Geographie, Geschichte und Sitten. Der Abschnitt aus dem Vicar of Wakefield (S. 139) scheint nur der Stelle wegen abgedruckt zu sein: They kept up the Christmas carol, sent true love-knots on Valentine morning, ate pancakes on Shrovetide, showed their wit on the first of April, and religiously cracked nuts on Michaelsmas eve, und The Children of Blentarn Ghyll (S. 141) erzählt einen Unfall, der

gewifs nicht nur für die Westmoreland-Berge typisch ist. Auch die Auswahl
der Gedichte ist unzulänglich, so umfangreich sie ist. Th. Moore ist mit
drei kleinen Gedichten vertreten, wovon *Little things* ganz fehlen konnte
und für den Abdruck von *The evening bells* nur der Zwang der Tradition
bestand. Für die alltäglichen Poesien der Eliza Cook, Mary Howitt,
M. A. Stodart und anderer hätte ich etwas Bedeutendes von Byron und
Shelley eingesetzt, die gänzlich fehlen.

Die *Schulgrammatik der englischen Sprache* von J. Koch ist für obere
Klassen bestimmt und darum ausführlich gehalten, so ausführlich, dafs
man zuweilen an I. Schmidt erinnert wird. Meine Meinung ist, dafs sie
als Schulbuch, als das sie gedacht ist, bei einiger Beschränkung gewonnen
hätte. Der Hinweis auf veraltete Konstruktionen durfte zu allermeist
fehlen. Es hat unter der Ausführlichkeit die Übersichtlichkeit gelitten,
und der Lehrer wird häufig streichen und umstellen lassen müssen, um
den Überblick zu erleichtern. Allerdings, und das ist ihr Vorzug, wird
diese Grammatik den Schüler, besonders den künftigen Anglisten, über
die Schule hinaus begleiten können und ihn noch unterweisen, wenn er
imstande ist, ihre Mängel selbst zu erkennen und zu korrigieren. Im
Hinblick auf diese Zeit hat der Verfasser seinem Werke eine Übersicht
über den Ursprung und die Entwicklung der englischen Sprache vorausgeschickt und eine Synonymik beigegeben, die, nach Titeln: Natur und
Welt, Handel und Verkehr, Geist und geistige Tätigkeit, Eigenschaften usw.
gesondert, viel dankenswerten Fleifs enthüllt. Übungssätze und Übungsstücke bilden den Schlufs. — Für eine Neuauflage empfehle ich folgende
Stellen zur Revision.

S. 29, § 2, Anm. 1 ist die Regel zu eng gefafst. Der Artikel fehlt
ganz allgemein bei Subst. + Adj., wenn das Adjektiv nichts Neues zum
Substantivbegriff hinzuträgt: *bold Robin Hood; Merry Old England; Ancient Greece* (wonach *Modern Greece* gebildet ist). Dagegen: *The Old World
is nearly double the size of the New* (S. 38, § 16). — *Eastern Afrika, Western
Afrika* etc. sind zu Formeln erstarrte Eigennamen.

S. 35, § 9a: *most* das meiste (nicht: die meisten).

S. 37, § 14: Nicht wird in einer Reihenfolge von Substantiven die
Auslassung des Artikels beim zweiten, dritten u. s. f. durch den Umstand
reguliert, dafs alle 'in demselben Satzverhältnis' stehen, sondern dadurch,
dafs sie zusammen nur einen einzigen Begriff ergeben: *The bear, wolf, wild
boar, and wild ox (= wild beasts) peopled the forests. — The face and hands
(= the body of man* od. *man) should be washed three or four times a day. —
Philip collected an immense fleet and army (= power)*.

S. 37, § 15 fehlt bei Aufzählung der Gradpartikeln *as, so, too* etc.:
however.

S. 36, § 12. Es ist ungenau, zu sagen: Der unbestimmte Artikel steht,
'wenn Zahl-, Mafs- und Zeitangaben zu einer Mafseinheit etc. in Beziehung
gesetzt werden'. Es sollte mindestens heifsen: in distributive Beziehung. Man soll doch nicht an Beispiele wie das folgende denken: *365 days
are called a year*.

Ungenau ist z. T. auch S. 50, § 26c gefafst: *To* steht vor dem Dativ,
'wenn er von Substantiven, ... abhängig ist: *A merry Christmas to you!
— Woe to the hand that shed this costly blood!*' Diese Sätze sind elliptisch,
und der Dativ hängt von dem fehlenden Verb ab. Bei dem von einem
Substantiv abhängigen Dativ könnte an den Genitiversatz gedacht werden:
Jessica, daughter to Shylock (§ 24, Anm. 2), wenngleich auch diese Auffassung nicht einwandfrei ist.

S. 76, § 52, 4: '*This* in Verbindung mit Zeitangaben bedeutet oft heute;
tritt noch eine Zahlbestimmung hinzu, so bedeutet *these*, zuweilen auch
this: schon seit etc.' — So etwas sollte man in einer Grammatik nicht

sagen. Übrigens gehört diese Erscheinung in die Tempuslehre, wo ihre Deutung sicherlich mehr im Geist der englischen Sprache ausgefallen wäre. S. 101, § 77, 2e: *to do* steht 'öfters als Füllwort im Verse: *How shall I know that I do choose the right? — Then did the littly maid reply.*' Im ersten Beispiel ist *do* des Nachdrucks halber als notwendig hinzugesetzt, im zweiten steht es wegen der Inversion. Wollte man *to do* an dieser Stelle für ein Füllwort, d. h. für etwas Überflüssiges halten, dann müfste man diese Auffassung auf jede Fragekonstruktion mit *to do* ausdehnen, was jedenfalls nicht englischer Anschauung entspräche. S. 104, § 79, 3, Anm.: 'Mitunter erscheint auch *will* in der ersten Person, wo deutsch "wollen" und "werden" wechseln könnte.' Darin spricht sich kein Unterschied aus; denn diese Vertauschung ist immer möglich, wie das Englische mit seiner Wahl von *will* zur Wiedergabe des Futurums beweist. *Will* gebraucht man, wenn nicht die futurische Handlung, sondern der Wille dazu betont werden soll.

Zum Schlufs ein paar Druckfehler: S. 37, § 14: *The face aud hands* (st. *and*); S. 38, Z. 1 v. o.: *quiter ather* (st. *quite, rather*); S. 51, § 27, Anm.: *yonrself* (st. *yourself*); S. 78, I. Z. v. u.: *derterminativ*.

Die *Methodische englische Sprechschule* von Harnisch-Robertson ist ein Seitenstück zu der 1903 erschienenen *Methodischen franxösischen Sprechschule* von Harnisch-Duchesne. Die Titel sind schief, aber die Bücher selbst sind gut. Das englische Werk zerfällt in dreizehn Teile: 1) *The human body;* 2) *The family;* 3) *Time;* 4) *Dress;* 5) *The house;* 6) *Meals;* 7) *Seasons, weather, sickness;* 8) *The town;* 9) *Professions and occupations;* 10) *Travel;* 11) *Correspondence;* 12) *London;* 13) *Society.* Dem französischen Teil entgegen habe ich die Abschnitte vermifst, die sich auf das Schulleben beziehen (*Notre classe, Les leçons*). Bei diesem Kapitel sind Schüler und Lehrer wegen der Redensarten besonders häufig in Verlegenheit, und es wäre zu wünschen, dafs bei einer Neuauflage das Fehlende hinzukäme. Die englische Diction ist einfach, klar und die Darstellung zum gröfsten Teil interessant. Den trockenen Ton, der Aufzählungen ihrer Art gewöhnlich anhaftet, haben die Verfasser zumeist glücklich vermieden. Das Werk dürfte eine geeignete Grundlage für Klassenvorträge sein. — Aufgefallen sind mir Druckfehler: S. 5: *banns* (st. *bans*) und *bridesmaids* (st. *bride's-maids*). Von dem Buche ist ein zweiter Teil in Aussicht gestellt.

Berlin.   Willi Splettstöfser.

The British empire: its geography, history and literature. Ein Hilfsbuch für den englischen Unterricht in den oberen Klassen von **Dr. Ew. Goerlich,** Oberlehrer am Realgymnasium zu Dortmund. Paderborn, F. Schöningh, 1901. 157 S.

This book is a reprint of the second part of the author's 'Englisches Lesebuch', and is intended to afford to students in the higher classes of schools suitable material for home reading and school conversation. In such classes the students of English must, according to the directions of the Prussian Minister of Education, be made acquainted with the Life, Manners and Customs, Geography, History and Actualities of the British Isles and their dependencies.

Now that so many German teachers have adopted the new method of using English as the medium of instruction in the higher classes, it is only to be expected that the number of school text-books of various kinds written in English by Germans will constantly increase. No one can deny the many advantages attaching to such books. But the dangers and difficulties of writing in a foreign tongue — even when mere compilation of other men's sentences is in question — should never for a moment be forgotten. It should, I think, be laid down as a general rule that no English book should be published by a German author unless it has first been carefully and thoroughly read and corrected by some competent Englishmen. Such proof-reading of non-indigenous literature is no doubt apt to be a trying test of the proof-reader's judgment and patience. It is sometimes ten times easier to re-write than to patch sentences where the syntax is of such a hybrid nature. The advantage of such books, however, lies in the fact that, when properly done, they give the German pupil exactly that information which the German teacher alone knows the 'little clergeon' wants and in the form most capable of easy digestion. The great shortcoming, on the other hand, of German written English books is that they always lack style; for style includes a thousand national peculiarities and more or less unconscious niceties of diction and rhythm that can hardly be attained by the most highly trained foreign reader.

In the present volume the lack of an English revising hand is very visible. The author seems to have relied too much on his own industry. The consequence is that this otherwise very useful compilation is marred by various major and minor errors which, until they are remedied, considerably discount its value as a school reading-book. One finds in it for example such slips as writing the '£' sign after the numeral — *'from 5 l to 10 l.'* (p. 64) instead of *'from £ 5 to £ 10'* — *'4 000 000 l.'* written without commas as in German, — the superfluous use of hyphens (in accordance with German usage!) in such phrases as *'herring- and cod-fisheries'* (p. 8); — *'grand beyond descriptions'* (p. 16): *'beyond descriptions'* if it meant anything would mean beyond actual descriptions which have already been made; of course *'beyond description'* is meant. *'The outburst of a plant into flower'* (p. 104) is a still stranger slip; etc. etc. But on many pages more serious errors occur, chiefly sins against English syntactical usage. One or two examples will suffice to show what I mean: *On the Farne Isles, (sic) on the same coast, lived Grace Darling, the young woman that so bravely saved the lives of people who were once shipwrecked there* (1838). (The mass of contradictory syntactical forms may here be avoided simply by writing *'lives of the people shipwrecked there in 1838'*.) *'It was called the war of the Spanish succession, which lasted from 1702 to 1713.'* Of course a continuative relative is here out of place and 'which' should be replaced by *'and it'*. *'It (the Elizabethan era) may be placed by the sides with the ages of Pericles, Augustus e. c.'* (p. 104). Of course it should be *'by the side of'*; etc. etc.

But these and similar faults can all be corrected in a careful revision for a new edition. The book will then be of solid value as a reading book, for it contains, in a condensed and very lucid form, very good short summaries of the essential facts of British geography, history and literature put in a manner likely to interest pupils and to form a good basis for conversational exercises.

Halensee.   F. Sefton Delmer.

Gormond et Isembart. Reproduction photocollographique du manuscrit unique, II 181, de la Bibliothèque royale de Belgique avec une transcription littérale par **Alphonse Bayot** (Nr. 2 der *Publications de la Revue des Bibliothèques et Archives de Belgique*). Bruxelles, Misch & Thron, 1905. 4°.

Diese Veröffentlichung setzt sich aus drei Teilen zusammen: Beschreibung der Handschrift, deren Geschichte und Bibliographie; Umschrift; Phototypien der acht Seiten des Fragmentes. In einem Vorwort

weist Verf. mit Recht darauf hin, daſs die bisherigen Ausgaben des Epos-
bruchstückes, dem er mit G. Paris den Titel *Le roi Louis* gibt,[1] der richtigen Grundlage, nämlich einer richtigen Lesung, entbehren. Wir können
es in der Tat mit Freude begrüſsen, daſs die bisherige Lücke nun in
bester Weise dank des untrüglichen Mittels der Photographie ausgefüllt
ist. Auch Rezensent ist durchaus der Ansicht, daſs es auf die *moindres
particularités* ankommt, daſs von der Lesung als Grundlage eines Textes
sehr viel abhängt. Wie flüchtig, um keinen schlimmeren Ausdruck zu
gebrauchen, war der sogenannte 'wortgetreue' Abdruck Schelers. Wie erwünscht wären uns photographische Wiedergaben sämtlicher alten afrz.
Sprachdenkmäler. Ist nicht die kürzlich erschienene Kollation der Rei-
chenauer Glossen (*Zs. f. rom. Phil.* XXX 49—52) ein schlagendes Beispiel?
   Zu der ausführlichen Beschreibung der Handschrift — eine solche
fehlte bisher — scheint mir folgendes nachzutragen: der Rücken des
Kniffs, den Blatt 2 und 3 oben aufweisen, befindet sich auf der äuſseren
Seite, also auf fol. 2ʳ° und 3ᵛ°; dort auch die Papierspuren. Ob aber
darin, daſs die Blätter als Doppelblätter an- bezw. eingeklebt waren, die
Ursache für den Unterschied ihrer Färbung zu sehen ist, oder ob wir es
nicht vielmehr mit Pergamentblättern zu tun haben, welche den Unterschied zwischen Fleisch- und Haarseite deutlich hervortreten lassen, wie
sich solche meist im Süden, aber auch in Frankreich finden, möge dahingestellt bleiben. — Die oberen Innenecken von Blatt 2 und 3 sind rund-
lich beschnitten; die Rundung beginnt jedoch erst ein Stück über dem
Kniff. — Nicht erwähnt sind die Heftlöcher, einmal die eigentlichen, am
Rücken der zusammengeklappten Blätter an je vier Stellen befindlichen,
und dann einige auf den Knifflinie, die sich beim Zusammenklappen nicht
decken. — Bezüglich der Initialen ist eine Unregelmäſsigkeit zu erwähnen:
V. 87 folgt ein grünes *L* auf ein *Q* (V. 83) von gleicher Farbe. — Die
Federproben gehören durchaus nicht dem 16. Jahrhundert an, sondern
dem 13.—14.; auch ist *Marescallus* zu lesen. — Was das Alter der Hand-
schrift betrifft, so setzte sie Reiffenberg ins 12. Jahrhundert, Scheler ans
Ende des 12. oder Anfang des 13., Foerster 'ungefähr Mitte' des 13.,
G. Paris sowie Verf. allgemeiner ins 13., sie wird dem 12. jedenfalls nicht
und eher schon dem zweiten als dem ersten Viertel des 13. zuzuweisen sein.
   Der möglichst getreu, d. h. mit allen Fehlern wiedergegebene Text
gibt Rez. zu folgenden Anmerkungen Anlaſs:
   V. 4 ist *Garrant* zu bessern; vgl. *Gris* 446.
   V. 28. *el camp.*[2] Bezüglich der Worttrennung muſste Verf. etwas
subjektiv verfahren. Rez. würde entsprechend vorziehen: *enfist* 55, *desafre*
124 (vgl. *defescamp* 143), *eis* 165 (*e* gehört ja zur Vorkolumne, und diese
ist bei der Umschrift nicht berücksichtigt), *cumpainnes* 612; umgekehrt
getrennt *jl len* 202 (vgl. *al bon* 226).
   V. 36. Ursprünglich findet sich die Sieben, das Abkürzungszeichen
für *et*, geschrieben, doch mit verblaſster Schrift; das kräftige *v* geht deutlich darüber hinweg.
   V. 98. *clinot*[3] hat Rez. gelegentlich einer Kollation der Hs. auch gelesen. Das *o* ist etwas dickflüssig geraten; vgl. a. 296.
   V. 122. In der Vorkolumne findet man sonst nur das breite *s*. Hier
hatte der Schreiber zunächst ein *j* geschrieben (also den folgenden Buchstaben — *j = i* am Zeilenanfang) und daraus ein langes *s* zurechtgestutzt.
   V. 139. Eher *del* als *dol*; vgl. z. B. *seint* 146, *reis* 431.

---

[1] Rez. hält den Titel *Isembart* oder *Isembart e Gormund* für angemessener.
[2] Dieses Wort nennt Heiligbrodt (*Rom. Stud.* III 537) zu Unrecht.
[3] Heil. trennt *enclin at*, was nun schon durch die richtige Lesung unnötig
erscheint.

V. 154. Beide Punkte gehören zu dem *G*; desgl. 341.[1]
V. 180. *Sentj* mit breitem rundem *s*. Ebenso hätte *Satenas* 507, *Sarrazin(s)* 592, 595, 636 gedruckt weiden sollen. Desgl. *Prux* 218, *Se* 557, *E* 614, wo der Initialen wegen grofse Buchstaben stehen (vgl. *Pvis* 255, *Qvatre* 514, *Lj* 87, 112, 599); wohl auch dementsprechend *Ariere* 6, 62, 84, 134, 161. Ebenso gehören in die Vorkolumne eigentlich durchgängig grofse Buchstaben; wenn Verf. jene auch nicht beibehalten hat, so hätte er doch auf dieses hinweisen sollen. Ist doch die unterschiedliche Verwendung von *i* und *j* in der Hs. kaum eine andere als etwa die von *q* und *Q*.[2]
V. 228. Die Hs. zeigt deutlich *geus*, an sich ebensowenig berechtigt wie *chenaus* 161.
V. 253 ist *suxcele* zu lesen.
V. 371 wird *idunc* zu Recht bestehen können. Vgl. *comencent* 432.
V. 467. Schon das Vorhandensein zweier *i*-Striche scheint die Lesung *i uiree* zu verlangen. Dafs der zweite etwas näher dem dritten als dem vierten Balken der Gruppe *uu* steht, ist nicht grofs von Belang. Das *uuree* des Verf. ist ebensowenig berechtigt wie das Schelersche *virree*.
V. 529. Der Buchstabe der Vorkolumne ist ein *n*.
V. 536. Es läfst sich der Abstrich eines *p* und die untere Hälfte eines *9* (= *cun*) erkennen.
V. 629. Die Hs. hat *quarefor*. Der letzte Buchstabe sieht einem *x* zwar recht ähnlich, unterscheidet sich jedoch von einem solchen durch den runden Duktus: es liegt *r* nach *o* vor. Als ebenso trügerisch wäre etwa *or* 102 zu nennen.
Gegenüber dem beiläufig gegen 50 Fehler aufweisenden Schelerschen Abdruck sei noch auf einige Formen hingedeutet: *ambesdous* 28, *asteles* 52, *nuist* 143, *jon* 350 (= *jo + en*, vgl. *jan* 281), *trei* 410, *jorx* 413, *le* 506, *conust* 576, *lex* 630 und schliefslich *deueret* 633. Erwähnt sei auch, dafs die von Heiligbrodt a. a. O. S. 537 der Hs. beigelegte Schreibung *ou* nicht vorhanden ist.[3]
Die Phototypien sind, abgesehen von dem unvermeidlichen Durchscheinen der korrespondierenden Seiten, gut geraten. Desgleichen ist der fehlerfreie Druck zu loben.
Hoffentlich werden in Bälde mehr und mehr Schätze der noch so manche Überraschungen bergenden Brüsseler Bibliothek ans Tageslicht gefördert, nicht nur durch den der Vollendung entgegengehenden neuen Katalog, sondern auch in der Fassung, wie sie Kronjuwelen zukommt.
Berlin. **Walter Benary.**

Veröffentlichungen aus der Hamburger Stadtbibliothek 1. Der HUGE SCHEPFEL der Gräfin Elisabeth von Nassau-Saarbrücken, nach der Handschrift der Hamburger Stadtbibliothek, mit einer Einleitung von Hermann Urtel. Hamburg 1905. Grofsfolio.
Diese typographisch wie sachlich gleich interessante Veröffentlichung ist der germanistischen und der romanistischen Sektion der 48. Versammlung deutscher Philologen und Schulmänner zu Hamburg dargebracht.

---

[1] Diese Abkürzung für *Gormund* noch 49, 247 und 464. .
[2] Mit Ausnahme von *tierrj* 47 findet sich *j* nur am Zeilenanfang (da stets) und am Zeilenende (vorwiegend). — *v* statt *u* zeigt sich, aufser am Zeilenanfang, in *v* = *ubi* 200, *la v́* 507, 527, 554, *lá v́* 628; *v* = *aut* 36, 428, *v́* 639; ferner in *fiev* 375, *vimev* 434, *levtiz* 444. Man beachte übrigens den hier als diakritisches Zeichen geltenden *i*-Strich, wozu noch *si á* 547, *i á* 595, *espéé* 53 zu vergleichen wären
[3] *dous* 28, 317, 337, *qaiou* 41, 65, *ernout* 174, *fous* 190 kommen nicht in Betracht.

Wir erfahren vorab, dafs zwei Schwesterhandschriften der Hamburger Stadtbibliothek, die eine den Roman *Loher und Maller* (Nr. 11 *in scrinio*), die andere den *Huge Scheppel* nebst dem Roman von der Königin *Sibille* enthalten (Nr. 12): *das büch von konnig karl von franckrich Vnd finer huffro͜uwen Sibillen die vmb eins getwerch | willen verJaget wart.* Und von letzterer Geschichte erfahren wir, dafs Herr Dr. Burg eine Ausgabe vorbereitet.

Die Handschriften sind, wie aus den sie schmückenden Wappen hervorgeht, für den Grafen Johann III. von Nassau-Saarbrücken angefertigt, und zwar wahrscheinlich zwischen 1455 und 1472. Übersetzerin aus dem Französischen aller dieser Texte und dazu des *Herzog Herpin* war die obengenannte Gräfin Elisabeth von Nassau-Saarbrücken (geb. etwa 1399, † 17. Januar 1456) (S. 3—4).

Die Handschrift des Huge Scheppel weist mehrfach Lücken auf, die, wie so oft, wahrscheinlich von einem Miniaturendieb herrühren. Sie ist die einzige erhaltene Handschrift des Romans (S. 7), der als Volksbuch grofse Triumphe gefeiert hat, und von welchem Urtel zehn Drucke hat auffinden können. Das Verhältnis der Drucke ist nach seiner Untersuchung (S. 11):

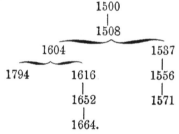

Für uns Romanisten ist natürlich der Vergleich der Übersetzung mit dem afrz. Spätling hauptsächlich von Interesse. Denn während jene in ihrem ersten Teile das in der Sammlung der *Anciens Poètes de la France* veröffentlichte Gedicht getreu wiedergibt, ist die zweite Hälfte nach Capets Krönung, nämlich der Verrat des Fedri und Asselin, wohl nach einer anderen, uns unbekannten Version dargestellt, die freilich in den Hauptzügen mit der unserigen übereinstimmt.

Hier und da scheint nun die Übersetzung einzelne Züge in authentischerer Version zu bieten als das altfranzösische Gedicht. Es landen beispielsweise die Venezianer hierin in dem Seinehafen Harfleur, was ungereimt scheint, in jener der geographischen Sachlage entsprechender in Aiguesmortes, doch ist dies freilich erst aus der etwas kühnen Übersetzung *zu dem spitzen dode* zu erschliefsen. Weitere Punkte, in denen die Übersetzung ihre Quelle emendiert, sind S. 16 aufgezählt.

Das Verhältnis des zweiten Teiles veranschaulicht eine Tabelle (S. 19), nach der einige Worte eine Perspektive über die Vorgeschichte der *Huon-Capet*-Dichtung beleuchten, an die Benutzung des *Vœux du Paon* (nach 1312) erinnern und Verwandtschaftsmomente berühren, die ihn mit *Baudouin de Sebourc* und dem Burgunden *Auberi* verbinden. Hoffentlich findet Urtel einmal Zeit, die hier aufgeworfenen Probleme und Vermutungen eingehender zu untersuchen, was er beabsichtigt.

Wertvoll ist, dafs man zu den im Texte veröffentlichten Miniaturen auch Robert Schmidt als Kunsthistoriker zu Worte hat kommen lassen. Danach sind diese Miniaturen, die Schmidt ausführlich beschreibt, nicht deutsche Originale, sondern Kopien von französischen. In *Loher und Maller* kommt nun die Stadt Amiens vor. Hier ist eine Miniatur angebracht, die 'einen grünen Plan vor den Toren der Stadt' darstellt, 'der von

Wegen, die sich mehrfach kreuzen und den Eindruck eines achtstrahligen Sternes machen, durchzogen ist. Darin steht das Wort «*octofye*». Eine solche Promenade ist noch heute vor Amiens zu finden, und als ihr Name hat sich dies *Octovie*, wenn auch verstümmelt, erhalten, nämlich *Promenade de la Hotoie*. — 'Die Bilder der Huge-Scheppel-Handschrift sind von einem mittelrheinischen Illustrator zweiten Ranges um 1460—70 angefertigt, und zwar als indirekte, mehr oder weniger freie Kopien nach Miniaturen, die etwa um 1420—30 von mehreren Händen einer franko-flandrischen Werkstatt gearbeitet worden waren.'

Nun folgt der Text mit allen Miniaturen nach photographischen Reproduktionen, dann ein Namenverzeichnis und zum Schlufs die farbige, ganzseitige Wiedergabe von drei Miniaturen in Originalgröfse, die verkleinerte farbige Wiedergabe einer Seite der Handschrift und einige Schriftproben.

Dem Jugendfreunde Hermann Urtel meine Glückwünsche zu der mit allem Erfolge durchgeführten ehrenden Aufgabe, zugleich mit dem Wunsche, dafs der ersten Veröffentlichung aus der Hamburger Stadtbibliothek bald eine zweite, ebenbürtige folgen möge und der Roman von *Loher und Maller* nicht zuletzt an die Reihe komme.

München.   Leo Jordan.

Otto Langheim, De Visé, sein Leben und seine Dramen. (Inaugural-Dissertation, Marburg.) Wolfenbüttel, Robert Angermann, 1903. 110 S. gr. 8°. M. 3.

Als Widersacher Molières in dem Streit um die *Frauenschule*, als Herausgeber des *Mercure Galant*[1] und Mitarbeiter von Th. Corneille und wegen seiner vielseitigen dramatischen Tätigkeit verdiente der rührige Donneau de Visé der Gegenstand einer eingehenderen Untersuchung zu werden. Der Verfasser der vorliegenden Arbeit hat sich im wesentlichen darauf beschränkt, was wir von der Biographie de Visés wissen, zusammenzustellen, und die dramatischen Werke nach ihrem Inhalt und den Einzelheiten der Aufführungen eingehend zu besprechen. Er behandelt zunächst die polemischen Werke de Visés, *Zelinde, Vengeance des Marquis*, die er, wie jetzt wohl ziemlich allgemein angenommen wird, mit der *Lettre sur les affaires du théâtre* und den *Nouvelles nouvelles* de Visé zuschreibt, ohne Mitarbeit de Villiers'. Es folgen dann die übrigen Werke de Visés, nach ihrem Inhalt in einzelne Gruppen geteilt. Quinaults und de Visés Komödien 'La Mère coquette' werden eingehend verglichen, die zeitliche Priorität von de Visés Stück wahrscheinlich gemacht und die Vorzüge der Quinaultschen Bearbeitung gebührend hervorgehoben. Wir erfahren nur allgemein, dafs beide Dichter eine spanische Quelle benutzt haben, dafs einzelne Züge in dem Stücke de Visés Sorels *Berger Extravagant* und La Calprenèdes *Cassandre*[2] entnommen sein sollen. Auf eine eingehendere Quellenuntersuchung hat der Verfasser an dieser und anderen[3] Stellen verzichtet. Überhaupt beschränkt er sich zu sehr auf Inhalts-

---

[1] De Visé ist nicht 'der eigentliche Begründer des französischen Journalismus'. Lange vor ihm hatte der erfinderische Théophraste Renaudot seine *Gazette de France* (1631) gegründet.

[2] Der Geliebte Roxanes wird Orondate statt Ooondate genannt. Auch sonst sind besonders in den Zitaten Druckfehler häufig. S. 85 Anm. 2 l. Othon, Agésilas statt Othon, Alexandre.

[3] 'La Veuve à la Mode' (1667) wird auf La Fontaines Fabel 'La jeune veuve', die jedoch mit dem ersten Buch der Fabeln erst 1668 bekannt wurde, und indirekt auf das Fabliau 'La Veuve' zurückgeführt. Ein näherer Zusammenhang

angaben und die trockene Aufzählung von Tatsachen. In eine vollständige Würdigung de Visés hätte eine Charakteristik seiner Stellung innerhalb der dramatischen Literatur der Zeit und Molière gegenüber gehört. Das aktuelle Interesse, die detaillierte Milieuschilderung, die Selbstzweck wird gegenüber der stets auf die Darstellung allgemein menschlicher Typen hinzielenden Komik der Molièreschen Possen, das sind Züge, die de Visé mit den 'Realisten' und einer Gruppe zeitgenössischer und nachmolièrischer Komödien- und Possendichter teilt.

Heidelberg.   F. Ed. Schneegans.

Voltaires Rechtsstreit mit dem Königlichen Schutzjuden Hirschel, 1751. Prozefsakten des Königlich Preufsischen Hausarchivs. Mitgeteilt von Dr. Wilhelm Mangold, Professor am Askanischen Gymnasium zu Berlin. Mit einem Anhang ungedruckter Voltairebriefe aus der Bibliothek des Verlegers und mit 3 Faksimiles. Berlin, E. Frensdorff, 1905. IV, XXXVII; 138 S.

Wenn man beim grofsen Publikum eine Enquête veranstalten könnte mit der Frage: Was wissen Sie von Voltaire? so wäre gewifs die Auskunft, die am häufigsten wiederkehren würde, bei vielen die einzige vielleicht, die sie geben könnten: Er hat in Berlin einen Juden geprellt und beim Prozefs die Richter hinters Licht geführt; so wie etwa bei Rousseau die Tatsache am bekanntesten sein mag, dafs er ein Buch über Kindererziehung geschrieben und die eigenen Kinder ins Findelhaus geschickt hat. Nun ist aber Tatsache, dafs Voltaires Berliner Judenaffaire, trotz allem, was bisher darüber geschrieben wurde, noch keineswegs geklärt war. Die unzureichenden Daten, die bisher vorlagen, und der äufserst verwickelte Charakter der Angelegenheit brachten es mit sich, dafs das letzte Wort der Voltairebiographen und der letzte Eindruck ihrer Leser eben doch durch die Pointe des bekannten Lessingschen Epigramms und durch Friedrichs unmutige Äufserungen über Voltaires Gaunerei bestimmt wurde. So ist es ein äufserst dankenswertes Unternehmen, wenn einmal aktenmäfsig festgestellt wird, was in der Sache wirklich über und gegen Voltaire vorliegt, und wenn durch Veröffentlichung aller noch vorhandenen Aktenstücke jedem Gelegenheit gegeben wird, sich ein eigenes Urteil zu bilden.

Ich versuche, die wesentlichen Punkte an der Hand der Akten und mit Hilfe von Mangolds einleitendem Kommentar herauszustellen. Am 30. Dezember 1750 reicht Voltaire eine Klagschrift beim Grofskanzler Samuel von Cocceji ein gegen den königlichen Schutzjuden Abraham Hirschel, der ihn 'durch allerhand seiner Nation gewöhnliche complaisances und Kunstgriffe dergestalt zu faszinieren gewufst, dafs er sich in verschiedene negotia mit ihm eingelassen.' Er klagt auf Herausgabe eines auf Paris ausgestellten Wechsels von 40000 Frs., den er, Voltaire, habe protestieren müssen, und den Hirschel ihm bis dato noch nicht 'retradiert' habe, sowie auf Taxierung von Pretiosen, die Hirschel ihm angeboten zur Abzahlung eines Darlehens von 3000 Rtlrn., das Hirschel am 17. Dezember bei ihm, Voltaire, aufgenommen und auf Barzahlung der Summe, die nach Abzug der sachverständig taxierten Diamanten an den von Hirschel geschuldeten 3000 Rtlrn. noch fehlt. Im Verhör der beiden Parteien macht Hirschel Enthüllungen über die Geschichte des Wechsels von 40000 Frs. Er will ihn von Voltaire laut einer 'Konvention' haben, kraft

---

läfst sich nicht erkennen, und der Verfasser begnügt sich mit der flüchtigen Andeutung. Auf die *Lettre sur des affaires du théâtre* glaubte der Verfasser leider nicht näher eingehen zu müssen.

deren ihm Voltaire ('aus Begierde, reich zu werden') den Auftrag zum
Aufkauf von sächsischen Steuerscheinen in Dresden gegeben habe (nach
dem 10. Artikel des Dresdener Friedens von 1743 mußten diese im Wert
stark gesunkenen Scheine aus den Händen preußsischer Untertanen zum
vollen Wert angenommen werden. Die Spekulation damit war durch
Friedrichs Verordnung schon 1748 verboten worden, p. V). Voltaire leugnet
im ganzen Prozeß die Existenz dieser Konvention ab, zuletzt noch in
dem vom Gericht ihm zugeschobenen Eide, den Mangold erstmals veröffentlicht. In diesem Eid spricht er nun allerdings nicht bloß von einer,
sondern sogar von drei Konventionen mit Hirschel, von denen die eine,
vom 23. November, Hirschels propositiones der Steuerscheine enthalten
habe, aber nicht unterschrieben worden sei, eine andere, 'keine Steuerscheine zu nehmen', am 24. November von Hirschel unterschrieben worden sei, eine dritte, 'Zobelpelze und Diamanten betreffend', am 24. November von beiden, Voltaire und Hirschel, unterschrieben worden sei.
Denn so erklärt nun Voltaire die Geschichte des Wechsels: das Steuer-
scheinnegotium sei ein 'unverschämtes mendacium' des Beklagten; 'das
negotium, weshalb Kläger dem Beklagten die Wechsel gegeben, hat in
einer versprochenen Lieferung von Diamanten und Pelzwerk bestanden.'
Die Dokumente, die Hirschel zum Beweise seiner Behauptung vorbringt,
reichen juristisch zur Konklusion nicht aus. Mangold schließt sich der
Ansicht eines der Richter, des Geheimrats Löper an, der in einer von Mangold im Geheimen Staatsarchiv gefundenen und von ihm erstmals veröffentlichten Relation in der Sache urteilt: 'Ich habe nach allen Regeln
der Wahrscheinlichkeit nicht den geringsten Zweifel, daß Kläger die
Wechsel dem Beklagten in der Absicht gegeben, Steuerscheine dafür zu
erhandeln, und das Vorgeben, Diamanten und Pelzwerk dafür zu kaufen,
ist ... lächerlich.' Der moralische Wahrscheinlichkeitsbeweis, den Mangold für die Richtigkeit der hierauf sich beziehenden Angaben Hirschels
führen zu können glaubt, ist wohl als gelungen zu betrachten. In ihrem
Erkenntnis wollen die Richter auf die Frage, ob Steuerschein- oder Pelz-
und Diamantenhandel vorgelegen habe, nicht eingehen, da es 'darauf nicht
ankomme'. Damit stünde nun fest, einmal, daß Voltaire sich auf eine
in Preußen unerlaubte Spekulation eingelassen und dann — nach Ansicht
des Herausgebers —, daß er in dem Reinigungseide falsch geschworen hat.
Ohne die starken Wahrscheinlichkeitsgründe, die für diese Meinung sprechen, zu verkennen, möchte ich doch die Einschränkung, die Mangold
selbst hinzufügt, daß der Falscheid juristisch nicht genügend bewiesen
werden könne, noch stärker unterstreichen. Die Möglichkeit ist meines
Erachtens nicht ausgeschlossen, daß der Eid seinem Wortlaut nach der
Wahrheit entspricht. In einem Billett Voltaires, das Hirschel vorbringt
und das Voltaire am stärksten belastet, ist von Diamanten die Rede, wo
Steuerscheine gemeint sein müssen, wenn Löper und Mangold recht haben.
Möglich wäre nun immerhin, daß auch die Konventionen, die wir nun
einmal im Original nicht mehr haben, von dem vorsichtigen Voltaire in
entsprechender Weise in verschleiernder Form formuliert worden wären.
In dem angeblichen baren Darlehen von 3000 Rtlrn. sieht Mangold
eine Schwindelei Voltaires, da er, wie schon Löper in seiner Relation hervorgehoben, dieses Darlehen mit nichts beweisen könne; er befindet sich
hier im Gegensatz zum richterlichen Erkenntnis, nach dem 'Kläger hin-
länglich bewiesen, daß Beklagter ihm nach dem 16. Dezember 3000 Rtlr.
schuldig gewesen'. Mangold ist geneigt, Hirschel zu glauben, der nach
Ausstellung einer gegenseitigen Generalquittung vom 16. Dezember von
Voltaire nichts, insbesondere kein bares Geld erhalten haben will. Die
mit den Juwelen gedeckte Schuld rührt nach Hirschels Angabe vielmehr
von einem schon im September 1750 von A. Hirschel, dem Vater, bei
Voltaire aufgenommenen Darlehen von 4430 Talern her, worüber dieser

einen Wechsel ausstellte. Nun war dieser Wechsel Hirschel am 24. November (zum Gebrauch beim Steuergeschäft) eingehändigt worden. Da das Steuergeschäft sich zerschlagen hatte, mufste Hirschel den Wechsel von 4430 Talern einlösen, eine Verbindlichkeit, der er sich teils durch Barzahlung, teils mit den obengenannten Juwelen entledigt habe. Demgegenüber beruft sich Voltaire für seine behauptete Barzahlung auf zwei Scheine, einen vom 19. und einen vom 24. Dezember, in denen Hirschel eine Schuld von 3000 Rtlrn. anerkennt (der erste beginnt mit den Worten: *Pour payement de 3000 R par moy dus, j'ay vendu* etc.; der zweite enthält die Worte: *en payement de trois mil écus qu'il me devait*). Hirschel leugnet während des Prozesses lange seine Unterschrift unter dem ersten Schein, mufs aber doch schliefslich seine Hand anerkennen. Er erklärt ihn dann als einen Scheinschein, den ihm Voltaire durch seine Bitten abgedrungen, 'um das vorgehabte Steuerschein-Negotium desto besser zu verbergen; womit bei Sr. Königl. Majestät er sich damit legitimieren und zeigen könne, dafs die unter uns vorgewesenen negotia einen Juwelenhandel betroffen.' Hirschel bezichtigt Voltaire weiter der Fälschung dieses Scheins durch nachträgliche Zusätze und Radierungen. Die Richter schieben Voltaire den Eid zu, der am Schlufs des Prozesses schwört, dafs der Schein 'gänzlich in des Juden Gegenwart so geschrieben wurde, als er jetzt beschaffen, ohne dafs nachher ein einziges Komma daran verändert.' Mangold ist geneigt, diesen Schwur für richtig zu halten, obwohl er Voltaire an sich eine solche Änderung von Urkunden zutraut, wie er denn in der Tat an einer anderen Stelle der Akten eine Radierung und Korrektur von Voltaires Hand gefunden hat und mitteilt zur Charakterisierung Voltaires, 'um seinen Mangel an Respekt vor Aktenstücken zu zeigen'. Mangold urteilt mit bezeichnender und berechtigter Vorsicht: Die Fälschung des Scheins ist nicht nur nicht erwiesen, sondern sogar unwahrscheinlich (denn er enthält an sich nichts, was auf eine solche hindeutet), wenn auch nicht über jeden Zweifel erhaben. Bei der ganzen Frage ist mifslich, dafs das Original des Scheines nicht mehr bei den Akten liegt. Wir haben nur noch ein Faksimile davon aus der im Jahre 1790 gedruckten *Nachricht von dem Rechtsstreit des berühmten Voltaire wider den Juden Abraham Hirsch*, und dieses zeigt natürlich die behauptete Radierung nicht. Die Aussage der vereidigten Schreibmeister ist gleichfalls nicht mehr vorhanden. Man fragt sich, von wem diese schwerwiegenden Aktenstücke entfernt worden sind und cui bono? Mangold enthält sich darüber jeder Vermutung. Einen Dolus Voltaires nimmt er bei dem fraglichen Schein insofern an, als dieser zur Stütze der falschen Behauptung jener Barzahlung benutzt wurde. Wenn die Richter Voltaire glauben, weil sie zwischen der im Schein genannten runden Summe und der von Hirschel durch die Juwelen angeblich gedeckten Teilsumme jenes ersten Darlehens vom September eine von Hirschel nicht erklärte Differenz finden, so erscheint Mangold diese Erwägung nicht beweiskräftig gegen Hirschels Gegenvorbringen. Er glaubt, die Differenz anderweitig durch Beiziehung eines anderen Aktenstückes und Mitberechnung der Kursdifferenz erklären zu können. Wobei dann freilich psychologisch nicht ganz klargelegt ist, warum Hirschel nicht selbst diese Aufklärung gegeben hat, und warum er zunächst die doch auf die Dauer unhaltbare Ableugnung seiner Unterschrift vorgezogen und dann in seiner zweiten Verteidigungsposition die Stelle mit den 3000 Talern als gefälschten Zusatz bezeichnet hat, statt sie nach Mangolds Hypothese zu erklären. Zu einem völlig freisprechenden Urteil kommt Mangold in der Frage des zweiten Scheines (vom 24. Dezember), den Hirschel ebenfalls für halb gefälscht erklärte, und dessen Richtigkeit Voltaire daher gleichfalls beschwören mufste. Auch von diesem Schein ist das Original nicht mehr bei den Akten. Auch für eine weitere Anschwärzung Hirschels, Voltaire habe seine Juwelen durch minderwertige vertauscht, konnte kein Beweis erbracht werden.

Dies ungefähr sind die Punkte, die für die moralische und juristische Beurteilung des Falles wesentlich sind; die interessanten und heiteren Momente, die der Prozefs auf Schritt und Tritt darbietet, sind damit weit nicht erschöpft; aber dazu wäre es nötig, den ganzen ausgezeichneten Kommentar Mangolds auszuschreiben. Mir scheint das wichtigste Ergebnis der Aktenpublikation zu sein, dafs die Dinge juridice günstiger für Voltaire liegen, als die communis opinio bisher wollte. Doch müssen wir Philologen uns hier bescheiden und das Urteil der juristischen Fachkritik abwarten, die sich ja wohl auch vernehmen lassen wird. Der Mensch Voltaire enthüllt sich in diesem seinem 'Handel mit dem Alten Testament' wieder in seiner ganzen naiven Gewissenlosigkeit und zeigt sich in jener uns wohl an ihm bekannten Verständnislosigkeit für die Werte der persönlichen Würde, der Ehre, des Charakters, die bei ihm so sehr Natur ist, dafs der Eindruck des Komischen immer wieder vorschlägt vor dem Eindruck des Verächtlichen.

Dem Herausgeber schuldet die Voltaireforschung warmen Dank für seine neue Gabe. Es steckt ein respektables Stück mühsamster Arbeit und umfassender Nachforschungen in seinen erläuternden Fufsnoten und in dem lichtvollen Exposé seiner Einleitung, mit dem er dem Leser einen geradezu unentbehrlichen Leitfaden durch ein Aktenlabyrinth gegeben hat, in dem der juristische und finanztechnische Laie sich ohne solche Hilfe unmöglich zurechtfinden könnte. Mangold hat den Briefwechsel durch ein sehr interessantes Novum bereichert: Fünf Briefe Voltaires an Cocceji, in denen man Voltaires Künste in der captatio benevolentiae seines Richters studieren kann; er hat einen wichtigen Abschnitt der Correspondance générale in der Molandschen Ausgabe chronologisch vollständig neu geordnet. Und so darf wohl unter den gerade in den letzten Jahren wieder reichlicher fliefsenden neu erschlossenen Quellen für die Voltairebiographie Mangolds Beitrag als der bedeutsamste bezeichnet werden.

Stuttgart. P. Sakmann.

Gustave Simon, L'enfance de Victor Hugo avec une analyse complète et des fragments d'"Irtamène' et de ses premières poésies inédites. Paris, Hachette, 1904, in 8°, VIII et 282 p.

Der Verfasser hat für diese Untersuchung Vorarbeiten veröffentlicht: *Victor Hugo écolier* (*Rev. de Paris* X, 5. Sept.—Oct. 1903, 445), *Victor Hugo auteur dramatique à quatorze ans* (*Rev. d'Hist. litt. de la France* 1904, XI, 1). — Der Gang der Arbeit Simons stützt sich auf *Victor Hugo raconté par un témoin de sa vie*. An Wert gewinnt dieses Buch durch mehrere, bisher noch nicht veröffentlichte Briefe (S. 7, 49, 92, 219, 222, 264). Der Verfasser ist bestrebt, das Wesen von Hugos Kunst, die Antithese, zu erklären. Er betrachtet diese als eine dem Dichter eigene Art des Sehens, das nur Licht und Schatten an den Gegenständen wahrnimmt: eine Ansicht, die schon L. Mabilleau (*Rev. d. d. mondes LX° an., 3ᵐᵉ pér.* 834) ausgesprochen hat, und die auch E. Bertaux (*Victor Hugo artiste*, in der *Gazette des Beaux-Arts*, 1903) beibehält. Nun ist zwar wahr, dafs bei Victor Hugo die Inhalte der Vorstellungen des Gesichtssinnes bei weitem die der anderen an Stärke übertreffen; doch mufs betont werden, und darauf macht auch W. Martini (*Victor Hugos dramatische Technik nach ihrer historischen und psychologischen Entwicklung, Zs. f. frx. Sp. u. Lit. 27, Abhdl. 5 u. 7, 346*) aufmerksam, dafs der Gefühlswert der Empfindungen bei Victor Hugo so stark ist, dafs sich das Wesen so vieler Personen in den Dramen in den stärksten Gegensätzen entwickelt: mafsloses Überheben und Demut, Edelsinn und glühender Hafs lösen nur zu oft einander in der Seele eines Helden ab (Cromwell, Triboulet, Ruy Blas u. a.). Man vgl. meine Untersuchung: *Die Typen der Helden und Heldinnen in den Dramen Victor Hugos* (Prg. d. 2. deutschen Realschule, Prag 1905, 19). G. Simon zählt in dem Abschnitt *Fièvre de poésie* (S. 99 ff.) die in einem Hefte vereinigten *Poésies diverses* des Dichters auf; er bespricht ziemlich ausführlich *Irtamène*, Hugos erstes Drama (S. 111—127); *Athélie* tut er mit 11 Seiten ab, er kommt kaum über die Inhaltsangabe des Stückes hinaus, um *Inez de Castro* überhaupt nur zu erwähnen. Gerade dieses vollständige Drama hätte eingehender betrachtet werden können, spinnen sich doch von ihm aus Fäden in die spätere dramatische Tätigkeit Hugos. Wenn auch der Verfasser sich entschuldigt, dafs nicht alle diese Jugenddramen in seiner Untersuchung besprochen werden konnten, so empfinden wir doch diesen Mangel umsomehr, wenn wir auf 3 Seiten (157 ff.) ausführlich erfahren, auf welche Weise der junge Dichter eine Abhandlung (*Le bonheur que procure l'étude dans toutes les situations de la vie*) bei der *Académie française* einreichen wollte. Vieles, schon lange Bekanntes, in *Victor Hugo rac.* Abgedrucktes hätte in kürzerer Form dargeboten werden können; ein wenig Mafshalten mit dem Heranziehen von *Victor Hugo rac.* wäre geboten gewesen; dieses Werk kann als Quelle in literarischen Fragen doch nur mit der gröfsten Vorsicht benutzt werden.

Der Verfasser führt die Lebensgeschichte Hugos bis zum Erscheinen der *Odes et Poésies diverses* (1822); in dem Schlufsworte seines Buches weist Simon mit Recht darauf hin, dafs weniger die Schule und das Studium Victor Hugo bildeten, als vielmehr des Dichters Mutter, die Natur und die Menschen.

Eine wertvolle Bereicherung erfährt die zahlreiche Literatur der Jugenddichtungen Hugos durch Simons Arbeit nicht.[1]

Prag. Willibald Kammel.

Ernest Dupuy, La Jeunesse des Romantiques: Victor Hugo — Alfred de Vigny. Société française d'imprimerie et de librairie, 1905, in-18 jésus.

En 1902, M. Ernest Dupuy — qui déjà avait publié sur *Victor Hugo, l'homme et le poète* un ouvrage éloquent, plein de vues ingénieuses, auquel on ne pouvait reprocher qu'un plan un peu factice et un enthousiasme peut-être trop constant — avait voulu célébrer, pour sa part, le centenaire du grand poète en publiant une savante et impartiale étude sur *la Jeunesse de Victor Hugo*.

Après avoir pratiqué des fouilles heureuses dans les archives de l'Académie Française, après s'être entouré de documents peu connus ou inédits, après avoir établi avec soin la chronologie des premières œuvres de Hugo et des œuvres contemporaines, M. Dupuy avait suivi le poète depuis son premier concours académique en 1817 jusqu'à son triomphe d'*Hernani* en 1830, et il avait signalé nettement les influences qu'il a subies, les événements qui ont déterminé la direction de sa pensée, les amis et les disciples qu'il a groupés autour de lui, les changements et les progrès qui se sont marqués dans ses productions. Chemin faisant, il avait rectifié des dires de M. Biré, semé des remarques intéressantes, cité des articles curieux du *Conservateur littéraire* et de la *Muse française*.

Ce travail ayant été bien accueilli, l'idée est venue à M. Dupuy d'étendre

---

[1] Gustave Simon, *Victor Hugo*, *Années d'enfance* (*Bibliothèque des écoles et des familles*), Paris, Hachette, 1904, in 8°, VIII et 188 p. — Von unbedeutenden Veränderungen abgesehen, sind die *Années d'enfance* nichts anderes als der Abdruck des obigen Buches.

ses investigations à la jeunesse et à la formation intellectuelle de tous les romantiques notables. Sur ce sujet excellent il publiera une série de volumes que nous attendons avec confiance: le premier, que nous annonçons aujourd'hui, est, comme il fallait s'y attendre, un très bon livre. Il se compose de cinq chapitres: *La jeunesse de Victor Hugo; — Victor Hugo et son père; — La jeunesse d'Alfred de Vigny; — L'amitié d'Alfred de Vigny et de Victor Hugo; — Les origines littéraires d'Alfred de Vigny.*[1]

À une petite addition et à une petite suppression près, le chapitre sur *la jeunesse de Victor Hugo* n'est que la réédition de la brochure de 1902.

Le chapitre sur *Victor Hugo et son père* se divise en deux parties:

La première est une étude minutieuse et attachante à la fois sur les relations du poète avec son père Léopold Sigisbert Hugo. Jusqu'en 1822, ces relations sont fort peu de chose: la femme du général avait obtenu en 1818 un jugement de séparation de corps, et son fils, qu'elle avait élevé, avait pour elle une affection tout exclusive; lorsque Victor, fiancé d'Adèle Foucher, dut s'adresser à son père pour lui demander son consentement au mariage qu'il désirait, il se reprochait amèrement cette conduite: 'J'aime et je respecte la mémoire de ma mère, et je l'oublie, cette mère, en écrivant à mon père!' Mais, une fois rapproché de son père, Victor Hugo sent naître et s'accroître en lui pour le glorieux soldat une affection tendre et pieuse; son bonapartisme naissant le·rend fier de l'ancien maréchal de camp du roi Joseph, du vaillant défenseur de Thionville; et, à son tour, son admiration filiale pour l'un des collaborateurs de Napoléon en fait le chantre de plus en plus convaincu de l'épopée impériale. Les dissentiments, inévitables, entre Adèle Hugo et la seconde femme du général — dissentiments momentanés, d'ailleurs — n'enlèvent rien à la cordialité des relations entre le père et le fils; le 28 janvier 1828, quand le général meurt subitement, il avait quitté Blois, son ancienne résidence, et habitait à Paris tout près de son fils; Victor venait même de passer gaiement toute la soirée avec lui.

Cette histoire, en grande partie contée au moyen de documents nouveaux, de lettres inédites, de rectifications apportées au récit du *Victor Hugo raconté*, cette histoire ne fait pas seulement ressortir une fois de plus la noblesse de certains sentiments de Victor Hugo et son dévouement à tous les siens. Elle éclaire une portion de l'œuvre du poète, et c'est ce que montre M. Dupuy dans une seconde partie où, de l'ode *à Mon père* à la petite épopée la *Paternité*, il parcourt rapidement les poèmes que la fierté et la piété filiales ont inspirés au fils respectueux de 'Joseph-Léopold-Sigisbert Comte Hugo, lieutenant général des armées du roi, non inscrit sur l'arc de triomphe de l'Étoile'.[2]

Le troisième chapitre, sur *la Jeunesse d'Alfred de Vigny*, s'appuie aussi sur des documents inédits: on y trouve des extraits de *Mémoires* du poète et des pièces officielles empruntées à la Bibliothèque nationale, aux Archives ou au Ministère de la guerre. Grâce à ces documents et surtout grâce à une méthode critique rigoureuse, M. Dupuy nous retrace l'histoire exacte des Vigny et des Baraudin, c'est à dire des aïeux paternels et maternels du fier auteur de *l'Esprit pur;* il réduit à leur juste mesure ses prétentions nobiliaires et ses revendications de gloire guerrière; surtout, il nous montre, mieux qu'on ne l'avait encore fait, dans les regrets aristocratiques et dans

---

[1] Ces chapitres ont paru séparément dans des Revues, et on s'en aperçoit par endroits. Ainsi, en rapprochant, p. 346—347, la fin de *Cinq-Mars* du début de *Cromwell*, M. Dupuy paraît oublier qu'il a déjà fait la même remarque intéressante à la page 260.

[2] Ainsi s'exprime, on le sait, pour réparer un injuste oubli, la dédicace des *Voix intérieures.* — P. 89, n. 2, lire 'après le décès de sa première femme' — et non 'de sa seconde'; p. 114, l. 5, lire 'retenue'.

l'éducation morose de ce gentilhomme une des causes de son pessimisme. Maintenant, est-il juste d'ajouter (p. 163) que Vigny a été 'de bonne heure très sceptique en matière de religion et, jusqu'à l'heure de la mort, athée, non pas peut-être "avec délices" comme André Chénier, mais très résolument et par haine du dieu biblique, à la Voltaire, à la Byron'? Le désaccord des critiques sur les croyances religieuses ou irréligieuses de Vigny montre qu'elles ne sont pas aisées à connaître, et je n'essaierai donc pas de les déterminer en quelques lignes; mais, lorsque Vigny perd sa mère, cette mère qui autrefois l'avait conjuré de s'attacher avant tout à l'existence de Dieu et à l'immortalité de l'âme, le *Journal d'un poète* le montre bien s'inclinant devant la divinité; et si, en dehors de cette période, Vigny éprouve le plus souvent pour Dieu une sorte de haine, cette haine paraît bien s'adresser à un Dieu réel et personnellement malfaisant, non pas seulement à *l'idée* d'un Dieu.

L'amitié de Vigny et de Victor Hugo a une histoire qui est étroitement liée à l'histoire même de l'école romantique; elle a, de plus, connu des vicissitudes dont les causes appellent toute l'attention des psychologues. Elle méritait d'être étudiée avec soin et avec finesse. M. Dupuy a donc consacré à cette amitié son chapitre quatre, où sont produites pour la première fois d'intéressantes lettres des deux poètes. Comment a commencé la liaison, sans doute par l'intermédiaire d'Emile Deschamps; comment elle a été d'abord resserrée par les douleurs et les joies, et quels mutuels services les deux frères d'armes se sont rendus; comment, ensuite, le mariage de Vigny, les perfidies de Sainte-Beuve, les rivalités littéraires et les divergences politiques ont relâché des liens si doux; comment enfin l'amitié a reparu, mais pour sombrer définitivement dans la catastrophe politique qui a fait de Victor Hugo un exilé et de l'ancien légitimiste Vigny un ami modéré du gouvernement de Napoléon, on le verra dans l'étude si pleine de choses de M. Dupuy.

Mais la partie la plus importante du volume, c'est sans doute le dernier chapitre, sur les origines littéraires d'Alfred de Vigny. Sans vouloir contester — et bien s'en faut — l'originalité foncière du poète philosophe, M. Dupuy montre qu'il s'est inspiré soit pour la formation même de son instrument poétique et de sa philosophie, soit pour la composition de telle ou telle œuvre, de quelques poètes français ou étrangers qu'il connaissait bien.

André Chénier lui a été fort utile pour ses premiers poèmes, et il n'est pas besoin pour l'admettre de rejeter, comme l'a fait Sainte-Beuve, les dates assignées à ces poèmes par leur auteur.

Delille, aujourd'hui trop dédaigné, n'a pas été sans influence sur les descriptions de Vigny, pas plus que sur celles de Lamartine ou de Victor Hugo.

On savait que *la Neige* devait son sujet à *Emma et Éginhard* de Millevoye; mais Vigny s'est aussi servi des *Regrets d'une infidèle* et de *Symèthe* pour *Dolorida*, et les poèmes bibliques, comme les poèmes antiques, de Millevoye lui ont suggéré quelques beaux vers.

L'influence de Népomucène Lemercier est moins nette, et peut-être M. Dupuy ne la signale-t-il que pour avoir une occasion de noter d'intéressants emprunts faits par Victor Hugo à l'auteur, dont il a occupé le fauteuil à l'Académie, de *la Panhypocrisiade*.

Pour Klopstock, M. Dupuy n'a pas de peine à montrer que Vigny s'en est beaucoup moins inspiré qu'on ne l'a cru.

Le grand inspirateur français de Vigny, c'est, comme il est naturel, 'le grand sachem de la poésie romantique', Chateaubriand. *Les Martyrs* ont été 'pour les jeunes poètes royalistes de la Restauration une sorte de *Thesaurus poeticus* français ou, si l'on veut, une Mer des images'. Vigny y a puisé bien des vers de son *Héléna*, l'idée d'une scène de *la Canne de jonc* et jusqu'au symbole générateur de *la Maison du Berger*, comme il a pris dans *Atala* le passage d'*Éloa* où est trop élégamment décrit le colibri. C'est peut-être Chateaubriand qui a conduit Vigny à Milton et, ce faisant, il lui a rendu un éminent service, car *Éloa* doit beaucoup au *Paradis perdu*. Mais est-il vrai, comme paraît le dire M. Dupuy (p. 341) que *la Colère de Samson* doit beaucoup aussi au *Samson agonistes* et que Vigny, en écrivant le sombre poème où est dépeinte *la lutte éternelle* qui *se livre en tout temps, en tout lieu*

> Entre la bonté d'Homme et la ruse de Femme,

a eu pour objet de 'lutter d'originalité et de vigueur avec un homme de génie dans un sujet où il avait laissé des traces ineffaçables?' Les différences mêmes que, loyalement, M. Dupuy laisse voir entre les deux œuvres rendent ces assertions difficiles à accepter. Le *Samson agonistes* met en scène Samson aveugle et sa mort: le Samson de Vigny n'est aveuglé qu'aux derniers vers! — La Dalila de Milton vient longuement parler, pour l'avilir encore, à celui qu'elle a perdu: la Dalila de Vigny tremble de se sentir dans le même temple que lui et ne se rassure qu'en disant: 'Il ne me verra pas!' — Le Samson de Milton s'accuse de sa dégradation, causée par la concupiscence: le Samson de Vigny n'accuse que la femme et la nature! — Le Samson de Milton demande pardon à Dieu: le Samson de Vigny fait remonter à Dieu la responsabilité du mal:

> Quand le combat que Dieu fit pour la créature
> Et contre son semblable et contre la nature
> Force l'homme à chercher un sein où reposer!

Si Vigny a connu le poème de Milton (ce qui est possible, car il écrivait *la Colère de Samson* en Angleterre, à Shavington; mais ce qui n'est pas certain, car il a pu tirer son sujet du chapitre 16 des *Juges*), il l'a donc complètement transformé, et dans quel sens? dans un sens irréligieux et pessimiste, on vient de le voir; mais il faut ajouter: dans un sens personnel.

Peu favorable — et je l'en loue hautement — aux critiques littéraires qui se délectent au récit des scandales qu'ils trouvent dans la vie de leurs auteurs; agacé, si j'ose dire, par tant de révélations retentissantes, M. Dupuy n'a pas été fâché d'expulser de *la Colère de Samson* le souvenir de la Dalila du poète, de la comédienne Mme Dorval. Mais que de vers — et quels vers! — du poète résistent à cette violence:

> Elle rit et triomphe; en sa froideur savante
> Au milieu de ses sœurs elle attend et se vante
> De ne rien éprouver des atteintes du feu.
> A sa plus belle amie elle en a fait l'aveu:
> Elle se fait aimer sans aimer elle-même;
> Un maître lui fait peur. C'est le plaisir qu'elle aime;
> L'Homme est rude et le prend sans savoir le donner.
> Un sacrifice illustre et fait pour étonner
> Rehausse mieux que l'or, aux yeux de ses pareilles,
> La beauté qui produit tant d'étranges merveilles ...
>
> Toujours mettre sa force à garder sa colère
> Dans son cœur offensé, comme en un sanctuaire
> D'où le feu s'échappant irait tout dévorer;
> Interdire à ses yeux de voir ou de pleurer,
> C'est trop! .....

Certes, Vigny a prétendu faire de *la Colère de Samson* une peinture épique, symbolique et d'un intérêt universel. Mais cette Dalila, mystérieuse dans sa perversité, peut-elle vraiment représenter la femme? Le symbole, à force d'être excessif, ne perd-il pas toute valeur? Vigny n'est-il pas ici un esprit aigri qui cède à son amertume et généralise indûment son expérience? Le souvenir cuisant de Mme Dorval a fait pour Vigny de la Femme une Dalila en 1839; apaisé, le poète fera de la Femme une Eva en 1842, dans *la Maison du Berger*.

Si je crois devoir contester ici l'assertion, ou plutôt l'insinuation, de M. Dupuy [1], en revanche je trouve tout à fait ingénieuse et plausible son hypothèse au sujet de l'article que Victor Hugo a consacré à *Éloa* dans la Muse française de 1824 et qu'il a reproduit en 1834 dans *Littérature et philosophie mêlées*, en l'appliquant cette fois au *Paradis perdu*. Les termes de cet article caractérisent beaucoup mieux le poème anglais que l'œuvre française. '... L'échelle entière de la création parcourue depuis le degré le plus bas; une action qui commence par Jésus et qui se termine par Satan, Eve entraînée par la curiosité, la compassion et l'imprudence jusqu'à la perdition; la première femme en contact avec le premier démon', toutes ces expressions ne font-elles pas supposer que Victor Hugo avait d'abord écrit une étude à l'éloge du *Paradis perdu;* qu'il l'a détournée de sa destination en 1824 pour célébrer plus vite l'apparition d'*Éloa;* et qu'il lui a rendu en 1834 sa physionomie primitive? Qu'une pareille métamorphose en 1824 ait été à la rigueur possible, voilà qui est déjà suffisamment à l'éloge de Vigny.

Plus que Chateaubriand, plus que Milton, un poète a agi fortement sur Vigny, et non seulement sur le poète, mais sur le penseur, dont il a en partie formé le pessimisme. C'est Byron, dont M. Dupuy cite de nombreux passages en les rapprochant de passages analogues de Vigny. Seulement, le pessimisme de Vigny est plus général, plus sombre, plus désespéré que celui de Byron: 'Si le nihilisme de Vigny contient le pessimisme de Byron, il le dépasse,' dit avec raison (p. 360) M. Dupuy. A-t-il raison aussi d'ajouter ce qui suit? 'Jusqu'à quel point (il le dépasse) un trait suffit à le montrer. Childe Harold, qui ne hait point l'homme, s'extasie devant la nature. Manfred, qui a l'homme presque en horreur, se réfugie encore en elle; il repose ses yeux sur le glacier couvert de neige vierge, et le torrent, dont 'la nappe d'argent' brille au soleil 'à l'heure de midi' suffit pour lui verser l'enchantement. La nature laisse Vigny indifférent à sa beauté; il reste devant elle hostile, accusateur, autant que devant Dieu lui-même:

> Vous ne recevrez pas un mot d'amour de moi.'

La philosophie de Vigny est moins cohérente qu'on ne la fait souvent et que ne la fait ici M. Dupuy. Le poète refuse âprement son amour à la nature dans *la Maison du Berger*, mais, dans la même *Maison du Berger*, il invite Éva à se reposer avec lui dans la nature:

> La Nature t'attend dans un silence austère ....
> Le crépuscule *ami* s'endort dans la vallée ....
> Et là, parmi les fleurs, nous trouverons dans l'ombre
> Pour nos cheveux unis un lit silencieux.

On pourrait ajouter aux rapprochements que fait M. Dupuy, et il le dit lui-même. Quelques-uns de ces rapprochements pourraient aussi être contestés, et dans toute étude de sources un tel accident est inévitable. Pourquoi serait-il vrai, par exemple (p. 329), que '*la Fille de Jephté*, écrite en 1820, n'a pas d'autre origine que cette belle comparaison qui sert, dans *les Martyrs*, à exprimer l'état de la société chrétienne à la veille de la persécution: 'L'Eglise se préparait à souffrir avec simplicité: comme la fille de Jephté, elle ne demandait à son père qu'un moment pour pleurer son sacrifice sur la montagne?' Pourquoi Vigny, qui lisait assidûment la

---

[1] Précisée dans un article de la *Revue d'histoire littéraire de la France* sur *Alfred de Vigny et son temps* de M. Léon Séché (Avril-Juin 1903, p. 340 sqq.).

Bible, n'aurait-il pas pris le sujet au chapitre XI des *Juges?* — B. 320,
M. Dupuy veut que deux poèmes de Victor Hugo viennent de passages
de Népomucène Lemercier: 'Croira-t-on que Victor Hugo ait pu lire avec
indifférence le dialogue de Bourbon et de la Conscience? Croira-t-on que
son cerveau retentissant n'ait pas été comme ébranlé par cette ligne-ci?

La Conscience.

J'ai des ailes; sur toi je fonds en épervier.

'A mon avis, ce vers a pénétré dans son esprit, et il en est ressorti
sous la forme du symbole saisissant: *l'Aigle du Casque.* Ailleurs, ce sont
les vents qui s'acharnent à secouer et à détruire l'abri que les soldats ont
fait avec des drapeaux pour couvrir la tête du roi; et, la tente arrachée,
toutes les voix de l'ouragan poussent ce cri d'orgueil:

> .... les vents impétueux
> Respectent-ils des rois les fronts majestueux?
> Sur la terre et les cieux désolant leurs empires,
> Nous brisons sans égards leurs dais et leurs navires.

'Hugo a recueilli l'idée et il en a tiré, par un trait de génie, *la Rose
de l'Infante.*' Il se peut que ces lignes aient raison; mais il y a bien loin,
à vrai dire, du vers de la Conscience à cette hardie invention de l'aigle
d'airain se détachant du casque qu'il surmontait, s'élançant plein de vie et
de colère sur Tiphaine et s'envolant, terrible, après lui avoir crevé les yeux.
Quant à *la Rose de l'Infante,* quelque chose en était peut-être en
germe, dès 1830, bien avant que Victor Hugo relût, pour faire son éloge académique, Népomucène Lemercier, dans ces vers des *Feuilles d'Automne* (I):

> Je pourrai dire un jour, lorsque la nuit douteuse
> Fera parler les soirs ma vieillesse conteuse,
> Comment ce haut destin de gloire et de terreur
> Qui remuait le monde aux pas de l'Empereur,
> Dans son souffle orageux m'emportant sans défense,
> A tous les vents de l'air fit flotter mon enfance,
> Car, lorsque l'aquilon bat ses flots palpitants,
> L'Océan convulsif *tourmente en même temps*
> *Le navire à trois ponts qui tonne avec l'orage,*
> *Et la feuille échappée aux arbres du rivage!*[1]

Il est vrai que ce souvenir des *Feuilles d'Automne* a fort bien pu, dans
l'esprit de l'auteur de la *Légende,* se concilier avec celui de la *Panhypocrisiade.* Et il est vrai encore que ce sont là de menus détails qui n'im-
portent guère à la vérité générale du tableau que nous a tracé M. Dupuy.
Remercions le savant critique de son ouvrage et souhaitons l'heureux
achèvement des volumes qui doivent suivre.

Montpellier.   Eugène Rigal.

Johannes van den Driesch, Die Stellung des attributiven Adjektivs im Altfranzösischen. Straßburger Dissertation. Erlangen 1905.
124 S.

Der Verfasser hat die dankenswerte Selbstüberwindung besessen, zu
dem im ganzen erprobten und als richtig erwiesenen Satz Gröbers in sorgfältiger Arbeit die Beweistabellen zu liefern. Er untersucht einige Prosa-

---

[1] P. 364, M. Dupuy signale quelques influences moins importantes qui se sont
exercées sur Vigny: celles de Dante, de Rabelais. M. Jacques Langlais a insisté
récemment, non sans quelque exagération, sur celle de Corneille. Voir *Alfred de
Vigny critique de Corneille, d'après des documents inédits.* Clermont-Ferrand, 1905, 8º.

texte des 13. Jahrhunderts systematisch vom modern-psychologischen Standpunkte aus, indem er nicht mechanisch nur konstatiert, wann das Adjektiv vor, wann nachgestellt ist, sondern feinfühlig und verständnisvoll der jedesmaligen Bedeutung im Zusammenhang des Satzganzen gerecht zu werden sucht. Das Gelingen war der Arbeit von vornherein gesichert. Nach einem kurzen historischen Überblick über die bisherigen Arbeiten auf seinem Gebiete werden die einzelnen Adjektivgruppen betrachtet, und es ergibt sich das folgende Resultat: (S. 49—52) Das Adjektiv wird vorangestellt, sobald es sich um eine subjektive Bewertung (S. 27) resp. um den Ausdruck des Gefühlsanteils handelt, den der Sprechende an der Bewertung nimmt. Dagegen ist es nachgestellt bei Artunterscheidung oder ruhig sachlicher Erklärung, bei der die moderne Sprache den determinierenden Begriff gewohnheitsmäfsig nach dem Determinierten setzt. Dabei ist bemerkenswert, dafs (nach Rud. Wagner, S. 31) 75 Prozent aller vorgesetzten Adjektiva Artwörter sind (S. 49) und (ebd. S. 99) 85 Prozent aller nachgesetzten gelehrte Wörter (S. 26). Der Verfasser beobachtet gut ein doppeltes Stellungsprinzip (S. 65): Das gewohnheitsmäfsige, vor Zeiten bewufste und das stets erneute, momentan bewufste. Manchmal gehen beide zusammen, manchmal widerstreiten sie einander, denn die in einer sprachlichen Periode affektische Stellung wird zur gewohnheitsmäfsigen einer folgenden dadurch, dafs manche Stellungen analogisch wiederholt werden, so dafs ihre ursprüngliche Bedeutung verblafst und verloren geht. Am klarsten wird dieser Vorgang bei zusammengesetzten Wörtern, z. B. *prud-homme, Malmaison, Beaumont, minuit, longtemps* etc., deren mittlere Stadien (gewohnheitsmäfsige Vorstellung des Adjektivs) im 13. Jahrhundert van den Driesch uns vorführt.

Unter den vorangestellten Adjektiven finden wir die Bezeichnungen für Quantität (darunter auch die Kardinalzahlen) und Qualität, auch bei übertragener Bedeutung, wie *la maistre porte, la mere eglise* (S. 41) etc., alle Bezeichnungen für Grad, Vollständigkeit und ähnliches. In diese Gruppe gehören also nicht nur alle Ausdrücke für subjektive Schätzung, sondern — dies hat der Verfasser nicht genug hervorgehoben — auch alles, was eine relative Bewertung angibt: *jeune, aisné* können doch nicht gut neben *bel, bon* unter subjektive Werte eingereiht werden.

Auffallend ist nun, dafs auch die Farbadjektive vorangestellt werden, die doch nicht unter affektische oder subjektive oder relative Bewertung eingeordnet werden können, sondern — für den naiv Sprechenden — eine ganz objektive Gültigkeit haben. Verfasser erklärt die Fälle von Voranstellung damit, dafs dem Sprechenden die Farbe besonders auffalle, also doch eine affektische Redeweise vorliege. *Une blanche main*, weil das Adjektiv ein 'épithète méliorative' (Clédat) ist, *blonds cheveux*, weil blond die einzig geschätzte Haarfarbe im Mittelalter war. Also gleichsam: der Sprechende konstatiert nicht nur, dafs die Hand weifs ist, im Gegensatz zu einer roten, sondern er drückt auch aus, wie sehr ihm ihre Weifse auffiel, ins Auge fiel. Zur Erklärung der Voranstellung iu *blanc moine, noir moine* etc. zieht der Verfasser die Verwendung von *destre* und *senestre* zur Hilfe heran. Man bezeichnete die Mönche nach ihrer Kleidung; ursprünglich mufste also das Farbadjektiv als distinguierend nachstehen. Dann genügte die Farbbezeichnung allein, wie eben *destre, senestre*, und das Substantiv wurde als erläuternder (mehr oder weniger überflüssiger) Nachtrag gesetzt (S. 84). Den Verfasser selbst befriedigt diese Erklärung nicht (S. 83); die Reihe von Beispielen, die er gibt, ist auch wirklich damit nicht genügend analysiert. Vielleicht wäre er mit seiner anderen Erklärung weiter gekommen.

Die sprachliche Gewohnheit, das Farbadjektiv sowohl vor- als nachzustellen, ist der schwierigste Punkt für die ganze Untersuchung, weil die

Voranstellung eben nur dann genügend erklärt ist, wenn das Farbadjektiv
wirklich als 'auszeichnendes Attribut' aufgefaſst werden kann, was bei der
Mehrzahl der angeführten Beispiele nicht der Fall ist. Wenn Villehardouin
erzählt: *Li cuens* ... *se herberja es vermeilles tentes l'empereor Morchuflès*,
so ist doch bei *vermeilles* kein subjektiver Anteil des Sprechenden, keine
'affektische Attribuierung' denkbar. Eher könnte man sagen: *tentes l'empereor Morchuflès* ist ein begriffliches Ganzes und *vermeilles* wurde aus
stilistischen Rücksichten vorgesetzt, statt es nach *Morchuflès* folgen zu
lassen, wo es entweder ungeschickt nachhinkt oder gar zu stark in den
Vordergrund geschoben wird. Aber in dem Beispiel ... *et ot tendues ses
vermeilles tentes* ist auch diese Auslegung nicht möglich. Die Bedeutung
ist wohl die: Der Kaiser hat — wie man weiſs — purpurrote Zelte, und
die hat er aufgeschlagen. Also gerade die d e r a f f e k t i s c h e n e n t g e g e n -
g e s e t z t e Bedeutung liegt vor; das 'doppelte Stellungsprinzip' allein kann
hier Aufklärung geben. Mag *vermeilles tentes* ursprünglich ausdrücken,
daſs der Beschauer, von der Pracht der Farbe geblendet, in die Bezeichnung einen besonderen Akzent legen wollte, so ist es im Verlaufe der
Erzählung zur gewohnheitsmäſsigen Stellung vorgerückt. Vgl. im Deutschen etwa: I. Die Zelte aus (eitel) Purpur > II. die purpurnen Zelte >
III. die Purpurzelte. Auch hier ist I. malend, II. berichtend, III. re-
kapitulierend. Es wäre also zur genauen Feststellung des Sachverhaltes
noch geboten, auch bei jedem einzelnen Adjektiv innerhalb jeder einzelnen
Erzählung zu konstatieren, wie es zuerst und wie später auftritt. Der
Verfasser hat selbst manchen Anlauf dazu genommen, so bei der Erklärung von *caude pierre* (S. 58). Auch bei den vorangestellten Farbadjek-
tiven hätte er wie hier aufstellen können: es wird auf etwas schon Bekanntes zurückverwiesen; das Substantiv soll durch das Adjektiv nicht
abermals distinguiert, nur das Gefühl des Hörers für das schon Erwähnte
in Anspruch genommen werden. Bedeutsamerweise haben wir es plötzlich
nicht mit dem affektischen Anteil des R e d e n d e n, sondern des H ö r e n -
d e n zu tun. Wird nun aber das Wort vorangestellt, nur 'um auf Bekanntes zurückzuweisen', so sind wir also bei der analogischen Stellung
angelangt, und diese führt zur gewohnheitsmäſsigen. *Blanc moine* etc.
war im 13. Jahrhundert halb und halb auf dem Wege, feste Verbindung,
wie *lonc tens* und ähnliches, zu werden, ist aber nicht zu einem einheitlichen Wortgefüge vorgedrungen wie diese, weil die Notwendigkeit zu
distinguieren immer wieder zwang, das Adjektiv nachzustellen. Dadurch
muſste das Bewuſstsein der Zusammensetzung stets lebendig bleiben. Vgl.
dagegen Entwicklungen wie *rouge-gorge, Noirmoustier* u. a.

S. 14 ist irrtümlich *lettre de conduit sauf alant et sauf venant* angeführt; auch in *oyant tox, entrant august* ist das Partizip in voller verbaler
Kraft, die Einreihung dieser Beispiele also nicht gerechtfertigt. Die Einreihung von *riche* und den Adjektiven *-eus* unter die E l a t i v e ist einiger-
maſsen gewaltsam und nicht überzeugend; tatsächlich sieht sich der Verfasser genötigt, sie auſserdem noch an verschiedenen anderen Orten zu erwähnen. Bei den Adjektiven *-able* widerspricht die elementare Bedeutung des
Suffixes dieser Behandlung. Genau genommen ist eigentlich j e d e s v o r -
a n g e s t e l l t e, also affektisch gesetzte A d j e k t i v a l s E l a t i v zu. deuten.
Übrigens werden die Elative selbst ebenso gebraucht wie die anderen Adjektiva; also ist die Ausdehnung des Begriffs 'elativ' auf alle S. 118 ff.
genannten Adjektiva gar nicht notwendig. Der Verfasser hätte nur von
vornherein die für die Elative gebrauchte Unterscheidung auf alle Adjektive ausdehnen sollen: N i c h t n u r d e r E l a t i v w i r d n a c h g e s e t z t,
wenn er 'mit N a c h d r u c k' gesprochen wird (S. 114), sondern j e d e s
A d j e k t i v. Im Ganzen wird man also sagen: die N a c h s e t z u n g des
Adjektivs erfolgt, um die A r t z u b e z e i c h n e n, um zu d i s t i n g u i e r e n,
zur g e g e n s ä t z l i c h e n H e r a u s h e b u n g, zur H e r a u s h e b u n g über-

haupt. Das nachgesetzte Adjektiv ist an sich voller betont als das vorgesetzte. Die S. 26, 27 Anm. vorgebrachte Ansicht des Verfassers ist in diesem Zusammenhange wohl auch einer Modifizierung bedürftig. Er sagt da: die gefühlsmäſsige Wortstellung ist die 'unwillkürliche', daher zeigt sich in ihr das von Wundt formulierte allgemein psychologische Prinzip wirksam; die verstandesmäſsige ist die willkürliche, für sie ist die Logik bestimmend. Diese Unterscheidung scheint mir nicht zutreffend. Auch die affektische Wortstellung ist nicht ganz 'unwillkürlich'; auch die verstandesmäſsige ist nicht ganz 'willkürlich'. Seit den ältesten Zeiten sprachlicher Überlieferung gibt es — natürlich! — affektische und verstandesmäſsige Ausdrucksweise. Beide sind aus dem innersten Bedürfnis des Mitteilenden heraus entsprungen. Beide sind von alters her überliefert, also habituell. Die eine ist so willkürlich (oder so unwillkürlich) wie die andere. Auch die scharf pointierte Gegeneinanderstellung von psychologischen und logischen Prinzipien bei der Wortstellung ist nicht gerechtfertigt. Was die beiden Stellungen von Anbeginn geschieden haben muſs, ist einzig und allein das Prinzip inneren Gegensatzes. Die eine ist von vornherein — grundsätzlich — das Gegenteil der anderen. Aber man könnte nicht sagen, daſs eine bestimmte Stellung für den affektischen Ausdruck prädestiniert ist. Die historische Betrachtung lehrt das Gegenteil. Die Alten drückten sich gewiſs nicht weniger 'logisch' aus als wir, obzwar für sie der Satz vom nachgestellten distinguierenden Adjektiv nicht gilt. Es ist aber die Eigenart aller sprachlichen Entwicklung, daſs die zu einer bestimmten Periode geltenden Gesetze nicht für Zeit und Ewigkeit anwendbar sind. Die affektische Stellung sowohl als die distinguierende wird gewohnheitsmäſsig, dann wirkt keine mehr an ihrem Platze, und um eindrucksvoll zu reden, werden die Stellungen umgekehrt. Dies haben wir gerade beim Adjektiv zu beobachten die Möglichkeit. Denn im Lateinischen wurde ja das schildernde Adjektiv vor, das affektische nachgesetzt. Daraus hat sich die moderne Gepflogenheit entwickelt; es liegt nur in der Natur der Sache selbst, daſs sie sich, sobald sie vollkommen gewohnheitsmäſsig geworden ist, in ihr Gegenteil verwandeln muſs. Aber die Beobachtung groſser Zeiträume ist erforderlich, um sich davon überzeugen zu können.

Bei der Entwicklung vom Lateinischen zum Französischen hat sich der Satzrhythmus dahin geändert, daſs das nachgesetzte Wort stärker betont wird als das vorgesetzte. Dafür haben wir einen schlagenden — weil mechanischen — Beweis im Verhalten des altfranzösischen Possessivpronomens: nur bei der Nachsetzung muſs es die volle Form haben; bei der Vorsetzung schwankt es. Auch die Verschiedenheit in der Behandlung des femininen *tel* und der übrigen Adjektiva der konsonantischen Deklination spricht deutlich für die gewohnheitsmäſsige kräftige Heraushebung des nachgesetzten Wortes.

Van den Driesch stellt uns einen zweiten Teil seiner Untersuchung in Aussicht, der die Übersetzungen des 13. Jahrhunderts in ihrem Verhältnis zur Originalprosa behandeln soll. Wünschenswert wäre es, wenn er die bisher nur beschreibende Arbeit mit einem dritten Teil krönte, der uns einen historischen Überblick der verschiedenen Entwicklungsstadien gäbe.

Wien. Elise Richter.

Alexis François, La Grammaire du Purisme et L'Académie Française au XVIIIᵉ siècle. Paris 1905. XV, 279 S. 8.

Die fleiſsige, kritische Zusammenstellung, die das vorliegende Werkchen bietet, ist ein vorläufiges Programm über eine methodische Untersuchung aller im Laufe ihres Bestehens von der Académie française ver-

falsten Kommentare. Eine solche, wenn auch nur vorläufig abschliefsende
Arbeit ist gerade jetzt mit Freude zu begrüfsen; denn es ist an der Zeit,
vom Stande der heutigen grammatischen Forschung aus, zumal bei der
lebhaften Agitation von Neuerern mannigfacher Art, die selbst die Regierenden zu Konzessionen veranlafst haben, zu untersuchen, welchen Einflufs denn die höchste Behörde des guten Geschmacks und der korrekten
Sprache auf die Bildung und Gestaltung des Französischen wirklich ausgeübt hat. Die nach Vorrede S. IX zunächst durch Brunot, *Histoire de
la langue française* angeregte Arbeit des Verfassers kann ein wesentlicher
Beitrag zur Geschichte der französischen Sprache werden. Verniers Buch
Voltaire grammairien, das manchem Forscher zunächst die Wege gewiesen,
fängt an zu veralten, und das von Brunot in seinen Hauptzügen ent-
worfene und allgemein begrenzte Gebiet verlangt nunmehr vertiefte Erforschung im einzelnen: Feststellung, im Rahmen der Entwickelung, der
Ansichten, Systeme, positiven Verdienste der einzelnen Grammatiker und
Kommentatoren, und daraus die intimere Erkenntnis des Entwickelungs-
ganges der Sprache. Hier lassen sich bald zwei Richtungen unterscheiden.
Nämlich gegenüber den Bestrebungen der Neuerer, die teils von ihrem
eigenen Sprachgefühl und ihrer eigenen Geschmacksrichtung, teils durch
geschichtliche Studien und daraus gewonnene Gesichtspunkte geleitet werden, hat die Académie stets die höhere Warte inne; sie hat die Wahrung
der Imponderabilien der Nation stets im Auge, hat auch in der Sprache
als letzte und höchste Instanz stets zum Gesetz zu machen oder gelten
zu lassen, was dem geläuterten Geschmack und dem Schönheitsideal ihres
(bestimmten) Zeitalters entspricht; sie bleibt dabei als Hüterin der überlieferten Güter des sprachlichen Besitzes wesentlich konservativ, den
Neuerern gegenüber sogar reaktionär. Im ganzen betrachtet ergeben sich
demnach zwei Hauptrichtungen, eine vornehmlich konservierende und eine
emanzipierende; wenn wir auch Vertretern beider Richtungen in einer
Person begegnen, läfst sich doch jede einzeln für sich in gesonderter Betrachtung verfolgen. Während F. Gobin, *Les transformations de la langue
française pendant la deuxième moitié du dix-huitième siècle* (Paris, Belin,
1903. 8) den Gang der emanzipierenden genauer bespricht, hat A. François die Untersuchung der konservierenden zu seiner Aufgabe gemacht;
doch ist zur Gewinnung eines objektiven Gesamteindrucks das Studium
beider Richtungen für den Leser unerläfslich.
     In der Einleitung (S. 1—30) entwickelt der Verfasser die Stellung
der Académie am Anfang des 18. Jahrhunderts. In zwei Abschnitten betrachtet er ihr wachsendes Ansehen und ihre Wirksamkeit, ihre Stärke
und ihre Schwäche. Erstere wird wesentlich gehoben durch das könig-
liche Patronat, das nach und nach alle bedeutenden Schriftsteller zu Akademikern macht. Durch sie gewinnt die Académie an Ansehen, durch
Anerkennung schon vom urteilsfähigen Bürgertum geschätzter Gelehrten
und Dichter ehrt sie sich selbst und gewinnt mehr und mehr die Macht
des mafsgebenden Urteils über bedeutende Männer und ihre Werke: es
wird der Ehrgeiz der Besten, dieser Körperschaft anzugehören. Sie beginnt auch schon mit der statutenmäfsigen Erfüllung ihrer Aufgaben:
1694 erscheint die erste Ausgabe des *Dictionnaire*. Aber die Schwäche
der Académie, die durch ihre Machtstellung als höchster Gerichtshof der
Grammatik anerkannt wird, tritt zutage, sobald sie an die anderen, namentlich die in den Artikeln 24—26 ihrer Verfassung gestellten Aufgaben geht.
Zunächst ist die Gesellschaft der Akademiker zu buntscheckig; sie enthält zu verschiedene Elemente, die, gerade wenn sie sich zu Persönlichkeiten entwickelt haben, in wichtigen Konferenzen über grammatische
Kleinigkeiten zu Gericht sitzen sollen. Es bleibt fraglich, ob die Idee,
aus diesem Zusammenwirken die Grundlagen zu einer französischen Grammatik zu gewinnen, überhaupt ausführbar werden wird. Personen frei-

lich, deren mitwirkende Teilnahme durch berufliche Vorbildung nicht getrübt ist, gibt es genug: in der Tat sind von den vierzig Unsterblichen im 18. Jahrhundert nur zwei Grammatiker von Fach, Beauzée und Girard. Aber dieser Umstand konnte gerade nur dem Bestreben förderlich sein, die Atmosphäre der Schulstube aus den Verhandlungen fernzuhalten, die für den Gedankenausdruck einer ganzen Nation maſsgebend werden sollten. Dennoch wird trotz der Statuten mit dem wachsenden Einfluſs der Académie die Zunahme ehrgeiziger Sonderinteressen den eigentlichen Aufgaben der Gesellschaft hinderlich sein; denn Prinzen von Geblüt und hoher Adel, Würdenträger der Kirche und des Heeres, Minister und erste Staatsbeamte mit ihren Kreaturen, Prinzenerzieher, Pädagogen, Gelehrte, die sich schon in der Académie des Inscriptions hervorgetan haben, Übersetzer, endlich auch einige Dichter und Denker, wennschon recht bedeutende, sollen mit Grammatikern von Beruf ihre Meinungen austauschen. Die Unmöglichkeit des Zusammenarbeitens wird die gehoffte Grammatik nebst ihren Beiwerken, Rhetorik und Poetik, unmöglich machen, die Tätigkeit der Académie weniger produktiv als substantiv sein; sie wird keine Werkstätte grammatischer Arbeit: die überläſst sie den Philologen; aber sie wird ein Observatorium mit ziemlich weitem Gesichtskreis in dem Bereich der Sprache und der Nation. Dadurch wird sie produktiv nur zu Observationen und Kommentaren gelangen; konstitutiv wird ihr aktueller Einfluſs Gutes genug stiften können, zumal bei ihrer äuſserlich zunehmenden Machtfülle.

Hier beginnt nun die eigentliche Arbeit von Alexis François. Ist auch das vorliegende Buch nur erst das Programm, so läſst sich nach den Prämissen der bisherigen Entwickelung doch bestimmen, worauf nunmehr im Verlauf des 18. Jahrhunderts die Académie ihr Augenmerk richten kann, was sie gewollt und was sie getan hat; der nächste Band wird die Beläge aus der riesigen grammatischen Literatur vorlegen.

Die Aufgabe der Académie bleibt also subjektiv und objektiv zu erörtern; subjektiv sind Inhalt und Umfang der puristischen Aufgabe zu geben, wie die Académie sie jetzt auffaſst; objektiv die in den entwickelten Absichten produzierten Schriften. Dazu kommen hier schon in vier Appendices grundlegende Dokumente und Proben.

Der erste Teil (S. 31—168) handelt in vier Kapiteln von der Aufgabe, den Zielen, dem Geiste des puristischen Programms. Kapitel I: Es fragt sich zunächst, ob die Académie Bemerkungen über gute Schriftsteller oder einen grammatischen Traktat schreiben soll. Dazu folgen die Vorschläge von Saint-Pierre, Valincour, Genest, Fénelon, die Opuscula von Dangeau. Daran schlieſsen sich die ersten grammatischen Kommentare klassischer Schriftsteller: Bemerkungen zum *Q. Curtius* von Vaugelas und zur *Athalie* von Racine. Zuletzt wird die Einwirkung auſserhalb der Académie besprochen.

Kapitel II—III sprechen, in Ausführung des Programms, von den verfolgten Zielen 1) hinsichtlich der Grammatik, 2) hinsichtlich der Kommentare. — 1) Kapitel II: Der akademische Versuch einer Grammatik, vom Jahre 1740; allgemeine und besondere Leitsätze; Schwierigkeiten bei ihrer Anwendung; Einfluſs der lateinischen Grammatik; Ausartungen und Erfolge der Neuerer; die grammatische Überlieferung; Zusammenstellung von Regeln; konstitutive und präservative Kritik; endlich das Schicksal der besonderen Leitsätze: die Grammatik in den Wörterbüchern (S. 63—92). 2) Kapitel III: Daſs man die Sprache aus guten Schriftstellern lernt; Unternehmung von Kommentaren zu Klassikern; d'Olivet, seine Freunde und seine Feinde; Voltaire als Kommentator Corneilles, sein Verhältnis zu früheren und späteren Kommentatoren; die Kommentare der Académie; Gesamtresultate für das 18. Jahrhundert (S. 92—127).

Kapitel IV macht uns mit dem Geiste des puristischen Programms bekannt und handelt von den Wandlungen im Begriff des 'Gebräuchlichen'. Es spricht von den konservativen und den rationalistischen Neigungen in der Grammatik des 18. Jahrhunderts, von der Entstellung d. h. Umbildung von Vaugelas' Auffassung der Sprachentwickelung in ihr Gegenteil; vom Gebrauch der gesprochenen Sprache: in der Stadt und in der bürgerlichen Gesellschaft; vom Gebrauch der geschriebenen Sprache: bei den Klassikern der Zeit Ludwigs XIV.; ferner behandelt es die Kritik des Sprachgebrauchs bei guten Schriftstellern: Archaismen, Nachlässigkeiten, Kühnheiten; endlich den grammatischen Gebrauch: das Beibehalten infolge von Überlieferung, Entscheidung nach logischen Gründen; die Analogie.

Der zweite Teil, Kapitel V—VI (S. 168—239), beschäftigt sich mit den Schriften, und zwar 1) mit den Schriftstellern, die kommentiert werden; 2) mit der Abfassung der Kommentare. — 1) Kapitel V: Wer soll kommentiert werden? Wollen wir Originale oder Übersetzungen (von Musterschriftstellern)? Die französischen Klassiker des 17. Jahrhunderts; Wahl der Kommentatoren: Dichter; edlere Stoffe; dramatische Stoffe; Übersicht der grofsen Dichter von Malherbe bis Racine; die Klassiker des 18. Jahrhunderts. 2) Kapitel VI: Neudrucke französischer Klassiker im 18. Jahrhundert; historische und kritische Kommentare; die Beurteilung des *Cid* durch die Académie; Grammatik, Poetik, Rhetorik; literarische und grammatische Kritik. — Schlufsbetrachtung.

In den Appendices (S. 239—276) wird wichtiges Beiwerk übersichtlich angeführt: 1) Die grammatische Korrespondenz der Académie im 18. Jahrhundert; 2) Grammatische Werke, die der Académie im 18. Jahrhundert gewidmet oder vorgelegt werden; 3) Bibliographische Notizen über grammatische Kommentare von Klassikern, die im 18. Jahrhundert verfafst wurden; endlich 4) Specimina akademischer Kommentare.

Der Fortsetzung der fleifsigen und sorgfältigen Arbeit darf man mit guten Erwartungen entgegensehen.

Charlottenburg.   George Carel.

Abel Lefranc, La langue et la littérature françaises au Collège de France. Leçon d'ouverture de la chaire de Langue et Littérature françaises modernes prononcée au Collège de France le 7 décembre 1904 (Éditions de la Revue politique et littéraire, Paris 1905).

Kurze Zeit nach dem Hingang von G. Paris ist auch die Professur für neuere französische Literaturgeschichte am Collège de France durch den Tod Deschanels erledigt worden. Sein Nachfolger ist Abel Lefranc, bisher Secrétaire am Collège de France, geworden, der sich durch seine zahlreichen und mannigfaltigen Untersuchungen zur Geschichte des Mittelalters wie zur Geschichte und Literatur von Reformation und Renaissance in Frankreich einen Namen gemacht hat, zunächst durch die beiden im Jahre 1888 erschienenen Schriften über die Jugend Calvins und über die Geschichte der Stadt Noyon im Mittelalter, dann durch seine Geschichte des Collège de France (1893), schliefslich durch seine Ausgabe der 'Dernières Poésies' der Margarete von Navarra (1896) und die sich daran anschliefsenden Studien über Margarete, Rabelais und die Renaissanceliteratur. Der neue Vertreter der neufranzösischen Literatur am Collège de France wurzelt demnach — wenn wir von gelegentlichen Beiträgen zu A. Chenier und ähnlichem absehen — im 16. Jahrhundert (und weiter zurück im Mittelalter), aber hier bewegt er sich auch mit einer Vielseitigkeit, als Historiker wie als Literarhistoriker und Herausgeber, welche ihm ein allseitiges Erfassen der beiden grofsen geistigen Bewegungen, der Renaissance und der Reformation, ermöglicht und welche, auf die folgenden Jahrhunderte angewendet, zu den wichtigsten und fruchtbarsten Ergebnissen führen

mufs. Wenn der Verfasser in seiner hier vorliegenden Antrittsrede die
französische Sprache und Literatur am Collège de France behandelt, so
gibt er uns damit nicht nur die Geschichte seines eigenen Lehrstuhls,
sondern er knüpft zugleich an seine Geschichte des 'Collège' an, die er
bisher nur bis zum Ende des ersten Kaiserreichs geführt hat: es ist so-
zusagen ein Ausschnitt aus der bis auf unsere Zeit fortgeführten Geschichte
dieses Collège.

Verfasser gliedert seine Rede in drei Teile. Im ersten schildert er in
grofsen Zügen die Entstehung des Collège de France, bei welcher von
einem französischen Lehrstuhl noch keine Rede ist, den Kampf der französischen Sprache gegen das Latein, die Verdienste gerade der Lehrer des
Collège um die Anerkennung des Französischen, die Rolle der Grammatiker, der Académie, der Salons und vor allem der grofsen Schriftsteller
in der Ausbildung und Durchbildung der französischen Sprache. Auf
wenigen Seiten hat hier der Verfasser einen wichtigen historischen Ent-
wickelungsprozefs unter Hervorhebung der dabei wirkenden Faktoren klar
und anschaulich zur Vorstellung gebracht.

Dieser allgemeine Teil bildet somit den passenden Hintergrund für
den zweiten, speziellen Teil, die Geschichte des Lehrstuhls für französische
Sprache und Literatur am Collège de France. Im Jahre 1773 wurde
dieser Lehrstuhl begründet, zu dem doppelten Zweck, die in Paris weilenden Ausländer mit den hervorragenden Schriftstellern Frankreichs bekannt
zu machen und den Franzosen selbst bei der Ausbildung ihres Stils be-
hilflich zu sein. Genau genommen handelt es sich freilich nicht so sehr
um eine Neugründung im eigentlichen Sinne des Wortes, sondern um eine
Umwandlung der bisher von Batteux innegehabten Professur für griechische und lateinische Philosophie in eine solche für französische Sprache
und Literatur. Die verschiedenen Inhaber des Lehrstuhls werden nach
Charakter und Wirksamkeit geschildert: als erster Abbé Aubert (1773
bis 1784), welcher seine Antrittsrede *'sur les progrès de la langue et de la
littérature française et sur la nécessité d'en étudier le génie et le caractère'*
dem bisherigen Usus zum Trotz auf Französisch hält und so auch in
dieser Hinsicht erwähnenswert ist; nach ihm Abbé de Cournand (1784
bis 1814) und Andrieux (1814—1833), dieser als Dichter bedeutender denn
seine beiden Vorgänger, als Mensch eine sehr sympathische Erscheinung,
als Lehrer aufserordentlich erfolgreich. Mit J. J. Ampère (1833—1864)
besteigt zum erstenmal ein methodisch geschulter Kritiker und Gelehrter
den neuen Lehrstuhl, bekannt vor allem durch seine *Histoire littéraire de
la France avant le XIIe siècle.* So hat er gerade dazu beigetragen, die
Wichtigkeit der mittelalterlichen Studien zu betonen, für welche 1853 ein
besonderer Lehrstuhl begründet wurde, den zuerst Paulin Paris und nach
ihm Gaston Paris innegehabt hat. Auf Loménie (1864—1878) und den
nur kurze Zeit (1878—1880) am 'Collège' lehrenden, aber durch seine Geschichte der neueren französischen Literatur wohlbekannten Paul Albert
folgt Emile Deschanel (1881—1904), welchem der Verfasser als seinem
Lehrer und unmittelbaren Vorgänger den gröfsten Teil des dritten Ab-
schnitts widmet: eine substantielle, von persönlicher Wärme getragene
Schilderung des vielseitigen Schriftstellers, Conférenciers und Lehrers, der
auch als Charakter gebührende Anerkennung fordert.

Gilt so der Inhalt von Lefrancs Rede im wesentlichen den Dingen
und Personen der Vergangenheit, so nimmt der Verfasser am Schlufs des
Ganzen die Gelegenheit wahr, uns auch einen Blick in die Zukunft, in
seine eigenen Pläne und Vorsätze tun zu lassen. Er will die neuere französische Literatur nach derselben Methode behandeln, wie es für die übrigen Gebiete der Literaturgeschichte schon längst üblich ist, nach den
Prinzipien der historischen und vergleichenden Methode, unter stetem
Zurückgehen auf die Quellen, aber ohne auf den ästhetischen Genufs der

Dichtwerke selbst zu verzichten. In alledem kann man ihm nur zustimmen, sind es doch Grundsätze, welche gerade den deutschen Literarhistorikern in erster Linie mafsgebend sind. Möge es Lefranc vergönnt sein, sein Vorhaben zu gutem Ende zu führen und die Früchte seiner Bemühungen selbst reifen zu sehen! Man wird dann mit dem Beginn seiner Lehrtätigkeit eine neue Ära in der Geschichte seines Lehrstuhls ansetzen dürfen.

Tübingen.   Carl Voretzsch.

Ph. Plattner und J. Kühne, Unterrichtswerk der französischen Sprache. Nach der analytischen Methode mit Benutzung der natürlichen Anschauung im Anschlufs an die neuen Lehrpläne. I. Teil: Grammatik. Karlsruhe, J. Bielefelds Verlag, 1904. 152 S. M. 1.50.

Dieses Werk, eine gekürzte Bearbeitung des französischen Unterrichtswerkes von Plattner und Heaumier, ist für solche Schulen bestimmt, die das Französische als erste oder einzige Fremdsprache lehren. In dem uns vorliegenden ersten Teil, der aufser einer vollständigen elementaren Laut- und Formenlehre eine knappe Satzlehre enthält, deren Beispiele aus Teil II, einem Lese- und Übungsbuch für die zwei bis drei ersten Unterrichtsjahre entnommen sind, ist eine bewundernswerte Fülle praktischer Erfahrung niedergelegt. An Übersichtlichkeit der Anordnung, an bequemer Einrichtung für den Schüler, auch den minder begabten, dürfte es schwerlich zu übertreffen sein. Im folgenden seien einige Berichtigungen nebst einigen unmafsgeblichen Besserungsvorschlägen dargeboten.

S. 3 ist *sied* in eine falsche Zeile geraten; bei *ieu* wäre offenes und geschlossenes *eu* (*sieur* und *monsieur*) zu trennen. S. 4 ist nicht zwischen den beiden x (fixer, exercice) unterschieden. Bei der Bindung wäre genauer zwischen notwendiger und möglicher zu scheiden. Die orthographische Anomalie in *accueil, orgueil* erscheint uns einfacher durch Umstellung des den ö-Laut ausdrückenden *eu* zu *ue* zu erklären. Der Schüler findet sehr leicht den Grund dafür und ist nicht auf mechanisches Behalten der ziemlich komplizierten Regel (S. 10, n. 23) angewiesen. Mit *œil* verhält es sich eben anders; es ist das einzige Wort, in welchem der Laut ö durch œ ausgedrückt wird. S. 13 wäre zu la Bible noch le Nouveau Testament (S. 24 erwähnt) zu stellen. S. 15 Z. 15 l. compagné. Der Regeln über die Bestimmung des Geschlechts nach der Bedeutung sind bei dem geringen Beispielvorrat zu viele. S. 19 sind ami, favori, roi unter die Wörter geraten, deren Geschlecht nach der Endung bestimmt wird. Gewifs nicht empfehlenswert! Könnte man dem Schüler hinsichtlich des Zusammenhanges zwischen Geschlecht und Bildungssilbe nicht von vornherein etwas mehr zumuten und mit den sogenannten Ausnahmen auf age aufräumen? Das ist doch viel leichter zu fassen als der Begriff (gibt es in der ganzen Grammatik einen untauglicheren?) der Abstracta (= gedachte Dinge) auf *eur*. S. 23 wäre zu: Cette maladie est bénigne die deutsche Bedeutung 'gutartig' zu setzen; grec, grecque sind versehentlich in den Abschnitt geraten, der von lautlichen Veränderungen der Vokale handelt. S. 27 wäre bei joli, joliment auf S. 7, 9 zurückzuverweisen. S. 28 dürfte die Unterscheidung zwischen 'Ma tante seule est à la maison' und 'Ma tante seulement est à la maison' doch verfrüht dargeboten sein. S. 29. Die Stellung des *que* von *ne .. que* müfste durch mehrere Beispiele veranschaulicht werden. Dem schülerhaften Mifsbrauch des Terminus "beziehen" leistet die Anmerkung zu ne .. que reichlichen Vorschub. S. 42 dürfte die gleiche Verdeutschung von démonstratif und déterminatif leicht das Verständnis beeinträchtigen. S. 44, 2 l. il; S. 49 würde 'ayant donné' praktischer und sachlich richtiger als 'zusammengesetzt' (nach Analogie der zusammengesetzten Zeiten) zu benennen sein. S. 69, 2 v. u. l. serai;

S. 70: Wenn auf S. 46 von 'verbes passifs' gesprochen wird, so ist es nicht konsequent, den Terminus 'voix passive' einzuführen. Dieser Terminus fehlt auch S. 47 bei der Aufzählung dessen, was in der Konjugation zu unterscheiden ist. Sehr nützlich und ganz im Sinne dieses Buches würde es sein, beim Infinitiv gleich seine Verbindung mit *de* und *de ne pas* einüben zu lassen, also ins Paradigma zu setzen. S. 89 fehlt s bei *tu acquisses*; S. 107 bei *gésir* Erinnerung an die Aussprache-Anomalien; auch sonst dürften sich einige Aussprachehilfen empfehlen (les Vosges, yacht); S. 112 I. bei *naître* im P. dét. *it* statt *ît;* S. 113 Z. 4 v. u. *être;* S. 114 fehlt *u* in *acquerrai;* S. 133 m. l. *volontaire,* Z. 2 v. u. *serrèrent;* Anm. 1 veuille; S. 137: die zutreffendste Übersetzung für *c'est que* dürfte hier wie oft 'ja' sein: wir sind ja mitten im Sommer. S. 138: zu dem Beispiel für *non que* pafst die Übersetzung 'nicht als ob' nicht. S. 142: Die Regeln über das Part. passé gehen zu sehr ins Einzelne. Welcher Lehrer ist nicht froh, den Schülern die drei Hauptregeln sicher eingeübt zu haben! S. 149 findet sich zu dem Mustersatz: Le capitaine a-t-il accepté le jeune Français? die seltsame Regel: Das Subjekt wird durch ein Pronomen wiederholt, wenn nach dem Verbum ein régime steht. Also darf der Schüler schreiben: a accepté le capitaine? oder: a le capitaine accepté? Oder was soll die Regel besagen?

Kiel.   F. Kalepky.

J. Pünjer und H. Heine, Lehr- und Lernbuch der französischen Sprache für Handelsschulen. (Unter Mitwirkung von Hippolyte Treillard, Professor, Hamburg.) Grofse Ausgabe (Ausgabe A). II. Aufl. Hannover u. Berlin, Carl Meyer (Gustav Prior), 1904. 340 S.

Der grofse Aufschwung des kaufmännischen Unterrichtswesens in Deutschland hat in den letzten Jahren eine fieberhafte Produktion von Lehrbüchern aller Art hervorgerufen. Immer neue Grammatiken, für die Spezialbedürfnisse kaufmännischer Anstalten zurechtgeschnitten, erscheinen auf dem Plan. Manche von ihnen haben den Fehler, dafs sie zu viel auf einmal geben wollen. Auch bei dem vorliegenden Buche ist dies der Fall. Das Bestreben, nicht nur grammatische Unterweisung zu geben, sondern auch, neben der Fertigkeit im mündlichen Ausdruck, dem Schüler die Kunst beizubringen, einen guten kaufmännischen Brief zu schreiben und ihn auch gleichzeitig in den kaufmännischen Betrieb einzuführen, hat die Autoren auf Gebiete geführt, die ihnen offenbar fernlagen. Sie mufsten sich auf fremde Autorität verlassen, und dies geschah nicht immer mit Glück. Wie oft möchte man den Verfassern mit Molière zurufen: *Vous vous êtes réglés sur de méchants modèles.*

Von den zahlreichen Beispielen unrichtiger, ungeschickter oder veralteter Ausdrucksweise seien hier nur einige angeführt. Welcher Kaufmann schreibt heute — im Zeitalter des Telephons und der Schreibmaschine — noch solche Schlufskomplimente wie das folgende: *Nous sommes avec considération, Monsieur, vos très humbles et très obéissants serviteurs* (S. 197). Das klingt ja ganz rokoko, für unsere Zeit jedoch ist es ein wenig 'rigolo'. Ebensowenig kaufmännisch ist die Schlufsformel S. 200: *Croyez, cher monsieur, aux sentiments bien affectueux de votre très dévoué.* Auf S. 25 findet sich der Ausdruck: *J'ai acheté à votre ordre.* Es mufs natürlich heifsen: *J'ai acheté, conformément à votre ordre* oder *en conformité de votre ordre.* Den Schüler irreführend ist es, wenn die Verfasser den Direktor einer Aktiengesellschaft (französisch übrigens *société anonyme* und nicht *société d'actionnaires*) folgendermafsen unterzeichnen lassen: *Friedr. Falke, p. p. Société d'actionnaires 'Photographie d'amateurs'.* — Die Abkürzung für per procura ist französisch *pp″* oder *pp″″;* der Name des Prokuristen steht nicht über, sondern unter dem Namen der Firma,

für die er zeichnet. Ein Direktor zeichnet nicht p. p., sondern: *Le Direc-
teur-gérant* oder in einer anderen seine Eigenschaft als Direktor kenn-
zeichnenden Form.

Daſs den Verfassern die wichtigsten Dinge des kaufmännischen Lebens
vollkommen fremd sind, davon wären noch manche Beispiele anzuführen.
So finden sich (S. 123) auf die Frage: *Que trouvons nous dans une lettre
de change?* folgende — recht sonderbare — Antworten:
  2⁰. *La date de l'envoi de la lettre.* (Es muſs natürlich heiſsen: *La
date de l'émission.*)
  5⁰. *Le nom de celui qui doit recevoir l'argent. On l'appelle l'accepteur.*
(Es muſs selbstverständlich heiſsen: *le preneur,* oder *le bénéficiaire.*)
  8⁰. *Les mots 'Première de change', sans lesquels la lettre de change
n'a pas de valeur.* (Das deutsche Wechselgesetz verlangt nur das
Wort Wechsel, das französische schreibt überhaupt keine derartige Bezeichnung vor. *Première de change* ist überhaupt nur unentbehrlich,
wenn der Wechsel in mehreren Exemplaren ausgestellt ist.)

Von falschen Übersetzungen seien nur einige hervorgehoben. S. 325,
Vocabulaire zu Lekt. 31: *l'effet* 'Wirkung, Staatspapier' (anstatt 'Wechsel');
S. 340, Vocabulaire zu Lekt. 40: *Le fonds de commerce* 'Gesellschaftsein-
lage' (anstatt 'Geschäft'); S. 320: *le bénéfice* 'Gewinn des Schlauen' (anstatt 'Gewinn des Kaufmanns'); S. 324: *un endossé* 'ein Indossator' (anstatt 'Indossat' oder 'Indossatar'); S. 306, Vocabulaire zu Lekt. 25: *re-
passer* 'glätten' (anstatt 'bügeln' oder 'plätten'). Auch in der nichttech-
nischen Terminologie finden sich Fehler, z. B. S. 335 zu Lekt. 30: *le
suspect* 'Verdacht' (anstatt 'das Verdächtige' — *rien de suspect* heiſst es
im Text).

Der Lehrstoff, der über drei Jahreskurse verteilt ist, ist übrigens
schön angeordnet, sowohl was die Fragen und Antworten als auch was
die Erzählungen und Briefe betrifft, die mehr oder weniger alle der grammatischen Unterweisung dienstbar gemacht sind. Die als zweiter Teil
folgende systematische Grammatik ist recht sorgfältig gearbeitet. Sie gibt
in engem Rahmen das Wesentliche, was der Schüler wissen muſs. Einzelnes
würde in anderer Anordnung anschaulicher sein. So wäre z. B. bei den
Verben mit être anstatt der alphabetischen Reihenfolge eine logische Gruppierung eher am Platze — etwa in folgender Weise: *entrer* und *sortir,
arriver* und *partir, naître* und *mourir* usw. Die unter der Überschrift *Exercices de lecture* zu Anfang gegebene Darstellung der Lautwerte
ist etwas dürftig ausgefallen. So ist u. a. der Laut *a* recht stiefmütterlich
behandelt; *gras* und *parlâmes* werden z. B. unter der Bezeichnung *long
ou demi-long* zusammengekoppelt.

Frankfurt a. M.   Gustav Weinberg.

Dr. W. Ricken, Direktor der Oberrealschule zu Hagen i. W., **Einige
Perlen französischer Poesie von Corneille bis Coppée.** Mit
einigen Zusätzen für Unterrichtszwecke herausgegeben. Beilage zu
dem Programm der Oberrealschule zu Hagen i. W. Hagen i. W., 1905.

Das Heftchen, das sechsunddreiſsig französische Dichtungen und im
Anhange sechs Übersetzungen aus dem Deutschen enthält, ist für junge
Leute von 15 bis 20 Jahren bestimmt und für Erziehungsanstalten, welche
dem französischen Unterricht nur wenig Zeit widmen können. Wie auch
sonst aus der Vorrede hervorgeht, hat Herausgeber besonders Lehrer-
seminare im Auge. Das 17. Jahrhundert ist mit dem Monolog Rodrigues
aus dem 'Cid', den Chören aus 'Athalie' (I, 4 und II, 9) und sechs Fabeln
Lafontaines vertreten, das 18. Jahrhundert mit je einer Dichtung von
Florian, Andrieux, A. de Chénier und der 'Marseillaise'. Von den Dichtern des 19. Jahrhunderts sind neben Béranger die Romantiker, insbeson-

dere V. Hugo berücksichtigt, dazu kommt 'Le Vase Brisé' von Sully-
Prudhomme und drei Stücke von Coppée.

Der Anhang enthält einige allgemeine metrische Bemerkungen in
deutscher und französischer Sprache, dazu einen Überblick über die Geschichte der französischen Literatur, der auf zweieinhalb Seiten natürlich
nur eine kurze Aufzählung geben kann.

Berlin.   Theodor Engwer.

L. Herrig et **G. F. Burguy**, La France littéraire, remaniée par
F. Tendering, Directeur du 'Realgymnasium des Johanneums', Ham-
bourg. 47ᵉ Édition. Brunswick, George Westermann, Libraire-Éditeur,
1903. VIII, 708 p. Commentaire 122 p.

Die nach literarischen Grundsätzen abgefafsten fremdsprachlichen
Lesebücher (Chrestomathien), deren bekannteste Typen das oben genannte
Buch in seiner früheren Gestalt und Ploetz *Manuel* waren, sind im Laufe
der Reformbewegung fast vollständig aus dem Unterricht verschwunden.
Nachdem das Lehrbuch der unteren Stufe, das den ersten Wortschatz wie
die Elementargrammatik an methodisch geordnetem Anschauungsmaterial
zu übermitteln diente, erledigt war, ging man von der Mittelstufe an zu
der zusammenhängenden Lektüre über und wählte, auch hier vom Leichten
zum Schwierigeren emporsteigend, Werke oder Sammlungen von gleich-
artigen kleineren Werken, die die Klasse während eines Semesters oder
gar länger beschäftigten, ihr das Gefühl eines organischen Ganzen, damit
zugleich einen Einblick in die Eigenart einer literarischen Persönlichkeit,
vielleicht einer Epoche geben konnten.

Die zahlreichen, nach Meinung vieler zu zahlreich erscheinenden
Schulausgaben hatten wenigstens das Gute, dafs sie dem Lehrer eine weite
Wahl liefsen und aus einer lebenden Literatur, die sich durch täglichen
Zuwachs stetig bereichert, neben vielem Minderwertigen auch manches
wertvolle Erzeugnis, manchen bedeutenden Schriftsteller der Schule zugänglich gemacht haben. An Stoff fehlt es sicherlich nicht mehr, aber
bieten die Schulpläne genügend Zeit, um auch bei sorgsamer Auswahl
der zu lesenden Werke die Forderung der *Lehraufgaben* von 1901 voll zu
erfüllen, wenn man nur ganze Werke oder gröfsere Abschnitte von solchen
lesen will? Für das Gymnasium ist in bezug auf die Lektüre das Lehr-
ziel: 'Verständnis der bedeutendsten französischen Schriftwerke der letzten
drei Jahrhunderte', was doch wohl nicht blofs eine Vorbereitung in sprachlicher Hinsicht bedeutet, sondern verlangt, dafs der Schüler an dem von
ihm Gelesenen die Eigenart des Schriftstellers und seine Bedeutung für
die Literatur wenigstens in den Hauptzügen erkennen lerne, dafs ihm der
Blick für die Zusammenhänge der Einzelerscheinungen wenigstens geöffnet
werde. Für die Realanstalten kommt ausdrücklich hinzu 'einige Kenntnis
der wichtigsten Abschnitte der Literatur- und Kulturgeschichte des französischen Volkes' (*Lehrplan und Lehraufgaben* von 1901, S. 34, 36, 37).
Dafs Zweifel über die Erfüllbarkeit der Forderungen aufgetaucht sind,
beweist das Erscheinen jetzt schon zahlreicher neuer Lesebücher, die, wie
Rofsmanns *Französisches Lese- und Realienbuch* (1903), Klincksiecks
Französisches Lesebuch (1903), Fuchs' *Anthologie des Prosateurs Français*
(1904), bestimmt sind, nach bestimmten Richtungen hin die Lektüre
von ganzen Werken zu ergänzen, neben ihr, ergänzend und verbindend,
herzugehen. Ein klares Programm hierfür ist auf Anregung des Breslauer
Philologentages (s. *Die Neueren Sprachen*, Bd. XII, H. 1, April 1904) aufgestellt worden. Das von der Kommission ins Auge gefafste Lesebuch
soll Lücken ausfüllen, die trotz sorgfältiger Auswahl der Semesterlektüre
und weiser Einteilung der Zeit bestehen bleiben, Proben von solchen
Schriftstellern und Werken geben, deren Studium von Wichtigkeit ist,

aber im gewöhnlichen Programm aus verschiedenen Gründen zu kurz
kommt, und zwar: 1. Reden und Briefe, 2. Prosaliteratur des 18. Jahrhunderts, 3. Werke, die Einblicke in das wirtschaftliche Leben und in
die Topographie Frankreichs vermitteln, 4. die Fabeldichtung seit Lafontaine und lyrische Poesie, insbesondere des 19. Jahrhunderts. Kühn und
Charléty haben in *La France Littéraire* dies Programm zu erfüllen gesucht.

Wir sehen, es handelt sich nicht um eine Rückkehr zu der alten
'Chrestomathie', die für Jahre die einzige Lektüre bot, kurze Proben aus
möglichst vielen Schriftstellern gab, als Anordnungsprinzip nur die zeitliche Aufeinanderfolge kannte, deren einzelne Stücke meist durch keinerlei
Verwandtschaft, sei es inhaltlich, sei es literarhistorisch, miteinander in
Verbindung standen. Es handelt sich jetzt um eine Ergänzung der Lektüre durch Abschnitte, die geeignet sind, die Verbindung herzustellen von
dem Autor, dem Schriftwerke des einen Semesters zu dem des folgenden,
und auch inhaltlich, um eine Vertiefung, eine Erweiterung der aus einem
Werke gewonnenen Erkenntnis für die Geschichte, die Kultur, das Leben
und die Sitten des fremden Volkes. Ich stimme in bezug darauf mit dem
Breslauer Philologentage überein, meine aber, dafs zwei nach diesen Gesichtspunkten geordnete Sammlungen, die eine für Prosa, wie die *Anthologie* von Fuchs, die andere für die Versdichtung, das beste wären und
wohl die Lektüre durch die oberen Klassen hindurch begleiten könnten.

Fügt sich nun Tenderings Neuausgabe diesem Programm ein? Ja
und nein. Die alte Chrestomathie hat in der Tat eine durchaus veränderte
Gestalt bekommen. *Il ne s'agit plus comme autrefois d'étudier la littérature
française par la lecture de fragments du plus grand nombre d'écrivains possible et un précis de l'histoire de la littérature française* sagt die Vorrede.
Die Zahl der Einzelstücke ist bedeutend verringert worden, neben aus-
zugsweise gegebenen ganzen Werken sind Abschnitte von gröfserer Länge,
Abschnitte, die einen mehr oder minder selbständigen Teil des Gesamt-
werkes bringen, zum Abdruck gebracht worden. Nicht mehr nur nach
literarischen Gesichtspunkten wurde die Auswahl der Stücke vorgenommen, man verfolgte auch das Ziel, einen Einblick in die Kultur- und
allgemeine Geistesentwickelung des französischen Volkes zu vermitteln.
Aber damit ist die andere Frage nicht erledigt: Denkt sich der Verfasser,
wie Johannes Schmidt (in der eingehenden Besprechung des Buches in
der *Zs. für das Gymnasialw.*, LVIII. Jahrgang, 309 ff., s. insbesondere
S. 312 o.) es wenigstens für das Gymnasium befürwortet, sein Buch als
Ersatz der Einzellektüre oder nur als Ergänzung? Umfang, Wahl und
Länge der ausgewählten Stücke lassen für erstere Annahme schliefsen.
Wozu wären sonst der *Cid, Athalie, Les Femmes Savantes,* auch ein neueres
Drama, *Mademoiselle de la Seiglière,* hier abgedruckt, die doch gewifs auf
jedem Programm figurieren?

In diesem Punkte bin ich anderer Meinung als der Verfasser. Trotzdem die Zeit, die dem Französischen im Gymnasium gewidmet wird, gering ist, möchte ich doch auch hier das Lesebuch nicht die Einzellektüre
verdrängen sehen. Ist es schon aus praktischen Gründen nicht ratsam,
dafs der Schüler Jahre hindurch ein so dickes Buch, das die Lektüre
mehrerer Klassen enthält, mit sich herumschleppt — die Zerlegung in
zwei Teile macht die Sache kaum viel besser — so begreife ich in der Tat
nicht, warum Stücke, wie die oben erwähnten, die in so billigen, bequemen
Einzelausgaben zu haben sind, nun auch hier gegeben werden. Um sie
zu kürzen? Um so und so viele Szenen, wie z. B. im 'Cid' und in 'Athalie',
nur in kurzer Inhaltsangabe zu bringen? Sollten nicht diese charakteristischen Stücke wenigstens ganz gelesen werden, und wenn nicht ganz gemeinsam in der Schule, die Zwischenszenen wenigstens in Privatlektüre
zu Hause, mit kurzer Besprechung in der Klasse? Nein, diese Proben

wären meines Erachtens zunächst zu streichen, um diese anderswo so leicht zugänglichen Stücke wäre zunächst das Buch zu entlasten. Aber der Umfang, könnte man sagen, schliefst die Brauchbarkeit des Buches nicht aus. Dient es auch meines Erachtens besser nur als Ergänzung, so ist es vielleicht, wie sonst die Dichteranthologie, ein Werk, das den Schüler über die Klassen hinaus ins Leben begleiten wird, wenn es seiner Aufgabe, Sinn und Liebe für die französische Literatur zu erwecken, gerecht geworden ist. Mancher wird sich später freuen, hier bequem zusammen zu finden, worauf er doch auch noch in späteren Jahren wieder gern einmal einen Blick wirft.

Ist der Verfasser aber der anderen Aufgabe, ein brauchbares Ergänzungsbuch zu liefern, gerecht geworden? Erreicht er das Ziel, das er sich nach dieser Seite hin gesteckt hat und in bezug auf das er sich mit Leuten im Einklang befindet, die von anderen Erwägungen heraus das Programm eines Lesebuches aufgestellt haben, nämlich *faire connaître la vie et l'histoire de la nation française.* Ich glaube, trotzdem, oder gerade mit Rücksicht darauf, dafs in bezug auf die Auswahl je nach der persönlichen Eigenart sehr verschiedene Wünsche sich geltend machen werden, die Frage im allgemeinen mit 'Ja' beantworten zu können. Wer vieles bringt, wird vielen etwas bringen. Das ist der Vorzug eines so umfangreichen Werkes.

Die Breslauer Forderungen sind nach den verschiedensten Seiten hin erfüllt. Wir finden als Briefschreiber Mme de Sévigné (leider nicht Voltaire), als Redner Bossuet und Mirabeau vertreten. Als Schrifsteller, denen kein ganzes Semester gewidmet werden kann, deren Kenntnis aber von grofser Wichtigkeit ist, werden Descartes, Pascal, Boileau, Fénelon, insbesondere aus dem 18. Jahrhundert Montesquieu, Voltaire (aber leider nur mit einem Stück aus *Le siècle de Louis XIV*) und Rousseau (auch nur mit einer Probe aus *Émile*) gebracht. Dieser Abschnitt liefse sich gut auf Kosten anderer, die selbständiger Lektüre vorbehalten blieben, um vieles, Werke wie Schriftsteller, z. B. Diderot, vermehren. Lafontaine findet sich mit fünfzehn seiner besten Fabeln, allerdings als einziger Vertreter dieser Literaturgattung. Die lyrische Poesie bietet in André Chénier, Béranger, V. Hugo, Lamartine, de Vigny, Musset, Coppée, Prud'homme, Paul Verlaine Ersatz wenigstens für die gewöhnlichen Anthologien. Für die Kenntnis von Land und Leuten sind mannigfache Proben aus leider meist älteren Historikern des 19. Jahrhunderts, Guizot, Ségur, Mignet, Thiers, Thierry, Duruy, Lanfrey und Taine, im ganzen etwa 220 Seiten des grofsen Formats, vorhanden, woneben die moderne erzählende Prosa mit Zola und Daudet sehr spärlich, kaum charakteristisch und noch weniger genügend reich bedacht ist, der einzige Fingerzeig dafür, dafs sich der Verfasser doch wohl nicht sein Lesebuch als einzige Lektüre, selbst für die Gymnasien, denkt.

Sind nun die Stücke, deren Auswahl nach Inhalt wie Umfang etwa dem Breslauer Programm entspricht, auch immer so gewählt, dafs sie das Charakteristischste für den Verfasser, womöglich für die von ihm bestimmte Literaturepoche darstellen? Diese Frage ist schwer zu beantworten. Vielleicht würde kein Buch jedem genügen.

Für das 18. Jahrhundert habe ich bereits meine Ausstellungen gemacht. Hier liefse sich vielleicht am leichtesten zeigen, was zu den drei gewählten Stücken von Montesquieu (*Esprit des Lois*: *De la Constitution d'Angleterre*), Voltaire (*Siècle de Louis XIV*: *Guerre de Hollande*) J. J. Rousseau (*Il faut qu'Émile apprenne un métier*) hinzuzufügen wäre; wenigstens für den Fall, wo dies die einzige Lektüre für den Zeitraum bleiben soll, denn sonst sind geschickt zusammengestellte Bändchen aus Erzeugnissen dieser Zeit, die wohl ein Semester füllen könnten, ja vorhanden. Die wohldurchdachten Erwägungen und Wünsche, die R. Tobler in einem der vorigen Hefte ebendieser Zeitschrift bei Besprechung der Voelkelschen Sammlung

der Art ausgesprochen hat, wären auch für eine neue Ausgabe dieses Werkes sehr zu beherzigen. Es versteht sich von selbst, dafs, je mehr wir uns der Neuzeit nähern,
desto mehr die Wünsche auseinandergehen werden. Gleich für Chateaubriand z. B. wäre mir statt der *Aventures du dernier Abencerrage*, die allerdings Gelegenheit geben, auch ein paar der seltenen Versdichtungen des
Verfassers zu bringen, aber im wesentlichen erzählend sind, lieber gewesen,
die mit Schilderungen durchsetzte *Atala* oder ein Stück aus dem *Génie
du Christianisme* zu finden, das die charakteristische poetische, lyrische
Prosa des Dichters zeigt, wegen deren er immer zu den Vorläufern, den
'initiateurs' des Romantismus gezählt werden wird. Wenn in der kurzen
Notiz über das 19. Jahrhundert von den Parnassiens gesagt wird: *L'idée
n'est pour rien, la forme est tout*, so hätte das Buch doch wohl Proben
solcher Dichtungen, die dies Urteil etwa rechtfertigen, geben können. Von
Coppée und Sully-Prudhomme, die aus äufseren Gründen wohl der Schule
beigerechnet werden, in ihrer inneren Eigenart aber gewifs selbständig sind,
gilt die Behauptung doch in keiner Weise. Und dann hätten doch, schon
um die Entwickelung der Poesie im 19. Jahrhundert zu zeigen, nach den
zahlreichen Proben der Romantiker, die Parnassiens nicht ganz fehlen
dürfen. Leconte de Lisle und Heredia wären wichtiger für die
Schule als Verlaine; jedenfalls ist letzterer kaum zu verstehen, wenn
man nicht die Reaktion des Gefühls gegen eine im letzten Grunde verstandesmäfsige Dichtung aufzeigen kann. Die Historiker sind verhältnismäfsig am reichsten vertreten, wenn ich auch hier den Anteil Taines auf
Kosten älterer Darsteller vergröfsert sehen und Proben aus den bedeutenden neueren Geschichtsschreibern finden möchte. Über die Dürftigkeit
moderner erzählender Prosa sprach ich bereits. Hier dürften Zola und
Daudet nicht die einzigen Vertreter bleiben, selbst wenn man nur
Abschnitte wählen wollte, die 'Land und Leute' behandeln, hätte man
unter vielen ersten Schriftstellern bis Anatole France hinauf die Wahl
gehabt. Und nun kommen wir zu dem literaturgeschichtlichen Teil. Dieser
ist mit Recht im Vergleich zu den früheren Ausgaben beträchtlich gekürzt
worden. Die die Literatur bis zum 17. Jahrhundert einschliefslich behandelnde Einleitung, die in der Ausgabe von 1887 noch 56 Seiten einnahm, ist hier auf 11 Seiten verkürzt worden. Der Verfasser bemüht sich,
statt der Aufzählung von Namen und Daten die grofsen Züge der Entwickelung zu geben. Biographisches kommt später bei den Hauptvertretern, die Proben liefern, hinzu; Einführung in die gebotenen Werke,
Winke zum Verständnis der ausgewählten Abschnitte bietet der Anhang.
S. 186 bietet eine kurze Besprechung des 18., S. 257 eine solche des 19.
Jahrhunderts. Hier wäre es Unrecht, Einwendungen zu erheben oder
Wünsche zu äufsern. Wenn über eine Epoche, die von Chateaubriand
bis zu Maeterlincks 'Monna Vanna' reicht, etwas auf so wenigen Seiten
gesagt werden soll, so werden immer Zusammenstellungen herauskommen,
die dem Unkundigen nichts nützen, den Kundigen zu Widerspruch reizen,
und Urteile gegeben werden, die dem einen nichts sagen, den anderen
nicht befriedigen. Ich möchte nur den einen Wunsch aussprechen, dafs
das etwas verzettelte Material mehr konzentriert würde, wenigstens das im
Anhang Gegebene noch zu den Einzelnotizen vor dem Texte hinzugefügt
würde. Dem Buche lose beigefügt ist ein ziemlich starker Anhang, der aufser
den schon erwähnten literarischen Bemerkungen, wie die Schulausgaben,
alles Sprachliche und Sachliche zu geben sich bemüht, das zum Verständnis der gegebenen Texte nötig ist. Die ihm angefügte Zeittafel der französischen Geschichte erklärt sich aus der besonderen Berücksichtigung,
die die historische Literatur gefunden hat.

Ich habe Tenderings Zusammenstellung nicht bedingungslos loben
können, trotzdem der Leser viel Gutes in dem Buche findet und jeder
Schüler es gewiſs mit Nutzen für seine literarischen und Sachkenntnisse
lesen wird. Als ausschlieſsliche Lektüre betrachtet, ist es meines Erachtens im Prinzip verfehlt; als Ergänzungsbuch enthält es nach mancher
Richtung hin zu viel, nach mancher anderen hin zu wenig.

Berlin.   T h e o d o r   E n g w e r.

J. Anglade, Deux Troubadours narbonnais, Guillem Fabre, Bernard Alanhan. Narbonne, F. Caillard, 1905. 35 S. 8.

Die beiden Dichter, welche von dieser sorgfältigen kleinen Monographie
behandelt werden, haben uns zusammen nur drei Gedichte hinterlassen:
Guillem Fabre ein Sirventes, in dem er in hergebrachter Art die Zeitgenossen des Geizes beschuldigt und den Niedergang des Christentums
den Fürsten und Geistlichen zur Last legt, und ein anderes, das im An-
gesicht eines drohenden kriegerischen Zusammentreffens verwandter Streiter
geschrieben ist und diese ermahnt, anstatt einander zu befehden, ihre
Heere zu vereinen und gegen die Ungläubigen, welche Bethlehem und
Jerusalem in der Gewalt haben, zu kämpfen. Auch das einzige Lied
Bernard Alanhans ist ein Sirventes, das in kraftvoller und bilderreicher,
freilich auch gesuchter Sprache (auch die Reime *iga, aissa, anta, ais* streben, das gewohnte Gleis zu vermeiden) die Fehler der Welt geiſselt.

Die drei Gedichte sind in meinen Pariser *Ineditis* zum erstenmal vollständig gedruckt worden, und Anglade schlieſst sich ihrem Texte dort
fast durchweg an.[1]

Das Verdienst seiner Arbeit besteht darin, daſs er versucht hat, die
Persönlichkeiten der Dichter aus den Urkunden festzustellen. Daſs sie in
Narbonne lebten, sagt uns die Überschrift ihrer Lieder. Bernat Alanhan
in den Dokumenten der Stadt zu finden, ist nicht gelungen. Ein Bernardus
de Albainhana trägt freilich einen auffallend ähnlichen, vielleicht für Alan-
hano verschriebenen oder verlesenen Namen. Dagegen findet sich in den
Narbonner Urkunden des 12. und 13. Jahrhunderts um so häufiger der
Name Guillelmus Faber. Es handelt sich um wenigstens zwei Persönlichkeiten, und Anglade ist geneigt, den Trobador in einem Guillelmus
Faber filius alterius Guillelmi Fabri zu erkennen, der uns 1253 genannt
wird. Daſs dieser der Dichter ist und nicht ein anderer, weit häufiger
erwähnter, in seiner Vaterstadt offenbar in hohem Ansehen stehender
Guillelmus Faber filius Petri Raymundi Fabri, schlieſst Anglade daraus,
daſs dieser einen Bruder Sicard hatte, während aus einem Sirventes Bertran Carbonels hervorgeht, daſs der (oder ein) Bruder Guillem Fabres 'Joan'
hieſs.

Der Nachweis scheint mir nicht erbracht. Einen 'Wilhelm Schmidt'
urkundlich festzustellen, ist eine miſsliche Sache. Es ist meines Erachtens
durchaus nicht sicher, daſs der Guillem Fabre, von dem Bertran Carbonel
spricht, unser Dichter, noch daſs er mit dem Guillem Fabre, von dem
Bernart d'Auriac viel Gutes zu rühmen weiſs (Bartsch, *Grdr.*, 57, 2), iden-

---

[1] In *Pus dels majors*, V. 24—26, setzt er mit Unrecht andere Interpunktion.
Es ist zu übersetzen: 'Hernach werden wir, wenn sie mit argem Sinn schlagen
und angreifen, manche Rüstung sehen.' *Hon mays vey* V. 54 würde ich entweder
wie Chabaneau ergänzen oder etwa *Laissus el cel fossetz em paiz*. Druckfehler: *Hon
mays* V. 20 gehört zu Str. 2; *No puesc mudar* V. 12 *vils*, 28. *no·us*, 30 *issiva*.
Übersetzung: *Pus dels majors*, V. 12: *desamors* ist wohl nicht indifférence pour la
foi, sondern steht dem *amor* V. 30 gegenüber. *No puesc mudar* V. 36 verstehe
ich *franher* wie Levy Suppl. III 589 als 'bezwingen': *la crotz ... on Dieus plors
fray·*, 'wo er unsere Tränen brach', d. h. 'ihre Ursache aufhob'.

tisch ist. In dem letzten möchte ich viel eher den Trobador sehen. Aber ihn nennt Bernart d'Auriac En Guillem Fabre und versichert *anc nul temps fabres non fo*, während Bertran Carbonel sagt:

> *Joan Fabre, yeu ai fach un deman*
> *A ton fraire, et a m'en bel espos:*
> *Guillem, dis ieu, per que es fabre vos?*
> *E respondec: car ieu vau fabregan.*
> *D'aquel mestier que hom a, calsque sia,*
> *O d'aquel art, lo vay lo noms seguen,*
> *C'aisi n'a fait dretz adhordenamen.*[1]

Es scheint also hiernach, dafs dieser Guillem Fabre wirklich Schmied war, und ein *en* steht weder bei seinem Namen noch dem seines Bruders. Auch das Milieu Joan Fabres erscheint als ein anderes, als wir bei einem Bruder des En Guillem Fabre voraussetzen möchten. So reden wohl Bertran Carbonel und Bernart d'Auriac von verschiedenen Personen, und die Möglichkeit ist nicht ausgeschlossen — von einer Sicherheit kann naturgemäfs nicht die Rede sein —, im Guillem Fabre des Bernart d'Auriac und in dem Dichter den filius Petri Raymundi Fabri der Urkunden zu erkennen.

Breslau.   C. Appel.

Kurt Lewent, Das altprovenzalische Kreuzlied. Erlangen, Junge & Sohn, 1905. 128 S. (Berliner Dissertation, auch in den *Roman. Forschungen*, XXI, 321 ff., erschienen.)

Nur schwer sind, solange die Mehrzahl der Trobadorwerke noch einer textkritischen Bearbeitung entbehrt, auf dem Gebiete der altprovenzalischen Lyrik literarhistorische Untersuchungen anzustellen. Wer sich trotzdem schon jetzt einer solchen Arbeit mit Sachkenntnis unterzieht, kann damit sicherlich auf Dank rechnen, und K. Lewent verdient für seine Berliner Dissertation über das altprovenzalische Kreuzlied um so mehr Anerkennung, als er darin seinem Gegenstande die heute überhaupt erreichbare Förderung auch wirklich zu teil werden läfst.

Von den acht Kapiteln der Abhandlung enthält das erste gelegentliche Trobadoraussprüche, die betreffs einiger Dichter zwar ein Widerstreben gegenüber den Kreuzzügen dartun, sonst aber, indem sie lobend hervorheben, was für die heilige Sache bereits getan ist, oder tadelnd und ermahnend bemerken, was darin versäumt und noch nachzuholen ist, die Trobadors als Freunde des Krieges gegen die Heiden hinstellen. Aus den Gedichten des Giraut de Borneil würden noch hierher gehören die Stellen Gr. 242, 18 II, 28 VI VII, 30 IV V und 32 V; ferner könnte man den Zitaten S. 4 Anm. 1, welche besagen, dafs die Liebesqualen weit schlimmer seien als die Schrecknisse der Gefangenschaft bei den Mohammedanern, die von Giraut Gr. 242, 25 VII, VIII in ähnlicher Weise geäufserte Klage über die Grausamkeit seiner Geliebten als weiteres Beispiel hinzufügen. Wenn Lewent S. 9 sagt, 'dem Papste allein' werde in Gr. 242,. 77 Nachlässigkeit vorgeworfen, so sei dem gegenüber hingewiesen auf die V. 33 bis 34: *Tals quer d'emperi corona Qui nostra fe mal defen.*

Im nächsten Abschnitt über das Wesen dieser literarischen Gattung wird das provenzalische Kreuzlied als eine in Liedform abgefafste Predigt gekennzeichnet, deren vornehmlicher Zweck der Aufruf zur Beteiligung an der Kreuzfahrt sei. Gedichte, die nur nebenbei zum Glaubenskampfe auffordern, sind demnach von der Klasse der Kreuzlieder auszuschliefsen. Zu S. 18, 3 wäre da zu erwähnen, dafs Gr. 242, 24 in den Hss. *RS⁹ Va*

---

[1] V. 5, 6 sind bei Anglade zu korrigieren; V. 2 vielleicht eher *respos?*

noch ein zweites Geleit hat *E · l Senher, que n'es poderos, Nos conduia e si' ab nos*, welches, mit dem Anfang des Gedichtes zusammen betrachtet, des Verfassers Annahme, dafs das Lied im heiligen Lande entstanden sei, noch glaubhafter erscheinen läfst.

Unter Aufwendung grofsen Scharfsinns und zumeist in überzeugender Weise unternimmt L. im folgenden Kapitel die Datierung der 33 eigentlichen Kreuzlieder. Mehr als die Hälfte derselben sind danach in der Zeit vom Falle Jerusalems, 1187, bis zum Jahre 1215 entstanden; alle bis auf vier, welche die Kreuzzüge nach Spanien betreffen, rufen die vornehme Gesellschaft zum Kampfe gegen die Mohammedaner des Ostens bezw. zur Befreiung des heiligen Grabes auf. Die Frage, wer in dem Gedichte des R. de Vaqueiras Gr. 392, 9a unter dem Kaiser zu verstehen sei, entscheidet Lewent S. 26 ff. mit guten Gründen zugunsten Balduins und gibt damit Crescini Recht gegen Zenker, der eher Alexius IV. in dem Kaiser erkennen wollte.

In dem Kapitel, welches dann von dem Inhalt dieser poetischen Kreuzpredigten handelt, werden die sehr mannigfachen in ihnen begegnenden Gedanken gruppenweise eingehender Betrachtung unterzogen und S. 72 geschickt zur Bildung eines Aufrufs verwertet, der inhaltlich den Typus der behandelten Gattung darstellen soll. Gelegentlich des Versuchs, die einzelnen in Frage kommenden Gedichte zu charakterisieren, zeigt es sich, wie schwer es ist, das Kreuzlied, in dem Religion, Moral, Politik und Ritterlichkeit Hand in Hand gehen, gegen die anderen, nicht der Minne gewidmeten Dichtarten abzugrenzen. Besondere Formen oder estimmte Melodien haben sich für diese Liedergattung nicht nachweisen lassen.

Dafs unter den Kreuzfahrern nur wenige von den Dichtern zu finden sind, dafür weifs L. verschiedene Gründe anzugeben. Abgesehen davon, dafs die Trobadors sich, wie es scheint, zu persönlicher Teilnahme am Kreuzzuge gar nicht berufen fühlten, sondern wohl nach ihrer eigenen und anderer Meinung, wenn sie nur ihre Aufrufe erliefsen, für die heilige Sache schon genug geleistet hatten, blieb so mancher lieber daheim, um sich durch seine Abreise die für ihn in geistiger und materieller Hinsicht häufig so wichtige Freundschaft seiner Dame nicht zu verscherzen, während andere von der Fahrt Abstand nahmen, weil sie die Waffen nicht zu handhaben verstanden oder so arm waren, dafs sie nur als Kriegsknechte, nicht aber als Ritter hätten mitziehen können. Wie L. im 7. Kapitel wahrscheinlich macht, haben neben einer kleinen Zahl Trobadors, von denen gar kein 'Aufruf' auf uns gekommen ist, nur drei Kreuzlieddichter unter den achtzehn, welche in Betracht kommen, sich bestimmt an dem heiligen Unternehmen beteiligt, G. de Borneil, R. de Vaqueiras und G. Faidit.

Was G. de Borneil anbetrifft, so entnimmt der Verfasser S. 96 den Beweis für den Aufenthalt desselben im heiligen Lande und in Jerusalem selbst einer Stelle in Girauts Klagelied auf Ademar V., Gr. 242, 56 VIII, welche lautet: *Qu'el deing auxir Sels qu'ill querran A l'arma · il do repaus e patz, E·l sains vas en qu'el fo pauzatz, Qu'eu·l vi baixar mout umilmen, Lù si' en luec de bo guiren.*

L. legt mit Lowinsky (*Ztschr. f. frz. Spr. u. Lit.*, XX, 176, Anm. 64) die letzten drei Verse folgendermafsen aus: 'Das heilige Grab, in das er (Christus) gelegt ward, welches ich (Giraut) ihn (Ademar) sehr demütig küssen sah, möge ihm (A.) ein guter Beschützer sein.' Danach sollte, nachdem Gott selbst um Frieden für Ademars Seele gebeten wird, nun das Grab Christi ihn beschützen. Kann das aber gemeint sein? Nach meiner Auffassung wollte Giraut in diesem Klageliede auf Ademar sagen, Gott möge Ademars Seele Frieden geben und sein (Ademars) Grab möge ihn (Ademar, d. h. seinen Leib) gut beschützen

('das Grab, in das er gelegt ward, das **heilig**[1] ist, **denn ich sah, wie
man es** demütig küfste'). Geht aber aus dieser Stelle **nicht** hervor, dafs
Giraut mit Ademar das heilige Grab besucht habe, so fallen auch die
Schwierigkeiten weg, welche die gegenteilige Schlufsfolgerung Lewents mit
sich bringt. Nun brauchte Giraut nicht noch von der Belagerung Akkons
(12. Juli 1191) an bis nach dem Friedensschlufs (1. September 1192), also
gegen 14 Monate mindestens, in Palästina zu verweilen, um Jerusalem zu
besuchen, sondern er konnte, gemäfs der Angabe der prov. Lebensnachricht (*Archiv* 102, 202[b]), während Philipp August und viele, aber nicht
tuit li baron, s'en torneron, sich nach der Einnahme Akkons an den Hof
Bohemunds III. von Antiochia begeben haben.   Indes glaubte der Verfasser auch die Mitteilung der Biographie, dafs Giraut mit Richard Löwen-
herz hinübergefahren sei und der Belagerung Akkons überhaupt beigewohnt habe, bestreiten zu müssen, und zwar auf Grund der Strophe IV
in Gr. 242, 15, die aber, anders verstanden, seinen Zweifel nicht bestätigen
dürfte. Die Worte, die da meines Erachtens zu lauten haben: *E gens
bobans … era cobrara so drei, En can eu vei, Pos lo reis Richartz es passatz; E pos el es lai aribatz N'i a tans valens compagnos, Derga so chap
crestientatz*, übersetze ich so: 'Und liebliche Prachtentfaltung (Freigebig-
keit) wird jetzt, soviel ich sehe, ihr Recht wiedererlangen, da der König
Richard hinübergefahren ist, und **wenn**[2] er dort angelangt ist und dort
so viele wackere Genossen hat, dann möge die Christenheit ihr Haupt erheben.' Daraus brauchte man nicht notwendig mit L. zu schliefsen, dafs
Richard, der ja am 8. Juni 1191 in Akkon landete, dort, als Girauts Gedicht 15 entstand, oder gar schon vier Wochen vorher, auch wirklich bereits eingetroffen war, dafs also Giraut im Juli 1191 noch im Abendlande,
und zwar in Aragon, wo er das Lied der Tornada zufolge verfafste, gewesen wäre und an der Einnahme von Akkon am 12. Juli nicht hätte
teilnehmen können. Dem widersprächen auch die Eingangsverse des betreffenden Gedichtes, *Era, can vei reverdexitz Los vergers e cobra l'estatz*
('und die warme Jahreszeit wieder ersteht'), welche eher zeigen,
dafs das Lied im März,[3] als dafs es, wie Lewent S. 96, Anm. 3 meint,
im Juli entstanden ist. Hätte aber nicht Giraut im März 1191 von Richard,
der schon seit dem 22. August 1190, wo er sich in Marseille eingeschifft
hatte, 'unterwegs' war, sagen können: *pos el es passatz* und hätte er nicht,
da ja Richard sein *passar* mehrmals unterbrochen hat, auf Sizilien, wo
er sogar noch bis zum 12. April 1191 weilte, und auf Cypern, das er im
Mai 1191 unterwarf, von ihm, selbst gesetzt, man zöge auch für das zweite
pos die **kausale** Bedeutung vor, sagen können, da er ja **vermutlich**
'dort angelangt ist'? Nachdem sich dann die Unrichtigkeit seiner Vermutung herausgestellt hätte, konnte er etwa als Begleiter Ademars, von
dessen Kreuzfahrt mir freilich sonst nichts bekannt ist, Richard noch
auf Cypern oder sonstwo leicht eingeholt haben, mit ihnen beiden, der
Angabe der Biographie gemäfs, hinübergefahren und auch bei der Einnahme Akkons am 12. Juli zugegen gewesen sein. Scheint er doch, als
Richard nicht viel später, nach dem 20. August 1191, gen Askalon zog,
ihn, wie seine Worte in 57 VII *Can passei* (*passem*) *vas Escalona* ver-

---

[1] Dafs *lo sains vas* hier nicht das Grab Christi, sondern das des Ademar ist,
habe ich schon in der Tobler-Festschrift von 1905, S. 224, Anm. zu V. 24 angedeutet. In seinem bei Springer, *Das altprov. Klagelied* S. 100 gedruckten *planh*
bezeichnet man mit P. Bremon mit *lo cors sans* wiederholentlich (V. 6, 23, 33) den
Körper des Blacatz und nicht den heiligen Leib Christi.

[2] Man vgl. *pos que* 'wenn' bei Giraut in Appels *Chr.*[2], St. 63, 119 und afrz.
puis que in der Bedeutung 'du moment que' und beachte im vorletzten Verse des
Zitats das verknüpfende *N'* = *ne, ni*.

[3] Cf. Girauts Worte *Qan torna la calors …. a l'issir de marz* (Appels Chr.[2], St. 22 I).

muten lassen, auch auf diesem Wege begleitet zu haben, um dann etwa von Askalon aus die Reise nach Antiochia anzutreten. Dort mag er, wiederum in Übereinstimmung mit der Lebensnachricht, das Gedicht 51 verfaſst haben, in dessen Strophe IV die Worte *apres nostre passatge* sich auf die Rückkehr in die Heimat beziehen würden. Daſs aber Giraut wirklich im heiligen Lande gewesen ist, beweisen auſser der zitierten Stelle aus 57 VII die Strophen VII und VIII seines Liedes 33: *Apres l'anar C'avem empres En lai on es comunals bains, Si Deus nos o don achabar, Cut esser pro fis, c'al tornar Si' amics onratz e jauzitz. E vos, Seiner, c'anc no mentitz, Lai nos gitatz (no·ns gicatz?) E dels Sarazis asermatz Com la lor leis ombriva* (Schattenglaube, Scheinglaube) *bais E sella puei que·ls savis pais! E ja, Seiner, no consentatz Que l'avols gens vas mi s'eslais, Ans sion chassat part Roais!* Das Ziel der unternommenen Reise war demnach das *comunals bains*, das Bad der Wiedergeburt, das wohl identisch ist mit dem von Lewent S. 13 u. 59 erwähnten *lavador* des Marcabrun im Tale Josaphat. Nach alledem stimmen die vom Verfasser angezweifelten Angaben der Biographie mit den Äuſserungen Girauts überein, und seine Behauptung von der Anwesenheit dieses Trobadors im heiligen Lande wird erst jetzt als bewiesen gelten können.

Schlieſslich seien mir zu dem der Textkritik gewidmeten Kapitel 8, das auch eine Bearbeitung der vier Kreuzlieder, Gr. 9, 10, Gr. 155, 7, Gr. 133, 11 und Gr. 312, 1 enthält, noch einige Bemerkungen gestattet. S. 100, Gr. 293, 22 VII: *Sil li* (l. *Si lli*) *fara la mortz pudir* verstehe ich: 'So wird der Tod ihn stinken (modern) machen'; vgl. dazu Giraut de Bornelh 26 V *om mor doloiros ab gems E put pueis mil tans que fems* und betreffs der Verwendung des Dativs *lli* Tobler, *V. B.* I 168. — S. 104 zu III 4. In *E·l crotz* ist ·*l* (= ·*ill* der Hs. E) der weibliche Artikel (s. Appels *Chr.* S. XVI^b). — S. 108, Gr. 155, 7 III 5. Lewents Text lautet: *ni cre que·il plassa Que·il dirai si so mal no; Mas sevals la deshonor Posc dir,* der Herausgeber bezeichnet aber selbst in der Anmerkung den Indikativ *dirai* hier als auffällig. Auf Grund der meisten Hss. würde ich nun, auch in der Interpunktion von L. abweichend, vorschlagen, zu lesen: *ni cre que·il plassa Qui·l di re (rei, rem, ren); si so mal no, Mas sevals ...* — S. 112 zu IV 10: *na* ist *n'a = ne a, ni a.* — S. 117, Gr. 133, 11 VI 8. Mit Hilfe des acc. *lo fill* der Hss. *C R* lese ich *Car ies lo fill no·i deu atendre·l paire* und verstehe: 'denn nimmer soll der Vater (Christus) auf den Sohn zu warten haben.' — S. 121, Gr. 312, 1 V. Die ersten vier Verse des Textes haben folgende Gestalt:

> Paire verai, senher del fermamen,
> qu'en la verge vengues per nos salvar
> e   baptisme prezes . . . .
>   . . . on moris a turmen.

Zur Füllung der Lücke enthält die hier verderbte Hs. *R* nur die Wörter *per lantica ley.* Der Herausgeber, nach Zurückweisung von Raynouards Verschlimmbesserung (Lex. II 24) bestrebt, die fehlenden 4 + 4 Silben zu ersetzen, gibt dabei, teilweise Milá folgend, die Überlieferung gänzlich preis. Weit einfacher wäre es doch wohl, unter Beibehaltung des von der Hs. *R* Dargebotenen den Versen 3 und 4 etwa den Wortlaut zu geben:

> e baptisme prezes per [reform]ar
> l'antica ley, on (weshalb) moris a turmen.

An der trefflichen Schrift Lewents, einer Frucht groſser Belesenheit und gründlicher Forschung, war, wie man sieht, nicht eben viel auszusetzen; eher fand ich hier und da Gelegenheit zu Ergänzungen, für die mir besonders das in meinen Händen befindliche Giraut-Material einigen Stoff lieferte.

Aachen.   Adolf Kolsen.

Poésies de Guillaume IX, comte de Poitiers. Édition critique publiée avec une introduction, une traduction et des notes par A. Jeanroy, professeur à la Faculté des lettres de Toulouse. Toulouse, Privat, 1905 (Sonderabdruck aus den Annales du Midi, April 1905).

Zwei Ausgaben besafsen wir bisher von den Liedern des Grafen Wilhelm IX. von Poitiers, eine von A. Keller aus dem Jahre 1848 und eine zweite 1850 von A. Keller und W. Holland gemeinsam veranstaltete. Ihnen fügt nun A. Jeanroy eine dritte hinzu, die zum erstenmal sämtliche diesem Trobador zugeschriebenen Lieder, elf an der Zahl, darbietet und aufser den Texten, dem fast vollständigen handschriftlichen Apparat und dem Kommentar eine Einleitung von vier Kapiteln über frühere Ausgaben und den Dichter betreffende Arbeiten, unechte und vermifste Gedichte, Sprache und Reimkunst Wilhelms und über die Frage seiner Ursprünglichkeit in Stoff und Redeweise enthält und auch Übersetzungen bringt, soweit sich der Inhalt nicht gerade als allzu schlüpfrig dafür erwies.

Dafs wir diese Veröffentlichung willkommen heifsen, braucht kaum gesagt zu werden; nicht nur ihrer gröfseren Vollständigkeit wegen freuen wir uns der neuen Ausgabe, sondern auch deshalb, weil Jeanroy, wie das von ihm nicht anders zu erwarten war, darin so manches Neue zur Vervollkommnung und Erklärung der Texte beiträgt.

Dennoch bleibt, was sich der Herausgeber selbst auch keineswegs verhehlt, zu ihrer Instandsetzung noch immer viel zu tun übrig; handelt es sich doch um Gedichte, welche wegen ihres oft recht frivolen Tones sicherlich vielfach Anstofs erregt und daher nur eine verhältnismäfsig geringe handschriftliche Verbreitung gefunden haben. Aber auch mit dem wenigen Material, das uns zu Gebote steht, wird sich noch mancher Fortschritt erzielen lassen; das glaube ich um so mehr, als auch mir bei der Durchsicht von Jeanroys Ausgabe verschiedenes in den Sinn gekommen ist, dessen Mitteilung für die Verbesserung und Aufhellung mangelhafter oder dunkler Stellen in Wilhelms Gedichten vielleicht weiteren Nutzen stiften könnte. Sehen wir einmal zu, was es damit für eine Bewandtnis hat.

Ged. I *Companho, faray un vers* (B. Gr. 183, 3; Appel, Chr. St. 59).

V. 7 und 8.   *Dos cavalhs ai a ma selha | ben e gen;*
                    Bon son e adreg per armas | e valen.

Der zweite Teil der meisten entsprechenden Verse des Gedichtes ist viersilbig; wie nun Jeanroy und Crescini in V. 1 und 5 getan haben, so schiebe ich in diesen beiden Versen je eine Silbe ein; in V. 7 lese ich nach einem Komma *be n'es e gen* und in V. 8 *sa e valen.* Der V. 8 wäre dann zu übersetzen: 'Gut sind sie und für den Kriegsdienst geeignet, gesund und **stark**'. Wie sich nämlich in V. 10 und, nach meiner sogleich noch darzulegenden Auffassung, besonders in V. 13 zeigt, sind die beiden Pferde noch gar nicht *dressés au combat et vaillants*, sondern sollen erst abgerichtet werden. Daher nehme ich *valen* in der auch für afrz. *vaillant* von Godefroy belegten Bedeutung 'stark' ('*robuste, vigoureux*'), die es in den beiden Kreuzliedern des Giraut de Bornelh hat (s. meine Anm. zu I 22 in der Tobler-Festschrift von 1905, S. 214). In II 76 steht es bei Giraut ebenfalls mit dem von mir hier vorgeschlagenen *sa* zusammen; in I 22 ist da *valens d'armas* mit *arditz* verbunden, was hier anzuführen nicht überflüssig ist, da auch an unserer Stelle Hs. *E* die Lesart *ardit per armas e valen* aufweist. Dieses *ardit* von *E* in der weniger geläufigen Bedeutung 'kräftig, fähig', die es auch bei Giraut hat (s. ib.), ist wohl ursprünglicher als das *adreg* in *C*, so dafs V. 8 im Original gelautet haben mag: *Bon son et ardit per armas, san e valen.*

V. 13.   *La uns fo dels montanhiers lo plus corren.*

Von dem Verstofs gegen die Grammatik (*corren* ohne *s*) ist keine Rede mehr, wenn man mit *C La un fon* liest, *fon* zu *fondar* (lat. *fundare*) 'gründlich unterrichten' (s. Levy, *Swb.* III 530) stellt und versteht: 'das eine suche ich zum schnellsten der Bergpferde gut abzurichten'. In diesem Sinne steht nun der Vers noch besser an seiner Stelle als zuvor, wodurch wiederum Appels in der 2. Auflage der *Chrestomathie* S. 216 von einem Fragezeichen begleitete Übersetzung des Wortes *bailar* in V. 15 und die oben geäufserte Ansicht von der gröfseren Ursprünglichkeit der Hs. *E* mit *bailar* gegenüber *ballar* in *C* eine gewisse Stütze erhält.

V. 24. Durch Einführung des *ges* von den Hss. abzuweichen, ist nicht nötig, da beide Befriedigendes bieten.

Ged. II *Compaigno, non puosc mudar* (B. Gr. 183, 4; P. Meyer, *Recueil* 1, 69; Bartsch, *Lb.* 47; Bartsch, *Chr.*[4] 31).

V. 5. Da *l'us* und *l'altre* in V. 6 darauf hinweisen, dafs überhaupt nur zwei Hüter beteiligt sind, so wird *quada trei* in dem Satze *Ans la teno esserrada quada trei* nicht 'je drei' (*trois par trois*), sondern 'zu dritt' (*à trois*) bedeuten. Der Dichter will nicht sagen, je drei Wächter hätten abwechselnd die Dame eingeschlossen, sondern die *gardador* hielten dieselbe mit sich, den beiden Hütern, selbst zu dritt eingesperrt, die Dame sei nie ohne die beiden Wächter, niemals allein, sie bleibe, was auch der den Hütern ihre allzu grofse Wachsamkeit vorwerfende V. 12 zeigt, keinen Augenblick unbewacht und unbelästigt. In dem folgenden V. 6 ist denn auch von diesen drei Personen, dem einen und dem anderen Wächter und der Dame, die Rede.

V. 7. *Et aquil·l fan entre lor aital agrei.*

Zwar wäre *aquil·l = aquil li* nicht unmöglich (s. Tobler, *Archiv* CI 465), indessen ist hier *li* gar nicht erforderlich; man lese also *aquill*. — *Agrei* braucht auch hier nichts anderes zu sein als das in Levys *Swb.* I 34 und in der *Tobler-Festschrift* von 1905 S. 215 zu V. 68 besprochene Wort, so dafs der Vers bedeuten würde: 'Und jene machen unter sich solche Veranstaltung'.

Den V. 8 *L'us es compains gens a foc mandacarrei* (*mandacairei N* 2) bezeichnet P. Meyer im *Recueil* am Fufse der S. 69 als *vers corrompu*, Bartsch schreibt im *Lb.*: *a for Mandacairei*, gibt aber in der *Chr.* dem Verse die Fassung: *L'us es compains gens a for mandacarrei* und versteht, wie mit Hilfe des Glossars ersichtlich ist: 'der eine ist ein trefflicher Gefährte nach Art eines Kärrners'. Jeanroy nimmt nun den Wortlaut aus Bartschs *Chr.* herüber, hält aber in der Anm. die Übersetzung des Wortes *mandacarrei* durch 'Kärrner' für sehr gewagt. Er erwähnt auch Chabaneaus Vorschlag, *a folc Mand'a cairei* zu schreiben, was er eventuell in *del folc Mand'a cairei* verbessern möchte, so dafs es bedeuten würde: 'Der eine ist ein netter Bursche von der Bande des M.'; in *Mand'a cairei* (= *quadrivium*) sieht Chabaneau den Spitznamen eines Bandenführers, aber nur die Form *cairoi* im Sinne von 'Kreuzweg' ist bis jetzt belegt (s. Levy, *Swb.* I 185). Auch erwartet man unmittelbar nach den Worten *fan aital agrei* des V. 7 nicht eine Charakteristik des einen oder anderen Gefährten, sondern die Schilderung eines ihrer dummen Streiche. Von solchem Streich erhält man aber Kenntnis, wenn man liest: *L'us compains gens a foc manda | que a rrei* oder nach *N* 2: *que a·i rei* und V. 8 und 9 übersetzt: 'Der eine Gefährte ruft Leute (oder ganze 'Scharen') zum Feuer, so dafs (da) etwas los ist, und sie machen viel gröfseren Lärm als das Gesinde des Königs'. Zu *gens* 'Schar' s. Levy, *Swb.* IV 101, 1, zu *mandar* 'auffordern zu kommen, entbieten' ib. V 93, 4 und zu *ren* 'etwas' Rayn., *Lex.* V 55[b]; *rrei* steht statt *rei* wie V. 24 *ssei* statt *sei*; betreffs der poitevinischen Formen auf *ei* statt *e̜* bei Wilhelm vgl. Jeanroys Bemerkung S. 11 § III; die beiden *rei* reimen auch bei B. de Born (Stimming[1] 20, 7 und 8) miteinander; *a* kann als Form des selb-

ständigen Verbums *aver* vor *rei* stehen, und noch im Nfrz. bedeutet *il y
a qc.* 'es ist etwas los'. Das handschriftliche *foc* bleibt unangetastet; *es*
hat ein Schreiber infolge falscher Auffassung hinter *l'us* eigenmächtig eingeschoben und, da der Vers nun um eine Silbe zu lang wurde, das *e* von
que fortgelassen; vor Vokal findet sich *que* aber auch in V. 12 *que ad
oras* und sonst noch öfter bei Wilhelm. Durch Entfernung des sinn-
entstellenden *es* hat V. 8 jetzt auch in metrischer Hinsicht die ihm zu-
kommende Gestalt erhalten, nämlich 7 ⌣ + 3. Hinsichtlich seines Inhalts
vgl. man Crois. Alb. 509: *A foc! a foc! escrian li gartz trafur pudnais.*
Die Strophe III ist nunmehr, nachdem der Kärrner sich in Wohlgefallen
'aufgelöst' und der Bandenführer sich aus dem Staube gemacht hat, durchaus verständlich und erfüllt gut ihren Zweck, die Gemeinheit und Nieder-
tracht der beiden Wächter darzutun, welche die Stadt durch mutwillige
Erregung von blindem Feuerlärm in Schrecken und Aufregung versetzen
und trotz ihrer geringen Anzahl sogar einen großen Haufen Menschen
im Toben noch übertreffen.

    Ged. IV *Farai un vers de dreyt nien* (B. Gr. 183, 7; Appel, *Chr.
St.* 39).

    V. 28—30 *Ni no m'en cau, — qu'anc non ac Norman ni Frances —
dins mon ostau.* Es ist nicht einzusehen, warum der Dichter hier ur-
plötzlich erzählen sollte, daß ihn nie ein Normanne oder Franzose in seinem Hause besucht habe. Auch Jeanroy vermißt in der Anm. allen Zusammenhang zwischen dieser Äußerung und dem Vorhergehenden, glaubt
aber doch mit Papon aus dieser Stelle auf den Gegensatz schließen zu
können, der damals zwischen Nord- und Südfrankreich bestanden habe.
Einen ganz anderen Sinn werden die Verse 29 und 30 aber ergeben, wenn
man, ohne Verwendung von Majuskeln, *no n'ac norma [n]ni frances*
schreibt, *norma*, das im *Lex. rom.* fehlt, wie das lat. und ältere it. Wort
mit 'Winkelmaß' und *frances*, das ein Getreidemaß bezeichnet (s. Levy,
Swb. III 587), mit 'Hohlmaß' übersetzt. Dann würde der Dichter haben
sagen wollen, er mache sich aus dem Benehmen der Dame ihm gegenüber
nichts, denn er habe in seinem Hause niemals dafür irgendein Maß gehabt, er habe ihre Worte und Taten nie auf die Wagschale gelegt.

    V. 35 und 36. *Qu'ie·n sai gensor e bellaxor — e que mais vau.* V. 35
müßte auf *ǫrt* und nicht auf *ǫr* ausgehen, und Appel fragt in der *Chrest.*
S. 217, ob *bellaxor* hier etwa in Assonanz mit *ǫrt* stehe. Das auf *bellaxor*
folgende *e* des V. 36 scheint mir sein Dasein einem schlecht geschriebenen oder falsch gelesenen *t* zu verdanken; aus *bellaxort* wäre dann aber,
da *x, ç* und *c* in den Hss. nicht selten miteinander abwechseln, unschwer
be'll acort herauszulesen und die dem V. 36 durch den Verlust des *e* ab-
handen gekommene Silbe, indem man *qu'ela* statt *que* liest, leicht zurück-
zugewinnen. Gewiß wurde *bellaxor*, das übrigens auch in Wilhelms Gedicht I 17 vorkommt, unter dem Einfluß des vorhergehenden *gensor* geschrieben und *qu'ela* in *que* gekürzt, weil durch das fälschlich in den
V. 36 hineingeratene *e* der Vers um eine Silbe zu lang geworden war. In
ihrer jetzigen Gestalt *Qu'ie·n sai gensor e be'll acort — qu'ela mais vau*
bedeuten nun die Verse: 'Denn ich kenne eine Schönere als sie und ge-
stehe ihr wohl zu, daß sie besser ist'. Zu *acordar* 'zugestehen, bewilligen'
s. Appel, *Chr.* Gloss.

    Die auf Str. VI in *E* folgende Strophe, die Appel meines Erachtens
mit Fug in den Text aufgenommen hat, hält Jeanroy für interpoliert,
weshalb er sie S. 29 unten gesondert abdruckt. In den beiden letzten
Versen dieser Strophe (V. 41 und 42 bei Appel) *E pexa·m be quar sai
remanc — aitan vau* hat der Schreiber im Gegensatz zu dem bei den
Versen 35 und 36 beliebten Verfahren dem Reimwort *rema(n)* noch ein *c*
angehängt, das als *que* in die folgende Zeile gehört. Es wäre also zu lesen
E pexa·m be quar sai rema —, que a·i tan vau und zu verstehen: 'Und

es bekümmert mich, dafs sie hier zurückbleibt, denn sie besitzt so grofsen Wert'. Das Wort *vau*, das schon in V. 36 im Sinne von lat. *valet* im Reime steht, ist im V. 42 das bei Rayn. V 463, 2 einmal belegte Substantiv. Der letzte Vers fehlt noch in Appels Text.

Ged. V *Farai un vers, pos mi somelh* (B. Gr. 183, 12; Appel *Chr. St.* 60).

V. 9. *Mas si es monges o clergal.* Liest man dafür *Mas s'es de monge o clergal* oder *Mas s'es de mong' o de clergal* (s. bei Appel im Gloss. der *Chr.* die Nebenform *morgue*) 'aber wenn es sich um einen Mönch oder Geistlichen handelt' oder 'wenn sie aber einem Mönch oder Geistlichen angehört', so wird das vorher für *clergal* vermifste Flexions-*s* überflüssig.

V. 59 und 60. *Q'a pauc non perdei la valor — e l'ardiment.* Hs. *N* hat *la valors*, *C* dagegen *mas amors*; die zu erwartende Reimendung ist *os.* Durch Einsetzung von *mas razos* für *la valor* würde der Reimfehler entfernt und inhaltlich als Gegenstand des Verlustes dem Mut auch noch der Verstand hinzugefügt werden. *Perdre sas razos* heifst 'seine Berechnungen, Überlegungen, seinen Verstand verlieren'; vgl. nfrz. *perdre la raison.*

In V. 83 und 85 würde des Reimes wegen die Nebenform *malavetz* in den Text gehören. Betreffs der Verse 31—33 und 52 darf ich wohl auf meine Ausführungen in diesem *Archiv* CI 148 (nicht, wie bei Appel in der *Chr.*[2] steht, S. 8) verweisen, ebenso für die Verse 73—78, deren von mir selbst aus *N* kopierter Text da allerdings etwas anders lautet als der in Jeanroys Auftrage kollationierte.

Ged. VI *Ben vuelh que sapchon li pluxor* (B. Gr. 183, 2; B. Chr.[4] 28). V. 28 'wofür ihr mich auch ansehen möget'.

V. 62 *E fon jogatz.* Nimmt man *jogatz* als Subst. = 'Spiel, Scherz' wie *oratz* 'Wunsch' (s. G. v. Bornelh 1894, S. 123 meine Anm. zu V. 14), so könnte man verstehen 'und das Spiel hatte statt, ging vor sich' (*esser* 'statthaben', App. *Chr.* Gloss.); damit wäre der Flexionsfehler abgetan.

Die beiden vorhergehenden Strophen sind voll Zweideutigkeiten; dabei scheint *taulier* 'Spielbrett' und 'Schürze, Gewand' (s. Rayn., *Lex.* V 308, 1, 2), *dat* 'Würfel' und 'Stofs' (vgl. it. *dado* 'Wurf') bedeuten zu sollen. Den V. 59, der, wie die Anm. besagt, schon so viele Auslegungen erfahren hat, könnte man vielleicht auf Grund von *C*, indem man *cairauallier* zerlegt, lesen: *Eill duy foron, c'a·i rav', allier* und so deuten: 'und die beiden (*dat*) waren, denn Zwiebel gibt es da, solche mit Knoblauch', d. h. sie waren derb; *allier* wäre dann, wie es im Afrz. ein Subst. *aillier* ('*marchand d'ail ou de sauce à l'ail*' God.) gibt, ein von *alh* abgeleitetes Adjektiv, für dessen übertragene Bedeutung man diejenige von *zwiebeln* (= jem. zusetzen) und von Ausdrücken wie *gepfeffert, gesalzen, gespickt, saftig* vergleichen möge. *Plombar* 'mit Blei beschweren' ist ein für das Fälschen der Würfel nicht selten gebrauchtes Verbum (s. Stimming zu *B. de Born* [1] 29, 12 und Canello zu *A. Daniel* IV 26); hier käme das aber, was auch für *allier* der Fall sein könnte, nur, insofern es sich um ein Wortspiel handelt, in Betracht; versteht man *plombatz* im nächsten Verse im Sinne von 'nachdrücklich, gründlich', so stimmt unsere Auffassung der Verse 59 und 60 nicht übel zu dem *fort ferir* des V. 61.

Ged. VII *Pus vexem de novelh florir* (B. Gr. 183, 11).

V. 29 und 30. *Et a totz sels d'aicel aixi — obediens* (Übs.: *attentif aux caprices de tous ceux qui habitent ce séjour*). Der V. 29 soll aber auf *is* endigen; wenn wir ihn nun lauten lassen *Et a totz sels d'aicel' aixis*, so würde die Stelle bedeuten: 'und allen denen ergeben, die ihr nahestehen'; vgl. *aixi* App. *Chr.* Gloss. und dazu *aixiu* Levy, *Swb.* I 45, 1, und *aixitz de Tobler-Festschrift* von 1905, S. 214 zu 33.

V. 45 und 46. Das *m* des V. 46, das sich auch in V. 50 nicht mehr wiederfindet, lehnt sich so leicht an das *que* des V. 45 an, dafs wohl nicht

anzunehmen ist, der Dichter habe es so wenig kunstgemäfs dem Reimwort *lau* anhängen wollen.

Ged. VIII *Farai chansoneta nueva* (B. Gr. 183, 6; B. Chr.⁴ 30; Appel
Chr. St. 12).

V. 13. Dem *etz* der Hs. ist *es*, wie auch Appel liest, vorzuziehen, weil
in V. 16 und 18 von der Dame noch in der 3. Pers. Sing. die Rede ist,
während sie erst von V. 19 an in der 2. Pers. Plur. angesprochen wird.
V. 31 *fri e tremble*. Das *fri* gehört zu dem bei Rayn. III 400 und
bei Levy III 603 an erster Stelle stehenden *frire* (= lat. *frigĕre*); nicht
'ich schaudere', wie auch Bartsch im Gloss. will, sondern 'ich zittere vor
Verlangen' wäre wohl hier der Sinn des Wortes.

Ged. XI *Pos de chantar* (B. Gr. 183, 10; B. Lb. 87, Crescini, *Man.* 195).
V. 3 und 4. *Mais non serai obedienz — en Peitau ni en Lemozi.*
Diez, *L. u. W.*² 12 übersetzt 'ich werde nicht mehr gehorsam sein' und
fügt erklärend hinzu, wahrscheinlich sei der Dienst der Liebe gemeint;
Chabaneau fafst, wie Jeanroys Anm. zeigt, *obediens* = lat. *oboediendus*
auf. Die Lesart *Non serai mais hobediens* in *N* läfst mich *mai so bediens*
verstehen; *bediens* = *benedicens* (s. *bendir* '*dire du bien*' Rayn., *Lex.* III
54, 9). Danach würde der Dichter, der ja sonst nur lustige Lieder verfertigt hat (s. Jeanroy S. 18), hier im Anschlufs an seine Äufserung, er
werde einmal (ausnahmsweise) einen ernsten, traurigen *vers* machen, und
im Hinblick auf seine unmittelbar darauf angedeutete Absicht, *en eisil*
zu gehen, gesagt haben *Mai(s) non serai so bedienz — en Peitau ni en
Lemozi* 'aber nimmermehr wird das in P. und L. jemand gutheifsen'.

Am Anfang des Gedichtes VI zeigt Wilhelm IX., wieviel ihm daran
gelegen ist, aus seinem *obrador* nur Gedichte *de bona color* hervorgehen
zu sehen, die ihm dazu verhelfen sollen, *d'ayselh mestier la flor* für sich
zu erringen. Schon jetzt pflichtet auch Jeanroy (S. 20) der Ansicht der
Gelehrten von der *perfection relative de son style et de sa versification* bei;
in der Folge dürfte er aber die von ihm S. 14 und S. 17 Anm. 2 der
Reimnot des Dichters und S. 17 seiner *négligence* zugeschriebenen Dekli-
nationsfehler und Reimversehen, die zu tilgen sogar wir prosaische Nicht-
provenzalen des 20. Jahrhunderts uns anheischig machen, und sonstige
den Text betreffende Ungereimtheiten in den Gedichten auf Rechnung
nicht des Autors, sondern der Überlieferung zu setzen um so geneigter
sein, je mehr von den durch seine so verdienstvolle Arbeit hervorgerufenen
Änderungsvorschlägen seiner Leser er der Berücksichtigung für wert er-
achten wird.

Aachen.   Adolf Kolsen.

P. Savj-Lopez, Storie Tebane in Italia. Testi inediti illustrati.
   Biblioteca storica della letteratura italiana diretta da Francesco Novati,
   Vol. 8. Bergamo, Istituto italiano d'arti grafiche, 1905. XLIII, 126 S.
   8⁰. L. 6.

Nach einer kurzen Einleitung, welche die Verbreitung des thebanischen
Sagenkreises in Italien behandelt, geht Savj-Lopez näher auf die beiden
venezianischen Texte ein, die er hier, den einen ganz, den anderen in
Proben, veröffentlicht. Der ältere, ganz herausgegebene Text, in einer
Marcianischen Handschrift aus der zweiten Hälfte des 14. Jahrhunderts
überliefert, aus der fol. 6 r (nicht 7, wie fälschlich darauf gedruckt ist)
mit einer hübschen Federzeichnung in Faksimile beigegeben ist, ist eine
Übersetzung aus dem dritten Teile der französischen Prosa, die Paul
Meyer als *Histoire ancienne jusqu'à César* bezeichnet hat. Aus der Be-
schaffenheit der Handschrift scheint mir auch hervorzugehen, dafs der
Schreiber nur diesen einen Teil als selbständiges Ganze abgeschrieben

hat; damit ist aber nicht ausgeschlossen, dafs er eine vollständige oder wenigstens umfangreichere Übersetzung der *Histoire* als Vorlage benutzte. Es wäre übrigens zur Beurteilung der Frage festzustellen, ob die Worte *'sicomo ruy pore aldir auanti ch'el chonpla l'instoria de Troia che drie questa istoria ne sera chontado'* in der französischen Vorlage vorhanden sind. Der zweite Text, in einer Marcianischen Handschrift des 15. Jahrhunderts erhalten, ist eine Übersetzung des betreffenden Teiles der *Fiorita* Armanninos. Seine Hauptquelle war Statius, daneben benutzte er aber auch die französische Prosa und nahm selbständige Änderungen vor, kurz, er übte auch hier ein Verfahren, wie es schon für seine Darstellung der Trojanischen Ereignisse und der Geschichte des Aeneas und Caesar festgestellt war.

Dem Abdruck der Texte geht eine kurze Darstellung der Lautlehre, Formenlehre und Syntax der abgedruckten Stücke voran. Leider hat Savj-Lopez beim Zitieren dasselbe Verfahren eingeschlagen, welches ich schon bei Gelegenheit meiner Anzeige von Novatis Brendanslegende (*Literaturblatt für germ. und rom. Philologie*, 1893, Bd. XIV, Sp. 19—20) als unzweckmäfsig bezeichnet habe: statt dafs die Zeilen der Seiten einfach gezählt sind, wird nach c. r. und c. v. angezogen. Man mufs da oft lange suchen, um ein Beispiel zu finden, und nur zu oft, wie auch bei Novati, sucht man es vergebens, weil r. und v. oder oft schon die c. verkehrt angegeben sind. Ich könnte Dutzende von Beispielen anführen. Die Texte, namentlich der erste, bieten eine Fülle interessanter Erscheinungen, und Savj-Lopez es wohl verstanden, sie in aller Kürze, vielleicht sogar zu knapp, herauszuheben. S. XXX N. 18 ist *c tra vocali* ungenau: nach voc. vor e und i müfste es heifsen. 41 v. (nicht r.) würde ich das S. XXXVIII 55 a V behandelte *lassa* als *lassá = lassai* lesen. Etwas recht stiefmütterlich ist, wie gemeiniglich in solchen Darstellungen, der syntaktische Teil behandelt. *elo a far* S. XL N. 62 fasse ich einfach als Futur mit getrennten Bestandteilen. Vgl. mein *Elementarbuch* § 47 S. 170. Das Beispiel ebenda *volese o non Anphioraus convene andar* ist kein Beweis für persönliches *convenire*; es liegt Auslassung des *li* vor. In den S. XLI N. 64 angeführten beiden Sätzen halte ich das *che* nicht für ein Relativpronomen, sondern für eine Wiederaufnahme der Konjunktionen *inperçò che* und *ho che*. Ebensowenig ist es als *confusione* zu bezeichnen, wenn einfaches *che* nach Unterbrechung des Satzes wiederholt wird. Ein weiteres Beispiel findet sich S. 41 Z. 1—2. Dazu vgl. mein *Elementarbuch* § 119 S. 190. In dem N. 65 angeführten Satze *'e disse che li soldati che vignirà d'estranie contrade ... eli donerà tanto del sso che eli se ne contenterà'* ist *e' li donerà* zu lesen, also nachherige Bestimmung des Kasus des Substantivs durch ein Fürwort. Vgl. *Elementarbuch* § 111 S. 186; vielleicht auch statt dessen *e disse ch'ali ... eli donerà*.

Das schnelle Verständnis des Textes hätte sehr gewonnen, wenn Savj-Lopez nicht gar so sparsam mit Satzzeichen gewesen wäre und Akzente ganz verschmäht hätte. Warum er die *v* der Handschrift, die reichlich vorhanden sind, wie das Faksimile zeigt, immer durch *u* ersetzt hat, ist nicht verständlich. Sonst scheint die Lesung zuverlässig zu sein, wie ein Vergleich mit dem Faksimile dartut; nur einmal ist ein leicht verzeihliches *horribelle* statt *horibelle* untergelaufen. Im einzelnen möchte ich noch folgendes erwähnen. Zunächst ist Savj-Lopez an einigen Stellen zu Unrecht von den Handschriften abgewichen, indem er in ihnen ein *e* tilgte; die Häufigkeit der Fälle hätte ihn stutzig machen sollen. Ich klammere die getilgten *e* ein. S. 2 Z. 2 *Quando la dama holdy chussi parllar lo re, (e) chomo mare ne fo molto trista*; S. 70 Z. 28 *A queste parole ch'ella dixeua, (e) plançeua molto tenera mente*; S. 103 Z. 3 *E quel demonio che iera sempre aconço de dir cose che mal fose (e) dise*; S. 110 Z. 17 *Lo re Arasto con tuti li suo baroni la defende e tuta la çente del paixe (e) la si e trata;*

S. 111 Z. 3 *Quela ueçando li suo fioli, la ch'in prima per paura auea pianto, (e) d'alegreça lagreme renoua.* Vgl. *Elementarbuch* § 117 und 118 S. 189. S. 6 Z. 18 ist aus *iora* der Handschrift wohl *d'oro* zu entnehmen; es könnte aber auch *iera* sein mit ausgelassenem Relativpronomen. Vgl. *Elementarbuch* § 92 S. 183 und hier S. 22 Z. 6—7 ... *uno prodomo essauio, Adarastus auia nome.* S. 7 Z. 17 und 23 hätte ich die Schreibung *li 'era* vorgezogen; S. 11 Z. 10 l. *ne* statt *me*; S. 12 Z. 24 Punkt nach *mare* statt Komma; S. 15 Z. 2 l. *dollor a desmixura* statt *e*; S. 16 vorletzte Z. tilge Semikolon nach *dollor*; S. 23 Z. 24 kann die Schreibung *albudo abludo* bedeuten, was oft vorkommt (= *habiutu); S. 33 Z. 3 I. *hauuto* statt *honto*; S. 34 Z. 4 mufs *Tideus* statt *Tiocles* gelesen werden; S. 41 vorletzte Z. ist sicher *onta* zu ergänzen (so z. B. S. 43 Z. 9); S. 43 Z. 2 ist nach meiner Ansicht keine Lücke: *li* ist entweder, und das ist das Wahrscheinlichere, das Ortsadverbium, oder es liegt eine ungenaue Beziehung auf Etiocles vor; S. 49, Z. 23 l. *inaurado* statt *inagurado*; S. 51 Z. 23 war *uegnudo* ruhig zu belassen in Hinblick auf die Ausführung S. XLI N. 65; S. 59 Z. 4 l. *a quelo* statt *aquelo*; das. Z. 19 l. *e' li* statt *eli*; S. 60 Z. 20, 23 und 24 würde ich *che li* statt *ch'eli* lesen; S. 80 Z. 2 doch wohl *elo xo ela*; dann wäre dies Beispiel S. XL N. 63 zu streichen; S. 93 vorletzte und letzte Z. l. *Po-liniçes*; S. 97 Z. 11 l. *già* statt *gio*; S. 105 Z. 9 l. *che el* statt *che'el*; S. 106 Z. 11 halte ich *piaxesete* für einen Schreibfehler statt *piaxette*; S. 108 Z. 21 ist in *se no fose ch'el secorso* das *ch'* zu belassen, es gehört zu *se no.* Vgl. auf derselben Seite in etwas anderer Weise Z. 27 *tosto che* statt *tosto*; S. 116 Z. 5 von unten l. *parte* statt *pate*; S. 118 Z. 20 ist das *trouade* der Handschrift als *troua de* zu belassen; schon Novati hat im Brendan S. XLIII diese Verwendung von *de* für *ci* nachgewiesen, und ein weiteres Beispiel findet sich hier S. 120 Z. 13: *s'eli nde stese.*

Das Wörterverzeichnis ist sehr mager geraten, und das scheint Savj-Lopez selber nach einer Äufserung S. XLII empfunden zu haben, wenngleich er hier von Absicht spricht. Er kann überzeugt sein, dafs er sich den Beifall der Fachgenossen erworben hätte, wenn er es etwas eingehender ausgestaltet hätte, vollends aber den der Anfänger, die sicher über sehr viele Worte vergebens Aufschlufs suchen werden und doch nicht das weit zerstreute und teilweise schwer zugängliche Material zur Aufklärung zur Hand haben können. Auf nur zwei Seiten hätte sich das Wichtigste unterbringen lassen. Ich will hier aber keine Nachlese geben, obgleich ich mir für meinen Gebrauch eine solche aufgestellt habe — es fehlen ganz seltene Worte, und dafür sind andere, öfter belegte aufgeführt. *Menda* heifst an der angezogenen Stelle War nu ng; *mua = mutat* halte ich für durchaus richtig: *chollu che-sse mua in la tera* = w e r s i c h i n d a s L a n d be-g i b t; *arnaia* wird frz. *harnais* sein; *cadar* ist schwerlich von *captare*, gewöhnlich *catar*, zu trennen und scheint hier die Bedeutung *accattare* zu haben.

Auch so, wie die Ausgabe vorliegt, haben wir aber allen Grund, Savj-Lopez zu danken, dafs er uns diese interessanten Texte zugänglich gemacht hat.

Halle a. S.   B e r t h o l d W i e s e.

Carlo Bertani, Il maggior poeta sardo Carlo Buragna e il petrarchismo del seicento. Milano, Ulrico Hoepli, 1905. 178 S. 8.

Die sardische Literatur, deren Geschichte zu schreiben die Zeit noch nicht gekommen ist, weist keinen Namen von hervorragender Bedeutung auf. Auch der Poet, dem diese nützliche Monographie gewidmet ist, gehört nicht zu den ersten Zierden des italienischen Schrifttums; doch unter den Kleinen seiner heimischen Insel ist er ein Grofser. Und dieser Hei-

mat ist er nur wegen seiner Herkunft zuzurechnen: widrige Schicksale
vertrieben ihn am Ende des Knabenalters mit seiner Familie von Sardinien; und da er seitdem sein Leben drüben, in Neapel und sonst im
Süden Italiens verbrachte, machte er eine andere Entwickelung durch, als
wenn er zu Hause geblieben wäre.

Sein äußeres Los war kein glückliches, und dem, was er schrieb, war
kein besseres beschieden. Buragna scheint zu Lebzeiten nichts dem Druck
übergeben zu haben; von seinem Nachlaß aber ging das meiste durch die
Sorglosigkeit der Freunde und den bösen Willen der Gegner verloren.
So haben wir nur kärgliche Nachricht über seine, von Galileis Wirken
beeinflußten Bestrebungen auf verschiedenen Gebieten der Wissenschaft,
besonders der Philosophie, die seinen Namen einst berühmt machten.
Was gerettet wurde, ist — außer geringen Prosaresten — nichts als eine
kleine, nur noch in einem Exemplar bekannte Ausgabe von Liebesgedich-
ten, die sich innerhalb der Produktion jener Zeit deutlich auszeichnen
durch die Abwendung von der secentistischen Manier, durch ein Zurückgehen auf ein älteres Vorbild, auf Petrarca.

Einen 'Antimarinisten' will Bertani, im Gegensatz zu Caravelli, weder
Buragna noch seinen gleichstrebenden Freund Pirro Schettini nennen, da
der 'Marinismus' zur Blütezeit dieser beiden Dichter schon in dem allgemeinen 'Secentismus' aufgegangen war. Doch auch die — an sich schon
schreckliche — Bezeichnung 'Antisecentist' lehnt er ab, weil ihnen das
Kämpferische, das damit verknüpft wäre, völlig gefehlt hat. Richtiger
charakterisiert Bertani sie als Vorläufer der Arcadia, als erste Vertreter
einer veränderten Geschmacksrichtung.

Dies der Kern der sorgfältigen, vielleicht nur etwas zu ausführlichen
Abhandlung, deren einzelne Kapitel die Familie Buragna in Sardinien,
die Jugend Carlos, seine letzten Lebensjahre, die dichterischen Leistungen
und seine Stelle in der Literaturgeschichte zum Gegenstande haben. Besonders interessant ist darin die Gestalt des Vaters Giovan Battista Buragna, eines energischen, charaktervollen Mannes, der sich als Schriftsteller
und als Beamter, mit Wort und Tat gegen die Mißwirtschaft und Un-
gerechtigkeit der spanischen Tyrannei wehrte, die seine Heimatinsel und
das neapolitanische Land in Fesseln hielt. Indem Bertani uns die Bekanntschaft mit Sohn und Vater Buragna vermittelte, hat er sich ein
doppeltes Verdienst erworben.

Breslau.　　　　　　　　　　　　　　　Richard Wendriner.

**E. Lindner, Die poetische Personifikation in den Jugendschau-
spielen Calderons.** Ein Beitrag zu Studien über Stil und Sprache
des Dichters. (Münchener Beiträge zur rom. u. engl. Philol., hg. von
H. Breymann und J. Schick, Heft 32). Leipzig, Deicherts Verlag (Georg
Böhme), 1904. X, 150 S. 8. M. 4.

Richtig bemerkt Gries, der Übersetzer des Dichters, Calderon zeige
einen ungeheuren Überfluß an gemachten stehenden Phrasen, die sich bei jeder ähnlichen Gelegenheit wiederholen.
Sammlung und Sichtung dieses Materials können recht wesentliche Dienste
leisten, zumal der sehr fruchtbare Dichter für sprachliche Beobachtung
ein ausgedehntes Untersuchungsfeld bietet. Ohne weiteres leuchtet der
vielfache Nutzen einer solchen Untersuchung ein. Denn erst die möglichst ausgedehnte Erkenntnis seiner Sprache führt zur Erkenntnis seines
Gedankenausdrucks, zunächst rein formal, setzt aber den Leser in den
Stand, nicht bloß, was der Dichter gesagt hat, zu verstehen, sondern
auch, was er hat sagen wollen; auch an sprachlich dunklen Stellen
und wo auffälliger, nach seinem sonstigen Sprachgebrauch ungewöhnlicher
Ausdruck erscheint, wird nach den Resultaten einer lexikologischen Über-

sicht über seine Sprache wenigstens erkannt werden können, was an der
fraglichen Stelle von dem sonst üblichen Ausdruck abweicht, vielleicht
aber auch die Absicht des Dichters erkannt werden und die richtige Auslegung zu ermitteln sein. Richtig macht Krenkel in diesem Sinne darauf
aufmerksam, dafs Calderon aus sich selbst erklärt werden
müsse (Vorrede zu Bd. I der kommentierten klassischen Bühnendich-
tungen der Spanier). Ferner wird diese phraseologische Zusammenstellung
einer kommentierten Auslegung einzelner Stücke und der Lexikographie
zugute kommen. Sie wird auch mit ihren Gesamtresultaten Calderon als
Vertreter des estilo culto charakterisieren, eine Stelle in der Geschichte
der spanischen Sprache ausfüllen, dem Dichter seinen richtigen Platz in
der literarischen Entwickelung seines Volkes anweisen, sein Verhältnis zu
ebenso erforschten Vorgängern und Zeitgenossen bestimmen, endlich für
die vergleichende und die Weltliteratur eine Zusammenstellung mit grofsen
Dichtern anderer Nationen ermöglichen helfen.

Einen Beitrag zur Calderon-Forschung und zur Sprachforschung in
diesem Sinne will Ernst Lindner, selbstverständlich mit Einschränkungen
und für passend erachteten Kürzungen, in der vorliegenden Arbeit geben.

Schack, Bd. III, bei der Besprechung Calderons, macht darauf aufmerksam, dafs gerade bei diesem Dichter die Sprache in ihrer Entwickelung Beobachtung verdient, weil sie oft einen Anhaltspunkt für die Chronologie seiner Stücke gibt, ein Grund mehr für den Verfasser, diese Bahn
zu beschreiten, zumal die sprachliche Forschung für Calderon noch viel
zu tun gibt. Mit dieser nämlich haben sich beschäftigt: 1) Valentin
Schmidt, der in seiner von Leopold Schmidt besorgten Ausgabe der
Schauspiele (1857, Elberfeld) nur einen kleinen Beitrag von C.s poetischer
Sprache gibt; 2) Joh. Abert, *Schlaf und Traum bei Calderon* (Festschrift
für Professor Urlich, Würzburg 1880); 3) Max Krenkel, der in der
oben bereits erwähnten kommentierten *Ausgabe span. klassischer Bühnen-
dichtungen* (Leipzig 1881—87) wertvolles Material bietet; 4) Konrad
Pasch, der in den *Ausgewählten Schauspielen Calderons* (Freiburg i. B.
1891—96) gelegentlich Eigentümlichkeiten in Sprache und Stil, nicht erschöpfend, behandelt.

Eine vollständige Untersuchung ad hoc mit abschliefsenden Resultaten
fehlt, kann auch nicht im Rahmen einer Abhandlung auf ein paar hundert Seiten geführt werden: dazu ist das Material zu riesig. Eine Abhandlung kann, da räumliche und sachliche Beschränkung geboten ist,
nur als ein Spezimen sprachlicher Erforschung, immerhin mit sachlicher
Vertiefung auf kleinerem Gebiet, durchgeführt werden. Dies hat der Verfasser richtig erkannt und meines Erachtens geschickt durchgeführt. Von
den 108 comedias, die in drei Perioden gedichtet werden, wählte Lindner
zu seiner Untersuchung passend die der Jugendepoche des Dichters, die
er nach Hartzenbusch zitiert (Madrid, seit 1848). Sie umfafst die 24 Dramen des ersten und zweiten Teiles der Werke, die in der editio princeps
1636—37 je 12 Stücke enthalten. Dazu kommen noch 4 bis 1638, die
von der Kritik der Jugendepoche zugewiesen sind. Wo bei Hartzenbusch
vielleicht willkürlich geänderter Wortlaut vorliegt, ist der variierende Text
der ersten Ausgabe hinzugefügt.

Zur sprachlichen Untersuchung auf diesem Gebiete wählte Lindner
die poetische Personifikation; mit Recht, weil die dichterische Eigenart
des jungen Dramatikers hier besonders deutlich erscheint. Hier hat der
Verfasser auf anderen Gebieten vergleichender Forschung ähnliche Versuche schon vorgefunden, deren Mängel er vermeiden konnte, deren Vorzüge er sich zu eigen machte. Friedrich Goldmann untersuchte in
zwei Programmen (Halle 1885 und 1887) *Die poetische Personifikation bei
Plautus*, Hoburg brachte in einem Programm (Husum 1872) *Einige Bilder
und Personifikationen aus Shakespere*; C. C. Hense behandelte *Personi-

fikationen in griechischen Dichtungen (Festschrift, Parchim 1864; Halle 1868, 8°; und in zwei Programmen: Parchim 1874; Schwerin 1877). Lindner vermied es, wie Hense tut, von den personifizierenden Attributen auszugehen; er folgte Goldmanns und Hoburgs Weg, Gegenstände und Erscheinungen, wie sie der Lesestoff brachte, der Reihe nach zu betrachten. Auch so bieten sich noch Schwierigkeiten genug. Was ist h i e r als Personifikation anzusehen? Grammatiker und Rhetoriker weichen selbst in ihren Definitionen voneinander ab. Hense und Goldmann fassen den Begriff zu weit: sie nehmen Fälle hinzu, die vielleicht besser als Metonymie, Synekdoche oder Metapher anzusprechen sind, wie B r i n k m a n n, *Die Metaphern* (Bonn 1878), wahrscheinlich macht. Auch bleiben, nach Ausschaltung dieser Fälle, immer noch zwei Arten eigentlicher Personifikation zu unterscheiden: 1) die durch den Gebrauch überlieferten, in der an sich schon bilderreichen spanischen Sprache; 2) die von dem jungen Dichter a b s i c h t l i c h geschaffenen. Erstere, die verblafsten, kommen hier nicht in Betracht; für unzweifelhaft Calderonisch werden nur die letzteren gelten können und in dem Rahmen der sprachlichen Fortentwickelung von Bedeutung sein. Doch wird eine bestimmte Scheidung nur durch Vergleich in Wörterbüchern und eingehende Beobachtung von Calderons Sprachgebrauch möglich.

Auch das Wie der Ausführung bietet Schwierigkeiten. Lindner versuchte jedes Bild, in dem mehrere Vorstellungen aus verschiedenen Gedankenkreisen verschmolzen sind, in seine einzelnen Bestandteile zu zerlegen und führte diese an verschiedenen Stellen auf. Dabei mufste er einer trockenen lexikalen Aufzählung, die zu einem Sonderwörterbuch geführt hätte, aus dem Wege gehen: er durfte nicht die Stellen im Original o h n e b e l e b e n d e n Z u s a m m e n h a n g nebeneinander stellen. Er ordnete deswegen den Katalog seiner Gegenstände sachlich nach Hauptbegriffen und gab die jeweilig zu zitierenden Bilder im Zusammenhang mit gelungener poetischer oder meist sehr genauer prosaischer Übersetzug der ganzen zugehörigen Stelle, deren Erläuterung er vornimmt. Auf diese Weise ermöglichte er, auch in langer Reihe von Fällen zu einem Hauptbegriff, Klarheit für jedes Bild für sich im Zusammenhang mit seiner Stelle.

Die weitaus gröfste Zahl der Personifikationen betrifft Gegenstände aus dem G e b i e t d e r N a t u r, in denen sie als p l a s t i s c h e, p l a s t i s c h - b e s e e l e n d e, b e s e e l e n d e erscheinen. So personifiziert der Dichter z. B. die Sonne, deren Strahlen er mit Vorliebe ihre b l o n d e n H a a r e nennt,[b] die sie weit ausgebreitet über Berge und Wälder entfaltet; *Purg.* I, 157 :

> el sol las doradas trenzas
> Extiende desmarañadas
> Sobre los montes y selvas.

Auch im übertragenen Sinne; so *Saber* I, 30c — 31a, wo die goldenen Locken der Sonne noch hinter dunklen Wolken verhüllt sind: a b e r b a l d w i r d i h r L i c h t w i e d e r h e l l e r s t r a h l e n, d. h. die Wahrheit wird bald an den Tag kommen :

> Sacaré á luz la verdad
> Destos nublados que han sido
> La noche de vuestro honor,
> Hasta que claros y limpios
> Deje el sol, venciendo sombras
> Cabellos crespos y rizos.

Zu S. 12, 1 bemerke ich: Lindner sagt: Die Sonne wird auch zum P h o e b u s A p o l l o, d e r m i t A n b r u c h d e s A b e n d s s e i n e g o l -

denen Locken in den silberglänzenden Wogen badet und der
Nacht die Erlaubnis gibt, ihre schwarzen Schatten zu entfalten; *Argénis* I, 437:

> el dorado Febo
> En ondas de plata y nieve
> Baña los rubios cabellos
> Dando licencia á la noche
> Que baje entre oscuros velos.

In dieser plastisch-beseelenden Personifikation könnte das Bild der Nacht
noch anschaulicher werden, wenn man die letzte Zeile wörtlich wiedergibt;
die Nacht soll nicht ihre schwarzen Schatten entfalten, sondern
nach der letzten Zeile zwischen dunklen Schleiern, d. h. angetan
mit dunklen Schleiern, herabsteigen.
    Auf derselben S. 12, zu Anm. 9, gibt Lindner an, daſs die Nacht,
in Schatten gehüllt, den leuchtenden Sonnenwagen in den
kühlen Wellen verbirgt. Auch hier ist das Bild nicht genau wiedergegeben, wie vorher. Die Stelle lautet (*Prínc.* I, 260ᵇ):

> .... la noche,
> Envuelta en sombras, el luminoso coche
> Del sol esconde entre las ondas puras.

Gemeint ist offenbar, wie die letzte Zeile erweist, ein klarer Sonnen-
reflex, d. h. die Sonne soll ihr Bild in den klaren Wellen
widerspiegeln. Was sollen hier kühle Wellen?
    Im übrigen will ich gerade der Sorgfalt, mit der der Verfasser nach
den Texten die deutsche Einkleidung zur Entwickelung der Bilder ausgeführt hat, die verdiente Anerkennung nicht versagen. Denn gerade die
Einkleidung setzt den Leser in den Stand, jede der angezogenen Stellen
selbst zu beurteilen, ohne erst jedesmal die Texte nachzulesen.
    Auch habe ich bei sorgfältiger Prüfung der Zitate nur wenige Druck-
fehler oder Ungenauigkeiten gefunden, die ich gleich hier erledigen möchte:
    S. 20, Anm. 7, Zeile 5: ... *el mas remoto clima, donde el sol apénas
nudo luciente del globo, se dejar acechar del dia.* Zu lesen: *se deja
acechar* d. d.
    S. 24, Anm. 3: ... *esos rayos, de quien el cielo fué un amago breve,*
statt *amágo* (oder *ámago*, das hier unmöglich).
    S. 58, Anm. 5:

> Si al mismo cielo te subes,
> Campaña serán las nubes
> Que hagan de mi honor alarde.   *May. monstruo* I, 498ᶜ.

Zu lesen *campana*.
    In vier Kapiteln von sehr ungleicher Länge behandelt Lindner nun:
1) S. 8—99 Personifikationen aus dem Gebiete der Natur; 2) P. von
Teilen des menschlichen Körpers, sowie von Äuſserungen und Zuständen
seiner sinnlichen und seelischen Existenz; 3) P. von abstrakten Begriffen;
4) P. von Gebäuden, Geräten. Kap. 2—4 geben zusammen auf 43 Seiten
kaum die Hälfte der Ausbeute von Kap. 1. In der Tat kommt bei C.,
wie Lindner in den am Schluſs entwickelten Ergebnissen (S. 149) richtig
hervorhebt, namentlich in der Sprache der Liebenden das reiche Gebiet
der Natur zur Geltung, und hier zeigt der Dichter die ganze Fülle und
Kraft seiner poetischen Phantasie. Zuzugeben ist, daſs er bisweilen des
Guten zu viel tut: so in der überschwenglichen Schilderung des Festes
zur Huldigung für den Kroninfanten Baltasar (unter Philipp IV., März
1632 zu Madrid), in dem Stück *La banda y la flor,* das man bei
Schlegel I, 368 nachlesen kann. Richtig bleibt schlieſslich, wenn man
Calderon neben Shakespere betrachtet, trotz aller Begeisterung für den

grofsen Spanier, dafs er in seinen Personifikationen einen Vergleich mit dem Briten nicht aushält (S. 150), worin man dem sorgfältig prüfenden Verfasser wohl recht geben darf, obwohl er seine Untersuchung nur auf das erste Drittel des gesamten zu beurteilenden Materials beschränkt. Charlottenburg. George Carel.

Th. Roth, Der Einflufs von Ariosts Orlando Furioso auf das französische Theater. (Münchener Beiträge zur rom. u. engl. Philol., hg. von H. Breymann und J. Schick, Heft 34.) Leipzig, Deicherts Verlag (Georg Böhme), 1905. XXII, 255 S. 8 (nebst Anhang, 8 S.). M. 5,80.

Auf die französische Literatur hat von den fremden wohl die italienische den nachhaltigsten Einflufs ausgeübt, obwohl namentlich seit der Renaissance Dichter und Schriftsteller behaupten, sich durch das Studium und nach dem Vorbild der Alten gebildet zu haben, eine Angabe, die sich bis in die Literaturgeschichten der neuesten Zeit fortgeerbt hat. Sainte-Beuve, Saint-Marc Girardin, Nisard stellen die Nachahmung des Altertums als vorherrschend hin und berühren italienische Einwirkungen nur flüchtig. Auch für Lotheissen ist, trotz seines nachdrücklichen Hinweises auf die Bedeutung italienischen Schrifttums in Frankreich, die Pleiade zuerst Nachahmerin der Alten, Malherbe einseitiger Bewunderer der Griechen und Römer, Regnier nur Schüler des Horaz. Seit Du Verdier (1585), der nur Übersetzungen und freie Übertragungen italienischer Dichter aufzählt, italianisierende französische Lyrik aber gar nicht zu kennen scheint, bis Ende des 18. Jahrhunderts erfährt der italienische Einflufs nur lückenhafte und unkritische Würdigung. Einen Anfang zu seiner Erforschung macht Ant. Scoppa (1803), *Traité de la poésie italienne, rapporté à la poésie française,* indem er nachweist, dafs ein grofser Teil der französischen Verskunst von der italienischen beeinflufst wurde. Auch Rathery (1853), *Influence de l'Italie sur les lettres françaises depuis le XIIIᵉ siècle jusqu'au règne de Louis XIV,* spricht zur Frage, untersucht aber mehr den Einflufs Frankreichs auf Italien und sucht z. B. Tassos afrz. Quellen zu ermitteln, bringt aber am Schlufs erst die Urteile von Boileau und Voltaire. Gründlicher ist E. Arnould (1858) in den 'Essais de théorie et d'histoire littéraire': *De l'influence exercée par la littérature italienne sur la littérature française.* Chronologisch und übersichtlich untersucht er den Einflufs des italienischen Stiles auf den französischen, geht aber nicht ins einzelne, behauptet z. B., 'für die zweite Hälfte des 16. Jahrhunderts sei bei französischen Schriftstellern italienischer Einflufs leicht erweislich,' legt aber keinen Wert darauf, ihn zu verfolgen. Auch Démogeot (1880), *Histoire des littératures étrangères,* spricht über die Frage, nach Rathery, und sucht mehr nach französischem Einflufs in Italien.

Erst E. Campardon (1880), *Les Comédiens du Roi de la troupe italienne pendant les deux derniers siècles,* geht in die Frage ein, soweit sie mit der inneren Geschichte seines Gegenstandes zusammenhängt. Nolhac e Solerti (1890), *Il viaggio in Italia di Enrico III,* besprechen in ihrer ausführlichen Reisebeschreibung des Königs erstes Zusammentreffen mit den *comici gelosi* in Venedig. A. L. Stiefel forscht nach *unbekannten ital. Quellen zu Jean Rotrou,* Bd. LXXXVI, 47 (1891) unserer Zeitschrift nach den *Quellen des Parasite von Tristran l'Hermite.* — Den Einflufs der italienischen Renaissance auf die französische betrachtet J. Texte, *Revue des Cours et Conférences* (1894) und *Etudes de littérature européenne* (1898), bringt aber keine Beweise. — Fr. Flamini (1895), *Studi di stor. lett. ital. e straniera,* erörtert den Einflufs Italiens auf Franz I. und die Universität Paris. — Sehr verdienstvoll ist P. Toldo, der bei der Untersuchung der französischen Novellen des 16. und 17. Jahrhunderts die Hälfte der Stoffe schon in italienischen Sammlungen vorfindet, was auch gegen Gaston Paris besteben bleibt. Noch wichtiger sind Toldos Untersuchungen über das Drama (1898—99): *La Comédie française de la Renaissance,* durch die gründliche Analyse der Motive in beiden Literaturen. — Bd. C, 103 unserer Zeitschrift (1899) entwickelte er *L'arte italiana nell' opera di Rabelais.* Ebenso untersuchte er die italienischen Beziehungen von Montesquieu, Diderot, Voltaire. Zum erstenmal untersucht J. Vianey (1900), *L'Arioste et la Pléiade,* in dem *Bull. ital.* I, das Verhältnis besonders hinsichtlich der Lyrik. — Einen Versuch, die Wechselbeziehungen italienischen und französischen Schrifttums zusammenzufassen, machte Betz, *La littérature comparée* (1900), doch unübersichtlich, da die Schriften nicht nach Gruppen, sondern nach ihrem Erscheinen geordnet sind. — Gegenüber den älteren Literaturhistorikern sind die verdienstvollen Arbeiten von Lanson, Morf und Petit de Julleville von dem Verfasser mit Recht benutzt und berücksichtigt worden.

Ausgehend von der Bedeutung der ewigen Stadt als Mittelpunkt und oft ersehntes Besuchsziel der abendländischen Christenheit und der Schätzung der Seinestadt als Hochburg scholastischer Gelehrsamkeit, knüpft der Verfasser früh die eigentlich nie ganz und lange unterbrochenen Beziehungen zwischen Rom und Paris. Sie beginnen schon mit den gegenseitigen dienstlichen Besuchen der päpstlichen Legaten und der Bischöfe des allerchristlichsten Königs; Scholastiker und Dichter, gerade die gröfsten, kommen wissensdurstig oder schutzbedürftig nach Frankreich: Thomas von Aquino und Brunetto Latini; Pico della Mirandola, Dante, Petrarca, Boccaccio. Bald lesen und studieren die Crétin, Molinet, Chastellain, Meschinot die guten Schriftsteller Italiens, die ersten Übersetzungen von Dante, Petrarca, Boccaccio dringen in weitere Kreise, wozu bei Blanc, *Bibliographie italo-française* (1886) in der *Bibl. de traductions françaises d'auteurs italiens* die Beweise vorliegen. Seit diesen Anfängen hat der literarische Verkehr mit Italien nicht aufgehört, ist also ein so eindringlicher und wirkungsvoller geworden, dafs er bis zu Ariost eine fortlaufende geschichtliche Betrachtung der Dichtungsarten erfordert, die als Einleitung dem Hauptabschnitt der Arbeit: Ariost in Frankreich, vorangehen. Roth bespricht also in vier weiteren Abschnitten, die der bibliographischen Übersicht des I. Abschnittes folgen, den italienischen Einflufs II. auf die französische Lyrik, III. auf das französische Epos, IV. auf die Novelle und den Roman, V. endlich auf das französische Theater, das in fünf Unterabteilungen 1) italienische Schauspieler in Frankreich, 2) italienischen Einflufs auf die Tragödie, 3) den auf die Komödie, 4) den auf die Pastorale, 5) den auf die Oper untersucht. In knapper Aufzählung trägt er, nach dem Stande der Forschung, Schriftsteller, ihre Werke und den beobachteten Einflufs vor, mit Nachweis von untersuchenden Schriften und Dokumenten (S. 9—71).

Es folgt die Besprechung Ariosts in Frankreich (S. 75—248). Sie zerfällt in zwei sachliche Hauptteile, die sich nach der Einführung des Dichters und der Einwirkung seiner Dichtung auf das französische Theater bestimmen. Der erste Teil spricht I. von Ariosts Einführung und Verbreitung in Übersetzungen, II. von seinem Einflufs auf die französische Lyrik, III. von seinem Einflufs auf das Epos, IV. von seinem Einflufs auf das französische Theater. Dieser letzte Abschnitt ist die Hauptaufgabe der ganzen Abhandlung und bildet füglich den zweiten Teil der Untersuchung. Sie zerfällt nach den Hauptepisoden des Orlando, die bis ins einzelne geprüft werden, in elf Abschnitte; ein zwölfter führt vereinzelte Entlehnungen auf.

In den Ergebnissen (S. 248—255) kommt Roth für das Verhältnis beider Literaturen zu wichtigen Resultaten, die sicherlich nicht ganz neu sind, deren Richtigkeit im ganzen aber nicht anzufechten sein wird, obgleich sie die Stellung Italiens in ganz neuer Beleuchtung erscheinen lassen. Daran ändert der Umstand nichts, dafs die Sonderforschung im einzelnen immer noch zu korrekteren Erkenntnissen führen kann: sie werden die Gesamtresultate nicht wesentlich alterieren.

Als erwiesen darf man ansehen, dafs Italiens Anteil an der Entwickelung der neufranzösischen Literatur ebenso wichtig ist, manchmal sogar noch wichtiger als der antike Einflufs; bei letzterem namentlich hat Italien oft die Vermittlerrolle zu spielen, durch Dichter, Gelehrte, Künstler wie durch Meisterwerke im Original oder in Übersetzungen, die den antiken Geist vermitteln.

In Form und Inhalt der französischen Lyrik ist italienischer Einflufs anzuerkennen seit Einführung der *terza rima* durch J. Lemaire de Belges. Die Sonettdichtung ist ganz italienischen Ursprungs.

Die Ode verdankt ihre Anregung bei der Pleiade weniger den Alten als dem Italiener *Alamanni*. Von Marot bis Malherbe herrschen in der lyrischen Dichtung als Muster platonischer Liebe Petrarca, als Muster sinnlicher Erotik Bembo und Ariost.

Im Epos enthält Ronsards Franciade viele Entlehnungen aus Orlando; spätere romantische Epiker schöpfen aus ihm und der Gerusalemme liberata. Das komische Epos ist ganz auf die italienische burla zurückzuführen. Sogar Henriade und Pucelle von Voltaire haben noch den Hauch der italienischen Epiker. Und im 19. Jahrhundert nennt Victor Hugo Dante seinen Divin maître.

Die Novelle stammt nicht aus den altfranzösischen fabliaux, sondern in der Hauptsache aus der italienischen Novella. Lafontaines Verszählungen gehen zur Hälfte auf italienische Quellen zurück; Montesquieus *Lettres persanes*, Voltaires *Zadig* haben italienische Vorbilder.

Auf dem Theater ist italienischer Einflufs dem antiken mindestens gleichzustellen. Mit dem Einzug italienischer Schauspieler und dem Aufkommen der Commedia dell'arte beginnt ein konstituierter Schauspielerstand seine Arbeit nach italienischem Muster. Die altfranzösische Farce schwindet. Molières Charakterkomödie steht unter italienischem Einflufs, der auch im 18. Jahrhundert noch fortdauert, im 19. bei A. de Musset anzutreffen ist.

Weniger abhängig erscheint die Tragödie; zunächst sind Vorbilder Seneca und die Spanier; aber 1550—1636 werden auch italienische Tragödien nachgedichtet; dann wieder im 18. Jahrhundert Metastasio und Alfieri.

Pastorale und Oper sind spezifisch italienisch, werden zeitweilig spanisch, aber seit Mazarin bis Verdi italienisch.

Den mächtigsten Einflufs zeigt Ariost; er ist 97 mal übersetzt worden (Anhang S. 256—263). Im 16. und 17. Jahrhundert sind fast alle Episoden des Furioso in ihrer vollen Tragik von französischen Dichtern erfafst und dramatisiert worden, wahrscheinlich weil man das Ritterepos in dieser Zeit noch versteht. Die Aufklärung des 18. Jahrhunderts zerstört diesen romantischen Zauber durch zahlreiche Parodien, die in der neuen romantischen Schule des 19. Jahrhunderts die Rittergestalten des Orlando nicht wieder aufkommen lassen; die Zeit der letzteren auf dem Theater scheint vorüber zu sein.

Beide Arbeiten, Lindners *Calderon* und Roths *Orlando auf dem französischen Theater*, seien dem Studium bestens empfohlen.

Charlottenburg.   George Carel.

Verzeichnis

der vom 9. März bis zum 31. Mai 1906 bei der Redaktion
eingelaufenen Druckschriften.

Zeitschrift für österreichische Volkskunde. XII, 1—3 [A. Sikora, Zur
Geschichte der Zillertaler Tracht. — J. Blau, Die tschechische Volkstracht
der Tauser Gegend. — Joh. Bochmann, Das Erzgebirge nach seinen Sied-
lungen und die Beschäftigung seiner Bewohner. — E. Weslowski, Die
Möbel des rumänischen Bauernhauses in der Bukowina. — A. Sikora,
Zwei alte Tiroler Bauernhäuser. — E. Zellweker, Leipniker Dreikönigslied.
— A. Hellwig, Umfrage über kriminellen Aberglauben].

Ratzel, Friedrich, Kleine Schriften. Ausgewählt und hg. durch Hans
Helmolt. Mit einer Bibliographie von Victor Hantzsch. Mit einem
Bildnis Friedrich Ratzels und zwei Tafeln. München u. Berlin, R. Olden-
bourg, 1906. 2 Bde. I: XXXV, 530 S., II: IX, 542 S., und Bibliographie
LXII S. M. 25.

Hayward, F. H., Drei historische Erzieher: Pestalozzi, Fröbel, Her-
bart. Autor. Übersetzung von G. Hief. Leipzig, London, Paris, A. Owen
& Co., 1906. 63 S. M. 1,60.

Kleinpeter, Hans, Mittelschule und Gegenwart. Entwurf einer
neuen Organisation des mittleren Unterrichts auf zeitgemäfser Grundlage. Wien, Fromme, 1906. VI, 100 S. M. 2,50.

Literaturblatt f. germanische u. romanische Philologie. XXVII, 3—4
(März—April 1906).

Modern language notes XXI, 3 [R. Holbrook, Patelin in the oldest
known texts: I. Guillaume Le Roy, Pierre Levet, Germain Beneaut. —
K. D. Jessen, A note on phonetics. — Fl. Tupper, Legacies of Lucian.
— F. Wehse, Chronological order of certain scenes in Goethe's Faust. —
A. S. Cook, Samson Agonistes. — J. A. Child, A note on the Introduzione
alle virtù. — P. M. Buck, Notes on the Shepherd's calendar and other
matters concerning the life of Edmund Spenser. — A. Remy, Some Spanish
words in the works of Ben Jonson. — L. Lockwood, A note on Milton's
geography. — H. Baker, On a passage in Marlowe's Faustus]. 4 [F. Tupper,
Solutions of the Exeter book riddles. — Shaw, Another early monument
of the Italian language. — Klaeber, Hildebrandslied. — Cook, Chaucer:
Parl. Foules 353; Notes on Marlowe's Tamburlaine, first part. — Browne,
Lucian and Jonson. — Schinz, Simplification of French orthography. —
Walz, Schillers Spaziergang and Thomson's Seasons].

Publications of the Modern Language Association of America XXI,
1 [Frank Edgar Farley, Three Lapland songs. — J. W. Scholl, Schlegel
and Goethe 1790—1802: A study in early German romanticism. — J. W.
Cunliffe, Nash and the earlier Hamlet. — H. Seidel Canby, The English
fabliau. — R. W. Trueblood, Montaigne: The average man. — Kenneth
McKenzie, Italian fables in verse].

Die neueren Sprachen ... hg. von W. Vietor. XII, 10 [Th. Gautier, Remarques sur le dictionnaire de Sachs-Villatte. — H. Th. Lindemann, Der Humor Addisons. — Besprechungen. — Vermischtes]. XIII, 1 [K. Haag, Vom Bildungswert des Sprachenlernens. — R. J. Lloyd, Glides between consonants in English (IX). — Berichte. — Besprechungen. — Vermischtes]. Schweizerisches Archiv für Volkskunde, hg. von E. Hoffmann-Krayer und M. Reymond. X, 1 und 2 [B. Freuler, Die Holz- und Kohlentransportmittel im südlichen Tessin. — A. Hellwig, Die Beziehungen zwischen Aberglauben und Strafrecht. — Un livre de meige vaudois. — A. Rossat, Les Paniers (Fin). — S. Meier, Volkstümliches aus dem Frei- und Kelleramt. — Miszellen. — Kl. Chronik. — Bücheranzeigen. — Bibliographie].

Modern language teaching II, 3 [Bourdillon, Poetic touch in classical, mediæval and modern times. — E. Miall, My little French class. — C. E. Stockton, Notes of an elementary German class. — Atkinson, Modern language teaching in the Transvaal. — Lloyd, On thinking in a foreign language].

Skandinavisk månadsrevy I, 7 [H. Hungerland, Das historische Studium der deutschen Sprache, Fortsetzung und Schlufs. — E. A. Kock, Welche Substantive gehören zur gemischten Deklination? — Esperanto or English? (Holge Wiehe, The case for Esperanto; Godmund Schätle, The case for English)]. 8 [H. Söderbergh, Tyska eller Engelska? — H. Hungerland, Gustav Falke. — C. S. Fearenside, The Kipling reader: Famine in India. — C. Polack, Les livres de M. Kron]. 9 [H. Hungerland, Zur Frage der Universitätslektorate in Schweden. — G. Cohen, Le parler belge. — A new Swedish Hamlet. — H. Hungerland, Schiller in England. — H. Hungerland, Radikale Reform oder vermittelnde Methode im neusprachlichen Unterricht? — C. S. Fearenside, Questions in English pronunciation].

Modern language review I, 3 [E. Armstrong, Dante in relation to the sports and pastimes of his age. — J. Derocquigny, Lexicographical notes. — F. W. Moorman, Shakespeare's ghosts. — P. G. Thomas, Notes on the language of Beowulf. — H. Bradley, Some textual puzzles in Greene's Works. — J. T. Hatfield, Newly-discovered political poems of Wilhelm Müller. — H. J. Chaytor, Giraut de Bornelh: Los Apleitz. — Miscellaneous notes. — Reviews. — Minor notices. — New publications].

Neuphilologische Mitteilungen, hg. vom Neuphil. Verein in Helsingfors. Nr. 3/4. 1906 [W. Söderhjelm, Jehan de Paris. — Besprechungen. — Die schriftlichen Maturitätsproben im Frühjahr 1906. — Protokolle. — Eingesandte Literatur. — Mitteilungen].

Mémoires de la Société néophilologique à Helsingfors. IV. Helsingfors Waseniuska bokhandeln; Paris, Welter; Leipzig, Harrassowitz, 1906. 409 S. [O. J. Tallgreen, Las x y ç del antiguo castellano iniciales de sílaba, estudiadas en la inédita Gaya de Segovia. [Die Gaya ó Consonantes de (Pero Guillén de) Segovia ist ein handschriftliches Rimarium aus dem letzten Viertel des 15. Jahrhunderts, also älter als Nebrijas 'Ortographie' 1517. Die Arbeit tritt zu den verwandten von Cuervo, Ford und Saroïhandy. Tallgreen teilt die Auffassung, die der letztere im Bulletin hispanique 1902 vorgetragen hat.] — Torsten Söderhjelm, Die Sprache in dem altfr. Martinsleben des Péan Gatineau aus Tours. Eine Untersuchung über Lautverhältnisse, Flexion, Vers und Wortschatz. [Eine sorgfältige, wertvolle Studie, durch die ein Bruder die verdienstliche Arbeit des andern ergänzt.] — H. Pipping, Zur Theorie der Analogiebildung. [Von Jespersens Einteilung 'a) erhaltende und b) schaffende Analogiebildungen' ausgehend, zeigt P. unter Zugrundelegung dänischen Sprachmaterials, dafs die beiden Formen der Analogie verschiedene Lebensbedingungen haben, und dafs der erhaltenden Analogiebildung die gröfsere Bedeutung zukommt.] — A. Långfors,

Li Ave Maria en Roumans par Huon le Roi de Cambrai, publié pour la
première fois. — J. Poirot, Quantité et accent dynamique, travail du la-
boratoire de physiologie à l'université de Helsingfors, Section de phonétique expérimentale. — M. Wasenius, Liste des travaux sur les langues
et littératures modernes, publiés en Finlande 1902—5].

P a n z e r, Fr., Der romanische Bilderfries am südlichen Choreingang
des Freiburger Münsters und seine Deutung. 34 S. fol. S. A. aus den
Freiburger Münsterblättern hg. vom Freiburger Münsterbauverein, zweiter
Jahrgang, erstes Heft. [Es sind sechs Bilderszenen, deren Deutung Pan-
zers nach Inhalt und Ausstattung gleich schöne Arbeit gilt: die Luftfahrt
Alexanders; Davids Löwenkampf; der Wolf in der Schule; Kentauren-
kampf; der Kampf mit dem Greifen; die Sirenen. Man folgt seinen Ausführungen, die ein reicher Bilderschmuck illustriert, mit dem gröfsten
Interesse, läfst sich von seiner anschaulichen Darstellung gern überzeugen
und erwartet mit Spannung die Lösung, die er aus der Oswaldlegende für
die Sirenenszene zu gewinnen hofft. Man bewundert die Verbindung von
kunstgeschichtlichem und literarhistorischem Wissen, die es Panzer erlaubt,
die Gebilde der Steinmetzen durch die Erzählungen der Poeten zu beleuchten und in so fesselnder Weise an so unscheinbaren Objekten die Einheitlichkeit des geistigen Lebens nachzuweisen. Auf die Entwickelungsgeschichte des Freiburger Münsters fällt dabei ebensowohl neues Licht
(Beziehungen zu St-Ursanne und Basel) wie auf die Art und Weise, wie
die lehrhafte Kirche sich das Heidentum und die Weltlust uralter Traditionen dienstbar macht.]   _____

C a p p e l l i, A., Cronologia e Calendario perpetuo. Tavole cronogra-
fiche e quadri sinottici per verificare le date storiche dal principio del-
l'era Cristiana ai giorni nostri. Milano, N. Hoepli, 1906. XXXIII, 421 S.
Geb. Lire 6,50. [Das handliche und typographisch vortrefflich ausgestattete Buch, eines der nunmehr 900 'Manuali Hoepli', wird allen denen willkommen sein, die bei ihren historischen Arbeiten nicht eines der grofsen
chronologischen Werke zur Hand haben. Es vereinigt als Frucht mühevoller Arbeit und reicher Erfahrung in gedrängtester, aber übersichtlicher
Form die Chronologie der christlichen Zeit von den römischen Kaisern,
den mittelalterlichen Fürsten und Päpsten bis zur Gegenwart, führt die
Ära der Byzantiner, Spanier, Muhamedaner und der Revolution, gibt einen
ewigen Kalender nach dem System der 35 Osterfeste und sorgfältig gearbeitete synoptische Tabellen über die Regierungszeiten in den Haupt-
ländern Europas.]

Methode Toussaint - Langenscheidt. Brieflicher Sprach- und Sprech-
unterricht f. d. Selbststudium der s c h w e d i s c h e n Sprache von E. J o n a s,
E. T u n e l d, C. G. M o r é n. Berlin, Langenscheidt. Brief 36 (letzter);
Beilage III—VI; Sachregister, zu M. 1.

B e r g, Ruben G^son, Svenska Skalder fråm Nittitalet, sex essäer. Aktie-
bolagst Ljus. Stockholm, 1906. 108 S. En Kronas.

_____

Deutsch - österreichische Literaturgeschichte. Ein Handbuch zur Geschichte der deutschen Dichtung in Österreich - Ungarn, hg. von J. W.
N a g l und J. Z e i d l e r. Wien, Carl Fromme. 28. Lieferung, bezw. 11. Lieferung des Schlufsbandes: S. 481—528. Neuere und neueste Zeit. K. 1,20
= M. 1.

U n s e r, H., Über den Rhythmus der deutschen Prosa [Freiburger
Inauguraldissertation]. Heidelberg, Hörning, 1906. 38 S.

F e l l w e k e r, E., Prolog und Epilog im deutschen Drama, ein Beitrag zur Geschichte deutscher Dichtung. Leipzig, Deuticke, 1906. 102 S.
M. 3.

Merker, Paul, Studien zur neuhochdeutschen Legendendichtung, ein Beitrag zur Geschichte des deutschen Geisteslebens (Probefahrten 9). Leipzig, Voigtländer, 1906. VIII, 153 S. M. 4,80.

Uhl, W., Entstehung und Entwickelung unserer Muttersprache (Aus Natur und Geisteswelt, 84. Bd.). Leipzig, Teubner, 1906. 128 S. Geb. M. 1,25.

Kleinpaul, Rudolf, Das Fremdwort im Deutschen. Sammlung Göschen 55. 3. A. Leipzig, Göschen, 1905.

Graef, Hermann, Schillers Romanzen in ihrem Gegensatz zu Goethes Balladen. Beiträge zur Literaturgeschichte, hg. von H. Graef. Leipzig, Verlag für Literatur, Kunst und Musik, 1906. 42 S. M. 0,60.

Graef, Hermann, Heinrich Heine. Beiträge zur Literaturgeschichte, hg. von H. Graef. Nr. 5. Leipzig, Verlag für Literatur, Kunst und Musik, 1906. 30 S. M. 0,40.

Kunad, Paul, Immermanns Merlin und seine Beziehungen zu Richard Wagners Ring des Nibelungen. Beiträge zur Literaturgeschichte, hg. von H. Graef. Nr. 3. Leipzig, Verlag für Literatur, Kunst und Musik, 1906. 16 S. M. 0,40.

Brischar, Karl M., Jens Peter Jacobsen und seine Schule. Beiträge zur Literaturgeschichte, hg. von H. Graef. Leipzig, Verlag für Literatur, Kunst und Musik, 1906. 19 S. M. 0,40.

Knodt, Karl Ernst, Theodor Storm als Lyriker. Beiträge zur Literaturgeschichte, hg. von H. Graef. Nr. 4. Leipzig, Verlag für Literatur, Kunst und Musik, 1906. 27 S. M. 0,40.

v. Wildenbruch, Ernst, Das deutsche Drama, seine Entwickelung und sein gegenwärtiger Stand. Beiträge zur Literaturgeschichte, hg. von H. Graef. Nr. 6. Leipzig, Verlag für Literatur, Kunst und Musik, 1906. 49 S. M. 0,80.

Aus deutschen Lesebüchern, epische, lyrische und dramatische Dichtungen, erläutert für die Oberklassen der höheren Schulen und für das deutsche Haus. IV. Bd., 1. Abteilung: Epische Dichtungen [Nibelungenlied, Gudrun, Parcival, Armer Heinrich, Glückh. Schiff, Messias, Heliand, Hermann und Dorothea, Der 70. Geburtstag, Reineke]. 4. Aufl. Unter Mitwirkung von G. Frick und G. Polack. Leipzig, Th.Hofmann, 1906. XII, 508 S. Geh. M. 4.

Zur Geschichte. Proben von Darstellungen aus der deutschen Geschichte, für Schule und Haus ausgewählt und erläutert von Dr. Willy Scheel [Aus deutscher Wissenschaft und Kunst]. Leipzig, Teubner, 1906. 174 S. Geb. M. 1,20.

_____

Englische Studien XXXVI, 2 [Gordon Hall Gerould, Social and historical reminiscences in the Middle English 'Athelston'. — E. M. Wright, Notes on 'Sir Gawayne and the green knight'. — W. v. d. Gaaf, Miracles and mysteries in South-East Yorkshire. — R. Petsch, Hamlet unter den Seeräubern. — A. L. Stiefel, Zur Quellenfrage von John Fletchers 'Monsieur Thomas'. — J. Ellinger, Das Partizip Präsens in gerundialer Verwendung].

Anglia XXIX, 2 [L. Diehl, Englische Schreibung und Aussprache im Zeitalter Shakespeares, nach Briefen und Tagebüchern. — C. Heck, Die Quantitäten der Akzentvokale in ne. offenen Silben mehrsilbiger nichtgermanischer Lehnwörter, II. — F. Morgan Padelford, The relation of the 1812 and 1815—1816 editions of Survey and Wyatt. — F. Klaeber, Notizen zu Cynewulfs Elene. — F. Klaeber, Berichtigung].

Beiblatt zur Anglia XVII, 3, 4.

Scottish historical review III, 11 [C. H. Firth, Ballads on the bishops' war 1638—40. — A. Lang, Portraits and jewels of Mary Stuart. — J. Maitland Anderson, James I and the university of St. Andrews. —

H. Bingham, The early organisation in London of the Scots Darien Company. — H. Maxwell, The 'Scalacronica' of Sir Thomas Gray. — J. H. Rouard, The Ruthven of Freeland barony].

Bausteine, Zeitschrift für neuenglische Wortforschung. I, 4 [A. Wüstner, Sentiment und sentimental. — R. Brotanek, Übersicht der Erscheinungen auf dem Gebiete der englischen Lexikographie im Jahre 1903 (Schluſs). — L. Kellner, Beiträge zur neuenglischen Lexikographie (Foitsetzung). — Kleine Notizen. — Fragen und Antworten. — Bücherschau. — Plauderecke].

Wülker, Richard, Geschichte der englischen Literatur von den ältesten Zeiten bis zur Gegenwart. 2. neubearbeitete Auflage. Leipzig und Wien, Bibliographisches Institut, 1906. 15 Lieferungen à M. 1. Heft 1, 64 S. M. 1.

Schröer, M. M. Arnold, Grundzüge und Haupttypen der englischen Literaturgeschichte. Sammlung Göschen 286 u. 287. I: Von den ältesten Zeiten bis Spenser, 168 S.; II: Von Shakespeare bis zur Gegenwart, 136 S. Leipzig, Göschen, 1906. Geb. à 80 Pf. [Der Plan der Sammlung Göschen erlaubte nur eine Auswahl des Wichtigsten. Schröer geht auf Beowulf und Chaucer näher ein, wobei seine philologischen Vorarbeiten ihm zustatten kamen, sehr hübsch auf Spenser, dessen Verständnis man als den Gradmesser einer gründlichen Einsicht in die englische Literaturentwickelung betrachten kann, natürlich auf Shakespeare und Milton, am liebevollsten auf Volkspoesie und Burns, im Sinne des heute in England herrschenden Geschmacks auf Byron, Wordsworth und ihre Zeitgenossen. Mit allen hat er gelebt; da und dort bringt er eine originelle Beobachtung bei, z. B. beim Beowulf über die typische, zur Situation nicht passende Lobpreisung Hrothgars, bei Layamon über die Verwechslung von nationalem und lokalem Patriotismus; in Einzelheiten ladet er wohl auch zum Widerspruch ein, z. B. wenn Grendels Mutter ein Meerweib genannt wird, während sie doch unter einem Binnensee wohnt, oder wenn Dr. Johnson schlechtweg als Gegner der Romantik erscheint, der doch in der 'Reise nach den Hebriden' für mittelalterliche Kultur und wildschöne Natur kraftvoller als irgendein Vorgänger eintrat. Nicht selten verläſst er die wissenschaftliche Heerstraſse, macht z. B. bei Wyclif einen langen Exkurs in das Religionswesen des heutigen England, ergeht sich an der Schwelle des 18. Jahrhunderts auf mehreren Seiten über britischen Nationaldünkel (*insular asinity*) und kommt bei der Entstehung der ae. Schriftsprache sogar auf das Undeutsch der Tschechen und Polacken in Wien zu reden. Man glaubt manchmal eine Zeitung zu lesen, aber der Ton ist immer frisch, das Wissen gelehrt und die Aufrichtigkeit des Verfassers unzweifelhaft. Eine Anzahl Bücherangaben erleichtern die nähere Einarbeitung, zwei Zeittafeln die Übersicht.]

Otto Jespersen, Growth and structure of the English language. Leipzig, Teubner, 1905. IV, 260 S. Geb. 3 M. [Unter 'Sprache' versteht Jespersen hier in erster Linie jene Verhältnisse der Flexion, Wortbildung und Syntax, die auf der Grenze zwischen dem hergebrachten Schema und dem Individualstil liegen. Von Lautlehre im eigentlichen Sinne kommt in seinem Buche wenig vor; von Flexionslehre nicht ein einziges Paradigma; solch elementare Dinge setzt er eben als bekannt voraus. Aber welche Wörter, Ableitungen und Phrasen durch Christentum, Dänen, Normannen und Humanisten aufkamen, wie Shakespeare sein Englisch gebrauchte und in manchen Wendungen noch die modernen Schriftsteller beeinfluſste, wie sich Kirchen-, Schul- und Umgangssprache sondern, wie sich die Logik von der Grammatik entfernt, derlei Probleme bespricht er mit der Sachkenntnis und lebendigen Auffassung, durch die sich bereits sein '*Progress in language*' auszeichnete. Bisher unbenutztes Material hat er hauptsächlich aus Murrays *Dictionary* geschöpft; interessant ist die

Liste der französischen Wörter, deren Eindringen er danach für jedes halbe Jahrhundert seit 1050 festzustellen sucht (S. 93), natürlich nicht mit Anspruch auf volle Verläfslichkeit, denn die grofsen Zahlen in der Zeit 1250—1400 erklären sich ungleich mehr aus dem damaligen Anschwellen der Literatur als der Sprachmischung. Viel Belesenheit mufs man ihm nachrühmen; doch in der deutschen Fachliteratur ist er nicht immer ganz zu Hause; am meisten ist mir dies betreffs *s* und *th* im 3. Sgl. Präs. aufgefallen: was er darüber sagt, ist gegenüber Hölpers Zusammenstellungen (*Sprachgebrauch bei Tottel*, 1894) dürftig und schief. Auch über das Eindringen dänischer Sage in spätags. Zeit wäre Triftigeres vorzubringen, als was S. 61 f. steht. Es ist nicht leicht, auf einem so ausgedehnten Gebiete die Einzeldinge alle gründlich zu beherrschen und dabei grofse Entwickelungslinien glatt durchzuführen. Die Kleinforschung, die vorangehen sollte, ist vielfach noch im Rückstande; sie dürfte wohl durch Jespersens grofszügige Fragestellung belebt werden.]

C. Alphonso Smith, Studies in English syntax. Boston, Ginn, 1906. 92 S. [Drei Aufsätze sind hier vereint, von denen der erste in *M. L. A. Publ.* 1900, der zweite in *M. L. Not.* 1904 bereits erschienen war. Es sind Erwägungen über 'Sprachdummheiten', die einen tieferen Sinn haben. I. 'Interpretative syntax' zeigt an Verwechslungsbeispielen bunter Art, dafs nicht blofs die Vorgeschichte einer Konstruktion für sie charakteristisch ist, sondern auch ihre Weiterentwickelung; so ist *weorðan* als Wort tot, lebt aber virtuell fort in *become, grow, get* und dergl. II. 'The short circuit' macht auf Anakoluthe aufmerksam, die veranlafst wurden durch Fernabrücken des regierenden Wortes. III. 'The position of words' betont die verschiedene Auffassung eines Akkusativobjekts, je nachdem es vor oder nach dem Verb steht. Letzterer Essay zeigt am meisten Neubeobachtung; alle Essays sind Weiterführungen der von Einenkel, Franz, Kellner und anderen Syntaktikern aufgestellten Thesen; ihr Wert liegt nicht so sehr in der Fülle der Belege als vielmehr in der interessanten Zusammenstellung bisher isoliert gedachter Erscheinungen.]

Schön, Eduard, Die Bildung des Adjektivs im Altenglischen (Kieler Studien, Neue Folge, Heft 2). Kiel, Cordes, 1905. 110 S. M. 3.

Schuldt, Claus, Die Bildung der schwachen Verba im Altenglischen (Kieler Studien, Neue Folge, Heft 1). Kiel, Cordes, 1905. 95 S. M. 2,50.

Van Zandt Cortelyon, John, Die altenglischen Namen der Insekten, Spinnen und Krustentiere (Anglistische Forschungen XIX). Heidelberg, Winter, 1906. VII, 124 S. M. 3,60.

Dellit, Otto, Über lateinische Elemente im Mittelenglischen. Beiträge zur Geschichte des englischen Wortschatzes. Marburger Studien, Heft 11. Marburg, Elwert, 1906. VIII, 101 S. M. 2,50.

Grimm, Conrad, Glossar zum Vespasian-Psalter und den Hymnen (Anglistische Forschungen, XVIII). Heidelberg, Winter, 1906. VI, 220 S. M. 4.

Deutschbein, Max, Studien zur Sagengeschichte Englands. Erster Teil: Die Wikingersagen. Hornsage, Havelocksage, Tristansage, Boevessage, Guy of Warwicksage. Cöthen, Otto Schulze, 1906. XII, 264 S. M. 7.

Imelmann, Rudolf, Lajamon, Versuch über seine Quelle. Berlin, Weidmann, 1906. VIII, 117 S. M. 3.

W. Shakespeares dramatische Werke. Übersetzt von A. W. v. Schlegel und L. Tieck. Im Auftrage der Deutschen Shakespeare-Gesellschaft hg. von W. Oechelhäuser. Auf Veranlassung des Herausgebers revidiert von G. Conrad. Stuttgart und Leipzig, Deutsche Verlagsanstalt. XV, 1032 S.

Koeppel, E., Ben Jonson's Wirkung auf zeitgenössische Dramatiker und andere Studien zur inneren Geschichte des englischen Dramas

(Anglistische Forschungen, XX). Heidelberg, Carl Winter, 1906. 238 S.
M. 6.
    L ö w e, Ernst, Beiträge zur Metrik Rudyard Kiplings.   Marburger
Studien, X. Marburg, Elwart, 1906. 103 S. M. 2,50.
    Collection of British Authors. Tauchnitz edition.   à M. 1,60.
    Vol. 3873—74: Maarten M a a r t e n s, The healers.
    „   3875: Beatrice H a r r a d e n, The scholar's daughter.
    „   3876: Daniel W o o d r o f f e, The beauty-shop.
    „   3877: Max P e m b e r t o n, My sword for Lafayette.
    „   3878—79: E. F. B e n s o n, The angel of pain.
    „   3880: The Author of 'Elizabeth and her German garden', The
            Princess Priscilla's fortnight.
    „   3881: The author of 'Elizabeth and her German garden', The ad-
            ventures of Elizabeth in Rügen.
    „   3882: W. R. H. T r o w b r i d g e, A dazzling reprobate.
    „   3883—84: H. Rider H a g g a r d, The way of the spirit.
    „   3885: Agnes and Egerton C a s t l e, 'If youth but knew!'
    K r ü g e r, Gustav, Des Engländers gebräuchlichster Wortschatz. Kleine
Ausgabe des Systematic English-German vocabulary. Für den Schul- und
Selbstunterricht. Mit Angabe der Aussprache. Dresden und Leipzig,
C. A. Koch (F. Ehlers), 1906. VIII, 72 S. M. 1.
    D e g e n h a r d t, Rudolph, Lehrgang der englischen Sprache. I. Grund-
legender Teil. Der neuen Bearbeitung 11. Auflage, besorgt von Karl
Münster. Dresden, Ehlermann, 1906. XII, 288 S. Geb. M. 2,50.
    D ö h l e r, Emil, Grammatik für die Oberstufe, der dreibändigen Aus-
gabe B für höhere Mädchenschulen des Lehrbuches der englischen Sprache
(Dr. Otto Börners Neusprachliches Unterrichtswerk), im Anschluſs an
Thiergens Hauptregeln der englischen Syntax. Leipzig, Teubner, 1906. 88 S.
Geb. M. 1,20.
    K r u e g e r, Gustav, Englisches Unterrichtswerk für höhere Schulen.
Unter Mitwirkung von William Wright. 2. Teil: Grammatik. Leipzig,
Freytag, 1906. 374 S. Geb. M. 4.
    T h i e r g e n, O., und E. D ö h l e r, Lehrbuch der englischen Sprache.
Dreibändige Ausgabe B, Teil III (Dr. O. Börners Neusprachliches Un-
terrichtswerk). Leipzig, Teubner, 1906. 192 S. M. 3,20.
    Selections from English poetry. Auswahl von. Dr. Ph. Aronstein
(Velhagen u. Klasings Sammlung, English authors, Lieferung 104). Bielefeld, Velhagen, 1905. XII, 316 S., 14 Illustrationen. — Ergänzungsband
[I. Zur Verslehre; II. Anmerkungen; III. Übersetzungen; IV. Wörterbuch.
63 S.].
    L y t t o n, Edward Bulwer, Harold, The last of the Saxon kings. Für
den Schulgebrauch erklärt von Fritz M e y e r. Franz. und engl. Schulbibl.
149. Leipzig, Renger, 1906. IX, 110 S.
    M a a r t e n s, Maarten, Bret Harte, Harding Davis, and other authors:
a Christmas posy, stories and sketches of Christmas time, für den Schulgebrauch hg. von J. B u b b e (Freytags Sammlung französischer und englischer Schriftsteller). Leipzig, Freytag, 1906. 164 S. Geb. M. 1,60. —
Hierzu ein Wörterbuch. 62 S. M. 0,60.
    W i g g i n, Kate Douglas, The birds' Christmas carol, für den Schul-
gebrauch hg. von Elisabeth M e r h a u t (Freytags Sammlung frz. und engl.
Schriftsteller). Leipzig, Freytag, 1906. 83 S. Geb. M. 1.

Romania p. p. P. M e y e r et A. T h o m a s. No 137, janvier 1906
[E. Philipon, Provenz. -enc, ital. -ingo, -engo. — P. Meyer, Fragments de
mss français. — J. A. Herbert, An early ms. of Gui de Warwick. —
A. Thomas, Jeanette de Nesson et Merlin de Cordebeuf-Mélanges: G. Huet,

Encore *Floire et Blanchefleur.* — F. Lot, *Guenelon-Ganelon.* — Ch. Drouchet, Franç. *épaule.* — A. Thomas, 'Giraut de Borneil' ou 'Guiraut de Bornelh'? — Prov. anc. *albuesca*, prov. mod. *aubieco.* — Un sens rare du mot *voiture.* — F. Novati, Ital. *jana, janara.* — Comptes rendus. — Périodiques — Chronique].
Gesellschaft für romanische Literatur. Zweiter Jahrgang 1903. Vierter und letzter Band, d. h. nach der ganzen Reihe
Band 6: Tres Comedias de Alonso de la Vega, con un prólogo de D. Marcelino Menéndez y Pelayo. XXX, 110 S.
Dritter Jahrgang 1904. Erster und zweiter Band, d. h. nach der ganzen Reihe
Band 7: Gedichte eines lombardischen Edelmannes des Quattrocento, mit Einleitung und Übersetzungen hg. von Leo Jordan. 74 S.
Band 8: Il canzoniere provenzale della Riccardiana, no. 2909. Edizione diplomatica preceduta di un'introduzione per il prof. Giulio Bertoni. XLVI, 245 S. und zwei Tafeln.
Alle drei Bände ausgegeben im März 1906.
Ulrich, J., Proben der lateinischen Novellistik des Mittelalters. Ausgewählt und mit Anmerkungen versehen. Leipzig, Rengersche Buchbandlung, 1906. 217 S. M. 4. [Etwa zweihundert Stücke, zumeist in Prosa, der *Disciplina clericalis*, dem *Directorium humanae vitae*, der *Historia de septem sapientibus*, dem *Dolopathos*, den *Gesta Romanorum*, den *Exemplis* des Jacques de Vitry und des Etienne von Bourbon u. a. entnommen. Von den vorausgeschickten zwölf rhythmischen Märchen, Fabeln und Schwänken ist das längste Stück der *Unibos*. Die Auswahl hätte sich wohl, ohne dafs sie umfangreicher geworden wäre, noch etwas mannigfacher gestalten lassen. Ein philologischer Kommentar fehlt. Die nützliche Zusammenstellung des Stoffes auf Seite 209—15 gibt knappe Verweisungen auf die Entsprechungen bei Köhler, Benfey, Liebrecht etc. Die Numerierung der Stücke der *Disc. cler.* fehlt im Text p. 23 ff. und ist p. 210 von No. 6 ab irrtümlich. Das Buch ist ein willkommenes Hilfsmittel zum Unterricht in der mittelalterlichen Literatur.]
Niedermann, M., Précis de phonétique historique du latin. Avec un avant-propos par A. Meillet. (Nouvelle collection à l'usage des classes, no. XXVIII.) Paris, Klincksieck, 1906. XII, 151 S. kart. fr. 2,50. [Die ersten 60 Seiten — évolution du vocalisme — dieses für die Schulen bestimmten Handbuchs sind vor zwei Jahren als Schulprogramm erschienen (vgl. *hier* CXIII, 456). Nun ist der Konsonantismus hinzugefügt worden, der ebenso übersichtlich und in klarer Kürze dargestellt erscheint wie der Vokalismus. — Zu der phonetischen Anschauung und Terminologie, die § 5 und 6 vorgetragen wird, wäre manches zu bemerken. Nicht nur stimmt die Tabelle von § 6 nicht genau mit den 'Remarques' (es fehlt das vordere *l* und das *ñ*, sondern es dürfte überhaupt die historische Grammatik der toten Sprachen sich mit den Erkenntnissen, die an den lebenden Sprachen und durch die experimentelle Phonetik gewonnen worden sind, mehr vertraut machen und so mit präziseren Artikulationsvorstellungen arbeiten. Der vage Terminus 'guttural' dürfte endlich verschwinden (cf. G. Paris, *Mélanges linguistiques*, I, 80 ff.) und den bestimmten 'palatal', 'velar' Platz machen. Niedermann aber nennt ein *l*, das 'à la naissance des incisives (d. h. dental-alveolar) gebildet wird, ein *'l palatal'* — unter *l palatale* aber versteht der Phonetiker ein am Palatum gebildetes, d. h. 'mouilliertes' *l* etc. Solche Differenzen machen sich denn auch in den entwickelungsgeschichtlichen Partien bemerkbar. So z. B. in dem was über *v* (p. 10) gesagt ist. Das *w* des franz. *échouer* (*e/we*) ist ein *bilabio-velarer*-Reibelaut mit naturgemäfs sehr wenig Reibungsgeräusch; das *v* in franz. *vin* (§ 36) ist ein sehr kräftiger *labiodentaler* Reibelaut. Latein. intervokales *v* (aus *b*) z. B. in *incomparavilis, devere* ist zunächst weder das eine noch das an-

dere, sondern ein einfacher *bilabialer* Reibelaut; es ist erst viel später labiodental (wie in franz. *devoir, vin*) geworden. Das tritt in § 36 und 52 nicht deutlich hervor. Auch lehrt die romanische Sprachgeschichte, dafs Graphien wie *vene* für *bene* nicht mit *devere* auf eine Stufe zu setzen sind, wie man auch sonst von Parodis Auffassung (*Romania* XXVII, 177 ff.) denken mag. — Auch die hier (CXIII, 456) monierte Vorstellung vom Kampf der 'psychischen' Analogie gegen die 'physiologischen' Lautgesetze — bald *règles*, bald *lois* genannt — ist stehen geblieben, obschon der Verfasser in der Vorrede selbst sagt, dafs in einem solchen Manuel nichts stehen soll, '*qui soit en contradiction avec les résultats établis par la science*'. — Das Werkchen, das sich an die Schüler höherer Schulen richtet, die ja im fremdsprachlichen Unterricht nun bereits an eine lebendige Phonetik gewöhnt sind, wird noch nützlicher und brauchbarer werden, wenn es seine phonetischen Lehren mit den dort vorgetragenen in Einklang bringt. Das wird einem so kundigen Forscher wie N. nicht schwerfallen. En attendant sei es auch in dieser Form schon bestens empfohlen.]

Zeitschrift für französische Sprache und Literatur, hg. von D. Behrens. XXIX, 5 [W. Küchler, Über das künstlerische Element in Théophile Gautiers Persönlichkeit und Schaffen. — A. L. Stiefel, Über Jean Rotrous spanische Quellen. — E. Stemplinger, Nik. Rapin als Übersetzer. — J. Frank, Zur Satire Ménippée. — L. E. Kastner, The Vision of Saint-Paul by the anglonorman trouvère Adam de Ross. — W. Förster, Zu Perrin von Angicourt. — D. Behrens, Wortgeschichtliches]. — XXIX, 6 und 8 [der Referate und Rezensionen drittes und viertes Heft].

Bulletin du Glossaire des patois de la Suisse romande. 5ᵉ année. N⁰ 1. Lausanne, Bridel & Cⁱᵉ, 1906. 16 S. [E. Tappolet, Les expressions pour une 'volée de coups' dans les patois fribourgeois et vaudois. — M. Gabbud, Enigmes, jeux de mots et formulettes bagnardes. Patois de Lourtier (Valais). — L. Gauchat, *Semoraul*-juin. — J. Jeanjaquet, Ancien neuchâtelois: *entrèves*].

Novati, F., *Li Dis du koc* di Jean de Condé ed il gallo del campanile nella poesia medievale, con due appendici e una tavola. (S. A. aus den *Studi medievali* I.) Bergamo, Istituto d'arti grafiche, 1905. 48 S. [N. druckt das von Scheler als *Dis des trois estas dou monde* im zweiten Bande der *Dis et Contes* des Baudouin und Jean de Condé herausgegebene Moralgedicht neu ab, auf Grund einer Kollation der einzigen Römer Hs., die Scheler nicht selbst eingesehen hatte, und begleitet diese Ausgabe mit einem reichen literarhistorischen und kulturgeschichtlichen Kommentar, wie man's von ihm gewöhnt ist. Was bisher über die tausendjährige Sitte, metallene Hähne auf Kirchtürmen anzubringen, bekannt war, ergänzt er durch interessante Mitteilungen über einen Turmhahn vom Jahre 820, den das Museum zu Brescia aufbewahrt.]

Ulrich, J., Proben der französischen Novellistik des 16. Jahrhunderts. Texte und Kommentar. I. Texte. Leipzig, Rengersche Buchhandlung, 1906. 263 S. 4 M. [Das Buch will nach dem Vorwort keine Blütenlese sein, sondern charakteristische Proben geben, daher seien hier aus den Novellenbüchern (*Grand Parangon, Nouv. Récréations, Heptaméron, Contes du monde aventureux, Pantagruel, Apologie pour Hérodote*, den Geschichten *Noëls du Fail*, den *Après-dîners du Seigneur de Cholières*, den *Serées* und dem *Moyen de parvenir*) nicht die Stücke ausgelesen, 'die man an Töchterschulen lesen kann'. 'Sogenannte kitzlige Themata' seien 'weder gesucht noch gemieden'. Der in Aussicht gestellte zweite Band wird — mit dem versprochenen sprachlichen und literarischen Kommentar — gewifs auch über die Grundsätze Auskunft geben, die bei der Wahl der einzelnen Ausgaben mafsgebend gewesen sind. Auch wird man gern vernehmen, für wen eine solche Sammlung, die vielfach ganz leicht zugängliche Drucke wiedergibt, eigentlich bestimmt ist.]

Evers, Helene M., Critical edition of the Discours de la vie de Pierre de Ronsard par Claude Binet. (Bryn Mawr College Monographs vol. II.) Philadelphia, The John C. Winston Co., 1905. IV, 190 S. One dollar.

Société des Textes français modernes. Paris, Société nouvelle de librairie et d'édition E. Cornély et Cie:

Jacques Amyot, Les Vies des hommes illustres grecs et romains. Périclès et Fabius Maximus. Edition critique, publiée par Louis Clément. a—i, XXVII, 115 S. 1906. — Jules Marsan, La Sylvie du Sieur Mairet. Tragi-comédie-pastorale. LXII, 244 S. 1905. [Die beiden Bände eröffnen aufs glücklichste die Publikationen der neuen Gesellschaft von der hier CXV, 189 die Rede war und deren Mitgliederzahl sich seither verdoppelt hat. Der erste Band gehört der Iere série (couverture grise) an, die kritische Ausgaben ohne Kommentar bringt; der zweite Band der IIme série (couverture rose) mit umfangreicher Einleitung und ausführlichem Kommentar. L. Clément hat die Absicht, mit der Zeit den ganzen Plutarch Amyots herauszugeben. Dafs aus den Vies zunächst Perikles und Fabius Maximus herausgegriffen sind, hat seinen Grund im programme de l'agrégation de grammaire. Amyots Brief an Heinrich II. und die Vorrede an die Leser sind mit Recht beigegeben. Mit guten Gründen wird die Ausgabe Vascosan-1567 (die dritte und letzte) für die Wiedergabe gewählt; die spärlichen Abweichungen der früheren Drucke sind beigefügt. Der Druck ist hübsch und bequem, er ist leicht modernisiert (j und i; v und u geschieden etc.); die Übersichtlichkeit ist durch Alinea, die das Original nicht kennt, erleichtert. Man freut sich, den ehrwürdigen Text in dieser Form zur Hand zu haben. — J. Marsan liefert eine inhaltreiche introduction, wie übrigens von dem Verfasser der Pastorale dramatique en France, 1905, nicht anders zu erwarten, zu einer sehr sorgfältigen kritischen Ausgabe der Sylvie (nach dem definitiven Text von Targa, 1630). Er macht es wahrscheinlich, dafs die berühmte Stichomythie zwischen Philène und Silvie ursprünglich als selbständiges Stück von Mairet verfafst und gedruckt, und dafs die Sylvie erst als Schale dieser Ekloge geschrieben (1626) wurde. Er weist nach, wie ausgiebig Mairet für die ganze Anlage und Führung seines Schauspiels Racans Bergeries benutzt hat, wie ihm die Verse seines verstorbenen Freundes Théophile in den Ohren klingen, wie er sich Hardys erinnert, wie aber auch die Romane Astrée, Amadis, Argenis und Sidneys Arcadia nicht vergessen hat. Er zeigt neben den traditionellen Zügen und den morceaux rapportés die poetische Eigenart des Stückes, das zum erstenmal die Romantik der Tragikomödie mit der Schäferwelt organisch vereinigt (tragicomédie pastorale). Die Grundlagen dieses Urteils liefern in ausgiebigster und gründlichster Weise die 70 Seiten des Commentaire historique, der in einem reichen Inventar des poetischen Stils jener Zeit die Belege für die Quellen und die Nachahmungen der Sylvie vereinigt. Eine Abbildung der Bühnendekoration der Sylvie nach dem Ms. Mahélot der Nat. Bibl. ist beigegeben.]

Die Fruchtschale. München, R. Piper & Co.:

N° 4. Amiels Tagebücher. Deutsch von Dr. Rosa Schapire. Mit zwei Porträts. o. D. VIII, 362 S. geh. M. 3.

N° 9. Nicolas Chamfort, Aphorismen und Anekdoten. Mit Porträt und einem Essay von H. Efswein. XLVI, 227 S. geh. M. 3. [Die Sammlung ist sehr schön ausgestattet, die Auswahl aus Amiels Journal intime und aus Chamforts Caractères et anecdotes, Maximes et pensées etc. ist geschmackvoll getroffen und die Übertragung gefällig. Der Essay über Chamfort ist stilistisch und inhaltlich gekünstelt; seine französischen Zitate sind durch böse Druckfehler entstellt, zu denen der anspruchsvolle Kennerton des Ganzen wenig pafst.]

Taine, H., Sa vie et sa correspondance. Tome III. L'Historien (1870—75). 2ème édition. Paris, Hachette, 1905. 364 S. [Vgl. *Archiv* CXIII, 492. Dieser dritte Teil führt bis zu der Zeit, da Taine den ersten Band seiner *Origines*, das *Ancien régime*, hatte erscheinen lassen (Dezember 1875). Er umfaſst die Zeit des groſsen Krieges und der Kommune, seine Reise nach England, die Jahre historischer Forschung in Châtenay und in Menthon-St-Bernard. Die Lektüre der etwa 150 Briefe — nur wenige sind an ausländische Korrespondenten, wie G. Brandes, Max Müller oder Genfer Professoren, gerichtet — ist vom höchsten Interesse, ebenso wie die Notizen (p. 296—357), die sich Taine während der Vorbereitungen seines groſsen Werkes gemacht hat. In den herben Urteilen über deutsche Literatur und Forschung wirkt die durch 1870 geschaffene Abneigung deutlich nach. Ein vierter Band wird den Schluſs bringen.]

Sammlung franzöſ. und englischer Schulausgaben. Prosateurs français, N° 157; 159—61; 163—65; Théâtre français, N° 71. Jedes Bändchen geb., mit einem Heft deutscher Anmerkungen. Bielefeld u. Leipzig, Velhagen & Klasing, 1905 u. 1906:

I. Prosateurs:
157. Pages choisies par [sic!] Alfred de Musset. In Auszügen mit Anmerkungen für den Schulgebrauch hg. von E. B. Russell. VI, 105 S. M. 1.
159. Morceaux choisis des œuvres de J.-J. Rousseau. Für den Schulgebrauch ausgewählt und mit Anm. versehen von Dr. K. Rudolph. XIV, 128 S. M. 1,20.
160. Histoire de France p. A. Monod. [Der junge französische Historiker hat hier die Geschichte seines Landes auf 175 Seiten in geschickter Übersicht für deutsche Schüler dargestellt und noch 40 Seiten 'Lectures' aus berühmten Historikern hinzugefügt. Der Band ist mit zwei Karten von Frankreich versehen, doch ohne Anmerkungen.] VI, 224 S. M. 1,40.
161. Campagne de 1806—1807 par P. Lanfrey. Auszug aus Hist. de Napoléon Ier. Mit Anmerkungen und zum Schulgebrauch hg. und erklärt von K. Beckmann. Mit 6 Übersichtskärtchen. XI, 122 S. M. 1,30.
163. La petite Fadette par G. Sand. Mit Anm. zum Schulgebrauch hg. von M. Rosenthal. XI, 118 S. M. 1,20.
164. Contes du soir par A. Chatelain. Zum Schulgebrauch ausgewählt und erklärt von Prof. Dr. K. Sachs. IV, 116 S. M. 1.
165. Histoire de la révolution française depuis 1789 jusqu'à la mort de Robespierre par Th. H. Barrau. Für den Schulgebrauch ausgewählt und erklärt von Fr. Petzold. Mit einer Karte von Frankreich, einem Plan von Paris und einem Personenverzeichnis. 163 S. M. 1,30.
II. Théâtre:
71. La Samaritaine par E. Rostand. Mit Anm. zum Schulgebrauch hg. von Thérèse Kempf. XXVI, 82 S. M. 1.

Velhagen u. Klasings Sammlung franz. u. engl. Schulausgaben. Reformausgaben mit fremdsprachl. Anmerkungen. N° 11, 13 u. 14. Bielefeld und Leipzig 1905 u. 1906.
11. Choix de nouvelles modernes. Contes d'écrivains français contemporains. Édition à l'usage des écoles annotée par J. Wychgram. Ed. française p. R. Riegel. Tome I. A. Daudet, H. de Bornier, A. Theuriet, Maupassant, P. Arène. VI, 73 S. M. 0,80.
13. Onze récits tirés des Lettres de mon moulin et des Contes du lundi p. A. Daudet. Extraits accompagnés d'une introduction et de notes en français, publiés à l'usage des classes p. J. Wychgram. Traduction et révision p. G. Dausac. VII, 77 S. M. 0,90.

14. L'Avare, comédie en 5 actes p. Molière. Édition à l'usage des écoles p. W. Scheffler et J. Combes. Biographie et notice p. R. Riegel. Avec 3 illustrations. XVIII, 99 S. M. 0,90.

Mart. Hartmanns Schulausgaben französischer Schriftsteller. N⁰ 12: La Fontaine, Ausgewählte Fabeln, mit Einleitung und Anmerkungen hg. von M. F. Mann. Zweite verb. Auflage. Leipzig, Dr. P. Stolte, 1905. XXIII, 52 S. Anmerkungen 77 S. Geb. M. 1.

Le Bourgeois, F., Manuel des chemins de fer. Karlsruhe, J. Bielefeld, 1906. XI, 162 S. Geb. M. 2,80. [Der Verfasser, Lektor an der Kölner Handelshochschule, stellt hier in übersichtlicher Weise, auch mit Hilfe von Planskizzen, das deutsche (preußische) Eisenbahnwesen dar, um den deutschen Eisenbahnbeamten und Kaufmann in die französische Terminologie einzuführen. Vom Verkehrswesen Frankreichs, Belgiens und der Schweiz ist in einem Anhang die Rede.]

Kühn, K., und Charléty, S., La France littéraire. Extraits et histoire. Zum Schulgebrauch hg., mit einem Plan von Paris, einer Karte der Umgebung von Paris und einer Karte von Frankreich. Bielefeld und Leipzig, Velhagen & Klasing, 1906. VIII, 376 S. Geb.

Französische und englische Schulbibliothek, hg. von Otto E. A. Dickmann. Reihe A: Prosa. Französisch. Nr. 150 und 151. Leipzig, Rengersche Buchhdlg., 1906:

150. Pêcheur d'Islande von P. Loti. Für den Schulgebrauch erklärt von Otto E. A. Dickmann. VIII, 103, 9 (Anm.) S.

151. La Guerre 1870—71 von Chuquet. Im Auszug. Für den Schulgebrauch erklärt von K. Quossek. Mit 5 Kartenskizzen im Text und 5 Karten im Anhang. VIII, 114 S.

Jullian, C., Verkingetorix. Von der Académie gekrönt (Grand prix Gobert). 2. Auflage. Übersetzt von Dr. H. Sieglerschmidt, Prof. im Kadettenkorps. Mit 11 Karten und 5 Illustrationen. Glogau, C. Flemming [1906]. XII, 329 S. Geb. M. 3. [Eine gute Übersetzung des ganzen Werkes, von dessen Urschrift der nämliche Bearbeiter vor zwei Jahren eine verkürzte Schulausgabe geliefert hat, worüber *Archiv* CXIII, 461 referiert ist. Die Ausstattung ist vortrefflich.]

Violets Sprachlehrnovellen: La lutte pour la vie. Nouvelle, systématiquement rédigée pour servir à l'étude de la langue pratique, des mœurs et des institutions françaises à l'usage des écoles et de l'enseignement privé p. L. Lagarde. Avec un appendice: notes explicatives. Stuttgart, W. Violet, 1906. VIII, 144 S.

Bibliothèque française à l'usage des classes. Leipsic et Berlin, B. G. Teubner, 1906:

Le verre d'eau ou les effets et les causes par E. Scribe. Ed. accompagnée d'un commentaire et d'un questionnaire-répétiteur p. J. Delâge. X, 140 S. (Einleitung, Text, Wörterbuch), 82 S. (Notes et répétiteur). Geb. M. 2.

Französische Übungsbibliothek Nr. 19: Paul Heyse, Im Bunde der Dritte, Charakterbild in einem Akte (1883). Zum Übersetzen aus dem Deutschen ins Französische bearbeitet von A. Brunnemann. Dresden, Ehlermann, 1906. VII, 61 S. Geb. M. 0,80.

Hagen, Dr. P., Wolfram und Kiot. S.-A. aus der *Zs. f. deutsche Philologie* Band 38, Heft 1 und 2. Halle a. S., Buchhdlg. des Waisenhauses, 1906. 78 S.

Farinelli, A., Voltaire et Dante. S.-A. aus den *'Studien zur vergl. Literaturgeschichte*. Berlin, Duncker, 1906. 116 S. [In eingehenden, von einem reichen — ja nur zu reichen — Apparat von Anmerkungen begleiteten Ausführungen stellt F. in diesem neuen Ausschnitt aus seinem 'Dante in Frankreich' dar, wie Voltaires ablehnendes Urteil über Dante das Urteil seiner ganzen Zeit ist, der Zeit der klassizistischen *bienséance*.

Wenn über Voltaires Wort ein besonderer Kampf entbrannte, so lag das nicht daran, dafs er zuerst oder gar allein Dante verwarf, sondern daran, dafs es Voltaire war, dessen scharfe Stimme besonders weit trug. Das wufste man schon früher. Farinelli setzt es durch seine in die Tiefe und in die Weite gehenden Forschungen in neues Licht; er deckt neue Zusammenhänge auf, zeigt neue überraschende Perspektiven und gestaltet das Ganze zu einem fesselnden Kulturbilde.]

Morel, L., 'Hermann et Dorothée' en France. Extrait de la *Revue d'hist. littéraire de la France*, d'octobre — décembre 1905. Paris, A. Colin, 1906. 36 S.

Schoop, H., Eine Studentenkomödie Friedrichs des Grofsen. Genève, Impr. du Journal de Genève, 1906. 25 S. [Behandelt die Posse *L'école du monde*, in welcher der König die Unterrichtsmethode der Universitäten verspottet.]

Grein, H., Die 'Idylles Prussiennes' von Th. de Banville. Ein Beitrag zur Geschichte der Kriegspoesie von 1870/71. Beilage zum *Jahresber. des Realgymn. zu Neunkirchen*, Ostern 1906. 50 S. [Eine hübsche Charakteristik der fünf Dutzend 'Idyllen', die als Gelegenheitsdichtungen 1870/71 im belagerten Paris entstanden sind.]

Massis, H., Comment Emile Zola composait ses romans. D'après ses notes personnelles et inédites. Paris, Charpentier, 1906. XII, 346 S. [Diesem höchst interessanten Buche dienen als Grundlage die Handschriften Zolas, welche die Witwe der Nationalbibliothek geschenkt hat (91 Quartbände). An den Manuskripten und Korrekturbogen der Romane und dem Konvolut 'Notes et extraits divers' läfst sich Zolas Arbeitsweise von den ersten Plänen und Entwürfen bis zur Vollendung eines Werkes studieren: der Mann, der so rastlos und unermüdlich *documents humains* zusammentrug, um in die Geheimnisse des Menschenlebens einzudringen und die 'Naturgeschichte' einer Familie zu schreiben — dieser Mann hat selbst aus seinem Leben kein Geheimnis gemacht und die *documents humains*. die ihn selbst betreffen, den anderen geliefert. Man weifs, wie er sein Ich dem Arzte Toudouze zu experimentellen Untersuchungen rückhaltlos überlassen hat (1896) mit der ganzen unerschütterlichen Ehrlichkeit und jener Furchtlosigkeit seines Wesens, die nicht einmal die Lächerlichkeit scheut. In den hinterlassenen Papieren der Nationalbibliothek breitet er seine Arbeitsweise aus, völlig unbekümmert darum, ob der Vorwurf des Plagiats, der ja früh gegen ihn erhoben wurde, dadurch weitere Nahrung finde oder nicht. Zola ist auch hier nur auf Wahrheit erpicht. Diese unbesiegbare Wahrheitsliebe ist der eindrucksvollste Zug an der imponierenden Gestalt dieses Mannes. So stellte er der Nachwelt selbst das Material zur Verfügung, um die 'Naturgeschichte' des Künstlers Zola zu schreiben, und er, der immer wieder erklärte, dafs *faire de la vie* sein Künstlerberuf sei (*ma fonction c'est de faire de la vie*), er setzt selbst den Arzt und den Historiker in Stand *de faire sa vie.* — Das Buch Massis' ist also nach Inediten gearbeitet, druckt vieles daraus ab, auch kleine Zeichnungen, Skizzen von Quartieren, Gebäuden, und teilt so sehr viel neues Detail mit, ohne indessen den Anspruch zu erheben, uns einen neuen, bisher unbekannten Zola zu zeigen. Das Neue und überaus Fesselnde des Buches liegt darin, dafs es den Mikrokosmus des Schaffens Zolas aufweist, dafs wir ihn an hundert charakteristischen Punkten an jener Arbeit sehen, deren grofse Züge uns ja längst vertraut sind. Massis stellt in einem ersten Teile das Werden des ganzen Rougon-Macquart-Planes dar und behandelt dann speziell die Entwickelungsgeschichte des *Assommoir.* Er bestätigt dabei ausdrücklich, wie sehr der Naturalist Zola, sobald er vom Sammeln der Dokumente zur eigentlichen Gestaltung über geht, Romantiker wird — er, der die Romantiker so sehr verabscheute.]

Mojsisovics, Dr. E. von, Metrik und Sprache Rutebeufs. Heidelberg, Winter, 1906. 71 S.

Roche, Ch. de, Les noms de lieu de la vallée Moutier-Grandval (Jura bernois). Etude toponomastique (Zürcher Inauguraldissertation). Halle 1906. 47 S. [Auch erschienen als Beiheft IV zur *Zeitschrift für romanische Philologie*. Eine tüchtige Arbeit über die Orts- und Flurnamengebung (600 verschiedene Namen) der jurassischen Heimat des Verfassers.]

Cornu, J., Phonétique française: Chute de la voyelle finale. S.-A. aus den *Mélanges Chabaneau*. Erlangen, Junge [1906].

Schläger, Dr. G., Sprechübungen im neusprachlichen Unterricht. Programm der Realschule Oberstein-Idar. 1906. 13 S.

Ricken, Dr. W., Französisches Gymnasialbuch für den Unterricht bis zum Abschluß der Untersekunda. Auf Grund der preußischen Lehrpläne von 1901 für gymnasiale Anstalten mit deutscher Unterrichtssprache. 2. verb. Auflage. Berlin, Chemnitz, Leipzig, Gronau, 1905. IV, 263 S. (vgl. *Archiv* CXIV, 465).

Alge, S., und Rippmann, W., Leçons de français basés sur les tableaux de Hölzel. Première partie. Neuvième édition entièrement refondue avec quatre tableaux. St-Gall, Fehr; Leipzig, Brandstetter, 1903. 197 S. Geb. M. 1,80.

Alge, S., Leçons de français. Deuxième partie. Neuvième édition entièrement refondue. St-Gall, Fehr; Leipzig, Brandstetter, 1903. 217 S. Geb. M. 1,80.

Alge, S., Lezioni d'italiano. Leitfaden für den ersten Unterricht im Italienischen. Unter Benutzung von Hölzels Wandbildern für den Anschauungs- u. Sprachunterricht. Mit 4 Bildern. 3. Aufl. St. Gallen, Fehr; Leipzig, Brandstetter, 1904. VIII, 139 S. M. 2. [Über die zweite Auflage des französischen Leitfadens ist hier LXXXVII, 332 und über die erste des italienischen C, 467 empfehlend gesprochen worden. Seither haben Alges Lehrmittel weite Verbreitung gefunden, und er selbst hat sich in W. Rippmann und S. Hamburger eifrige und selbständige Mitarbeiter beigesellt. Alges Unterrichtswerk ist ohne Zweifel von allen Lehrbüchern der induktiven Methode das am konsequentesten durchgebildete. In langer Unterrichtserfahrung sind die einzelnen Teile (Aussprache, Lautschrift und Übergang zur historischen Rechtschreibung, Wortschatz, zusammenhängendes Sprechen, Grammatik) ineinander gearbeitet und zusammengeschweißt worden, so daß ein Lehrbuch von scharf geprägter Einheitlichkeit, ein Werk aus einem Gusse, entstanden ist. Es gibt insbesondere keinen Leitfaden, der die Gewinnung des Wortschatzes unter solcher Kontrolle hält und so systematisiert, wie es die *Leçons* Alges tun. Seine Unterrichtserfahrung hat Alge auch theoretisch in einer Reihe von Schriften zur Methodik des Sprachunterrichts niedergelegt, die reiche Anregung bieten und die z. B. den Übergang zur Orthographie so lehrreich behandeln, wie ich das sonst nirgends gefunden. Es ist deshalb sehr willkommen, daß er den Inhalt dieser zerstreuten Broschüren in neuer Form zusammengefaßt hat in

Alge, S., Méthode d'enseignement du français et commentaires aux 'Leçons de français', Ière partie. M. 1,20. — Commentaire aux 'Leçons de français', IIe partie. M. 0,80, die im nämlichen Verlage erschienen sind.]

Plattner, Ph., Ausführliche Grammatik der französischen Sprache. Eine Darstellung des modernen französischen Sprachgebrauchs mit Berücksichtigung der Volkssprache. II. Teil: Ergänzungen. Drittes Heft: Das Verbum in syntaktischer Hinsicht. Karlsruhe, J. Bielefeld, 1906. 155 S. M. 2,60.

Bathe, J., Die moralischen Ensenhamens im Altprovenzalischen. Ein Beitrag zur Erziehungs- und Sittengeschichte Südfrankreichs. Beilage zum Jahresber. über das Gymnasium zu Warburg, Ostern 1906. 29 S. [Vgl. die Arbeit des nämlichen Verfassers hier CXIII, 394. In diesem Programm charakterisiert und analysiert er trefflich die neun *ensenhamens*, die er hier S. 398 aufzählte.]

Wendel, H., Die Entwickelung der Nachtonvokale aus dem Lateinischen ins Altprovenzalische. (Tübinger Inauguraldissertation.) Halle, E. Karras, 1906. 122 S. [Die Arbeit erscheint gut disponiert und umsichtig ausgeführt.]

Appel, C., Zur Metrik der Sancta Fides. S.-A. aus den *Mélanges Chabaneau* S. 197—204. Erlangen, Junge [1906].

D'Ancona, A., La poesia popolare italiana. Studj. Seconda edizione accresciuta. Livorno, R. Giusti, 1906. VIII, 572 S. Lire 5. [Vor 28 Jahren sind diese schönen Studien zur lyrischen Volksdichtung Italiens zum erstenmal ausgegeben worden. Heute erscheinen sie zum zweitenmal, dem nämlichen Freunde und Mitforscher, C. Nigra, gewidmet. Das Buch ist von dem neuen Verleger im Text etwas freier, in den Anmerkungen enger, in den *Tavole* übersichtlicher gedruckt. Text und Anmerkungen haben vom Verfasser reiche und sorgfältige Vermehrung erfahren, doch ist inhaltlich das treffliche Werk dasselbe geblieben, so, wie es uns nun seit langen Jahren vertraut ist. Die Strambotti des Leon. Giustiniani sind aus dem zweiten Bande des *Giornale di filologia romanza* (1879) als Anhang hinzugekommen (S. 543—61)., worauf S. 159 Anm. 4 hätte verwiesen werden sollen. — Leider fehlt auch diesem Neudruck ein Sachindex, ja es fehlt wieder jedes Inhaltsverzeichnis, so dafs die Orientierung in den zwölf Kapiteln des Buches, die zudem keine Titelüberschriften tragen, in keiner Weise leichter gemacht ist. Die auf die Einleitung folgenden Kapitel behandeln: II. Die Reste der Volkspoesie des Dugento; III. Die florentinische Schule des Dugento; IV. Die politische Poesie von 1300—1350; V. Die lyrisch-epische Poesie der Ballata[1] etc.; VI. Rispetti, Strambotti des Quattrocento; VII. Die Gemeinsamkeit der ital. Volkspoesie; VIII. Ihre Verschiedenheit; IX. Ihr Ursprung (Sizilien); X. Die drei Typen (siz., tosk., oberital.); XI. Berührung von Volkspoesie und Kunstpoesie; XII. Kunstpoetische Quellen der volkstümlichen Dichtung.]

Torres, G., Pensieri di Goethe e Lichtenberg, scelti e tradotti. Verona—Padova, Fratelli Drucker, 1906. XI, 119 S. Lire 2,50.

Del Vecchio, A., Commemorazione di Augusto Franchetti con la bibliografia de' suoi scritti. Firenze, tipogr. Galileiana, 1906. 115 S. 4. [Diese mit dem Bilde Franchettis geschmückte *Commemorazione* ist die Rede, mit der Del Vecchio das Wintersemester des *R. Istituto di Scienze Sociali* zu Florenz eröffnete, und mit der er dem letztes Jahr allzufrüh geschiedenen Freund und Kollegen ein schönes Denkmal setzt. Franchetti gehörte zu den italienischen Gelehrten, die Forscher und Künstler zugleich sind, und auf deren unermüdliche und fruchtbare Arbeit man mit Bewunderung blickt.]

Teubners kleine Sprachbücher. III. Italienisch. 1. Teil: Lezioni italiane, prima parte. Kurze praktische Anleitung zum raschen und sicheren Erlernen der italienischen Sprache für den mündlichen und schriftlichen freien Gebrauch von A. Scanferlato. Dritte verb. Auflage. Mit einer Karte von Italien. Leipzig, Teubner, 1906. VI, 254 S. Geb. M. 2,40.

---

[1] Hier fehlt zum Reigenlied der *Bele Aaliz* (p. 99) der Verweis auf Gaston Paris' Arbeit (*Mélanges Wahlund*, 1896, 1—12).

Methode Toussaint-Langenscheidt. Brieflicher Sprach- und Sprechunterricht für das Selbststudium der italienischen Sprache von Dr. H. Sabersky, unter Mitwirkung von Prof. G. Sacerdote. Berlin, Langenscheidt. Brief 36 (letzter); Beilage III—VII; Sachregister zu M. 1. Hecker, O., Il piccolo Italiano, manualetto di lingua parlata ad uso degli studiosi forestieri compilato sugli argomenti principali della conversazione d'ogni giorno e corredato dei segni per la retta pronunzia. Seconda ediz. notevolmente accresciuta ed in gran parte rifusa. Karlsruhe, J. Bielefeld, 1906. XII, 240 S. Geb. M. 2,50; dazu: Modo di servirsi del *Piccolo Italiano*, 11 S., M. 0,20. [Das treffliche, bis in alle Einzelheiten genau gearbeitete Hilfsmittel der wirklichen toskanischen *Lingua parlata* hat in dieser Neuauflage eine völlige Durch- und Umarbeitung erfahren.]

Bulletin hispanique VIII (1906), 1 [H. de La Ville de Mirmont, Cicéron et les Espagnols (suite et fin). — A. Morel-Fatio, D. Bernardino de Mendoza, I. La vie. — C. Pérez Pastor, Nuevos datos acerca del histrionismo español en los siglos XVI y XVII (segunda serie). — F. Strowski, Un contemporain de Montaigne: Sanchez le Sceptique. — G. Cirot, Documents sur le faussaire Higuera. — Bibliographie. — Chronique]. VIII, 2 [A. Mesquita de Figueiredo, Ruines d'antiques établissements à salaisons sur le litteral sud du Portugal, avec gravures. — J. Saroïhandy, Un saint bordelais en Aragon. — A. Morel-Fatio, D. Bern. de Mendoza, II. Les œuvres. — C. Pérez Pastor, Nuevos datos acerca del histrionismo español en los siglos XVI y XVII (suite). — A. Paz y Melia, Cartapacio de diferentes versos á diversos asuntos, compuestos ó recogidos por Mateo Rosas de Oquendo. — H. Mérimée, Un romance de Carlos Boyl. — G. Cirot, Recherches sur les Juifs espagnols et portugais à Bordeaux, I. Les vestiges de l'espagnol et du portugais dans le parler actuel des Juifs bordelais. — Variétés: S. Cirot, Des noms et des prénoms. — C. Pitollet, 'Toujours perdrix'. — Questions d'enseignement. — Bibliographie. — Chronique].

Morel-Fatio, A., Etudes sur l'Espagne. Deuxième série. Deuxième édition revue et corrigée. Paris, Champion, 1906. XVI, 429 S. Frs. 6. [Die drei Bände der 'Spanischen Studien' Morel Fatios sind hier CXIV, 257 erwähnt worden. Nun ist auch das zweite Stück der Serie in neuer Auflage erschienen, betitelt: *Grands d'Espagne et petits princes allemands au XVIII⁴ siècle d'après la correspondance inédite du comte de Fernan Nuñez avec le prince Emmanuel de Salm-Salm et la duchesse de Béjar*, ein lebensvolles Kulturbild aus der spanischen Gesellschaft der zweiten Hälfte des 18. Jahrhunderts mit vielen Ausblicken auf die Zustände der anderen Länder, besonders auf die französischen und deutschen. Familiengeschichte, Literatur, Diplomatie, Kriegswesen, Hofleben, Reisen — überall finden wir Interessantes und Charakteristisches. Man begegnet Voltaire und Dalembert, hört vom Marquis de Mora und vernimmt einen bewundernden Bericht über Friedrichs II. Kavalleriemanöver im Vergleich zur spanischen Reiterei. Das lange Namenregister zeigt, durch welche Galerie berühmter und vergessener Zeitgenossen der Verf. an der Hand der gräflichen Korrespondenz und mit seiner eigenen bewundernswerten Detailkenntnis uns führt. Es ist das Spanien der Zeit Karls III., die Zeit des Kampfes zwischen den Ideen der französischen Aufklärung und der altspanischen Tradition. — Die neue Auflage verrät auf jeder Seite die sorgfältig nachbessernde Hand des Verfassers. Das Buch ist mit den Hinweisen auf die neuesten Arbeiten versehen, und da inzwischen F. Nuñez' Bericht über die Expedition nach Algier von 1775 veröffentlicht worden ist, so ist das siebente Stück des inhaltsreichen Anhanges jetzt weggelassen. — Man kennt das Spanien der Bourbonen immer noch verhältnismäfsig wenig — um so willkommener ist ein solcher Querschnitt durch sein Leben, wie

ihn dieses treffliche Buch bietet, das auch deutschen Lesern sehr empfohlen sei.]
    Violets Echos der neueren Sprachen: Eco de Madrid. Conversación
española moderna (Paliques). Unterhaltungen über alle Gebiete des modernen Verkehrs in spanischer Sprache (spanische Plaudereien) von P. de
Mugica y Ortiz de Zárate. Achte, völlig neu geschriebene Auflage.
Stuttgart, W. Violet, 1906. VIII, 175 S. mit spanisch-deutschem Wörterbuch, 42 S. Geb. M. 3,50. ————————

    Puşcariu, Dr. S., Etymologisches Wörterbuch der rumänischen
Sprache. I. Lateinisches Element mit Berücksichtigung aller romanischen
Sprachen (Sammlung roman. Elementarbücher, hg. von W. Meyer-Lübke,
III. Reihe: Wörterbücher I). Heidelberg, Winter, 1905. XV, 235 S.
Geh. M. 6. [Dieses etymologische Wörterbuch des lateinischen Ele-
mentes des Rumänischen illustriert, im Vergleich mit Cihacs *Dictionnaire*
(1870) — der für seine Zeit eine treffliche Leistung war —, die neue Richtung und den Fortschritt der sprachgeschichtlichen Forschung überhaupt
und der rumänischen Linguistik im besonderen. Während sich Cihac ausschliefslich an die Schriftsprache hielt und viele blofse Buchwörter auf-
nahm, legt P. die lebende Sprache zugrunde und berücksichtigt neben
dem Hochrumänischen auch Sonderformen der dakorumänischen Mundarten, sowie das Rumänische der westlichen und südlichen Diaspora:
Istrorumänisch, Makedorumänisch und Meglenitisch. Über seine Grundsätze spricht er sich in der Vorrede ebenso bestimmt wie bescheiden aus,
und diesen Grundsätzen — denen man gern zustimmen wird — gemäfs
ist das Buch sorgfältig und sachkundig gearbeitet. So ist ein vortreff-
licher Führer entstanden, und es ist nicht sein geringstes Verdienst, dafs
er durch gewissenhafte Anführung der als sicher bekannten romanischen
Entsprechungen auch zum erstenmal ein ungefähres Bild von der Verwandtschaft des Rumänischen mit den übrigen roman. Idiomen gibt.]

————————

    Boyer, P., et Spéranski, N., Manuel pour l'étude de la langue
russe. Textes accentués, commentaire grammatical, remarques diverses en
appendice, lexique. Paris, A. Colin, 1905. XIV, 386 S. Fr. 10.
    Langenscheidts Taschenwörterbuch der russischen und deutschen
Sprache, Methode Toussaint-Langenscheidt, von Karl Blattner. Berlin,
Langenscheidt, 1906. 972 S. Geb. M. 3,50.
    von Kawraysky, Russische Handelskorrespondenz für Anfänger
[de Beaux' Briefsteller für Kaufleute. Erste Stufe, B. 5]. Leipzig, Göschen,
1906. VII, 195 S. Geb. M. 1,30.
    Cram, Ralph Adams, Impressions of Japanese architecture and the
allied arts. London, Lane, 1906. 228 S.

Lightning Source UK Ltd.
Milton Keynes UK
UKHW020113090119
334943UK00005B/728/P